Cuisine
au fil des saisons

Mille et une recettes d'ici et d'ailleurs

Sélection du Reader's Digest (Canada) Ltée
215, avenue Redfern, Montréal, Qué. H3Z 2V9

Le présent ouvrage est l'adaptation de *Creative Cooking,*
publié par The Reader's Digest Association (Canada) Ltd., Montréal

Première édition

Les sources de la page 3 sont, par la présente,
incorporées à cette notice.

ISBN 0-88850-110-2

Imprimé au Canada — Printed in Canada
82 83 84 / 5 4 3 2 1

Cuisine au fil des saisons

Equipe de Sélection du Reader's Digest

Rédaction : Agnès Saint-Laurent
Supervision artistique : Jean-Marc Poirier
Mise en page : Diane Mitrofanow
Recherche rédactionnelle : Micheline Talbot-Robitaille
Préparation de copie : Joseph Marchetti
Correction d'épreuves : Claude N. Brabant
Coordination : Nicole Samson-Cholette et Susan Wong
Fabrication : Bruce Hoskins

Collaborateurs externes

Rédaction : Lise Parent
Traduction : Suzette Thiboutot-Belleau (pour les *Achats de qualité* et le *Calendrier gastronomique*) ; Claire Dupond (pour les *Préparations de base*)
Index : Gilbert Grand
Montage : Lyne Young

Composition : Centre de traitement typographique de Sélection du Reader's Digest
Photo lithographie : Herzig Somerville Limited
Impression : Pierre Des Marais Inc.
Reliure : Imprimerie Coopérative Harpell
Matériel de reliure : Columbia Finishing Mills Limited
Papier : Produits forestiers E.B. Eddy Ltée

Graphiste : Kathy Immerman

Illustrateurs : *(Dessins en couleurs)* Ann Brewster, Roy Coombs, Pauline Ellison, Hargrave Hands, Victor Kalin, Denys Ovenden, Harriet Pertchik, Charles Pickard, Josephine Ranken, Charles Raymond, John Rignall, Rodney Shackell, Faith Shannon, Norman Weaver, John Wilson. *(Dessins en noir et blanc)* David Baird, Brian Delf, Gary Hincks, Richard Jacobs, Rodney Shackell, Michael Vivo, Michael Woods, Sidney Woods.

Photo de la couverture : Lynn St. John
Photographes : Albert Gommi, Philip Dowell

REMERCIEMENTS

Les éditeurs remercient les personnes et les organismes suivants pour la contribution qu'ils ont apportée à la réalisation de cet ouvrage :

Consultants principaux à la rédaction

James A. Beard
José Wilson
Elizabeth Pomeroy

Conseillères en économie domestique

Helen Feingold
Joy Machell

Consultants

Ena Bruinsma
Margaret Coombes
Derek Cooper
Margaret Costa
Denis Curtis
Theodora FitzGibbon
Nina Froud
Jane Grigson
John W. Hearn
Nesta Hollis
Kenneth H. C. Lo
Zena Skinner
Katie Stewart
Marika Hanbury Tenison
Silvino S. Trompetto, M.B.E., maître chef des cuisines, Hôtel Savoy, Londres
Suzanne Wakelin
Kathie Webber
Harold Wilshaw

Organismes

Agriculture Canada (Division de la consultation en alimentation)
Albrizzi, Inc.
Art Asia, Inc.
Ruth M. Barnes
Michel Bourque Agriculture, pêcheries et alimentation ; Inspection des produits carnés
Christian P. Braun
J. & D. Brauner Butcher Blocks
Donna Bright
Terri Bruce
Patricia A. Buckley
Kathryn L. Bull
Conseil canadien du porc
Gene Cope
Dominion Stores Ltd.
Nancy Ebbert
Charles L. Edgerly
Virginia Edgerly
Francis B. Fink
Carolyn S. Fulmer
Geoffrey Gale
Gidney marchand de fruits de mer, Montréal
Richard Ginori
Donna Gisle
Bernard Godbout Institut national des viandes
Greek Island, Ltd.
Harrods Ltd., London
Elisabeth Helman
Joyce M. Herrick
Sandra J. Hubbell

Erling Hulgaard conseiller de pêche, Consulat royal du Danemark
Georg Jensen
Grace M. Kaufman
Jean Koza
Harriet A. Launier
Leron Linens
Susan Lindberg
Gwen B. Linton
Marguerite A. Mattis
Betsy McCloskey
Edward W. Myers
A. H. Nagelberg
Patricia Orr
Joanne R. O'Toole
Dorothy Trueb Peck
D. Porthault, Inc.
Larry G. Reed
Santé et Bien-être social Canada
Scandinavian Fishing Yearbook A/S
Jeanne A. Schmaltz
R. A. Seelig
Debora Seneca
Ruth L. Sexton
Louis Sherman
Natalie H. Smith
Martha M. Smolich
Alfred E. Tremblay
United Fresh Fruit and Vegetable Association
U.S. Livestock and Meat Board
U.S. Marine Fisheries Service
Helen M. Wacker
Janice White
Joyce D. Wright
Mary Zibelli
Mary Zinsmeister

Table des matières

Préparations de base 264-350

Guide illustré et détaillé des techniques culinaires et des tours de main indispensables, comprenant quelque 300 recettes de base : viandes, poissons, légumes et desserts.

Le vin à table 350-351

Service et conservation des vins ; leur utilisation dans les recettes de cuisine.

Index 352-360

Glossaire et tableau d'équivalences pratiques

On trouvera dans les deux dernières pages de cet ouvrage un glossaire culinaire ainsi qu'un tableau d'équivalences permettant de convertir les mesures de volume (tasses) en mesures de poids (grammes) d'un certain nombre d'ingrédients d'usage courant.

Achats

Fruits d'arbres fruitiers

PAGES 8-9

Baies

PAGES 10-11

Agrumes

PAGES 12-13

Autres fruits

PAGES 14-15

Gibier

PAGE 29

Bœuf

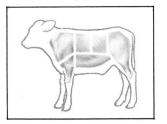

PAGES 30-32

Veau

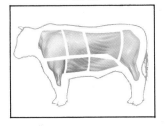

PAGES 32-33

Agneau

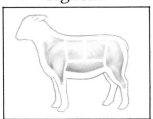

PAGES 34-35

de qualité

Légumes

Poissons d'eau douce
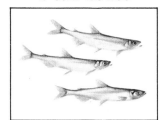

Poissons de mer
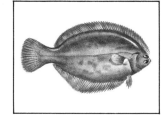

Mollusques et crustacés

Volaille

Porc
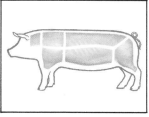

Abats
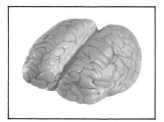

Fromages nord-américains

Fromages français

Autres fromages importés

Fruits d'arbres fruitiers

On distingue les fruits à pépins (pomme, poire) et les drupes ou fruits à noyau (cerise, nectarine, prune, pêche, noix). Les fruits ne se conservent pas longtemps à la température ambiante. Pommes et poires gardent leur fraîcheur pendant deux semaines environ dans un endroit frais et sec ou au réfrigérateur, mais les drupes, à l'exception des prunes et des noix, sont meilleures le jour même de l'achat. Il vaut mieux acheter peu de fruits à la fois. En saison, ils sont toujours meilleurs, plus nourrissants et moins chers qu'aux autres moments de l'année.

McINTOSH

WINESAP

GRANNY SMITH

JONATHAN

DÉLICIEUSE

GOLDEN DELICIOUS

GREENING

ROME BEAUTY

Abricot Ce petit fruit à noyau offre une chair jaune, juteuse et sucrée. Choisissez-le ferme, dodu, d'un beau jaune orange doré. Rejetez les fruits durs, mous, flétris, ridés ou meurtris. Saison : de mai à août. Pour les fruits cultivés au Canada, la saison est plus courte : de la mi-juillet à la mi-août.

Cerise La plupart des cerises douces vendues au pays viennent de l'Ouest des États-Unis et du Canada. Les cerises acidulées servent surtout à la cuisson ; elles ont la peau rouge pâle et la chair molle et se vendent habituellement surgelées ou en conserve.

Choisissez des cerises dodues, de teinte vive et luisante, dont la queue paraît fraîche. Rejetez les sujets ridés ou ternes dont la chair coule ou qui présentent des meurtrissures brunes. Parmi les cerises douces, on note les variétés suivantes : **Bing, Black Tartarian, Schmidt, Van, Hedelfingen, Napoléon, Lambert, Valera** et **Windsor**. Saison : juin et juillet. Les cerises acidulées sont les suivantes : **English Morello, Northstar, Meteor** et la populaire **Montmorency**. Saison : de la fin de juillet à la mi-août.

Châtaigne Ce fruit brun et luisant est enfermé dans une écorce charnue qui éclate à maturité. Rejetez les sujets desséchés ou ridés. Saison : de la mi-septembre à mars.

Coing Ce fruit jaune vif ou jaune-vert est rond ou en forme de poire.

A l'état cru, il est indigeste, mais il donne d'excellentes confitures et gelées. Choisissez des fruits fermes mais non durs, sans meurtrissures, ni trous, ni taches molles. Saison : d'octobre à décembre.

Nectarine Née d'un croisement entre la pêche et la prune, la nectarine est une drupe à peau mince et à chair douce et juteuse qui se mange nature. Comme la pêche, elle est excellente en salade, en glace et en tarte.

Le fruit doit être dodu et céder un peu sous le doigt le long du sillon. La plupart des nectarines sont jaune orange marbrées de rouge. Rejetez les sujets ternes, durs ou ridés. Saison : de la fin de juillet à septembre. Les nectarines que l'on trouve sur le marché en hiver sont importées du Chili.

Noisette Cette petite noix brungris pousse en groupes sous une écale foliacée. Mûre et fraîche, elle présente une écale lisse et ferme. Saison : toute l'année.

Les **avelines** sont une variété de noisettes à forme allongée. Ecalées, elles doivent être fermes et charnues. Rejetez les sujets ridés.

Noix L'écale doit avoir un faible lustre. Pour choisir des noix fraîches, secouez-les : vous ne devez rien entendre. Gardez les noix écalées dans un contenant couvert au réfrigérateur ou au congélateur ; elles se conserveront pendant des mois. On trouve parfois des noix vertes en septembre et octobre ;

elles peuvent se manger fraîches ou marinées. Saison : toute l'année.

Pêche On divise les pêches en fruits à chair adhérant au noyau et en fruits à noyau libre. Ces derniers ont une chair tendre et juteuse qui se détache facilement du noyau ; ils se mangent nature ou surgelés. Les autres ont une chair plus ferme qui adhère solidement au noyau. On les utilise pour les conserves.

La pêche de qualité est de teinte vive. Rejetez celles qui sont fendues, meurtries ou ramollies en certains endroits, ou celles qui sont dures et vertes : elles ne sont pas assez mûres et mûriront mal.

Parmi les pêches à chair jaune et à noyau adhérent, on trouve les **Dixired, Redhaven, Babygold 5, Garnet Beauty, Suncling** ; parmi

celles à chair jaune et à noyau libre, on a principalement les **Envoy, Elberta, Redskin, Loring, Rio Oso Gem** et **Harbelle**.

Saison : de la fin de juillet à la fin de septembre, mais particulièrement en juillet et août.

Poire La Bartlett est la variété la plus appréciée et la première poire de la saison. Elle se mange nature, pochée ou en conserve. La couleur de sa peau va du jaune pâle au jaune riche avec des miroitements rouges. Saison : d'août à avril. La variété **Clapp**, jaune-vert, arrive sur le marché en septembre.

Parmi les poires d'automne et d'hiver, on compte l'**Anjou**, jaunevert ; la **Bosc**, de forme allongée, jaune-vert ou jaune-brun ; la **Comice**, jaune-vert ou jaune à mar-

brures rouges ; la **Seckel**, brunjaune, et la **Keiffer**, jaune. Les variétés canadiennes sont : **Moonglow, Max-Red Bartlett, Aurora, Magness** et **Russet Bartlett**.

Les poires doivent être manipulées avec soin, car elles se meurtrissent facilement. Achetez-les de préférence avant qu'elles soient mûres et laissez-les attendre une journée ou deux à la température ambiante. Une poire est mûre quand elle cède légèrement sous le doigt près de la queue ou sur les côtés. Rejetez les fruits mal formés, ridés, meurtris ou noircis et ceux ayant la peau terne.

Pomme Il y en a deux sortes : les pommes à couteau et les pommes à cuire, les premières pouvant aussi servir à la cuisson. Choisissez un

NAPOLÉON

STANLEY

SANTA ROSA

GREENGAGE

ABRICOT

NOISETTES

LARODA

EL DORADO

PRUNE ITALIENNE

DAMAS

NECTARINE

RIO OSO GEM

NOIX

MONTMORENCY

REDHAVEN

AVELINE

BOSC

COMICE

BARTLETT

MARRON

fruit propre, ferme, de couleur vive et sans tavelures. La pomme se trouve sur nos marchés toute l'année, mais elle est meilleure de septembre à mars.

Parmi les pommes d'automne, on remarque surtout les deux variétés suivantes : **Lobo,** rouge sombre, chair blanche et juteuse, à couteau et à cuire. Saison : de septembre à novembre. **Gravenstein,** jaune-vert, chair acide et croquante, à couteau et à cuire. Saison : de septembre à novembre.

Parmi les pommes d'hiver, on trouve : **Jonathan,** rouge vif, chair assez fine, juteuse et aromatique. A croquer et à cuire, même au four. Saison : d'octobre à janvier. **Cortland,** rouge lustré ; chair délicate, très blanche. Excellente en salade et dans les cocktails à base de

fruits : sa chair ne brunit pas à l'air. Saison : d'octobre à février. **Délicieuse,** rouge vif, chair juteuse à grains fins. Excellente pomme à croquer ou en salade. Peu utilisée pour la cuisson. Saison : de novembre à février. **Golden Delicious,** pomme jaune vif ou jaune or ; excellente crue ou en salade, particulièrement recommandée pour la cuisson. Saison : de novembre à mars. **McIntosh,** fruit rouge vif à chair douce et très juteuse quand la pomme est mûre. Se prête bien à la cuisson au four ou autrement ; cuit plus rapidement que la plupart des autres pommes. Saison : d'octobre à avril ou mai. **Newton** (Yellow Newton, Albemarle Pippin), peau jaune vif ou jaune verdâtre ; chair aromatique, croquante, plutôt acide. Excellente pomme à couteau

et à cuire. Saison : de janvier à mai. **Northern Spy,** fruit d'un rouge rosé luisant ; chair très tendre et juteuse. Pomme à croquer ou à cuire. Saison : de décembre à mars. **Greening,** peau dont la teinte va du vert vif au jaune verdâtre ; chair riche et assez acide. Convient à la préparation de tartes ou de compotes ; cuit bien au four. Ne se consomme habituellement pas crue. Saison : de novembre à février. **Rome Beauty,** fruit rouge vif à chair ferme et juteuse. Excellente pour la cuisson au four ; bonne notamment en compote et en tarte. Ne se consomme habituellement pas crue. Saison : de décembre à mars, mais on peut en trouver jusqu'en juillet. **Golden Russet,** peau rugueuse d'un brun doré. Excellente pomme à cuire. **Winesap,**

pomme rouge vif et luisante ; chair très ferme, à gros grains et juteuse. Divers usages. Se conserve bien. Saison : de septembre à novembre. **Fameuse,** rouge vif et chair blanche. Excellente pomme à cuire, surtout au four ; bonne en compote. Saison : d'octobre à décembre.

Enfin, voici quelques pommes d'été : **Yellow Transparent,** fruit à peau jaune-vert. Excellente à croquer, mais se prête aussi à tous les usages. Saison : août. **Granny Smith,** peau vert vif, chair croquante à saveur acidulée. Pomme à couteau et à cuire. Les Granny Smith sont importées d'Australie. Saison : de mars à septembre.

Prune et pruneau La prune varie beaucoup en apparence d'une variété à l'autre : la Gage, par

exemple, est vert-jaune, tandis que la Damas est bleu sombre. Voici les variétés les plus populaires : **Santa Rosa, Laroda** et **El Dorado.** On trouve également au Canada les prunes **Greengage, Stanley, Damas, Reine-Claude, President** et **Grand Duke.** Saison : août et septembre.

Le pruneau est une prune séchée. On trouve peu de prunes à pruneaux sur le marché. Elles se ressemblent et leur teinte va du bleu-noir au pourpre. On connaît l'**Italienne,** la **Française** et l'**Impériale.** Saison : de juillet à octobre.

Toutes les prunes se mangent en salade, en tarte, en pouding, en conserve, en confiture et en gelée. Le fruit ne doit être ni ferme ni mou. Rejetez les sujets très durs ou ceux dont la peau est meurtrie.

Baies

Fraises, framboises, mûres et autres fruits à chair tendre doivent être consommés le jour même de l'achat. Ils sont vendus le plus souvent dans des contenants de plastique. Rejetez les emballages souillés, susceptibles de renfermer des fruits trop avancés, peut-être même moisis. De retour à la maison, renversez délicatement le contenant dans un plat et jetez les fruits meurtris ou gâtés. Posez les fruits dans un grand plateau et conservez-les à découvert dans le réfrigérateur. Au moment de l'emploi, enlevez les queues, mettez les fruits dans une passoire ou un plat troué, lavez-les à l'eau froide sous le robinet et laissez-les s'égoutter.

Bleuet Ce fruit, qui pousse à l'état sauvage, était déjà connu des Amérindiens ; il est maintenant cultivé commercialement. Il ressemble à une autre baie, la myrtille, sorte d'airelle qui n'est pas cultivée dans nos régions.

Le bleuet se consomme au naturel, au petit déjeuner par exemple, ou dans des crêpes, des gaufres, des biscuits ou des muffins. On en fait aussi des tartes, des timbales, des clafoutis, de la compote, de la confiture, de la gelée et du vin.

Le fruit est bleu sombre ; il est recouvert d'une pruine argentée cireuse. Choisissez des baies de taille uniforme, dépouillées de leur queue et de leurs feuilles. Rejetez les contenants souillés. Saison : de la mi-juillet à septembre.

Fraise C'est le plus apprécié des petits fruits. On le mange nature avec de la crème ou du lait et du sucre, mais aussi en gâteau, en tarte, en compote, en salade, en glace, en sorbet ou sous forme de confiture, de gelée ou de conserve.

Choisissez des fruits secs, propres, rouge vif, à queue bien verte. Les petites fraises ont souvent plus de saveur que les grosses. Rejetez les fruits trop mûrs ou encore verts et ceux qui ont de la moisissure grise. Evitez de prendre les contenants souillés dont les fruits sont probablement gâtés. Attention aux plaques de pépins : elles signalent un fruit de saveur et de texture médiocres.

Voici quelques bonnes variétés de fraises cultivées commercialement au Canada et aux Etats-Unis : Sequoia, Ozark Beauty, Tioga, Tufts, Fresno, Midway, Blakemore, Hood, Florida Ninety, Acadia, Vibrant, Surecrop, Headliner, Guardian et Raritan. Saison : de la mi-juin à la fin de juillet, mais on trouve des fraises sur le marché toute l'année.

Framboise On connaît la framboise sauvage et la framboise cultivée qui peut être rouge, noire, violette, jaune ou ambrée. Les framboises se vendent toujours équeutées. Rejetez les sujets écrasés ou piqués, mous ou moisis. Evitez de prendre des contenants souillés dont les fruits seront gâtés ou de piètre qualité. Les framboises étant extrêmement périssables, il faut les consommer sans attendre.

On sert d'ordinaire les framboises fraîches avec de la crème ; elles se mettent aussi en confiture ou en conserve et peuvent remplacer les fraises dans la plupart des recettes qui en contiennent. Saison : de la mi-juillet à la mi-août.

Groseille à grappes La groseille rouge, luisante et acidulée, se mange nature, en compote ou en salade ; on l'utilise également en confiture ou en gelée. Saison : de la mi-juillet à la fin d'août.

La groseille noire ou cassis présente une peau presque noire, plutôt coriace, et une chair légèrement

MÛRE DE LOGAN

FRAMBOISE

MÛRE

GROSEILLE À MAQUEREAU

SEQUOIA

OZARK BEAUTY

TIOGA

TUFTS

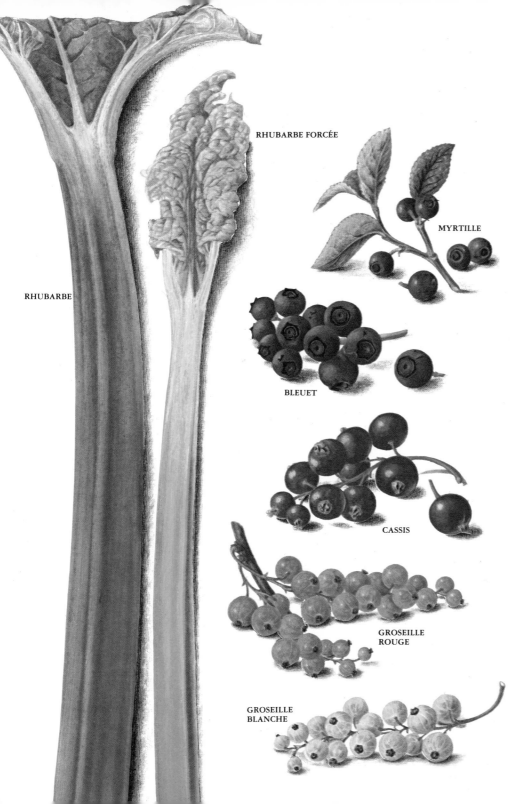

RHUBARBE FORCÉE

MYRTILLE

RHUBARBE

BLEUET

CASSIS

GROSEILLE
ROUGE

GROSEILLE
BLANCHE

acidulée. Donnez la préférence aux contenants remplis de gros fruits et comportant au maximum 15 pour cent de baies rouge sombre et 5 pour cent de baies vertes.

Le cassis, qui peut se manger en tarte, sert surtout à la confection de confiture, de gelée et de sirop. Il est cultivé au Canada. Saison : de juin à la fin d'août, mais en quantité limitée ; pointe de production en juillet.

La **groseille blanche,** cultivée au Canada, se mange nature, seule ou avec d'autres fruits. Saison : de juin à la fin d'août, mais en quantité limitée ; pointe de production en juillet.

Groseille à maquereau On la trouve dans les marchés locaux et chez les cultivateurs, quand il y en a. Elle peut être verte, rouge, jaune ou blanche, glabre ou duveteuse, et atteindre 2,5 cm de diamètre et 4 cm de longueur.

La groseille à maquereau se mange surtout cuite. On en fait des garnitures de tarte, de la confiture, de la gelée et des conserves ; elle entre également dans la confection d'une sauce pour accompagner le maquereau, d'où son nom. Rejetez les fruits ramollis, fendillés ou meurtris. Saison : juillet.

Mûre Cette grosse baie pourprenoir, qui pousse à l'état sauvage, est aussi cultivée commercialement. Les mûres se détériorent rapidement à cause de leur chair tendre ; il faut donc les consommer sans tarder. On les sert fraîches avec de la crème et du sucre, mais aussi en tarte et en clafoutis, en confiture et en gelée. On en tire même un vin délicieux. Evitez de prendre les contenants où dominent les sujets rouges, qui ne sont pas mûrs, ou les fruits avancés, qui ont perdu leur lustre. Rejetez les contenants souillés, indice de fruits passés ou gâtés. Saison : de juin à la fin d'août, mais en quantité limitée.

Mûre de Logan Dodue et juteuse, cette baie a l'allure de la mûre et la couleur de la framboise, mais sa saveur est plus acidulée. Très périssables, les mûres de Logan se vendent en boîtes et servent à confectionner tartes, confitures et conserves ; on peut les consommer mélangées à des céréales. Saison : de la fin de juillet au début d'août, mais en quantité limitée.

Myrtille Cette baie sauvage supporte mal le transport ; aussi ne la trouve-t-on que localement. Plus petite et plus acide que le bleuet, elle renferme 10 pépins durs. Le bleuet en contient au moins deux fois plus, mais ils sont si petits qu'on ne les remarque pas. Saison : de juin à la fin d'août.

Rhubarbe Bien que classée parmi les légumes en botanique, la rhubarbe s'utilise comme un fruit. Elle présente un feuillage vert et coriace au bout de longues tiges d'un rouge sombre qu'il faut peler si la plante est avancée. Forcée, ou cultivée en serre, ses pétioles sont tendres, roses et moins âcres ; ils n'ont pas besoin d'être pelés. Les feuilles, à forte teneur en acide oxalique, ne sont pas comestibles.

Très acide, la rhubarbe ne se mange pas crue. On la sert surtout en tarte, mais elle est excellente en tartelette, en clafoutis, en compote, en confiture et en gelée. Pochée ou cuite au four, elle accompagne bien le petit déjeuner.

Choisissez des tiges fermes, croquantes, rouge vif. La rhubarbe de serre est rose pâle et son feuillage atrophié est vert-jaune. C'est souvent à ses feuilles qu'on évalue la fraîcheur d'un pied de rhubarbe. Rejetez les côtes molles ou flétries. La vieille rhubarbe, qui est restée en terre trop longtemps, est filandreuse, coriace, et sa zone médullaire très grande. Saison : de la fin de janvier à la mi-juin, avec une pointe au début de juin.

Agrumes

Les agrumes se vendent en conserve (dans un sirop ou sans addition de sucre), surgelés mais surtout frais. On peut également acheter des jus purs d'agrumes, d'orange et de pamplemousse en particulier, en conserve ou surgelés avec ou sans addition de sucre, ainsi que dans des contenants réfrigérés.

Les agrumes présentent généralement une écorce de teinte franche, à l'arôme bien défini, enserrant étroitement le fruit. Certains marchés coupent un sujet en deux pour permettre au client d'apprécier la qualité de la pulpe, la quantité de jus qu'elle renferme et l'épaisseur de l'écorce. Les agrumes desséchés, ratatinés, meurtris ou ramollis par endroits sont à rejeter.

La conservation de ces fruits est aisée. On peut garder les pamplemousses et les citrons dans le bac à légumes du réfrigérateur pendant une à deux semaines ; les autres agrumes se conservent au frais pendant une semaine environ. Il faut cependant les utiliser avant que l'écorce ne se ride. Avant de les couper, roulez le fruit entre les paumes de vos mains ou sur une surface dure pour assurer une bonne distribution du jus à l'intérieur.

Comme chacun le sait, les agrumes sont des fruits riches en vitamine C, vitamine essentielle à l'homme à tous les stades de la vie. En consommant des agrumes entiers ou en jus, on fournit de façon agréable à l'organisme la ration de vitamine C dont il a besoin.

KUMQUAT

LIME

CLÉMENTINE

PAMPLEMOUSSE

CITRON

Citron Choisissez des citrons dodus, lourds pour leur taille, avec une écorce jaune franc, lisse et huileuse. Les sujets légers à écorce rugueuse, ceux qui ont les bouts arrondis plutôt que pointus renferment moins de jus. Saison : toute l'année, avec une pointe de mai à la fin d'août.

Clémentine Née d'un croisement entre l'orange et la tangerine, la clémentine présente une écorce rigide, grenue et rouge orangé, et une pulpe un peu acidulée. Choisissez des fruits lourds pour leur taille, à écorce très orangée. Saison : novembre et décembre.

Fruit « Ugli » Gros comme un pamplemousse, mais garni d'une écorce épaisse et bosselée, ce fruit est habituellement importé de la Jamaïque. Sa chair, plus sucrée que celle du pamplemousse, rappelle celle de l'orange et renferme peu de pépins. Saison : d'octobre à la fin de janvier.

Kumquat Ce petit fruit ovale semblable à une orange présente une écorce douce, orange vif, et une chair juteuse un peu amère. Le kumquat se mange au naturel avec sa peau ; lavez-le bien avant de le servir. Le kumquat vendu en sirop sert à faire des marmelades et des garnitures de viandes. Tranché mince, il est délicieux en salade de fruits. D'abord cultivé en Chine et au Japon, ce fruit pousse maintenant en Floride et en Californie. Choisissez des kumquats fermes, lourds pour leur taille, sans meurtrissures. Saison : de novembre à la fin de février.

Lime Semblable au citron dont elle a la taille et la forme, la lime a une écorce mince et verte et une chair vert-jaune à texture fine. La plupart des limes vendues ici appartiennent à des variétés persanes. Les limes **Key**, plus petites, plus rondes et plus jaunes que les autres variétés, ont une peau lisse, coriace et très mince.

Ne prenez pas les limes sèches et ternes (elles sont vieilles et manquent de saveur), meurtries ou moisies et molles par endroits. Saison : toute l'année, avec une pointe de juin à août.

Orange La **Navel** et la **Valencia** sont les meilleures variétés de Californie et d'Arizona. La navel sans pépins, qui se vend de novembre au début de mai, présente une écorce plus épaisse et un peu plus grenue que la valencia ; elle se pèle et se sépare plus facilement en quartiers. Cette qualité en fait essentiellement une orange de table, excellente en salade. La valencia, que l'on trouve sur nos marchés de la fin d'avril jusqu'en octobre, est une orange à jus que l'on peut servir tranchée en salade bien qu'elle ait quelques pépins.

Les oranges cultivées spécialement pour leur jus en Floride et au Texas sont la **Parson Brown**, la variété hâtive la plus répandue, et la **Hamlin**, que l'on trouve en octobre, novembre et décembre. Ces deux oranges présentent une écorce pâle et mince. Janvier et février sont les mois de la **Pineap-** ple, très juteuse et de grande qualité. La **Valencia**, que l'on trouve en avril, mai et juin, est renommée pour son jus et se sert bien en quartiers. La **Florida Temple**, récoltée du début de décembre à la fin de mars, est un fruit rouge orangé à écorce épaisse qui se pèle bien et se sépare facilement en quartiers. Elle est savoureuse.

La **tangerine** est une petite orange de teinte vive, presque rouge parfois, dont l'écorce se détache facilement. Sa chair se détaille en petits quartiers juteux à nombreux pépins.

ORANGE SANGUINE

ORANGE VALENCIA

ORANGE NAVEL

ORANGE JAFFA

TANGELO

ORANGE BIGARADE

MANDARINE

TANGERINE

FRUIT « UGLI »

Choisissez des tangerines lourdes pour leur taille, à écorce orange foncé ou rouge orangé. Ne prenez pas les sujets meurtris, mous, aqueux ou moisis par endroits. Saison : de la fin de novembre au début de mars, avec une pointe en novembre, décembre et janvier.

La **mandarine** est une petite orange ronde qui se pèle et se sépare facilement en quartiers. Sa chair orange foncé renferme de nombreux pépins. La mandarine se vend plus couramment en conserve qu'à l'état frais. Saison : novembre, décembre et janvier.

D'autres variétés d'oranges se retrouvent sur nos marchés en quantité limitée : de la mi-mars à la mi-mai, ce sont la **Sanguine,** qui doit son nom à sa chair rouge sang ou écarlate, et la **Jaffa,** de forme ovale à écorce épaisse. Il y a également la **Bigarade** ; trop acide pour se consommer au dessert, elle sert presque exclusivement à la confection de confitures et de marmelades. La bigarade est importée du Mexique et des Antilles en février et mars ; on la trouve dans des fruiteries spécialisées ou des boutiques d'aliments espagnols.

Ne prenez pas les oranges légères (elles ont peu de chair et peu de jus), ni les oranges à écorce très rugueuse (plus celle-ci est épaisse, moins le fruit sera charnu), ni les oranges ternes et sèches (elles sont vieilles). On ne peut pas vraiment apprécier la qualité d'une orange à sa couleur ; elle peut être mûre tout en présentant des taches vertes.

Pamplemousse Rond et comprimé aux extrémités, ce fruit présente une écorce jaune pâle, bronze ou roussâtre, et une chair juteuse allant du jaune pâle au rose et au rouge. Le pamplemousse se consomme nature au petit déjeuner et se sert en entrée ou en salade. On en fait également des confitures et des marmelades.

Choisissez des fruits fermes, lourds pour leur taille, à écorce mince et élastique au toucher. Evitez de prendre des sujets gonflés ou spongieux. Les pamplemousses pointus du côté du hile ou présentant une écorce gaufrée ou rugueuse ont vraisemblablement une peau épaisse et peu de chair.

Les variétés les plus estimées sont le **Duncan,** le **Marsh** (sans pépins), le **Foster,** le **Thompson** (un Marsh rose) et le **Ruby.** Saison : toute l'année pour les fruits en provenance de Californie et d'Arizona ; d'octobre à la fin de juin pour ceux qui viennent de Floride.

Tangelo Issu d'un croisement entre la tangerine et le pamplemousse, le tangelo présente un collet ou un renflement du côté du hile. Ce fruit juteux se consomme au naturel ou en salade. On peut en extraire le jus. Saison : d'octobre à la fin de janvier avec une pointe en novembre et décembre.

Autres fruits

Voici quelques fruits importés pour la plupart. Ils nous arrivent dans toute leur fraîcheur, mais leur prix est en général supérieur à celui des produits qui sont cultivés ici. Ce sont des fruits à servir frais au dessert. On trouvera différents apprêts et des modes de présentation aux pages 313-316.

Actinidia (kiwi) Fruit ovoïde, importé de Nouvelle-Zélande, à peau velue et brune, à chair tendre d'un vert admirable et à minuscules pépins comestibles. Evitez de prendre les sujets ridés. Saison : de juin à février.

Amande Noix petite, ovale et plate à coque brun clair, que l'on trouve fraîche ou mondée, blanchie ou non. Les amandes mondées se vendent entières, tranchées, effilées ou en moitiés. Saison : toute l'année.

Ananas Importé principalement de Porto Rico et d'Hawaii, l'ananas est un gros fruit ovoïde à écorce dure, couverte de protubérances. Contrairement à la croyance populaire, il ne devient pas plus sucré après la cueillette, mais peut perdre un peu de son acidité. Saison : toute l'année, avec une pointe de mars à juin.

Banane Fruit cueilli vert pour l'exportation et vendu à divers degrés de maturité. Il provient généralement d'Amérique du Sud et d'Amérique Centrale. Choisissez des sujets en « main » plutôt qu'isolés, fermes et dodus, d'un jaune doré marbré de brun. En mûrissant, la chair devient de plus en plus sucrée. Saison : toute l'année.

Cacahouète On en connaît surtout deux formes : la **Virginia** et l'**Espagnole**. La première présente une gousse plus longue, des graines plus grosses et une saveur plus prononcée que la seconde. Les cacahouètes se vendent en gousses ou écalées, nature ou grillées. Saison : toute l'année.

Canneberge (atoca) Airelle de taille variable et d'un rouge allant de moyen à presque noir ; sa saveur est agréable mais un peu acidulée. Elle entre principalement dans la confection de sauces et de confitures. Choisissez des baies fermes et dodues. Saison : de septembre à décembre.

Datte Fruit dodu, luisant et lisse, rouge-jaune à brun doré, à chair pulpeuse et sucrée quand il est frais. La datte sèche doit être dodue et luisante, de 2,5 à 5 cm de longueur. Rejetez les sujets ridés ou cristallisés. Saison : toute l'année.

Figue Fruit très périssable à chair tendre et à peau jaune-vert, pourpre ou noire. Saison : de juin à octobre. La figue sèche se vend toute l'année.

Grenade Ce fruit, dont la couleur va du rouge sombre au pourpre, a la taille d'une orange. Son écorce mince et coriace recouvre une pulpe rouge vif. La chair comme les pépins sont comestibles. Choisissez des fruits lourds, à peau fraîche et non meurtrie. Saison : de septembre à décembre, avec une pointe en octobre.

Grenadille C'est une baie semblable à la prune par sa taille et sa forme. Son épiderme coriace est pourpre et marqué de rides prononcées à maturité. Elle recouvre une chair jaune et aromatique qui renferme de petits pépins comestibles. Saison : l'automne.

Kaki Ce fruit rouge orangé foncé renferme une chair orange très sucrée qui peut être astringente

MELON D'EAU

HONEYDEW

CRENSHAW

CANTALOUP

LITCHI

GRENADE

BANANE

NOIX DU BRÉSIL

RAISIN ROUGE

RAISIN VERT

FIGUE FRAÎCHE

RAISIN NOIR

RAISIN VERT

AMANDE

DATTE SÉCHÉE

DATTE FRAÎCHE

FIGUE SÉCHÉE

GRENADILLE

ANANAS

PAPAYE

NOIX DE COCO

KAKI

MANGUE

NÈFLE DU JAPON

CACAHOUÈTE

CANNEBERGE

ACTINIDIA (KIWI)

PACANE

même à maturité. Choisissez des fruits luisants ayant encore leur queue. Saison : d'octobre à janvier, avec une pointe en novembre.

Litchi Originaire de Chine, le litchi est une drupe de la taille d'une grosse cerise dont l'écorce dure et écailleuse vire du rouge au brun après la cueillette. Sa pulpe blanche, ferme et juteuse, glisse sous la dent. Achetez des fruits dont l'écorce est encore rouge et rejetez les sujets ridés. Saison : de la mi-juin au début de juillet.

Mangue Ce gros fruit oblong à noyau varie beaucoup de forme et de taille ; il peut être rond, allongé, en forme de haricot ou encore de poire. Sa peau coriace, verte, à marbrures allant du rouge au jaune, renferme une pulpe jaune orangé et juteuse alliant le goût de l'ananas à celui de la pêche. Rejetez les fruits mous largement tachetés de noir. Saison : de mai à la fin d'août, avec une pointe en juin.

Melon On en consomme de multiples variétés, qui diffèrent beaucoup de forme et de taille.

Le **Cantaloup** ou **melon brodé** est de forme ovale, oblongue ou ronde ; il présente une peau fortement réticulée et une chair jaune à maturité. Une cicatrice lisse et arrondie, du côté de la tige, indique que le fruit est mûr. Saison : de mai à la fin de septembre avec une pointe entre juin et la fin d'août.

Le **Casaba** est un melon juteux et sucré en forme de citrouille allongée du coté de la tige. La peau est sillonnée de côtes peu profondes et sa teinte va du vert clair au jaune. Saison : de juillet à novembre, avec une pointe en septembre et octobre.

Le **Cranshaw** ou **Crenshaw** est pointu du côté de la tige et arrondi du côté de la fleur ; sa peau plutôt lisse et peu côtelée, jaune or à maturité, renferme une chair orange pâle, sucrée et juteuse. Saison : de

juillet à octobre, avec une pointe en août et septembre.

Le **Honeyball** ressemble au honeydew mais il est plus rond, plus petit et légèrement réticulé. Saison : de juin à octobre.

Le **Honeydew** est un gros melon ovale (pesant de 2 à 3 kg), à peau lisse allant du jaune crème au blanc crème selon son degré de maturité. La pulpe, de texture fine, est sucrée. Saison : toute l'année, mais surtout de juin à la fin d'octobre.

Le **melon d'eau** ou **pastèque** est un gros fruit oblong ou rond dont la peau peut être vert sombre, vert moyen rayé de vert clair ou vert-gris. A maturité, il est plutôt lisse, plein aux extrémités et jaune crème là où il touchait au sol. La pulpe, d'un rouge franc, est persillée de graines noires. Saison : de mars à octobre, mais surtout en juin, juillet et août.

Le **Persian** ressemble au cantaloup, mais il est plus rond et plus finement réticulé. Il s'apparente au honeydew par sa taille. Sa peau se teinte de jaune à maturité. Saison : de juin à octobre.

Le **Santa Claus** ou **melon de Noël** est ovale, à peau dure, épaisse et réticulée, de couleur or et vert ; sa pulpe vert pâle est douce et sucrée. Saison : décembre.

Nèfle du Japon Cette drupe, semblable à la prune par sa forme et sa taille, présente une peau duveteuse, jaune pâle ou orange, et une chair acidulée. Choisissez des fruits fermes. Saison : avril et mai.

Noix du Brésil Sa coque à trois angles, brune et dure, renferme une noix ferme, un peu huileuse. Importée d'Amérique du Sud, elle se vend mondée ou non. Evitez de prendre les sujets à noix libre dans la coque. Saison : toute l'année.

Noix de coco Fruit à coque fibreuse, dure et brun foncé. Quand il est frais, on entend le lait remuer

à l'intérieur lorsqu'on l'agite. La pulpe blanche et légèrement sucrée est croquante. Les pays producteurs de ce fruit sont le Honduras, la république Dominicaine et Porto Rico. Saison : toute l'année, avec une pointe en décembre.

Pacane Originaire d'Amérique du Nord, la noix pécan ou pacane est cultivée dans le Sud-Est des Etats-Unis jusqu'en Indiana au nord, au Texas à l'ouest, et dans le Nord du Mexique. Elle se vend nature ou écalée, rôtie ou crue. Saison : toute l'année, avec une pointe de septembre à novembre.

Papaye Ce fruit à peau lisse, passant à maturité du vert au jaune ou à l'orange, présente une chair pulpeuse et sucrée semblable à celle du melon ; il contient de nombreux pépins noirs. Choisissez des fruits de taille moyenne, au moins à demi jaunes. Rejetez les sujets meurtris ou encore fendus. Saison : toute l'année, avec une légère pointe en mai et en juin.

Raisin Les raisins de table les plus courants (**Thompson sans pépins**, **Emperor**, **Tokay** et **Ribier**) sont cultivés principalement en Californie et en Arizona.

Les espèces **Catawba**, **Concord**, **Delaware** et **Niagara**, vendues en petite quantité pour la table, servent à la confection des gelées, des jus et du vin. Les plus grands producteurs en sont l'Ontario, l'Etat de New York, la Pennsylvanie et l'Etat de Washington.

Achetez le raisin de préférence en grappe. Choisissez des grains dodus, frais, bien attachés au pédoncule. Evitez de prendre les sujets mous, ridés, présentant des taches blanches ainsi que des marques brunes ou des trous près de la tige. Saison : pour le raisin de table, toute l'année ; pour les raisins canadiens, du début de septembre à la mi-octobre.

Légumes

Pour avoir des légumes vraiment frais, la formule « du jardin à la table » est la meilleure, mais elle est difficilement réalisable. Vous pouvez néanmoins vous procurer des légumes frais si vous avez soin de les choisir fermes et croquants en écartant les gros sujets souvent coriaces. Les haricots verts, les petits pois, les courges et tous les légumes d'été ont meilleur goût lorsqu'ils sont très jeunes. Il en va de même de certains légumes racines comme la carotte, la betterave et le chou-rave. La plupart des légumes sont présents sur nos marchés à longueur d'année, mais c'est durant leur saison de production au Canada qu'ils sont les meilleurs et les moins chers. Ils sont alors pleins de vitamines et de sels minéraux, plus nourrissants, plus savoureux et plus croquants, surtout s'ils sont cuits juste le temps nécessaire.

Ail Cette plante bulbeuse à pellicule blanche présente des segments arqués appelés gousses, eux-mêmes entourés d'une peau qu'il faut enlever avant la consommation. Achetez l'ail en petite quantité car il rancit. Gardez-le dans un endroit frais, sec et sombre. Saison : toute l'année. (Illustration, p. 18.)

Artichaut De la sommité fleurie de cette plante, on ne mange que la base charnue des écailles et le fond qui est très délicat. Choisissez des têtes dodues, lourdes pour leur taille, aux écailles vertes, épaisses, bien appliquées sur la pomme. Saison : toute l'année, avec une pointe de mars à la fin de mai. (Illustration, p. 21.)

Asperge Légume d'une très grande finesse mais de prix élevé, l'asperge se vend à la pièce, en botte ou emballée et classée selon la grosseur de la pointe et celle des bourgeons. Choisissez des asperges à bourgeons bien formés, étroitement appliqués sur la tige et d'un vert riche. Écartez les sujets maigres, ligneux, desséchés ou rabougris. Saison : de la fin d'avril au début de juin.

Aubergine Ce légume présente un épiderme satiné dont la couleur va du pourpre foncé au rouge ou au jaune et même au blanc. Sur nos marchés, les aubergines sont généralement de couleur violacée. Les sujets de qualité sont fermes et lourds, d'une teinte fraîche et luisante. Saison : d'août à la mi-octobre. (Illustration, p. 21.)

Avocat Ce fruit vert sombre qui a la forme d'une grosse poire est traité en cuisine comme un légume salé. Sa chair grasse, fondante et vert pâle entoure un gros noyau. Écartez les avocats à la peau marquée ou sèche. Saison : toute l'année. (Illustration, p. 21.)

Bette à carde Cette plante présente des feuilles semblables à celles de l'épinard, vert sombre et croquantes, avec une nervure médiane blanche en saillie, comme une côte de céleri. On cuit les feuilles à la façon des épinards et les côtes comme celles du céleri. Saison : d'avril à la fin de novembre avec une pointe de juin à la fin d'octobre. (Illustration, p. 20.)

Betterave Les tubercules se vendent au poids sans les feuilles ou en bottes avec les feuilles. Choisissez des betteraves bien rouges, fermes, rondes et lisses. Écartez les sujets mous, rugueux ou ridés qui risquent d'être ligneux ou coriaces. Rejetez ceux qui présentent des plaques humides, indice certain de pourrissement.

TOPINAMBOUR

BETTERAVE

CHOU D'ÉTÉ

CHOU DE PRINTEMPS

CHOU D'HIVER

CHOU DE BRUXELLES

CHOU BLANC

CHOU ROUGE

CHOU DE MILAN

ENDIVE

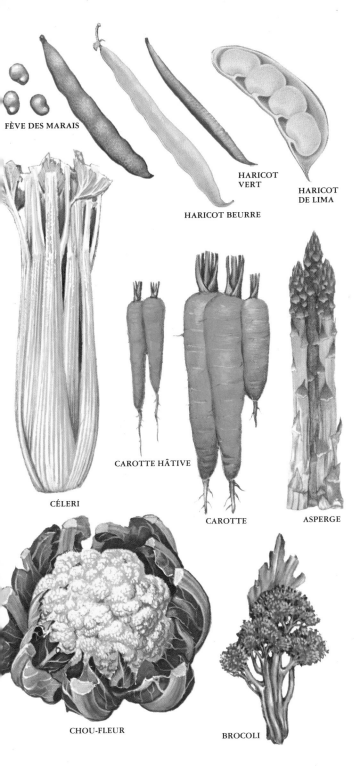

FÈVE DES MARAIS

HARICOT VERT

HARICOT DE LIMA

HARICOT BEURRE

CÉLERI

CAROTTE HÂTIVE

CAROTTE

ASPERGE

CHOU-FLEUR

BROCOLI

Les feuilles de la betterave (illustration, p. 20), qui se mangent aussi, sont riches en vitamine A. On les fait cuire à la manière des épinards. Tubercules et feuilles sont en saison de la mi-juin à mars.

Brocoli Contrairement à son proche parent, le chou-fleur, qui produit une seule tête fleurie, le brocoli donne plusieurs pétioles épais et charnus, couronnés chacun d'organes floraux. Choisissez des pommes fermes, compactes et bien vertes ou avec un reflet pourpre. Ecartez les sujets dont les bourgeons ouverts révèlent une fleur jaune : ils sont trop vieux. Rejetez les tiges grosses et coriaces. Saison : de la fin de juin à la fin de novembre.

Carotte Ce légume racine est un des légumes les moins chers et les plus nourrissants. Il constitue une excellente source de vitamine A. La jeune carotte se vend généralement en bottes avec ses feuilles. Elle est plus petite et plus tendre que la carotte d'entreposage ; sa saveur est plus délicate et sa couleur, plus franche. Les carottes mûres se vendent sans feuilles, sous emballage, et doivent être grattées ou pelées. Rejetez les sujets mous, flétris, piqués ou cassés et ceux qui sont verts au sommet. Saison : de la fin de juin à la fin de mai.

Céleri La variété **Pascal** est la plus répandue. Généralement consommé cru, le céleri est délicieux braisé, à la crème, en velouté et dans les ragoûts. Choisissez un pied à côtes luisantes et croquantes et à feuilles bien vertes. Les côtes doivent se casser avec un bruit sec. Rejetez les sujets flétris dont le haut est ramolli. Saison : de la fin de juin à la fin de novembre.

Céleri-rave Il s'agit d'une variété à racine de céleri. Recouverte d'une peau fibreuse, la racine comestible présente une chair blanc crème. Choisissez-la petite et ferme ; une grosse risque d'être ligneuse. Saison : d'août à la fin d'avril, avec une pointe d'octobre à avril. (Illustration, p. 21.)

Champignon Ne choisissez que les champignons bien frais : ils passent rapidement et perdent leur saveur. Utilisez-les le jour même de l'achat. Les champignons à chapeau convexe ou étalé sont plus âgés que les champignons globuleux, de cueillette récente. Rejetez les sujets ramollis, brisés ou visqueux. Cuit, le champignon se prête à toutes sortes d'emplois ; cru, il est excellent en salade. Saison : toute l'année, avec une pointe en novembre et décembre. (Illustration, p. 19.)

Chicorée (chicorée-endive) et **Scarole** Les feuilles étroites, ondulées et échancrées de la **chicorée** ressemblent à celles du pissenlit. Au centre de la pomme se trouvent des feuilles jaunes de saveur plus douce que celle des premières feuilles, d'un vert sombre. La **scarole** présente de longues feuilles ondulées, plus larges et moins frisées que celles de la chicorée. Choisissez des pommes fraîches et croquantes à feuilles extérieures d'un vert vif. Rejetez les sujets à feuilles flétries ou marquées de taches jaunes ou brunes. Saison : toute l'année. (Illustrations, p. 19.)

Chou On connaît le chou pommé vert à feuilles lisses, le chou de Milan vert à feuilles cloquées et le chou rouge. Toutes ces variétés conviennent à de multiples apprêts, le **chou rouge** et le **chou de Milan** étant particulièrement appréciés en salade. Pour cuire du chou rouge, ajoutez un élément acide (vinaigre, vin rouge ou pommes) à l'eau de cuisson : ceci permet de conserver au légume sa couleur.

Les **choux d'été** et **d'hiver** sont plus gros et plus fermes que les **choux de printemps**. Le chou blanc entreposé apparaît vert clair une fois dépouillé de ses premières feuilles. On le considère de qualité lorsqu'il n'est ni décoloré, ni flétri.

Le **chou chinois** s'apparente à la fois au chou et à la laitue romaine. Ses tiges compactes peuvent mesurer de 25 à 40 cm de longueur, mais ne dépassent pas 10 cm d'épaisseur. On les sert plutôt en salade que cuites.

Chou de Bruxelles Considéré comme le membre le plus délicat de la famille du chou, ce légume doit être ferme, compact, d'un vert franc. Rejetez les pommes hirsutes, lâches, jaunes ou flétries, déchiquetées ou piquées par les vers. Attention : une trop longue cuisson altère la fine saveur des choux de Bruxelles. Saison : de la fin de juillet à décembre.

Chou vert Proche parent du chou, le chou vert est généralement mis à cuire avec un morceau de lard salé ou de bacon. Choisissez des sujets à feuilles fraîches et croquantes. Saison : toute l'année, avec une pointe de décembre à la fin d'avril. (Illustration, p. 20.)

Le **chou vert frisé** présente des feuilles larges allant du vert sombre au pourpre, très cloquées et à nervures proéminentes. Rejetez les sujets à feuillage jaune et mou ou endommagé. Saison : toute l'année, avec une pointe de décembre à février. (Illustration, p. 19.)

Chou-fleur Légume pauvre en calories, le chou-fleur doit présenter une pomme blanche ou blanc crème, ferme et compacte, entourée de feuilles d'un vert vif. Rejetez les sujets à feuilles molles, à pomme peu compacte, brune, grise ou meurtrie. Le chou-fleur est de qualité même si de petites feuilles percent à travers la pomme ici et là. Les sujets vieux ont des inflorescences très étalées. Saison : du début de juin à la fin d'octobre.

17

Légumes
(suite)

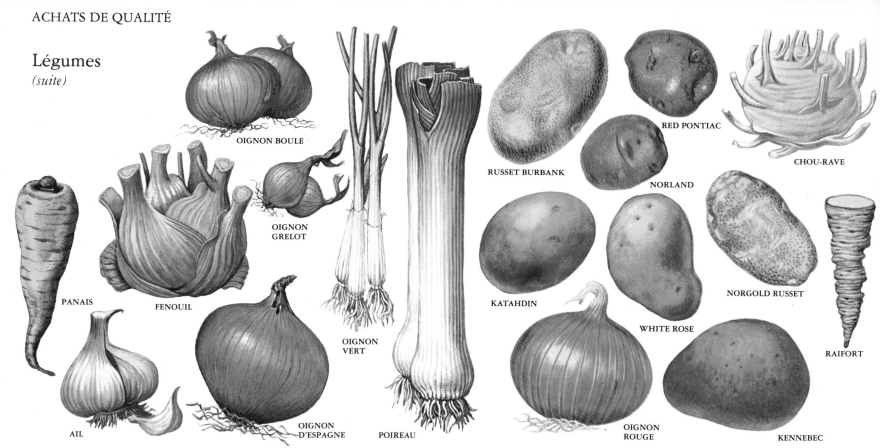

OIGNON BOULE

PANAIS

FENOUIL

OIGNON GRELOT

OIGNON VERT

POIREAU

RUSSET BURBANK

NORLAND

KATAHDIN

RED PONTIAC

CHOU-RAVE

NORGOLD RUSSET

WHITE ROSE

RAIFORT

AIL

OIGNON D'ESPAGNE

OIGNON ROUGE

KENNEBEC

Chou-rave C'est un légume à tige renflée et à fine saveur de navet, que l'on choisit jeune (de 5 à 7,5 cm de diamètre) et dans lequel l'ongle doit pénétrer facilement. Rejetez les gros sujets ; ils peuvent être ligneux. Saison : de mai à novembre, mais surtout en juillet.

Citrouille Membre de la famille des courges, elle varie beaucoup de taille ; on trouve des variétés de la grosseur d'un melon, alors que d'autres pèsent jusqu'à 45 kg. Choisissez une citrouille ferme, de couleur franche, lourde pour sa taille, sans trop de cicatrices. Saison : de septembre à la fin de novembre. (Illustration, p. 20.)

Concombre Choisissez des sujets bien fermes, à pelure verte et fraîche et à nombreux picots. Rejetez ceux qui ont un diamètre important ou qui virent au jaune.

Pelez ceux qui sont cirés avant de les manger. Les concombres se cultivent en pleine terre, mais aussi en serre. Saison : concombres de pleine terre, de la mi-juin à la fin d'octobre ; concombres de serre, de mars à la mi-novembre.

Courge d'été On la cueille lorsqu'elle est jeune et tendre.

La courge **torticolis** (illustration, p. 21), très répandue, est jaune, un peu verruqueuse, plus étroite au sommet qu'à la base, avec un cou tors comme celui d'une oie. La courge **cou droit**, jaune elle aussi, ne diffère de la précédente que par son cou qui est droit.

Le **pâtisson** ou **bonnet d'électeur** est évasé en coupe côtelée. Il est vert pâle lorsqu'il est jeune, blanc à maturité. Cette courge est meilleure lorsqu'elle ne dépasse pas 7,5 cm de diamètre.

La courgette **zucchini** (illustration, p. 21) est droite et cylindrique, un peu plus grosse à la base qu'au sommet. Sa peau vert foncé sur fond jaune clair est réticulée de vert-noir et rayée de vert très sombre. Choisissez de jeunes sujets d'au plus 15 cm de longueur : on les dit meilleurs.

La courge doit être ferme, bien formée. Elle sera tendre si elle est luisante. Saison : toute l'année.

Courge d'hiver ou **potiron** C'est une grosse courge à peau dure qui se vend à maturité.

Le **giraumon turban** ou **bonnet turc** (illustration, p. 21) est une petite courge à peau dure, très côtelée, de forme cylindrique ou légèrement conique. D'un vert foncé, elle devient orangée et terne avec un peu de vert durant l'entreposage. Sa chair est orange pâle. Saison : toute l'année.

La courge **Buttercup**, en forme de turban du côté de la fleur, présente une peau d'un vert moyen à foncé picoté de gris et légèrement rayé de gris terne. Elle a un diamètre moyen de 15 à 20 cm. Saison : fin de l'été, automne et hiver.

La courge **Butternut** est cylindrique et bulbeuse à la base ; sa peau est brun clair ou jaune. Sa longueur moyenne est de 20 à 30 cm. Saison : toute l'année.

La **Hubbard** est un énorme potiron cylindrique, amenuisé au cou, garni d'une écorce dure, verruqueuse et striée dont la teinte varie du vert bronze au gris-bleu et au rouge orangé. Saison : de la fin d'août à la fin de mars, avec une pointe d'octobre à décembre.

Choisissez des potirons à peau dure et coriace, signe de maturité, lourds pour leur taille. Rejetez ceux qui présentent des dépressions ou des plaques molles.

Cresson Cette petite plante cultivée, à feuilles rondes et à saveur poivrée, pousse également à l'état sauvage sur le bord des lacs et des ruisseaux. Choisissez des bottes à feuilles vertes et croquantes ; rejetez celles qui sont jaunes et flétries. Saison : toute l'année, avec une pointe de mai à la fin d'octobre. (Illustration, p. 20.)

Echalote Membre de la famille des oignons, l'échalote proprement dite a une saveur plus douce que celle de l'oignon avec un goût légèrement alliacé. Vendue fraîche ou sèche, elle sert à parfumer sauces, salades, potages et viandes. Saison : d'octobre à la fin de mai, avec une pointe en mars et avril. (Illustration, p. 20.)

Endive Ce légume à feuilles blanches ou jaune pâle, étroitement imbriquées et à saveur un peu

CONCOMBRE

CHAMPIGNON GLOBULEUX

CHAMPIGNON CONVEXE

CHAMPIGNON ÉTALÉ

CHOU VERT FRISÉ

LAITUE BOSTON

CONCOMBRE DE SERRE

PERSIL

CHICORÉE

POIS

POIS MANGE-TOUT

SCAROLE

ROMAINE

LAITUE POMMÉE

amère, se mange en salade ou cuit. Son prix est élevé. Saison : d'octobre à mai. (Illustration, p. 16.)

Epinard Cette plante potagère doit présenter de belles feuilles gaufrées, larges, croquantes, vert foncé, intactes. Rejetez les plants jaunes, flétris ou atteints de pourrissement. Saison : de la fin d'avril à décembre. (Illustration, p. 20.)

Fenouil Cette plante aromatique se caractérise par un bulbe charnu, des feuilles légères et vert clair, et une saveur anisée. Choisissez des bulbes bien ronds, vert pâle ou blancs. Saison : d'octobre à avril, avec une pointe en novembre et décembre.

Haricot La plupart des haricots **mange-tout** à cosses vertes se trouvent sur le marché à longueur d'année, tandis que les **haricots verts à**

rames et les **haricots beurre** ou **jaunes** apparaissent périodiquement. Choisissez des haricots fins de couleur franche. S'ils sont frais, ils casseront net. Rejetez les sujets mous, flétris ou meurtris.

Les **haricots de Lima** se vendent parfois écossés, le plus souvent en cosses. Celles-ci seront vert sombre et bien remplies de graines. Rejetez les gousses tachetées, molles ou jaunes. Saison : toute l'année, avec une pointe de juillet à septembre.

La **fève des marais**, appelée aussi **gourgane** ou **fève d'Angleterre**, est venue depuis peu d'Europe ; elle ressemble au haricot de Lima, mais ses cosses sont plus longues, plus rondes et plus dodues. Après la cuisson, dépouillez les graines de la peau dure qui les recouvre. Saison : de la mi-avril à la fin de juin. (Illustration, p. 17.)

Laitue Il y a quatre grandes variétés : pommée (improprement appelée Iceberg), romaine, Butterhead et frisée. Saison : toute l'année.

La **laitue pommée**, grosse, ronde et ferme, a les feuilles vertes à l'extérieur, vert pâle en dedans.

La **romaine** est fuselée. Ses longues feuilles croquantes, d'un vert sombre, deviennent jaune-vert vers le cœur.

La **Butterhead** inclut la **Boston** et la **Bibb** ; elle est plus petite que la pommée et moins ronde. Ses feuilles tendres ont une texture un peu grasse et une fine saveur.

La **frisée** ne pomme pas ; elle a des feuilles frisées ou lisses, larges et tendres, peu serrées. On la cultive en serre ou en pleine terre.

Attention à la fraîcheur des laitues. Les feuilles seront d'une teinte franche, celles de la pommée ou de la romaine, bien croquantes, les autres étant plus tendres. La lai-

tue se mange nature, braisée ou en soupe. Saison : toute l'année.

Maïs Le meilleur maïs se présente avec une enveloppe d'un vert franc. Une fois cette enveloppe retirée, l'épi perd rapidement une partie de sa valeur nutritive et de sa saveur. Assurez-vous que les soies ne sont pas moisies, que l'extrémité de la tige n'est ni sèche ni décolorée et que l'épi est plein de grains bien dodus qui laissent échapper du lait quand on les perce. Saison : d'août à la fin d'octobre. (Illustration, p. 20.)

Navet Ce légume racine a la chair blanche. Le plus estimé est violet au sommet, mais certaines variétés sont vertes. Le navet se vend sans feuilles ou en bottes avec son feuillage. Choisissez des sujets fermes et ronds, de taille petite à moyenne, avec des feuilles fraîches. Rejetez

les gros navets, souvent fibreux. Saison : toute l'année, avec une pointe d'octobre à la fin de mars. (Illustration, p. 20.)

Oignon Il en existe de nombreuses variétés, mais les oignons cultivés commercialement tombent dans quatre grandes catégories.

Les oignons **boule**, les plus communs, sont généralement jaunes, parfois rouges ou blancs. Ils sont ronds ou ovales, à saveur piquante ; on les utilise surtout cuits.

Les oignons **Bermuda-Granex-Granos**, ordinairement jaunes, sont plus doux, moins ronds et moins réguliers que les oignons boule. Ils s'utilisent en cuisine et se consomment crus.

Les oignons de type **créole**, comme l'**oignon d'Espagne**, sont beaucoup plus gros que les oignons boule, mais de même forme. La plupart sont jaunes, mais il en

Légumes
(fin)

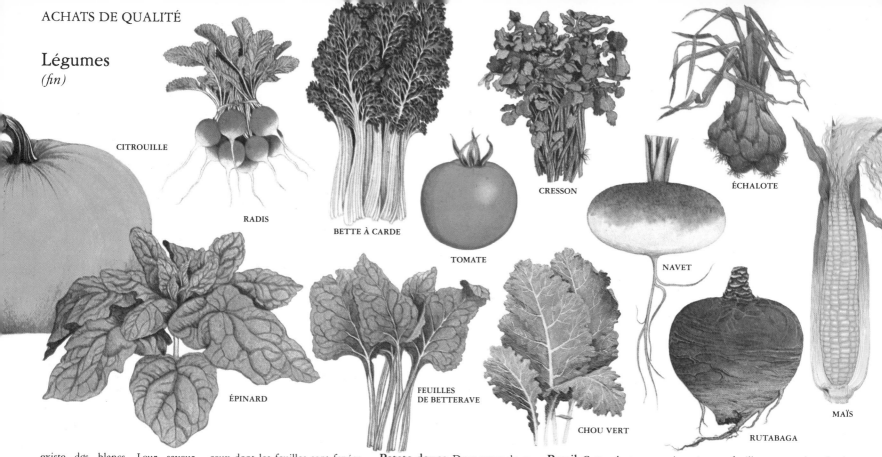

CITROUILLE

RADIS

BETTE À CARDE

TOMATE

CRESSON

ÉCHALOTE

NAVET

MAÏS

ÉPINARD

FEUILLES
DE BETTERAVE

CHOU VERT

RUTABAGA

existe des blancs. Leur saveur douce les destine tout particulièrement à être servis crus ou en salade.

Les oignons de moins de 2,5 cm de diamètre sont appelés oignons grelots ou oignons à mariner, sans distinction de variété.

Choisissez des bulbes secs, fermes, de forme régulière, à pelures papyracées. Les sujets ratatinés ou mous près du collet sont verts ou atteints de pourrissement. Rejetez également ceux qui sont en train de germer. Les oignons s'entreposent facilement, surtout en automne et en hiver, dans un endroit sec. Saison : toute l'année.

Enfin, les **oignons verts,** que l'on appelle échalotes au Canada, servent à parfumer salades et autres légumes. Ce sont de petits bulbes doux au goût, recouverts d'une fine pellicule qui s'enlève facilement. Choisissez des bulbes petits, à belles sommités vertes. Rejetez

ceux dont les feuilles sont fanées. Saison : toute l'année, avec une pointe de mai à la fin de juillet.

Okra (gombo) L'okra se présente sous la forme d'une cosse arquée, généralement à côtes. Choisissez des cosses petites, vertes et tendres de pas plus de 5 cm de long, dont l'extrémité plie facilement ; plus grosses, elles seront coriaces. Rejetez les sujets rabougris. Saison : toute l'année, avec une pointe de juin à la fin d'août.

Panais Ce légume d'hiver a une saveur plus douce lorsqu'il a été touché par le gel. Choisissez des sujets fermes, bien formés, de taille petite ou moyenne, croquants et propres. Rejetez ceux qui sont fendus ou desséchés, ou marqués de taches brunes au collet. Saison : de septembre à la fin de juin. (Illustration, p. 18.)

Patate douce Deux types de ce légume se trouvent sur les marchés toute l'année.

La patate fraîche, incorrectement appelée igname, présente une chair jaune foncé ou bien rouge orangé. (L'igname véritable est une plante tropicale grimpante, à racine comestible, qui n'est pas cultivée commercialement en Amérique du Nord.)

La patate sèche renferme peu d'humidité, et sa chair, jaune pâle, devient farineuse à la cuisson. Elle est peu cultivée.

Choisissez des patates fermes à peau lisse, de couleur uniforme. Rejetez les sujets présentant des plaques humides, atteints de moisissure molle ou sèche (ratatinés ou décolorés aux extrémités) ou de pourriture sèche (régions latérales déprimées ou décolorées). Saison : toute l'année avec une pointe de septembre à décembre.

Persil Cette plante aromatique à feuilles plus ou moins frisées s'emploie dans les sauces ou comme garniture. Choisissez des bottes d'un beau vert. Rejetez le persil à feuilles jaunâtres ou à tiges coriaces. Saison : du début de juin à la mi-décembre. (Illustration, p. 19.)

Piment Les plus fréquents appartiennent aux variétés douces. Ces piments doux (ou poivrons) sont verts ou rouge vif, selon leur degré de maturité. Choisissez des sujets fermes et luisants ; rejetez ceux qui sont mal formés, ternes ou mous. Les piments trop jeunes sont vert pâle. Le piment se consomme farci ou en salade. Saison : de la mi-juillet à la fin d'octobre.

Poireau Ce légume relativement coûteux, à tige épaisse, est formé de plusieurs membranes imbriquées, s'épanouissant au sommet

en feuilles vert sombre. La tige est blanche, à fine saveur d'oignon. Recherchez des sujets bien formés ; rejetez ceux qui sont jaunes. Saison : de la mi-juillet à la mi-décembre. (Illustrations, p. 18.)

Pois Ils sont délicieusement sucrés quand ils sont jeunes, mais coriaces et farineux s'ils sont trop avancés. Choisissez des cosses brillantes, croquantes et duveteuses. Rejetez celles qui sont humides ou enflées et pâles. Croquez un petit pois cru pour en vérifier la fraîcheur : il doit être tendre et sucré. Saison : toute l'année, avec une pointe de février à la fin de juillet.

Les **pois mange-tout,** plus coûteux, présentent des cosses plates et comestibles. On les utilise beaucoup dans la cuisine orientale. Saison : toute l'année, avec une pointe de mai à la fin de septembre. (Illustrations, p. 19.)

Pomme de terre On divise les pommes de terre en trois groupes peu caractérisés et qui se chevauchent fréquemment.

La **pomme de terre nouvelle** désigne souvent celle qui est récoltée à la fin de l'hiver ou au début du printemps, mais aussi celle qui vient d'être cueillie et n'est pas tout à fait mûre. Elle est excellente bouillie ou à la crème. Choisissez des pommes de terre fermes, régulières, sans meurtrissures ni brûlures légères (identifiables à une coloration verte de la peau).

Parmi les pommes de terre à tout faire, il y a les **Katahdin, Kennebec, Norgold Russet, Norland, Red Pontiac** et **White Rose.** Elles se servent bouillies, en purée, rissolées, frites ou au four. Saison : toute l'année.

Les régions de culture et les différentes variétés ne donnent pas toutes de bonnes pommes de terre pour la cuisson au four. La variété la plus appréciée et la plus répandue est la **Russet Burbank,** mieux connue sous le nom d'Idaho. Saison : toute l'année.

Les deux dernières catégories de pommes de terre doivent être fermes, propres, plutôt lisses, régulières, sans coupures ni meurtrissures ou traces de pourrissement. Rejetez les sujets marbrés de vert (brûlure légère), ratatinés ou qui ont germé. (Illustrations, p. 18.)

Radis Ce petit légume au goût piquant se sert cru en salade ou comme garniture. Il peut être de forme ronde ou oblongue et de couleur rouge vif, noire, blanche ou violette. Choisissez des radis petits et croquants. Saison : de la mi-avril à la mi-novembre.

Raifort La racine longue et à forte saveur de cette plante ne se consomme pas comme légume, mais comme aromate dans des sauces froides. On peut l'obtenir fraîche, séchée ou conservée dans le vinaigre ou le jus de betterave. Saison : fin de novembre. (Illustration, p. 18.)

Rutabaga C'est un proche parent du navet, mais il est plus gros et sa pulpe est jaune. Certains rutabagas de fin d'hiver sont paraffinés pour réduire la perte d'humidité et le rabougrissement qui s'ensuit. Pelez soigneusement le légume avant de le faire cuire pour enlever la couche de paraffine. Choisissez des sujets fermes, ronds ou légèrement allongés, lourds pour leur taille. Rejetez ceux qui sont coupés ou meurtris. Saison : du début de juillet à la mi-juin.

Salsifis Ce légume racine d'un gris jaunâtre ressemble à une carotte. Sa saveur douce et un peu sucrée rappelle celle de l'huître. Choisissez des racines jeunes et bien formées. Saison : de juin à la fin de février.

Tomate La tomate prend toute sa saveur si elle mûrit sur pied avant d'être cueillie. Or, les sujets expédiés de loin doivent être récoltés verts ; ils sont donc forcément moins fondants et moins savoureux que les tomates du jardin ou d'une ferme avoisinante.

Pour faire mûrir les tomates, enfermez-les dans un sac de papier et conservez-les à l'obscurité, mais non au réfrigérateur. Au soleil, elles vont dépérir et devenir flasques. Saison : tomates du jardin, du début de juillet à septembre ; de serre, de la mi-avril à juillet.

Topinambour ou **artichaut de Jérusalem** Il s'agit d'un tubercule noueux, recouvert d'une fine pellicule dont la couleur va du beige au jaune ou du brun-rouge au pourpre. Choisissez des sujets qui paraissent bien frais ; rejetez ceux qui sont mal formés ou petits. Saison : d'octobre à la fin de février. (Illustration, p. 16.)

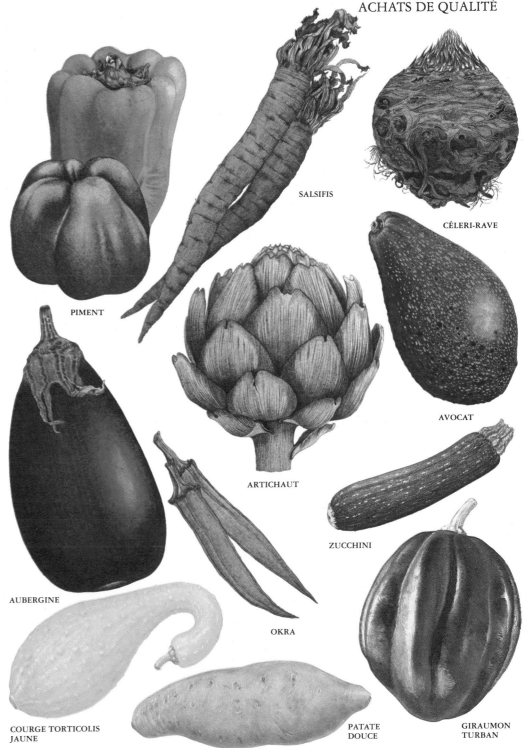

SALSIFIS

CÉLERI-RAVE

PIMENT

AVOCAT

ARTICHAUT

ZUCCHINI

AUBERGINE

OKRA

COURGE TORTICOLIS JAUNE

PATATE DOUCE

GIRAUMON TURBAN

21

Poissons d'eau douce

Le poisson frais, qu'il soit de mer ou d'eau douce, a une odeur franche et nette ; il sent plutôt l'algue que le poisson. L'œil est brillant et bombé (s'il est creux et terne, le poisson n'est pas frais). Les ouïes, non gluantes, ont une teinte rouge vif. Elles changent de couleur, d'ailleurs, à mesure que le poisson vieillit : le rouge s'affadit, devient rose pâle, puis gris, et finit par prendre une nuance indécise de vert ou de brun. La peau du poisson frais est luisante et iridescente ; les écailles adhèrent fermement à la chair. Celle-ci est ferme et élastique ; elle reprend rapidement sa forme après une pression du doigt.

Le poisson présenté sous forme de darnes et de filets doit sembler fraîchement coupé. Sa chair est ferme, sans marques brunes sur les bords ; elle est humide. Son odeur est fraîche, peu marquée. Les darnes et les filets en paquets doivent être enveloppés dans une matière imperméable à l'humidité et à l'air, qui adhère étroitement à la chair.

Le poisson surgelé est dur, sans taches brunâtres ou décolorées. Il est placé bien au centre du paquet (sinon, il risque d'avoir été décongelé et recongelé) et étroitement enveloppé d'un papier imperméable à l'air et à l'humidité. Assurez-vous que les poissons vidés, surgelés mais non emballés, sont recouverts d'une mince pellicule de givre ; la surgélation pourrait autrement les avoir brûlés ou déshydratés.

Les grands marchés d'alimentation offrent du poisson frais, mais le choix y est limité. Faites affaire de préférence avec un poissonnier de quartier, qui connaît sa marchandise et peut conseiller ses clients sur l'achat et la cuisson des poissons.

Frais ou surgelé, le poisson apparaît sous diverses formes dans les magasins : entier, le poisson est exactement comme lorsqu'il a été sorti de l'eau (avant la cuisson, il faut l'écailler et le vider) ; vidé, seules les entrailles ont été retirées ; paré, entrailles, écailles, tête, queue et nageoires ont été enlevées (le poisson est prêt à cuire) ; darne, tranche coupée transversalement sur un gros poisson paré (prête à cuire) ; filet, pièce coupée sur le long, pratiquement sans arêtes et prête à cuire ; bâtonnet, long cube de chair prélevé dans un bloc de filet surgelé et pesant au moins 20 g ; portion, morceau cubique, sans arêtes, prélevé sur un filet surgelé mais plus gros que le bâtonnet.

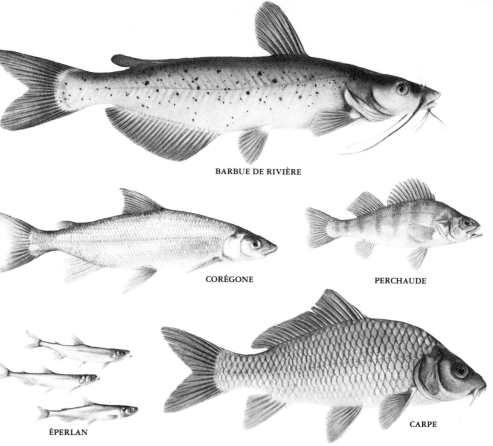

BARBUE DE RIVIÈRE

CORÉGONE

PERCHAUDE

ÉPERLAN

CARPE

Barbotte et **barbue** Ces deux poissons fréquentent les Grands Lacs, l'Est et le Centre des États-Unis et le Sud du Canada. Leur poids varie entre 500 g et 12 kg environ. Les différentes variétés sont le **chat-fou tacheté,** la **barbotte des rapides,** la **barbue de rivière** et la **barbotte jaune.** La barbue de rivière est plus fine que ses cousins.

On trouve ces poissons frais ou surgelés (entiers, en filets, en tronçons ou en darnes). On les consomme grillés, cuits en grande friture ou sautés. Saison : toute l'année, avec une pointe de mars à octobre.

Brochet On trouve au Canada les cinq espèces suivantes : **brochet d'Amérique, grand brochet, brochet vermiculé, maskinongé** et **brochet maillé.** Le grand brochet présente des taches pâles sur fond sombre, bleu ou vert. Le brochet fréquente toutes les eaux douces du Canada, à l'exception de celles de l'Arctique ; il pèse en moyenne de 600 g à 4,5 kg, mais certaines prises peuvent dépasser 14 kg. Le brochet se vend frais ou surgelé (entier, s'il est de petite taille, ou en filets). On le consomme rôti, grillé, braisé ou poché. Saison : toute l'année, avec une pointe en juin.

Buffalo Ce poisson, de la famille des suceurs, habite le bassin du Mississippi jusqu'au lac Erié. Le poids moyen du **buffalo à grande bouche** varie de 1 à 10 kg, mais on a déjà pêché des sujets de 32 kg. Le **buffalo à petite bouche** ne dépasse pas 20 kg et sa chair est plus fine. On le trouve sur le marché américain frais ou fumé (entier, en darnes et en filets). Il se mange rôti, poché ou sauté. Saison : de septembre à mai.

Carpe Ce poisson fréquente les eaux saumâtres. Sa longueur moyenne est de 30 à 50 cm, son poids de 1 à 4 kg. La carpe est meilleure de novembre à mars ; l'été, elle a tendance à avoir un goût de vase. On atténue celui-ci en enlevant la peau et en faisant tremper le poisson dans une saumure légère pendant 3-4 heures. Elle se vend fraîche, surgelée ou fumée (entière, en darnes ou en filets). On la mange rôtie, pochée, braisée, frite, cuite à la vapeur ou en ragoût. Saison : toute l'année.

Cisco de lac Parent du corégone, ce hareng de lac à dos bleunoir et à flancs argentés habite les Grands Lacs, le haut Mississippi et le sud du bassin de la baie d'Hudson. Poids moyen : de 150 à 450 g. Il se vend frais, surgelé, fumé ou salé. On le consomme grillé, frit ou sauté. Saison : toute l'année.

Corégone Ce poisson à dos bleuvert, à flancs et à dessous argentés appartient à la famille des salmonidés ; on le retrouve dans la majeure partie des lacs du Canada, à l'exception de l'Arctique. Le **ménomini des montagnes,** qui ne fréquente que les montagnes de l'Ouest, est réputé pour sa saveur et sa texture. Le poids moyen des corégones varie de 1 à 3 kg, certains sujets pesant jusqu'à 9 kg et mesurant jusqu'à 60 cm. Il se vend frais, surgelé ou fumé (entier ou en filets). On le consomme cuit au four ou au gril, poché ou sauté. Saison : toute l'année, avec une pointe de mai à août.

CISCO DE LAC

BUFFALO À GRANDE BOUCHE

MARIGANE NOIRE

DORÉ

TRUITE ARC-EN-CIEL

MALACHIGAN

TRUITE GRISE

ACHIGAN À GRANDE BOUCHE

Crapet Cette famille renferme de nombreuses espèces dont plusieurs sont exploitées commercialement au Canada et aux Etats-Unis.

L'**achigan à grande bouche** se trouve dans le Sud du Québec et de l'Ontario, en Colombie-Britannique et au Manitoba. Poids moyen : 1,5 kg, mais il peut être plus gros. On rencontre l'**achigan à petite bouche** dans tout le bassin des Grands Lacs. Poids moyen : 1,5 à 2 kg. L'achigan se vend entier, en darnes ou en filets et se mange rôti, grillé, poché ou sauté. Saison : toute l'année.

L'aire naturelle du **crapet de roche** se situe dans la vallée du Mississippi, les Grands Lacs et le Sud du Manitoba et de la Saskatchewan. Poids moyen : 500 g.

La **marigane blanche** fréquente les mêmes régions que le crapet de roche, mais la saveur de sa chair est

supérieure. Poids moyen : 500 g. Quant à la **marigane noire,** elle vit dans la vallée du Mississippi, les Grands Lacs et le Sud du Canada. Poids moyen : 500 g à 1 kg. La marigane se vend entière ; elle se mange grillée ou frite à la poêle. Saison : toute l'année.

Doré Ce réputé cousin de la perchaude est la plus grosse des perches ; il se trouve en abondance dans l'Est, jusqu'à la vallée du Mississippi, la région des Grands Lacs et le bassin de la baie d'Hudson. Poids moyen : 700 g à 2 kg. Il se vend entier ou en filets. On le consomme cuit au four, grillé ou sauté. Saison : toute l'année, avec une pointe en juin.

Eperlan Ce petit poisson anadrome a le dos vert olive, les flancs et le dessous argentés. On le pêche

sur les rivages de l'Atlantique et du Pacifique, dans le Columbia, les Grands Lacs et toutes les baies, du Mexique au Canada. Il faut compter environ 10 éperlans pour obtenir 500 g de poisson. Frits, on peut les manger avec l'arête. L'éperlan se vend frais, surgelé et en conserve. On le consomme grillé, en grande friture ou sauté. Saison : de septembre à mai.

Malachigan Ce poisson de la famille des tambours se pêche dans les Grands Lacs et la vallée du Mississippi. Poids moyen : 700 g à 1,2 kg. Il se vend entier et se consomme grillé, sauté ou frit à la poêle. Saison : toute l'année, avec une pointe en mars.

Perchaude L'aire de distribution de ce poisson, connu de tous les pêcheurs, va du Nord du Canada jus-

qu'à la Caroline du Nord ; on le trouve en abondance dans la région des Grands Lacs. Il a été transplanté avec succès dans l'Ouest des Etats-Unis. La couleur vert olive de son dos vire au jaune or et devient plus pâle sur le ventre. Six ou huit raies verticales de couleur sombre lui barrent les flancs. Poids moyen : 450 g. Longueur : moins de 30 cm. Plus long, le poisson est osseux et de piètre saveur. Il se vend frais ou surgelé (entier ou en filets). On le consomme grillé, en grande friture ou sauté. Saison : toute l'année, avec une pointe d'avril à novembre.

Truite Parmi ces salmonidés très appréciés pour la délicatesse de leur chair, les plus connus sont : l'**omble de fontaine** (truite mouchetée ou saumonée), la **truite arc-en-ciel**, la truite **Kamloops,** la

truite **Steelhead,** la **truite fardée,** la **truite brune** et la **Dolly Varden.** Le truite se pêche dans l'Est et le Nord du Canada et des Etats-Unis, et dans l'Ouest, depuis la Californie jusqu'à la Colombie-Britannique. L'omble de fontaine a la plus grande réputation : il est considéré comme un délice de gourmet.

Le **touladi** (truite grise), la plus grosse des truites, vit dans la plupart des lacs au Canada (sauf dans ceux des basses terres de la baie d'Hudson) et dans le Nord des Etats-Unis. Sa couleur varie avec les saisons et les lacs. Celle que l'on trouve sur le marché est d'un vert pâle tacheté de jaune ; elle pèse environ 4,5 kg.

La truite se vend entière (fraîche, surgelée, en conserve ou fumée). On la consomme cuite au four, grillée, pochée ou sautée. Saison : toute l'année.

Poissons de mer

Quand on sert du poisson, il faut compter 150 à 250 g de chair par personne. Pour arriver à ce résultat, calculez 500 g de poisson entier ou vidé par portion, 250 g de poisson paré (écailles, entrailles, tête, queue et nageoires enlevées) ou 150 à 250 g de filets ou de bâtonnets. Ces proportions sont valables pour le poisson frais et pour le poisson surgelé. Avec les filets, il n'y a aucune perte, alors qu'il y en a 15 pour cent avec les darnes et environ 50 pour cent avec les poissons entiers ou vidés ; aussi, il peut être plus avantageux d'acheter des filets, même si leur prix est plus élevé.

Le poisson frais se conserve mal. S'il n'est pas consommé immédiatement, retirez-le de son emballage et enveloppez-le dans du plastique, du papier d'aluminium ou une pellicule imperméable à l'humidité ; placez-le ensuite dans un plat couvert, que vous mettrez dans la partie la plus froide du réfrigérateur.

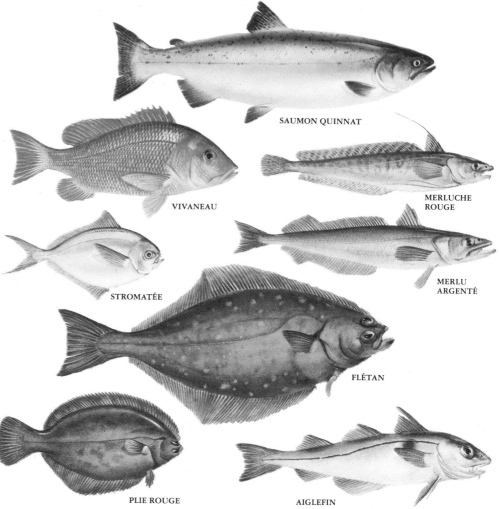

SAUMON QUINNAT

VIVANEAU

MERLUCHE ROUGE

STROMATÉE

MERLU ARGENTÉ

FLÉTAN

PLIE ROUGE

AIGLEFIN

Aiglefin Ce poisson à raie latérale noire, proche parent de la morue mais plus petit qu'elle (700 g à 3 kg), fréquente l'Atlantique Nord, depuis le détroit de Belle-Isle jusqu'au large du cap Cod, et se vend frais ou surgelé (entier ou en filets). L'aiglefin fumé est réputé. Saison : toute l'année, avec une pointe de mars à juillet.

Alose D'une très grande finesse, l'alose se pêche dans l'Atlantique et le Pacifique ; son poids varie entre 650 g et 2,5 kg. Elle se vend d'ordinaire fraîche et entière, et ses œufs sont appréciés des gourmets. Saison : mai et juin.

Bar L'achigan de mer, peu répandu au Canada, vit dans l'Atlantique et le Pacifique, tandis que le **mérou blanc** fréquente la côte du Pacifique. Ils se vendent tous deux frais ou surgelés (généralement entiers), sous le nom de bar. Saison : toute l'année pour l'achigan de mer, de mai à la fin d'octobre pour le mérou blanc.

Bar d'Amérique (scorpène) Ce délicieux poisson fréquente l'Atlantique et le Pacifique. A la vente, son poids se situe entre 1 et 12 kg. On l'achète frais ou surgelé (entier, en darnes ou en filets). Saison : toute l'année.

Espadon Particulièrement réputé pour la pêche sportive, l'espadon mesure en moyenne 2 m et pèse de 20 à 160 kg. On le trouve dans l'Atlantique Nord et Sud, occasionnellement dans le Pacifique. L'espadon se vend frais ou surgelé (le plus souvent en darnes). Saison : d'avril à septembre dans l'Atlantique, de septembre à décembre dans le Pacifique.

Flétan Ce poisson plat pèse habituellement entre 2 et 55 kg (certains individus pouvant atteindre 300 kg) et fréquente l'Atlantique Nord et le Pacifique Nord. Le jeune flétan, le meilleur, pèse 450 g à 4 kg et se vend frais ou surgelé (entier, en darnes ou en filets). Saison : toute l'année.

Maquereau Le maquereau bleu habite le plateau continental, de Terre-Neuve au cap Cod, et pèse environ 1 kg sur nos marchés. Il se vend frais, surgelé ou en conserve (entier, en darnes ou en filets), salé ou fumé. Saison : d'avril à novembre.

Merlu argenté Ce membre de la famille de la morue se pêche dans l'Atlantique Nord et pèse entre 225 g et 2 kg. On l'obtient frais ou surgelé (entier ou en filets), séché et salé. Saison : toute l'année.

Merluche La merluche se trouve dans l'Atlantique Nord et le Pacifique Nord ; en général, elle pèse de 900 g à 2 kg. Elle se vend fraîche, parfois en filets, plus souvent entière. Saison : toute l'année, avec une pointe en septembre et octobre.

Morue Originaire de l'Atlantique Nord et du Pacifique Nord, ce poisson nous parvient surtout du Grand Banc de Terre-Neuve et pèse environ 5 kg sur nos marchés. Il se vend frais ou surgelé (entier ou en darnes, en filets et en bâtonnets), salé, fumé ou mariné. Le petit gade (ou jeune morue) pèse entre 700 g et 1 kg. Saison : toute l'année, avec une pointe de mai à octobre pour la morue de l'Atlantique, et de janvier à mai pour la morue du Pacifique.

Muge Toutes les espèces de muges se pêchent dans l'Atlantique, du cap Cod à la Caroline du Nord, ainsi que dans le golfe du Mexique, de la Floride au Texas, et dans le Pacifique. La muge pèse entre 500 g et 1,5 kg et se vend surgelée, fumée ou salée. Saison : toute l'année.

Plie La plie commune à dos gris foncé et à ventre blanc se pêche dans l'Atlantique Nord et Sud et dans le Pacifique Sud. Cette famille comprend la **plie grise**, la **limande à queue jaune**, la **plie lisse**, la **plie rouge** et le **cardeau d'été**.

La plie pèse de 350 g à 2 kg et se vend fraîche, surgelée ou fumée (entière ou en filets). On la trouve sur nos marchés sous le nom de sole. Saison : toute l'année.

Saumon Le roi des poissons habite l'Atlantique et le Pacifique. On n'en trouve qu'une espèce dans l'Atlantique (à chair particulièrement délicate), tandis que le Pacifique en offre cinq : le **quinnat** (le plus gros), le **sockeye** ou **rouge**, le **kéta**, le **coho** et le **saumon rose** (le

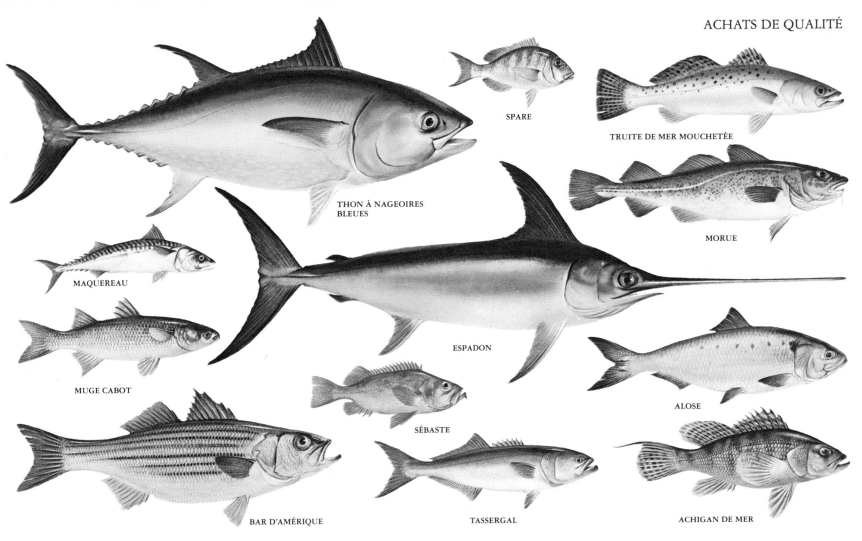

SPARE

TRUITE DE MER MOUCHETÉE

THON À NAGEOIRES BLEUES

MORUE

MAQUEREAU

ESPADON

MUGE CABOT

ALOSE

SÉBASTE

BAR D'AMÉRIQUE

TASSERGAL

ACHIGAN DE MER

plus petit). Leur poids varie de 1 à 12 kg. Le saumon se vend frais, surgelé et en conserve ou fumé (entier, en darnes, en filets ou en tronçons). Saison : toute l'année.

Sébaste (perche ou chèvre) Originaire de l'Atlantique Nord, ce poisson pèse environ 500 g. Sur nos marchés, on le trouve presque toujours en blocs de filets surgelés. Saison : toute l'année.

Sole La vraie sole ne se trouve pas en Amérique du Nord, puisqu'elle ne fréquente que les eaux européennes, de la Méditerranée à la mer du Nord. La meilleure est celle de la Manche : c'est la sole de Douvres. Le poisson vendu sous le nom de sole sur nos marchés est en réalité une plie ; son poids varie entre 350 g et 2,5 kg. On la trouve fraîche ou surgelée (entière ou en filets). Saison : toute l'année.

Spare (spare doré) Ce poisson, qui est pêché sur la côte atlantique américaine, mesure environ 30 cm et pèse entre 250 et 700 g. Il se vend frais et entier. Saison : de janvier à octobre.

Stromatée à fossettes Pêché un peu partout sur la côte de l'Atlantique, ce poisson à chair fine pèse environ 250 g et se vend entier (frais, surgelé ou fumé). Saison : toute l'année, avec une pointe d'avril à décembre.

Tassergal Le poids de ce poisson bleu-vert de l'Atlantique ou du golfe du Mexique peut atteindre 4,5 kg, mais le tassergal pèse entre 500 g et 3 kg sur nos marchés et se vend frais ou surgelé (entier, en filets ou en darnes). Saison : juin, mais on en trouve toute l'année.

Thon Parent du maquereau et habitant des océans Atlantique et Pacifique, le thon peut peser plus de 400 kg. L'espèce englobe le germon (seul thon à chair blanche), l'albacore ou **thon à nageoires jaunes**, le **thon à nageoires bleues** et la **thonine à ventre rayé** ou listao. On achète le thon frais ou surgelé (entier ou en darnes), mais la grande majorité des prises est réservée à la conserve ; certaines marques canadiennes et américaines portent un sceau ou un code de qualité, symbole de fraîcheur et de propreté, l'emballage ayant été fait sous surveillance fédérale. Saison : de mai à la fin décembre.

Truite de mer Ce poisson, connu pour avoir la bouche très fragile, fréquente les eaux de l'Atlantique et celles du golfe du Mexique. On trouve plusieurs variétés de truites de mer sur nos marchés, en particulier la **truite de mer mouchetée** et la **truite blanche**. On les achète fraîches, surgelées ou fumées (entières ou en filets). Saison : toute l'année.

Vivaneau Ce poisson à chair exquise est l'un des poissons de mer les plus appréciés. Capturé dans l'Atlantique Sud et le golfe du Mexique, il pèse sur nos marchés entre 1 et 10 kg et se vend frais ou surgelé (entier jusqu'à 2 kg, en darnes et en filets s'il est plus gros). Saison : toute l'année.

Mollusques et crustacés

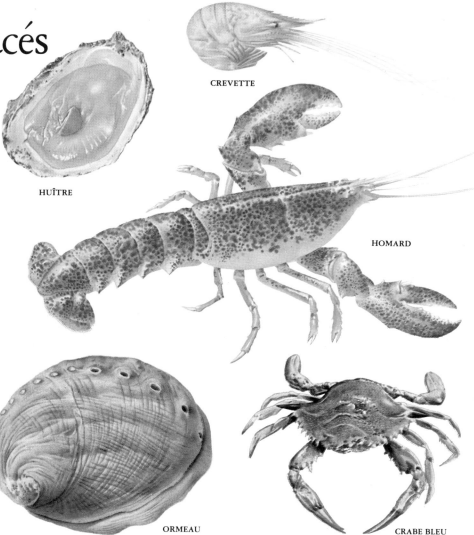

CREVETTE

HUÎTRE

HOMARD

ORMEAU

CRABE BLEU

Mollusques et crustacés sont des aliments généralement coûteux, mais nourrissants et pauvres en calories. La crevette fraîche a une odeur agréable et sa chair est ferme au toucher. La couleur de la carapace peut varier du rouge au rose et au gris, selon la variété ; sur nos marchés, la plus commune est la crevette grise.

Il vaut mieux acheter le crabe, le homard et la langouste vivants. Les pattes remuent ; la queue du homard se replie sous son corps lorsqu'on le soulève. Si elle est molle et pendante, le homard est vraisemblablement mort. Les queues de langouste surgelées doivent présenter une chair bien blanche et ne dégager aucune odeur ; elles seront dures comme du roc au toucher.

Les pétoncles frais ont une odeur agréable, une chair ferme et blanche ; quand on les achète en boîte, celle-ci ne doit contenir à peu près aucun liquide.

Quant aux coquillages achetés vivants, tels que les palourdes, les moules et les huîtres, leurs coquilles doivent être fermées ; si elles sont légèrement ouvertes, elles doivent se refermer aussitôt qu'on les frappe doucement. Les coquillages grands ouverts qui ne se referment pas sont à rejeter ; leur occupant est mort et n'est plus comestible. Ecartez également les palourdes et les moules brisées. Les palourdes écaillées doivent avoir très peu de liquide. Les huîtres écaillées seront dodues, de couleur crème, et leur eau naturelle sera claire. Rejetez les contenants d'huîtres où le liquide est abondant ; celui-ci ne doit représenter que 10 pour cent seulement du poids total. Un excès de liquide est un signe de piètre qualité.

Calmar (encornet) Ce lointain parent de la pieuvre mesure environ 30 cm de long et se trouve dans l'Atlantique, du Labrador à la Virginie. On l'achète frais, en conserve ou séché. Il se consomme cuit au four, en friture, sauté ou en sauce. Saison : toute l'année.

Crabe Le **crabe bleu** à carapace dure se trouve dans l'Atlantique Nord et Sud et dans le golfe du Mexique. L'**opilio** ou **crabe des neiges** se pêche au large de Terre-Neuve et du Labrador et dans le golfe du Saint-Laurent. Il pèse environ 700 g et se vend cuit ou surgelé. Saison : toute l'année.

Le crabe à carapace molle est un crabe bleu privé de sa carapace, et non une variété distincte. Il a été pêché avant que sa nouvelle carapace ait eu le temps de durcir et se vend vivant ou surgelé. Il se consomme frit ou sauté. Saison : de mai à la fin de septembre, avec une pointe de juin à la fin d'août.

Le **dormeur,** qui fréquente la côte du Pacifique et l'Alaska, est plus gros que le crabe bleu : il pèse de 800 g à 1,5 kg. Il se vend vivant, surgelé, cuit ou en conserve. Saison : toute l'année.

Le **crabe royal,** qui pèse entre 2,5 et 9 kg, est le plus gros des crabes comestibles. Son aire de dispersion est l'Alaska. On l'achète paré, cuit et surgelé, surgelé dans sa carapace ou en conserve. On le consomme grillé ou cuit à la nage. Saison : toute l'année.

Crevette Ce petit crustacé à 10 pattes habite le golfe du Mexique, le golfe du Saint-Laurent, l'Atlantique Sud et le Pacifique. La crevette est grise, rose pâle ou brune, selon la variété. Comptez une centaine de toutes petites crevettes au kilo, mais seulement 25 à 30 si elles sont très grosses. Elles se vendent nature, surgelées ou en conserve. Elles se consomment grillées, cuites à la nage, sautées ou en friture. Saison : toute l'année.

Homard Le **homard d'Amérique** présente une carapace bleuvert sombre, tachetée de rouge orangé et de brun. A la cuisson, il vire au rouge vif. Il abonde près des côtes de la Nouvelle-Ecosse et du Maine, mais on peut le trouver du détroit de Belle-Isle jusqu'en Caroline du Nord. Les sujets de 450 g à 1 kg sont les plus délicats. Le homard se vend vivant, cuit dans sa carapace, frais, surgelé ou paré et en conserve. Il se consomme grillé, cuit au four, à l'étuvée ou à la nage. Saison : toute l'année.

Huître L'**huître de l'Atlantique** se trouve du golfe du Saint-Laurent au golfe du Mexique et aux Antilles. Elle se vend fraîche dans sa coquille. Selon leur forme, les huîtres sont classées (sous surveillance fédérale) en quatre catégories : fantaisie, choix, standard et irrégulières. On les sert nature sur écaille ou cuites au four ou au gril. Saison : de septembre à avril. L'**huître du Pacifique** se pêche au large de la Colombie-Britannique. Plus grosse que l'huître de l'Atlantique, elle mesure de 10 à 15 cm. On l'achète fraîche, surgelée ou en conserve. (Contrairement à la croyance populaire, les huîtres sont comestibles durant les mois sans R ; après le frai cependant, leur qualité est médiocre.) On les cuit au four, à l'étuvée, en sauce ou en friture. Saison : toute l'année.

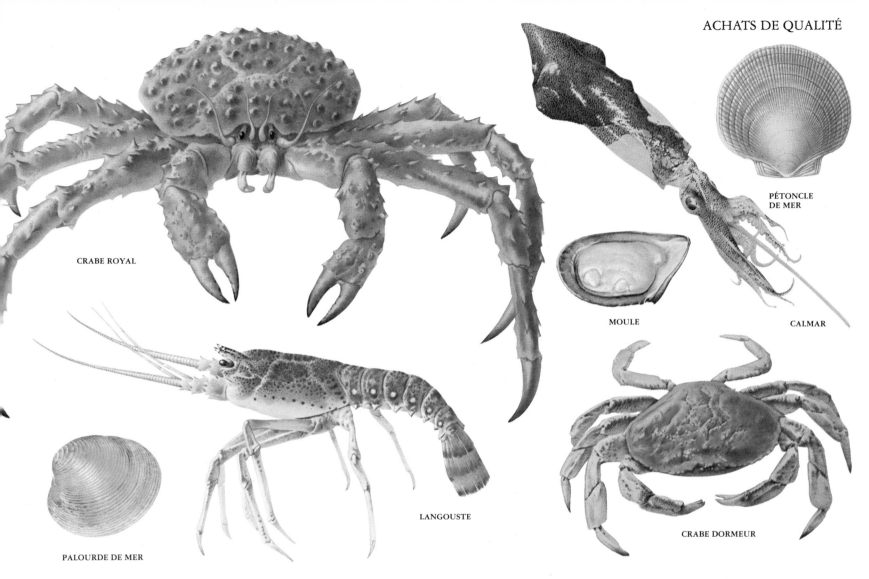

CRABE ROYAL

PÉTONCLE
DE MER

MOULE

CALMAR

PALOURDE DE MER

LANGOUSTE

CRABE DORMEUR

Langouste Elle se pêche dans la mer des Antilles, en Méditerranée et au large de la Nouvelle-Zélande et de l'Afrique du Sud. Elle porte de fortes antennes mais pas de pinces. Les queues de langouste se vendent surgelées ou en conserve. Saison : toute l'année.

Moule Ce petit mollusque peu cher mais délicieux comporte une coquille oblongue bleu-noir garnie d'un byssus ou touffe de soies qu'on enlève par l'ébarbage. Sa chair est rose orangé. La moule fré-

quente les eaux peu profondes, de la baie d'Hudson à la Caroline du Sud, et la côte du Pacifique. Elle se vend fraîche en coquille ou en conserve. La cuisson des moules est achevée quand les coquilles sont grandes ouvertes. On les apprête comme les palourdes et les huîtres. Saison : toute l'année.

Ormeau (ormier) Ce mollusque rose ou rouge de la Colombie-Britannique est de forme ovale. Sa coquille univalve de 10 cm de diamètre est recouverte de nacre. Il se

vend frais en coquille ou surgelé. On le consomme cuit au four ou sauté. Saison : de mars à novembre.

Palourde La **mye** (à coquille molle) abonde au large du cap Cod, dans le Nord de la Nouvelle-Angleterre et dans les provinces de l'Atlantique. Les petites se cuisent à l'étuvée ; les grosses, sur écaille. Elles se consomment à l'étuvée, en friture ou en chaudrée.

La **palourde de mer** (à coquille dure) se pêche depuis le sud du golfe du Saint-Laurent jusqu'au

golfe du Mexique. Les petites portent le nom d'**asari**, les moyennes de **cherrystone**. Elles se consomment grillées ou cuites au four ; on les sert aussi nature. Les plus grosses se préparent en chaudrée.

Sur les côtes du Pacifique, on trouve plusieurs sortes de coquillages : la **palourde jaune**, l'**asari** (qui diffère de sa sœur de l'Atlantique), le **vernis** ou **palourde du Japon** et le **couteau**.

Les palourdes se vendent fraîches, surgelées ou en conserve. Saison : toute l'année.

Pétoncle Cousins de la coquille Saint-Jacques, le **pétoncle de mer** vient des eaux profondes de l'Atlantique Nord, tandis que le **pétoncle de baie** se pêche en eau peu profonde, de la baie de Fundy au golfe du Mexique. Le second est plus tendre et plus délicat ; aussi se vend-il plus cher. On l'achète frais ou surgelé. Le pétoncle de mer, plus facile à trouver, s'achète frais, surgelé ou cuit, pané et surgelé. Les deux variétés se consomment grillées, frites ou sautées. Saison : toute l'année.

27

Volaille

Les oiseaux de basse-cour, élevés pour la table, incluent le poulet, la dinde, le canard et l'oie. Ils sont inspectés par Agriculture Canada et classés dans une des deux catégories suivantes : A ou Utilité. Les volailles de catégorie A sont belles et bien en chair ; celles de la catégorie Utilité sont d'aussi bonne qualité que les volailles A, mais elles ont un défaut de présentation, c'est-à-dire qu'il leur manque un morceau ou que la peau est fendue.

Les catégories ne renseignent pas sur la tendreté de la chair ; c'est l'âge de l'oiseau qui la détermine. Les jeunes volailles ont une chair plus fondante que les vieilles et peuvent être cuites à la broche, frites, sautées, grillées ou rôties. Les volatiles âgés sont réservés aux soupes et aux ragoûts : tous les apprêts longuement mijotés leur conviennent. On reconnaît l'âge d'une volaille à la rigidité du bréchet, ce petit os qui forme la crête du sternum. Chez les jeunes sujets, le bréchet est flexible et souple à l'extrémité ; il durcit avec l'âge.

On trouve sur le marché des volailles fraîches, surgelées ou réfrigérées à basse température ; les premières ont évidemment une meilleure saveur et une meilleure texture. Les oiseaux surgelés subissent une congélation rapide à l'usine de traitement : ils sont durs comme du roc au toucher. La réfrigération avancée porte la température interne de l'oiseau à 0°C ou à 2°C : la volaille n'est donc pas congelée et sa chair cède sous le doigt.

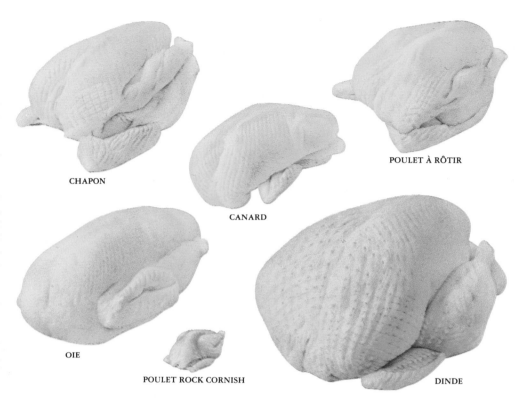

CHAPON

CANARD

POULET À RÔTIR

OIE

POULET ROCK CORNISH

DINDE

Canard Environ 90 pour cent des canards vendus sur nos marchés sont surgelés et prêts à cuire après décongélation. Emballés entiers ou en pièces, ils pèsent généralement entre 1,5 et 2,5 kg.

Sous le nom de **caneton,** on vend de jeunes canards de sept ou huit semaines. Ce sont des volatiles gras qu'on fait rôtir au four, encore qu'on puisse les griller ou les cuire à la broche. Comptez de 350 à 450 g par portion. Un caneton sert deux à quatre convives.

Chapon Il s'agit d'un jeune poulet mâle châtré, spécialement élevé pour sa chair, qui est blanche, délicate et abondante. Le chapon pèse entre 2 et 3,5 kg ; il est plus lourd que le poulet. D'une incomparable finesse, le chapon est généralement servi rôti.

Dinde Le dindon se vend principalement entier (surgelé ou encore réfrigéré à basse température).

Cette volaille peut peser de 1,8 à 12 kg, mais son poids sur les marchés se situe généralement entre 4,5 et 6,5 kg. Comptez en moyenne de 225 à 350 g par portion.

L'achat de jeunes dindes ou **dindonneaux** est particulièrement recommandé, leur chair étant meilleure. Apprêtez les dindes adultes en ragoût, en soupe ou en salade.

On peut acheter de la dinde fraîche ou surgelée en morceaux, des pièces désossées et roulées. Les dindes farcies et surgelées pèsent entre 2,5 et 7,5 kg. Contrairement aux dindes ordinaires, il ne faut pas les décongeler avant la cuisson.

Oie De l'avis de nombreux gourmets, l'oie serait la volaille la plus fine. On ne s'étonnera pas de la voir gagner en popularité en Amérique du Nord.

C'est un oiseau gras dont la chair, d'un blanc crémeux, devient brun clair à la cuisson ; elle présente un léger parfum de gibier.

L'oie se vend surgelée ou réfrigérée à basse température. Elle pèse entre 2,5 et 5,5 kg ; il vous faut compter de 450 à 650 g par portion. Dans de nombreuses régions du Canada et des Etats-Unis, on peut commander de l'oie fraîche à l'époque de Noël.

Poulet On en trouve à longueur d'année. Il se vend plumé et vidé, prêt à cuire, entier, en demies, en quarts ou en morceaux. Selon son âge et son poids, le poulet prend différents noms. Le **poulet à frire** a de 6 à 10 semaines et pèse moins de 2 kg. En quartiers, il peut être frit, grillé ou cuit au four ; entier, on le fait rôtir au four ou à la broche. Le **poulet à rôtir** est âgé de 10 semaines à sept mois ; on peut à sa guise le faire frire ou rôtir au four ou à la broche. Enfin la **poule,** plus âgée et moins tendre, pèse environ 1,5 kg. Plus vieille et plus lourde encore, soit entre 2 et 3 kg, la poule prend le nom de **poule de**

reproduction. Ces volailles se servent surtout pochées, braisées ou apprêtées en soupe, en ragoût, en blanquette, en timbale ou en sauce blanche.

Poulet Rock Cornish C'est une volaille de petite taille, issue du croisement de la race Cornish avec la race White Rock et dont le poids n'est pas supérieur à 650 g. Elle a une chair fondante et des blancs particulièrement dodus. Les modes de cuisson du poulet Rock Cornish sont multiples ; il se fait rôtir, cuire au four, griller ou sauter. Il vous faut compter un rock cornish par portion.

Œufs Riches en protéines, en fer, en vitamine A et en riboflavine, les œufs jouent un rôle important dans l'alimentation des Nord-Américains. Au Canada et aux Etats-Unis, on trouve principalement des œufs de poule. Les œufs de dinde, de cane et d'oie sont rares, les œufs de

caille plus rares encore. Des agences gouvernementales vérifient la fraîcheur des œufs et les classent par catégories ; qualité et grosseur sont indiquées sur l'emballage.

Les œufs de catégorie Canada A1 et Canada A, avec leur jaune brillant et leur blanc ferme, méritent d'être servis pochés ou au miroir. Ceux de catégorie Canada B peuvent être utilisés en cuisine. Quelle que soit leur catégorie, les œufs ont tous la même valeur alimentaire. La couleur de la coquille (blanche ou brune) ne modifie ni leur goût ni leur qualité ; elle est tout simplement déterminée par la race de la pondeuse.

Les œufs peuvent être extra gros (75 g au moins), gros (60 g au moins), moyens (entre 50 et 60 g), petits (entre 45 et 50 g) ou extra petits (moins de 45 g).

Conservez les œufs au réfrigérateur et utilisez-les dans la semaine qui suit l'achat pour bien apprécier leur finesse.

Gibier

On appelle gibier les mammifères et les oiseaux sauvages que l'on chasse pour les manger. Au Canada et aux Etats-Unis, la chasse n'est permise qu'à certaines époques de l'année qui varient d'une province à l'autre et d'un Etat à l'autre. Durant le temps de la chasse, il est parfois possible d'acheter du lièvre frais dans les grandes villes, tandis qu'on trouve à longueur d'année du gibier d'élevage paré et surgelé dans des boucheries spécialisées.

On recommande de faire faisander le gibier chassé avant de l'apprêter. Ce vieillissement attendrit la chair et lui donne une saveur plus prononcée. Accrochez les oiseaux par le bec pendant deux jours environ dans un endroit frais et bien aéré, sans les plumer ni les vider. Quand les plumes de la queue s'enlèvent facilement, ils sont prêts à cuire. Suspendez le gros gibier à poil par les pattes après l'avoir éviscéré ; laissez-le attendre une ou deux semaines. Il faut alors l'écorcher et le découper. Dans la plupart des villes, il est plus commode de confier à un boucher autorisé le soin de faire vieillir et de découper le gros gibier.

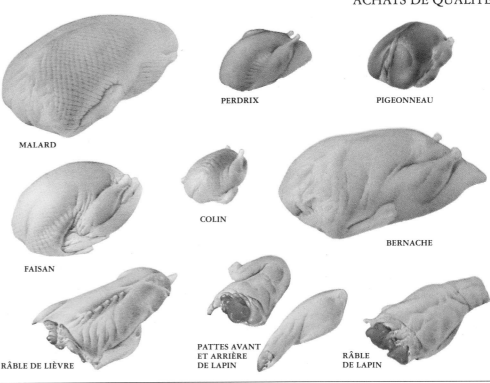

MALARD

PERDRIX

PIGEONNEAU

COLIN

BERNACHE

FAISAN

RÂBLE DE LIÈVRE

PATTES AVANT ET ARRIÈRE DE LAPIN

RÂBLE DE LAPIN

GIBIER À PLUME

Caille C'est la caille japonaise qu'on élève surtout au Québec. Elle se sert rôtie et il ne faut pas la faire faisander. Comptez au moins deux cailles par personne.

Colin Le colin de Virginie a un goût de gibier moins prononcé que les autres oiseaux sauvages. Sa saveur est trop fine pour supporter le faisandage. Dans nos régions, on ne trouve que du colin d'élevage, alors qu'on le trouve à l'état sauvage dans l'Ouest. On le sert rôti, sauté ou grillé. Comptez un colin par personne au moins.

Faisan C'est un gibier de grande classe, délicieux rôti. Les jeunes sujets des deux sexes ont le bec et les pattes souples, les plumes légères et pointues ; les ergots du coq sont arrondis. La faisane, plus fine et plus tendre, sert trois personnes ; le faisan, quatre.

Malard C'est un gros canard sauvage à chair sèche et maigre. Les canardeaux ont les rémiges pointues et la poitrine couverte de duvet. On laisse faisander le malard avant de le faire rôtir au four. Un malard sert trois personnes.

Oie sauvage La bernache canadienne ou outarde pèse 3 kg environ et sert six personnes. Les jeunes ont les rémiges pointues, les pattes noires et souples.

Perdrix Seule la perdrix européenne est une vraie perdrix. Les autres oiseaux connus sous ce nom sont en fait des gélinottes, des tétras ou des lagopèdes. Faites faisander la perdrix pendant trois ou quatre jours avant de la faire rôtir ou griller. Selon la grosseur, comptez une perdrix par personne ou une perdrix pour deux.

Pigeon Le pigeon sauvage est coriace et s'apprête surtout en sauce ; il demande une longue cuisson. Le pigeonneau est un jeune pigeon domestique, élevé spécialement pour la table. Tendre et délicat, il s'apprête rôti, sauté ou grillé. Comptez un pigeon par personne.

Pintade Cet oiseau d'élevage reçoit les mêmes apprêts que le faisan. Sa chair est plus fine.

GIBIER À POIL

Lapin Le lapin sauvage a un goût de gibier, tandis que le lapin domestique, vendu frais ou surgelé

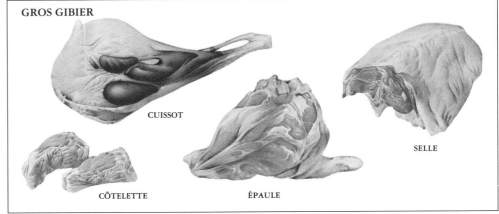

GROS GIBIER

CUISSOT

SELLE

CÔTELETTE

ÉPAULE

(entier ou en morceaux), rappelle le poulet. Les apprêts du lièvre conviennent au lapin sauvage. Cependant, écorchez le lapin sitôt abattu et ne le faites pas vieillir.

Lièvre Proche parent du lapin, il a un goût de gibier plus prononcé. Le levraut a de petites dents blanches aiguisées, un poil lustré et des griffes dissimulées.

Venaison Le chevreuil (cerf de Virginie), l'orignal et le caribou

Certaines personnes suspendent le lièvre par les pattes arrière et le laissent faisander une semaine environ ; d'autres le préfèrent sans faisandage. Selon sa race, un lièvre peut servir de quatre à six personnes. Jeune, on le fait rôtir. Vieux, on l'apprête en civet.

sont les gros gibiers les plus appréciés ; l'ours se mange aussi. On n'en trouve pas sur le marché, car leur vente est interdite. Mais l'on trouve du sanglier d'élevage. La viande de gros gibier doit être vieillie entre une et deux semaines. Les meilleurs morceaux sont le cuissot et la selle que l'on mange rôtis. Braisez les côtelettes et les tranches de cou et d'épaule.

Bœuf

Le ministère de l'Agriculture du Canada (Agriculture Canada) marque les coupes de gros d'un carré brun qui comporte le mot Canada, une catégorie (de A à E) et une classification (de 1 à 4) ; il les marque également d'une légende imprimée en ruban sur la longueur de la carcasse ; on retrouve une partie de ces marques sur la plupart des pièces de détail.

La légende Canada A distingue le jeune bœuf de qualité supérieure, à chair fine, succulente, rouge vif, maigre et légèrement marbrée de gras. Le bœuf Canada B provient aussi de jeunes bêtes ; la couleur de sa chair varie du rouge vif au rouge moyennement foncé ; sa texture est moins fine, et il est moins marbré de gras. La catégorie Canada C identifie des animaux d'âge moyen ; C1 s'applique à une viande moins grasse que B ; C2, à une viande plus tendineuse. Le bœuf Canada D provient de bêtes âgées, mâles ou femelles, offrant peu de chair par rapport au poids des os. Enfin, la viande Canada E est fournie par des taureaux âgés et sert à la préparation des viandes traitées, comme la saucisse. Toutes les carcasses sont inspectées par la Direction de l'hygiène vétérinaire d'Agriculture Canada.

Aux Etats-Unis, les coupes de gros portent une légende pourpre en forme de bouclier avec les lettres USDA (pour United States Department of Agriculture, c'est-à-dire le ministère de l'Agriculture des Etats-Unis) et le nom de la catégorie : *prime, choice, good, standard* et *commercial*. *Prime* désigne le bœuf de première qualité, qui est également le plus cher ; *commercial* s'applique à des viandes savoureuses, mais parmi les moins tendres. Un timbre de contrôle pourpre (l'encre est comestible et n'a nullement besoin d'être enlevée avant la cuisson) certifie que la viande est propre et saine et qu'elle a été manutentionnée dans des installations qui répondent aux règles de l'hygiène. Cette inspection de l'USDA est de rigueur également pour les viandes qui franchissent la frontière.

Toutes les coupes de bœuf ont la même valeur alimentaire, quel que soit leur prix ; cependant le temps nécessaire à leur préparation et leur mode de cuisson varient. Le prix du bœuf obéit aux lois de l'offre et de la demande. Le nombre de biftecks provenant de chaque bête étant limité, ceux-ci coûtent plus cher. En été, d'autre part, les morceaux pour ragoûts et braisés sont moins en demande ; ils sont donc moins chers. On aura intérêt à les acheter et à les congeler, nature ou apprêtés.

Les coupes de bœuf et leur nom variaient autrefois d'une région à l'autre ; aussi un programme de normalisation a-t-il été lancé au milieu des années 70 et maintient les coupes au détail, qui sont environ au nombre de 300 pour le bœuf, l'agneau, le veau et le porc, portent le même nom partout.

Les morceaux de bœuf illustrés ici ne se retrouvent pas nécessairement dans tous les magasins canadiens spécialisés dans les viandes préemballées. Mais votre boucher se fera sans doute un plaisir de vous les fournir à quelques jours d'avis.

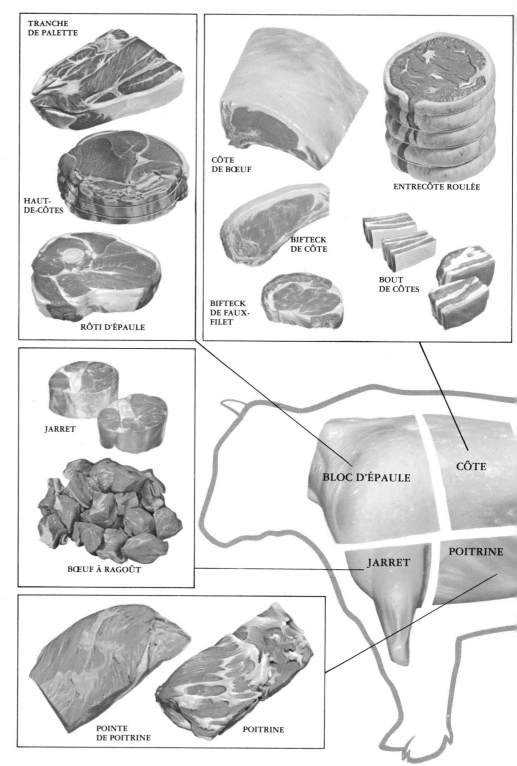

TRANCHE DE PALETTE

HAUT-DE-CÔTES

RÔTI D'ÉPAULE

CÔTE DE BŒUF

ENTRECÔTE ROULÉE

BIFTECK DE CÔTE

BOUT DE CÔTES

BIFTECK DE FAUX-FILET

JARRET

BŒUF À RAGOÛT

BLOC D'ÉPAULE

CÔTE

JARRET

POITRINE

POINTE DE POITRINE

POITRINE

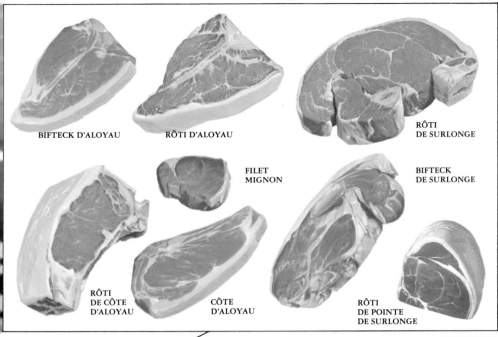

BIFTECK D'ALOYAU

RÔTI D'ALOYAU

RÔTI
DE SURLONGE

FILET
MIGNON

BIFTECK
DE SURLONGE

RÔTI
DE CÔTE
D'ALOYAU

CÔTE
D'ALOYAU

RÔTI
DE POINTE
DE SURLONGE

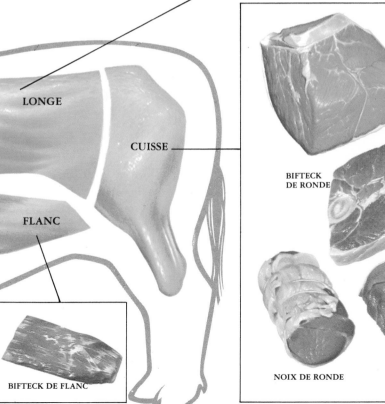

LONGE

CUISSE

FLANC

RÔTI DE CROUPE

BIFTECK
DE RONDE

NOIX DE RONDE

TALON DE RONDE

BIFTECK DE FLANC

PIÈCES À RÔTIR

Comptez de 350 à 450 g de rôti de côte par portion, de 225 à 350 g seulement si le rôti est désossé.

CÔTES Le **rôti de côtes**, le plus tendre des rôtis, convient aux grands dîners. Le meilleur morceau se découpe dans les trois premières côtes, près de la longe ; il coûte un peu plus cher que les autres, mais contient moins de gras et moins de déchets. Les côtes du centre commencent à la troisième côte ; elles renferment plus de gras et de déchets. Enfin, le morceau de fin de train, comprend les deux dernières côtes ; c'est le moins tendre. Un rôti de côtes doit comporter au moins deux côtes.

Le **rôti d'entrecôte roulé** est pris dans les côtes, désossé, roulé et ficelé. Achetez une pièce d'au moins 1,8 kg.

Le **rôti de faux-filet** est pris dans le faux-filet. Il est désossé. Achetez également une pièce d'au moins 1,8 kg.

LONGE Le **filet** est une pièce coûteuse mais de premier choix. Il est toujours tendre, cuit en peu de temps et se découpe aisément. Le filet de moindre qualité est entouré de moins de gras ; il rôtit mieux.

La **pointe de surlonge**, prise dans le bout de la surlonge, ne sera rôtie que si elle est de qualité.

CUISSE La **croupe** doit aussi être de qualité pour être rôtie. C'est un morceau triangulaire qui se vend avec ou sans os. La chair en est succulente et tendre.

La **noix de ronde** constitue un bon morceau à rôtir, si elle est de qualité. Il faut néanmoins la barder pour la rendre plus succulente.

BIFTECKS

Comptez de 125 à 225 g de bifteck sans os par personne, et de 125 à 350 g de bifteck avec os.

CÔTES Le **bifteck de côte** n'est pas aussi tendre que la côte d'aloyau, prise dans la longe, mais il a bon goût, contient plus de gras et coûte normalement moins cher. Les meilleurs biftecks de côte se trouvent près de la longe. Une pièce d'environ 2,5 cm d'épaisseur pèse de 350 à 400 g et donne une ou deux portions. Le bifteck de côte désossé devient le **bifteck d'entrecôte**.

Le **bifteck de faux-filet**, pris dans la noix du rôti de côtes, ne renferme pas d'os ; il pèse de 225 à 300 g et donne une portion.

LONGE La **côte d'aloyau** est prise dans la longe, près du train de côtes, et ne comporte pas de filet. C'est une pièce de 225 à 350 g qui donne une ou deux portions.

Il y a deux sortes de **bifteck d'aloyau** : le **T-Bone**, qui se reconnaît à son os en T, est pris dans le milieu de la longe courte et pèse entre 650 et 900 g (il donne deux ou trois portions) ; le **Porterhouse**, découpé dans la grande partie de la longe courte, est, pour sa part, plus lourd que le précédent et son filet plus gros. C'est d'ailleurs ce qui fait sa renommée (on peut servir le contre-filet haché en galettes). Il pèse un peu moins de 1,5 kg et donne trois à quatre portions.

Le **bifteck de contre-filet**, sans os, n'est pas vendu couramment. Une pièce de 2,5 cm d'épaisseur pèse de 225 à 300 g et constitue une portion.

Le bifteck le plus tendre qu'on puisse trouver dans le bœuf est le petit et luxueux **filet mignon**, découpé dans le filet. La taille de la tranche varie selon sa découpe, le filet s'amenuisant à un bout. Un morceau de 115 à 170 g est à prévoir par portion.

Le **bifteck de surlonge** contient un os. C'est une pièce dont le poids varie entre 1,5 et 2 kg et qui donne quatre ou cinq portions.

Le plus petit des biftecks de surlonge, identifié par un **os pointu**, est pris dans le bout de la surlonge, près de la longe courte. Il comporte un bon filet, mais aussi beaucoup d'os. C'est le moins avantageux.

31

Bœuf *(fin)*

Le plus gros bifteck de surlonge, identifié par un **os en coin**, est le plus avantageux; il comporte peu de déchets, mais sa chair, prise près de la cuisse, manque de tendreté.

La viande qui se trouve près du rond de croupe se vend sous le nom de **surlonge désossée**.

Dans la plupart des marchés canadiens, on trouve un seul **bifteck de surlonge**, partie de l'échine charnue, de poids variable. Mais tout bon boucher peut préparer les autres coupes.

CUISSE Le **bifteck d'intérieur de ronde**, de qualité, peut être cuit au gril. Une tranche de 700 g à 1,5 kg donne quatre portions.

FLANC Le savoureux **bifteck de flanc** est une pièce mince, sans os, à chair de texture grossière, mesurant de 30 à 40 cm de longueur, de 10 à 15 cm de largeur et 2,5 cm d'épaisseur. Un morceau de 450 à 900 g donne quatre portions. Il se cuit au gril s'il est de bonne qualité, mais il faut le garder saignant (cuit à point, il peut être dur). Tranchez-le en diagonale, perpendiculairement aux fibres.

PIÈCES À BRAISER

Comptez entre 115 et 150 g de viande désossée par portion individuelle pour ces pièces.

BLOC D'ÉPAULE La **tranche de palette** comporte un os plat ou un os rond, l'os d'épaule; on la vend aussi désossée. Une pièce de 1,5 cm d'épaisseur pèse entre 225 et 350 g. La **tranche d'épaule désossée** et le **haut-de-côtes** peuvent être braisés.

CUISSE La **tranche de croupe**, généralement dépourvue d'os, a environ 1,2 cm d'épaisseur et pèse de 140 à 170 g.

Le **bifteck de ronde** se prend dans la partie intérieure ou extérieure de la ronde. Le **bifteck d'intérieur de ronde** de première qualité présente une bonne couche de graisse et des filaments gras dans la chair. Un morceau de 2,5 cm

d'épaisseur pèse entre 900 g et 1,5 kg. Le **bifteck d'extérieur de ronde** est moins tendre que le précédent; il se vend généralement en tranches de 1,2 cm d'épaisseur, mais on peut évidemment se faire couper des biftecks plus petits. Il pèse environ 350 g.

FLANC Le **bifteck de flanc** supporte la cuisson au gril, mais le braisage l'attendrit s'il est maigre et de moindre qualité.

LONGE La **tranche de pointe de surlonge** est maigre et sans os. Une pièce de 1,2 cm d'épaisseur pèse environ 170 g.

PIÈCES À POÊLER

Comptez 150 g de viande non désossée par portion et environ 115 g de chair désossée.

La **palette** est une pièce de prix modique, mais elle renferme deux ou trois petits os ainsi qu'un gros os plat, plus gros.

L'**épaule**, entière ou en tranches, convient bien à cet apprêt; étant d'épaisseur uniforme, elle cuit également.

Le **rond de croupe**, pris dans la ronde, présente peu de gras, mais une bonne quantité de tissu conjonctif.

La **pointe de surlonge** est bien charnue, mais elle a peu de gras en surface.

L'**intérieur** et l'**extérieur de ronde**, le **haut-de-côtes**, l'**entre-côte roulée**, la **surlonge** et la **noix de ronde** peuvent être poêlés; la **tranche de poitrine** et la **tranche de pointe de poitrine** aussi, mais il faut les faire cuire lentement et longtemps pour les attendrir. Faites-les bien dégraisser.

PIÈCES À RAGOÛTS

Le **bœuf à ragoût** convient bien à cet apprêt par sa texture et sa saveur, mais d'autres pièces sont moins chères.

Le **collier**, avec ou sans ses os, demande une cuisson longue et plutôt lente.

Le **jarret**, maigre et savoureux, mais en revanche plein de tissu conjonctif, doit cuire lentement pour être tendre.

L'**extérieur de ronde** est maigre, sans os et savoureux.

Le **talon de ronde** n'a pas la fine saveur du jarret, mais il est plus tendre. Choisissez une viande de première qualité.

La **poitrine** et la **pointe de poitrine** doivent être désossées; rejetez les morceaux trop gras.

Le **bifteck de flanc** donne un excellent ragoût; sa cuisson est rapide parce qu'il est mince.

BŒUF HACHÉ

L'**intérieur de ronde** est à cet égard la pièce la plus coûteuse; elle est moins grasse, mais moins fine que l'épaule.

L'**épaule** a un peu plus de gras que l'intérieur de ronde, mais elle donne, dit-on, le meilleur bœuf haché pour hamburgers, pâtés et galettes.

Le **mélange de viandes hachées pour pâtés** renferme du bœuf, du veau et du porc. Il peut s'employer également en galettes.

La **pointe de surlonge**, prise dans le bout de la surlonge ou encore dans les côtés de la ronde, est maigre et nettement plus savoureuse que la ronde.

Le **flanc** se vend rarement haché; pourtant, sa saveur est délicieuse et ne ressemble à aucune autre pièce.

Le **bœuf haché**, dit aussi à **hamburger**, est préparé avec les parures de la poitrine et avec celles du flanc; c'est le moins cher, mais il renferme plus de gras que le haut-de-côtes et perd du volume à la cuisson.

BŒUF SALÉ

Le **bœuf salé** (corned-beef) est une préparation à base de croupe, de poitrine ou de pointe de poitrine traitée au sel. Il en faut environ 1,8 kg pour huit portions.

Veau

Le veau est une viande pauvre en gras, de cuisson délicate. Sa saveur fine a peu de relief; aussi doit-on la relever avec des sauces, des farces et des assaisonnements appropriés.

Les pièces de veau changent de nom selon les régions du pays. C'est pour parer à cette difficulté qu'Agriculture Canada travaille à la préparation d'un tableau donnant les coupes normalisées.

La chair du veau doit être douce et humide, blanc cassé ou rose très clair. Le maigre, entouré d'une mince couche d'un gras ferme et blanc crémeux, sans aucune coloration de jaune, présente une texture fine. Les os sont tendres et presque translucides.

La meilleure viande provient de bêtes abattues vers l'âge de trois mois et nourries exclusivement de lait, ce qui lui donne une teinte très pâle. La plus grande partie de cette viande de grande qualité est vendue aux hôtels et aux restaurants; on peut néanmoins en trouver dans des boucheries spécialisées.

Les bêtes plus âgées, c'est-à-dire tuées quand elles ont entre 14 semaines et un an et pesant environ 110 kg, fournissent la majorité des pièces vendues dans nos marchés. Ce veau, qui n'est plus de lait, coûte moins cher que le précédent.

PIÈCES À RÔTIR

Choisissez un rôti d'au moins 1,5 kg. Comptez entre 225 et 350 g par portion si la viande n'est pas désossée, et de 150 à 225 g si elle l'est.

ÉPAULE Le **rôti d'épaule** se vend désossé et roulé pour en faciliter le découpage à table. Il est toutefois recommandé de barder cette pièce pour la rendre plus tendre et plus succulente. Poids moyen : de 2 à 3 kg.

LONGE et CÔTES Les **rôtis de longe et de côtes** sont des morceaux de prestige rarement offerts sur le marché parce qu'on vend cette viande en côtelettes. Le **rôti de veau en couronne** comporte au moins deux trains de côtes reliés en couronne; on remplit l'intérieur de légumes ou de farce.

SURLONGE Le **rôti de surlonge** est très tendre; il pèse environ 1,5 kg et peut se vendre désossé.

CUISSEAU Le **rôti de croupe**, idéal pour une petite famille, est une coupe en pointe pratiquée dans le haut du cuisseau; il pèse entre 1,5 et 2,5 kg et peut se vendre désossé et roulé.

Le **rôti de cuisseau** est une pièce charnue garnie d'un petit os. La coupe centrale, ou **rôti de ronde**, est particulièrement fine et peut peser entre 1,8 et 3 kg. Un tel rôti se taille parfaitement en tranches. Le **cuisseau roulé** est pris dans le centre du muscle, désossé et roulé.

CÔTELETTES ET TRANCHES

Comptez de 150 à 225 g par personne si la tranche a des os; de 115 à 150 g si elle n'en a pas. Ces pièces sont très tendres et plus succulentes si elles sont braisées.

ÉPAULE La **tranche d'épaule**, peu grasse, est moins chère que les tranches de longe, de côte ou de cuisseau. Elle se prépare entière ou découpée avant la cuisson. Épaisse de 2 à 2,5 cm, elle donne deux portions.

La **tranche de palette** renferme plus d'os et moins de viande que la précédente. Elle est moins chère que la côtelette ou que la tranche de longe ou de cuisseau. Épaisse de 2 cm, elle donne deux portions (découpée et apprêtée en ragoût, elle en donne trois).

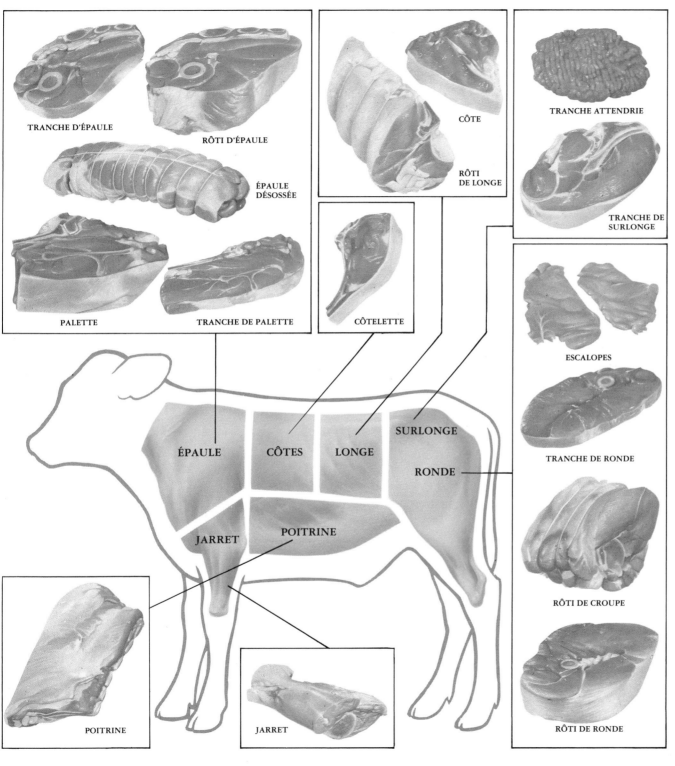

TRANCHE D'ÉPAULE

RÔTI D'ÉPAULE

ÉPAULE DÉSOSSÉE

PALETTE

TRANCHE DE PALETTE

CÔTE

RÔTI DE LONGE

CÔTELETTE

TRANCHE ATTENDRIE

TRANCHE DE SURLONGE

ESCALOPES

TRANCHE DE RONDE

RÔTI DE CROUPE

RÔTI DE RONDE

ÉPAULE   CÔTES   LONGE   SURLONGE

RONDE

JARRET   POITRINE

POITRINE

JARRET

Côtes La côtelette taillée dans le bout des côtes, moins charnue que la côte taillée près de la longe, est privée de filet et donc moins avantageuse. Celle taillée près de l'épaule a plus de gras et plus d'os. La côtelette de 1 à 1,5 cm d'épaisseur pèse environ 120 g. Elle se vend aussi désossée.

Longe La côte taillée dans la longe se vend avec le filet ; c'est la meilleure et la plus chère, bien qu'elle comporte beaucoup d'os. Une pièce de 2 cm d'épaisseur pèse entre 175 et 225 g et donne une portion. On appelle côtelette papillon celle qui comprend une partie du rognon.

Surlonge La tranche attendrie et la tranche de surlonge coûtent moins cher que la côte taillée dans la longe. Le braisage les attendrit.

Cuisseau La tranche de ronde ressemble à la tranche d'épaule, mais elle est plus grande. C'est la plus demandée des coupes de veau. Elle n'a ni gras ni déchets et contient très peu d'os. On la fait cuire entière ou en morceaux. Une tranche de 1 à 1,5 cm d'épaisseur pèse entre 450 et 675 g.

L'escalope est une tranche de jarret désossée qui se vend nature ou aplatie. Une escalope de 7 mm d'épaisseur pèse entre 85 et 115 g.

PIÈCES À BRAISER

Comptez environ 150 g par portion si la viande n'est pas désossée, 115 g si elle l'est.

Épaule L'épaule (env. 2 kg), la palette (même poids) et l'épaule désossée et roulée (entre 2 et 3 kg) se vendent à prix modique et se prêtent bien au braisage.

Poitrine On peut acheter de la poitrine de veau, avec ou sans os, et composer un plat délicieux en préparant une farce avec des oignons, de la chapelure et des fines herbes. On peut aussi braiser le collet, le jarret, les tranches coupées dans le centre du jarret et les côtes levées.

Agneau

L'agneau est abattu quand il n'a pas encore un an. Au-delà de cet âge, c'est du mouton. On distingue l'agneau de lait, prêt pour l'abattage en six à huit semaines, et l'agneau ordinaire ou de présalé, mis en marché à l'âge de trois à cinq mois. La chair de l'agneau est très fine ; c'est une source importante de fer et d'autres sels minéraux, et elle est riche en certaines vitamines qui, essentielles à la synthétisation de l'énergie alimentaire, sont indispensables pour la vue, l'appétit, la peau et les tissus nerveux.

L'agneau est classé en trois catégories : Canada A, Canada B et Canada C. La première catégorie regroupe les pièces les plus fines et les plus chères ; on ne la trouve pas partout. La chair en est tendre, succulente, bien marbrée de gras. La deuxième catégorie est plus facile à trouver. La chair renferme un peu moins de graisse que n'en contiennent les pièces de la première catégorie, mais elle demeure de bonne qualité. Les pièces d'agneau portant des noms différents selon les régions, Agriculture Canada est en train de préparer un tableau qui donnera les coupes normalisées.

La chair de l'agneau varie de couleur selon l'âge et la race de l'animal. Elle est rose pâle chez l'agneau de lait, rose foncé chez l'agneau ordinaire. Le gras est d'un blanc crémeux, ni huileux ni jaune ; un gras jaunâtre proviendrait d'une bête âgée. Les rôtis d'agneau comportent une bonne épaisseur de viande recouverte d'une couche modérée de gras. La peau est souple au toucher, ni durcie ni ridée. Les pièces taillées dans l'épaule et le gigot doivent être d'apparence dodue, et non maigre.

Presque tout l'agneau que l'on trouve sur nos marchés est importé d'Australie et de Nouvelle-Zélande. Il se vend surgelé à longueur d'année. Sa chair est moins fine et plus pâle que celle de l'agneau frais. Le gras, plus blanc, s'émiette facilement. S'il est très friable, c'est que la pièce est demeurée longtemps surgelée. Elle perdra alors beaucoup de volume à la cuisson et sera privée d'une partie de sa saveur. De septembre à décembre, on peut trouver de l'agneau canadien frais, mais en petite quantité et à des prix relativement élevés.

Même si les côtelettes, la longe, le gigot et l'épaule constituent des morceaux de choix à rôtir ou à griller, on ne négligera pas les coupes moins prestigieuses, telles que le collet, le jarret et la poitrine, qui, moyennant des apprêts un peu plus élaborés, peuvent être délicieuses.

PIÈCES À RÔTIR
Comptez 225 à 350 g par portion si la viande n'est pas désossée, 115 à 225 g si elle l'est.

ÉPAULE L'épaule désossée et roulée donne un rôti savoureux et facile à servir de 1,5 à 2,5 kg. Sa chair, tendre et succulente, est plus grasse que celle du gigot.

L'épaule non désossée présente une structure osseuse complexe qui rend le découpage difficile, mais elle ne coûte pas cher. Comptez 450 g par portion.

L'épaule désossée mais non roulée est ficelée. Vous pouvez l'ouvrir pour la farcir ; reficelez-la ensuite. Le rôti pèse de 1 à 2 kg.

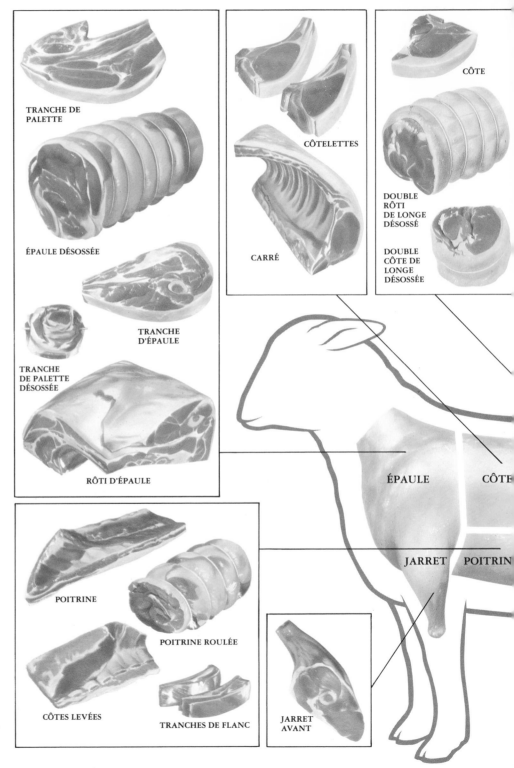

TRANCHE DE PALETTE

ÉPAULE DÉSOSSÉE

TRANCHE D'ÉPAULE

TRANCHE DE PALETTE DÉSOSSÉE

RÔTI D'ÉPAULE

CÔTELETTES

CARRÉ

CÔTE

DOUBLE RÔTI DE LONGE DÉSOSSÉ

DOUBLE CÔTE DE LONGE DÉSOSSÉE

POITRINE

POITRINE ROULÉE

CÔTES LEVÉES

TRANCHES DE FLANC

JARRET AVANT

ÉPAULE

CÔTE

JARRET

POITRINE

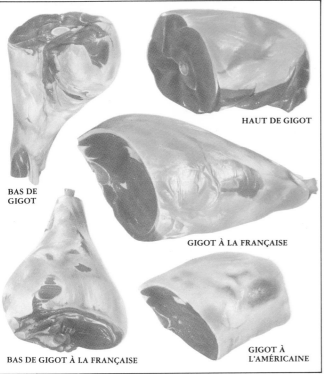

BAS DE GIGOT

HAUT DE GIGOT

GIGOT À LA FRANÇAISE

BAS DE GIGOT À LA FRANÇAISE

GIGOT À L'AMÉRICAINE

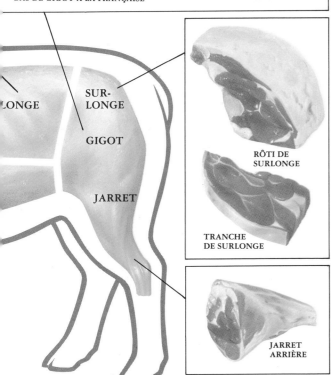

LONGE

SUR-LONGE

GIGOT

JARRET

RÔTI DE SURLONGE

TRANCHE DE SURLONGE

JARRET ARRIÈRE

CÔTES Le **carré** ou rôti de côtes est une pièce d'une saveur et d'une tendreté incomparables, mais qui renferme peu de viande et coûte cher. Un carré de 1,5 kg donne trois portions. Deux carrés reliés aux deux extrémités donnent un **rôti en couronne** ; la pièce est élégante avec ses manches de côtes à découvert. Comptez au moins deux côtes par personne et demandez au boucher de fracturer l'échine pour faciliter le service.

LONGE Le luxueux **rôti de longe,** avec ou sans os, est difficile à trouver, la pièce étant généralement découpée en côtelettes. On remarque la présence d'une fine couche de graisse, située juste sous la peau.

SURLONGE Le **rôti de surlonge** ou haut de gigot donne un petit rôti d'environ 1 kg.

GIGOT Le **gigot entier** se compose de la surlonge et du jarret ; c'est une grosse pièce de 2,5 à 4 kg qui convient à une grosse famille. Dans le **gigot à la française,** le manche est découvert. Le gigot donne de six à huit portions.

(Le découpage du gigot entier est plus facile si on le tranche parallèlement plutôt que perpendiculairement à l'os.)

Le **rôti de ronde** ou bas de gigot désigne la partie inférieure du gigot, sans la surlonge. En dégageant le manche, on obtient un **gigot à la française.** Si on enlève l'os du jarret et que l'on rattache la chair au muscle principal, on obtient un **gigot à l'américaine.**

Le **haut de gigot** est plus coûteux que le bas de gigot parce qu'il renferme la surlonge. Il est cependant plus abondant en chair et plus facile à découper. On en tire de quatre à six portions.

Le **bas de gigot** constitue un bon achat, même si le jarret est moins charnu que la surlonge. Il donne entre deux et quatre portions. Demandez au boucher de fracturer les os pour faciliter le service.

Le **gigot désossé et roulé** est fait du gigot entier dépouillé de ses os, roulé et ficelé. Il pèse entre 1,5 et 3 kg et donne de cinq à huit portions.

CÔTELETTES ET TRANCHES

Les côtelettes et les tranches de 2 à 5 cm d'épaisseur se mangent grillées. Sautez ou braisez celles qui ont moins de 2 cm. Comptez de 150 à 350 g par portion.

ÉPAULE La **tranche de palette,** avec ou sans l'os, est plus grosse et moins chère que la tranche de longe ou la côte ; elle est aussi moins tendre, si ce n'est pour les tranches prises près des côtes. Une tranche de 2 cm pèse entre 150 et 225 g et constitue une portion.

La **tranche d'épaule** vient avec l'os de l'épaule et une coupe transversale de la côte. Elle est moins savoureuse que la précédente.

CÔTES La **côtelette,** taillée dans les côtes, est plus petite que la côte, taillée dans la longe ; elle a un os et pas de filet. Les plus belles et les moins grasses se trouvent près de la longe. Près de l'épaule, elles sont plus grandes, mais moins charnues et plus osseuses. Une côtelette de 2,5 cm pèse entre 85 et 115 g. Comptez-en deux par personne.

La **double côtelette,** semblable à la précédente, est formée de deux côtelettes. Un morceau de 5 cm pèse entre 150 et 200 g et constitue une portion.

Dans la **côtelette à la française,** le manche est dégagé.

LONGE La **côte** charnue avec son filet et son os en T est la pièce la plus chère de sa catégorie. N'oubliez pas de faire raccourcir le contre-filet. Une côte de 2,5 cm pèse de 115 à 170 g. Vous pouvez aussi vous faire préparer une **double côte désossée.**

Dans une **côte à l'anglaise** de 5 cm d'épaisseur, taillée dans la longe entière, l'os de l'échine a été retiré et les deux parties de la côte

ont été rattachées. Vous pouvez demander que le rognon soit placé au centre. Le poids d'une telle pièce est de 200 à 350 g.

SURLONGE La **tranche de surlonge** est meilleure lorsqu'elle est taillée près de la longe. Près de la croupe, elle contient plus d'os et plus de déchets. Une tranche de 2,5 cm pèse entre 225 et 350 g et constitue une portion.

GIGOT La **tranche de gigot** se reconnaît à son os rond. C'est la pièce la plus maigre et la plus charnue de toutes. Elle pèse de 150 à 225 g pour 2,5 cm d'épaisseur.

PIÈCES POUR BRAISAGE ET RAGOÛTS

Comptez 150 g par portion si la viande n'est pas désossée, de 115 à 150 g si elle l'est.

ÉPAULE Une pièce d'**épaule désossée** de 3 kg donne environ 2 kg de viande maigre en morceaux, soit huit portions.

COLLET La **tranche de collet,** peu chère et pourtant savoureuse, comporte plus d'os et moins de viande que d'autres coupes. Une pièce d'environ 1,5 kg donne trois ou quatre portions.

GIGOT La **tranche de gigot,** prise au centre de la pièce, présente un petit os entouré de beaucoup de viande. Un ragoût de 700 g donne quatre portions.

Le **bas de gigot** ou bout du jarret supporte bien le pochage. S'il pèse de 2 à 2,5 kg, il donne entre six et huit portions.

JARRET Peu coûteux mais savoureux, le **jarret** a beaucoup d'os. Aussi faut-il compter un jarret par portion.

POITRINE La **poitrine** d'agneau, d'environ 900 g, constitue un plat économique pour deux personnes. On peut l'acheter désossée.

La **tranche de flanc** mesure entre 10 et 15 cm de longueur et 2 à 3 cm de largeur ; c'est un morceau épais renfermant des couches de graisse et taillé dans la poitrine.

35

Porc

Le porc de première qualité est un animal qui possède beaucoup de chair, peu d'os et une quantité normale de gras. Celui-ci est ferme, d'un blanc laiteux. Rejetez les pièces dont le gras est mou, grisâtre et huileux ; elles perdent beaucoup de volume à la cuisson. La chair du porc est d'un rose tendre, ferme et lisse au toucher, sans excès de cartilage. Les morceaux fraîchement coupés paraissent légèrement humides, et les os sont d'un rose bleuâtre.

Le porc est une viande très nourrissante ; elle renferme plus de vitamine B_1 (qui prévient la fatigue et stimule l'appétit) que toute autre viande. Le porc a plus de saveur s'il est cuit avec ses os, mais plusieurs pièces à rôtir se vendent désossées et roulées, prêtes à être farcies.

PIÈCES À RÔTIR

Achetez un rôti d'au moins 1,5 kg. Un morceau de 500 g non désossé donne deux ou trois portions ; trois ou quatre s'il est désossé.

Soc Le **rôti de soc**, pris dans le haut de l'épaule, se vend avec ou sans os et pèse de 1,5 à 3,5 kg.

Longe Le **rôti de centre de longe** est entièrement charnu et renferme le délicat filet. Demandez au boucher de fracturer l'os de l'échine pour faciliter le service. Le **rôti de côtelettes** est tout aussi tendre, mais il n'a pas de filet.

Le **rôti de couronne** se compose de deux trains ou plus de côtes centrales, rattachées ensemble ; c'est une pièce somptueuse.

Le **rôti de longe désossé et roulé** est pris soit dans le centre de la longe, soit près de la surlonge. Le **rôti de surlonge** provient de la partie arrière de la longe, près de la cuisse. Il renferme le filet, mais ses os le rendent difficile à découper.

Le **filet** est une pièce sans os de 20 à 30 cm de longueur, qui pèse entre 350 et 700 g. C'est la plus chère des coupes du porc. Le filet se vend en tranches ou aplati.

Cuisse Morceau avantageux pour les familles nombreuses, le **rôti de croupe** offre beaucoup de chair et peu d'os. Il pèse entre 5,5 et 7,5 kg avec les os et donne une vingtaine de portions. Il se vend aussi désossé et roulé en différents poids ; il est maigre et tendre.

Le rôti de croupe peut être divisé en deux pièces plus petites qui sont : le **rôti de longe** et le **rôti de jarret**. Le premier, maigre et charnu, est plus avantageux, mais plus difficile à découper que le second tant qu'on n'a pas retiré l'os de la culotte. Le rôti de jarret, plus facile à servir, est par contre moins abondant en viande.

Épaule picnic Le **rôti d'épaule picnic**, pièce de 2,5 à 3,5 kg, n'est pas aussi maigre que le rôti de longe ou de croupe, mais il est très savoureux et coûte moins cher. Le picnic désossé, roulé et ficelé se présente bien et se découpe sans difficulté. Comptez 450 g de viande avec os par portion ; la même quantité de viande désossée donne deux ou trois portions.

TRANCHES ET CÔTELETTES

Comptez de 225 à 350 g par portion si les tranches et les côtelettes ne sont pas désossées. Autrement, comptez-en de 150 à 225 g.

Les côtelettes sont recouvertes d'une épaisse couche de gras à l'extérieur. Entaillez cette partie avec des ciseaux pour que la pièce reste à plat durant la cuisson.

Épaule La **tranche de soc** comporte une partie de l'os de palette et beaucoup de gras et de cartilage, mais elle ne coûte pas cher.

La **tranche d'épaule,** qui est prélevée dans le haut du soc, ne comporte pas d'os, mais elle doit être attendrie mécaniquement. La **tranche d'épaule (picnic)**, bien que peu chère, n'est pas aussi tendre que la tranche de jambon.

Longe La **côtelette** a presque la même qualité et la même saveur que la côte de longe, mais elle ne comprend pas le filet. La côtelette que l'on trouve double et désossée sur le marché porte le nom de **côtelette papillon**.

La **côte de centre de longe**, la plus appréciée, est avantageuse puisqu'elle renferme beaucoup de chair et peu d'os et de déchets.

La **tranche de surlonge**, prise dans la longe près du jambon, offre moins de chair maigre que la coupe précédente.

Cuisse La **tranche de jambon** fraîche est maigre et tendre. Les tranches prélevées près du jarret ont particulièrement belle allure et sont de taille uniforme.

JAMBONS ET PICNICS

Comptez 150 g par portion de jambon cuit avec ses os et de 60 à 115 g de jambon désossé. Si le jambon n'est pas cuit, comptez de 225 à 350 g de viande avec os par portion ou 150 g de viande désossée. On peut lire sur l'étiquette s'il s'agit d'un jambon cuit ou cru.

Le jambon complet avec son os est une pièce avantageuse, renommée pour sa saveur. Le meilleur jambon est dodu et terminé par un jarret robuste. Une pièce de 4,5 à 6,5 kg donne de 12 à 18 portions.

Le **jambon de croupe** entier constitue un bon achat pour une famille moyenne. Il se découpe moins facilement que le jambonneau, mais il est plus charnu.

Le **jambonneau** (jambon de jarret) entier est aussi délicat que le précédent et plus facile à servir. Il coûte certes moins cher mais il est aussi moins charnu.

Un **jambon désossé et roulé** peut peser de 3,5 à 5,5 kg. Il se vend au poids, en boîte ou dans un em-

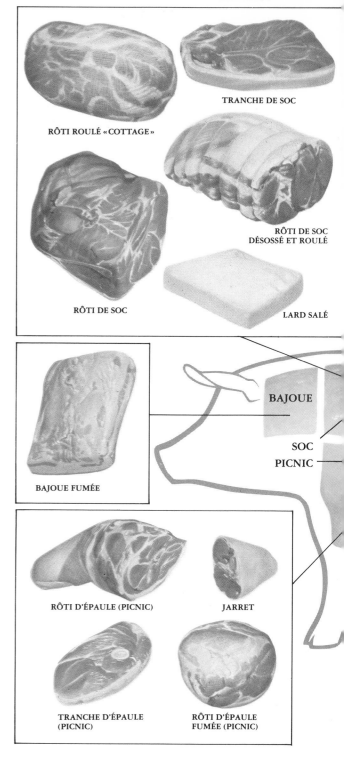

RÔTI ROULÉ « COTTAGE »

TRANCHE DE SOC

RÔTI DE SOC DÉSOSSÉ ET ROULÉ

RÔTI DE SOC

LARD SALÉ

BAJOUE FUMÉE

BAJOUE

SOC

PICNIC

RÔTI D'ÉPAULE (PICNIC)

JARRET

TRANCHE D'ÉPAULE (PICNIC)

RÔTI D'ÉPAULE FUMÉE (PICNIC)

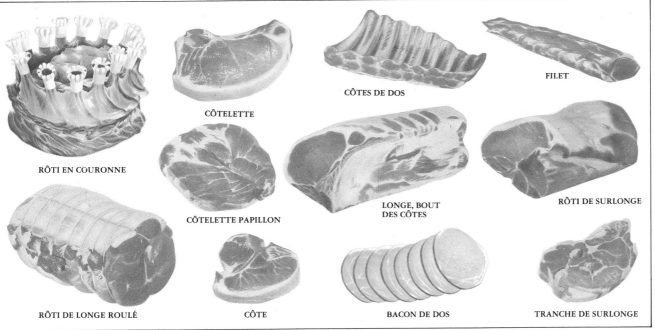

RÔTI EN COURONNE

CÔTELETTE

CÔTES DE DOS

FILET

CÔTELETTE PAPILLON

LONGE, BOUT
DES CÔTES

RÔTI DE SURLONGE

RÔTI DE LONGE ROULÉ

CÔTE

BACON DE DOS

TRANCHE DE SURLONGE

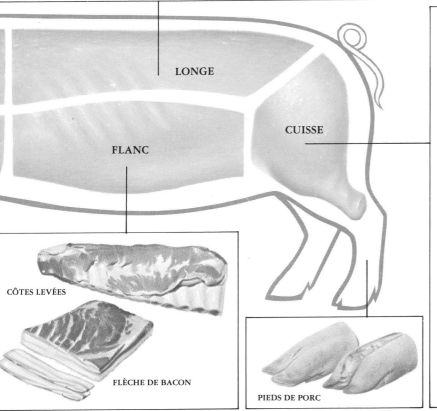

LONGE

CUISSE

FLANC

CÔTES LEVÉES

FLÈCHE DE BACON

PIEDS DE PORC

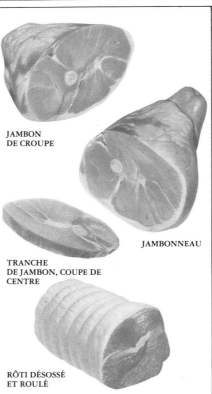

JAMBON
DE CROUPE

JAMBONNEAU

TRANCHE
DE JAMBON, COUPE DE
CENTRE

RÔTI DÉSOSSÉ
ET ROULÉ

ballage hermétique. Il a moins de saveur que le jambon non désossé. Le **rôti d'épaule fumée** (picnic) se vend moins cher que le jambon parce qu'il comporte plus de peau, de gras et d'os par rapport au poids de sa chair. En outre, il est difficile à découper. Son poids se situe entre 2 et 3,5 kg.

Le **roulé « cottage »**, pris dans le collet et l'épaule, est sans os. Il se vend toujours mariné et il remplace avantageusement le bacon en raison de son prix.

JAMBON ET PICNIC EN TRANCHES

On peut acheter les tranches de jambon et les tranches de picnic cuites ou prêtes à cuire.

CÔTES LEVÉES

Les **côtes à la paysanne**, découpées dans la longe, du côté de l'épaule, sont plus charnues que les **côtes levées** appelées *spareribs*. Il faut compter 450 g ou deux ou trois côtes par portion.

BACON, BAJOUES ET PORC SALÉ

Le **bacon en flèche**, non tranché, est moins cher que le bacon tranché et se garde plus longtemps au réfrigérateur. La **bajoue fumée** s'utilise comme du bacon.

Le **bacon de dos** est certainement un morceau de choix, mais il est coûteux. Découpé dans la noix de la longe, il est très maigre. Il se vend généralement tranché.

Le **lard salé** n'est pas fumé ; on l'utilise dans certains plats braisés et dans les fèves au lard ; on s'en sert également pour barder la chair sèche du gibier à plume.

JARRETS ET PIEDS DE PORC

Frais ou fumés, les **jarrets** de porc s'emploient en potage et en ragoût. Comptez 450 g par portion.

Les **pieds de porc** se vendent frais ou marinés dans le vinaigre.

Abats

On désigne par abats ce qui reste des carcasses de porc, de bovin ou d'agneau une fois qu'elles ont été débitées. Plusieurs d'entre eux se classent parmi les aliments les plus nourrissants.

Certains abats, le foie en particulier, fournissent en grande quantité les vitamines et les sels minéraux nécessaires à la santé ; la plupart, cependant, renferment beaucoup de cholestérol. C'est notamment le cas de la cervelle, des rognons et du foie.

Ironie du sort car on les boudait, quelques abats, comme la cervelle, le foie de veau et les ris, sont maintenant considérés comme des mets fins et leur prix a considérablement augmenté. Comparativement à d'autres viandes, ils demeurent cependant abordables. Les abats requièrent peu d'apprêts et leur cuisson est rapide. Généralement dépourvus de gras et de cartilage, ils n'ont à peu près pas de déchets. Les abats sont des aliments très périssables qui doivent être conservés au réfrigérateur jusqu'au moment de servir et consommés le jour même de l'achat. Foie, cœur, ris et cervelle se vendent frais ou surgelés.

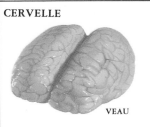

RIS

VEAU

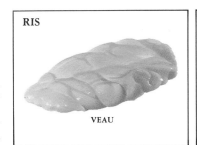

CERVELLE

VEAU

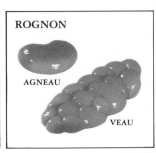

ROGNON

AGNEAU

VEAU

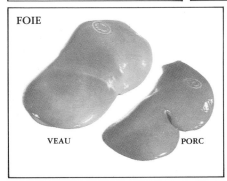

FOIE

VEAU

PORC

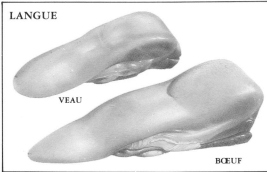

LANGUE

VEAU

BŒUF

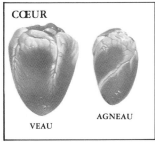

CŒUR

VEAU

AGNEAU

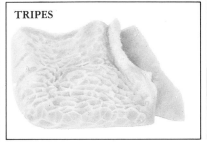

TRIPES

QUEUE DE BŒUF

FOIE

Le **foie de veau** est le plus cher, le plus tendre et le plus délicat. Frais, il est d'un brun clair rosé. Il se vend en tranches, frais ou surgelé. Il se consomme sauté ou grillé.

Le **foie d'agneau** remplace fort bien le foie de veau. Choisissez un foie brun clair. Rejetez ceux qui sont brun foncé : ils proviennent d'animaux âgés.

Le **foie de porc** a une saveur plus marquée que celui du veau ou de l'agneau. On l'apprête braisé ou encore poêlé.

Le **foie de bœuf** est peu tendre et de texture grossière. On ne recommande pas de le faire griller ou sauter. Laissez-le mariner dans du lait ou de l'eau légèrement salée pendant quelques heures pour en atténuer la saveur et faites-le poêler ou braiser.

Comptez 500 g de foie de bœuf pour quatre personnes.

ROGNON

Les **rognons d'agneau** et de veau sont les plus appréciés ; ils sont tendres et délicats. Consommez-les grillés ou sautés. Les **rognons de porc** et **de bœuf**, à saveur plus âcre, sont moins tendres. Servez-les pochés ou braisés.

Comptez bien deux rognons d'agneau, un rognon de veau ou un rognon de porc par personne ; un rognon de bœuf donne pour sa part quatre portions.

RIS

C'est le nom donné à une glande appelée thymus, qui se trouve à l'entrée de la poitrine. Le ris comprend deux parties dont l'une, plus ronde, constitue la noix et l'autre, plus allongée, la gorge. Les **ris de veau** sont un mets de choix ; ils sont couramment vendus. On les achète frais ou surgelés. Ils se consomment sautés ou braisés.

Il vous faut compter 500 g pour quatre portions.

CERVELLE

La **cervelle de veau**, la plus fine et la plus appréciée, ne se trouve pas facilement. La **cervelle d'agneau** la remplace fort bien dans les recettes. Avant la cuisson, faites dégorger les cervelles dans de l'eau froide pendant deux ou trois heures pour éliminer toute trace de sang ; enlevez la pellicule qui les recouvre. Les **cervelles de porc** et **de bœuf** sont moins fines.

Il vous faut compter 500 g pour quatre portions.

CŒUR

Le cœur, le moins cher des abats, présente peu de déchets. C'est un aliment délicat et nourrissant qui exige une cuisson longue et lente. Le **cœur de veau** est le plus délicat ; le **cœur d'agneau**, le plus petit et le plus tendre. Braisez l'un et l'autre. Le **cœur de porc**, plus gros et moins tendre que le précédent, se sert farci et braisé. Choisissez des cœurs fermes, d'un rouge vif ; rejetez ceux qui sont gris. La meilleure façon d'apprêter le **cœur de bœuf** est de le détailler en morceaux pour le cuire en ragoût ou en sauce.

Un cœur de veau donne trois portions ; un cœur d'agneau, une ; un cœur de porc, deux, et un cœur de bœuf, de 8 à 10.

LANGUE

Les langues de bœuf et de veau se trouvent plus facilement sur le marché : la **langue de bœuf** s'achète fraîche, marinée, salée, fumée et parfois prête à manger ; la **langue de veau** s'achète surtout fraîche. Les **langues d'agneau** et **de porc** sont souvent déjà cuites et prêtes à manger. Pochez la langue lentement et longuement dans un fond de mouillement pour l'attendrir.

Comptez 500 g pour quatre à cinq portions.

TRIPES

Les tripes proviennent de l'estomac du bœuf. Les meilleures sont prises dans le **bonnet** ou deuxième estomac. Elles doivent être épaisses, fermes et blanches. Rejetez celles qui sont molles, grisâtres ou visqueuses. On trouve des tripes fraîches, marinées, en boîte ou précuites (demandez alors au boucher de combien il faut prolonger la cuisson). On sert les tripes pochées, grillées ou frites.

Comptez 500 g pour quatre à cinq portions.

QUEUE DE BŒUF

Ce morceau renferme beaucoup d'os et peu de viande. Celle-ci est rouge sombre ; le gras, blanc crème. La **queue de bœuf** réclame une cuisson lente et longue. Apprêtez-la braisée, en sauce ou en soupe.

Comptez environ 1 kg pour quatre portions.

Fromages nord-américains

Les fromages sont obtenus par la coagulation du lait qui donne le caillé, matière grumeleuse, molle et blanche, et un petit-lait appelé sérum du lait ou lactosérum. Le caillé est égoutté, aromatisé, puis mis en moule. On le laisse alors fermenter sous l'action de bactéries inoffensives. Petit à petit, le fromage mûrit et durcit.

La consommation de fromage par habitant au Canada est d'environ 7 kg par an ; aux Etats-Unis, elle est de 5,5 kg. Le fromage affiné accapare les deux tiers de cette consommation au Canada, moins de la moitié aux Etats-Unis. Le fromage fondu est obtenu par la cuisson de divers morceaux de fromage affiné, mélangés et additionnés d'agents de conservation ou de sels émulsionnants ; il est parfois coloré et aromatisé. Cette pasteurisation, en détruisant les bactéries, interrompt la fermentation, empêchant ainsi la saveur de se développer. Le fromage fondu est donc assez doux.

Parmi les fromages affinés se trouve le cheddar canadien et américain, originaire de Grande-Bretagne. L'Amérique du Nord produit en outre des variantes de fromages européens : mozzarella, munster et limburger, notamment. Le liederkranz et le brick sont des créations américaines, tandis que l'anfrom et l'oka ne sont fabriqués qu'au Canada. Les fromages frais, non fermentés (fromage blanc [cottage] et fromage à la crème), sont aussi populaires. Les fromages affinés décrits ici, fabriqués au Canada et aux Etats-Unis, sont parmi les meilleurs et les plus courants.

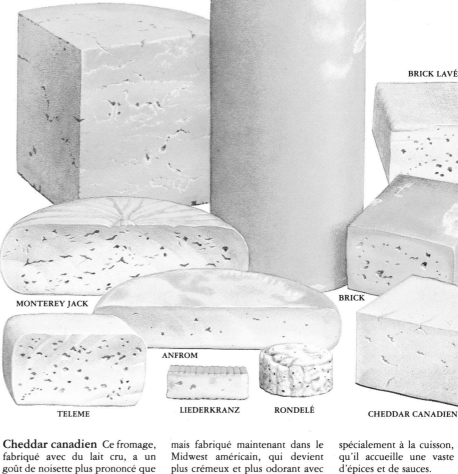

CHEDDAR AMÉRICAIN — COLBY — BRICK LAVÉ — MONTEREY JACK — BRICK — ANFROM — TELEME — LIEDERKRANZ — RONDELÉ — CHEDDAR CANADIEN

Anfrom Fromage rond et plat, de même type que le port-salut (p. 41), qui ressemble à l'oka fabriqué par les trappistes à Oka. L'anfrom et l'oka ont un goût plus relevé et une texture plus crémeuse que le port-salut.

Brick Fromage du Midwest américain, semblable au cheddar, mais avec un léger goût de limbourg (p. 43). Sous une pellicule de paraffine, sa saveur devient plus corsée avec l'âge. C'est une pâte ferme qui se tranche bien.

Brick lavé Fromage au goût très relevé provenant d'une culture par frottis sur la croûte. On le vend souvent sous les noms commerciaux de Braumeister et de Beerkaese. Le brick lavé se mange avec des oignons crus entre deux tranches de pain noir.

Cheddar américain Le fromage le plus abondamment fabriqué aux Etats-Unis. Délicat et tendre quand il est jeune, il acquiert une saveur piquante et une texture sèche et friable avec l'âge. On connaît le cheddar blanc et le cheddar jaune (orange) ; la couleur n'en modifie pas le goût.

Le cheddar du Wisconsin peut être doux ou piquant ; sa qualité n'est jamais uniforme. Le cheddar de New York, de bonne qualité, coûte cher. Celui du Vermont est plus acide ; son goût en tire un piquant particulier que le vieillissement seul ne pourrait pas lui apporter. Le **tillamook**, un cheddar fabriqué en Oregon, est si estimé sur la côte Ouest qu'il n'a pas le temps de vieillir ; on n'en connaît donc que la pâte douce. Le cheddar **coon** est un fromage friable à saveur prononcée.

Cheddar canadien Ce fromage, fabriqué avec du lait cru, a un goût de noisette plus prononcé que son cousin des Etats-Unis ; en mûrissant, il devient piquant. Sur le marché, on le trouve sous les dénominations commerciales de Black Diamond, Cherry Hill et quelques autres.

Colby Cette variante du cheddar est un fromage plus doux, plus tendre et plus facile à trancher. Certains colbys adoptent la forme d'un cylindre tronqué et donnent des tranches en demi-lune.

Liederkranz Fromage à pâte molle, originaire de New York mais fabriqué maintenant dans le Midwest américain, qui devient plus crémeux et plus odorant avec l'âge. Jeune, c'est un fromage demi-ferme et délicat ; mûr, sa pâte est molle, crémeuse et odorante. Son arôme provient en grande partie de la croûte qu'on peut, à son gré, consommer ou enlever.

Monterey Jack Ce fromage originaire de Monterey, en Californie, se trouve sur le marché sous deux formes. Le jack écrémé ou demi-écrémé est dur ; on le râpe avant de s'en servir. Le jack tendre est demi-ferme. Il est utilisé dans bon nombre de plats à la mexicaine ; sa texture crémeuse le destine tout spécialement à la cuisson, d'autant qu'il accueille une vaste gamme d'épices et de sauces.

Rondelé Fromage doux, relevé d'ail et de fines herbes, semblable au gournay français (p. 41). Il s'utilise comme hors-d'œuvre sur canapés ou pour garnir des pommes de terre au four.

Teleme Fromage de type munster (p. 41), mais plus crémeux, avec un piquant subtil et agréable. C'est un fromage populaire sur la côte Ouest des Etats-Unis, qu'on trouve parfois dans des fromageries spécialisées dans le reste des Etats-Unis et au Canada.

39

Fromages français

Il existe des centaines de fromages en France dont une petite partie seulement sont importés en Amérique du Nord. Parmi ceux-ci, cependant, se trouvent les fromages prestigieux qui ont valu à la France une réputation inégalée parmi les pays producteurs.

Le camembert et le brie sont peut-être les fromages français les plus connus chez nous, mais le roquefort, le pont-l'évêque et le port-salut ont aussi leurs amateurs, tandis que divers fromages fondus ou fromages à la crème, comme le boursin, le petit-suisse et la crème de gruyère, voient leur clientèle augmenter.

Les fromages à pâte molle, comme le camembert et le brie, doivent être achetés en petite quantité et consommés sans attente. Ils se conservent moins longtemps que les fromages à pâte dure ou les fromages fondus. Si, au moment de l'achat, la meule est déjà entamée, on peut vérifier le degré de maturité de la pâte. Un fromage crayeux se reconnaît à une bande blanche à l'intérieur, percée de petits trous. Un tel fromage est trop jeune. Le fromage à point est lisse, crémeux, jaune pâle de part en part. Si, après l'achat, on constate que le fromage est encore jeune, il faut le laisser vieillir deux ou trois jours au réfrigérateur.

La croûte du brie et du camembert demeure blanche, alors même que ces fromages sont mûrs. Lorsqu'ils sont passés, la croûte est bosselée et maculée de brun. Il n'en va pas ainsi, cependant, du double-crème et du triple-crème : une croûte brune très odorante peut indiquer que ces fromages sont affinés « à cœur » s'ils sont tendres et un peu élastiques au toucher.

Les fromages bleus, comme le roquefort, sont salés ; on ajoute en effet du sel pour ralentir la croissance des moisissures en surface pendant que la pâte mûrit. Contrairement aux autres, ces fromages demeurent bons même lorsqu'ils sont un peu avancés.

Pour conserver le fromage, enveloppez-le hermétiquement dans une pellicule de plastique ou dans un papier d'aluminium et placez-le dans la section la moins froide du réfrigérateur. Les fromages ont plus de saveur et leur texture est au mieux lorsqu'ils sont portés à la température ambiante. Ayez donc soin de les sortir du réfrigérateur une demi-heure au moins avant de les servir. Le brie, le camembert, ainsi que les autres fromages à pâte molle, seront « chambrés » trois heures ou davantage avant le service pour que les convives puissent en goûter toute la délicate saveur.

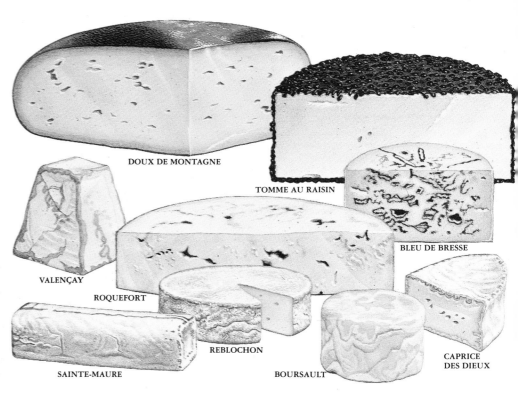

DOUX DE MONTAGNE

TOMME AU RAISIN

BLEU DE BRESSE

VALENÇAY

ROQUEFORT

CAPRICE DES DIEUX

REBLOCHON

SAINTE-MAURE

BOURSAULT

Banon Fromage blanc et friable originaire de Provence, façonné en blocs de 110 à 125 g enveloppés dans des feuilles de noyer. Autrefois fabriqué avec du lait de chèvre, le banon est maintenant fait de lait de vache. Un peu acide et vineux lorsqu'il est jeune, il devient crémeux et perd de son piquant en vieillissant.

Beaumont Fromage de Savoie rond et demi-ferme. Sa saveur, plus marquée avec l'âge, se situe à mi-chemin entre celles du brie et du port-salut.

Bleu de Bresse Pâte molle, crémeuse, veinée de bleu, vendue en meules de 115 et 225 g enveloppées de papier d'aluminium. L'ad-dition de crème à la pâte lui donne un goût délicat. Trop fait, le fromage est salé et sec.

Brie Fromage à pâte molle et à croûte blanche, qui mûrit de l'extérieur vers le centre. Les grandes meules en forme de disque sont mûres lorsque la pâte au centre est jaune pâle, sans trous ; le fromage est alors crémeux et lisse.

Camembert Un des fromages français les plus connus. Sa réputation date du moment où Napoléon lui a donné le nom d'une ville de Normandie. Vendu en meule ronde de 225 g, ce fromage à pâte molle a une saveur plus appuyée que son cousin, le brie. C'est seulement lorsqu'il est passé qu'il prend un goût d'ammoniaque.

Cantal Pâte dure à base de lait de vache, très appréciée en France. Son goût rappelle celui du cheddar.

Chèvre La France produit plusieurs fromages de chèvre qui diffèrent par leur forme et leur taille. Le chèvre jeune et frais est le meilleur ; sa saveur est piquante et salée. Parmi les chèvres vendus dans les fromageries, citons le **sainte-maure,** en forme de cylindre allongé, et le **valençay,** en pyramide.

Comté Fromage dense au goût de noix, qui se présente en meules rondes pesant de 17 à 25 kg. C'est une variante française du gruyère suisse (p. 42).

Coulommiers Fromage à pâte molle façonnée en meule ronde de 350 g, proche parent du brie et du camembert. N'était-ce de sa taille plus petite, on ne le distinguerait pas d'un brie.

Crème de gruyère Fromage fondu fait de gruyère ou d'emmenthal, ou d'un mélange des deux.

On le vend sous plusieurs dénominations commerciales. La crème de gruyère peut être aromatisée au kirsch, à l'orange, à l'ail ou au porto ; elle est additionnée de raisins, de graines de carvi, d'amandes ou encore de noix.

Double-crème et **triple-crème** Fromages à pâte molle pesant entre 115 et 310 g. Leur teneur élevée en crème (jusqu'à 75 pour cent) leur donne une délicate saveur de beurre. Comme le brie et le camembert, ils mûrissent de l'extérieur vers le centre, mais comme ils sont très crémeux, ils sont délicieux avant même d'atteindre leur maturité. Plus épais qu'un brie, ces fromages voient leur croûte devenir ammoniaquée au moment même où leur pâte est parfaitement mûre. On résout cela en éliminant délicatement la croûte supérieure au moment du service. Voici quelques noms particulièrement con-

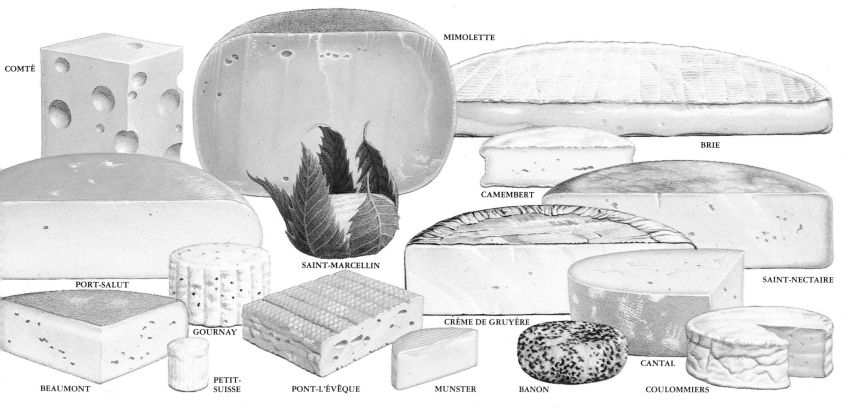

COMTÉ
MIMOLETTE
BRIE
CAMEMBERT
SAINT-NECTAIRE
SAINT-MARCELLIN
PORT-SALUT
CRÈME DE GRUYÈRE
GOURNAY
CANTAL
PETIT-SUISSE
COULOMMIERS
BEAUMONT
PONT-L'ÉVÊQUE
MUNSTER
BANON

nus : **boursault, brillat-savarin, caprice des dieux, fol-amour, saint-benoît** et **suprême des ducs.**

Doux de montagne Fromage rappelant une grosse miche de pain brun. Humide et demi-ferme, il a un goût délicat qui rappelle celui du beurre.

Gournay Membre de la famille des fromages de Neufchâtel, le gournay a une pâte molle et fraîche, aromatisée au poivre, à l'ail ou aux fines herbes ; il est vendu sous différentes dénominations commerciales, notamment **boursin, la bourse** et **tartare provençal.** Il est emballé en meule d'environ 150 g entourée de papier d'aluminium. Gardé trop longtemps, il devient amer. Une moisissure jaune ou brune peut se former en surface sous l'emballage ; il vous faut alors l'enlever soigneusement avec la pointe d'un couteau.

Gruyère français Semblable à l'emmenthal suisse (p. 42). Le goût de cette pâte à grands trous ronds rappelle celui des noix.

Mimolette Fromage sphérique orange de la famille des cheddars, qui se présente en meule de 3 kg. Sa pâte lisse est plus sèche que celle du cheddar. La pellicule de paraffine n'empêche pas le fromage de nous arriver parfois un peu sec.

Munster Pâte demi-ferme et crémeuse, à croûte rougeâtre et à saveur plus appuyée que celle du munster américain. Fromage originaire d'Alsace, il est parfois aromatisé au cumin ou aux graines d'anis.

Petit-suisse Fromage frais et très crémeux, non salé, fabriqué avec du lait entier additionné de crème. Très mou, il a un goût sur. Une boîte renferme six cylindres de 30 g. Un petit-suisse panaché de su-

cre, de fraises, de bleuets ou de confiture de groseilles constitue un excellent dessert.

Pont-l'évêque Meule carrée à pâte molle pesant entre 225 et 280 g. Son goût, bien que corsé, est moins relevé que ne le laisserait supposer sa croûte très odorante.

Port-salut Fromage jaune paille à pâte demi-ferme, recouvert d'une croûte de couleur orangée. C'était autrefois un fromage odorant à goût très relevé ; aujourd'hui, sa pâte est crémeuse et de saveur douce. Le fromage danois Esrom (p. 42) peut nous donner une idée de ce qu'a déjà été le port-salut.

Reblochon Fromage rond de 225 g, produit en Haute-Savoie et fabriqué avec du lait de vache. Membre de la grande famille du port-salut, sa saveur est plus corsée que celle de ses cousins. Le reblo-

chon doit être humide. Pour en vérifier la fraîcheur, palpez le côté de la meule, et non le centre (qui est protégé par du contre-plaqué) ; la croûte cédera un peu sous le doigt si le fromage est jeune.

Roquefort Fromage bleu à pâte friable dont le goût est piquant et salé. Le roquefort est fabriqué avec le caillé du lait de brebis ensemencé de mie de pain pulvérisée dans laquelle on laisse se développer une moisissure spéciale de couleur verdâtre. Il est affiné dans des grottes de calcaire naturelles.

Saint-marcellin Petit fromage rond fabriqué avec du lait de chèvre, à pâte friable dont la saveur douce est un peu salée.

Saint-nectaire Fabriqué à Saint-Nectaire, en Auvergne, depuis le Moyen Âge, le saint-nectaire est un fromage bleu à pâte demi-ferme

jaune paille, recouverte d'une croûte tachetée de brun jaune. Sa saveur est tout à fait caractéristique.

Saint-paulin Fromage à pâte demi-ferme, dont le goût rappelle de très près celui du port-salut. On dit que, chose rare, il y a un saint-paulin dans chacune des provinces de France.

Tomme au raisin Crème de gruyère (fromage fondu) recouverte à l'origine de marc de raisin, résidu de la fabrication du vin composé de la rafle, de la pellicule et des pépins du fruit. En fermentant, la pâte crémeuse à goût de noix y gagnait une saveur vineuse, mais une croûte couverte de moisissures. Des méthodes modernes de production permettent d'obtenir les mêmes résultats avec une croûte propre, noire et luisante. La tomme au raisin est aussi connue sous le nom de **La Grappe.**

Autres fromages importés

Une grande partie des fromages vendus au Canada viennent de France, mais d'autres pays d'Europe sont également de grands producteurs de cette denrée si appréciée chez nous. Ce sont notamment l'Italie, la Suisse, le Danemark, la Norvège, l'Allemagne et la Grande-Bretagne. Les fromages importés ont généralement une saveur et une texture supérieures aux fromages de même nom fabriqués en Amérique du Nord.

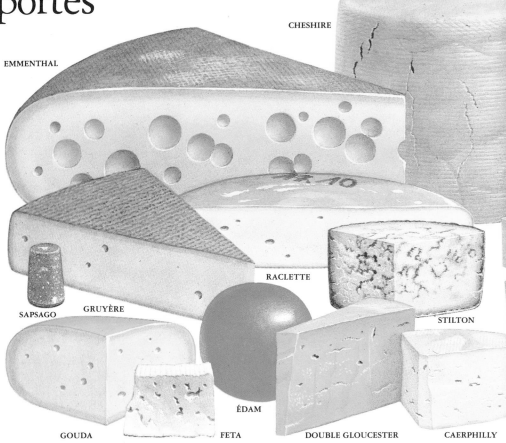

EMMENTHAL · CHESHIRE · RACLETTE · SAPSAGO · GRUYÈRE · STILTON · GOUDA · ÉDAM · FETA · DOUBLE GLOUCESTER · CAERPHILLY

Bel Paese Un des fromages italiens les plus renommés. Sa pâte crémeuse blanche est couverte d'une pellicule cireuse jaune. Saveur douce et délicate, un peu vineuse ; meule tendre et compacte. Le bel paese se sert à table, mais s'utilise aussi en cuisine à la place de la mozzarella.

Bianco Fromage allemand à saveur délicate, à mi-chemin entre le bel paese et le havarti crème.

Bleu du Danemark Fromage bleu à pâte persillée vendu sous différents noms, qui appartient à la même famille que le roquefort (p. 41). Son goût est piquant et salé. On peut le manger avec des craquelins, l'égrener sur des salades ou le mélanger à du fromage à la crème, du cheddar ou de la crème sure en sauce trempette.

Caerphilly Ce fromage anglais présentait autrefois une pâte molle et salée ; elle est maintenant blanche, sèche et friable, à saveur légèrement acidulée. Râpé et fondu, il donne une sauce blanche légère qui peut remplacer agréablement la sauce hollandaise.

Cheshire ou **Chester** Fromage anglais, base du fameux Welsh Rabbit ou Rarebit, à saveur légèrement acidulée. Bien que sec, il fond facilement et peut se tartiner sur du pain.

Edam Fromage hollandais à saveur douce quand il est jeune et à pâte élastique, à base de lait partiellement écrémé, entouré de cire

rouge. C'est un proche parent du gouda qui, lui, est fait avec du lait de vache entier.

Emmenthal Fromage d'origine suisse, souvent imité, rarement égalé grâce à des contrôles officiels sévères. Il se présente en meule de 80 kg. Pâte à trous nombreux dont la saveur rappelle le goût de la noix fraîche.

Esrom Variante danoise du portsalut (p. 41). Sa pâte irrégulièrement trouée, à saveur douce, se rapproche à maturité de celle du véritable port-salut. Livré en pain de 1,5 kg environ.

Feta Fromage importé de Grèce, fait comme le roquefort de lait de brebis et ayant un peu la saveur de celui-ci. Pâte blanche, non persillée contrairement à celle du roquefort, lavée en saumure et donc légèrement salée. Entre dans la composition des salades grecques et se sert avec des œufs et des fruits.

Fontina Fromage originaire du Nord de l'Italie, doux à la bouche et délicat, rappelant le port-salut (p. 41) et le gruyère. C'est un fromage de table et de cuisson. Le **fontina danois** a une saveur plus douce encore, tandis que le **fontina américain,** au contraire, est dur, piquant, avec une saveur rappelant celle de l'emmenthal mélangé à du parmesan. Le fontina vendu au Canada est fabriqué en Suède.

Gjetost Fromage de petit-lait formé en pavé de 4 kg ; saveur douce, légèrement caramélisée. En

Norvège, son pays d'origine, on le sert sur des tranches très minces de pain croustillant.

Gloucester Fromage anglais appelé maintenant double gloucester, parce que les meules sont deux fois plus grosses qu'autrefois. Saveur rappelant celle du cheddar, mais moins salée et moins piquante.

Gorgonzola Fromage bleu italien dont il existe deux variétés : le gorgonzola ferme, pâte persillée assez peu piquante, et le gorgonzola crème, également persillé, mais de saveur moins salée et plus délicate quand le fromage est jeune. A maturité, il est plus aromatique, plus piquant et plus mou.

Gouda Fromage hollandais à pâte douce et crémeuse, plus riche en matières grasses que son cousin l'édam. Le jeune gouda est entouré d'une pellicule de cire rouge ; le gouda âgé, au goût plus piquant, est recouvert de cire jaune.

Gruyère Originaire de Suisse, le gruyère ressemble à l'emmenthal, mais sa pâte plus dense et plus sèche a une saveur piquante qui rappelle davantage encore le goût de la noix. Le gruyère se mange bien seul ou avec des fruits ; il entre dans la composition de la quiche lorraine et dans celle de la soupe à l'oignon gratinée. Le gruyère trop vieux pour la table est excellent en cuisine.

Havarti Variante danoise du tilsit, ce fromage, doux quand il est jeune, devient plus corsé en vieillissant. Le **havarti crème**, de plus en plus apprécié, est additionné de crème, et sa saveur délicate est particulièrement riche.

Jarlsberg Fromage norvégien offert en meule de 9 kg ainsi qu'en pavé. C'est une pâte onctueuse au goût de noisette, percée d'assez grands trous.

King Christian Fromage danois parsemé de graines de carvi. Facile à trancher, il est excellent dans les sandwichs. Le parfum du carvi prend du relief lorsqu'on fait griller le fromage.

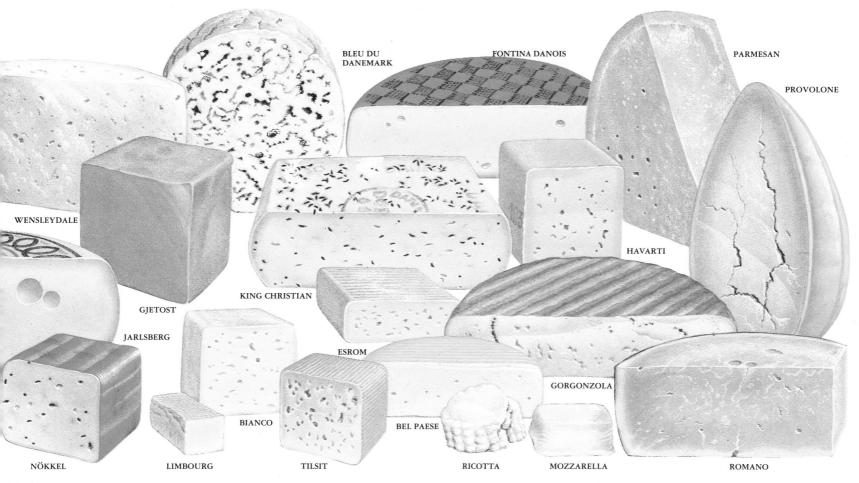

BLEU DU DANEMARK · FONTINA DANOIS · PARMESAN · PROVOLONE · WENSLEYDALE · HAVARTI · KING CHRISTIAN · GJETOST · JARLSBERG · ESROM · GORGONZOLA · NÖKKEL · BIANCO · LIMBOURG · TILSIT · BEL PAESE · RICOTTA · MOZZARELLA · ROMANO

Limbourg Originaire de la ville de Belgique dont il porte le nom, ce fromage est maintenant fabriqué en Allemagne. Il présente une pâte molle à odeur et à goût prononcés, mais moins qu'on ne s'est plu à le dire. Comme tout fromage fort, on le sert avec du pain.

Mozzarella Fromage italien à pâte tendre et spongieuse très près du caillé et de goût délicat, présent dans plusieurs plats italiens.

Nökkel Fromage norvégien crémeux et assez tendre, assaisonné de carvi, de cumin et de girofle.

Parmesan Un des fromages italiens durs les plus connus. Sa pâte robuste et parfumée en fait un excellent fromage de table et de condiment. Dans la cuisine italienne, on l'utilise beaucoup râpé et il entre dans la confection de soupes, de légumes, de pâtes alimentaires et de plats à base de viande.

Provolone Autre fromage italien dur, de formes variées, à croûte jaune et à pâte blanc crème, douce et moelleuse. Il met deux ou trois mois à mûrir. Plus âgé encore, le provolone devient fort et particulièrement piquant ; sa saveur s'accentue alors de façon marquée.

Raclette Originaire de Suisse, ce fromage a pris le nom d'un plat, sorte de fondue dans laquelle le fromage est présenté à la flamme. On racle la partie ramollie à mesure qu'elle fond et on la sert sur des pommes de terre nouvelles bouillies, garnies avec des oignons et des cornichons marinés. On peut la servir également comme hors-d'œuvre sur des petits carrés de pain noir.

Ricotta Fromage italien doux, friable et sec. Fait de lait de brebis et pauvre en matières grasses, il constitue un fromage de table. Le ricotta fabriqué au Canada ressemble au fromage blanc (cottage) et s'utilise surtout en cuisine.

Romano Fromage italien dur fait de lait de brebis, que l'on utilise surtout râpé. Son apparence rappelle celle du parmesan, mais sa saveur est plus accentuée.

Sapsago Fromage très dur, originaire de Suisse et aromatisé avec des herbes de montagne. Vendu en cylindre de 90 g, il se conserve très longtemps. La tradition veut qu'on le râpe dans du beurre fondu pour aromatiser des pommes de terre au four. Il parfume les salades, le fromage blanc (cottage) et la crème sure en trempette.

Stilton C'est le plus prestigieux des fromages anglais. Pâte veinée de bleu, à base de cheddar ; croûte sèche et brune. Saveur douce, moins accentuée que celle des bleus en général. Il est recommandé de le servir sur des craquelins non salés avec un verre de porto.

Tilsit Créé par des immigrants hollandais établis en Prusse-Orientale, ce fromage allemand est également fabriqué en Suisse et en Scandinavie. Sa pâte jaune paille, aromatique, à saveur caractéristique, est parsemée de petites ouvertures irrégulières.

Wensleydale Fromage anglais à pâte friable, blanche ou jaune crème, à saveur toujours fine. Dans le Nord de l'Angleterre, il accompagne traditionnellement la tarte aux pommes. C'est aussi un fromage qui s'utilise très bien en cuisine.

Le calendrier

JANVIER

PAGES 46-65

FÉVRIER

PAGES 66-83

MARS

PAGES 84-101

JUILLET

PAGES 156-173

AOÛT

PAGES 174-191

SEPTEMBRE

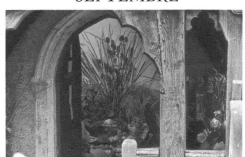

PAGES 192-209

gastronomique

AVRIL

MAI

JUIN

OCTOBRE

NOVEMBRE

DÉCEMBRE

Janvier

LES RECETTES DU MOIS

Dans ce cellier bien garni, les sacs de pommes de terre, les cageots de pommes et de panais et les chapelets d'oignons constituent un excellent jardin d'hiver.

Au fil des saisons

Après les récoltes d'été et d'automne, qui nous amènent une multitude de fruits et de légumes frais, l'hiver serait bien triste sans les produits de la terre importés. Grâce à ceux-ci, en effet, on peut trouver maintenant sur nos marchés de quoi combler les plus gourmands, même en plein cœur de janvier.

Les étalages regorgent alors de brocolis et de choux de Bruxelles, deux légumes verts qui donnent un accent de fraîcheur à nos repas d'hiver sans grever le budget. Les premiers sont vraiment délicieux au gratin (p. 63) et les seconds, servis en velouté (p. 50), prennent une dimension nouvelle. Des Etats-Unis nous vient le chou-fleur dont la finesse s'associe bien au goût de l'amande (p. 61).

En pleine saison dans leur pays d'origine, les avocats nous sont offerts à un prix moins élevé que d'habitude. On en profitera pour les servir en entrée, relevés d'une sauce Chili (p. 49). C'est également le temps du céleri de Californie, aussi délicieux nature que dans un plat chaud ou une salade (p. 62).

Le panais est un légume qui gagne de plus en plus d'amateurs parmi les consommateurs nord-américains. On le trouve facilement en janvier dans la plupart des grands marchés d'alimentation. Pour faire connaissance avec ce savoureux légume racine, servez-le en croquettes (p. 61), avec viande ou volaille.

En janvier, on trouve des agrumes en abondance. C'est le moment d'essayer les clémentines givrées (p. 64) et les oranges au four (p. 63), un dessert onctueux à base de crème à l'orange.

L'hiver est la saison des ragoûts et des potées. Aussi trouvera-t-on au menu de ce mois-ci deux plats particulièrement intéressants : le ragoût d'agneau aux légumes secs (p. 53) et les carbonades de bœuf à la flamande (p. 56), une recette à la bière typiquement belge.

MENUS SUGGÉRÉS

Crème de choux de Bruxelles
...
Selle de gros gibier
Oignons glacés   Croûtons
...
Clémentines givrées

Eperlans amandine
...
Carbonades à la flamande
Croquettes de panais
...
Croûte fromagée aux pommes

Flétan sauce crevette
Riz sauté aux poireaux
...
Tarte d'hiver

Fettuccine al burro
...
Pigeonneaux au foie gras
...
Flummery

Petits oignons à la monégasque
...
Filet de porc farci aux fruits
Brocolis au gratin
Pommes de terre mousseline
...
Sorbet à l'abricot

Crevettes farcies au gril
Salade de laitue et de céleri
...
Gâteau à la noix de coco

Queue de bœuf braisée
Riz à l'ail et aux noix
...
Fruits frais

Fritto-misto
...
Salade de chou
...
Oranges au four

Potages et entrées

AVOCATS SAUCE CHILI

La chair épaisse et fondante de l'avocat ainsi que son fin goût de noisette en font un fruit toujours apprécié. On le présente ici relevé d'une sauce Chili dont le piquant a des vertus apéritives.

PRÉPARATION : *20 minutes*

INGRÉDIENTS *(6 personnes)*
3 avocats
2 c. à soupe de jus de lime
4 c. à soupe d'huile d'olive
½ c. à thé de moutarde forte
2 c. à soupe de sauce Chili
2 c. à soupe de vinaigre de vin
1 pincée de sel
4 gouttes de sauce Tabasco
1 c. à thé de sauce Worcestershire

Tranchez les avocats en deux, dans le sens de la longueur ; enlevez les noyaux. Prélevez la chair, puis coupez-la en cubes ; ajoutez le jus de lime et réservez. Mélangez les autres ingrédients, puis mettez-les au réfrigérateur. Au moment de servir, remuez la chair d'avocat dans la sauce et disposez le tout dans les moitiés d'écorces.

THON AUX FLAGEOLETS

Voici une petite entrée à l'italienne qui marie thon et féculents et commence bien un repas d'hiver.

PRÉPARATION : *10 minutes*

INGRÉDIENTS *(8 personnes)*
350 à 400 g de thon à l'huile d'olive
750 g de flageolets cuits
100 g d'oignon haché
2 c. à soupe de persil haché
1 c. à thé d'origan
2 c. à soupe d'huile d'olive
1 c. à thé de jus de citron
1 c. à thé de zeste de citron râpé
Sel et poivre

Versez le thon et son huile dans un bol, puis effeuillez le poisson à la fourchette. Ajoutez tous les autres ingrédients et mélangez avec soin. Si vous faites cette préparation à l'avance, gardez-la au réfrigérateur, mais portez-la à la température ambiante avant de servir.

VELOUTÉ AUX HUÎTRES

Ce potage aux huîtres préparé avec du jus de palourde, de la crème épaisse et relevé de cognac se distingue très agréablement de l'habituelle chaudrée.

PRÉPARATION : *10 minutes*
CUISSON : *40 à 45 minutes*

INGRÉDIENTS *(6 personnes)*
125 g de riz non cuit
1 litre de jus de palourde en conserve
60 g de beurre
18 huîtres
375 ml de crème épaisse
Sel et poivre frais moulu
¼ c. à thé de sauce Tabasco
3 c. à soupe de cognac
GARNITURE
Persil haché

Pochez le riz dans le jus de palourde jusqu'à cuisson complète. Ajoutez le beurre et passez le riz au mixer. Hachez 12 huîtres ou passez-les au mixer avec leur jus, avant de les ajouter au riz. Incorporez la crème. Assaisonnez au goût de sel, de poivre et de sauce Tabasco, puis amenez à ébullition.

Ajoutez alors les six dernières huîtres et faites-les cuire jusqu'à ce qu'elles commencent à roidir. Versez le cognac et prolongez la cuisson de 2 minutes à feu très doux.

Servez le velouté dans des bols chauds en déposant une huître dans chacun. Parsemez de persil haché et servez avec des toasts Melba.

PETITS OIGNONS À LA MONÉGASQUE

Ces petits oignons dans une sauce au vin constituent une excellente entrée et conviennent aussi parfaitement pour accompagner les viandes froides. On les appelle parfois oignons Escoffier, en l'honneur du grand cuisinier français.

PRÉPARATION : *20 minutes*
CUISSON : *35 à 40 minutes*

INGRÉDIENTS *(8 personnes)*
40 petits oignons blancs, d'un diamètre de 2-3 cm, pelés
160 ml d'huile d'olive
125 ml de vinaigre
125 ml de madère ou de vermouth sec
2 feuilles de laurier
1 c. à thé de thym sec
1 c. à thé de basilic sec
1 grosse pincée de safran
2 c. à soupe de concentré de tomate
100 g de raisins secs
1 c. à thé de sel
1 c. à thé de poivre
Persil haché

Dans une cocotte, mettez les oignons, l'huile, le vinaigre, le madère, le laurier, le thym, le basilic, le sel, le poivre et assez d'eau pour recouvrir le tout. Portez à ébullition, puis laissez cuire à feu doux pendant 15 minutes.

Ajoutez le safran que vous aurez dilué dans une tasse avec une goutte d'eau froide, et le concentré de tomate ; mélangez et laissez cuire jusqu'à ce que les oignons soient tendres. Ajoutez alors les raisins secs et laissez cuire encore jusqu'à ce que le liquide réduise légèrement. Laissez refroidir, puis mettez au réfrigérateur.

Servez les petits oignons dans leur sauce, en les parsemant de persil haché.

ŒUFS BROUILLÉS AU SAUMON FUMÉ ET AUX POIVRONS

Voici une entrée insolite pour le déjeuner ou le dîner, qui peut constituer aussi un plat de résistance si vous l'accompagnez d'un légume ou d'une salade.

PRÉPARATION : *8 minutes*
CUISSON : *25 minutes*

INGRÉDIENTS *(6 personnes)*
200 g de beurre doux
8 tranches de pain blanc rassis, sans croûte, de 1 cm environ d'épaisseur
1 poivron (rouge ou vert)
7 œufs
3 c. à soupe de crème épaisse
100 g de saumon fumé coupé en petits morceaux
Sel, poivre
GARNITURE
1 poivron (rouge ou vert)
6 brins de persil
Cresson
12 olives noires dénoyautées

Coupez six tranches de pain en forme de disque (7-8 cm de diamètre) et les deux autres tranches en bâtonnets larges d'un peu plus de 1 cm. Dans une poêle, faites fondre la moitié du beurre. Mettez-y à dorer les morceaux de pain, sur chaque face, en veillant à ce qu'ils ne brûlent pas, puis disposez-les sur le plat de service que vous garderez au chaud à four doux (120°C).

Entre-temps, vous aurez haché grossièrement le poivron, que vous aurez préalablement débarrassé de ses graines. Faites fondre dans une poêle 30 g de beurre et faites-y cuire à feu doux pendant 15 minutes le hachis de poivron : égouttez-le, posez-le sur du papier absorbant et gardez-le au chaud.

Battez légèrement les œufs et incorporez-y la crème, le poivre, le sel et le saumon. Dans une poêle large à fond épais ou dans une sauteuse, faites fondre à petit feu le

reste de beurre. Versez-y le mélange d'œufs et de saumon et faites cuire à feu doux (sans jamais cesser de remuer) jusqu'à ce que les œufs soient pris, mais encore mous et crémeux. Enlevez du feu et répartissez rapidement sur les six croûtons de pain chaud.

Disposez les petits morceaux de poivron cuit sur les œufs brouillés et décorez avec des touffes de persil. Complétez la décoration du plat avec des lamelles de poivron cru (rouge ou vert), du cresson, des olives noires dénoyautées et les bâtonnets de pain dorés.

CRÈME DE CHOUX DE BRUXELLES

Ce potage inhabituel, qu'on peut servir aussi bien chaud que froid, est enrichi d'une savoureuse garniture d'amandes grillées. Si vous voulez le congeler, ne mettez pas de clous de girofle.

PRÉPARATION : *40 minutes*
CUISSON : *2 heures*

INGRÉDIENTS *(6 à 8 personnes)*

BOUILLON
100 g de lard blanchi
1 carotte
1 petit navet
1 gousse d'ail
1 oignon piqué de 2 clous de girofle
Bouquet garni (2 feuilles de laurier, 1 branche de thym et 6 brins de persil)
6 grains de poivre
2 c. à thé de sel

CRÈME
800 g de choux de Bruxelles
500 g de pommes de terre
1 oignon
60 g de beurre doux
250 ml de lait
1 pincée de noix de muscade râpée
100 ml de crème légère
Poivre
GARNITURE
100 g d'amandes pelées et effilées

Pour le bouillon, mettez dans une casserole 1,25 litre d'eau et le lard préalablement blanchi ; couvrez et portez à ébullition. Ajoutez la carotte et le navet pelés et coupés en rondelles, l'ail écrasé, l'oignon piqué de clous de girofle, le bouquet garni, le poivre et le sel.

Portez à ébullition, laissez bouillir 1 minute environ, puis écumez soigneusement. Couvrez, réduisez le feu et faites cuire à petits bouillons pendant 1 h 30, puis versez le bouillon, en le filtrant à travers une mousseline ou une passoire fine, dans un récipient gradué : vous devez obtenir 1 litre de bouillon ; s'il y en avait moins, ajoutez de l'eau bouillante.

Nettoyez les choux de Bruxelles et lavez-les ; épluchez, lavez et émincez les pommes de terre et l'oignon. Faites fondre le beurre dans une grande poêle et faites cuire à feu doux oignon et pommes de terre pendant 10 minutes de façon qu'ils absorbent le beurre sans prendre couleur. Ajoutez les choux de Bruxelles, faites-les légèrement revenir, puis transvasez le tout dans une casserole.

Ajoutez le bouillon et le lait, portez à ébullition ; couvrez, baissez le feu et laissez cuire à petits bouillons pendant 20 minutes. Poivrez, ajoutez du sel, au besoin ; laissez légèrement refroidir, puis passez le potage au tamis, au moulin à légumes ou au mixer. Ajoutez alors la noix de muscade et la crème ; mélangez bien ; réchauffez le potage en ayant soin de ne pas le faire bouillir ; ou bien, si vous voulez le servir froid, mettez-le au réfrigérateur pendant quelques heures.

Placez les amandes effilées sur une plaque et passez-les au four chauffé à 180°C jusqu'à ce qu'elles deviennent couleur d'ambre foncé ; vous devrez remuer plusieurs fois pour qu'elles ne brûlent pas. Retirez-les du feu et laissez-les refroidir.

Servez dans des assiettes à soupe ou dans des bols, en parsemant la crème avec les amandes.

Poissons

SOUPE DE POISSONS SANS ARÊTES

Cette soupe substantielle peut constituer un repas complet pour un savoureux dîner d'hiver. Elle présente l'avantage de pouvoir être préparée à l'avance et réchauffée au moment de se mettre à table, sans perdre son goût savoureux.

PRÉPARATION : *35 minutes*
CUISSON : *45 minutes*

INGRÉDIENTS (6 à 8 personnes)
300 g de filets d'achigan de mer
300 g de filets de sole ou de plie
300 g de filets de merlan ou de morue
1 gros oignon
6 c. à soupe d'huile d'olive
1 gousse d'ail
1 boîte de tomates pelées de
   450 à 500 g
2 c. à soupe de concentré de tomate
1 c. à soupe de persil haché
1 litre de fumet de poisson (voir
   p. 266) ou de court-bouillon
100 ml de vin blanc sec
100 ml de crème légère
1 feuille de laurier
1 gros morceau de zeste de citron
Sel, poivre
GARNITURE
100 g de crevettes décortiquées
Croûtons

Coupez les filets de poisson en morceaux de 5 cm de côté environ. Pelez et hachez finement l'oignon. Chauffez l'huile dans une grande casserole à fond épais ou dans une cocotte ; faites-y cuire l'oignon à feu modéré, en remuant souvent de façon qu'il dore sans brûler ; il faudra environ 10 minutes. Mettez alors l'ail écrasé, remuez encore pendant 1 ou 2 minutes, avant d'ajouter les tomates pelées avec leur jus, le concentré de tomate et le persil haché. Mélangez et faites cuire à feu doux pendant 15 minutes. Ajoutez le poisson, le fumet (ou le court-bouillon), le vin blanc, la feuille de laurier et le zeste de citron ; amenez à ébullition, couvrez, baissez le feu et laissez cuire à feu doux pendant 10 minutes. Otez la feuille de laurier et le zeste de citron, assaisonnez de sel et de poivre et laissez légèrement refroidir.

Egouttez autant de morceaux de poisson qu'il y a de portions à servir, couvrez-les et gardez-les au chaud à four très doux.

Placez les morceaux qui restent dans le mixer et mélangez jusqu'à obtention d'un mélange lisse et homogène.

Ajoutez la crème et mélangez, remettez dans la casserole et réchauffez sans faire bouillir. Placez dans chaque assiette creuse, ou dans chaque soupière individuelle, quelques morceaux de poisson sur lesquels vous verserez la soupe.

Décorez avec des croûtons et des crevettes décortiquées.

TOURTE AUX POIREAUX

Cette tourte aux légumes peut se servir froide ou chaude, comme entrée ou comme plat de résistance.

PRÉPARATION : *35 minutes*
CUISSON : *2 heures*

INGRÉDIENTS (4 à 6 personnes)
Pâte ordinaire (voir p. 317)
500 g de poireaux
100 g de bacon
250 ml de bouillon de poulet
1 feuille de laurier
2 œufs
2 c. à soupe de crème légère
Sel, poivre

Supprimez les feuilles extérieures des poireaux, coupez le trognon et une partie des feuilles vertes ; lavez les poireaux à l'eau courante, en ayant soin de les fendre en deux dans le sens de la longueur pour qu'il ne reste pas de terre à l'intérieur. Egouttez-les bien, puis coupez-les en tronçons épais d'un peu plus de 1 cm et mettez-les dans un moule rond en verre à feu ou en terre, à bords assez hauts, d'un diamètre de 20 cm environ. Coupez le bacon en petits dés, mélangez-le aux poireaux. Poivrez, couvrez de bouillon et ajoutez le laurier.

Mettez au milieu du four chauffé à 150°C et laissez cuire 1 h 30 ou jusqu'à ce que le liquide soit presque évaporé. Enlevez alors la feuille de laurier.

Laissez un peu refroidir les poireaux. Battez un œuf et la crème avec une fourchette. Ajoutez ce mélange aux poireaux.

Sur un plan de travail légèrement fariné, étendez la pâte au rouleau jusqu'à obtenir une abaisse ronde d'une épaisseur d'environ 3 mm et un peu plus large que le moule. Etendez-la sur le moule en la soudant bien aux rebords que vous aurez auparavant humidifiés avec de l'eau froide. Eliminez le surplus de pâte et utilisez-le pour former de petites feuilles dont vous décorerez la surface de la tourte.

Battez le second œuf avec un peu de sel et étendez-le au pinceau sur la pâte qui formera ainsi, en cuisant, une croûte dorée et brillante ; pratiquez au centre de la pâte une petite fente pour permettre à la vapeur de s'échapper pendant la cuisson. Faites cuire au milieu du four chauffé à 200°C pendant 30 minutes environ ou jusqu'à ce que la croûte soit devenue bien dorée. Servez la tourte seule ou accompagnée d'une salade verte.

CREVETTES FARCIES AU GRIL

Crabe et crevettes s'associent avec bonheur dans ce plat qui se prépare 1 ou 2 heures d'avance et se garde au réfrigérateur jusqu'à la cuisson.

PRÉPARATION : *1 heure*
CUISSON : *5 minutes*

INGRÉDIENTS (6 à 8 personnes)
36 grosses crevettes
30 g de beurre
2 c. à soupe d'oignon haché fin
2 c. à soupe de piment vert haché fin
30 g de farine
125 ml de crème légère
30 g de craquelins écrasés
250 g de chair de crabe cuite
1½ c. à thé de sauce Worcestershire
1 c. à soupe de persil haché
1 pincée de sel
1 pincée de poivre noir
SAUCE POUR LE GRIL
1 c. à thé d'oignon haché fin
30 g de beurre
1 c. à soupe de vinaigre de vin
15 g de cassonade
1 c. à soupe de sauce Worcestershire
125 ml de ketchup
3 c. à soupe de jus de citron
1 pincée de sel
¼ c. à thé de sauce Tabasco

Décortiquez les crevettes ; pratiquez une incision dans le dos de chacune d'elles pour enlever la veine intestinale. Effectuez ces opérations soigneusement afin de ne pas abîmer les crustacés. Mettez au réfrigérateur.

Pour préparer la farce, faites d'abord fondre le beurre dans un poêlon et étuvez les légumes 10 minutes à feu doux. Ajoutez la farine, puis la crème et remuez jusqu'à épaississement. Incorporez les miettes de craquelins, la chair de crabe, la sauce Worcestershire, le persil, le sel et le poivre. Mélangez bien le tout.

Accolez deux crevettes dos à dos en mettant de la farce entre elles.

Pressez et assujettissez avec des cure-dents. Réservez au froid.

Pour confectionner la sauce, faites revenir l'oignon dans le beurre pendant 5 minutes. Ajoutez le reste des ingrédients et laissez mijoter 5 minutes.

Juste avant de servir, déposez les crevettes dans un plat peu profond ; badigeonnez-les de sauce et faites-les griller à 5 cm de la source de chaleur pendant 5 minutes environ.

ÉPERLANS AMANDINE

C'est la cuisson au four ou dans le beurre qui convient le mieux à ce petit poisson de mer d'une grande finesse.

PRÉPARATION : *10 minutes*
CUISSON : *10 minutes*

INGRÉDIENTS (6 personnes)
18 éperlans
6 c. à soupe de crème légère
Farine assaisonnée
90 g de beurre doux
1 c. à soupe d'huile d'olive
100 g d'amandes effilées

Passez les éperlans à l'eau froide. Ouvrez-les, retirez les entrailles et enlevez la tête. Asséchez les poissons, plongez-les dans la crème et roulez-les dans la farine assaisonnée. Faites fondre le beurre dans un poêlon à fond épais ; ajoutez l'huile d'olive et faites cuire doucement en comptant 4 minutes par côté. Retirez-les du feu et gardez-les au chaud.

Augmentez la chaleur et faites dorer les amandes effilées dans le corps gras qui a servi à la cuisson des poissons. Eparpillez les amandes sur les éperlans et arrosez avec le beurre de cuisson.

GRATIN DE MORUE À LA SAUCE FROMAGE

Le poisson fumé confère un accent spécial à ce plat gratiné qui associe tomates et fromage.

PRÉPARATION : *35 minutes*
CUISSON : *45 minutes*

INGRÉDIENTS *(6 personnes)*
600 g de filets de morue fraîche
200 g de morue (ou d'aiglefin) fumée
1 litre de bouillon de poulet ou de fumet de poisson
1 oignon
3 clous de girofle
1 gousse d'ail
Sel et poivre noir
300 ml de sauce Béchamel (p. 269)
450 g de tomates
2 œufs
50 g de parmesan râpé
300 ml de lait
50 g de beurre doux

Dépouillez la morue fraîche ; coupez-la, ainsi que le poisson fumé, en tranches de 2,5 cm de largeur que vous déposerez dans un faitout avec le bouillon de poulet ou le fumet de poisson. Pelez et émincez finement l'oignon ; ajoutez-le au poisson avec les clous et l'ail écrasé. Amenez au point d'ébullition ; assaisonnez de sel et de poivre frais moulu. Laissez mijoter 10 minutes, puis égouttez le poisson.

Augmentez alors la chaleur et laissez réduire le fond de mouillement jusqu'à l'obtention d'environ 300 ml de bouillon que vous passerez au chinois avant de vous en servir pour préparer la béchamel.

Effeuillez le poisson dans un plat à gratin ou à four suffisamment profond et d'un diamètre de 20 cm. Nappez de sauce Béchamel chaude, recouvrez d'une couche de tomates pelées et émincées, et poivrez généreusement. Battez légèrement les œufs avec du sel et du poivre, puis incorporez-leur le parmesan râpé et le lait. Versez cet apprêt sur les tomates et parsemez le tout de noisettes de beurre. Faites cuire au centre du four, préchauffé à 160°C, pendant 45 minutes ou jusqu'à ce que le plat ait pris une belle couleur d'ambre.

Une purée de pommes de terre ou du riz et un légume vert ou une salade accompagnent bien le poisson au gratin.

MATELOTE D'ANGUILLE

Le terme de matelote désigne, en cuisine, un plat de poisson cuit avec du vin et des oignons. On prépare généralement la matelote avec des anguilles, mais on peut utiliser aussi de la carpe ou encore du congre.

PRÉPARATION : *35 minutes*
CUISSON : *1 h 15*

INGRÉDIENTS *(4 à 6 personnes)*
1 anguille de 1 kg (dépouillée et vidée)
125 g de lard de poitrine
60 g de beurre doux
40 g de farine
200 ml de vin rouge
200 ml de bouillon
15 petits oignons blancs
1 échalote
1 gousse d'ail
125 g de jeunes champignons de couche
Bouquet garni
Sel, poivre
GARNITURE
Triangles de pain blanc

Coupez en tronçons de 5 cm l'anguille que vous aurez préalablement dépouillée et vidée.

Dans une sauteuse ou une casserole, mettez 30 g de beurre. Faites-y revenir les petits oignons et le lard de poitrine coupé en dés. Retirez-les dès qu'ils sont dorés.

Versez la farine, tournez avec une cuillère en bois, puis mouillez avec le vin rouge et le bouillon en continuant à tourner. Remettez dans cette sauce les lardons et les oignons, ajoutez le bouquet garni, les champignons, l'ail et l'échalote hachés, du sel et du poivre. Laissez mijoter 30 minutes. Ajoutez alors les tronçons d'anguille et laissez cuire doucement 45 minutes.

Pendant ce temps, vous aurez fait dorer les triangles de pain dans le reste du beurre.

Au moment de servir, retirez le bouquet garni, dressez les mor-ceaux d'anguille dans un plat creux, versez la sauce par-dessus et décorez le plat avec les croûtons.

FLÉTAN SAUCE CREVETTE

Nourrissant, facile à préparer et d'une grande finesse, ce plat peut se servir au déjeuner ou au dîner.

PRÉPARATION : *15 minutes*
CUISSON : *50 minutes*

INGRÉDIENTS *(6 personnes)*
1 kg de flétan
60 g de beurre doux
1 c. à soupe d'oignon haché fin
300 ml de crème épaisse
Le jus d'un demi-citron
2 c. à thé de paprika
115 g de champignons
150 g environ de crevettes décortiquées
GARNITURE
Croissants en pâte feuilletée (p. 327)

Après avoir soigneusement dépouillé le flétan, déposez-le dans un plat beurré allant au four et faites-le cuire 15 minutes sur la grille centrale, à une température de 160°C. Retirez ensuite le poisson du four, parsemez-le de l'oignon haché, nappez le tout avec la crème mélangée au jus de citron et saupoudrez de paprika.

Couvrez le plat d'un couvercle ou de papier d'aluminium ; remettez-le au four et prolongez la cuisson de 20 minutes en arrosant le poisson à deux reprises avec le fond de mouillement. Pendant ce temps, nettoyez et émincez les champignons ; jetez-les sur le poisson avec les crevettes. Laissez cuire encore 15 minutes en arrosant deux fois. Servez le flétan nappé de sa sauce. Décorez le plat de croissants en pâte feuilletée et servez avec des pommes de terre à l'anglaise et une salade verte.

Viandes

MORUE À L'AIL GRATINÉE

Ce plat portugais consiste en une purée de morue et de pommes de terre, relevée d'ail et cuite au four.

DESSALAGE : *12 à 24 heures*
PRÉPARATION : *1 h 10*
CUISSON : *35 à 40 minutes*

INGRÉDIENTS (*8 personnes*)
1 kg de morue
6 à 8 pommes de terre moyennes
40 g de beurre
2 c. à soupe de crème légère
80 ml d'huile d'olive
3 gousses d'ail hachées
8 c. à soupe de miettes de pain

Faites dessaler la morue dans de l'eau froide pendant 12 heures (s'il s'agit de filets) ou 24 heures (si elle est entière). Renouvelez l'eau plusieurs fois.

Egouttez la morue, effeuillez-la avec les doigts, en éliminant les arêtes ; mettez-la dans une casserole, couvrez-la d'eau froide et amenez au point d'ébullition. Laissez frémir environ 5 minutes. Retirez la casserole du feu et égouttez la morue. Quand elle est suffisamment refroidie pour qu'on puisse la manier, coupez-la en tout petits morceaux, hachez-la très finement ou pilez-la dans un mortier.

Vous aurez pendant ce temps fait cuire les pommes de terre à la vapeur ; écrasez-les bien, ajoutez-leur la crème légère.

Ajoutez à cette purée la morue, l'huile d'olive et l'ail haché, tournez énergiquement avec une cuillère en bois jusqu'à ce que vous obteniez un mélange moelleux. Goûtez pour rectifier l'assaisonnement, au besoin.

Versez dans un plat à four beurré et saupoudrez de miettes de pain dorées au beurre. Mettez la préparation à four modéré (180°C), pendant environ 35 minutes. Servez chaud.

RAGOÛT D'AGNEAU AUX LÉGUMES SECS

Voici un solide et savoureux plat de résistance pour une soirée froide d'hiver.

TREMPAGE DES LÉGUMES : *12 heures*
PRÉPARATION : *1 h 30*
CUISSON : *2 heures*

INGRÉDIENTS (*6 à 8 personnes*)
800 g de collier (ou d'épaule) d'agneau coupé en dés de 2-3 cm de côté
1,5 litre de bouillon de bœuf
100 g de lentilles
100 g de gros haricots blancs secs
2 grosses pommes de terre en dés
30 g de farine
2 c. à soupe d'huile
8 carottes coupées en grosses rondelles
4 oignons moyens coupés en quartiers
2 gousses d'ail écrasées
1 pincée de romarin sec
1 pincée de thym sec
1 gros navet coupé en quartiers
Bouquet garni
Sel, poivre

Couvrez les haricots et les lentilles (dans deux récipients séparés) avec de l'eau froide salée ; laissez tremper 12 heures.

Salez et poivrez la viande, après l'avoir dégraissée, farinez-la légèrement en faisant revenir dans l'huile en la faisant dorer de toutes parts. Mettez-la dans une grande casserole. Ajoutez le bouquet garni, l'ail, le romarin, le thym, les haricots égouttés et rincés, le navet, les carottes, les oignons et le bouillon pour recouvrir le tout. Couvrez et faites cuire 1 heure à petits bouillons.

Ajoutez les lentilles égouttées et rincées, laissez cuire 30 minutes ; mettez les pommes de terre et laissez encore 30 minutes à feu doux. Dégraissez le bouillon, rectifiez l'assaisonnement, versez dans un plat de service chaud et servez.

AGNEAU GRATINÉ À LA ROUGEMONT

Un repas complet en un seul plat ! La pomme ajoute une saveur inédite à ce gratin d'agneau et de pommes de terre, qui passe directement du four à la table.

PRÉPARATION : *30 minutes*
CUISSON : *1 heure à 1 h 15*

INGRÉDIENTS (*4 à 6 personnes*)
8 côtelettes d'agneau
1 kg de pommes de terre
1 gros oignon
3 pommes à cuire
90 g de beurre doux
1 c. à thé de cassonade
Sel et poivre noir
250 ml de bouillon de poulet

Epluchez et émincez les pommes de terre, puis couvrez-les d'eau froide. Dégraissez les côtelettes d'agneau. Pelez et hachez finement l'oignon. Pelez et détaillez les pommes en petits dés après avoir enlevé le cœur. Faites revenir l'agneau dans 60 g de beurre, jusqu'à ce qu'il soit doré des deux côtés. Faites ensuite sauter les pommes et l'oignon dans le même corps gras, pendant 5 minutes environ.

Beurrez un plat à gratin peu profond avec la moitié du beurre réservé ; déposez-y la moitié des pommes de terre préalablement asséchées. Disposez les côtelettes dans le plat, recouvrez-les avec l'oignon et les pommes. Ajoutez la cassonade, un peu de sel et quelques tours de moulin à poivre. Terminez avec le reste des pommes de terre et arrosez de bouillon de poulet. Faites fondre le beurre qui reste et étalez-le au pinceau sur les pommes de terre. Déposez le plat sur la grille centrale du four et comptez 1 heure de cuisson à 180°C. Celle-ci est terminée quand les pommes de terre sont tendres et dorées. Servez avec un légume vert, comme des choux de Bruxelles.

FILET DE PORC FARCI AUX FRUITS

Le filet de porc étant un morceau de viande maigre, il demande en général à être farci, mariné ou encore lardé pour n'être pas trop sec une fois cuit.

PRÉPARATION : 30 minutes
CUISSON : 1 h 30 environ

INGRÉDIENTS (6 personnes)
1,2 kg de filet de porc
60 g de beurre doux
1 gousse d'ail
FARCE
6 tranches de pain blanc sans leur
      croûte
40 g de fruits confits variés
1 c. à soupe de persil finement haché
1 c. à soupe d'oignon finement haché
1 gousse d'ail
1 pincée d'estragon sec (facultatif)
60 g de beurre fondu
1 orange
1 œuf
Sel, poivre
SAUCE
350 g d'abricots secs
1 c. à soupe de cassonade (facultatif)
Le jus d'un citron
1 pincée de poudre de curry
1 c. à thé de graines de cumin

Préparez en premier lieu la farce : mélangez dans un bol la mie de pain finement émiettée, les fruits confits hachés, le persil, l'oignon, l'ail écrasé, l'estragon, le beurre fondu, le zeste de l'orange râpé et la pulpe du fruit, débarrassée de tous ses pépins et membranes et coupée en petits morceaux, ainsi que l'œuf déjà légèrement battu à part. Mélangez jusqu'à obtention d'une pâte homogène, en ajoutant du sel et du poivre.

Dégraissez le filet, au besoin, coupez-le dans le sens de la longueur en l'incisant jusqu'à la moitié de son épaisseur, ouvrez-le et aplatissez-le en ayant soin de ne pas le déchirer.

Recouvrez-le de la farce, roulez-le bien serré en partant d'une extrémité et ficelez-le.

Faites fondre le beurre dans une cocotte. Ajoutez l'ail épluché et haché et faites-le revenir jusqu'à ce qu'il ait pris couleur, puis enlevez-le. Mettez dans la cocotte le porc roulé et faites-le dorer uniformément de tous côtés. Couvrez, placez au milieu du four chauffé à 180°C et laissez cuire pendant 1 heure environ. Otez le couvercle pendant les 10 dernières minutes de manière que le rôti soit bien doré.

Pour préparer la sauce, mettez dans une petite casserole les abricots avec suffisamment d'eau pour les couvrir et laissez cuire à feu doux jusqu'à ce qu'ils soient tendres. Ajoutez le sucre, le jus de citron et le curry, et laissez cuire encore 5 minutes, à feu plus vif, au besoin, pour faire réduire le liquide. Passez au tamis, au moulin à légumes ou au mixer ; incorporez enfin à la sauce ainsi obtenue les graines du cumin.

Avant de servir, enlevez la ficelle et coupez le rôti en tranches que vous disposerez sur le plat de service chaud en les arrosant d'un peu de sauce. Servez le reste de la sauce en saucière et accompagnez, par exemple, de pommes de terre sautées ou d'épinards au beurre.

QUEUE DE BŒUF BRAISÉE

La queue de bœuf est un morceau de viande économique, nourrissant, mais assez gras. Il vaut mieux préparer ce plat la veille : il vous sera ainsi plus facile de le dégraisser.

PRÉPARATION : 40 minutes
CUISSON : 4 h 45

INGRÉDIENTS (6 personnes)
2 queues de bœuf coupées en morceaux
      de 5 cm
30 g de farine
2 oignons
3 c. à soupe d'huile
500 ml de vin rouge ou de bouillon de
      bœuf
1 c. à soupe de jus de citron
1 c. à soupe de concentré de tomate
Bouquet garni
Le zeste d'un demi-citron ou d'une
      demi-orange
350 g de carottes
2 petits navets
250 g de champignons de couche
Sel, poivre
GARNITURE
3 c. à soupe de persil haché
2 c. à thé de zeste de citron râpé

Salez et poivrez les morceaux de queue de bœuf et farinez-les légèrement. Epluchez et émincez les oignons.

Versez l'huile dans une grande poêle et faites-y revenir les morceaux de queue pendant 5 minutes, jusqu'à ce qu'ils soient dorés de tous les côtés : transvasez-les ensuite dans une grande casserole ou une cocotte.

Dans le gras qui reste dans la poêle, faites revenir les oignons et, dès qu'ils sont dorés, ajoutez-les aux morceaux de viande. Mouillez avec le vin ou le bouillon de bœuf, mettez la casserole sur le feu et portez à ébullition. Ajoutez le bouquet garni, le sel, le poivre, le zeste d'orange ou de citron, baissez le feu et laissez cuire à petits bouillons pendant 2 heures. Filtrez le liquide et laissez-le refroidir (vous pouvez préparer tout ce qui précède la veille).

Pelez et émincez carottes et navets et ajoutez-les à la queue de bœuf. Enlevez avec une cuillère tout le gras possible du liquide refroidi ; versez le liquide dégraissé sur la viande. Ajoutez le jus de citron et le concentré de tomate, portez à ébullition sur le feu, puis mettez au four chauffé à 150°C. Laissez cuire pendant 2 h 30. Ajoutez, 10 minutes avant la fin de la cuisson, les champignons nettoyés et émincés.

Au moment de servir, parsemez de persil haché mélangé au zeste de citron râpé ; comme accompagnement, le riz sauté aux poireaux convient particulièrement (voir p. 60).

BŒUF SALÉ À LA CRÉCY

Le chou, qui entre dans les apprêts classiques du bœuf salé, n'apparaît pas ici, mais on peut l'ajouter.

PRÉPARATION : 30 minutes
TREMPAGE : 3 heures
CUISSON : 3-4 heures

INGRÉDIENTS (6 personnes)
1,8 kg de bœuf salé
1 gros oignon
4 clous de girofle
Bouquet garni
6 grains de poivre
2 feuilles de laurier
1 tranche de bacon
10 petites carottes
12 petits oignons
2 petits navets
125 ml de vin blanc sec
1 pincée de moutarde sèche
1 pincée de cannelle moulue

Faites tremper le bœuf salé dans de l'eau froide pendant 3 heures. Retirez-le et lavez-le à l'eau fraîche.

Déposez la viande dans un grand faitout avec l'oignon pelé et piqué des quatre clous de girofle, le bouquet garni, les grains de poivre, les feuilles de laurier et le bacon. Mouillez d'eau froide pour recouvrir le tout, amenez au point d'ébullition et, après quelques minutes, écumez. Maintenez l'ébullition et continuez d'écumer pendant une dizaine de minutes. Couvrez alors le faitout et réduisez la chaleur pour assurer un mijotement constant pendant 1 h 45. Retirez la casserole du feu et sortez la viande avec une écumoire. Passez le fond de cuisson au chinois et mettez-le au froid pour que le gras fige.

Pelez les carottes et les oignons ; épluchez et tranchez grossièrement les navets. Tapissez le fond d'une marmite avec les légumes et disposez le bœuf par-dessus. Ajoutez le vin et suffisamment de bouillon dégraissé pour couvrir la viande. Saupoudrez de moutarde sèche et de cannelle. Couvrez, amenez à ébullition et laissez mijoter de 1 à 2 heures, ou jusqu'à ce que la viande soit tendre sous la fourchette.

Mettez la viande au centre d'un grand plat de service et disposez les légumes tout autour. Une vingtaine de minutes avant la fin de la cuisson, on peut ajouter un chou coupé en quartiers.

Le bœuf salé à la Crécy se sert très chaud avec des pommes de terre à l'anglaise ou des nouilles au beurre et une salade verte.

CASSOULET AUX LENTILLES

Voici une variante du classique cassoulet aux haricots : un plat idéal pour un savoureux dîner d'hiver.

TREMPAGE : *12 heures*
PRÉPARATION : *2 heures*
CUISSON : *2 h 30*

INGRÉDIENTS *(10 à 12 personnes)*
1 kg de lentilles
1 oignon piqué de 2 clous de girofle
10 gousses d'ail (4 entières pelées et 6 autres hachées finement)
Bouquet garni
1 pied de porc fendu en deux
1 kg de gigot (ou d'épaule) d'agneau désossé
1,5 kg de longe (ou d'épaule) de porc désossée
8 à 10 petites saucisses italiennes
1 saucisson à l'ail cuit
100 ml de vin rouge
200 g de lard de poitrine haché
1 c. à thé de thym sec
2 c. à soupe de concentré de tomate
Chapelure
Sel, poivre

Triez les lentilles, mettez-les dans un grand récipient, couvrez-les d'eau froide salée et laissez-les tremper pendant 12 heures.

Dans une grande casserole, versez 2 litres d'eau ; ajoutez 1 cuillerée à thé de sel, l'oignon, les gousses d'ail entières épluchées, le bouquet garni et le pied de porc. Egouttez les lentilles et mettez-les dans la casserole. Portez à ébullition, écumez et laissez cuire à feu doux jusqu'à ce que les lentilles soient tendres mais encore fermes : ne les laissez pas trop cuire. Pendant ce temps, salez et poivrez l'agneau et le porc et faites-les rôtir 1 h 30 à four doux (150°C), en les arrosant de temps en temps de vin rouge. Laissez refroidir, puis transvasez le jus de cuisson des viandes dans un bol que vous mettrez au réfrigérateur jusqu'à ce que le gras se

soit figé. Enlevez alors la couche de graisse et jetez-la.

Faites refroidir les viandes rôties et coupez-les en dés de 5 cm de côté. Mettez-les de côté. Faites cuire dans l'eau pendant 5 minutes les saucisses et le saucisson ; coupez ce dernier en tranches de 1 cm.

Mélangez les gousses d'ail hachées avec le thym et le poivre. Détachez la peau et la chair du pied de porc que vous couperez en morceaux. Egouttez les lentilles et conservez leur eau de cuisson. Otez le bouquet garni, l'oignon et l'ail.

Au fond d'un grand plat à four en terre, en fonte ou en verre, mettez une couche de lentilles et parsemez d'un peu de mélange ail-thym ; sur cette couche, placez de la viande coupée en morceaux, de la peau et de la chair des pieds de porc, des saucisses et des tranches de saucisson. Alternez les couches, en terminant par les lentilles.

Mélangez le jus des viandes, l'eau de cuisson des lentilles, ce qui reste de vin rouge et les deux cuillerées de concentré de tomate. Versez ce liquide dans le plat en

quantité suffisante pour recouvrir la couche supérieure de lentilles, sur laquelle vous répartirez le lard finement haché. Couvrez avec une feuille d'aluminium et laissez cuire pendant 1 heure au four à 180°C.

Enlevez la feuille d'aluminium, saupoudrez de chapelure et remettez au four encore 1 heure ou jusqu'à ce que le liquide soit absorbé, la chapelure grillée et la surface bien dorée. Au cas où le liquide s'évaporerait trop rapidement pendant la première heure de cuisson, ajoutez encore un peu de bouillon.

CÔTES LEVÉES AU MADÈRE

Les côtes levées de porc, très souvent utilisées dans la cuisine chinoise, sont préparées ici avec une sauce au vin doux qui confère à ce plat une saveur originale.

PRÉPARATION : *40 minutes*
CUISSON : *35 minutes*

INGRÉDIENTS *(8 personnes)*
2 kg de côtes levées de porc
3 c. à soupe d'huile d'olive
100 ml de bouillon
3 c. à soupe de madère
2 gousses d'ail
2 c. à soupe de persil haché
100 ml de jus d'orange frais
1 orange épluchée, en quartiers
Sel, poivre
1 c. à thé de graines de fenouil (facultatif)
GARNITURE
Tranches d'orange

Demandez au boucher de séparer les morceaux de côtes levées. Enlevez-en le gras, frottez-les avec les gousses d'ail épluchées et pressées en purée, puis avec le persil haché en appuyant pour qu'il colle bien. Mettez les morceaux dans une grande poêle où vous aurez fait chauffer l'huile, assaisonnez-les de beaucoup de poivre et faites-les cuire, en le retournant de façon qu'ils soient bien dorés de tous les côtés. Ajoutez le jus d'orange, le bouillon, le madère et les graines de fenouil : salez. Mettez à four moyen, chauffé à 180°C, et laissez cuire pendant 35 minutes.

Egouttez les côtes, mettez-les sur un plat de service chaud, garnissez avec des tranches d'orange et arrosez avec la sauce de cuisson dégraissée. Vous pouvez accompagner de tagliatelles au beurre, de brocolis au gratin (voir p. 63) ou de chou-fleur aux amandes (voir p. 61).

HAMBURGER À LA SAUCE PIZZAIOLA

Le traditionnel hamburger américain se marie, dans cette recette, avec une sauce italienne.

PRÉPARATION : *15 minutes pour la viande, 20 minutes pour la sauce*
CUISSON : *3 à 7 minutes pour la viande, 35 minutes pour la sauce*

INGRÉDIENTS *(4 à 6 personnes)*
1 kg environ de viande de bœuf maigre hachée
60 g de beurre doux
Sel, poivre
SAUCE
2 oignons
2 gousses d'ail
2 poivrons verts
1 c. à soupe d'huile d'olive
200 g de champignons de couche (les chapeaux seulement)
1 boîte de tomates pelées de 500 g
2 c. à thé d'origan
Sauce Chili
Sel, poivre

Salez et poivrez la viande hachée. Divisez-la en six ou huit parts et formez, en les modelant avec les mains, autant de hamburgers d'une épaisseur de 2-3 cm chacun ; évitez cependant de les manier trop longtemps, car ils durciraient. Mettez-les de côté.

Préparez la sauce. Pelez et hachez oignons et ail. Epluchez et épépinez les poivrons et découpez-les en fines lamelles. Faites chauffer l'huile dans une sauteuse et faites-y revenir à feu doux l'ail et les oignons jusqu'à ce qu'ils soient légèrement dorés. Ajoutez les lamelles de poivron et poursuivez la cuisson pendant 5 minutes. Parez et hachez grossièrement les champignons et versez-les dans la poêle, en même temps que l'origan et les tomates grossièrement concassées. Couvrez et laissez cuire encore 10 minutes. Assaisonnez au goût de sauce Chili, de sel et de poivre. Laissez la poêle sur feu doux, tandis que vous ferez cuire les hamburgers.

Faites fondre le beurre dans une poêle à fond épais, ou mieux, à revêtement antiadhésif (dans ce cas, diminuez la quantité de beurre). Faites-y revenir les hamburgers 1 minute de chaque côté, si vous les voulez peu cuits : calculez 1 minute de plus par côté pour les avoir légèrement saignants, et 2 minutes de plus pour qu'ils soient cuits à point. Disposez les hamburgers sur un plat de service chaud et recouvrez-les avec la sauce. Accompagnez d'une salade.

CARBONADES À LA FLAMANDE

Ces carbonades sont une adaptation de la recette belge de bœuf à la bière. La bière donne à la viande une saveur piquante. Le plat est meilleur s'il est préparé à l'avance et réchauffé avant de servir.

PRÉPARATION : *45 minutes*
CUISSON : *2 h 30*

INGRÉDIENTS *(6 personnes)*
1,2 kg de viande de bœuf maigre (épaule ou noix de ronde)
60 g de saindoux
1 c. à soupe d'huile d'olive
2 c. à soupe de farine
1 c. à soupe de cassonade
250 ml de bouillon de bœuf
500 ml de bière
1 c. à soupe de vinaigre de vin
5 gros oignons
4 gousses d'ail
Bouquet garni
Sel, poivre
CROÛTE AILLÉE
120 g de beurre doux
3 gousses d'ail
1 baguette de pain français

Découpez la viande en tranches (les carbonades) épaisses de 1 cm environ, longues de 8 cm et larges de 3-4 cm. Pelez et émincez les oignons ; écrasez quatre gousses d'ail. Dans une sauteuse, faites fondre le saindoux et mettez-y à revenir rapidement les morceaux de viande des deux côtés à feu vif ; retirez-les, égouttez-les et réservez-les. Baissez le feu et, dans le gras qui reste dans la sauteuse, faites dorer les oignons en remuant souvent, puis ajoutez l'ail écrasé. Disposez une partie du mélange d'oignons et d'ail dans une cocotte, placez la viande dessus et finissez par une couche d'oignons ; salez et poivrez légèrement chaque couche.

Dans la sauteuse, mélangez farine et sucre au fond de cuisson des oignons et de la viande et laissez cuire à feu modéré, pendant 2 minutes, sans cesser de remuer. Incorporez un peu de bouillon, si c'est nécessaire, pour obtenir un mélange lisse et crémeux, et portez à ébullition ; en tournant, ajoutez le reste du bouillon, la bière et le vinaigre ; reportez à ébullition et laissez bouillonner à feu doux pendant quelques minutes. Dans la cocotte, mettez le bouquet garni et versez assez de sauce de la sauteuse pour couvrir la viande. Couvrez et faites cuire à 145°C dans le bas du four pendant 2 heures.

La saveur des carbonades est rehaussée si on les prépare la veille et si on les réchauffe au moment de servir en rajoutant une croûte aillée. Pour faire la croûte aillée, faites fondre le beurre à feu doux et incorporez-y 3 gousses d'ail pilées. Coupez des tranches de pain de 1 cm d'épaisseur et faites-les revenir dans le beurre à l'ail. Mettez les tranches sur les carbonades et faites réchauffer le plat au four pendant 30 minutes, à 145°C. La croûte doit être dorée et croquante.

Servez dans le plat de cuisson en accompagnant de pâtes ou de chou-fleur aux amandes (voir p. 61).

Volaille et gibier

PERDRIX RÔTIES SUR CANAPÉS

La perdrix, qui occupe une place de choix dans le gibier à plume pour la qualité de sa chair, constitue un excellent plat d'hiver. On la sert généralement rôtie. Comptez une perdrix par personne.

PRÉPARATION : *30 minutes*
CUISSON : *25 minutes*

INGRÉDIENTS *(4 personnes)*
4 perdrix
1 oignon piqué de 2 clous de girofle
1 feuille de laurier
80 g de beurre
4 bardes de lard
Romarin
Sauge
8 feuilles de vigne
GARNITURE
4 tranches de pain blanc

Videz les perdrix et flambez-les, en réservant le foie, le gésier et le cœur. Faites bouillir ces abattis dans un peu d'eau, avec l'oignon, le laurier, du sel et du poivre, pendant 20 minutes environ ; hachez-les très finement et réservez-les. Mettez dans le ventre des perdrix un petit morceau de beurre (15 g) ; bardez-les, en glissant sous la barde un brin de romarin et une feuille de sauge, et enfin, enveloppez chaque perdrix dans une ou deux feuilles de vigne, que vous attacherez bien avec une ficelle à brider.

Mettez au four chauffé à 220°C et laissez cuire pendant 20 à 25 minutes. Environ 5 minutes avant la fin de la cuisson, ôtez les feuilles de vigne et la barde et laissez les perdrix prendre couleur.

Pendant ce temps, faites dorer quatre tranches de pain dans le reste du beurre et tartinez-les avec le hachis d'abattis. Disposez les perdrix sur ces canapés et arrosez-les avec le jus de cuisson.

COQ AU VIN

C'est un grand classique de la cuisine bourguignonne. La durée de la cuisson dépend de l'âge de la volaille utilisée ; plus le coq est vieux, plus la cuisson est longue. Servez avec le vin employé pour le plat. Le coq au vin est excellent aussi réchauffé. Pour donner à la sauce une belle couleur, vous pouvez y mélanger en fin de cuisson 2-3 cuillerées à soupe de sang de volaille si vous en avez.

PRÉPARATION : *25 minutes*
CUISSON : *1 h 15*

INGRÉDIENTS *(4 personnes)*
1 coq de 1,5 kg coupé en morceaux
125 g de lard maigre
90 g de beurre doux
2 c. à soupe d'huile
30 g de farine
16 petits oignons blancs
2 c. à soupe de cognac
1 bouteille de bon vin de Bourgogne
2 gousses d'ail
200 g de champignons de couche
Bouquet garni
Sel, poivre

Epluchez les petits oignons. Salez et poivrez tous les morceaux de coq. Coupez le lard en petits dés, et faites-le blanchir dans l'eau bouillante pendant 3 minutes. Egouttez les lardons.

Dans une cocotte, mettez l'huile et 60 g de beurre. Faites-y revenir les lardons et les petits oignons. Remuez bien pour qu'ils dorent sans brûler. Retirez-les et réservez-les. Mettez à dorer dans la cocotte les morceaux de coq. Quand ils sont bien colorés de tous les côtés, ajoutez les lardons et les petits oignons ; remuez. Chauffez le cognac dans une louche, versez-le sur le coq et flambez. Dès que la flamme est éteinte, versez le vin dans la cocotte ; ajoutez le bouquet garni et l'ail écrasé, et augmentez la chaleur pour porter lentement à ébullition. Goûtez pour vérifier l'assaisonne-

ment, couvrez et laissez mijoter 1 heure ; remuez souvent pour que le coq n'attache pas.

Pendant ce temps, parez les champignons, lavez-les bien, faites-les sauter dans 30 g de beurre et égouttez-les. Ajoutez-les au coq au bout de l'heure de cuisson, couvrez de nouveau et laissez cuire encore 15 minutes ou jusqu'à ce que le coq soit tendre.

Cinq minutes avant de servir, mélangez à la fourchette dans un bol le reste de beurre et la farine. Ajoutez un peu de sauce chaude, battez bien et versez le tout dans la cocotte pour lier la sauce en remuant bien.

Au moment de servir, dressez les morceaux de coq dans un plat chaud, retirez le bouquet garni, nappez avec la sauce.

Servez avec des pommes de terre cuites à la vapeur ou sautées.

PERDREAUX AUX FEUILLES DE VIGNE

Les feuilles de vigne rehaussent la fine saveur de cet oiseau sauvage.

PRÉPARATION : *25 minutes*
CUISSON : *1 h 30*

INGRÉDIENTS (*4 personnes*)
2 perdreaux
Sel et poivre noir
6 tranches de citron
4 c. à thé de gelée de coing
1 bocal de 500 ml de feuilles de vigne
350 g de bacon
300 ml de vin blanc sec
1 litre de bouillon de poulet
GARNITURE
Cresson
Quartiers de citron

Asséchez bien les perdreaux, à l'intérieur comme à l'extérieur ; assaisonnez-les de sel et de poivre noir et mettez dans chaque carcasse trois tranches de citron et 2 cuillerées à thé de gelée de coing. Egouttez les feuilles de vigne et enveloppez-en les perdreaux ; recouvrez de bacon et ficelez bien.

Amenez le vin et le bouillon de poulet à ébullition dans un grand faitout avec les abattis que vous aurez réservés à cet effet. Déposez les perdreaux dans le fond de cuisson et laissez-les mijoter 1 h 15.

Refroidissez rapidement les perdreaux en les plongeant dans un bain d'eau glacée. Quand ils sont presque froids, jetez l'eau, enlevez bacon et feuilles de vigne, et épongez-les soigneusement avec des serviettes de papier.

Servez les perdreaux entiers sur un lit de cresson, entourés de quartiers de citron. Une salade de laitue et de céleri (p. 62) accompagne bien ce plat.

POULET AUX CHIPOLATAS

Un plat économique sans être banal : préparé selon cette recette, le poulet se marie particulièrement bien avec la saucisse.

PRÉPARATION : *40 minutes*
CUISSON : *50 minutes*

INGRÉDIENTS (*4 personnes*)
4 cuisses de poulet
4 chipolatas
4 c. à soupe d'huile d'olive
1 oignon moyen émincé
1 gousse d'ail hachée fin
4-5 tomates pelées en conserve
Sel, poivre

Faites sauter pendant 5 minutes, dans 2 cuillerées à soupe d'huile d'olive, l'oignon émincé et l'ail haché ; égouttez-les et réservez-les.

Dans la même poêle, en ajoutant le reste d'huile d'olive, faites revenir les saucisses jusqu'à ce qu'elles soient bien colorées de tous les côtés. Retirez-les de la poêle, et, quand elles seront refroidies, coupez-les en morceaux de 5 cm.

Salez et poivrez les cuisses de poulet et faites-les revenir dans l'huile restée dans la poêle. Quand elles sont bien dorées, retirez-les et réservez-les. Jetez une partie de la graisse de manière à n'en garder qu'une cuillerée à soupe.

Remettez dans la poêle l'oignon, l'ail, les saucisses et les tomates que vous aurez égouttées et écrasées avec une fourchette ; mélangez bien ; ajoutez les morceaux de poulet en les tournant pour qu'ils s'imprègnent bien de la sauce.

Couvrez et laissez mijoter pendant 45 minutes ; vers la fin de la cuisson, ôtez le couvercle s'il est nécessaire de faire épaissir la sauce. Rectifiez l'assaisonnement et servez chaud, avec du riz.

BLANCS DE POULET AU VIN BLANC

Si vous avez des invités à dîner, voici un plat raffiné qui est très facile à préparer.

PRÉPARATION : *10 minutes*
CUISSON : *20 minutes*

INGRÉDIENTS (*6 personnes*)
6 demi-poitrines de poulet dépouillées
60 g de beurre
250 ml de vin blanc sec
150 ml de crème légère
3 jaunes d'œufs battus
2 c. à soupe de jus de citron
2 c. à soupe d'échalote (ou d'oignon) hachée
1 c. à soupe de persil haché
Sel, poivre

Aplatissez légèrement les blancs de poulet, arrosez-les de jus de citron, salez et poivrez.

Faites fondre le beurre dans une sauteuse : quand il est chaud, mettez-y l'échalote et les blancs de poulet, que vous ferez sauter 2 minutes de chaque côté à feu modéré. Attention à ne pas prolonger la cuisson : une minute de trop rendrait la viande dure et sèche. Réservez les blancs de poulet dans un plat de service et tenez-les au chaud, couverts, à four très doux (100°C).

Versez le vin blanc dans la poêle et faites bouillir à feu vif jusqu'à ce qu'il soit réduit de moitié ; ajoutez la crème et faites bouillir encore jusqu'à ce que cette sauce épaississe légèrement. Otez du feu et laissez refroidir un moment.

Mélangez quelques cuillerées de sauce aux jaunes d'œufs, battus dans une tasse, et versez ce mélange dans la poêle. En remuant sans arrêt, faites cuire à feu doux, en évitant de faire bouillir, jusqu'à ce que la sauce épaississe.

Retirez le poulet du four et versez dans la sauce le jus qui sera resté au fond du plat. Remuez pour bien mélanger, goûtez pour rectifier l'assaisonnement ; si la sauce vous semble un peu fade, ajoutez quelques gouttes de citron. Versez-la sur les blancs de poulet et garnissez de persil haché.

Servez accompagné d'épinards au beurre ou de pommes noisette.

SELLE DE GROS GIBIER

Dans les grands dîners, une belle pièce de gibier au porto constitue un plat de résistance apprécié. Il convient de laisser la pièce vieillir pendant au moins trois semaines pour qu'elle soit vraiment succulente. Une selle sert huit personnes, mais la recette vaut pour des pièces plus petites.

PRÉPARATION : *25 minutes*
CUISSON : *2 h 45*

INGRÉDIENTS (*8 à 10 personnes*)
1 selle de gros gibier de 2,5 à 3,5 kg
2 carottes
1 oignon d'Espagne
2 côtes de céleri
Sel et poivre noir
115 g de beurre
125 ml d'huile d'olive
2 gousses d'ail
2 feuilles de laurier
1 branche de thym ou 1 pincée de thym en poudre
300 ml de bouillon de poulet
½ bouteille de porto
1 c. à soupe comble de farine
SAUCE
60 g de beurre doux
1 c. à soupe comble de gelée de groseille rouge

Pelez et hachez les carottes, l'oignon et le céleri. Débarrassez la viande de son cartilage ; essuyez-la avec un linge ; salez et poivrez. Mettez le beurre et l'huile dans une grande rôtissoire ou dans une sauteuse ; faites-y revenir rapidement la viande, puis réservez-la. Aug-mentez la chaleur, pelez et écrasez l'ail, mettez-le dans la rôtissoire avec les feuilles de laurier, le thym et les légumes hachés. Laissez cuire 5 minutes en évitant de faire brunir les légumes. Déposez la selle sur ce fond de braisage et couvrez hermétiquement de papier d'aluminium. Placez la rôtissoire sur la grille inférieure du four et faites cuire 45 minutes à 190°C ; ajoutez alors le bouillon de poulet, remettez le papier en place et prolongez la cuisson d'une heure.

Sortez la rôtissoire du four et posez-la sur un élément de surface ; versez le porto sur la viande, amenez au point d'ébullition et remettez la selle au four, mais à découvert. Laissez cuire 1 heure de plus en arrosant toutes les 15 minutes. Si la cuisson est trop rapide, diminuez la chaleur durant les 30 dernières minutes. Mettez la selle sur un plat et gardez-la au chaud, dans le four, pendant que vous confectionnerez la sauce.

Passez le jus de cuisson dans une petite casserole et réduisez-le rapidement de moitié. Mélangez le beurre doux et la farine ; puis, en remuant constamment, incorporez peu à peu cette pâte à la sauce afin de la lier. Ajoutez enfin la gelée de groseille, et, dès qu'elle est fondue, rectifiez l'assaisonnement.

Découpez la selle et dressez les tranches sur un plat de service chaud ; nappez d'un peu de sauce et garnissez d'oignons glacés (voir p. 259), de chapeaux de champignons frits au beurre et de croûtons sautés (p. 268). Servez le reste de la sauce en saucière.

PIGEONNEAUX AU FOIE GRAS

Les pigeonneaux font un plat élégant pour un déjeuner ou un dîner de réception. Dans cette recette, ils sont farcis de mousse de foie gras et accompagnés de chou braisé, avec une garniture d'oranges.

MARINAGE : *10 à 12 heures*
PRÉPARATION : *50 minutes*
CUISSON : *2 h 30*

INGRÉDIENTS *(12 personnes)*

6 pigeonneaux	**FARCE**	**CHOU BRAISÉ**
300 ml de vin blanc sec	*1 boîte de mousse de*	*1 gros chou vert*
60 g de beurre doux	*foie gras de 300 g*	*200 g de bacon*
2 carottes	*1 c. à soupe de porto*	*3 oignons moyens*
1 oignon	*1 jaune d'œuf*	*6 baies de genièvre*
Bouquet garni	*½ c. à thé de crème*	*50 g de beurre doux*
Le zeste d'une orange	*légère*	*200 ml de bouillon de*
et d'un citron	*Sel, poivre*	*viande*
Sel, poivre	**GARNITURE**	*Sel, poivre*
	2 oranges en	
	tranches	

Mettez les pigeonneaux dans un grand récipient ; ajoutez le vin, les carottes coupées en rondelles et l'oignon épluché et émincé, le bouquet garni, les zestes d'orange et de citron. Laissez mariner les pigeonneaux pendant 10 à 12 heures en les retournant.

Pour la farce, écrasez le pâté à la fourchette pour qu'il soit mou, incorporez le porto, le jaune d'œuf, la crème, du sel et du poivre.

Retirez les pigeonneaux de la marinade et essuyez-les ; remplissez de farce et cousez les ouvertures. Salez et poivrez légèrement.

Faites fondre le beurre dans une grande poêle, mettez-y à revenir rapidement les pigeonneaux. Lorsqu'ils sont dorés, retirez-les et placez-les dans une cocotte. Ajoutez la marinade, filtrée dans une passoire, et portez à ébullition sur le feu. Rectifiez l'assaisonnement, couvrez hermétiquement et faites cuire dans le bas du four à 150°C pendant 2 h 30 environ. Pour vérifier si les pigeonneaux sont cuits, piquez une cuisse : il doit en sortir un liquide incolore.

Pendant que les pigeonneaux cuisent, préparez le chou braisé. Nettoyez le chou : supprimez les feuilles extérieures et les grosses côtes, coupez le trognon ; coupez le chou en lamelles. Faites-le blanchir 10 minutes dans de l'eau bouillante salée. Egouttez-le.

Dans une cocotte, faites fondre le beurre ou le saindoux ; mettez-y à revenir les oignons émincés. Quand ils ont pris couleur, ajoutez le chou, les baies de genièvre et le bacon coupé en morceaux. Mouillez avec le bouillon, salez, poivrez. Couvrez et laissez cuire à feu doux 2 heures environ.

Cinq minutes avant de servir, placez le chou braisé dans le fond du plat de service, puis disposez-y les pigeonneaux ; gardez le plat au chaud dans le four.

Passez le jus de cuisson des pigeonneaux, faites-le réduire à feu vif, si c'est nécessaire, jusqu'à la consistance voulue. Versez-le sur les pigeonneaux, garnissez le plat de tranches d'orange et servez.

POULET JARDINIÈRE

Le poulet se prête à toutes sortes de préparations. Ici, il cuit avec des légumes. Une fois au four, il ne demande aucune surveillance.

PRÉPARATION : *40 minutes*
CUISSON : *1 h 30*

INGRÉDIENTS *(4 à 6 personnes)*
1 gros poulet de 1,5 kg
2 tranches de bacon
60 à 80 g de beurre doux
2 gros oignons
2 côtes de céleri
100 g de champignons
500 g de petites pommes de terre
200 g de navets
1 boîte de tomates pelées
de 450 à 500 g
Bouquet garni
Sel, poivre
GARNITURE
Persil
Le zeste d'une demi-orange

Découpez le poulet en quatre ou six morceaux. Hachez le bacon, épluchez et émincez les oignons ; lavez et hachez grossièrement le céleri ; parez les champignons et coupez-les en petits morceaux.

Faites fondre le beurre dans une sauteuse ou une grande poêle à fond épais ; mettez-y à revenir les légumes et le bacon, et faites rissoler 5 minutes. A l'aide d'une écumoire, égouttez les légumes et le bacon que vous répartirez au fond d'un grand plat allant au four.

Faites revenir les morceaux de poulet dans le fond de cuisson des légumes, en y ajoutant éventuellement un peu de beurre. Quand ils sont bien dorés, égouttez-les et disposez-les sur les légumes déjà cuits. Ajoutez les petites pommes de terre épluchées, les navets pelés et coupés en rondelles, les tomates et le bouquet garni. Assaisonnez de sel et de poivre et couvrez d'une feuille d'aluminium bien soudée au bord du plat, sur laquelle vous poserez en plus un couvercle, pour que la vapeur ne puisse pas sortir. Faites cuire au centre du four, chauffé à 150°C, pendant 1 h 30 environ.

Juste avant de servir, retirez le bouquet garni, parsemez le poulet de persil haché mêlé au zeste d'orange, haché lui aussi très fin.

Plusieurs légumes entrant déjà dans la préparation de ce plat, il n'est pas nécessaire de prévoir un accompagnement.

Riz et pâtes

SPAGHETTIS À L'AUBERGINE

En Italie, les spaghettis sont très souvent servis comme plat de résistance. Ici, ils sont parfumés à l'aubergine.

PRÉPARATION : *1 h 10*
CUISSON : *15 minutes*

INGRÉDIENTS (*4 à 6 personnes*)
350 g de spaghettis
1 grosse aubergine
2 c. à soupe de sel
Farine assaisonnée
6 c. à soupe d'huile d'olive
Poivre noir

Coupez et jetez la tige de l'aubergine, essuyez le fruit et tranchez-le en rondelles minces. Empilez les rondelles dans une passoire en saupoudrant chacune de sel. Laissez-les dégorger pendant une heure. Épongez-les ensuite avec des serviettes de papier et coupez-les en bâtonnets de 7 mm de largeur. Farinez-les légèrement.

Dans une grande marmite, amenez à ébullition 4 litres d'eau ; ajoutez 1 cuillerée à soupe rase de sel et les spaghettis. Remuez sans arrêt jusqu'à la reprise de l'ébullition. Maintenez l'ébullition pendant 9 minutes en remuant de temps à autre. Les spaghettis doivent être tendres, mais légèrement croquants (*al dente*). Dans l'intervalle, faites revenir les bâtonnets d'aubergine dans 3-4 cuillerées à soupe d'huile très chaude, jusqu'à ce qu'ils soient croquants.

Égouttez soigneusement les spaghettis dans une passoire de manière que toute l'eau soit éliminée ; poivrez généreusement. Disposez les pâtes dans un plat de service chaud et arrosez-les du reste d'huile d'olive chaude. Remuez bien et ajoutez l'aubergine.

RIZ SAUTÉ AUX POIREAUX

Ce plat de riz peut se servir seul ou comme accompagnement original pour une daube.

PRÉPARATION : *15 minutes*
CUISSON : *20 minutes*

INGRÉDIENTS (*4 personnes*)
800 g de poireaux
200 g de riz à grains longs
60 g de beurre doux
1 pincée de poudre de curry
Sel, poivre

Mettez sur le feu, dans une grande casserole, environ 3 litres d'eau salée pour le riz et, dans un récipient plus petit, 1 litre d'eau salée pour les poireaux.

Nettoyez les poireaux : enlevez les feuilles extérieures, coupez les racines et l'extrémité des feuilles vertes, lavez-les avec soin sous l'eau courante froide, en les fendant pour éliminer toute trace de terre. Coupez-les en tronçons de 5 mm d'épaisseur environ.

Quand l'eau bout, versez le riz dans la plus grande casserole, les poireaux dans l'autre, et laissez cuire ces derniers à petits bouillons pendant 5 minutes ; égouttez-les soigneusement. Faites fondre le beurre dans une poêle, mettez-y les poireaux et faites-les rissoler, en remuant souvent, pendant 8 minutes environ ou jusqu'à ce qu'ils soient tendres.

Quand le riz est cuit, égouttez-le, lavez-le bien sous l'eau courante, chaude si possible ; ajoutez-le aux poireaux dans la poêle, saupoudrez de curry et faites rissoler le tout pendant quelques minutes, sans cesser de remuer. Assaisonnez avec du poivre et servez chaud.

FETTUCCINE AL BURRO

Plusieurs restaurants de Rome font une spécialité de ces pâtes qui sont souvent fabriquées sur place. On peut les servir en entrée ou en faire le plat de résistance d'un repas léger.

PRÉPARATION : *8 minutes*
CUISSON : *10 à 15 minutes*

INGRÉDIENTS (*4 à 6 personnes*)
450 à 500 g de fettuccines
1 c. à soupe de sel
125 g de beurre doux
6 c. à soupe de crème épaisse
200 g de parmesan râpé
Poivre noir

Amenez 4 litres d'eau à ébullition dans une grande casserole ; ajoutez le sel et les pâtes. Remuez jusqu'à la reprise de l'ébullition pour empêcher les fettuccines de coller les uns aux autres. Couvrez et maintenez l'ébullition pendant 8 minutes ; les pâtes doivent être tendres. Dans l'intervalle, défaites le beurre en crème ; incorporez-y peu à peu la crème et la moitié du fromage. Égouttez soigneusement les fettuccines dans une passoire en les secouant pour enlever toute l'eau.

Déposez-les dans un plat de service chaud, versez-y également la sauce et remuez pour bien en enrober les pâtes. Poivrez généreusement et servez le reste du fromage à part. Accompagnez le fettuccine al burro d'une salade de laitue, tomates et fenouil.

RIZ À L'AIL ET AUX NOIX

Ce plat de riz peut être servi seul ou comme garniture, particulièrement indiquée avec une goulasch ou de la queue de bœuf braisée.

PRÉPARATION : *15 minutes*
CUISSON : *20 à 25 minutes*

INGRÉDIENTS (*4 à 6 personnes*)
300 g de riz
4 c. à soupe d'huile d'olive
700 ml de bouillon de poulet
2 c. à soupe de persil finement haché
2 gousses d'ail
30 g de noix mondées
60 g de parmesan râpé
Le jus d'un demi-citron
Sel, poivre

Pilez dans un mortier le persil avec l'ail et les noix, jusqu'à ce que vous obteniez une pâte homogène. Incorporez-y, sans cesser de piler, le fromage râpé, puis 3 cuillerées à soupe d'huile que vous verserez petit à petit. Assaisonnez selon votre goût avec du sel et du poivre.

Faites chauffer une cuillerée à soupe d'huile dans une sauteuse ; ajoutez le riz et faites cuire à feu modéré, tout en remuant, jusqu'à ce qu'il devienne brillant. Ajoutez le bouillon de poulet, du sel et le jus de citron. Portez à ébullition, couvrez et laissez cuire à petits bouillons pendant 16 à 18 minutes ou jusqu'à ce que le riz soit cuit mais encore ferme.

Vers la fin, si c'est nécessaire, enlevez le couvercle et augmentez légèrement le feu pour que tout le liquide soit absorbé.

À l'aide d'une fourchette, en remuant bien pour séparer les grains, incorporez le mélange d'ail, de noix et de fromage ; servez dans un plat tenu au chaud.

Légumes et salades

SALADE DE CHOU

Cette salade, qui se prépare en quelques minutes, accompagne bien un plat de viande froide.

PRÉPARATION : *10 minutes*

INGRÉDIENTS *(4 à 6 personnes)*
1 chou blanc
6 c. à soupe d'huile
2 c. à soupe de vinaigre de cidre
1 petite gousse d'ail
1 pincée d'origan
1 pincée de graines de fenouil
1 pincée de sel de céleri
Sel, poivre

Nettoyez le chou en éliminant les feuilles extérieures et le trognon ; lavez-le, égouttez-le et coupez-le en tranches fines.

Ecrasez l'ail et mettez-le avec tous les autres ingrédients dans un flacon de verre à bouchon vissé ; secouez vigoureusement, versez le condiment sur le chou, remuez bien et servez immédiatement.

CHOU-FLEUR AUX AMANDES

Le chou-fleur est un légume qui accompagne bien les viandes blanches. Les amandes croquantes lui ajoutent une saveur originale.

PRÉPARATION : *10 minutes*
CUISSON : *5 à 8 minutes*

INGRÉDIENTS *(4 personnes)*
1 gros chou-fleur
1 c. à soupe de vinaigre
60 g de beurre
40 g d'amandes pelées et effilées
Sel, poivre

Faites fondre 1 cuillerée à soupe de sel dans une jatte d'eau froide. Otez les feuilles trop vertes et dures du chou-fleur, détachez du trognon les bouquets avec leur tige et mettez-les à tremper dans l'eau légèrement vinaigrée.

Faites bouillir une grande casserole d'eau salée, jetez-y les bouquets et cuisez à couvert, à feu doux, pendant 5 à 8 minutes.

Pendant ce temps, faites revenir les amandes dans la moitié du beurre, à feu doux, jusqu'à ce qu'elles soient bien dorées. Disposez le chou-fleur sur un plat de service, poivrez-le, versez dessus les amandes, et parsemez de petites noix de beurre.

TOPINAMBOURS AU BEURRE

La peau foncée de ces tubercules cache une chair blanche, ferme et douce, dont la saveur rappelle un peu celle de l'artichaut.

PRÉPARATION : *30 minutes*
CUISSON : *40 minutes*

INGRÉDIENTS *(6 personnes)*
600 à 700 g de topinambours
60 g de beurre doux
30 g de farine
Le jus d'un citron
Sel, poivre

Versez le jus de citron dans une jatte pleine d'eau froide. Lavez et raclez ou pelez les topinambours, coupez-les en tranches de 5 mm d'épaisseur et mettez-les à tremper dans l'eau citronnée pour empêcher qu'ils ne noircissent.

Mettez sur le feu une casserole pleine d'eau et, quand elle bout, jetez-y les topinambours et le sel ; laissez bouillir pendant 4 minutes, puis égouttez. Faites fondre le beurre dans un plat à gratin dans le bas du four chauffé à 180°C. Farinez les tranches de topinambour, passez-les des deux côtés dans le beurre, assaisonnez de sel et de poivre et laissez cuire environ 40 minutes au centre du four.

CROQUETTES DE PANAIS

Le panais est un excellent légume d'hiver, trop souvent négligé. Ces croquettes, préparées d'avance, accompagnent bien une viande rôtie.

PRÉPARATION : *30 minutes*
RÉFRIGÉRATION : *1 heure*
CUISSON : *5 minutes*

INGRÉDIENTS *(4 à 6 personnes)*
1 kg de panais
1 c. à soupe de sel
60 g de beurre doux
Poivre noir
1 c. à thé de muscade
Chapelure de pain blanc
1 œuf battu et passé
Bain d'huile à friture

Faites bouillir de l'eau dans une grande casserole. Pelez les panais et débarrassez-les de leur trognon. Coupez-les en rondelles minces et jetez-les dans l'eau bouillante avec le sel. Au bout de 20 minutes environ, le panais devrait être tendre. Egouttez-le, réduisez-le en purée et, en battant, incorporez-y le beurre, le poivre et la muscade. Quand la purée est tiède, façonnez-la en croquettes d'environ 6 cm de longueur sur 2,5 cm de largeur. Roulez chaque croquette dans la chapelure, dans l'œuf battu et passé au tamis, puis encore une fois dans la chapelure. Réfrigérez pendant une heure.

Remplissez au tiers une friteuse d'huile et faites chauffer. L'huile est à la bonne température quand elle crépite lorsqu'on y jette un dé de pain. Déposez les croquettes dans le panier, hors de la friteuse, puis immergez-les dans l'huile. Coupez immédiatement le courant ; 3 minutes plus tard, les croquettes seront bien dorées.

POMMES DE TERRE MOUSSELINE

Avec un minimum de travail, en ajoutant simplement des œufs et de la crème, vous pouvez transformer les pommes de terre au four en petits soufflés légers : l'accompagnement idéal de n'importe quel plat de viande, et notamment de biftecks ou d'un rôti de bœuf.

PRÉPARATION : *15 minutes*
CUISSON : *1 h 15*

INGRÉDIENTS *(6 personnes)*

6 grosses pommes de terre
60 g de beurre doux
150 ml de crème légère

3 œufs
Sel, poivre

Lavez avec soin les pommes de terre, essuyez-les, piquez-les délicatement avec une fourchette et faites-les cuire au centre du four chauffé à 200°C, pendant 1 heure ou jusqu'à ce qu'elles soient tendres. Décalottez-les sur un côté (allongé) et videz-les sans déchirer la peau ; mettez la pulpe ainsi obtenue dans une jatte et mélangez-y le beurre (que vous aurez fait fondre à feu doux dans une petite casserole) et la crème. Séparez les jaunes des blancs d'œufs et mélangez-les à la pâte ; enfin, incorporez-y délicatement les blancs montés en neige ferme. Salez et poivrez.

Remplissez de ce mélange les pommes de terre vidées, remettez-les au four et faites cuire à 200°C pendant 15 minutes ou jusqu'à ce que les soufflés soient gonflés et bien dorés.

Servez immédiatement, avant que les petits soufflés n'aient le temps de retomber.

FASOULIA

Ce plat grec traditionnel à base de haricots blancs est généralement servi seul, mais il convient aussi très bien pour accompagner l'agneau.

TREMPAGE : *12 heures*
PRÉPARATION : *8 minutes*
CUISSON : *1 h 45*

INGRÉDIENTS *(4 personnes)*
200 g de gros haricots blancs secs
3 c. à soupe d'huile d'olive
1 gros oignon
2 gousses d'ail
1 feuille de laurier
1 pincée de thym sec
1 c. à soupe de concentré de tomate
Le jus d'un citron
1 c. à soupe de persil haché
Sel, poivre

Mettez les haricots dans une terrine, couvrez-les d'eau froide, salez, et laissez tremper pendant 12 heures.

Epluchez l'oignon et hachez-le grossièrement ; faites-le revenir dans une cocotte où vous aurez fait chauffer l'huile d'olive ; remuez souvent jusqu'à ce que l'oignon soit doré. Ajoutez les haricots égouttés, les gousses d'ail pelées et écrasées, la feuille de laurier, le thym et le concentré de tomate.

Faites cuire à feu modéré pendant 10 minutes, puis ajoutez de l'eau bouillante, autant qu'il en faut pour arriver à 5 cm au-dessus des haricots. Continuez la cuisson à feu doux pendant 1 h 30 environ ou jusqu'à ce que les haricots soient tendres, mais pas défaits. Ajoutez le jus de citron et assaisonnez de sel et de poivre. Laissez refroidir les haricots dans leur jus, qui devrait être épais comme une sauce.

Servez-les froids, dans leur jus, en les saupoudrant avec le persil grossièrement haché.

SALADE DE LAITUE ET DE CÉLERI

Une salade est toujours une garniture très appréciée, qui ajoute une note de fraîcheur à un plat de viande rôtie. Cette salade accompagnera bien des viandes farcies avec des fruits.

PRÉPARATION : *10 minutes*

INGRÉDIENTS *(4 à 6 personnes)*
4 cœurs de laitue
4 côtes de céleri blanc, grosses mais tendres
ASSAISONNEMENT
100 ml de crème légère
100 ml d'huile d'olive
3 c. à soupe de vinaigre (de préférence à l'estragon)
1 c. à soupe de moutarde forte
Sel
GARNITURE
Feuilles de céleri

Coupez en quartiers les cœurs de laitue, lavez-les ; lavez les côtes de céleri et coupez-les en tronçons. Mettez la laitue et le céleri dans un saladier.

Dans une jatte, délayez la moutarde avec la crème, salez, ajoutez d'abord l'huile goutte à goutte, puis le vinaigre, en battant jusqu'à ce que la sauce ait la consistance d'une crème épaisse. Versez-la sur la salade, garnissez avec quelques feuilles de céleri et servez.

Desserts

BROCOLIS AU GRATIN

Pour garder la saveur des brocolis, il ne faut pas les faire cuire trop longtemps. Ils sont délicieux simplement sautés au beurre, ou gratinés dans une sauce blanche, comme dans cette recette.

PRÉPARATION : *10 minutes*
CUISSON : *15 minutes*

INGRÉDIENTS *(6 personnes)*
800 g de brocolis
250 ml de sauce blanche
  (voir p. 269)
90 g de beurre doux
2-3 c. à soupe de mie de pain frais
  émiettée
Sel, poivre

Mettez sur le feu une casserole remplie d'eau. Enlevez les feuilles dures des brocolis, ainsi que la partie trop grosse des tiges ; lavez-les bien. Quand l'eau bout, salez-la et jetez-y les brocolis ; faites cuire à petits bouillons pendant 5 à 12 minutes ou jusqu'à ce que les brocolis soient tendres mais encore fermes.
Pendant ce temps, préparez la sauce blanche et allumez le four à 240°C.
Egouttez bien les brocolis ; disposez-les dans un plat à gratin et nappez-les avec la sauce blanche. Faites fondre dans une petite poêle 60 g de beurre, ajoutez la mie de pain, mélangez et versez sur la sauce. Répartissez sur la surface le reste du beurre en petits morceaux, saupoudrez de poivre et mettez à four moyen pendant 10 minutes environ ou jusqu'à ce que le pain soit doré. Servez bien chaud.

CROÛTE FROMAGÉE AUX POMMES

L'addition de fromage à la croûte ajoute une dimension nouvelle à ce dessert.

PRÉPARATION : *50 minutes*
CUISSON : *55 minutes*

INGRÉDIENTS *(6 à 8 personnes)*
250 g de farine tout usage
1 pincée de sel
200 g de cheddar extra-fort râpé fin
150 g de graisse végétale
75 ml d'eau glacée
7-8 pommes moyennes
130 g de sucre
1 pincée de sel
30 g de fécule de maïs
1 pincée de cannelle
1 pincée de muscade
50 g de beurre

Tamisez la farine et le sel ; incorporez la graisse et le fromage avec un coupe-pâte ou deux couteaux ; la préparation sera grumeleuse. Ajoutez assez d'eau glacée pour façonner la pâte en boule. Couvrez et réfrigérez pendant 30 minutes.
Portez le four à 230°C. Pelez les pommes, enlevez le cœur et émincez-les. Vous devriez obtenir environ 1,75 litre de pulpe. Tamisez sucre, sel, fécule et épices et saupoudrez-en les pommes ; remuez pour bien enrober les fruits.
Abaissez la moitié de la pâte et foncez-en une assiette à tarte de 23 cm. Etalez les pommes au fond et parsemez de noisettes de beurre. Abaissez le reste de la pâte et recouvrez-en les fruits. Pratiquez quelques fentes pour que la vapeur s'échappe.
Faites cuire la tarte 10 minutes à 230°C, puis 45 minutes environ à 180°C. Elle est prête quand les pommes sont tendres sans être en purée.

GÂTEAU À LA NOIX DE COCO

C'est le gâteau idéal pour une petite fête enfantine : sa présentation est très belle et c'est une véritable gourmandise.

PRÉPARATION : *10 minutes*
CUISSON : *2-3 minutes*

INGRÉDIENTS *(6 personnes)*
1 fond de tarte en pâte sablée ou
  ordinaire (voir p. 317), de 20 à
  22 cm, déjà cuit « à blanc »
150 g de sucre
7 c. à soupe de farine
2 œufs
750 ml de lait très chaud
1 c. à thé d'extrait liquide de vanille
8 à 10 c. à soupe de pulpe de noix de
  coco râpée
150 ml de crème fouettée
Sel

Mélangez dans une casserole la farine, le sucre, une pincée de sel et les œufs, puis ajoutez petit à petit le lait très chaud (à la place du lait, vous pouvez utiliser de la crème, ou bien moitié lait, moitié crème).
Mettez la casserole sur le feu et portez lentement à ébullition, en remuant sans interruption. Baissez le feu au minimum et laissez cuire 2-3 minutes, sans cesser de remuer. Otez la casserole du feu, ajoutez la vanille, laissez refroidir ; puis mélangez-y la pulpe de noix de coco, en en réservant une cuillerée. Versez le tout dans le fond de tarte (déjà cuit), couvrez avec la crème fouettée et saupoudrez avec le reste de la pulpe de noix de coco.

FLUMMERY

Il s'agit d'une variante d'un dessert écossais classique, toujours très apprécié.

PRÉPARATION : *15 minutes*

INGRÉDIENTS *(4 à 6 personnes)*
1 c. à soupe de flocons d'avoine
250 ml de crème épaisse
3 c. à soupe de miel liquide
4 c. à soupe de whisky
Le jus d'un demi-citron

Faites griller les flocons d'avoine dans une poêle à fond épais, à feu doux, en remuant jusqu'à ce qu'ils soient bien foncés. Fouettez la crème de sorte qu'elle soit lisse, mais pas trop ferme. Faites fondre le miel dans une casserole, à feu doux, sans porter à ébullition. Mélangez le miel à la crème battue, puis ajoutez le whisky et le citron.
Versez cette crème dans de hauts verres, saupoudrez de flocons d'avoine et servez immédiatement.

SORBET À L'ABRICOT

Après un repas lourd, quoi de meilleur qu'un frais sorbet ?

PRÉPARATION : *2 h 30*
CONGÉLATION : *2 heures*

INGRÉDIENTS *(6 personnes)*
450 g d'abricots séchés
400 g de sucre
2 c. à soupe de cognac, de liqueur à
  l'abricot ou de kirsch

Couvrez les abricots d'eau chaude et faites-les tremper pendant 2 heures. Egouttez-les. Amenez à ébullition le sucre dans 250 ml d'eau ; laissez bouillir pendant 10 minutes. Ajoutez les abricots et prolongez la cuisson de 10 minutes. Passez la préparation au moulin ou au mixer pour la réduire en purée. Ajoutez le cognac, la liqueur ou le kirsch.

Mettez cette préparation au congélateur, dans un plat allant au froid. Retirez le sorbet dès qu'il est partiellement congelé et versez-le dans un bol refroidi. Battez vigoureusement avec un fouet ou une fourchette : le sorbet deviendra presque liquide. S'il était trop épais, ajoutez un peu d'eau glacée. Remettez-le dans son plat initial au congélateur ou installez-le dans une sorbetière, entouré de glace et de gros sel. Le sorbet est prêt quand il est ferme sans être dur.

ORANGES AU FOUR

Un dessert vraiment inédit : des oranges cuites au four, recouvertes d'une délicate crème à l'orange.

MACÉRATION : *12 heures*
PRÉPARATION : *15 minutes*
CUISSON : *45 à 50 minutes*

INGRÉDIENTS *(4 personnes)*
4 oranges pelées à vif et coupées en
  tranches
100 g de sucre
4 c. à soupe de curaçao ou de Grand
  Marnier
3 œufs
100 ml de crème épaisse
Sel

Disposez les tranches d'orange par couches dans un grand plat à gratin, versez par-dessus en pluie la moitié du sucre, ajoutez la liqueur choisie et laissez reposer pendant environ 12 heures.
Couvrez avec une feuille d'aluminium et faites cuire 20 minutes au four chauffé à 180°C. Enlevez alors tout le jus, laissez-en de côté 100 ml. Battez les œufs avec la crème, le reste du sucre, le sel et le jus de cuisson des oranges que vous avez réservé. Versez le mélange sur les tranches d'orange et remettez le plat au four, sans couvrir, pendant près de 25 minutes, jusqu'à ce que la crème soit bien prise. Servez chaud aussitôt.

CLÉMENTINES GIVRÉES

Ce dessert satisfait les goûts les plus raffinés par sa saveur et sa présentation. Il convient à un grand dîner. Préparez la glace la veille.

PRÉPARATION : *40 minutes*
CUISSON : *15 minutes*
CONGÉLATION : *4 h 30*

INGRÉDIENTS *(6 personnes)*
8 clémentines assez grosses
150 g de sucre
1 jaune d'œuf
250 ml de crème épaisse
Le jus d'un demi-citron
GARNITURE
Tranches de clémentine
Violettes cristallisées
Biscuits (langues-de-chat, tuiles)

Essuyez les clémentines et coupez une calotte à chacune. Évidez avec soin les écorces, d'abord avec un couteau à pamplemousse, puis avec une cuillère. Placez six écorces, avec leur couvercle, dans un sac de plastique, et mettez-les au réfrigérateur ; gardez les deux autres. Pressez la pulpe des clémentines pour en tirer 250 ml de jus.

Dans une casserole, faites bouillir à feu vif, pendant 10 minutes, 250 ml d'eau et de sucre ; retirez ce sirop du feu, laissez-le refroidir, puis ajoutez le jus des clémentines et le jus de citron. Battez le jaune d'œuf et mélangez-le au sirop. Remettez la casserole sur le feu et laissez cuire à feu doux, en remuant sans interruption et sans faire bouillir, pendant 5 minutes ou jusqu'à ce que le mélange ait épaissi. Laissez-le refroidir, versez-le ensuite dans un récipient muni d'un couvercle et mettez-le au congélateur ou dans le compartiment à glace du réfrigérateur pendant 1 h 30 environ ou jusqu'à ce qu'il soit pris.

Râpez les deux écorces de clémentine gardées à part ; fouettez la crème bien ferme.

Sortez du réfrigérateur le sirop que vous avez mis à glacer, versez-le dans une jatte, battez-le vigoureusement avec une fourchette jusqu'à ce qu'il soit bien lisse, puis incorporez-y délicatement la crème fouettée et l'écorce râpée jusqu'à ce que la couleur soit uniforme et l'écorce bien répartie. Versez de nouveau dans un récipient à couvercle, fermez bien et remettez au congélateur pendant 2 heures.

Recommencez une nouvelle fois l'opération : versez de nouveau le mélange dans la jatte, battez-le comme auparavant et remettez-le au congélateur dans un récipient bien fermé. Vous pouvez effectuer toutes ces opérations la veille.

Une heure avant de servir, remplissez de ce mélange les six écorces de clémentine gardées au réfrigérateur, couvrez avec les calottes mouillées d'eau froide et mettez le tout au congélateur jusqu'à 10 minutes avant de servir de façon que le « givre » ait le temps de se former. Garnissez le plat de service avec des tranches de clémentine et des violettes cristallisées, et servez avec des tuiles ou des langues-de-chat.

TARTE D'HIVER

Une manière nouvelle d'utiliser les mendiants, ces fruits secs qu'on mange surtout l'hiver.

PRÉPARATION : *30 minutes*
CUISSON : *40 minutes*

INGRÉDIENTS *(6 à 8 personnes)*
Pâte ordinaire (p. 317) préparée avec les trois quarts des ingrédients
200 g de figues sèches
200 g de dattes
200 g de raisins secs
15 noix décortiquées
15 noisettes
Écorce d'orange confite
4 œufs
200 ml de crème légère
100 ml de lait
50 g de sucre

Commencez par préparer la pâte. Étendez-la au rouleau fariné sur un plan de travail fariné en un disque épais de 5 mm. Foncez-en un moule à tarte beurré.

Dans un saladier, versez les raisins secs, les dattes dénoyautées et coupées en petits dés, les figues coupées elles aussi en dés, les cerneaux de noix en morceaux, les noisettes coupées en deux et l'écorce d'orange, en petits dés. Mélangez bien le tout et étalez-le sur le fond de tarte.

Cassez les œufs dans une jatte, battez-les avec le sucre, ajoutez la crème et le lait. Mélangez bien avec une cuillère en bois, et versez cette préparation sur les fruits. Mettez à four assez chaud (200°C), pendant 40 minutes environ.

Servez tiède ou froid, selon votre goût, accompagné de crème épaisse ou de glace à la vanille.

ROULADE AUX PACANES

Le moelleux de ce gâteau aux pacanes fourré de crème en fait une friandise incomparable : on le dévore déjà des yeux.

PRÉPARATION : *20 minutes*
CUISSON : *15 à 18 minutes*

INGRÉDIENTS *(8 à 10 personnes)*
25 g de beurre doux fondu
6 œufs séparés
100 g de sucre
1 pincée de sel
120 g de pacanes hachées menu
250 ml de crème épaisse
30 g de sucre
½ c. à thé d'essence de vanille

Chauffez le four à 200°C. Badigeonnez de beurre fondu le fond d'un moule à rouleau de 40 cm sur 25 cm et d'une profondeur de 2,5 cm. Tapissez le fond de papier paraffiné que vous beurrerez également. Ne beurrez pas les côtés du moule.

Battez les jaunes d'œufs avec le sucre et le sel jusqu'à ce qu'ils soient légers et jaune citron. Incorporez-y les pacanes avec une spatule de caoutchouc, puis les blancs d'œufs préalablement fouettés pour qu'ils soient fermes.

Étalez l'appareil dans le moule et faites cuire de 15 à 18 minutes. Démoulez sur une feuille de papier paraffiné et enlevez le papier qui adhère au gâteau. Laissez refroidir.

Fouettez la crème jusqu'à ce qu'elle soit ferme ; ajoutez-y le sucre et la vanille, puis étendez-la sur le gâteau. Roulez celui-ci du côté le plus étroit. Pour le servir, découpez-le en tranches de 2,5 cm d'épaisseur.

Casse-croûte

MACARONIS AU FROMAGE SERENA

De petites bouchées de jambon et des tomates fraîches ajoutent couleur et saveur à ce macaroni classique.

PRÉPARATION : *20 minutes*
CUISSON : *20 minutes*

INGRÉDIENTS *(4 à 6 personnes)*
250 g de macaronis
1 litre de sauce Béchamel (p. 269)
250 g de cheddar râpé
Sel et poivre noir
250 g de jambon cuit en dés
4 grosses tomates, pelées, épépinées et concassées
2 c. à soupe de chapelure blanche fraîche
30 g de beurre doux fondu

Faites cuire les macaronis à découvert dans beaucoup d'eau bouillante salée pendant 15 minutes environ. Incorporez 150 g de cheddar râpé à la sauce Béchamel ; assaisonnez au goût de sel et de poivre.

Mélangez les macaronis égouttés, le jambon, les tomates et la sauce et disposez le tout dans un plat à four beurré. Saupoudrez du reste du fromage mélangé à la chapelure et aspergez de beurre fondu. Faites cuire dans le haut du four porté à 200°C pendant 20 minutes ou jusqu'à ce que le dessus soit croustillant et doré.

PYTT I PANNA

Voici un plat typiquement suédois qui fait un excellent usage des restes de viande et de pommes de terre.

PRÉPARATION : *10 minutes*
CUISSON : *20 minutes*

INGRÉDIENTS *(4 personnes)*
1 kg de bœuf ou d'agneau cuit en dés
5 pommes de terre bouillies, émincées
50 g de beurre doux
1 c. à soupe d'huile d'olive
200 g de bacon en morceaux
1 gros oignon haché
Sel et poivre noir
1 c. à soupe de persil haché
1 c. à thé de sauce Worcestershire
GARNITURE
4 œufs au miroir

Faites revenir les pommes de terre à grand feu, dans le beurre et l'huile. Epongez et gardez au chaud. Faites sauter la viande, le bacon et l'oignon à feu modéré jusqu'à ce que le bacon soit doré et l'oignon, tendre. Rajoutez les pommes de terre et les autres ingrédients. Mélangez et laissez cuire 5 minutes en remuant pour que rien n'attache au fond. Terminez avec le persil et la sauce Worcestershire.

Mettez la préparation dans un plat chaud ; garnissez avec les œufs au miroir et servez immédiatement.

PIZZAS MINIATURES

Ces petites tartelettes sont à croquer, chaudes ou froides.

PRÉPARATION : *15 minutes*
CUISSON : *20 à 25 minutes*

INGRÉDIENTS *(4 personnes)*
4 muffins anglais
4 c. à soupe d'huile d'olive
1 gros oignon émincé finement
80 g de petits champignons émincés
2 grosses tomates, pelées et émincées
Sel et poivre noir
Basilic ou marjolaine (au goût)
8 tranches fines de mozzarella ou de tout autre fromage fondant
8 filets d'anchois

Séparez les muffins en deux et badigeonnez-les d'huile d'olive en réservant 1 cuillerée à soupe. Faites cuire les tranches d'oignon dans cette huile ; quand elles sont tendres, ajoutez les champignons et prolongez la cuisson de 2 minutes.

Disposez les tranches de tomate sur les demi-muffins ; assaisonnez de sel, de poivre et de basilic ou de marjolaine. Recouvrez d'une cuillerée de champignons et d'oignons et d'une tranche de fromage. Séparez les filets d'anchois en deux ; disposez-les en croix sur les pizzas. Faites cuire au centre du four préchauffé à 180°C pendant 20 à 25 minutes.

SALADE JANVIER

Une salade-repas fait plaisir, même en hiver. Accompagnée d'une pomme de terre au four ou de pain croûté, elle devient tout à fait substantielle.

PRÉPARATION : *20 minutes*
RÉFRIGÉRATION : *30 minutes*

INGRÉDIENTS *(6 personnes)*
650 à 750 g de viande ou de volaille en dés
La moitié d'un petit chou râpé
2 grosses carottes râpées
4 côtes de céleri hachées fin
1 pomme en cubes
1 c. à soupe de raisins secs
Le jus d'un demi-citron
2 c. à soupe de crème épaisse
300 ml de mayonnaise
Sel et poivre noir

Dans un grand bol à salade, mélangez la viande, les légumes et les fruits. Fouettez la mayonnaise avec la crème et le jus de citron ; assaisonnez et versez la sauce dans la salade. Remuez bien.

FRITTO-MISTO

Ce plat se compose de viandes cuites et de légumes émincés apprêtés en beignets.

PRÉPARATION : *15 minutes*
CUISSON : *10 minutes*

INGRÉDIENTS *(6 personnes)*
500 g de viande cuite coupée en dés
1 gros oignon haché
La moitié d'un piment vert haché
2 tranches de bacon coupées en dés
1 c. à soupe d'huile d'olive
125 g de farine
2 gros œufs séparés
125 ml de lait
Sel et poivre noir
Bain d'huile à friture

Faites revenir l'oignon, le piment et le bacon dans l'huile ; épongez-les sur du papier absorbant.

Délayez la farine avec les jaunes d'œufs et le lait ; assaisonnez au goût. Incorporez la viande et les légumes revenus à l'huile, puis, avec beaucoup de soin, les blancs d'œufs en neige.

Chauffez le bain de friture jusqu'à ce que le corps gras fume. Jetez-y la préparation, à raison de quelques cuillerées à soupe à la fois. Les frittos seront gonflés et dorés en 1 ou 2 minutes. Epongez et gardez au chaud.

Une salade de chou (p. 61) accompagne bien ce plat.

Février

*Février est le mois des agrumes. Profitons-en
pour les consommer frais et à toutes les sauces.*

Au fil des saisons

En février, les approvisionnements en légumes frais restent encore limités. Avec un peu d'imagination pourtant, on peut célébrer ceux qui nous demeurent fidèles malgré la froidure. Le poireau est de ceux-là. Compagnon assidu des pot-au-feu et des marmites, sa finesse mérite de retenir notre attention. Comme entrée ou comme légume d'accompagnement, les poireaux à la bulgare (p. 79) ou en vinaigrette (p. 78) nous réservent d'agréables surprises, tandis qu'on les retrouve sous une forme plus traditionnelle dans une soupe écossaise au poulet (p. 69), dont l'origine est pour le moins curieuse.

En plein cœur de l'hiver, nous devons encore compter sur les légumes importés, brocolis, choux de Bruxelles, épinards, petits pois, pour varier notre ordinaire. L'endive aussi est au rendez-vous. Plus humble, la carotte offre néanmoins bien des possibilités, comme en témoigne la tourte aux carottes (p. 79), tandis que le chou fait bonne figure dans le bœuf aux deux ragoûts (p. 72).

Petit signe avant-coureur du printemps, la rhubarbe de serre fait son apparition et permet de confectionner, avec des bananes, une délicieuse compote (p. 82) au goût inusité.

Les agrumes sont présents en grand nombre : oranges, pamplemousses, mandarines et clémentines feront de splendides paniers de fruits. C'est le temps de se régaler de crêpes Suzette à l'orange (p. 82) et d'oranges confites au Grand Marnier (p. 82).

MENUS SUGGÉRÉS

Moules marinières
...
Filet de porc aux champignons
Riz   Salade verte
...
Oranges confites au Grand Marnier

Steak and kidney pie
Frites   Choux de Bruxelles
...
Compote de rhubarbe aux bananes

Œufs en cocotte
...
Salmis de canard sauvage
Purée de pommes de terre et de céleri-rave
...
Crêpes Suzette

Raie au beurre noir
Pommes de terre au beurre   Petits pois
...
Pouding à la confiture

Poireaux en vinaigrette
...
Poulet à la mode du Maryland
Frites   Pommes et céleri en salade
...
Mousse au citron

Daube d'agneau du Lancashire
Chou rouge
...
Gâteau glacé au fromage

Œufs au thon
...
Rognons d'agneau Turbigo
Purée de pommes de terre   Brocolis
...
Chaussons aux pommes

Tagliatelle alla bolognese
...
Poivrons verts farcis
...
Mousse au gâteau au chocolat

Potages et entrées

MOULES MARINIÈRES

La préparation des moules marinières compte un grand nombre de versions. Celle que nous vous proposons est l'une des plus connues et des plus faciles à préparer.

PRÉPARATION : *30 minutes*
CUISSON : *10 minutes*

INGRÉDIENTS *(4 personnes)*
2 litres de moules
1 petit oignon
2 échalotes grises
1 verre de vin blanc sec
30 g de beurre
1 c. à thé de farine
Persil haché
La moitié d'une feuille de laurier
1 branche de thym
Poivre

Lavez les moules à l'eau courante en brossant bien les coquilles ou en les grattant au couteau. Éliminez toutes celles dont la coquille est cassée ou entrouverte.

Dans une grande casserole, mettez l'oignon et les échalotes finement hachés ; ajoutez le vin blanc, le thym, la feuille de laurier, puis les moules. Couvrez et faites cuire à feu vif, en secouant de temps en temps la casserole, pendant 4-5 minutes. Dès que les moules sont ouvertes, retirez les demi-coquilles vides et disposez les pleines dans des assiettes creuses individuelles. Tenez au chaud au bord du four. Maniez à la fourchette le beurre et la farine et délayez cette pâte avec le jus de cuisson filtré et réduit. Laissez cuire à feu doux, tout en remuant, jusqu'à épaississement de la sauce (au premier bouillon) ; poivrez ; parsemez de persil haché et versez sur les moules. Servez aussitôt.

POTAGE COCK-A-LEEKIE

On dit que cette soupe, qui appartient à la cuisine écossaise, date du temps où les combats de coqs étaient très suivis. Le perdant allait rejoindre les poireaux sur le coin du feu. Les pruneaux sont une addition récente.

PRÉPARATION : *10 à 15 minutes*
CUISSON : *1 h 15*

INGRÉDIENTS *(6 personnes)*
1 poulet d'environ 1,5 kg
1 c. à soupe de sel
6 grains de poivre
6 poireaux
6 pruneaux dénoyautés
GARNITURE
Persil haché

Essuyez et troussez le poulet ; passez les abattis sous le robinet et déposez le tout dans un faitout profond. Couvrez d'eau froide. (S'il le faut, coupez le poulet en deux pour que l'eau mouille à hauteur.) Ajoutez le sel et les grains de poivre. Amenez à ébullition en écumant de temps à autre. Couvrez et laissez mijoter 45 minutes.

Pendant ce temps, débarrassez les poireaux de leurs racines et coupez l'extrémité verte des feuilles jusqu'à 5 cm des blancs. Fendez-les dans le sens de la longueur, lavez-les bien à l'eau courante et coupez-les en morceaux de 2,5 cm de long. Ajoutez-les au potage avec les pruneaux. Couvrez et prolongez la cuisson de 30 minutes à feu doux.

Retirez le poulet et les abattis du potage. Enlevez la peau du poulet et désossez-le, en mettant les blancs en réserve pour une autre recette. Coupez le reste de la viande en petits morceaux que vous remettrez dans le faitout ; rectifiez l'assaisonnement si cela s'avère nécessaire.

Juste avant de servir le potage bouillant, garnissez-le généreusement de persil haché très finement.

ŒUFS AU THON

La préparation italienne classique à base de mayonnaise (voir p. 164), utilisée habituellement pour le vitello tonnato, sert ici à assaisonner des œufs durs, que vous pourrez servir comme hors-d'œuvre ou encore comme plat principal pour un repas léger.

PRÉPARATION : *20 minutes*
CUISSON : *6 minutes*

INGRÉDIENTS *(4 personnes)*
4 œufs
100 g de thon à l'huile
10 c. à soupe de mayonnaise
6 filets d'anchois
4 feuilles de laitue
Le jus d'un demi-citron
Persil haché
Sel, poivre

Mettez les œufs dans de l'eau froide et portez à ébullition pendant 6 minutes à petit feu ; dès qu'ils sont cuits, passez-les à l'eau froide pour les écaler plus facilement.

Sortez le thon de la boîte, égouttez-le et écrasez-le avec une fourchette ou avec le dos d'une cuillère en bois ; mélangez-y le jus de citron et deux filets d'anchois pilés. Passez le tout à travers un tamis à mailles larges posé sur une jatte, puis battez jusqu'à l'obtention d'une purée bien lisse et homogène. Ajoutez la mayonnaise, le sel et le poivre, et mélangez bien.

Coupez les œufs en deux dans le sens de la longueur avec un couteau dont vous aurez mouillé la lame. Disposez les moitiés d'œufs deux par deux, le jaune dessous, sur les feuilles de laitue, et nappez-les de sauce au thon. Coupez en deux, dans le sens de la longueur, les filets d'anchois qui restent et disposez-les sur les œufs. Parsemez de persil haché et servez bien froid.

Poissons

CRÈME DE COQUILLES SAINT-JACQUES

Un potage savoureux dont la finesse fait oublier le prix.

PRÉPARATION : *15 minutes*
CUISSON : *15 à 20 minutes*

INGRÉDIENTS *(4 à 6 personnes)*
6 à 8 grosses coquilles Saint-Jacques
1 citron
6 brins de persil
250 ml de vin blanc sec
1 petit oignon
50 g de beurre doux
25 g de farine
250 ml de lait
2 jaunes d'œufs
3 c. à soupe de crème épaisse
Sel, poivre
GARNITURE
Persil haché
Croûtons

Faites ouvrir les coquilles et nettoyez les mollusques. Escalopez les noix en 2-3 tranches, gardez les coraux entiers et mettez le tout dans une casserole avec le citron en rondelles (dont vous aurez retiré le zeste) et les brins de persil. Ajoutez le vin ; portez à ébullition à feu doux, couvrez et laissez cuire 4-5 minutes, jusqu'à ce que les mollusques soient tendres. Retirez du feu, enlevez le persil et le citron.

Pelez et hachez finement l'oignon. Faites fondre le beurre dans une casserole, ajoutez l'oignon et faites-le cuire à feu doux pendant 5 minutes, sans lui laisser prendre couleur. Retirez du feu, laissez refroidir légèrement, ajoutez la farine et faites cuire 2-3 minutes à feu doux, en remuant constamment. Incorporez peu à peu le lait et portez à ébullition, en mélangeant jusqu'à ce que le mélange épaississe et devienne homogène. Ajoutez-y la chair des coquilles avec leur jus de cuisson ; salez et poivrez, puis réchauffez à feu doux.

Au moment de servir, et pour donner à la préparation son velouté, battez dans une tasse les jaunes d'œufs et la crème auxquels vous incorporerez vivement quelques cuillerées de potage brûlant ; puis, tout en tournant, versez le tout dans le potage. Versez dans des assiettes creuses, saupoudrez de persil haché ; servez accompagné de croûtons revenus au beurre.

ŒUFS EN COCOTTE

Pour exécuter cette recette, il faut disposer de petits plats à feu individuels, genre ramequins (diamètre de 7 cm environ, bord de 4 cm de haut environ).

PRÉPARATION : *5 minutes*
CUISSON : *8 minutes environ*

INGRÉDIENTS *(4 personnes)*
4 œufs
20 g de beurre
4 c. à soupe de crème épaisse
Sel, poivre

Beurrez quatre ramequins moyens ; cassez un œuf dans chacun d'eux ; salez et poivrez, et versez sur chaque œuf une cuillerée de crème. Mettez à four modéré (170°C), préalablement chauffé ; laissez cuire 8 minutes, jusqu'à ce que le blanc soit pris, mais encore légèrement laiteux au centre. Vous pouvez aussi faire cuire au bain-marie.

Disposez les ramequins sur un plat recouvert d'une serviette pour éviter qu'ils ne glissent ; accompagnez de petits croûtons de pain grillé ou de mouillettes beurrées.

Pour rendre le plat un peu plus consistant, remplacez les ramequins par de petites terrines, cassez 2 œufs par personne sur une petite tranche de jambon, versez 2 cuillerées de crème et parsemez de gruyère râpé.

CÉLERI-RAVE AU PROSCIUTTO

Dans cette petite entrée à l'italienne, le céleri-rave se marie au prosciutto ou, à défaut, au salami italien tranché très mince.

PRÉPARATION : *10 à 15 minutes*
CUISSON : *2-3 minutes*

INGRÉDIENTS *(4 personnes)*
1 gros céleri-rave
50 ml de mayonnaise (p. 271)
¼ c. à thé de moutarde de Dijon
225 g de prosciutto tranché mince

Epluchez le céleri-rave ; coupez-le en tranches minces, puis en bâtonnets. Faites-le blanchir dans de l'eau bouillante salée 2-3 minutes. Egouttez-le et laissez-le refroidir. Mélangez la mayonnaise avec la moutarde ; versez cette préparation sur le céleri-rave refroidi et remuez bien. Rectifiez au besoin l'assaisonnement.

Disposez dans chaque assiette trois tranches de prosciutto très fines et une portion de céleri-rave enrobé de mayonnaise.

SOUFFLÉ DE CRABE

A la base du soufflé, qui est une invention française, on trouve essentiellement une sauce épaisse, plus une purée ou un hachis, salés ou sucrés, liés avec des jaunes d'œufs auxquels on ajoute des blancs battus en neige très ferme. Sa réussite tient surtout dans sa cuisson.

PRÉPARATION : *20 minutes*
CUISSON : *35 à 40 minutes*

INGRÉDIENTS *(4 personnes)*
200 g environ de chair de crabe frais, en conserve ou surgelé
100 g de crevettes décortiquées
50 g de beurre
4 c. à soupe de farine
250 ml de lait
4 œufs
Sel, poivre de Cayenne

Faites fondre le beurre à feu doux dans une casserole ; incorporez-y la farine et, toujours à feu doux et en remuant, laissez cuire 2 minutes. Ajoutez petit à petit, en remuant, cette fois à feu un peu plus vif, autant de lait qu'il convient pour obtenir une sauce épaisse. Salez, ajoutez une pincée de poivre ; retirez du feu et laissez tiédir pendant 5 minutes.

Cassez les œufs, séparez les blancs des jaunes, mélangez ces derniers à la sauce un par un, en remuant très vite. Emiettez ou pilez la chair de crabe débarrassée de ses cartilages, mélangez-la à la sauce ainsi que les crevettes passées au mixer. Incorporez alors délicatement à la préparation les blancs montés en neige très ferme.

Versez le mélange dans un plat à soufflé beurré, mettez à four doux préalablement chauffé (120°C) et laissez cuire 35 à 40 minutes, jusqu'à ce que le soufflé soit bien gonflé. Servez immédiatement.

BRANDADE DE MORUE

C'est la recette originale, qui prévoit l'emploi d'un mortier et d'un pilon. Vous pouvez cependant les remplacer par un bon mixer.

DESSALAGE : *12 à 48 heures*
PRÉPARATION : *10 à 15 minutes, avec un mixer ; 45 minutes environ, avec un mortier*
CUISSON : *20 minutes*

INGRÉDIENTS *(4 à 6 personnes)*
750 g de morue salée
150 ml d'huile d'olive
150 ml de crème épaisse
2 gousses d'ail
Poivre frais moulu
GARNITURE
Triangles de mie de pain frits dans l'huile d'olive

Faites tremper la morue dans l'eau froide courante et souvent renouvelée, pendant 12 à 48 heures (demandez à votre poissonnier de vous indiquer le temps nécessaire). Egouttez-la, mettez-la dans une casserole et couvrez d'eau froide. Portez à ébullition, puis laissez cuire à tout petits bouillons pendant environ 10 minutes. Retirez la morue et émiettez-la avec les doigts en enlevant les arêtes.

Faites chauffer la crème et l'huile séparément. Ecrasez l'ail, de préférence dans un mortier, ajoutez le poisson petit à petit et continuez à piler jusqu'à l'obtention d'une pâte homogène. Mettez-la dans une casserole à fond épais, sur feu très doux. Incorporez alternativement à la spatule l'huile d'olive et la crème. Continuez jusqu'à ce que l'huile et la crème soient absorbées et que le mélange ait la consistance d'une purée blanche et onctueuse. Poivrez et disposez la brandade en pyramide au centre du plat de service chaud, et entourez de croûtons de mie de pain frits à l'huile d'olive ou au beurre.

SAUCISSES AUX HUÎTRES

Cette recette traditionnelle de la Nouvelle-Angleterre peut surprendre, mais agréablement. Attention : le pochage s'effectue obligatoirement à découvert. On trouvera à la boucherie des boyaux de porc pour saucisses.

PRÉPARATION : *15 à 20 minutes*
CUISSON : *50 minutes*

INGRÉDIENTS *(8 à 10 saucisses)*
2½ tasses d'huîtres hachées
1½ tasse de graisse de rognon hachée
1 tasse de chapelure blanche fraîche
1 c. à thé de jus de citron
2 œufs
1 pincée de poivre
1 pincée de toute-épice
1 pincée de muscade
Sel
Huile
Boyaux à saucisses

Mélangez tous les ingrédients. Vérifiez l'assaisonnement, surtout en sel, puis remplissez les boyaux. Piquez chaque saucisse avec une fourchette, puis faites-les pocher, à découvert, dans de l'eau salée pendant 45 minutes. Egouttez-les et faites-les dorer rapidement dans de l'huile chaude. Servez avec du beurre à la maître d'hôtel (p. 306).

COQUILLES DE POISSON PARMENTIER

Les coquilles Saint-Jacques vides font d'amusants présentoirs pour des salades composées, des mousses de poisson ou des petits gratins.

PRÉPARATION : *20 minutes*
CUISSON : *35 minutes*

INGRÉDIENTS *(4 personnes)*
4 grosses coquilles Saint-Jacques
1 gros filet de merlu, ou un reste de morue fraîche cuite au court-bouillon
125 g de jeunes champignons de couche
1 verre de vin blanc sec
1 verre de lait chaud
400 g de pommes de terre
80 g de beurre
1 rondelle de citron
1 feuille de laurier
Sel, poivre
SAUCE
30 g de beurre
2 c. à soupe de farine
1 jaune d'œuf
2 c. à soupe de crème épaisse
Persil haché
Sel et poivre

Ouvrez les coquilles Saint-Jacques et nettoyez-les. Escalopez noix et coraux dans l'épaisseur en trois ou quatre tranches. Nettoyez et émincez les champignons. Mettez le tout dans une casserole ; ajoutez 250 ml d'eau, le vin, la rondelle de citron et la feuille de laurier. Portez à ébullition, couvrez et laissez cuire à petits bouillons pendant 7 minutes.

Egouttez, réservez pour la sauce le quart du jus de cuisson. Retirez la rondelle de citron et le laurier, gardez au chaud mollusques et champignons.

En même temps, commencez la purée mousseline ; faites chauffer ou réchauffer le poisson et préparez la sauce. Faites fondre le beurre dans une casserole, à feu doux ; incorporez la farine et laissez cuire doucement pendant 2 minutes. Ajoutez petit à petit le jus de cuisson des mollusques, en remuant sans cesse jusqu'à ce que la sauce devienne bien lisse. Portez à ébullition, laissez cuire doucement 2-3 minutes. Ajoutez mollusques et champignons, assaisonnez de sel et de poivre et laissez à feu doux jusqu'à ce que le tout soit chaud ; retirez du feu et incorporez, tout en remuant, le jaune d'œuf et la crème, que vous aurez auparavant battus légèrement dans un bol.

Mélangez à la purée salée et beurrée le poisson émietté. A l'aide d'une grande poche à douille cannelée, formez une couronne de purée de pommes de terre dans chaque coquille. Badigeonnez avec un peu de beurre fondu, passez au four très chaud pendant quelques minutes, jusqu'à ce que la purée soit bien dorée. Au centre de chaque couronne, versez quelques cuillerées du mélange coquilles Saint-Jacques et champignons ; saupoudrez de persil haché et servez.

Viandes

STEAK AND KIDNEY PIE

Un plat typiquement anglais qui demande un peu de patience, mais qui a grande allure.

PRÉPARATION : *30 minutes*
CUISSON : *3-4 heures*

INGRÉDIENTS *(6 à 8 personnes)*
800 à 900 g de tranche de ronde
3 rognons de veau
90 g de beurre ou 6 c. à soupe d'huile
2 oignons moyens
250 g de champignons
4 c. à soupe de cognac
250 ml de vin rouge
1 c. à thé de sel
1 c. à thé de poivre gris
1 c. à thé de romarin sec
Farine
Pâte feuilletée fine préparée avec la moitié des proportions indiquées (p. 326)

Abaissez la pâte feuilletée et tapissez le fond et les parois d'un moule rond à hauts bords bien beurré en laissant dépasser 5 mm de pâte tout autour. Gardez assez de pâte pour faire un couvercle.

Coupez le bœuf en morceaux de 4-5 cm de côté. Parez les rognons en éliminant la peau et le nœud central spongieux, et coupez-les en dés. Farinez viande et rognons et saisissez au beurre (ou à l'huile) bien chaud. Ajoutez les oignons en rouelles, les champignons lavés et émincés, et laissez cuire 2-3 minutes. Ajoutez sel, poivre et romarin, le cognac et le vin. Couvrez avec le reste de pâte découpé en cercle et liez les bords avec un peu de lait ; dorez au lait et à l'œuf. Posez sur le pie deux feuilles de papier paraffiné et faites cuire au bain-marie au four préchauffé à 180°C, pendant près de 3 heures.

Le pie se sert toujours dans son plat de cuisson entouré d'une serviette blanche.

BŒUF AUX DEUX RAGOÛTS

Ce plat, qui constitue à lui seul un repas complet, peut être réchauffé le lendemain sans rien perdre de sa saveur.

PRÉPARATION : *45 minutes*
CUISSON : *45 minutes*

INGRÉDIENTS *(6 à 8 personnes)*
RAGOÛT DE VIANDE
500 g de viande de bœuf hachée (palette)
50 ml de bouillon de poulet ou de bœuf
120 g de riz
60 g de beurre
2 gousses d'ail pilées
70 g de champignons hachés
1 oignon moyen émincé
Sel, poivre
RAGOÛT DE LÉGUMES
1 chou de Milan (700 g environ)
1 oignon
1 carotte moyenne
1 côte de céleri
350 ml de bouillon de poulet ou de bœuf
30 g de beurre
Sel, poivre

Chauffez le four à 180°C. Pour préparer le ragoût de viande, portez à ébullition 250 ml d'eau salée, versez-y le riz, couvrez et laissez cuire à petits bouillons pendant 10 minutes. Faites chauffer le beurre dans une grande poêle et faites revenir à feu doux l'ail pilé et l'oignon émincé pendant 7 minutes environ ; ajoutez les champignons et faites cuire 3 minutes supplémentaires. Mélangez la viande hachée et faites rissoler à feu modéré encore 10 minutes. Versez le bouillon et le riz, assaisonnez à votre goût de sel et de poivre, placez le tout dans une terrine et réservez au chaud.

Pour préparer le ragoût de légumes, faites fondre le beurre dans la même poêle et faites revenir pendant 5 minutes l'oignon en fines la-

RAIE AU BEURRE NOIR

PRÉPARATION : *10 minutes*
CUISSON : *30 minutes*

INGRÉDIENTS *(4 personnes)*
800 g de raie
La moitié d'un citron
1 petit oignon
Bouquet garni
Sel, poivre
BEURRE NOIR
100 g de beurre doux
1 c. à thé de vinaigre de vin
5-6 brins de persil

Bouclée ou papillon, la raie a la forme d'une aile. La seule partie estimée (à l'exception du foie) est constituée par les nageoires pectorales que vous choisirez assez épaisses.

Lavez les « ailes » de raie à grande eau, en les frottant ; coupez-les en quatre morceaux, mettez-les dans une casserole et couvrez d'eau froide. Ajoutez le demi-citron coupé en rondelles, l'oignon épluché et émincé, le bouquet garni, le sel et le poivre. Portez lentement à ébullition, baissez le feu et laissez

cuire à petits bouillons pendant 25 à 30 minutes. Retirez le poisson avec une écumoire et placez-le sur un plat de service chaud.

Dans une petite poêle, faites fondre le beurre à feu doux jusqu'à ce qu'il devienne brun foncé, mais pas noir. Retirez-le du feu, ajoutez le vinaigre et les brins de persil ; faites chauffer une minute, versez sur le poisson et servez.

melles, la carotte en rondelles et le céleri en petits bâtonnets. Ajoutez le chou découpé en fines lanières et les deux tiers du bouillon, couvrez et laissez mijoter 10 minutes. Salez et poivrez.

Dans un grand poêlon, disposez en couches alternées le ragoût de chou et le ragoût de viande, en prenant soin de commencer et de finir par une couche de chou. Mouillez la préparation avec le reste de bouillon de poulet ou de bœuf, couvrez, mettez au four et laissez cuire 45 minutes.

Servez à part une sauce tomate (p. 270) bien chaude.

DAUBE DE BŒUF AUX OLIVES

Un plat long à cuire, mais assez simple à préparer, dont l'élément principal est un morceau de viande de bœuf des moins coûteux, cuit dans du vin rouge. La daube présente aussi un grand avantage : on peut la cuisiner à l'avance et la faire réchauffer au dernier moment, elle n'en sera que meilleure. Par ailleurs, c'est aussi un plat qui se congèle bien.

PRÉPARATION : 45 minutes
MARINAGE : 12 à 24 heures
CUISSON : 4 heures

INGRÉDIENTS (6 personnes)
1 kg de bifteck de ronde
100 g de bacon
2 c. à soupe de cognac
250 ml de vin rouge corsé
2 c. à soupe d'huile
2 oignons
1 carotte
1 petite branche de thym ou 1 pincée de thym sec
Quelques brins de persil
2 gousses d'ail
2 feuilles de laurier
5-6 lamelles d'écorce d'orange
100 g de grosses olives noires
Sel, poivre

Découpez la viande en petits cubes de 3-4 cm de côté. Mettez-la dans une terrine, ajoutez un oignon et la carotte en tranches, le thym, le persil, les gousses d'ail pelées entières, le laurier, le cognac, le vin rouge, du sel et du poivre. Mélangez, couvrez et laissez mariner de 12 à 24 heures, en remuant plusieurs fois les ingrédients.

Au moment d'utiliser la viande, sortez-la de la marinade et égouttez-la bien. Essuyez-la dans un linge ou du papier absorbant.

Dans une cocotte, versez 2 cuillerées d'huile ; faites revenir à feu moyen le bacon en dés pas trop petits. Quand il est légèrement doré, ajoutez la viande. Faites-la revenir à feu vif jusqu'à ce qu'elle soit bien colorée de tous les côtés. Ajoutez le second oignon émincé et faites-le revenir à feu plus doux jusqu'à ce qu'il ait pris un peu de couleur.

Ajoutez alors l'écorce d'orange, le liquide de la marinade passé et 2 cuillerées à soupe d'eau chaude. Portez à ébullition sur le feu, puis fermez la cocotte avec son couvercle ou avec une feuille d'aluminium pliée en deux et bien serrée autour des bords ; mettez à four doux (150°C environ) et laissez cuire 3 h 30. Sortez la cocotte du four et dégraissez le jus ; ajoutez les olives ; remettez le tout à cuire sur feu doux encore 30 minutes. Servez très chaud dans la cocotte ou dans un grand plat creux gardé au chaud, avec une purée de pommes de terre ou des pâtes.

FILET DE PORC AUX CHAMPIGNONS

Le filet de porc est un morceau maigre surtout destiné à être rôti. Découpé en tranches épaisses et mis à mariner dans l'huile d'olive et le citron, il change complètement de saveur.

PRÉPARATION : 30 minutes
CUISSON : 15 minutes

INGRÉDIENTS (4 à 6 personnes)
800 g de filet de porc
2 c. à soupe d'huile d'olive
La moitié d'un citron
1 petite gousse d'ail (facultatif)
Sel, poivre
SAUCE
250 g de jeunes champignons
1 oignon
60 g de beurre doux
2 c. à soupe de xérès ou de sherry sec
150 ml de crème
Sel, poivre

Dégraissez la viande et coupez-la en tranches épaisses de 2,5 cm environ ; placez les tranches entre deux feuilles de papier huilé, aplatissez-les, disposez-les dans un plat creux. Mélangez dans une jatte l'huile et le jus de citron, un peu de poivre et l'ail pelé et écrasé ; versez cette marinade sur la viande ; laissez reposer pendant 30 minutes.

Pendant ce temps, lavez les champignons et coupez-les en tranches fines. Pelez l'oignon et hachez-le finement. Faites fondre le beurre dans une poêle et faites revenir l'oignon à feu doux pendant 5 minutes, de façon qu'il devienne tendre sans prendre couleur. Ajoutez les champignons et laissez rissoler encore quelques minutes. Egouttez ensuite les champignons et l'oignon et gardez-les au chaud.

Sortez les tranches de porc de la marinade, essuyez-les et faites-les cuire 3-4 minutes dans le beurre resté dans la poêle, en les retournant une fois. Quand elles sont cuites à point, disposez-les sur un plat de service et gardez-les au chaud.

Versez dans la poêle le xérès ou le sherry et faites-le réduire à feu vif jusqu'à ce qu'il n'en reste plus qu'une cuillerée. Remettez dans la poêle oignon et champignons. Salez, poivrez ; ajoutez la crème et portez à feu doux, en remuant, pour amener la sauce presque au point d'ébullition.

Retirez-la du feu, versez-la sur la viande et servez accompagné de riz pilaf (p. 304).

DAUBE D'AGNEAU DU LANCASHIRE

Ce plat est adapté d'une ancienne recette anglaise, le *hot pot*, qu'on laissait cuire à petit feu dans une marmite de terre où mijotaient sous la croûte de pommes de terre agneau, huîtres et légumes.

PRÉPARATION : *30 minutes*
CUISSON : *2 h 30 environ*

INGRÉDIENTS *(4 à 6 personnes)*

1 kg d'épaule ou de poitrine d'agneau
2 c. à soupe de gras de rôti (à défaut, de l'huile)
700 g de pommes de terre
2 oignons
7-8 carottes
2 côtes de céleri
1 poireau
1 c. à thé de mélange aromatique sec (thym, laurier, romarin)
2 c. à soupe de farine
30 g de beurre
Persil haché
Sel, poivre

Désossez l'agneau. Mettez les os dans une casserole et couvrez-les d'eau froide ; salez, poivrez, portez à ébullition et, au bout de quelques minutes, écumez ; couvrez, baissez le feu et laissez bouillir doucement pendant que vous exécutez les autres opérations.

Parez la viande ; coupez-la en petits morceaux de la même taille ; assaisonnez-les, farinez-les et faites-les saisir dans le gras de rôti ou dans l'huile bien chaude ; quand ils sont dorés de tous côtés, retirez-les du feu et mettez-les de côté. Pelez les pommes de terre et coupez-les en rondelles de 5 mm d'épaisseur environ. Mettez-en la moitié de côté pour couronner le plat et déposez les autres au fond d'une casserole à bords hauts, bien beurrée.

Pelez, lavez et hachez grossièrement les oignons. Grattez ou pelez les carottes, lavez-les et coupez-les en rondelles. Lavez le céleri et hachez-le finement. Gardez le blanc de poireau, lavez-le et coupez-le en petits tronçons. Rassemblez tous les légumes dans une terrine, salez et poivrez, saupoudrez d'herbes aromatiques et mélangez. Disposez alternativement dans la casserole une couche de légumes, une couche de viande, en finissant par les légumes, avant les rondelles de pommes de terre réservées que vous disposerez avec soin en cercles concentriques comme les quartiers de pomme d'une tarte.

Filtrez le bouillon préparé avec les os et versez-en dans la casserole 500 ml ou juste ce qu'il faut pour couvrir la couche de pommes de terre. Couvrez d'un papier paraffiné beurré et fermez avec un couvercle hermétique. Mettez au centre du four préalablement chauffé à 180°C et laissez cuire pendant 2 h 30 environ.

A peu près 30 minutes avant de servir, retirez le couvercle et le papier paraffiné, badigeonnez les pommes de terre avec du gras de rôti fondu, ou de l'huile, et saupoudrez de gros sel. Montez la chaleur du four à 200°C et remettez la casserole sans couvercle dans la partie supérieure, de façon que les pommes de terre deviennent croquantes et dorées. Au moment de servir, saupoudrez de persil finement haché ; servez, selon la tradition, accompagné de chou rouge confit dans le vinaigre.

ROGNONS D'AGNEAU TURBIGO

Un plat familial peu onéreux, fait de rognons d'agneau, de petits oignons et de petites saucisses.

PRÉPARATION : *25 minutes*
CUISSON : *10 minutes*

INGRÉDIENTS *(4 personnes)*

8 rognons d'agneau
4 petites saucisses du genre chipolatas
60 g de beurre
8 petits oignons
1 c. à soupe de farine
250 ml de bouillon de poulet ou de bœuf
150 ml de vin blanc sec
1 c. à thé de concentré de tomate
2 c. à soupe de xérès ou de sherry sec
1 feuille de laurier
Sel, poivre
GARNITURE
Persil haché
Croûtons de pain (p. 268)

Epluchez les rognons, coupez-les en deux, et retirez avec des ciseaux le nœud spongieux du centre.

Dans une grande poêle en fonte, faites revenir doucement dans le beurre rognons et saucisses jusqu'à ce qu'ils soient bien colorés ; réservez-les au chaud.

Pelez les petits oignons que vous utiliserez entiers ; faites-les blanchir pendant 4-5 minutes ; égouttez-les.

Versez la farine dans la graisse bouillante restée dans la poêle, et faites cuire quelques minutes à feu doux, en remuant. Ajoutez peu à peu le bouillon et le vin sans cesser de remuer jusqu'à ce que la sauce épaississe. Portez à ébullition, incorporez le concentré de tomate, le xérès ou le sherry ; salez et poivrez. Laissez mijoter 5-6 minutes. Remettez les rognons dans la poêle pour les réchauffer ; ajoutez les petits oignons et la feuille de laurier, versez les rognons dans un plat de service chaud, entourez-les avec les saucisses, garnissez de croûtons frits au beurre, saupoudrez de persil haché et servez très chaud.

Pour accompagner ce plat, un riz pilaf (p. 304) convient particulièrement bien, ou une purée de champignons liée avec quelques cuillerées de crème et rehaussée de jus de citron.

Si vous ne trouvez pas de rognons d'agneau sur le marché, préparez cette recette avec des rognons de porc ; le résultat sera sensiblement le même.

Volaille et gibier

FOIE DE VEAU À LA LYONNAISE

Le foie est, parmi les abats, le plus nourrissant et le plus facile à digérer. Certains l'aiment très cuit, d'autres rose. Pour ces derniers, faites cuire le foie dans un beurre juste fondu et à feu très doux.

PRÉPARATION : 20 minutes
CUISSON : 25 minutes

INGRÉDIENTS *(4 personnes)*
500 à 600 g de foie de veau
500 g d'oignons
150 g de beurre doux
1 c. à soupe de farine
2 verres de bouillon de bœuf
½ c. à soupe de vinaigre
Sel, poivre

Demandez à votre fournisseur de couper le foie en tranches épaisses de 5 mm. Pelez et émincez les oignons. Faites fondre, dans une grande poêle, 60 g de beurre et laissez cuire les oignons à feu doux pendant 20 minutes environ, jusqu'à ce qu'ils soient tendres et bien dorés (une pincée de sucre accentuera leur coloration). Remuez pour éviter qu'ils attachent.

Dans une assiette, maniez 30 g de beurre avec 1 cuillerée de farine ; ajoutez peu à peu cette pâte aux oignons très chauds et remuez jusqu'à ce qu'elle soit bien amalgamée au reste. Mouillez petit à petit avec le bouillon chaud. Portez à ébullition, laissez cuire quelques minutes à feu doux ; ajoutez le vinaigre et assaisonnez de sel et de poivre à votre goût.

Dans une poêle en fonte, mettez le reste de beurre et faites cuire les tranches de foie à feu assez vif 5 minutes environ en ayant soin de les retourner. Quand elles sont à point, disposez-les sur un plat de service chaud, recouvrez chacune d'elles d'oignons. Servez accompagné de pommes de terre à l'anglaise ou de purée.

HACHIS DE BŒUF SALÉ

En cuisine, un plaisir en entraîne souvent un autre. Si vous avez dégusté la veille ou l'avant-veille un plat au bœuf salé, vous en utiliserez les restes agréablement dans ce hachis.

PRÉPARATION : 10 minutes environ
RÉFRIGÉRATION : 12 heures
CUISSON : 10 minutes environ

INGRÉDIENTS *(6 personnes)*
225 g de bœuf salé cuit, coupé en très petits dés
400 g de pommes de terre bouillies
100 g d'oignons hachés fin
Poivre noir fraîchement moulu
1 pincée de muscade
60 à 90 g de beurre ou de graisse de rôti
125 ml de crème épaisse ou d'eau bouillante

Détaillez le bœuf salé au couteau en très petits dés. Mélangez-le avec les pommes de terre et les oignons ; donnez quelques tours de moulin à poivre et mettez ce hachis au froid pendant 12 heures ou une nuit après l'avoir bien couvert.

Au moment de la cuisson, faites fondre le beurre ou la graisse dans une sauteuse ; déposez-y le hachis en pressant bien avec une fourchette pour en faire une sorte de galette. Laissez cuire assez longtemps pour que le hachis croûte. Retournez-le avec une spatule en dégageant bien la croûte et ajoutez la crème ou l'eau bouillante qui favorisera la formation d'une nouvelle croûte. Dégagez de nouveau le hachis avec la spatule ; retournez-le et posez-le sur une assiette de service. Accompagnez ce plat d'œufs pochés et de sauce Chili.

DINDE AU GRIL

Pour faire bien griller une dinde, il faut d'abord la placer près de la source de chaleur, puis l'en éloigner pour terminer la cuisson.

PRÉPARATION : 15 minutes
CUISSON : 45 minutes

INGRÉDIENTS *(6 à 8 personnes)*
1 dinde de 3 kg
115 g de beurre
1 ou 2 échalotes hachées fin
3 c. à soupe de persil haché
1 c. à thé de romarin
Sel, poivre

Demandez au boucher de séparer la dinde en deux et d'enlever la colonne vertébrale. Retirez tous les fragments d'os. Défaites le beurre en crème en lui ajoutant les échalotes, le persil et le romarin.

Introduisez entre les blancs et la peau, que vous aurez d'abord dégagée délicatement, quelques cuillerées à soupe de beurre composé. Avec ce qui reste, beurrez la dinde de tous les côtés.

Placez la dinde, poitrine en dessous, à 10 cm environ de l'élément chauffant. Comptez 20 à 25 minutes de cuisson en surveillant pour qu'elle ne rôtisse pas trop ; le cas échéant, il faudra baisser la grille et arroser la dinde à plusieurs reprises de beurre fondu.

Tournez la dinde et badigeonnez-la généreusement de beurre. Remettez-la au gril, mais sur la coulisse inférieure, après l'avoir salée et poivrée au goût. Arrosez de temps à autre et surveillez constamment. Pour vérifier le degré de cuisson, piquez la chair d'une cuisse ; s'il en sort un jus clair, la dinde est cuite. Le temps de cuisson au gril ne dépasse jamais au total 40 à 45 minutes. Si la dinde rôtit plus vite qu'elle ne cuit, terminez la cuisson dans un four à 180°C. Des pommes de terre et une salade verte complèteront le menu.

SALMIS DE CANARD SAUVAGE

Un salmis est une préparation qui est faite à base de gibier à plume. Faute de sauvagine, la recette peut s'appliquer au canard domestique qui s'accommodera fort bien de cette sauce onctueuse.

PRÉPARATION : 1 heure
CUISSON : 40 à 50 minutes

INGRÉDIENTS *(6 personnes)*
2 canards
250 g de champignons
50 g de lard gras
100 g de beurre
3 c. à soupe de farine
3 c. à soupe de cognac
2 verres de bon vin blanc
2 verres de fumet de gibier
7 tranches de pain blanc
1 truffe (facultatif)
Sel, poivre

Faites rôtir les canards dont vous aurez réservé les foies pendant 30 minutes : les volatiles doivent être cuits aux trois quarts seulement.

Pendant ce temps, lavez les champignons et séparez les têtes des pieds après en avoir éliminé la partie terreuse. Faites un roux brun assez foncé (p. 269), mouillez avec le vin blanc et le fumet de gibier (p. 266), ajoutez les abattis et les pieds de champignons coupés grossièrement. Assaisonnez. Portez la sauce à ébullition tout en remuant. Laissez bouillir doucement pendant 5 à 10 minutes. Passez au chinois et faites réduire d'un tiers. Découpez les canards. Enlevez la peau et déposez les morceaux dans une sauteuse de cuivre ou dans toute autre casserole large et basse. Dans une poêle beurrée, faites revenir les champignons coupés en fines lamelles. Dès qu'ils sont à point, versez-les dans la sauteuse. Recouvrez de sauce, ajoutez le cognac et faites flamber. Gardez au chaud en évitant toute ébullition.

Hachez les foies et le lard gras, mélangez un peu de mie de pain, du sel et du poivre. Tartinez avec cette farce 6 tranches de pain blanc et passez au four 2-3 minutes. Dressez les morceaux de canard sur les croûtons. Passez au four 4-5 minutes encore. Rectifiez l'assaisonnement de la sauce si besoin est. Nappez le plat et servez aussitôt.

Si vous pensez qu'il n'y a pas de bons salmis sans truffe, escalopez une truffe de 50 g bien brossée et ajoutez-la à la sauce en même temps que les champignons en fines lamelles.

POULET À LA MODE DU MARYLAND

Les croquettes de maïs font partie de la recette originale américaine (le Maryland est un Etat du Sud) ; les bananes et les petits rouleaux de bacon ne sont pas, en revanche, rigoureusement traditionnels, mais ils confèrent au mets un agréable contraste de saveurs.

PRÉPARATION : *25 minutes*
CUISSON : *45 minutes*

INGRÉDIENTS *(6 personnes)*

1 poulet de 1 kg coupé en 8 morceaux, ou 6 morceaux de poulet, au choix
1 œuf
120 à 150 g de beurre doux
8 tranches de bacon assez maigre
3 bananes
120 g de chapelure ou de mie de pain rassis, émiettée
Farine
Sel, poivre

BEIGNETS DE MAÏS
2 c. à soupe de farine
2 œufs
350 g de maïs en conserve
1 c. à soupe d'huile d'olive ou de maïs
Sel, poivre
GARNITURE
Cresson

Enlevez la peau des morceaux de poulet, assaisonnez-les de sel et de poivre ; farinez-les ; passez-les dans l'œuf légèrement battu, puis dans la chapelure ou la mie de pain. Faites fondre dans une grande poêle 60 g de beurre et faites frire les morceaux de poulet pendant 10 minutes environ, jusqu'à ce qu'ils soient dorés de tous les côtés. Baissez le feu, couvrez et laissez cuire doucement pendant 25 à 30 minutes, en retournant une fois.

Coupez les tranches de bacon en deux, roulez-les assez serré et piquez-les avec deux bâtonnets de cocktail. Pelez les bananes et coupez-les en deux dans le sens de la longueur, assaisonnez-les de sel et de poivre et farinez-les de façon uniforme.

Pour préparer les croquettes de maïs, mettez dans le mixer la farine, les œufs légèrement battus, le maïs bien égoutté, le sel et le poivre. Battez jusqu'à ce que vous obteniez une pâte homogène.

Lorsque les morceaux de poulet sont tendres, déposez-les dans un plat de service et gardez-les au chaud. Faites fondre dans la poêle 30 g de beurre et faites revenir les demi-bananes à feu doux.

Dans une autre poêle, faites chauffer le reste de beurre et l'huile. Dans le mélange bien chaud, versez quelques cuillerées de la préparation au maïs, faites cuire 2 minutes, jusqu'à ce que les croquettes soient bien dorées des deux côtés. Gardez-les au chaud pendant que vous cuisez les autres. En même temps, chauffez le four au maximum et passez-y les rouleaux de bacon pendant quelques minutes, jusqu'à ce qu'ils deviennent croquants.

Disposez les croquettes de maïs, les bananes ainsi que les rouleaux de bacon dans le plat de service où sont déjà les morceaux de poulet ; garnissez d'une touffe de cresson et servez très chaud accompagné d'une salade verte.

Riz et pâtes

TAGLIATELLE ALLA BOLOGNESE

Les tagliatelles sont de minces nouilles aux œufs apprêtées ici à la bolognaise, c'est-à-dire avec une sauce au bœuf haché et aux tomates.

PRÉPARATION : *25 minutes*
CUISSON : *45 à 60 minutes*

INGRÉDIENTS (*4 à 6 personnes*)
225 à 350 g de tagliatelles
1 oignon
1 gousse d'ail
250 g de jeunes champignons de couche
2 c. à soupe d'huile d'olive
450 g de bœuf maigre haché
30 g de farine
600 ml de tomates en conserve
1 c. à thé de sel
Poivre noir
1 c. à thé de persil haché
1 pincée de fines herbes mélangées
2 c. à thé de concentré de tomate
125 ml de vin rouge
300 ml de bouillon de bœuf
100 g de parmesan râpé

Pelez et hachez finement l'oignon et l'ail ; essuyez et parez les champignons ; émincez-les en tranches fines. Dans une sauteuse à fond épais, faites revenir à couvert l'oignon dans l'huile jusqu'à ce qu'il soit transparent, soit 5 minutes environ. Ajoutez l'ail et la viande et, quand celle-ci est brune, les champignons. Après quelques minutes de cuisson, incorporez la farine, puis les tomates avec leur jus, le sel, le poivre, le persil, les fines herbes et le concentré de tomate. Ajoutez le vin rouge et le bouillon et amenez à ébullition. Réduisez la chaleur, couvrez et laissez cuire entre 45 minutes et 1 heure.

Une quinzaine de minutes avant que la sauce soit terminée, jetez les tagliatelles dans une grande casserole d'eau bouillante salée et comptez 12 minutes de cuisson à partir du moment où l'ébullition reprend. Egouttez les pâtes et distribuez-les dans les assiettes chaudes en les nappant de sauce. Servez à part le parmesan râpé.

RIZ À L'ANDALOUSE

Cette salade du Sud de l'Espagne accompagne bien les viandes froides.

PRÉPARATION : *15 minutes*
CUISSON : *20 minutes*

INGRÉDIENTS (*4 à 6 personnes*)
300 g de riz à grains longs
1 c. à thé de sel
8 c. à soupe d'huile d'olive
3 c. à soupe de vinaigre de vin
1 grosse gousse d'ail pilée
1 petit oignon haché
Sel et poivre
1 bocal de 125 ml de piments rouges doux
2 c. à soupe de persil haché
GARNITURE
Olives vertes et noires
2 tomates en quartiers

Pour cette recette, n'utilisez pas de riz à cuisson rapide ; c'est le riz à grains longs qui vous donnera les meilleurs résultats. Jetez-en 300 g dans 500 ml d'eau bouillante salée ; couvrez et laissez cuire à petits bouillons pendant 20 minutes, jusqu'à ce que le riz soit tendre.

Préparez la vinaigrette en mélangeant l'huile, le vinaigre, l'ail et l'oignon. Salez et poivrez.

Egouttez les piments rouges doux. Prélevez-en six bandes étroites et hachez finement le reste.

Refroidissez un peu le riz et mélangez-y la vinaigrette, le piment et le persil en prenant soin de ne pas briser les grains.

Disposez le riz dans un saladier et garnissez-le avec les lanières de piment rouge, les olives vertes et noires et les quartiers de tomate.

NOUILLES VERTES MAISON

La confection des pâtes demande du temps et de la patience, mais c'est la simplicité même.

PRÉPARATION : *25 minutes*
CUISSON : *10 minutes*

INGRÉDIENTS (*4 personnes*)
85 g de farine à tout usage
1 pincée de sel
1 œuf bien battu
1 c. à soupe d'eau
4 c. à soupe d'épinards cuits
Beurre fondu
Parmesan râpé

Tamisez la farine et le sel sur une planche à pâtisserie. Pratiquez un puits et versez-y l'œuf et l'eau. Travaillez la pâte avec les mains en rajoutant de l'eau au besoin ; la préparation doit être ferme, mais pétrissable.

Epongez les épinards en les tordant dans un linge propre pour enlever toute l'eau. Hachez-les très fin et incorporez-les à la pâte. Pétrissez une dizaine de minutes sur la planche légèrement farinée. Couvrez et laissez reposez une heure environ.

Abaissez la pâte aussi mince que possible. Laissez-la sécher 30 minutes. Enroulez l'abaisse sur elle-même et coupez-la obliquement, en lanières de 4 mm de largeur. Laissez sécher 1 heure.

Faites cuire les nouilles dans de l'eau bouillante salée pendant une dizaine de minutes ou jusqu'à ce qu'elles soient tendres. Egouttez-les ; enrobez-les de beurre et de parmesan râpé.

Légumes et salades

POIVRONS VERTS FARCIS

Pour exécuter cette recette, choisissez des poivrons ronds de forme régulière. Pour un repas léger, comptez un poivron par personne.

PRÉPARATION : *20 minutes*
CUISSON : *50 minutes*

INGRÉDIENTS *(4 personnes)*
4 poivrons verts d'égale grosseur
1 petit oignon
80 g de champignons de couche
2 tranches de bacon maigre
30 g de beurre doux
5-6 foies de poulet
70 à 80 g de riz pilaf (p. 304)
1 jaune d'œuf
Persil haché
6-7 c. à soupe de parmesan râpé
1 boîte de coulis de tomate
Sel, poivre

Découpez une couronne autour de la queue des poivrons ; enlevez celle-ci et éliminez toutes les graines et les cloisons internes. Plongez les poivrons dans de l'eau bouillante salée pendant 3 minutes et égouttez-les.

Épluchez, lavez et émincez l'oignon et les champignons, hachez-les finement ; coupez le bacon en dés. Faites fondre le beurre dans une poêle et faites revenir pendant quelques minutes le bacon, l'oignon et les champignons. Ajoutez les foies et laissez cuire encore quelques minutes à température moyenne. Retirez les foies avec une écumoire, coupez-les en très petits morceaux et remettez-les dans la poêle, en y ajoutant le riz pilaf, le persil, du sel et du poivre. Retirez la poêle du feu et liez au jaune d'œuf.

Disposez les poivrons dans un plat à gratin beurré, la partie coupée vers le haut ; remplissez-les de farce et parsemez-les d'un peu de parmesan râpé. Versez au fond du plat 100 ml d'eau bouillante ; mettez dans le haut du four, préalablement chauffé à 180°C ; laissez cuire 35 à 40 minutes.

Avant de porter sur la table, saupoudrez les poivrons avec le reste de parmesan râpé ; servez dans une saucière un coulis de tomate (p. 270) un peu relevé.

GNOCCHIS À LA PIÉMONTAISE

Ce sont des boulettes de pommes de terre qu'on peut servir relevées de sauce tomate comme plat de résistance léger ou avec des viandes sautées ou grillées.

PRÉPARATION : *30 minutes*
CUISSON : *12 à 15 minutes*

INGRÉDIENTS *(4 personnes)*
500 g de pommes de terre
Sel et poivre noir
1 pincée de muscade
125 g de farine
1 œuf
60 g de beurre
75 g de parmesan râpé

Pelez les pommes de terre et détaillez-les en morceaux de 2,5 cm. Plongez-les dans de l'eau froide salée ; amenez à ébullition, puis cuisez à feu moyen pendant 20 minutes. Après les avoir égouttées, remettez-les quelques minutes sur le feu pour les assécher.

Réduisez-les en purée ; assaisonnez de sel et de poivre fraîchement moulu, puis ajoutez la muscade et la farine. Battez l'œuf et mélangez-le à la purée avec une cuillère de bois. Déposez la purée sur une planche farinée et pétrissez légèrement. Après vous être fariné les mains, façonnez l'appareil en un rouleau de 2,5 cm de diamètre que vous découperez en 24 morceaux ; roulez ces derniers en boule.

Faites cuire quelques gnocchis à la fois dans une grande marmite d'eau frémissante pendant 5 minutes. Lorsqu'ils sont cuits, ils remontent à la surface ; retirez-les avec une écumoire et déposez-les dans une timbale chaude et beurrée. Pendant que les derniers gnocchis cuisent, faites fondre le beurre, versez-le dans le plat et, juste avant de servir, saupoudrez de parmesan râpé. On peut aussi napper d'une sauce tomate (p. 270).

POIREAUX EN VINAIGRETTE

Voici une petite entrée toute simple qui remplace agréablement les tomates ou les concombres en vinaigrette.

PRÉPARATION : *15 minutes*
CUISSON : *30 minutes*

INGRÉDIENTS *(4 personnes)*
8 petits poireaux
1 feuille de laurier
Sel et poivre noir
2 c. à soupe de vinaigre de vin
¼ c. à thé de moutarde de Dijon
6 à 8 c. à soupe d'huile d'olive
1 c. à soupe de persil frais haché
GARNITURE
2 œufs durs

Épluchez les poireaux ; coupez les racines et les extrémités vertes de façon à ne garder que 10 cm de blanc. Fendez-les en deux dans le sens de la longueur et lavez-les minutieusement à l'eau courante en les ouvrant bien pour enlever toute trace de terre.

Réunissez-les en quatre bottes et plongez-les dans de l'eau bouillante salée avec une feuille de laurier. Quand l'ébullition reprend, baissez le feu de manière que l'eau se maintienne frémissante. Couvrez la casserole et comptez une trentaine de minutes de cuisson. Sortez les poireaux avec une écumoire ; égouttez-les et laissez-les refroidir.

Disposez-les dans un ravier et préparez la vinaigrette. Mettez le sel et le poivre fraîchement moulu dans un petit bol à mélanger ; ajoutez le vinaigre et la moutarde et remuez avant d'incorporer l'huile et le persil. Versez la vinaigrette sur les poireaux et laissez mariner jusqu'au moment de servir.

Décorez d'œufs durs détaillés en rondelles.

POMMES ET CÉLERI EN SALADE

Quelques tranches de jambon froid accompagnées de cette salade d'hiver, et voilà un repas léger vite fait... à moins qu'on ne serve la salade elle-même en entrée, lors d'un dîner plus élaboré.

PRÉPARATION : *15 minutes*

INGRÉDIENTS *(4 personnes)*
1 pied de céleri
4 pommes à couteau bien rouges
3 c. à soupe de vinaigrette à la moutarde (p. 272)
2 c. à soupe de mayonnaise (p. 271)
40 g de noix écalées
GARNITURE
Cresson

Lavez le céleri et hachez-le très finement. Coupez les pommes en quartiers, enlevez le trognon et taillez la chair en dés. Mélangez immédiatement le céleri et les pommes avec la vinaigrette ; incorporez la mayonnaise et mettez la préparation au réfrigérateur.

Juste avant de servir, hachez grossièrement les noix et ajoutez-les à la salade que vous dresserez dans un saladier en la décorant de branches de cresson.

TOURTE AUX CAROTTES

Cette croustade remplie de carottes et de crème aux œufs peut être servie comme entrée, comme plat principal lors d'un repas léger ou comme garniture, avec une viande blanche ou un poulet rôti.

PRÉPARATION : *45 minutes*
CUISSON : *35 minutes pour la farce,
20 minutes pour la pâte*

INGRÉDIENTS *(6 à 8 personnes)*

220 g de farine
110 g de beurre
1 œuf
Le jus d'un demi-citron
1 jaune d'œuf
Sel
GARNITURE
4-5 carottes
60 g de beurre fondu
4 c. à soupe de parmesan râpé

3 jaunes d'œufs
2 œufs entiers
200 ml de crème épaisse
1 pincée d'origan
1 pincée de noix muscade
Moutarde de Dijon
La moitié d'un citron
Persil haché
Sel, poivre

Pour préparer la pâte de la croûte, tamisez la farine et le sel dans une jatte ou sur la table, faites un puits au centre et mettez-y le beurre ramolli coupé en petits morceaux, et l'œuf battu avec le jus de citron. Pétrissez du bout des doigts jusqu'à ce que le beurre soit parfaitement incorporé et la pâte lisse et souple. Faites-en une boule, enveloppez-la de papier paraffiné et laissez reposer au réfrigérateur pendant environ 30 minutes.

Au moment de l'utiliser, roulez la pâte entre deux feuilles de papier paraffiné et faites-en une abaisse ronde ; foncez un moule à tarte de 20 à 22 cm de diamètre, à bords assez hauts ; n'étirez pas la pâte avec les mains ; soulevez-la délicatement et couchez-la dans le moule, en lui laissant prendre naturellement la forme du moule. Coupez ensuite ce qui dépasse du bord. Appliquez sur le fond de pâte un morceau de feuille d'aluminium, chargez-le de haricots secs ou de riz, pour empêcher la pâte de gonfler pendant la cuisson. Faites cuire 15 minutes au four à 200°C. Enlevez les haricots (ou le riz) ainsi que la feuille d'aluminium, badigeonnez la pâte avec le jaune d'œuf battu et passez au four pendant 3 minutes (grâce à cette petite croûte isolante, la pâte restera croquante). Laissez tiédir.

Pour préparer la garniture, râpez les carottes, blanchissez-les 1 minute dans de l'eau salée bouillante, égouttez bien et incorporez le beurre fondu, l'origan, le sel et le persil. Mélangez bien. Dans un bol, battez à la fourchette les œufs entiers, les jaunes et la crème ; ajoutez sel et noix de muscade. Badigeonnez le fond de pâte de moutarde de Dijon et étalez la garniture de carottes en une couche uniforme ; aspergez d'un peu de jus de citron et saupoudrez de parmesan râpé, puis versez par-dessus les œufs battus avec la crème. Faites cuire au four à 180°C pendant 35 minutes, jusqu'à ce que la lame d'un couteau, introduite dans la préparation, en sorte parfaitement nette.

POIREAUX À LA BULGARE

Les poireaux, légumes trop souvent destinés aux potages et aux bouillis, apportent ici une note nouvelle au menu. Ils se servent froids comme légumes d'accompagnement, d'un plat de poulet par exemple.

PRÉPARATION : *15 minutes*
CUISSON : *30 minutes*

INGRÉDIENTS *(4 à 6 personnes)*

8 poireaux moyens
1 gros citron
2 échalotes pelées et émincées
12 grains de poivre
12 graines de fenouil
6 brins de persil
6 graines de coriandre (facultatif)
Sel

SAUCE
1 yogourt bulgare ou velouté
3 jaunes d'œufs
2 c. à thé de jus de citron
Moutarde de Dijon
Sel, poivre
GARNITURE
Persil haché

Préparez un bouillon avec 250 ml d'eau, le jus de citron, un peu de sel, les épices, les brins de persil et les échalotes. Portez à ébullition pendant 10 minutes.

Pendant ce temps, épluchez et lavez les poireaux ; conservez les blancs et quelques centimètres de vert. Disposez-les en une seule couche dans une grande poêle ou une casserole à bords bas, versez dessus le bouillon filtré, couvrez et faites bouillir à feu doux pendant 10 à 15 minutes, jusqu'à ce que les poireaux soient tout à fait tendres. Laissez-les refroidir dans leur eau de cuisson.

Pour la sauce, battez dans un bol les jaunes d'œufs, le yogourt et le jus de citron. En remuant souvent, laissez épaissir au bain-marie 15 minutes ; assaisonnez de sel, de poivre et d'un soupçon de moutarde.

Au moment de servir, égouttez les poireaux, coupez-les en deux ou trois et disposez-les sur un plat chaud ; recouvrez de sauce et saupoudrez de persil haché.

Desserts

GÂTEAU GLACÉ AU FROMAGE

Ce gâteau au fromage s'apparente plus à un parfait qu'au gâteau classique cuit au four.

PRÉPARATION : *35 minutes*
RÉFRIGÉRATION : *3 heures*

INGRÉDIENTS *(6 personnes)*
60 à 90 g de beurre doux
150 g de biscuits Graham réduits en chapelure
8 c. à soupe de sucre
2 sachets (2 c. à soupe) de gélatine non parfumée
225 g de fromage blanc (cottage)
115 g de fromage à la crème
Le zeste et le jus d'un petit citron
2 œufs
Sel
125 ml de crème épaisse
GARNITURE
Raisins noirs et mandarines en boîte

A feu doux, faites fondre le beurre dans une petite casserole. Retirez du feu et ajoutez les biscuits Graham émiettés et 2 cuillerées à soupe de sucre. En pressant bien, étalez ce mélange dans un moule à gâteau de 20 cm, pourvu d'un fond amovible. Mettez cette croûte au réfrigérateur.

Versez 50 ml d'eau froide dans une petite casserole et saupoudrez-y uniformément la gélatine pour qu'elle gonfle. Laissez reposer 5 minutes. Passez le fromage blanc à travers un tamis à mailles larges et mélangez-le au fromage à la crème. Enfin, râpez le zeste du citron et ajoutez-le au fromage.

Séparez les œufs. Battez les jaunes avec 3 cuillerées à soupe de sucre et une pincée de sel jusqu'à ce qu'ils soient légers et mousseux. Faites chauffer la gélatine en remuant constamment, mais ne la laissez pas bouillir. Sitôt qu'elle est fondue, retirez-la du feu et ajoutez le jus de citron passé. Incorporez petit à petit ce liquide aux jaunes,

puis ajoutez le fromage. Fouettez les blancs d'œufs en neige ; ajoutez le reste du sucre (3 cuillerées à soupe) et continuez à fouetter jusqu'à ce que les blancs soient bien fermes. Incorporez-les à l'appareil de base en même temps que la crème légèrement fouettée. Versez cette pâte dans le moule à gâteau refroidi et lissez la surface. Remettez le gâteau au froid pour 2-3 heures, jusqu'à ce qu'il soit ferme.

Au moment de servir, dégagez les côtés avec un couteau. Retirez avec soin le gâteau de son moule et décorez le dessus avec des raisins noirs coupés en deux et des quartiers de mandarine.

Découpez en pointes.

CHAUSSONS AUX POMMES

Les chaussons aux pommes qui sortent du four du pâtissier et que l'on croque tout chauds peuvent se préparer en dessert.

PRÉPARATION : *25 minutes*
CUISSON : *30 minutes*

INGRÉDIENTS *(4 à 6 personnes)*
500 g de pommes à cuire
20 g de beurre doux
Le zeste d'un citron râpé
50 g de sucre
1 c. à soupe de raisins secs
250 g de pâte feuilletée fine (p. 326)
1 œuf battu
Sucre à glacer
Crème

Epluchez les pommes et coupez-les en tranches. Faites fondre le beurre dans une casserole, ajoutez les pommes et le zeste de citron râpé, couvrez et laissez cuire à feu modéré jusqu'à ce que les pommes soient tendres. Ecrasez-les à la fourchette ou à la moulinette, ajoutez le sucre et les raisins secs, que vous aurez laissé gonfler dans du thé très chaud pendant 10 à 15 minutes ; laissez refroidir.

Abaissez la pâte au rouleau à 3 mm. Avec un emporte-pièce, découpez six ronds ; donnez-leur une forme ovale au rouleau. Déposez la compote sur la moitié de chaque ovale de pâte en laissant quelques millimètres pour le rabat ; mouillez les bords à l'œuf battu ou au lait et repliez les ovales en deux, en forme de chaussons, en appuyant sur les bords pour bien les souder. Dorez à l'œuf battu ou au lait et laissez reposer 15 minutes.

Disposez les chaussons sur une plaque farinée, mettez au centre du four chauffé à 220°C ; laissez cuire pendant 10 minutes ; abaissez la température à 190°C et laissez au four jusqu'à ce que la pâte soit bien dorée. Saupoudrez les chaussons de

sucre à glacer et servez-les tièdes, accompagnés de crème fraîche. Vous pouvez aussi remplacer la compote par des pommes coupées en fines lamelles. Le temps de cuisson reste le même.

MOUSSE AU CITRON

Cet entremets d'une grande finesse peut clore un repas d'hiver un peu plantureux.

PRÉPARATION : *30 minutes*
RÉFRIGÉRATION : *2 heures environ*

INGRÉDIENTS *(4 personnes)*
80 g de gélatine
3 œufs
100 g de sucre
150 ml de crème épaisse
Le jus et le zeste de 2 gros citrons
GARNITURE
150 ml de crème épaisse

Saupoudrez la gélatine dans 2 cuillerées à soupe d'eau et laissez tremper 5 minutes. Séparez les jaunes d'œufs des blancs, en les mettant dans deux jattes différentes ; ajoutez aux jaunes le zeste râpé des citrons. Ajoutez le jus des citrons à la gélatine et faites chauffer à feu doux, en remuant sans arrêt, jusqu'à ce qu'elle soit dissoute, sans porter à ébullition ; retirez du feu.

Ajoutez le sucre aux jaunes d'œufs et battez jusqu'à l'obtention d'un mélange clair et mousseux ; toujours en remuant, versez la gélatine et continuez de remuer jusqu'à ce que l'ensemble soit complètement froid et commence à prendre. Incorporez-y 150 ml de crème légèrement fouettée et les blancs montés en neige très ferme.

Versez la mousse dans une grande coupe et mettez au réfrigérateur pendant 2 heures environ. Servez à part la crème de la garniture, fouettée, ou décorez-en la mousse.

TARTE DES DEMOISELLES TATIN

Pour la petite histoire : vers 1910, à Lamotte-Beuvron, en France, les chasseurs qui dînaient chez Fanie et Caroline Tatin en attendant leur train finissaient par une tarte dégoulinante de beurre et de caramel, cuite dans un four de campagne, braise dessus, braise dessous.

PRÉPARATION : *30 minutes*
CUISSON : *30 à 35 minutes*

INGRÉDIENTS *(4 personnes)*
1 kg de pommes à cuire
150 à 200 g de pâte ordinaire
*   (p. 317)*
100 g de beurre doux
100 g de sucre

Épluchez et coupez en quatre les pommes épépinées. Tartinez le fond d'un moule à tarte à bords assez hauts avec le beurre en en réservant cinq ou six noisettes. Saupoudrez très largement de sucre. Rangez les quartiers de pomme bien serrés dans le moule, le côté bombé vers le fond. Coupez les quartiers restants en fines lamelles et remplissez le moule jusqu'au bord. Répartissez les noisettes de beurre, saupoudrez avec un peu de sucre et couvrez avec la pâte assez fine étalée à la bonne dimension. Posez le moule sur le feu avec un diffuseur de chaleur et laissez cuire 10 à 15 minutes à feu doux, puis quelques minutes à feu vif pour que le fond caramélise. Mettez au four préalablement chauffé à 220°C, pendant 20 à 25 minutes.

Posez un plat sur le moule et retournez prestement. La tarte Tatin se sert tiède ou chaude.

POUDING À LA CONFITURE

Ajouter de la mie de pain à la pâte lui donne une légèreté particulière.

PRÉPARATION : *15 minutes*
CUISSON : *2 h 15 environ*

INGRÉDIENTS *(4 à 6 personnes)*
170 g de farine
3 c. à thé de levure en poudre
5 tranches de pain blanc
100 g de beurre ou de margarine
100 g de sucre
1 œuf
Lait
1 c. à soupe de confiture de fraises
Sel
SAUCE
100 g de sucre
4 c. à soupe de confiture de fraises

Tamisez ensemble la farine, la levure et le sel ; ajoutez le pain finement émietté après en avoir retiré la croûte (passer au mixer est un moyen pratique), le sucre et le beurre ramolli ; remuez en ajoutant l'œuf légèrement battu et du lait en quantité suffisante pour que la pâte soit souple. Beurrez un moule à pouding de 1 litre et étalez sur le fond 1 cuillerée de confiture de fraises ; versez-y la pâte, qui doit remplir seulement les deux tiers. Recouvrez d'une double feuille de papier paraffiné, pliée au centre pour permettre au pouding de gonfler et retenue au bord par de la ficelle. Mettez le moule dans le haut d'un couscoussier rempli à moitié d'eau frémissante. Couvrez et laissez cuire 2 h 15 environ, en ajoutant de l'eau chaude si le niveau diminue dans la marmite. Si vous utilisez un autocuiseur, posez le pouding dans le panier destiné à la cuisson à la vapeur, versez de l'eau jusqu'au tiers de la hauteur du moule sur lequel vous aurez posé un couvercle pour que la vapeur ne tombe pas dans la préparation et faites cuire 40 minutes.

Dix minutes avant la fin de la cuisson, préparez la sauce : mettez dans une casserole le reste de confiture, le sucre et 4 cuillerées à soupe d'eau ; faites chauffer à feu doux, en remuant ; portez à ébullition et laissez bouillir pendant 2-3 minutes.

Détachez les bords du pouding avec un couteau et retournez-le sur un plat de service chaud. Servez à part la sauce chaude.

CRÊPES SUZETTE À L'ORANGE

PRÉPARATION : *30 minutes*
CUISSON : *2-3 minutes*

INGRÉDIENTS *(6 personnes)*
12 crêpes (p. 311)
60 g de beurre doux
50 g de sucre
3 morceaux de sucre
2 oranges
3-4 c. à thé de curaçao ou de Grand Marnier

Pour un dîner où ne figurent pas un grand nombre d'invités, les crêpes Suzette sont le dessert idéal et font toujours beaucoup d'effet, surtout si on les prépare devant les convives, sur un réchaud de table.

Préparez les crêpes et gardez-les au chaud entre deux plats posés sur une casserole remplie d'eau bouillant légèrement. Préparez le beurre en pommade dans une petite terrine. Ajoutez les 50 g de sucre et travaillez le mélange à la cuillère en bois pour qu'il reste crémeux. Frot-

tez les morceaux de sucre sur le zeste des oranges ; quand ils sont bien imprégnés, écrasez-les dans la terrine. Ajoutez le jus des oranges et le curaçao ou le Grand Marnier. Travaillez bien la préparation. Veillez à garder au mélange la même température pour tartiner chaque crêpe bien chaude. Pliez les crêpes et disposez-les sur un plat de métal très chaud. Si vous les aimez flambées, saupoudrez-les de sucre, arrosez-les de quelques cuillerées de curaçao ou de Grand Marnier et flambez-les.

ORANGES CONFITES AU GRAND MARNIER

Frais et léger tout en étant de très grande classe, ce dessert présente l'avantage de pouvoir se préparer la veille. Il suffit de le garder au réfrigérateur.

PRÉPARATION : *15 minutes*
CUISSON : *45 minutes*
RÉFRIGÉRATION : *2-3 heures*

INGRÉDIENTS *(6 personnes)*
6 oranges
150 g de sucre
Le jus d'un demi-citron
2 c. à soupe de Grand Marnier

Pour que les oranges ne roulent pas, enlevez une tranche à chaque extrémité des fruits. Incisez l'écorce verticalement pour dégager la pelure avec la peau blanche sans meurtrir la chair. Détaillez les oranges en tranches horizontales et dressez-les sur un plat de service.

Choisissez six grands morceaux d'écorce et débarrassez-les soigneusement de leur peau blanche ; râpez-les finement, mettez le zeste dans une casserole et couvrez d'eau froide. Portez au point d'ébullition, puis passez au chinois. (Au cours de cette opération, l'écorce perdra son amertume.) Couvrez de nouveau le zeste d'eau froide, amenez à ébullition, puis laissez mijoter à feu très doux pendant 30 minutes environ. Quand le zeste est tendre, égouttez-le et réservez.

Déposez le sucre dans un poêlon à fond épais ; faites-le chauffer à feu modéré en remuant avec une cuillère en bois jusqu'à ce qu'il fonde et se caramélise. Retirez le poêlon du feu, versez-y 125 ml d'eau et laissez bouillonner loin de la source de chaleur. Remettez le caramel au feu et faites-le fondre en remuant jusqu'à l'obtention d'un sirop lisse. Ajoutez le zeste, portez à ébullition et faites confire 2-3 minutes à feu

doux. Retirez du feu ; après quelques secondes, ajoutez le jus de citron et le Grand Marnier.

Avec une cuillère, versez le sirop et le zeste confit sur les oranges ; laissez refroidir en arrosant les fruits de temps à autre de sirop, puis mettez au réfrigérateur durant 2-3 heures. Servez accompagné d'une glace à la vanille.

COMPOTE DE RHUBARBE AUX BANANES

Dès la fin de février, on peut se procurer sur nos marchés de la rhubarbe hâtive. Une cuisson lente lui conservera sa forme et sa belle teinte rosée.

PRÉPARATION : *15 minutes*
CUISSON : *35 minutes*
RÉFRIGÉRATION : *2 heures*

INGRÉDIENTS *(4 personnes)*
500 g de rhubarbe
150 g de sucre
Le jus d'une orange
500 g de bananes

Parez la rhubarbe, lavez bien les tiges et détaillez-les en tronçons de 2,5 cm que vous déposerez dans un plat allant au four. Ajoutez le sucre et le jus d'orange passé au chinois ; mélangez bien, couvrez et faites cuire 35 minutes au centre du four préalablement chauffé à 165°C. Retirez le plat du four, mais attendez de 5 à 10 minutes avant de le découvrir.

Pelez et taillez les bananes en tranches minces ; disposez-les dans un plat de service, ajoutez la rhubarbe et son jus, laissez refroidir, puis réfrigérez. Servez cette compote avec de la crème ou une glace à la vanille.

Casse-croûte

HACHIS PARMENTIER

Une excellente façon d'apprêter les restes des fins de semaine.

PRÉPARATION : *20 minutes*
CUISSON : *30 minutes*

INGRÉDIENTS *(4 à 6 personnes)*
2 oignons hachés menu
6 c. à soupe de beurre doux
450 g de bœuf ou d'agneau cuit, haché
100 ml de bouillon de bœuf
1 c. à soupe de ketchup
¼ c. à thé de sauce Worcestershire
Sel et poivre noir
2-3 c. à soupe de lait
450 g de pommes de terre en purée

Faites cuire les oignons dans 2 cuillerées à soupe de beurre jusqu'à ce qu'ils soient transparents ; ajoutez la viande et laissez-la prendre couleur. Incorporez le bouillon, le ketchup et la sauce Worcestershire. Salez et poivrez.

Faites fondre le reste du beurre et incorporez-le, avec le lait, à la purée de pommes de terre. Mettez le hachis dans un plat à four graissé et couvrez-le de purée. Tracez-y un petit quadrillé en vous servant d'une fourchette. Faites cuire dans le haut du four porté à 220°C durant 30 minutes, jusqu'à ce que le plat soit bien doré. Servez avec une salade ou un légume vert.

WELSH RABBIT

Pour réussir cette fondue — aussi appelée *Welsh rarebit* — le fromage doit fondre à feu très doux.

PRÉPARATION : *5 minutes*
CUISSON : *15 minutes*

INGRÉDIENTS *(4 personnes)*
200 g de cheddar râpé
2 c. à soupe de beurre doux
1 c. à thé rase de moutarde forte
3 c. à soupe de bière
Sel et poivre noir
4 rôties beurrées

Mettez le fromage, le beurre, la moutarde et la bière dans une cocotte et faites-les cuire à feu très doux. Assaisonnez au goût de sel et de poivre frais moulu. Remuez de temps à autre jusqu'à ce que la préparation soit lisse et crémeuse. Tartinez les rôties avec cette fondue, puis faites-les gratiner sous le gril. Servez très chaud.

ŒUFS MÉDITERRANÉE

Ce plat méditerranéen, qui associe jambon, tomates et œufs, constitue un excellent goûter.

PRÉPARATION : *15 minutes*
CUISSON : *10 minutes*

INGRÉDIENTS *(4 personnes)*
1 petit oignon haché fin
4 c. à soupe de beurre doux
4 grosses tomates pelées, épépinées et concassées
150 g de jambon en dés
4 gros œufs
Sel et poivre noir
1 c. à soupe de persil frais haché

Faites revenir l'oignon dans le beurre jusqu'à ce qu'il soit transparent ; ajoutez les tomates et le jambon et laissez le tout mijoter 2-3 minutes avant d'incorporer les œufs légèrement battus. Salez et poivrez ; remuez de temps à autre. La cuisson est terminée quand les œufs sont coagulés, mais encore moelleux.

Garnissez de persil et servez accompagné de rôties découpées en bâtonnets.

COLCANNON

Ce plat irlandais permet d'accommoder un reste de pommes de terre et de chou bouilli.

PRÉPARATION : *10 minutes*
CUISSON : *20 minutes*

INGRÉDIENTS *(4 personnes)*
1 oignon
4 tranches de bacon maigre
3 c. à soupe de graisse de rôti (ou d'huile ou de beurre)
2 grosses pommes de terre bouillies
200 g de chou bouilli
Sel, poivre

Dans une poêle, faites revenir avec la graisse l'oignon haché et le bacon coupé en dés ; égouttez-les avec une écumoire, mélangez-les dans une jatte avec les pommes de terre réduites en purée, le chou en petits morceaux, du sel et du poivre. Faites quatre boulettes aplaties d'un peu plus de 1 cm d'épaisseur ; faites-les dorer des deux côtés dans la graisse restée dans la poêle. Servez les boulettes couronnées d'un œuf sur le plat ou comme accompagnement de viandes froides.

MOUSSE AU GÂTEAU AU CHOCOLAT

Un dessert élégant confectionné à partir de restes de gâteau.

PRÉPARATION : *20 à 30 minutes*
CUISSON : *4 heures*

INGRÉDIENTS *(6 personnes)*
2 à 4 tranches de gâteau au chocolat
100 g de chocolat semi-sucré
3 œufs, séparés
75 g de sucre
2 c. à soupe de concentré de jus d'orange surgelé
100 ml de crème épaisse
2 c. à soupe de chocolat râpé

Faites fondre le chocolat au bain-marie. Battez les jaunes d'œufs avec le sucre jusqu'à ce qu'ils soient jaune clair et mousseux ; ajoutez le chocolat fondu. Incorporez le jus d'orange, puis le gâteau coupé en petits morceaux.

Fouettez séparément les blancs d'œufs et la crème avant de les incorporer délicatement au mélange précédent. Transvasez la mousse dans un grand bol ou dans six petits plats. Réfrigérez.

Garnissez de chocolat râpé au moment de servir.

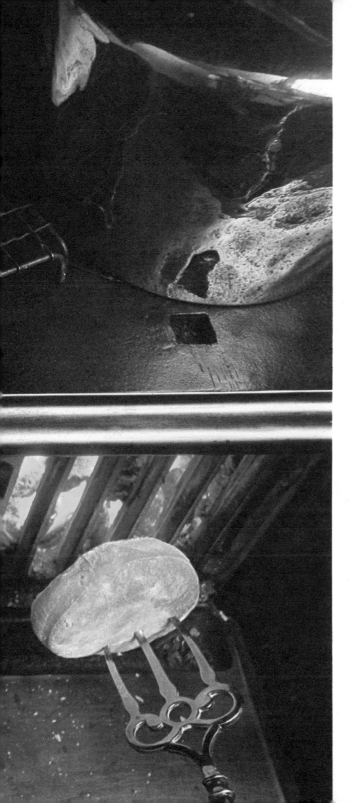

Mars

LES RECETTES DU MOIS

*Les premiers jours du printemps sont parfois assez frais pour qu'on aime
à déguster au coin du feu des muffins grillés tartinés de marmelade.*

Au fil des saisons

Mars est le mois de la grande famille des légumes feuilles : épinards, bette à carde et moutarde, feuilles de navet, chou frisé et chou vert. Attention de ne pas trop cuire ces légumes : ce serait se priver de leur saveur et de leurs vitamines. La meilleure façon de les apprêter est encore de les passer à l'eau bouillante salée, puis de les servir parsemés de noisettes de beurre et assaisonnés de sel et de poivre.

Les épinards offrent de nombreuses possibilités. Ils se mangent crus, en salade, ou même encore à la crème, comme plat d'accompagnement ; ils se marient aussi parfaitement à la volaille, comme dans les fameux cannellonis farcis (p. 95).

La chicorée importée est maintenant en pleine saison ; semblable à la laitue, mais plus frisée et légèrement amère, elle fait de merveilleuses salades et garnitures. Les brocolis, les carottes, les champignons et les endives abondent également. Les champignons relèvent aussi bien les soupes et les ragoûts que les salades ; apprêtés à la crème (p. 97), ils se servent en entrée ou comme légume d'accompagnement. Quant aux endives, braisées dans du bouillon de poulet ou de bœuf (p. 96), elles s'associent agréablement au veau, au porc ou au canard.

A l'étalage des marchands de fruits et légumes, on trouve encore des petits pois frais, tandis qu'en provenance des Etats-Unis nous arrivent des artichauts et les premières asperges. Celles-ci vous permettront de servir une délicieuse entrée au prosciutto (p. 87).

De mars à mai, la rhubarbe de serre fera les délices de vos convives, en tartes à la cannelle (p. 100).

Enfin, les oranges et les pamplemousses sont aussi en grand nombre ce mois-ci ; c'est le temps de servir de délicieuses salades santé aux fruits et au fromage blanc (p. 96) ou de couronner un dîner fin d'oranges soufflées (p. 98).

MENUS SUGGÉRÉS

Sauté d'agneau aux légumes
Salade verte
...
Tarte au citron

Soupe à l'oignon
...
Goujonnettes de sole sauce tartare
Pommes de terre nouvelles
Salade verte
...
Marquise Alice

Champignons à la crème
...
Tourte de poulet aux poireaux
Carottes glacées
...
Bavarois aux pommes

Crevettes au curry
Riz bouilli
...
Assiette de fruits au fromage blanc

Pâté de foie à la danoise
...
Escalopes aux champignons
Riz aux amandes
Laitue et tomates
...
Coupe de fruits

Fricadelles
Pommes de terre caramélisées
Endives braisées
...
Ile flottante

Crevettes à la provençale
...
Pigeonneaux aux boulettes
Pommes de terre en crème
Epinards au beurre
...
Charlotte russe

Potages et entrées

CREVETTES À LA PROVENÇALE

La cuisine provençale, à base de tomates et d'ail, est à l'origine de nombreux plat savoureux, dont ces crevettes géantes qu'on sert aussi bien en entrée que comme plat principal, avec un légume vert.

PRÉPARATION : *15 minutes*
CUISSON : *15 minutes*

INGRÉDIENTS *(4 personnes)*
*450 g de crevettes géantes, crues et
    décortiquées*
1 oignon
1 gousse d'ail
2 c. à soupe d'huile
500 ml de tomates en boîte
3 c. à soupe de vin blanc sec
Sel et poivre noir
1 c. à thé de fécule de maïs
1 c. à soupe de persil haché

Pelez et hachez finement l'ail et l'oignon. Chauffez l'huile dans une casserole à fond épais et faites-y revenir l'oignon à feu doux pendant 5 minutes environ de façon qu'il s'attendrisse sans prendre couleur. Ajoutez les crevettes et l'ail, faites-les sauter 3 minutes, puis versez dans la casserole les tomates et le vin. Assaisonnez de sel et de poivre frais moulu, amenez à ébullition et laissez mijoter pendant 6 minutes environ.

Délayez la fécule dans 1 cuillerée à soupe d'eau froide, incorporez-la à la sauce et faites cuire jusqu'à épaississement en remuant sans arrêt. Retirez le plat du feu et ajoutez le persil haché.

Comme entrée, servez les crevettes seules ou couronnées de riz ; en guise de plat de résistance pour un souper, accompagnez-les de haricots verts au beurre.

ASPERGES AU PROSCIUTTO

Cette recette fait une excellente entrée, mais peut aussi constituer un repas léger. C'est une manière originale de souligner la fine saveur des asperges.

PRÉPARATION : *5 minutes environ*
CUISSON : *20 minutes environ*

INGRÉDIENTS *(1 personne)*
6 à 8 asperges
2 tranches minces de prosciutto
1-2 c à soupe de parmesan râpé

Lavez les asperges et enlevez la partie ligneuse des tiges. Faites-les cuire, à couvert, dans de l'eau bouillante salée jusqu'à ce qu'elles soient tendres. Ensuite, égouttez-les bien soigneusement.

Déposez une tranche de prosciutto sur une plaque à biscuits, disposez les asperges dessus, puis recouvrez le tout de la seconde tranche de jambon. Saupoudrez de parmesan râpé.

Placez la plaque à 7 cm environ du gril préalablement chauffé ; retirez-la du four aussitôt que le jambon est chaud et le fromage fondu.

À l'aide d'une spatule ou encore d'une pelle à crêpe, déposez le tout dans une assiette chaude et servez immédiatement.

SOUPE À L'OIGNON

Les Halles de Paris ont disparu, mais la soupe à l'oignon rappelle encore ce grand marché que Zola appelait le « ventre de Paris ». Les matins d'hiver, les « forts des Halles » avalaient de grands bols de cette soupe traditionnelle.

PRÉPARATION : *20 minutes*
CUISSON : *1 heure*

INGRÉDIENTS *(4 personnes)*
500 g d'oignons
80 g de beurre doux
100 à 120 g de gruyère râpé
*1 litre de bouillon de poulet ou de
    bœuf*
*4 grandes tranches de pain français
    épaisses d'un peu plus de 1 cm*
Sel, poivre

Pelez, lavez et émincez les oignons.

Faites fondre dans une grande casserole ou une marmite 30 g de beurre ; ajoutez-y les oignons et remuez bien. Couvrez et laissez cuire à petit feu pendant 15 minutes environ ou jusqu'à ce que les oignons soient tendres et transparents. Retirez le couvercle et poursuivez la cuisson, en remuant de temps en temps jusqu'à ce que les oignons aient pris une belle couleur d'or bruni. Mouillez avec le bouillon de poulet ou de bœuf. Goûtez et, si c'est nécessaire, rectifiez l'assaisonnement en sel et en poivre. Remettez le couvercle et laissez cuire à petits bouillons pendant environ 30 minutes.

Entre-temps, beurrez les tranches de pain des deux côtés, disposez-les sur une plaque en les recouvrant de la moitié du fromage ; mettez au four chauffé à 180°C pendant 10 à 15 minutes ou jusqu'à ce que le fromage soit fondu. Disposez les tranches de pain dans des assiettes creuses, des bols ou des ramequins ; versez par-dessus la soupe à l'oignon bouillante. Servez à part le reste du fromage râpé.

On peut également mettre la soupe à gratiner au four pendant quelques minutes. Attention de bien utiliser alors des ramequins qui puissent aller au four.

GOUGÈRE AU FROMAGE

La gougère est une grosse couronne de pâte à choux, originaire de Bourgogne. Vous pouvez la servir avec les apéritifs, coupée en tranches fines, ou bien en entrée.

PRÉPARATION : *15 minutes*
CUISSON : *30 minutes*

INGRÉDIENTS *(4 à 6 personnes)*
200 g de farine
150 g de beurre doux
5 œufs
125 g de gruyère râpé
1 c. à soupe de lait
Sel

Mettez dans une casserole 400 ml d'eau et 125 g de beurre en petits morceaux. Tamisez ensemble la farine et le sel. Mettez la casserole à feu très doux, mais dès que le beurre est fondu, portez à ébullition. Versez dans le liquide, en une seule fois, toute la farine et battez avec une cuillère en bois pendant 1 minute, à feu modéré, jusqu'à ce que tous les ingrédients soient bien amalgamés. Retirez du feu et continuez à battre énergiquement pendant 5 minutes, jusqu'à ce que la pâte se détache des parois.

Mélangez à la pâte, un par un, quatre œufs ; n'ajoutez un œuf que lorsque le précédent est parfaitement incorporé. A la fin, la pâte doit être homogène, brillante et bien compacte. Incorporez-y les trois quarts du fromage râpé.

Avec le reste du beurre, graissez une plaque de four, puis farinez-la ; tracez-y un cercle d'un diamètre de 20 cm.

Mettez la pâte dans une grande poche munie d'une douille plate et pressez-la sur la plaque, en suivant le cercle tracé. Si c'est nécessaire, formez un second cercle au-dessus ou à l'extérieur du premier pour utiliser toute la pâte.

Vous pouvez aussi disposer en cercle des petits choux espacés de 2 cm ; les choux se toucheront en cuisant, formant couronne.

Badigeonnez la surface avec un œuf légèrement battu avec un peu de lait et saupoudrez-la du reste de fromage râpé. Mettez au centre du four chauffé à 220°C et laissez cuire pendant 30 minutes. Posez la couronne sur le plat de service et servez-la bien chaude, coupée en tranches. Vous pouvez également la manger tiède ou froide.

MINESTRONE

En Italie, il y a presque autant de minestrones que de régions. C'est un potage substantiel qui peut tenir lieu de repas complet.

PRÉPARATION : *15 minutes*
CUISSON : *30 à 35 minutes*

INGRÉDIENTS *(4 personnes)*
1-2 carottes
1-2 côtes de céleri
1 oignon
1 petit navet
1 pomme de terre
30 g de beurre doux ou 2 c. à soupe d'huile d'olive
1 gousse d'ail
1 litre de bouillon de jambon ou de bœuf
2 grosses tomates
1 petit poireau
1 tasse de chou vert râpé
75 g de macaronis
Sel et poivre noir
GARNITURE
75 à 100 g de parmesan râpé

Epluchez les carottes, lavez le céleri et hachez les deux très fin. Pelez et émincez l'oignon, le navet et la pomme de terre. Faites chauffer le beurre ou l'huile dans une marmite à fond épais ; jetez-y les légumes ainsi que l'ail épluché et pilé, laissez-les étuver quelques minutes à feu modéré pour qu'ils ramollissent. Ajoutez alors le bouillon chaud, couvrez et faites mijoter à feu doux pendant 15 minutes.

Pelez les tomates, coupez-les en deux, enlevez les pépins et concassez la chair. Débarrassez le poireau de ses racines et des feuilles extérieures coriaces ; lavez-le soigneusement sous le robinet d'eau froide et râpez-le finement. Ajoutez tomates, poireau et chou au potage. Quand l'ébullition a repris, jetez les macaronis dans la marmite.

Laissez mijoter à découvert une quinzaine de minutes et assaisonnez de sel et de poivre frais. Servez le parmesan râpé à part.

PÂTÉ DE FOIE À LA DANOISE

On utilise rarement l'économique foie de porc au gril ou à la poêle, mais il est idéal pour confectionner un pâté. Pour que celui-ci reste bien compact, vous devez le faire refroidir sous un poids ; vous pourrez ensuite le conserver au réfrigérateur pendant deux ou trois jours.

PRÉPARATION : *35 minutes*
CUISSON : *2 heures*
RÉFRIGÉRATION : *12 heures*

INGRÉDIENTS *(6 à 8 personnes)*
500 g de foie de porc
180 g de lard frais
220 g de bacon en tranches fines
6 filets d'anchois à l'huile bien égouttés
250 ml de lait
30 g de beurre doux
30 g de farine
1 œuf
1 oignon
1 feuille de laurier
1 pincée de noix de muscade, de clous de girofle et, si possible, de poivre de la Jamaïque, le tout en poudre
Sel, poivre

Versez le lait dans une casserole. Ajoutez-y l'oignon épluché, lavé et coupé en deux, ainsi que la feuille de laurier, et portez à ébullition à feu doux. Retirez la casserole du feu et laissez reposer pendant 15 minutes ; passez le lait au chinois et mettez-le de côté.

Débarrassez avec soin le foie de sa peau et de ses nerfs. Passez deux fois au hachoir le lard, le foie et les filets d'anchois, mélangez bien, et assaisonnez de sel, de poivre et d'épices.

Faites fondre le beurre dans une casserole, ajoutez-y la farine et, en remuant bien, faites cuire à petit feu pendant 1 minute. Incorporez peu à peu le lait, sans cesser de tourner. Portez à ébullition et laissez cuire pendant 2-3 minutes. Re-

Poissons et fruits de mer

tirez du feu et, en remuant, ajoutez le hachis de foie et l'œuf légèrement battu.

Tapissez un moule rectangulaire, d'une contenance de 1 litre environ, avec les tranches de bacon que vous laisserez dépasser par-dessus les bords. Versez-y la préparation de foie et repliez sur la surface, après l'avoir bien égalisée, les petites tranches de bacon.

Recouvrez l'ouverture du moule d'un morceau de papier paraffiné que vous aurez auparavant beurré ; placez le moule dans un grand plat à rôti au fond duquel vous verserez un peu d'eau froide. Mettez au centre du four préchauffé à 150°C et laissez cuire pendant 2 heures environ : le pâté est cuit lorsqu'une aiguille, plongée en son milieu, en sort parfaitement nette.

Retirez le moule du four, recouvrez-le d'un morceau de papier d'aluminium sur lequel vous poserez un objet lourd d'une forme qui puisse entrer dans le moule et comprimer uniformément le pâté (vous pouvez, par exemple, utiliser une planchette avec, par-dessus, un poids). Laissez refroidir à la température de la pièce avant de mettre le pâté au réfrigérateur, où vous le laisserez 10 à 12 heures avant de le démouler. Servez-le coupé en tranches épaisses, avec du pain de mie grillé au tout dernier moment, du beurre et des petits oignons au vinaigre ou des cornichons.

CREVETTES AU CURRY

Les crustacés sont en général chers ; préparez-les en sauce, vous pourrez économiser sur la quantité, tout en ayant un plat important.

PRÉPARATION : *10 minutes*
CUISSON : *20 minutes*

INGRÉDIENTS *(4 personnes)*
250 g de grosses crevettes décortiquées
1 c. à soupe d'huile
30 g de beurre doux
3 c. à soupe de crème épaisse
1 c. à thé de poudre de curry
1 c. à soupe de farine
200 ml de fumet de poisson (p. 266)
  ou de court-bouillon
1 c. à thé de concentré de tomate
1 c. à thé de sauce Chutney aux
  mangues ou de confiture d'abricots
2 oignons
Le jus d'un demi-citron

Pelez, lavez et émincez un des deux oignons. Mettez-le dans l'huile légèrement chauffée dans une casserole ; couvrez et laissez cuire 4-5 minutes à feu doux. Ajoutez le curry et prolongez la cuisson de quelques minutes. Incorporez la farine et laissez cuire encore 2-3 minutes. Ajoutez, peu à peu, le fumet et remuez jusqu'à ce que la sauce épaississe et arrive à ébullition. Ajoutez le concentré de tomate, la sauce Chutney et le jus de citron. Laissez bouillir doucement 5 minutes, puis passez au tamis.

Lavez les crevettes et essuyez-les sur un papier absorbant. Epluchez l'autre oignon, lavez-le, hachez-le finement et faites-le revenir dans le beurre ; ajoutez-y les crevettes. Versez la sauce au curry et portez à ébullition. Incorporez la crème, puis retirez du feu.

Placez les crevettes avec leur sauce au milieu du plat de service, en les entourant de riz blanc.

GOUJONNETTES DE SOLE SAUCE TARTARE

Une façon particulièrement originale de préparer les filets de sole coupés en rubans et frits.

PRÉPARATION : *20 minutes*
CUISSON : *2-3 minutes*

INGRÉDIENTS *(4 personnes)*
4 grands filets de sole
1 œuf
1 c. à soupe d'huile d'olive
30 g de farine
Chapelure
Huile pour friture
Sel, poivre
SAUCE TARTARE
100 ml de mayonnaise (p. 271)
1 c. à soupe de crème épaisse
4 c. à thé de persil, cornichons, câpres
  et oignon hachés
GARNITURE
1 citron coupé en quartiers

Coupez en deux les filets de sole dans le sens de la longueur, puis recoupez chaque moitié de filet en lanières.

Salez et poivrez ces rubans de poisson, farinez-les et secouez-les pour éliminer l'excès de farine. Battez légèrement l'œuf avec l'huile d'olive, plongez-y les petits morceaux de poisson et passez-les à la chapelure. Gardez-les au réfrigérateur jusqu'au moment de les faire frire.

Préparez la sauce en mélangeant la mayonnaise, la crème et le hachis de persil, de cornichons, de câpres et d'oignon. Placez-la dans une saucière que vous mettrez au frais jusqu'au moment de servir.

Faites chauffer dans la bassine à friture une bonne quantité d'huile.

Elle sera à la température convenable quand un petit morceau de pain que vous y jetterez grésillera. Mettez le poisson dans le panier à friture et plongez-le dans l'huile ; laissez frire 2-3 minutes jusqu'à ce que les morceaux de poisson soient bien dorés et croquants. Retirez-les du feu, égouttez-les et mettez-les sur du papier absorbant pour en éliminer l'excès d'huile. Disposez-les en pyramide sur un plat de service chaud, salez, garnissez avec des quartiers de citron et servez en présentant la sauce à part. Accompagnez, si vous le désirez, d'une salade verte.

COULIBIAC

Ce plat de poisson appartient à la cuisine traditionnelle russe. Servi habituellement chaud, accompagné de crème sure ou de beurre fondu, il convient très bien à un repas de réception ou à un buffet élégant.

PRÉPARATION : *2 heures*
CUISSON : *30 minutes*

INGRÉDIENTS (*8 à 10 personnes*)
Pâte feuilletée fine (p. 326)
3 belles tranches de saumon frais
   (400 g environ en tout)
250 ml de vin blanc sec
60 g de beurre doux
4 œufs durs
1 œuf cru
150 g de riz
2 oignons
600 g de jeunes champignons de
   couche
1 c. à soupe de persil haché
Le jus d'un demi-citron
Sel, poivre
SAUCE
400 ml de crème sure (ou crème
   fraîche et le jus d'un demi-citron)
   ou 100 g de beurre fondu

Pelez, lavez et hachez finement les oignons ; parez et lavez les champignons, essuyez-les aussitôt et hachez-les. Faites fondre le beurre dans une grande poêle, mettez-y les oignons, couvrez et laissez cuire à feu doux pendant 5 minutes ; les oignons devront devenir tendres sans prendre couleur. Augmentez ensuite le feu et ajoutez les champignons hachés ; assaisonnez de sel, de poivre et du jus de citron, en mélangeant sans arrêt pendant 5 minutes. Retirez du feu, ajoutez le persil haché, salez si c'est nécessaire et laissez refroidir.

Dans une casserole, mettez une grande quantité d'eau salée ; quand elle bout, versez-y le riz et laissez-le cuire pendant 15 minutes environ. Egouttez-le, rectifiez l'assaisonnement en sel si c'est nécessaire, et poivrez.

Dans une casserole, mettez le saumon, le vin blanc, une pincée de sel et de poivre. Laissez cuire à feu doux pendant 10 minutes environ, retirez du feu et laissez refroidir le saumon dans le liquide de cuisson. Egouttez bien le poisson et, après avoir enlevé la peau et les arêtes, effeuillez-le avec une fourchette. Coupez les œufs durs en tranches.

Sur une grande feuille de papier d'aluminium farinée, abaissez la pâte en formant un rectangle épais de 3 à 5 mm, long d'environ 40 cm et large de 22 cm. Avec une roulette dentée ou un couteau, égalisez les bords ; réservez les chutes de pâte pour la décoration.

Répartissez au milieu de cette bande de pâte, en laissant libres 5 cm de chaque côté, la moitié du riz, puis un quart du mélange de champignons et d'oignons. Disposez dessus, en couches, la moitié du saumon, un autre quart du mélange champignons-oignons, toutes les tranches d'œufs, la moitié des champignons restants, le saumon restant, le dernier quart des champignons et le reste du riz.

Soulevez les côtés de l'abaisse et repliez-les sur la farce de façon qu'ils se chevauchent légèrement. Pour bien sceller les bords, badi-

geonnez soigneusement avec l'œuf battu. Repliez les petits côtés du rouleau vers le haut et scellez-les à leur tour avec l'œuf. Beurrez et farinez la plaque du four et transportez-y délicatement la feuille d'aluminium et le coulibiac en le retournant de façon que les parties soudées du coulibiac soient en contact avec la plaque.

Badigeonnez la surface avec le reste de l'œuf battu. Etendez les chutes de pâte et faites-en des éléments décoratifs à votre goût (feuilles, fleurs). Faites au centre du coulibiac un petit trou et introduisez-y une petite cheminée de papier d'aluminium pour que la vapeur sorte pendant la cuisson.

Mettez la plaque au centre du four chauffé à 220°C et laissez cuire 30 minutes environ, jusqu'à ce que la pâte soit dorée.

Coupez le coulibiac en tranches épaisses de 4 cm environ et servez immédiatement, en présentant à part, soit une saucière de crème sure (ou de crème fraîche à laquelle vous aurez ajouté, au moins 30 minutes auparavant, le jus d'un demi-citron), soit une saucière de beurre fondu.

MOUSSE D'AIGLEFIN FUMÉ

Les mousses d'entrées ou d'entremets sont des préparations servies froides ou même glacées. Cette recette de mousse d'aiglefin fumé, qui convient à une grande réception ou à un buffet, peut être préparée plusieurs heures à l'avance et même la veille.

PRÉPARATION : *45 minutes*
RÉFRIGÉRATION : *2-3 heures*

INGRÉDIENTS (*6 à 8 personnes*)

900 g de filets d'aiglefin fumé
1 petit oignon
500 ml de lait
1 feuille de laurier
45 g de beurre doux
90 g de farine
Sel et poivre noir
Poivre de Cayenne
2 c. à soupe de gélatine nature

Le jus et le zeste d'un citron
300 ml de crème épaisse
GELÉE
½ c. à thé de gélatine nature
1 c. à soupe de jus de citron ou de
   vinaigre
GARNITURE
La moitié d'un concombre

Détaillez les filets d'aiglefin en 8 ou 10 morceaux et déposez-les dans une casserole avec l'oignon pelé et émincé en tranches, le lait et la feuille de laurier. Couvrez et faites mijoter à feu doux pendant une dizaine de minutes. Egouttez le poisson, enlevez peau et arêtes et effeuillez-le finement. Mettez-le en réserve.

Faites fondre le beurre dans une casserole à feu doux ; ajoutez la farine et laissez cuire quelques minutes pour obtenir un roux blond. Incorporez peu à peu le lait au fouet ; amenez la sauce à ébullition en remuant constamment et comptez 2-3 minutes de cuisson. Assaisonnez au goût de sel, de poivre fraîchement moulu et de poivre de Cayenne. Videz la sauce dans un grand bol, couvrez de papier paraffiné beurré et laissez refroidir. Mettez 4 cuillerées à soupe d'eau froide dans une petite casserole et saupoudrez-y la gélatine. Laissez-la gonfler environ 5 minutes, puis faites-la fondre à feu doux.

Retirez le papier paraffiné qui couvre la sauce et remuez celle-ci.

Incorporez-y le poisson, la gélatine fondue, le zeste et le jus du citron ; rectifiez au besoin les assaisonnements. Fouettez la crème légèrement et ajoutez-la à la préparation. Versez l'appareil dans un moule à soufflé d'une contenance de 1,5 litre et laissez-le prendre.

Préparez maintenant la gelée. Versez 2 cuillerées à soupe d'eau dans une casserole, puis, comme à l'étape précédente, saupoudrez-y la gélatine. Laissez-la gonfler 5 minutes avant de la faire fondre à feu doux. Retirez la casserole du feu ; ajoutez 2 cuillerées à soupe d'eau et le jus de citron. Déposez un peu de cette gelée sur la mousse. Pendant qu'elle prend, pelez et émincez le concombre en tranches très fines. Disposez ces dernières sur la mousse, en motif circulaire par exemple, et versez le reste de la gelée par-dessus. Gardez le moule au réfrigérateur jusqu'au moment de servir.

Accompagnez la mousse d'aiglefin fumé d'une salade verte rehaussée de sauce vinaigrette à la moutarde (p. 272).

Viandes

SAUERBRATEN

Sauerbraten signifie littéralement « rôti acide », mais il s'agit plutôt d'un plat braisé que d'un rôti. C'est l'un des plus fameux plats allemands dont la préparation consiste à faire mariner longuement la viande (de quatre à six jours) avec du vinaigre et des aromates, dans le double but de l'attendrir et de lui donner du goût.

MARINAGE : *4 à 6 jours*
PRÉPARATION : *15 minutes*
CUISSON : *2 heures*

INGRÉDIENTS *(4 personnes)*

1 kg de bifteck ou de noix de ronde
100 ml de vin rouge
100 ml de vinaigre
50 g de saindoux
1 morceau de croûte de pain
2 c. à thé de fécule de maïs
1 oignon

4 grains de poivre légèrement pilés
4 baies de genièvre légèrement pilées
1 clou de girofle
1 petite feuille de laurier
1 c. à thé de sucre
Sel, poivre

Attachez le morceau de viande avec une ficelle pour lui donner une forme arrondie ; posez-le dans un récipient à bords hauts, juste à sa mesure. Ajoutez-y l'oignon, épluché, lavé et émincé, les grains de poivre, les baies de genièvre, le clou de girofle, le laurier, le sel, le poivre et le sucre.

Mélangez le vin et le vinaigre, ajoutez 400 ml d'eau, versez sur la viande et laissez-la mariner à couvert, dans le réfrigérateur, pendant quatre à six jours, en la retournant une fois par jour.

Sortez le morceau de viande de la marinade, égouttez-le et essuyez-le bien avec un linge ou du papier absorbant. Faites fondre le saindoux dans une cocotte, et mettez la viande à revenir de tous les côtés, à feu vif, pendant 10 à 15 minutes. Salez, mouillez avec 250 ml du liquide de la marinade passé au chinois ; ajoutez la croûte de pain. Couvrez, portez à ébullition à chaleur moyenne, baissez le feu et laissez cuire à tout petits bouillons pendant 1 h 30 ou jusqu'à ce que la viande soit tendre. Si c'est nécessaire, ajoutez un peu de marinade.

Quand la viande est tendre, égouttez-la et gardez-la au chaud. Passez le liquide de cuisson au chinois, mesurez-en 250 ml (en ajoutant un peu de marinade, si c'est nécessaire) et versez-le dans une petite casserole ; ajoutez-y la fécule de maïs, que vous aurez délayée dans une tasse avec un peu d'eau, portez à ébullition et laissez cuire en remuant jusqu'à ce que le mélange soit épais et lisse.

A ce moment, goûtez la sauce, qui doit être aigre-douce ; s'il le faut, ajoutez un peu de sel et un peu de sucre.

Servez la viande coupée en tranches, recouverte d'un peu de sauce ; présentez le reste de sauce dans une saucière. Vous pouvez accompagner de pommes de terre à l'eau, de carottes glacées (p. 97) ou de chou rouge braisé.

SAUTÉ D'AGNEAU AUX LÉGUMES

Si vous en trouvez, utilisez pour ce sauté des légumes nouveaux : petites pommes de terre, petites carottes, petits oignons.

PRÉPARATION : *30 minutes*
CUISSON : *1 h 30 environ*

INGRÉDIENTS *(4 personnes)*
800 g de viande d'agneau
30 g de farine
3 c. à soupe d'huile
500 ml de bouillon de bœuf ou de poulet
1 c. à soupe de concentré de tomate
500 g de carottes
1 oignon
8 petits oignons
8 petites pommes de terre
Bouquet garni
Sel, poivre

Coupez la viande en morceaux carrés de 60 g chacun environ ; assaisonnez-les de sel et de poivre, farinez-les. Jetez-les dans l'huile, que vous aurez fait chauffer dans une grande poêle, et faites-les revenir de tous les côtés à feu assez vif, en remuant souvent. Egouttez-les et mettez-les dans une cocotte assez grande pour recevoir tous les autres ingrédients.

Coupez les extrémités des carottes, lavez-les en les frottant bien avec une petite brosse (si vous avez des carottes plus vieilles, il peut être nécessaire de les gratter ou de les peler) ; une fois lavées, coupez-les en morceaux pas trop gros ; ajoutez-les à la viande, ainsi que l'oignon pelé et haché grossièrement. Enlevez la graisse de la poêle, en n'en laissant qu'une cuillerée ; versez-y une cuillerée de farine que vous laisserez cuire quelques minutes à feu doux, toujours en remuant, pour lui faire prendre couleur. Incorporez peu à peu le bouillon, puis le concentré de tomate ; portez à ébullition et versez sur la viande, en passant au chinois. Assaisonnez de sel et de poivre, ajoutez le bouquet garni ; couvrez et mettez au centre du four chauffé à 160°C. Laissez cuire 1 heure.

Epluchez les petits oignons, mettez-les dans une casserole et couvrez-les d'eau froide ; portez à ébullition et retirez aussitôt du feu, égouttez. Grattez ou pelez les petites pommes de terre. Mettez-les dans la cocotte en même temps que les oignons, au-dessus des autres ingrédients. Salez légèrement, remettez le couvercle et laissez cuire, toujours dans le four et à la même température, pendant encore 30 minutes, jusqu'à ce que les légumes soient tendres.

Enlevez le bouquet garni et servez bien chaud.

MOUSSAKA

Ce plat d'origine roumaine, connu comme une spécialité du Moyen-Orient, est à base d'aubergine et de bœuf ou d'agneau haché.

PRÉPARATION : *45 minutes*
CUISSON : *35 à 40 minutes*

INGRÉDIENTS *(4 personnes)*
4 petites ou 2 grosses aubergines
1 gros oignon
4 à 6 c. à soupe d'huile d'olive
450 g de bœuf ou d'agneau haché
  maigre
1 c. à thé de sel
2 c. à thé de concentré de tomate
125 ml de bouillon de bœuf ou d'eau
Poivre noir
30 g de beurre doux
60 g de farine
300 ml de lait
1 œuf

Pelez et hachez l'oignon ; faites chauffer 1 cuillerée à soupe d'huile dans une sauteuse et mettez-y l'oignon à cuire pendant 5 minutes à couvert. Ajoutez la viande hachée ; laissez-la prendre couleur et, quand elle est bien cuite, incorporez le sel, le concentré de tomate et le bouillon ; poivrez. Couvrez la sauteuse lorsque la préparation est arrivée à ébullition et laissez mijoter pendant 30 minutes ; la cuisson est terminée quand il ne reste presque plus de liquide.

Entre-temps, épluchez et découpez les aubergines en tranches minces que vous étalerez sur une assiette en les salant chacune généreusement. Laissez-les dégorger 30 minutes pour éliminer l'eau de végétation ; lavez-les ensuite à l'eau froide et épongez-les. Faites-les sauter dans le reste de l'huile. Quand elles sont bien dorées, égouttez-les, puis épongez-les. Disposez une couche d'aubergine dans un grand plat à gratin beurré ; recouvrez de viande et continuez ainsi en alternant, mais en terminant par l'aubergine.

Faites fondre le beurre à feu doux. Ajoutez la farine, remuez, laissez cuire une minute. Incorporez le lait petit à petit au fouet ou à la fourchette. Amenez la sauce à ébullition en remuant constamment, salez et donnez quelques tours de moulin à poivre ; comptez 1 ou 2 minutes de cuisson. Retirez la casserole du feu et, en battant, ajoutez l'œuf. Versez la sauce sur la moussaka. Placez le plat à gratin au centre du four porté à 180°C et laissez cuire 35 à 40 minutes.

La moussaka est un plat substantiel qui passe directement du four à la table. On peut l'accompagner d'une bonne salade de tomates et d'oignons.

ESCALOPES AUX CHAMPIGNONS

Une recette nouvelle pour les « éternelles » escalopes qui, au lieu d'être de veau, pourraient tout aussi bien être de dinde, ce qui est plus économique.

PRÉPARATION : *15 minutes*
CUISSON : *20 minutes*

INGRÉDIENTS *(4 personnes)*
600 g d'escalopes de veau ou de dinde, fines et bien aplaties
60 g de beurre doux
1 c. à soupe d'huile
100 ml de vin blanc ou de xérès sec
200 ml de bouillon de poulet
40 g de farine
250 g de jeunes champignons de couche
Sel, poivre

Assaisonnez les escalopes de sel et de poivre ; farinez-les. Faites chauffer dans une poêle 40 g de beurre et l'huile, mettez-y la viande et faites-la cuire à feu vif 2 minutes de chaque côté. Egouttez-la et gardez-la au chaud.

Enlevez de la poêle toute la graisse, sauf l'équivalent d'une cuillerée à soupe. Parez les champignons et coupez-les en tranches, puis faites-les sauter dans la même poêle, à feu moyen, en remuant ; ajoutez-y le vin et le bouillon. Portez à ébullition, remettez les escalopes dans la poêle ; couvrez, baissez le feu et laissez cuire doucement pendant 8 à 10 minutes, en les retournant une ou deux fois. Disposez viande et champignons dans un plat de service, gardez au chaud. Faites bouillir la sauce à feu vif jusqu'à ce qu'elle soit réduite d'un tiers environ. Hors du feu, ajoutez le reste de beurre, mélangez et versez sur la viande. Servez chaud.

FRICADELLES

Au Danemark, ces boulettes en forme d'œuf constituent un plat qui figure régulièrement au menu familial. On les sert habituellement chaudes, en sauce.

PRÉPARATION : *30 minutes*
CUISSON : *30 minutes*

INGRÉDIENTS *(4 personnes)*
500 g de viande maigre de veau finement hachée
2 c. à soupe de lait
1 œuf
200 ml de sauce tomate
60 g de beurre doux
50 g de farine
1 petit oignon émincé
2 c. à soupe de persil haché
1 pincée de thym sec
1 pincée de noix de muscade râpée
2 fines tranches de pain blanc
Sel, poivre
GARNITURE
Persil haché

Dans un saladier, mettez la viande hachée, l'oignon émincé, la moitié du persil et les aromates.

Enlevez la croûte des tranches de pain ; faites tremper celles-ci dans le lait pendant quelques minutes, pressez-les ; écrasez-les avec une fourchette et mélangez-les à la viande, en même temps que l'œuf légèrement battu. Remuez avec les doigts, jusqu'à l'obtention d'un mélange homogène que vous diviserez en une dizaine de boulettes allongées ; farinez-les.

Faites fondre le beurre dans une poêle, mettez-y les boulettes et faites-les cuire à feu vif, jusqu'à ce qu'elles soient bien colorées, en ne les retournant qu'une seule fois. Sortez-les de la poêle avec une écumoire, égouttez-les et placez-les dans un plat à four ; arrosez de la sauce tomate chaude, recouvrez d'une feuille d'aluminium ; laissez cuire pendant 15 à 20 minutes au four chauffé à 180°C et servez garni de persil haché.

Volaille et gibier

LAPIN À LA BIÈRE

Une recette insolite : la marinade au vinaigre donne beaucoup de goût à la chair du lapin, qui est cuite ensuite avec de la bière ; les pruneaux ajoutent un autre agréable contraste de saveur.

MARINAGE : *1 heure*
PRÉPARATION : *45 minutes*
CUISSON : *1 h 30*

INGRÉDIENTS (*4 à 6 personnes*)

2 jeunes lapins coupés en 10 à 12 morceaux, prêts à cuire
150 ml de vinaigre
600 ml de bière blonde
60 g de beurre doux
4 grains de poivre grossièrement concassés
4 feuilles de laurier
3 oignons (2 moyens, 1 gros)
Le jus d'un citron
1 brin de thym
1 c. à thé de moutarde de Dijon
2-3 c. à soupe de sucre
8 gros pruneaux bien tendres
2 c. à thé de fécule de maïs
50 g de farine
Sel, poivre

Pelez, lavez et émincez le gros oignon, et ajoutez-le, avec les grains de poivre concassés et deux des feuilles de laurier, aux lapins que vous aurez placés dans un récipient à bords assez hauts. Ajoutez également le vinaigre et autant d'eau qu'il faut pour couvrir, remuez bien et laissez reposer dans un endroit frais pendant 1 heure environ, en retournant de temps en temps les morceaux de lapin.

Egouttez-les, essuyez-les bien, assaisonnez-les de sel et de poivre et farinez-les. Faites-les revenir dans le beurre, que vous aurez fait fondre dans une grande poêle, en les retournant souvent, sur un feu assez vif, jusqu'à ce qu'ils aient pris couleur de tous les côtés ; placez-les dans une grande casserole. Filtrez la marinade et versez-en 100 ml sur la viande. Ajoutez les deux autres oignons finement hachés, la bière, le jus de citron, les deux autres feuilles de laurier, le thym, la moutarde et le sucre. Salez et poivrez à votre goût. Portez à ébullition, couvrez, baissez le feu et laissez bouillir doucement pendant 1 h 30 ou jusqu'à ce que le lapin soit tendre. Environ 20 minutes avant la fin de la cuisson, ajoutez les pruneaux.

Quand le lapin est cuit, délayez la fécule de maïs dans un peu d'eau pour obtenir une sorte de pâte bien lisse. Ajoutez-y un peu de liquide bouillant pris dans la casserole où a cuit le lapin, mélangez bien, versez dans la casserole et reportez à ébullition, en remuant jusqu'à ce que la sauce épaississe.

Retirez du feu et mettez les morceaux de lapin et les pruneaux dans un plat de service chaud. Goûtez la sauce, rectifiez l'assaisonnement si c'est nécessaire et versez sur le lapin. Servez avec une purée de pommes de terre.

STEAK AU POIVRE

Le steak au poivre est un classique de la cuisine française et internationale ; utilisez un morceau de bœuf de qualité, votre plat n'en sera que meilleur.

PRÉPARATION : *15 minutes*
CUISSON : *15 à 20 minutes*

INGRÉDIENTS (*4 personnes*)

4 tranches de filet de bœuf, de faux-filet ou de bifteck de côtes de 200 g chacune
4 c. à soupe de poivre noir en grains
60 g de beurre doux
1 c. à soupe d'huile
2 c. à soupe de cognac ou de brandy
200 ml de crème épaisse
Sel

Broyez grossièrement les grains de poivre dans un mortier. Si vous n'avez pas de mortier, vous pouvez écraser les grains de poivre sur une planche à découper avec le fond d'une poêle lourde, en appuyant d'un mouvement circulaire. Avec les doigts, pressez le poivre concassé sur les deux faces de chaque bifteck. Ensuite, salez.

Faites chauffer dans une poêle le beurre et l'huile, mettez-y à cuire les steaks à feu vif pendant 2 minutes, en les retournant une fois (ce coup de chaleur forme à la surface de la viande une sorte de croûte qui en emprisonne les sucs et maintient en même temps les fragments de poivre). Baissez le feu et laissez cuire les steaks, en les retournant plusieurs fois, pendant encore 4-5 minutes si vous les voulez saignants, 8 à 10 minutes pour une cuisson moyenne, 12 minutes pour qu'ils soient bien cuits. Retirez-les de la poêle et disposez-les sur un plat de service chaud.

Dans la poêle, versez le cognac ou le brandy, et quand il est chaud (il faut quelques secondes), enflammez-le. Secouez la poêle jusqu'à ce que la flamme s'éteigne, puis incorporez peu à peu la crème au fond de cuisson. Salez cette sauce et versez-la sur les biftecks. Vous pouvez servir avec des brocolis, des croquettes de pommes de terre ou une salade verte.

PIGEONNEAUX AUX BOULETTES

Voici une recette simple et savoureuse pour le début du printemps,
très originale par sa garniture.

PRÉPARATION : *1 heure*
CUISSON : *1 h 15*

INGRÉDIENTS *(6 personnes)*
6 pigeonneaux
120 g de bacon maigre
30 g de beurre doux
3 c. à soupe de farine
400 ml de bouillon de poulet ou d'eau
12 petits oignons blancs
200 g de jeunes champignons
Bouquet garni
Sel, poivre
BOULETTES
8 tranches de pain blanc
1 ou 2 œufs
50 g de saindoux
1 c. à soupe de persil finement haché
Le zeste d'un demi-citron râpé
Sel, poivre
GARNITURE
Persil haché

Faites chauffer le beurre dans une
poêle à bords hauts ou dans une
sauteuse et mettez-y à cuire à feu
modéré le bacon coupé en dés, jusqu'à ce que la graisse soit fondue et
que les dés de bacon soient croquants. Egouttez-les avec une écumoire et mettez-les sur du papier
absorbant. Dans la poêle, faites revenir les pigeonneaux en les retournant plusieurs fois, jusqu'à ce
qu'ils soient bien dorés ; retirez-les
et mettez-les dans une cocotte.

Enlevez toute la graisse de la
poêle, sauf une cuillerée ; mélangez-y la farine et faites-la cuire à feu
doux jusqu'à ce qu'elle prenne une
couleur noisette. Incorporez-y peu
à peu le bouillon chaud et portez
lentement à ébullition. Laissez
bouillir doucement pendant quelques minutes, puis versez la sauce
sur les pigeonneaux en la passant
au chinois. Ajoutez les petits morceaux de bacon, du sel et du poivre, le bouquet garni et les petits
oignons, que vous aurez épluchés.
Couvrez la cocotte, mettez-la au
centre du four chauffé à 180°C et
laissez cuire pendant 1 heure.

Pendant ce temps, parez les
champignons et coupez-les en tranches fines.

Pour préparer les boulettes, mettez dans un saladier la mie de pain
finement émiettée, le saindoux, le
persil haché, le zeste de citron râpé,
du sel et du poivre. Battez légèrement les œufs et, avec une fourchette, incorporez-les peu à peu à la
pâte qui doit être souple mais pas
trop. Du bout des doigts, formez
de 12 à 16 boulettes, que vous
ajouterez aux pigeonneaux, en
même temps que les champignons.
Remettez le couvercle et poursui-

vez la cuisson pendant 15 à 20 minutes. Retirez les pigeonneaux de
la cocotte et placez-les sur un plat
de service chaud, en les entourant
des champignons, des petits oignons et des boulettes. Versez sur
les pigeonneaux la sauce dont vous
aurez enlevé le bouquet garni, parsemez de persil haché et servez, par
exemple, avec des pommes de terre
caramélisées (p. 96).

TOURTE DE POULET AUX POIREAUX

Les poireaux, légumes d'hiver des
plus appréciés, sont excellents pour
accompagner le poulet. Pour cette
préparation, faites cuire le poulet la
veille ou longtemps à l'avance, de
façon à pouvoir le laisser refroidir
plusieurs heures.

PRÉPARATION : *1 heure*
CUISSON : *1 h 25*

INGRÉDIENTS *(6 personnes)*
1 poulet de 1,5 kg environ, prêt à
  cuire
2-3 poireaux
1 oignon
1 feuille de laurier
6 brins de persil
Pâte à tarte, au choix (p. 317)
1 œuf
Quelques cuillerées à soupe de lait
100 ml de crème épaisse
Sel, poivre
GARNITURE
Persil haché

Mettez le poulet dans une grande
marmite et recouvrez-le d'eau
froide. Ajoutez l'oignon pelé et
coupé en deux, la feuille de laurier,
le sel et les brins de persil. Couvrez
et portez à ébullition à feu doux,
puis laissez bouillir doucement
pendant 45 minutes. Retirez du feu
et laissez refroidir.

Dégraissez le bouillon et égouttez le poulet. Mesurez 250 ml de
bouillon, que vous mettrez de côté.
Laissez refroidir complètement le
poulet, enlevez la peau, désossez-le
et coupez la viande en morceaux de
2-3 cm de côté.

Epluchez les poireaux, fendez-les
à moitié dans le sens de la longueur
et lavez-les soigneusement sous
l'eau froide ; égouttez-les et coupez-les en petits morceaux d'un peu
plus de 1 cm.

Dans un plat à gratin à bords
hauts, disposez en couches alternées

Riz et pâtes

poulet et poireaux en commençant par le poulet et en finissant par des poireaux ; assaisonnez chaque couche de sel et de poivre et ajoutez enfin le bouillon de poulet que vous avez mis de côté.

Sur une surface farinée, étendez la pâte avec le rouleau fariné, en formant une abaisse ovale un peu plus grande que la surface du plat ; égalisez le tour avec un couteau. Avec les chutes, préparez de petites bandes de pâte et utilisez-les pour entourer le bord du plat après l'avoir beurré. Humectez d'eau froide ce rebord de pâte, puis étendez sur le plat le disque de pâte. Egalisez et fermez bien les bords. Pratiquez au centre du couvercle de pâte une « cheminée » avec un morceau de pâte roulé autour du doigt et un petit morceau de papier d'aluminium roulé pour permettre à la vapeur de sortir pendant la cuisson ; décorez de petites feuilles faites elles aussi à partir des chutes de pâte. Badigeonnez la surface avec l'œuf, battu légèrement avec quelques cuillerées de lait.

Mettez au four, chauffé à 180°C ; laissez cuire 25 minutes. Baissez ensuite à 150°C et laissez cuire encore 15 minutes.

Au moment de servir, versez la crème, que vous aurez préalablement fait chauffer, dans le plat à gratin, et parsemez de persil haché. Servez chaud.

Ce plat est substantiel et ne demande pas d'accompagnement. Vous pouvez toutefois le servir avec des carottes nouvelles, des petits pois ou des brocolis, ou, plus simplement, avec une salade verte.

GNOCCHIS AU FROMAGE

Ces gnocchis sont assez semblables à ceux qu'on appelle « à la romaine », mais ils en diffèrent par le fait qu'ils sont frits.

PRÉPARATION : *30 minutes*
CUISSON : *5 minutes*
RÉFRIGÉRATION : *1 h 30*

INGRÉDIENTS *(4 personnes)*
750 ml de lait
1 petit oignon
1 clou de girofle
1 feuille de laurier
6 brins de persil
1 c. à soupe de persil haché
200 g de semoule
100 g de parmesan râpé
1 œuf
Chapelure
Huile pour friture
Poivre de Cayenne
Sel, poivre gris
GARNITURE
Petits bouquets de persil

Versez le lait dans une casserole. Epluchez l'oignon et piquez-le du clou de girofle ; ajoutez-le au lait, avec le laurier et le persil. Faites chauffer presque jusqu'au point d'ébullition, puis retirez du feu, couvrez et laissez reposer environ 15 minutes.

Passez le lait au chinois et mettez-le à bouillir. Versez-y en pluie la semoule, en remuant sans arrêt. Quand le mélange a épaissi, baissez le feu au minimum ; laissez cuire en remuant pendant 3 minutes. Retirez du feu et incorporez le fromage râpé, le persil haché, du sel et les deux poivres. Etendez le mélange dans un plat de service humidifié, en lui donnant la forme d'un disque ; laissez refroidir, puis mettez au réfrigérateur pendant 1 h 30.

Découpez la pâte en huit quartiers d'égale dimension, passez-les d'abord dans l'œuf légèrement battu, puis dans la chapelure. Placez-

les dans un panier à friture, plongez-les dans l'huile de friture bien chaude et laissez-les cuire jusqu'à ce qu'ils deviennent croquants et d'une belle couleur d'or bruni : il faudra 1-2 minutes. Egouttez-les, mettez-les sur du papier absorbant pour éliminer l'excès de graisse et disposez-les sur un plat de service chaud. Décorez de petits bouquets de persil.

RIZ AUX AMANDES

Le riz, garni d'amandes et de raisins secs, peut se servir seul ou mieux encore, pour accompagner un poulet grillé ou un jambon à la crème.

PRÉPARATION : *5 minutes*
CUISSON : *25 minutes*

INGRÉDIENTS *(4 personnes)*
200 à 250 g de riz
1 oignon
30 g de beurre doux
350 ml environ de bouillon de poulet
3 c. à soupe de raisins secs
60 g d'amandes effilées grillées
Sel
GARNITURE
1 c. à soupe de persil haché

Pelez et émincez l'oignon ; faites fondre le beurre dans une casserole et mettez-y l'oignon ; couvrez et faites cuire à feu doux pendant environ 5 minutes ou jusqu'à ce que l'oignon soit tendre. Ajoutez le riz et mélangez-le avec le beurre et l'oignon. Ajoutez ensuite les raisins secs, le bouillon chaud et le sel. Portez à ébullition, baissez le feu, couvrez et laissez bouillir très doucement pendant 15 à 20 minutes ou jusqu'à ce que le riz soit tendre, à votre goût ; si c'est nécessaire, ajoutez encore un peu de bouillon ou d'eau, chauds si possible. Retirez du feu, ajoutez les amandes, en remuant avec une fourchette pour séparer les grains ; versez dans un plat de service chaud, parsemez de persil et servez.

CANNELLONIS FARCIS AUX ÉPINARDS

Un plat substantiel et savoureux, qui vous permet d'utiliser des restes de poulet et que vous servirez après l'avoir fait gratiner au four.

PRÉPARATION : *45 minutes à 1 heure*
CUISSON : *20 à 30 minutes*

INGRÉDIENTS *(4 personnes)*
8 cannellonis
500 g d'épinards
200 à 250 g de poulet cuit haché ou coupé en dés
6 c. à soupe de sauce tomate (p. 270)
100 g de parmesan râpé
30 g de beurre doux
40 g de farine
200 ml environ de lait
Sel, poivre

Epluchez et lavez bien les épinards, et mettez-les dans une casserole assez grande ; il n'est pas nécessaire d'ajouter de l'eau. Couvrez et faites cuire à petit feu pendant 10 minutes environ. Egouttez les épinards et pressez-les bien pour éliminer l'eau. Hachez-les grossièrement et mettez-les de côté.

Dans une petite casserole, faites fondre le beurre à feu doux ; mélangez-y la farine et, en tournant toujours, laissez cuire 1-2 minutes ; à feu un peu plus vif, sans cesser de tourner, ajoutez alors peu à peu autant de lait qu'il est nécessaire pour obtenir une sauce lisse et épaisse. Salez et poivrez ; laissez bouillir doucement 2-3 minutes. Retirez du feu et mélangez à la sauce les épinards hachés et le poulet ; vérifiez l'assaisonnement.

Jetez les cannellonis dans une grande casserole d'eau bouillante salée ; faites-les cuire *al dente.*

Egouttez-les et laissez-les refroidir pendant quelques minutes avant de les farcir avec le mélange d'épinards et de poulet. Pour cette opération, vous pouvez vous servir

d'une poche à douille lisse. Disposez les cannellonis ainsi farcis dans un plat à four beurré, arrosez-les de sauce tomate et saupoudrez-les de la moitié du fromage râpé. Mettez dans la partie haute du four chauffé à 180°C et laissez cuire pendant 20 à 30 minutes ou jusqu'à ce que la surface commence à bouillir et soit bien colorée. Servez à part le reste du parmesan râpé.

Légumes et salades

POMMES DE TERRE CARAMÉLISÉES

Au Danemark, on sert ces pommes de terre pour accompagner le porc, l'oie et le canard rôti des jours de fête.

PRÉPARATION : *20 minutes*
CUISSON : *10 minutes*

INGRÉDIENTS *(4 personnes)*
800 à 900 g de petites pommes de
*   terre à chair ferme*
2 c. à soupe de sucre
60 g de beurre doux

Lavez les pommes de terre sans les éplucher et plongez-les dans l'eau bouillante salée ; laissez-les cuire 10 minutes ou jusqu'à ce qu'elles soient tendres, mais pas trop. Egouttez-les et laissez-les refroidir assez pour pouvoir les peler.

Mettez le sucre dans une poêle sèche très chaude et faites-le chauffer à feu modéré, en remuant de temps en temps, jusqu'à ce qu'il soit fondu et qu'il ait pris une couleur dorée ; ajoutez le beurre et mélangez bien. Passez les pommes de terre à l'eau froide, pour faciliter la prise du caramel, et jetez-les dans la poêle. Poursuivez la cuisson à feu doux, en secouant la poêle de temps en temps, jusqu'à ce que les pommes de terre aient revêtu une couleur brun doré.

Servez-les aussitôt sur un plat de service chaud. Vous pouvez les utiliser pour accompagner un jambon à la crème, une volaille ou un rôti.

ENDIVES BRAISÉES

L'endive, légume d'hiver à la saveur un peu amère, constitue un excellent accompagnement pour le porc, l'oie et le canard rôti.

PRÉPARATION : *15 minutes*
CUISSON : *50 minutes*

INGRÉDIENTS *(4 personnes)*
4 endives
200 ml de bouillon de bœuf ou de
*   poulet*
30 g de beurre doux
1 petit oignon
Sel, poivre
GARNITURE
Persil haché

Epluchez les endives, en éliminant les feuilles extérieures, si elles sont dures ou abîmées, et la base. Coupez-les en deux dans le sens de la longueur, lavez-les et égouttez-les. Pelez et hachez l'oignon. Faites fondre le beurre à feu doux dans un plat à gratin et mettez-y à revenir l'oignon, sans le laisser colorer, jusqu'à ce qu'il soit devenu tendre et transparent. Ajoutez les endives et faites-les rissoler et dorer des deux côtés ; assaisonnez de sel et de poivre.

Retirez le plat du feu, versez-y le bouillon, couvrez avec un couvercle qui ferme bien ou avec une feuille d'aluminium et mettez au four chauffé à 180°C ; laissez cuire 35 minutes.

Servez chaud, dans le plat de cuisson, en parsemant de persil haché.

ASSIETTE DE FRUITS AU FROMAGE BLANC

Un assortiment de fruits rehaussé de fromage blanc constitue un plat léger et nourrissant pour le midi. Tous les fruits de la saison conviennent : oranges, ananas et même bananes tranchées enrobées de jus de citron.

PRÉPARATION : *10 minutes*

INGRÉDIENTS *(4 personnes)*
1 petite pomme de laitue
1 botte de cresson
2 oranges
4 tranches d'ananas
225 g de fromage blanc (cottage)
Vinaigrette (p. 272) ou mayonnaise
*   au jus de citron (p. 271)*
GARNITURE
40 g de noix mondées

Détaillez la laitue en feuilles ; coupez le trognon et les parties endommagées ; lavez et épongez parfaitement. Parez le cresson ; lavez-le et épongez-le. Pelez les oranges à vif, en enlevant bien toute la peau blanche ; émincez-les en tranches fines dans le sens de la largeur.

Disposez la laitue au centre d'une assiette de service, dressez les tranches d'orange et d'ananas en couronne sur ce lit de verdure. Déposez le fromage blanc à une extrémité de l'assiette et décorez de cresson.

Hachez les noix grossièrement et parsemez-en le fromage. Servez à part une bonne vinaigrette au jus de citron ou de la mayonnaise, également au jus de citron, et accompagnez cette salade de pain croûté et de beurre.

CAROTTES GLACÉES

« Glacer » signifie, en cuisine, cuire un aliment de façon qu'il soit recouvert d'une mince pellicule brillante. Ici, on obtient cet effet en ajoutant aux carottes un peu de sucre, ce qui rend le jus délicatement sirupeux. Servez ces carottes pour accompagner n'importe quel plat de viande.

PRÉPARATION : *10 minutes*
CUISSON : *20 à 25 minutes*

INGRÉDIENTS *(4 personnes)*
600 g de carottes, si possible nouvelles
30 à 40 g de beurre doux
1 c. à thé de sucre
Sel

Grattez ou pelez les carottes ; lavez-les et coupez-les en rondelles de 5 mm d'épaisseur. Mettez-les dans une casserole avec le beurre, le sel, le sucre, et l'eau nécessaire pour couvrir jusqu'à mi-hauteur ; portez doucement à ébullition, couvrez, réduisez le feu et laissez cuire à feu doux pendant 15 à 20 minutes.
Quand les carottes sont tendres, s'il reste beaucoup de liquide, chauffez plus fort, et faites-le évaporer, à feu assez vif et sans couvercle, jusqu'à ce qu'il soit réduit à 2 cuillerées. Secouez la casserole pour que les carottes en soient recouvertes, et veillez à ne pas leur faire prendre couleur. Versez dans un plat de service et servez aussitôt.

PEPERONATA

Ce ragoût à l'italienne, composé de poivrons doux et de tomates, accompagne bien les viandes et le poisson ; on peut également le servir froid comme hors-d'œuvre ou en guise de salade.

PRÉPARATION : *10 minutes*
CUISSON : *30 à 35 minutes*

INGRÉDIENTS *(4 personnes)*
4 gros poivrons doux rouges ou verts
1 oignon
8 grosses tomates
1 gousse d'ail
Sel et poivre noir
30 g de beurre doux
2 c. à soupe d'huile d'olive

Pelez et hachez l'oignon menu. Lavez les poivrons, coupez-les en deux dans le sens de la longueur et videz-les soigneusement. Détaillez-les ensuite en fines lanières. Pelez, épépinez et concassez les tomates. Pelez et pilez l'ail au mortier en lui ajoutant un peu de sel.
Mettez les poivrons et l'oignon dans une sauteuse où vous aurez fait chauffer le beurre et l'huile. Couvrez et laissez cuire à feu doux de façon qu'ils s'attendrissent sans prendre couleur. Ajoutez les tomates et l'ail ; assaisonnez de sel et de poivre frais moulu. Couvrez de nouveau et prolongez la cuisson de 25 à 30 minutes à feu très doux, en remuant de temps à autre ; le peperonata est prêt quand les légumes sont fondus et que le jus des tomates est presque complètement évaporé. Rectifiez au besoin l'assaisonnement.
Dressez le ragoût en timbale et servez-le chaud ou froid.

RÖSTI

Pour mieux réussir cette galette, faites cuire les pommes de terre dans leur peau plusieurs heures à l'avance ou même la veille. C'est un accompagnement parfait pour n'importe quel type de viande ou de volaille rôties.

PRÉPARATION : *30 minutes*
RÉFRIGÉRATION : *5-6 heures ou plus*
CUISSON : *25 minutes*

INGRÉDIENTS *(4 personnes)*
800 à 900 g de pommes de terre
60 à 80 g de beurre doux
Sel, poivre

Lavez les pommes de terre sans les peler et mettez-les à cuire dans une casserole pleine d'eau froide. Faites bouillir 7 minutes environ ou jusqu'à ce que les pommes de terre soient arrivées à la moitié de leur cuisson. Egouttez-les, laissez-les refroidir, puis mettez-les au réfrigérateur pendant quelques heures ou, mieux encore, pendant une nuit. Pelez-les et râpez-les.
Faites fondre le beurre dans une sauteuse ou une grande poêle à fond épais, versez-y les pommes de terre, assaisonnez de sel et de poivre et laissez cuire à feu doux pendant 15 minutes environ, sans remuer, mais, quand les pommes de terre sont colorées par-dessous, retournez-les avec une spatule. Vers la fin de la cuisson, pressez-les délicatement avec la spatule, de façon qu'elles forment une espèce de galette compacte. Poursuivez la cuisson jusqu'à ce qu'il se soit formé, par-dessous, une croûte dorée et croquante.
Avec la spatule, détachez délicatement la galette du fond de la poêle. Posez sur la poêle un plat rond renversé, retournez rapidement ensemble et servez aussitôt.

CHAMPIGNONS À LA CRÈME

Les champignons, qu'on trouve en toutes saisons, sont toujours une garniture élégante. Pour cette délicate recette, choisissez-les petits et fermes, tous plus ou moins de la même grosseur ; servez avec de la viande ou de la volaille, ou encore sur des rôties beurrées.

PRÉPARATION : *10 minutes*
CUISSON : *7 minutes*

INGRÉDIENTS *(4 personnes)*

450 à 500 g de champignons de couche
1 c. à soupe de farine
60 g de beurre doux
200 ml environ de crème épaisse

1 pincée d'herbes aromatiques séchées (thym, marjolaine, romarin, laurier) en poudre
Le jus d'un demi-citron
Sel, poivre

Coupez les pieds des champignons au ras des chapeaux (vous pourrez les utiliser pour une sauce ou une farce) ; lavez rapidement les chapeaux et essuyez-les aussitôt. Faites fondre le beurre dans une poêle, ajoutez les champignons et faites-les cuire à feu vif pendant 2 minutes, en remuant la poêle pour qu'ils s'imprègnent bien uniformément de beurre. Assaisonnez de sel et de poivre, ajoutez les herbes aromatiques et laissez cuire encore un moment, pour faire évaporer toute l'humidité.
Saupoudrez de farine en pluie, en remuant à fond avec une cuillère en bois, puis versez peu à peu toute la crème. Faites bouillir, en remuant sans arrêt, jusqu'à ce que la sauce épaississe ; réduisez le feu, laissez cuire encore 1 à 2 minutes. Arrosez du jus de citron et servez aussitôt.

Desserts

ÎLE FLOTTANTE

Ce dessert délicieux se compose d'une pâte à meringue étagée, garnie de pralines broyées, cuite au four et dressée dans un compotier sur une crème anglaise. C'est un entremets d'une grande finesse.

PRÉPARATION : *1 heure*
CUISSON : *30 minutes*

INGRÉDIENTS *(4 personnes)*

4 blancs d'œufs
15 g de beurre doux
200 g de sucre
100 g d'amandes enrobées de sucre
  (pralines)

CRÈME ANGLAISE
4 jaunes d'œufs
30 g de sucre
250 ml de lait
Essence de vanille

Beurrez un moule à gâteau profond, de 15 cm de diamètre, et saupoudrez-le de sucre. Séparez les blancs d'œufs des jaunes et réservez ces derniers pour la crème anglaise. Mettez les pralines dans un linge propre et broyez-les grossièrement en vous servant d'un rouleau à pâtisserie. Fouettez les blancs d'œufs jusqu'à ce qu'ils soient fermes ; ajoutez graduellement la moitié du sucre en continuant de fouetter, puis incorporez délicatement le reste du sucre. Déposez une couche de meringue dans le fond du moule et recouvrez-la d'amandes broyées. Continuez de la sorte en couches alternées de pâte et d'amandes en terminant par la meringue.

Déposez le moule dans un plat plus grand ou une lèchefrite où vous verserez 2,5 cm d'eau bouillante. Placez le tout au centre du four porté à 180°C et faites cuire 30 minutes. Retirez le moule du four. En refroidissant, la meringue rétrécit et se détache du bord du moule.

Pour préparer la crème anglaise, battez les jaunes d'œufs et le sucre avec une cuillère en bois. Dans une casserole, faites frémir le lait et ajoutez les jaunes d'œufs en remuant constamment. Mélangez bien, puis passez la crème au chinois en la transvasant dans un bol. Déposez ce bol dans un plat à demi rempli d'eau bouillante et faites cuire en remuant doucement jusqu'à ce que la crème ait épaissi, soit environ 10 minutes. Retirez du feu ; ajoutez quelques gouttes d'essence de vanille et laissez refroidir en remuant de temps à autre pour éviter qu'il se forme une peau.

Au moment de servir, dégagez la meringue avec un couteau ou une spatule. Versez la crème anglaise dans un plat de service rond et creux et posez la meringue par-dessus : c'est l'île flottante.

ORANGES SOUFFLÉES

Ces petits soufflés légers et bien montés constituent toujours un dessert apprécié et très raffiné.

PRÉPARATION : *30 minutes*
CUISSON : *20 minutes*

INGRÉDIENTS *(4 personnes)*
4 grosses oranges
50 g de beurre doux
4 c. à soupe de farine
3 c. à soupe de sucre
3 œufs
Sucre à glacer
Le jus d'un citron

Lavez les oranges et coupez-les en deux dans le sens de la largeur ; retirez la pulpe et les membranes et réservez les écorces vidées.

Pressez la pulpe pour en extraire le jus que vous passerez au chinois et recueillerez dans une jatte ; ajoutez le jus de citron, lui aussi passé.

Faites fondre le beurre dans une casserole, à feu modéré ; ajoutez la farine et laissez cuire en remuant pendant quelques minutes, jusqu'à ce que la farine se colore légèrement. Ajoutez peu à peu le jus des agrumes, sans cesser de remuer, et laissez cuire jusqu'à ce que vous obteniez une crème lisse. Portez à ébullition, laissez bouillir à feu doux pendant 2 minutes, retirez la casserole du feu ; ajoutez le sucre, remuez bien et laissez tiédir. Séparez les jaunes d'œufs des blancs et incorporez les jaunes à la crème, un par un. Toutes les opérations décrites jusqu'ici peuvent être exécutées quelques heures à l'avance. Montez les blancs en neige et incorporez-les délicatement au mélange avec une spatule de caoutchouc.

Versez le mélange dans les écorces d'orange, placez-les sur une plaque, mettez-les au four à 200°C et laissez cuire pendant 20 minutes.

Servez les soufflés aussitôt, en les saupoudrant de sucre à glacer.

COUPE DE FRUITS

Faites cette élégante macédoine de fruits à l'avance pour pouvoir la garder au réfrigérateur quelques heures avant de la servir.

PRÉPARATION : *30 minutes*
RÉFRIGÉRATION : *2-3 heures*

INGRÉDIENTS *(6 personnes)*
2 oranges
200 g de raisins noirs
La moitié d'un petit melon bien mûr
2-3 poires mûres
2 bananes
50 g de sucre
100 ml de vin blanc sec
2 c. à soupe de kirsch

Choisissez, pour servir la macédoine, une coupe de cristal ou de verre assez profonde. Pelez à vif les oranges et coupez-les en tranches ; disposez-les au fond de la coupe. Pelez les grains de raisin, coupez-les en deux, épépinez-les et disposez-les sur les tranches d'orange ; saupoudrez de sucre. Coupez le melon en tranches, enlevez les graines et la peau et détaillez la pulpe en dés ; disposez-les dans la coupe et saupoudrez-les de sucre. Coupez les poires en quatre, épluchez-les et détaillez-les en tranches fines ; épluchez les bananes, coupez-les en deux dans la longueur, puis en dés. Mettez le tout dans la coupe, ajoutez le reste du sucre.

Mélangez délicatement, ajoutez le vin blanc et le kirsch et pressez légèrement avec une cuillère, de telle sorte que les fruits restent couverts de jus et ne noircissent pas.

Gardez au réfrigérateur pendant 2-3 heures avant de servir.

SABAYON AU MARSALA

Ce dessert italien est facile à faire, mais il peut se grumeler si on n'en surveille pas la cuisson.

PRÉPARATION : *10 minutes*
CUISSON : *5 minutes*

INGRÉDIENTS *(4 personnes)*
4 jaunes d'œufs
50 g de sucre
4 à 6 c. à soupe de marsala
GARNITURE
Doigts de dame

Mélangez les jaunes d'œufs, le sucre et le marsala dans un bol. Déposez ce bol dans une casserole à demi remplie d'eau frémissante. Fouettez le mélange sans arrêt jusqu'à ce qu'il soit épais et mousseux, soit de 5 à 7 minutes. (Il ne doit pas bouillir.)

Retirez le bol du feu et répartissez le sabayon dans des coupes individuelles chaudes. Servez aussitôt avec des doigts de dame.

MARQUISE ALICE

Ce dessert, signé Escoffier, a subi bien des modifications depuis sa création par le chef français. Mais sa garniture de crème fouettée et de confiture n'a pas varié.

PRÉPARATION : *1 heure*
RÉFRIGÉRATION : *1 h 30 à 2 heures*

INGRÉDIENTS *(6 personnes)*
2 c. à soupe de gélatine non parfumée
4 jaunes d'œufs
1 c. à thé de café soluble
50 g de sucre
500 ml de lait
8 à 10 doigts de dame
1-2 c. à soupe de rhum
125 ml de crème épaisse
GARNITURE
250 ml de crème épaisse
2-3 c. à soupe de confiture de fraises
  passée au chinois

Versez 4 cuillerées à soupe d'eau dans une tasse et saupoudrez-y la gélatine ; laissez-la gonfler environ 5 minutes. Dans un bol à mélanger, battez avec une cuillère en bois les jaunes d'œufs avec le café soluble et le sucre jusqu'à ce que le tout soit léger et crémeux. Faites frémir le lait et ajoutez-le en remuant au mélange précédent. Passez cette préparation à travers un tamis à grandes mailles ; ajoutez la gélatine et faites cuire la préparation à feu doux jusqu'à ce qu'elle soit fondue, soit durant 2 minutes environ. Retirez la casserole du feu et versez la préparation dans un bol. Laissez-la d'abord tiédir, puis mettez-la au réfrigérateur jusqu'à ce qu'elle commence à prendre.

Pendant ce temps, déposez les doigts de dame dans une assiette et aspergez-les de rhum. Fouettez 100 ml de crème épaisse pour qu'elle soit ferme et incorporez-la délicatement à la préparation aux œufs. Versez la moitié de ce mélange dans un moule à gâteau peu profond que vous aurez préalablement humidifié. Disposez par-dessus les biscuits en étoile et versez le reste de l'appareil dans le moule. Mettez au réfrigérateur pendant 1 heure environ.

Lorsque la composition est ferme, dégagez-la du moule avec la pointe d'un gros couteau. Bassinez le fond du moule dans de l'eau chaude pour accélérer le dégagement. Démoulez délicatement sur l'assiette de service. Fouettez le reste de la crème jusqu'à ce qu'elle soit ferme ; mettez-en la moitié dans une poche à douille cannelée ; étendez l'autre moitié à la spatule sur le dessus et les côtés de la marquise. Avec la poche, décorez le pourtour de rosettes.

Versez la confiture dans un petit entonnoir de papier paraffiné et déposez une truffe rouge au centre de chaque rosette de crème.

Gardez la marquise au froid jusqu'au moment de servir.

CHARLOTTE RUSSE

Voici une variante du dessert que le célèbre Antonin Carême, surnommé « le cuisinier des rois et le roi des cuisiniers », composa au siècle dernier lors d'un séjour à Saint-Pétersbourg. C'est un plat de fête pour un dîner raffiné. La génoise doit être préparée la veille : il vous sera ainsi plus facile de la couper en tranches fines. Vous pouvez aussi remplacer la génoise par des doigts de dame.

PRÉPARATION : *1 h 30*
CUISSON : *30 minutes*
RÉFRIGÉRATION : *2 h 30*

INGRÉDIENTS *(6 personnes)*
GÉNOISE
100 g de farine
1 c. à thé de levure chimique
130 g de sucre
2 œufs
Beurre (pour beurrer le moule)
CHARLOTTE
1½ c. à thé de gélatine
2 c. à soupe de sucre
Le jus d'un demi-citron
5 bananes
400 ml de crème épaisse

La veille, commencez par préparer la génoise. Dans une terrine, battez les œufs au fouet en y ajoutant le sucre, puis la farine et la levure. Beurrez un moule à gâteau, versez-y la pâte et mettez à cuire à four doux (150°C) 30 minutes. Laissez refroidir.

Le lendemain, découpez la génoise en une vingtaine de tranches fines.

Faites fondre la gélatine dans une casserole contenant 400 ml d'eau chaude, le jus de citron et le sucre. Faites chauffer doucement. Dès que la gélatine est fondue, retirez la casserole du feu et laissez refroidir.

Versez dans le fond d'un moule à charlotte un peu de la gelée ainsi obtenue. Laissez prendre au réfrigérateur.

Pendant ce temps, pelez une des bananes et coupez-la en rondelles fines. Disposez celles-ci en cercle sur la gelée au fond du moule. Recouvrez-les avec un peu de gelée.

Remettez le moule au réfrigérateur, jusqu'à ce que les rondelles de banane soient bien fixées. Disposez les tranches de génoise (ou les doigts de dame) contre les parois du moule. Pelez le reste des bananes et écrasez-les en purée. Fouettez énergiquement la crème fraîche ; mélangez-la bien à la purée de bananes et au reste de la gelée ; si celle-ci a durci, réchauffez-la doucement. Versez la crème obtenue dans le moule et laissez au réfrigérateur jusqu'à ce qu'elle ait durci. Si les tranches de génoise dépassent, découpez-les au niveau de la crème. Au moment de servir, plongez rapidement le moule dans l'eau chaude, et démoulez sur un plat rond ou dans un compotier. Vous pouvez glacer la charlotte à la confiture d'abricots.

TARTE AU CITRON

La saveur agréablement acidulée de cette tarte en fait un dessert recommandé pour conclure un repas copieux. La préparation doit commencer au moins 10-11 heures avant que la tarte soit portée à table. On peut la servir aussi le matin, pour le petit déjeuner.

MACÉRATION DES CITRONS : *8 heures*
PRÉPARATION : *1 h 45*
CUISSON : *25 à 30 minutes*

INGRÉDIENTS *(6 personnes)*

*Pâte ordinaire préparée avec la moitié
    des quantités indiquées (p. 317)*
2 c. à soupe de farine
40 g d'amandes finement hachées
80 g de beurre doux
4 c. à soupe de sucre
1 œuf
Le zeste râpé d'un citron
GARNITURE
2 petits citrons
3 gouttes d'essence de vanille
200 g de sucre

Commencez par préparer la garniture. Lavez bien les citrons à l'eau froide et coupez-les en tranches de 3 mm d'épaisseur ; enlevez les pépins, mettez les citrons dans une jatte, couvrez-les d'eau bouillante et laissez reposer 8 heures.

Egouttez les tranches de citron, mettez-les dans une casserole, couvrez-les d'eau froide et portez rapidement à ébullition. Baissez le feu, couvrez et laissez cuire à feu doux pendant 10 minutes ou jusqu'à ce que la peau des citrons soit devenue tendre et la pulpe presque fondue. Retirez la casserole du feu et laissez refroidir.

Avec un rouleau fariné, abaissez la pâte en formant un disque de 23 cm de diamètre ; foncez-en un moule à tarte à bords amovibles d'un diamètre de 18 à 20 cm que vous aurez beurré et fariné. Piquez la pâte avec une fourchette et faites cuire à blanc pendant 5 minutes ; réservez.

Mélangez le reste de farine et les amandes hachées. Dans une jatte, battez avec une cuillère en bois le reste du beurre légèrement fondu et le sucre jusqu'à obtention d'une pâte crémeuse et légère. Incorporez-y l'œuf et le zeste de citron râpé, puis la farine mélangée aux amandes. Garnissez-en le fond de pâte cuit à blanc, mettez sans attendre au centre du four préchauffé à 180°C et laissez cuire 20 à 25 minutes ou jusqu'à ce que la pâte soit ferme et dorée. Retirez du four et laissez refroidir.

Pour garnir la tarte, égouttez les tranches de citron. Versez 250 ml de leur jus de cuisson dans une casserole ; ajoutez l'essence de vanille et le sucre, et faites chauffer quelques minutes à feu doux, jusqu'à ce que le sucre soit fondu. Ajoutez à ce sirop les tranches de citron et laissez bouillir doucement pendant 5 minutes.

Egouttez avec une écumoire les tranches de citron et mettez-les dans un plat. Faites bouillir à feu vif le sirop jusqu'au moment où, si vous en versez une demi-cuillerée sur une assiette froide, vous voyez qu'il s'écoule difficilement. Pendant ce temps, disposez les tranches de citron en couronne sur la tarte. Quand le sirop est prêt, retirez-le du feu, laissez-le refroidir quelques minutes, puis versez-le sur les tranches de citron. Servez froid.

TARTE À LA RHUBARBE ET À LA CANNELLE

Le goût de la cannelle se marie particulièrement bien avec la saveur acidulée de la rhubarbe. On peut à volonté servir cette tarte chaude, tiède ou froide.

PRÉPARATION : *20 minutes*
CUISSON : *30 minutes*

INGRÉDIENTS *(6 personnes)*
*Pâte ordinaire préparée avec les trois
    quarts des quantités indiquées (voir
    p. 317)*
500 g de rhubarbe
150 ml de crème épaisse
50 g de sucre
2 c. à soupe de farine
1 pincée de cannelle en poudre

Abaissez la pâte sur un plan de travail fariné, avec un rouleau fariné, jusqu'à 3 mm d'épaisseur. Foncez-en un moule rond, à bord détachable, de 20 cm de diamètre environ. Epluchez la rhubarbe, coupez-la en morceaux de 2-3 cm, en enlevant la peau, si elle est dure et filamenteuse, et disposez-la sur la pâte. Mélangez la crème, la farine, le sucre et la cannelle et versez ce mélange sur la rhubarbe. Mettez au centre du four préchauffé à 200°C ; laissez cuire 30 minutes.

Si vous servez la tarte chaude, laissez-la reposer pendant 10 minutes avant de la découper.

Casse-croûte

CRÊPES DE POMMES DE TERRE

Ces crêpes constituent un excellent goûter ; pour un repas plus substantiel, servez-les avec des saucisses grillées et du chou rouge.

PRÉPARATION : *20 minutes*
CUISSON : *15 minutes*

INGRÉDIENTS *(4 à 6 personnes)*
700 g de pommes de terre râpées
1 petit oignon haché fin
150 g de bœuf salé, défait en fibres
2 tranches de bacon hachées finement
Sel et poivre noir
1½ c. à soupe de farine
3 jaunes d'œufs battus
Huile à friture

Epongez les pommes de terre râpées dans un linge à vaisselle. Mélangez-les avec l'oignon, le bœuf salé et le bacon. Salez, poivrez et ajoutez les jaunes d'œufs battus auxquels vous aurez préalablement incorporé la farine. Remuez bien et façonnez l'appareil en six crêpes de 7,5 cm de diamètre.

Déposez 7 mm d'huile à frire dans une sauteuse. Quand elle est chaude, faites-y dorer à feu vif quelques crêpes en ne les retournant qu'une fois. Epongez-les avec du papier absorbant et gardez-les au four pendant que vous faites cuire les autres.

JAMBON PARFUMÉ

Voici une recette idéale pour utiliser des restes de jambon. Scellé au beurre clarifié (voir p. 305), ce plat se garde quelques jours au réfrigérateur.

PRÉPARATION : *10 minutes*
CUISSON : *5 minutes*

INGRÉDIENTS *(4 à 6 personnes)*
400 à 450 g de jambon cuit en dés
1 pincée de marjolaine, de thym et de macis en poudre
Sel et poivre noir
90 g de beurre doux

Passez les dés de jambon cuit deux fois au moulin à viande, grille fine. Ajoutez les fines herbes, le sel et le poivre frais moulu et faites sauter 5 minutes environ dans 60 g de beurre. Déposez la viande dans une terrine et laissez-la refroidir.

Chauffez le reste du beurre jusqu'à ce qu'il mousse. Passez-le à travers une mousseline et versez-le sur la viande. Laissez prendre au réfrigérateur. Cette préparation, qui donne d'excellents sandwichs, se sert chaude en entrée avec des doigts de pain grillé ou, comme plat principal, avec une salade.

TIMBALES FINANCIÈRE

Ces entrées chaudes faites de pâte feuilletée congelée et de restes de viande sont bonnes et jolies.

PRÉPARATION : *15 minutes*
CUISSON : *10 à 15 minutes*

INGRÉDIENTS *(4 personnes)*
Pâte feuilletée fine faite avec les trois quarts des ingrédients (p. 326)
300 g de viande cuite hachée
4 tranches de bacon
80 g de champignons
1 tranche de pain blanc
2 brins de persil
1 petit oignon émincé
45 g de beurre doux
1 c. à soupe de ketchup
Sel et poivre noir
Gras à friture

Hachez menu le bacon, les champignons, le pain, le persil et l'oignon. Ajoutez la viande et faites cuire l'appareil 5 minutes dans le beurre. Incorporez le ketchup et assaisonnez au goût.

Abaissez la pâte en un carré de 30 cm de côté. Découpez-le en 16 morceaux et déposez 1 cuillerée à soupe comble du mélange précédent au centre de huit de ces morceaux. Humectez les côtés et recouvrez d'un autre carré de pâte. Scellez bien les bords.

Faites cuire les petites timbales dans du gras fumant jusqu'à ce qu'elles soient gonflées et dorées.

ŒUFS À L'ÉCOSSAISE

Ces œufs durs enveloppés de chair à saucisse, puis panés et frits sont l'idéal pour un pique-nique.

PRÉPARATION : *20 minutes*
CUISSON : *5 à 10 minutes*

INGRÉDIENTS *(4 personnes)*
4 œufs durs
250 g de chair à saucisse
30 g de farine
1 œuf battu
1 tasse environ de chapelure
1 pincée de thym sec
1 c. à soupe de persil haché
Huile pour friture

Partagez la chair à saucisse en quatre parties égales et tassez-la bien en formant quatre disques de 10 cm de diamètre environ. Ecalez les œufs durs, farinez-les légèrement et enrobez-les de chair à saucisse, en pressant bien pour former des espèces de boulettes. Passez-les dans l'œuf battu, puis dans la chapelure, mélangée aux herbes (thym, persil), et faites-les frire dans le bain d'huile chaud jusqu'à ce qu'ils soient bien dorés. Egouttez, mettez sur du papier absorbant, laissez refroidir.

BAVAROIS AUX POMMES

Si vous avez des blancs d'œufs à utiliser et un reste de compote, voici une recette facile et économique.

PRÉPARATION : *5 minutes*
RÉFRIGÉRATION : *2 heures*

INGRÉDIENTS *(4 personnes)*
2½ tasses de compote de pommes
1 sachet de gélatine
Le jus d'un citron
2 blancs d'œufs
100 ml environ de crème fouettée
1 c. à soupe de sucre
2 gouttes d'extrait de vanille

Faites tremper la gélatine dans de l'eau froide pendant 10 à 15 minutes. Mettez-la dans une petite casserole avec 2 cuillerées à soupe d'eau et le jus de citron ; faites chauffer à feu doux jusqu'à ce qu'elle soit fondue, sans laisser bouillir. Mélangez ce liquide à la compote de pommes, puis ajoutez les blancs montés en neige.

Versez le mélange dans un moule à charlotte mouillé et mettez au réfrigérateur 2 heures. Renversez le bavarois sur un plat de service et garnissez-le avec de la crème fouettée à laquelle vous aurez ajouté le sucre et la vanille.

Avril

LES RECETTES DU MOIS

Pâques arrive, annonce du printemps et de nouveaux péchés de gourmandise, d'avance pardonnés.

Au fil des saisons

Ce n'est pas encore tout à fait le printemps, mais déjà, sur nos marchés, on assiste à son avant-première : carottes fraîches, bottes de radis, petits navets mauves et oignons verts, tendres et sveltes. Avec eux, vos menus vont s'alléger et votre table va prendre relief et couleur. Mais les vedettes ce mois-ci restent encore les artichauts et les asperges. Servies nature (p. 105) ou nappées de sauce Mornay (p. 105), ces dernières sont toujours très estimées : leur délicatesse fait vite oublier leur prix. Les fonds d'artichauts garnis aux champignons (p. 115) ou à la sauce hollandaise (p. 106) feront également le bonheur des gourmets.

C'est la saison où le homard redevient relativement abordable, où le saumon frais de l'Atlantique réapparaît chez le poissonnier. Profitez de l'occasion pour vous offrir un homard Thermidor (p. 107) ou un délicieux soufflé de poisson (p. 108) accompagné d'une sauce mousseline. Le gigot d'agneau frais, piqué d'ail, tout à la fois doré et saignant, et la poitrine de veau apprêtée à l'orange (p. 109) se substituent agréablement au traditionnel rôti de bœuf.

Parmi toutes les verdures qui nous sont offertes en avril, le cresson garde la fraîcheur des petits matins : il permet de confectionner des salades originales et une crème qui, servie glacée, appelle déjà l'été (p. 105). Si les petits fruits sont encore rares, la rhubarbe et les agrumes sont par contre abondants ; les pamplemousses au whisky (p. 117) et la rhubarbe en croûte (p. 116) terminent parfaitement les meilleurs dîners.

MENUS SUGGÉRÉS

Avocats aux agrumes
...
Homard Thermidor
Salade verte
...
Pamplemousses au whisky

Artichauts à la sauce hollandaise
...
Veau à l'orange
Pommes de terre sautées
Oignons glacés
...
Biscuit roulé au citron

Soufflé de poisson
Petits pois et chou-fleur
...
Rhubarbe en croûte

Crème de cresson
...
Biftecks Diane
Pommes de terre au four et asperges nature
...
Beignets de bananes

Glace à la tomate
...
Poulet en chaud-froid
Salade verte
Pommes de terre nouvelles
...
Tarte aux pommes à la française

Jambon en croûte
Salade aux pommes et aux noix
...
Mousse au chocolat

Asperges sauce Mornay
...
Roulade de flanc de bœuf
Petits pois et oignons à la crème
Pommes de terre à la duchesse
...
Saint-honoré

Potages et entrées

CRÈME DE CRESSON

Excellent en salade (seul ou mélangé à d'autres ingrédients), très élégant comme garniture, le cresson peut être utilisé aussi pour des potages. Celui-ci est très délicat et insolite et peut même se servir glacé.

PRÉPARATION : *20 minutes*
CUISSON : *45 minutes*

INGRÉDIENTS *(6 à 8 personnes)*
300 g de cresson
350 g de pommes de terre
1 oignon
700 ml de bouillon de viande
50 g de beurre
1 feuille de laurier
100 ml de crème épaisse
Sel, poivre
GARNITURE
Noix muscade râpée (facultatif)

Lavez bien le cresson à l'eau froide et éliminez avec soin les tiges dures et les feuilles jaunes. Pelez et coupez en grosses rondelles les pommes de terre et l'oignon.

Mettez dans un faitout les pommes de terre, l'oignon, le cresson, le bouillon, le beurre et la feuille de laurier. Assaisonnez de sel et de poivre.

Portez à ébullition, couvrez et laissez cuire à feu doux jusqu'à ce que les pommes de terre et l'oignon soient tendres. Enlevez la feuille de laurier et passez le potage au moulin à légumes ou au mixer.

Remettez le potage passé dans le faitout, incorporez-y la crème et faites chauffer doucement sans ébullition. Versez dans des bols à potage et saupoudrez, à votre goût, d'un peu de noix muscade râpée. Vous pouvez servir à part de très fines tranches de pain grillé.

ASPERGES NATURE

En avril, voici apparaître sur nos marchés les délicieuses asperges de Californie. Elles demeureront en abondance jusqu'au moment où, en juin, les producteurs locaux prendront la relève. Pour conserver couleur et saveur aux asperges, ne les faites pas trop cuire.

PRÉPARATION : *10 minutes*
CUISSON : *20 à 30 minutes*

INGRÉDIENTS *(4 personnes)*

1 kg d'asperges
200 g de beurre ou 8 c. à soupe d'huile d'olive

2 c. à soupe de vinaigre de vin blanc
Sel et poivre noir

Lavez les asperges avec soin. En vous servant d'un couteau-éplucheur, pelez l'extrémité des tiges du haut vers le bas. Enlevez les parties ligneuses et coupez les asperges à la même longueur.

Réunissez-les en bottes de 10 à 12 asperges que vous lierez avec une ficelle fine pour ne pas endommager les tiges. Mettez-les à cuire debout dans une grande marmite d'eau bouillante salée, les pointes à l'extérieur de l'eau. La durée de la cuisson varie selon l'âge et la grosseur des asperges ; on calcule qu'elles sont cuites lorsque les pointes sont tendres au toucher.

Déliez les bottes et égouttez les asperges avec soin pour ne pas briser les pointes. Dressez-les sur des assiettes individuelles. Vous pouvez les servir chaudes avec du beurre fondu additionné d'un peu de jus de citron ou avec une sauce hollandaise. Froides, elles seront nappées d'une sauce vinaigrette. Dans les asperges à la Fontenelle, les convives trempent les asperges d'abord dans du beurre fondu, puis dans un œuf à la coque.

ASPERGES SAUCE MORNAY

Faites cuire les asperges comme il est indiqué ci-dessus. Egouttez-les bien sans en casser les pointes, et mettez de côté 2 cuillerées à soupe de l'eau de cuisson pour préparer la sauce.

INGRÉDIENTS *(4 personnes)*

1 kg d'asperges
40 g de beurre
3 c. à soupe de farine
2 c. à soupe d'eau de cuisson des asperges

250 ml de lait
2 c. à soupe de crème épaisse
100 g de gruyère râpé
Sel, poivre

Faites fondre le beurre dans une petite casserole, ajoutez-y la farine et, en remuant, laissez cuire 2 minutes à feu doux jusqu'à ce que le mélange soit homogène. Sur feu un peu plus vif, incorporez peu à peu, en tournant, assez de lait à la fois pour que la sauce reste épaisse. Mélangez-y l'eau de cuisson des asperges, la crème, le sel, le poivre et du fromage râpé. Mettez les asperges, après les avoir égouttées, dans un plat à gratin, nappez-les de sauce et parsemez avec le reste du fromage râpé. Mettez à four très chaud, pendant 15 minutes environ, jusqu'à ce que la surface soit bien dorée. Servez aussitôt.

HARENGS FRAIS MARINÉS

Frais, fumé ou salé, le hareng est très estimé en Allemagne et en Scandinavie où on le laisse macérer dans une marinade très relevée pendant quelques jours. On peut le remplacer par du maquereau.

PRÉPARATION : *35 minutes*
MARINAGE : *48 heures*
CUISSON : *15 à 20 minutes*

INGRÉDIENTS *(6 personnes)*
6 harengs de bonne taille
500 ml de vinaigre de cidre
3 baies de genièvre
6 clous de girofle
1 feuille de laurier
5 grains de poivre
2 gros oignons
6 c. à thé de moutarde de Düsseldorf
2 cornichons à l'aneth

Mettez à chauffer vinaigre, baies, clous, feuille de laurier et grains de poivre dans 500 ml d'eau. Portez cette marinade au point d'ébullition, puis laissez-la mijoter à petits bouillons pendant 10 minutes.

Videz les harengs ; enlevez les têtes et les arêtes dorsales, mais gardez les queues ; lavez et épongez les poissons. Pelez l'oignon, puis détaillez-le en rondelles que vous déferez en anneaux. Fendez les harengs pour les étaler à plat. Badigeonnez l'intérieur de chacun de 1 cuillerée à thé de moutarde. Taillez les cornichons en trois dans le sens de la longueur ; déposez-en une tranche transversalement sur chaque hareng, du côté de la tête. Disposez ici et là quelques petits anneaux d'oignon et enroulez chaque poisson sur lui-même, de la tête vers la queue. Assujettissez avec des cure-dents.

Dressez les rouleaux dans un plat à four ; mouillez avec la marinade passée et refroidie et ajoutez les anneaux d'oignon qui restent. Couvrez de papier d'aluminium et

faites cuire 15 minutes au centre du four, à 180°C. Laissez refroidir les harengs dans leur jus avant de les mettre à macérer au réfrigérateur pendant deux jours.

Retirez les cure-dents et présentez les harengs marinés — aussi appelés rollmops — avec de fines tranches de pumpernickel ou de pain de seigle.

ARTICHAUTS À LA SAUCE HOLLANDAISE

Les artichauts de Californie, de grande ou moyenne taille, sont parfaits pour cette recette.

PRÉPARATION : *30 minutes*
CUISSON : *45 minutes environ*

INGRÉDIENTS *(6 personnes)*
6 artichauts
1 c. à thé de sel
250 ml de sauce hollandaise (p. 271)

Lavez les artichauts à l'eau froide. Coupez les queues à ras pour que les artichauts tiennent debout. Arrachez les feuilles meurtries, ainsi que les grosses feuilles extérieures ; épointez et raccourcissez les autres avec des ciseaux. Jetez les artichauts, avec le sel, dans beaucoup d'eau bouillante. Couvrez et laissez-les cuire 25 à 45 minutes selon leur grosseur. La cuisson est terminée lorsque les feuilles se détachent avec facilité. Mettez-les à égoutter tête en bas.

Entre-temps, préparez la sauce hollandaise et gardez-la au chaud. Retirez les petites feuilles atrophiées, au centre des artichauts, ainsi que le foin. Dressez chaque artichaut individuellement et servez la sauce hollandaise à part. Prévoyez un rince-doigts pour chaque convive ainsi qu'un récipient vide pour les feuilles.

GLACE À LA TOMATE

C'est à la tradition italienne du sorbet — jus de fruit sucré et congelé — qu'il faut rattacher cette préparation qui constitue un début de repas frais, insolite et riche en vitamines.

PRÉPARATION : *10 minutes*
CUISSON : *25 minutes*
CONGÉLATION : *4 heures*

INGRÉDIENTS *(6 personnes)*
1,5 kg de tomates mûres
1 petit oignon
2 c. à thé de marjolaine séchée
1 c. à soupe de concentré de tomate
Le jus d'un citron
1 c. à thé de sucre
GARNITURE
Menthe, citron ou concombre

Lavez, essuyez et hachez grossièrement les tomates, pelez et hachez grossièrement l'oignon ; mettez le

tout dans une grande casserole en ajoutant la marjolaine. Portez à ébullition, couvrez et laissez cuire à feu doux pendant 25 minutes, jusqu'à ce que les tomates se défassent, en remuant de temps en temps avec une cuillère en bois pour éviter que le mélange attache. Passez au tamis, ou au moulin à légumes, recueillez la purée dans un saladier, mélangez-y le concentré de tomate, le jus du citron et le sucre et laissez refroidir. Transvasez la préparation dans un bac à glace et mettez au congélateur pendant 4 heures au moins.

Quand le mélange est solidifié, retirez-le du bac et écrasez-le au rouleau ; disposez les cristaux de sorbet en pyramide dans des coupes individuelles. Garnissez de touffes de menthe ou de rondelles de citron ou de concombre.

AVOCATS AUX AGRUMES

L'avocat un peu avancé se marie bien au goût acidulé des agrumes. C'est une entrée qui peut accompagner jambon froid, poulet ou crustacé.

PRÉPARATION : *30 minutes*

INGRÉDIENTS *(4 à 6 personnes)*
3 gros avocats
Le jus d'un petit citron
1 gros pamplemousse
1 grosse orange
Sucre (facultatif)
GARNITURE
Quartiers d'orange
Menthe

Pelez les avocats avec un couteau en argent ou en acier inoxydable pour que la chair ne s'oxyde pas. Détaillez-les en quartiers et enlevez les noyaux. Emincez la chair finement et arrosez de jus de citron. Pelez l'orange et le pamplemousse en prenant soin de bien enlever toute la pellicule blanche. A l'aide d'un couteau tranchant, dégagez les quartiers en les épluchant à vif ; déposez la chair dans un plat et pressez les peaux pour recueillir tout le jus.

Mélangez délicatement la chair citronnée des avocats et celle des agrumes ; sucrez au goût. Dressez la salade dans de petits plats creux et garnissez de quartiers d'orange et de feuilles de menthe.

Poissons

POISSON BRAISÉ AU VIN BLANC

Avec cette méthode, vous obtiendrez un poisson tendre et moelleux et un délicieux fond de cuisson (fumet) pour préparer la sauce riche qui l'accompagne.

PRÉPARATION : 20 minutes
CUISSON : 40 minutes

INGRÉDIENTS (4 personnes)
1 vivaneau de 1,5 kg environ
2 carottes coupées en dés
1 côte de céleri coupée en dés
1 gros oignon émincé
90 g de beurre
350 ml de vin blanc sec
200 ml de bouillon de poulet
4 c. à soupe de farine
2 c. à soupe de xérès
5 c. à soupe de crème épaisse
1 citron
Sel, poivre

Nettoyez le poisson. Dans une grande poêle ovale, faites revenir les légumes dans 60 g de beurre pendant 5 minutes. Déposez le poisson sur les légumes.

Ajoutez le vin et le bouillon de poulet. Portez à ébullition, baissez le feu et poursuivez la cuisson à petits bouillons. Comptez 15 à 18 minutes par kilo. Placez le poisson dans un grand plat et gardez au chaud à l'entrée du four.

Filtrez le jus de cuisson en éliminant les légumes, et faites-le réduire aux deux tiers dans une petite casserole. Faites fondre dans une poêle le reste de beurre ; ajoutez la farine et laissez cuire à feu doux pendant 2 minutes, en remuant. Ajoutez le fumet de poisson et laissez cuire, sans cesser de remuer, jusqu'à ce que la sauce épaississe ; incorporez le xérès et la crème, assaisonnez de sel et de poivre. Servez aussitôt le poisson dans son plat décoré de rondelles de citron et la sauce à part, dans une saucière chaude.

HOMARD THERMIDOR

Le homard est le plus prestigieux et sans doute aussi le plus savoureux des crustacés. La recette de homard Thermidor a vu le jour dans les cuisines du célèbre Café de Paris.

PRÉPARATION : 50 minutes
CUISSON : 25 minutes

INGRÉDIENTS (6 personnes)
3 homards cuits de 600 à 700 g chacun
250 ml de fumet de poisson
125 ml de vin blanc sec
1 oignon
4 grains de poivre
1 feuille de laurier
1 branche de thym
Sel et poivre noir
500 ml de lait
115 g de beurre doux
6 c. à soupe de farine
1 c. à thé de moutarde de Dijon
2 gros jaunes d'œufs
125 ml de crème légère
1 c. à thé de jus de citron
120 g de parmesan ou de gruyère râpé
1 tasse de chapelure dorée
GARNITURE
Laitue

Amenez à ébullition le fumet de poisson et le vin blanc et laissez réduire de deux tiers. Pelez et détaillez l'oignon en quartiers ; mettez-le dans une casserole avec les grains de poivre, la feuille de laurier, le thym, une pincée de sel et le lait. Portez à ébullition, puis retirez la casserole du feu, mettez-lui son couvercle et laissez le lait infuser pendant une trentaine de minutes.

Pendant ce temps, dégagez les pinces des homards, puis tranchez les carapaces en deux dans le sens de la longueur à travers la tête et la queue et le long de la ligne médiane du ventre. Mettez ces demi-carapaces côte à côte sans enlever les pattes. Otez les estomacs grisâtres qui se trouvent près de la tête,

vis-à-vis des yeux, ainsi que la veine intestinale noire.

Retirez les matières crémeuses et le corail ; passez-les à travers un tamis fin. Dégagez la chair des queues et des pinces ; détaillez-la en dés de 2 cm de côté ; mettez-la dans une sauteuse avec 60 g de beurre et faites-la revenir à feu doux 3-4 minutes en la tournant à plusieurs reprises. Réservez.

Faites fondre le beurre qui reste dans une casserole ; incorporez-y la farine et laissez cuire doucement pendant 2 minutes. Retirez ce roux du feu et ajoutez-y peu à peu le lait infusé et passé, ainsi que le mélange de fumet et de vin. Amenez la sauce à ébullition en remuant sans arrêt et laissez-la cuire 3 minutes environ pour qu'elle épaississe. Retirez-la du feu, attendez 2 minutes et incorporez délicatement la moutarde, les jaunes d'œufs, les matières crémeuses des homards et la crème. Salez, poivrez et ajoutez le jus de citron. Nappez les demi-carapaces d'un peu de sauce. Mélangez la moitié de ce qui reste de sauce à la chair des homards et dressez cet appareil dans les carapaces. Nappez avec le reste de la sauce et saupoudrez généreusement de fromage râpé mélangé à la chapelure. Mettez les demi-homards sous le gril à gratiner.

Servez les homards sur un lit de laitue, accompagnés de pain croûté et d'une salade panachée.

SOUFFLÉ DE POISSON

Les filets de plie ou de merlu, frais ou surgelés, sont parfaits pour confectionner un délicat soufflé de poisson. L'accompagnement idéal pour ce plat est la classique sauce mousseline.

PRÉPARATION : *30 minutes*
CUISSON : *1 heure*

INGRÉDIENTS *(4 à 6 personnes)*
500 g de filets de poisson frais ou
*   surgelés*
1 petite feuille de laurier
250 ml de lait
70 g de beurre doux
50 g de farine
4 œufs
Noix muscade
Sel, poivre
SAUCE MOUSSELINE
Le jus d'un demi-citron
2 jaunes d'œufs
150 g de beurre
4 c. à soupe de crème épaisse
Sel, poivre

Mettez les filets de poisson dans une casserole ou dans une poêle, couvrez avec 400 ml d'eau froide ; salez et ajoutez la feuille de laurier. Couvrez, portez à ébullition à feu doux ; éteignez le feu et laissez reposer 10 minutes. Egouttez le pois-

son avec une écumoire ; réservez 350 ml d'eau de cuisson auxquels vous ajouterez le lait. Ecrasez le poisson à la fourchette ou pilez-le dans un mortier.

Faites fondre dans une grande casserole 70 g de beurre, ajoutez-y la farine en remuant sans arrêt, puis versez-y peu à peu le mélange de lait et d'eau de cuisson du poisson. Tout en remuant, portez à ébullition et laissez cuire 2 minutes, jusqu'à ce que le mélange soit devenu homogène et épais. Assaisonnez de sel, de poivre et de noix muscade. Laissez tiédir, puis incorporez un par un les quatre jaunes d'œufs, le poisson et, très délicatement, les blancs d'œufs montés en neige très ferme. Versez le mélange dans un moule à soufflé beurré d'une contenance de 1,5 litre ; mettez au centre du four préchauffé à 200°C et laissez cuire 45 minutes, jusqu'à ce que le soufflé soit bien gonflé et que sa surface soit parfaitement dorée.

Pour la sauce mousseline, mettez dans une jatte le jus de citron et 1 cuillerée à soupe d'eau froide ; fouettez les deux jaunes d'œufs avec le liquide. Posez la jatte au-dessus d'une casserole d'eau bouil-

lant à feu très doux, comme au bain-marie, en évitant cependant que le fond de la jatte touche l'eau.

Continuez à fouetter. Dès que le mélange prend la consistance d'une crème, incorporez le beurre peu à peu en battant sans arrêt.

Assaisonnez à votre goût de sel et de poivre. Quelques instants avant de servir, fouettez la crème et mêlez-la délicatement à la sauce, toujours au bain-marie.

Portez à table le soufflé dès qu'il est sorti du four ; servez la sauce mousseline en saucière. Accompagnez de brocolis ou d'endives.

FLÉTAN GRATINÉ

Un apprêt simple met bien en valeur la fine saveur de ce poisson à chair blanche et fondante.

PRÉPARATION : *15 minutes*
CUISSON : *35 minutes*

INGRÉDIENTS *(6 personnes)*
1 darne de flétan de 3 à 5 cm
*   d'épaisseur (environ 1,5 kg)*
375 ml de fumet de poisson (p. 266)
30 g de beurre doux
4 c. à soupe de farine
125 ml de lait
Sel et poivre noir
1 gros jaune d'œuf
2 c. à soupe de crème épaisse
150 g de cheddar râpé

Dans un grand plat à four, déposez le flétan et mouillez à hauteur de fumet de poisson additionné d'un peu d'eau, si nécessaire. Couvrez le plat de papier d'aluminium beurré et enfournez à 180°C. Laissez pocher le poisson dans le four pendant 20 minutes ou jusqu'à ce que la chair soit tendre.

Retirez le flétan, égouttez-le et dressez-le sur un plat de service allant au four. Passez le bouillon à travers un morceau de gaze ou de coton à fromage.

Faites fondre le beurre dans une casserole, ajoutez la farine et comp-

tez 2 minutes de cuisson. Mouillez peu à peu avec le jus de cuisson du poisson et le lait. Portez à ébullition, baissez le feu, puis laissez cuire 2 minutes à petits bouillons en remuant sans arrêt. Assaisonnez de sel et de poivre fraîchement moulu, puis réservez.

Battez le jaune d'œuf avec la crème. Réchauffez le mélange en ajoutant un peu de sauce, puis incorporez bien le tout à la sauce, en remuant constamment, avant d'en napper le poisson.

Saupoudrez de fromage râpé et mettez sous le gril 5 à 10 minutes ou jusqu'à ce que le fromage soit doré.

Le flétan gratiné passe du four à la table accompagné de pommes de terre nouvelles au beurre persillé et de brocolis.

MORUE EN CROÛTE

Une petite quantité de poisson suffit pour réussir ce plat qui peut se préparer avec n'importe quel poisson blanc, comme de la morue ou encore l'aiglefin.

PRÉPARATION : *45 minutes*
CUISSON : *35 minutes*

INGRÉDIENTS *(4 personnes)*
500 g de morue ou autre poisson blanc
Sel et poivre noir
500 g de tomates
1 petite gousse d'ail
1 petit poivron vert
1 gros oignon
2 c. à soupe d'huile
1 c. à soupe de persil haché fin
1 feuille de laurier
Pâte ordinaire préparée avec la moitié
*   des quantités indiquées (p. 317)*
1 œuf battu

Mettez la morue dans un faitout avec le sel et le poivre fraîchement moulu et ajoutez juste assez d'eau pour couvrir. Pochez le poisson

10 minutes dans l'eau tout juste frémissante.

Pelez, épépinez et concassez les tomates. Pelez et hachez grossièrement l'ail. Lavez le poivron, videz-le avec soin, puis détaillez-le en petits dés. Epluchez et hachez l'oignon.

Jetez l'oignon et le poivron dans l'huile chaude et laissez-les cuire à feu doux 5 à 10 minutes, jusqu'à ce qu'ils soient tendres. Ajoutez les tomates, l'ail, le persil et la feuille de laurier brisée et prolongez la cuisson de 3 minutes. Assaisonnez de sel et de poivre frais moulu.

Retirez la morue du jus de cuisson, enlevez la peau et les arêtes et effeuillez la chair avant de l'ajouter au mélange de tomates. Déposez cet appareil dans un plat à four profond de 20 cm de diamètre.

Sur une planche farinée, abaissez la pâte ordinaire aux dimensions voulues ; couvrez le plat de morue avec l'abaisse et pratiquez une fente au milieu pour que la vapeur puisse s'échapper. Utilisez les rognures de pâte pour la décoration. Badigeonnez d'œuf battu.

Enfournez la morue au centre du four porté à 220°C et faites-la cuire 30 à 35 minutes. Servez-la chaude avec un légume vert ou une salade panachée.

Viandes

AIGLEFIN À LA CRÉOLE

Bien relevé, cet apprêt convient parfaitement à l'aiglefin.

PRÉPARATION : *10 minutes*
CUISSON : *40 minutes*

INGRÉDIENTS *(6 personnes)*
6 filets d'aiglefin
Sel et poivre noir frais moulu
Le jus d'un demi-citron
3 c. à soupe d'huile
1 boîte de tomates de 500 ml
1 gros oignon
1 gousse d'ail
1 petit poivron vert
Marjolaine

Disposez les filets d'aiglefin dans un grand plat à four beurré. Salez, poivrez et arrosez de jus de citron. Ajoutez 1 cuillerée à soupe d'huile et couvrez de papier d'aluminium beurré. Placez le plat au centre du four préchauffé à 180°C et faites cuire 20 minutes ou jusqu'à ce que le poisson s'effeuille facilement à la fourchette.

Entre-temps, concassez les tomates ; pelez et hachez menu l'oignon et l'ail. Lavez le poivron, videz-le avec soin et détaillez-le en petits dés. Mettez 2 cuillerées à soupe d'huile dans une sauteuse et faites-y étuver 5 minutes l'oignon, l'ail et le poivron. Ajoutez les tomates ; assaisonnez au goût de sel, de poivre frais moulu et de marjolaine ; prolongez la cuisson de 10 minutes.

Retirez le poisson du four, enlevez presque tout le liquide de cuisson, versez dans le plat le mélange de tomates et d'oignons et remettez à cuire au four durant 10 minutes.

Servez l'aiglefin dans son plat de cuisson avec du riz et une salade de verdure.

VEAU À L'ORANGE

La farce au raisin sec, l'écorce d'orange et le déglaçage au vin rouge confèrent au veau un goût exquis. Ce plat passe pour avoir fait les délices de Cromwell.

PRÉPARATION : *20 minutes*
CUISSON : *2 h 30*

INGRÉDIENTS *(6 personnes)*
2 kg de poitrine de veau désossée
6 tranches de pain blanc
40 g de raisins de Smyrne
40 g de raisins de Corinthe
½ tasse de gras de rognon coupé ou haché très finement
2 grosses oranges
1 gros jaune d'œuf ou 2 petits
4 c. à soupe de saindoux
1 c. à soupe de fécule de maïs
1 verre de vin rouge
Sel, poivre gris et sucre
Noix muscade

Faites ramollir et gonfler les raisins secs en les laissant tremper 10 à 15 minutes dans de l'eau très chaude ; égouttez-les bien. Réunissez dans une grande jatte les raisins, la mie de pain finement émiettée, le gras de rognon, une pincée de sel, une pincée de poivre gris et une pincée de noix muscade. Ajoutez le zeste des deux oranges finement râpé, le jaune d'œuf légèrement battu et liez le mélange avec un peu d'eau.

Etalez la poitrine de veau sur un plan de travail ; tartinez-la avec la préparation, roulez-la et ficelez-la. Placez-la dans un plat à rôti, ajoutez le saindoux, mettez au centre du four préchauffé à 200°C et laissez cuire pendant 2 h 30. Arrosez de temps en temps avec le jus de cuisson.

Mettez la viande dans un plat de service et gardez-la au chaud dans le four éteint. Dégraissez le jus de cuisson, versez-le dans une petite casserole et faites-le chauffer. Versez lentement la fécule de maïs préalablement délayée avec 1 ou 2 cuillerées d'eau froide et, en re-

muant sans arrêt, portez à ébullition ; assaisonnez de sel, de poivre, d'un peu de sucre et de noix muscade. Versez le vin rouge en remuant et laissez cuire à feu doux.

Pelez les oranges à vif et coupez-les en petits morceaux. Ajoutez-les à la sauce et laissez-les bien chauffer.

Coupez la poitrine roulée en tranches épaisses que vous disposerez sur le plat de service chaud ; servez la sauce à part. Accompagnez ce rôti de pommes de terre au beurre ou de petits oignons cuits à l'étouffée.

ROULADE DE FLANC DE BŒUF

Fourré d'une préparation à base de tomates et de champignons, le bifteck de flanc nous réserve d'heureuses surprises.

PRÉPARATION : *40 minutes*
CUISSON : *2 heures*

INGRÉDIENTS (*6 personnes*)
1 bifteck de flanc de 1 kg
30 g de beurre
200 g d'oignon haché
2 gousses d'ail pilées
120 g de champignons en dés
1 tasse de tomates en conserve, égouttées et concassées
2 c. à soupe de persil haché fin
2 tasses de pain émietté
2 pincées d'origan
2 pincées de basilic
1 c. à thé de sel
2 pincées de poivre
1 œuf, légèrement battu
Huile végétale
125 ml de vin rouge

Réglez le thermostat du four à 180°C. Incisez la viande des deux côtés. Dans une sauteuse, faites revenir les oignons et l'ail à feu doux dans le beurre pendant 5 minutes. Ajoutez les champignons et prolongez la cuisson de 3 minutes. Terminez avec les tomates, le persil, le pain émietté, les assaisonnements et l'œuf. Mélangez bien cette préparation et étalez-la sur le bifteck que vous enroulerez sur lui-même à la manière d'un gâteau en le ficelant à plusieurs endroits.

Dans une terrine allant au feu, faites sauter la viande des deux côtés dans un peu d'huile. Ajoutez le vin, couvrez et faites cuire 2 heures au four. Au moment du service, découpez la roulade en tranches de 2,5 cm que vous napperez du jus de cuisson.

PÂTÉ DE PORC ET D'ÉPINARDS

Un pâté léger et d'une belle couleur, que vous servirez à votre gré chaud ou froid, comme hors-d'œuvre ou comme un des mets composant un buffet.

PRÉPARATION : *20 minutes*
CUISSON : *1 h 20*

INGRÉDIENTS (*8 à 10 personnes*)
1 kg d'épinards
1 kg d'épaule de porc hachée
1 c. à soupe de sel
1 c. à thé de poivre
1 feuille de laurier
1 pincée de clous de girofle en poudre
1 pincée de macis ou de noix muscade

Epluchez et lavez les épinards. Dans un faitout, faites bouillir 500 ml d'eau. Mettez-y les épinards, reportez à ébullition et laissez cuire jusqu'à ce que les feuilles soient devenues molles, soit environ 5 minutes. Egouttez les épinards, hachez-les grossièrement et serrez-les entre vos mains, peu à la fois, pour en éliminer le plus d'eau possible. Réunissez tous les ingrédients, remuez jusqu'à ce que vous obteniez un mélange homogène.

Versez la préparation dans une terrine (rectangulaire ou ovale) d'une contenance d'environ 2 litres ; posez la feuille de laurier dessus ; couvrez en intercalant entre la terrine et son couvercle une feuille de papier paraffiné et faites cuire 1 h 15 à four modéré (180°C). Ne dépassez pas le temps de cuisson, car le pâté serait trop sec.

Laissez-le refroidir 15 minutes environ avant de le sortir de la terrine ; coupez en tranches et servez chaud ou froid, à votre gré.

TRIPES À LA PROVENÇALE

Cette recette du Midi de la France vous fera découvrir un mets trop souvent négligé en Amérique du Nord.

PRÉPARATION : *20 minutes*
CUISSON : *2 h 30*

INGRÉDIENTS (*6 personnes*)
1 kg de tripes
600 ml de bouillon de poulet (p. 266)
Sel et poivre noir
1 oignon
1 gousse d'ail
30 g de beurre doux
500 g de tomates
Thym
4 c. à soupe de vin blanc sec
1 c. à soupe de persil haché fin

Lavez les tripes à grande eau. Déposez-les dans un faitout et couvrez-les d'eau froide. Sitôt le point d'ébullition atteint, retirez le plat du feu ; égouttez, puis rincez les tripes sous le robinet d'eau froide avant de les détailler en morceaux de 5 cm de côté. Remettez-les dans le faitout avec le bouillon de poulet bouillant en ajoutant une pincée de sel. Portez de nouveau à ébullition ; couvrez hermétiquement, puis laissez mijoter doucement pendant 2 heures ou jusqu'à ce que les tripes soient tendres.

Entre-temps, épluchez et hachez grossièrement l'oignon ; pelez et pilez l'ail. Mettez le beurre à fondre dans une sauteuse et faites-y revenir doucement l'oignon et l'ail pendant 5 minutes, jusqu'à ce qu'ils soient transparents. Pelez, épépinez et concassez les tomates ; ajoutez-les à l'oignon dans la sauteuse, ainsi que le thym, le vin et le persil. Chauffez à feu moyen jusqu'à ébullition, couvrez et laissez mijoter 30 minutes. Assaisonnez au goût de sel et de poivre frais moulu. Si la préparation est trop liquide, découvrez la sauteuse et laissez réduire

à feu vif pendant 5 minutes environ, jusqu'à l'obtention de la consistance désirée.

Quand les tripes sont cuites, égouttez-les et mélangez-les à la sauce aux tomates. Prolongez la cuisson de 10 minutes à feu doux pour que les saveurs se marient. Dressez les tripes au centre d'un grand plat chaud et couronnez-les d'une bordure de riz nature.

RAGOÛT D'AGNEAU AU VIN ROUGE

La tradition veut qu'en Russie ce plat soit servi avec du *kache*, préparation au gruau de sarrasin.

PRÉPARATION : *30 minutes*
CUISSON : *3 h 45*

INGRÉDIENTS (*6 personnes*)
1,5 kg d'agneau pris dans le gigot
1 grosse carotte
1 gros oignon
Sel
5 grains de poivre
1 feuille de laurier
30 g de beurre doux
4 c. à soupe de farine
2 pincées de sucre
Le jus d'un demi-citron
125 ml de vin rouge sec
1 gros jaune d'œuf

Désossez l'agneau ; lavez les os à l'eau froide et mettez-les dans un faitout avec la chair détaillée en six tranches de même taille, bien dégraissées. Ajoutez juste assez d'eau froide pour couvrir et portez à ébullition. Ecumez, puis laissez mijoter 2 heures à couvert ; passez ensuite le bouillon au chinois.

Déposez les tranches d'agneau dans une autre casserole et mouillez-les à hauteur avec le jus de cuisson passé. A la reprise de l'ébullition, passez de nouveau le bouillon et remettez-le dans la casserole.

Pelez la carotte et l'oignon et ajoutez-les entiers à l'agneau. Couvrez et laissez mijoter 1 h 30 ou jusqu'à ce que la viande soit tendre. Ajoutez une pincée de sel, les grains de poivre et la feuille de laurier et prolongez la cuisson de 5 minutes.

Faites fondre le beurre dans une casserole, ajoutez la farine et laissez cuire 2 minutes. Incorporez peu à peu 300 ml de bouillon, le sucre, le jus de citron et le vin. Amenez à ébullition en remuant et laissez mijoter 3 minutes. Retirez la sauce du feu et, quand elle est tiède, ajoutez-y le jaune d'œuf en fouettant. Réchauffez la sauce doucement, sans la laiser bouillir, de manière que l'œuf ne coagule pas. Egouttez les tranches d'agneau ; disposez-les sur une assiette de service chaude et servez la sauce au vin rouge à part, en saucière.

ROGNONS EN SAUCE CRÉOLE

L'apprêt à la créole désigne une garniture de poivrons et de tomates généralement accompagnée de riz. Dans cette recette, la sauce est très relevée et des nouilles remplacent le riz.

PRÉPARATION : *15 minutes*
CUISSON : *20 à 25 minutes*

INGRÉDIENTS (*4 à 6 personnes*)
600 g de rognons de veau ou de porc
1 petit oignon
1 gousse d'ail
1 petit poivron vert
2 c. à thé de câpres
60 g de beurre doux ou 2 c. à soupe d'huile d'olive
1 boîte de tomates de 500 ml
1 c. à thé de cassonade
1 c. à soupe de sauce Chili
Sel
Sauce Tabasco
Jus de citron
6 à 8 olives noires

Enlevez la membrane transparente qui enveloppe les rognons et émincez-les en tranches de 5 à 10 mm d'épaisseur ; avec des ciseaux, ôtez la masse blanche qui se trouve au centre de la chair. Par ailleurs, pelez et émincez l'oignon. Pelez l'ail. Lavez le poivron vert et videz-le avec soin ; hachez-le ainsi que les câpres.

Dans une sauteuse à fond épais où vous aurez fait fondre le beurre ou l'huile, mettez l'oignon à étuver à feu moyen. Quand il est tendre et transparent, augmentez la chaleur et faites revenir les rognons 3-4 minutes, jusqu'à ce qu'ils aient bruni, en remuant constamment. Retirez la sauteuse du feu ; avec une écumoire, sortez les rognons et mettez-les à égoutter dans une passoire pendant 5 minutes environ.

Ecrasez l'ail à la fourchette dans la sauteuse et ajoutez les tomates concassées avec leur jus, le poivron, les câpres, puis la cassonade et la sauce Chili. Assaisonnez au goût de sel, de sauce Tabasco et de jus de citron. Jetez le jus rendu par les rognons et déposez ceux-ci dans la sauteuse.

Couvrez la sauteuse de son couvercle ou d'un morceau de papier d'aluminium et laissez mijoter à feu doux 10 à 15 minutes avant d'ajouter les olives coupées en deux et dénoyautées.

Au moment de servir, dressez les rognons en sauce créole sur un lit de nouilles au beurre et accompagnez-les d'une salade verte.

JAMBON EN CROÛTE

Voici un plat de grand style, réservé aux plus grandes occasions.

PRÉPARATION : *1 heure*
TREMPAGE : *6 heures*
CUISSON : *2 h 30 environ*

INGRÉDIENTS *(8 à 10 personnes)*
1 petit jambon de 3 kg
1 grande feuille de laurier
12 grains de poivre
1 pincée de noix muscade
5-6 brins de persil
2 branches de thym
1 petit oignon
800 g de pâte feuilletée fine (p. 326)
1 œuf battu

Demandez à votre fournisseur de désosser partiellement le jambon, en laissant cependant le manche grâce auquel il sera plus facile de couper la viande.

Faites tremper le jambon à l'eau froide pendant 6 heures en renouvelant souvent l'eau.

Placez le jambon dans une grande marmite et recouvrez-le d'eau froide ; ajoutez la feuille de laurier, le poivre en grains, la noix muscade, les brins de persil, le thym et l'oignon. Portez à ébullition, couvrez et laissez cuire à feu doux en comptant 45 minutes par kilo. Retirez du feu et laissez refroidir dans le liquide de cuisson. Egouttez le jambon et débarrassez-le avec soin de la couenne et de l'excès de gras.

A l'aide d'un rouleau fariné, sur un plan de travail fariné, étendez la pâte feuilletée en une abaisse oblongue de 3 mm d'épaisseur ; disposez le jambon au milieu. Badigeonnez le bord de l'abaisse avec un peu d'œuf battu ; enroulez ensuite la pâte autour du jambon ; pressez sur les bords de façon à bien la fermer, en la plissant autour de l'os. Dorez-la à l'œuf. Enveloppez l'os d'un morceau de feuille

d'aluminium pour le protéger pendant la cuisson. Utilisez les chutes de pâte pour la décoration, puis placez délicatement le jambon sur une plaque de four mouillée à l'eau froide. Badigeonnez la garniture avec le reste de l'œuf.

Faites cuire au centre du four préalablement chauffé à 230°C pendant 20 minutes ; baissez alors la température à 120°C et laissez cuire encore 30 minutes ; dès que la croûte est bien dorée, recouvrez-la de papier paraffiné.

Vous pouvez servir ce jambon avec une sauce madère (p. 200) et l'accompagner de pommes de terre nouvelles cuites à l'eau ou d'épinards en branches.

CHICHE-KEBAB

Les brochettes d'agneau, le plus souvent cuites sur un feu de braises qui leur communique une saveur inimitable, se font aussi au gril.

PRÉPARATION : *20 minutes*
MARINAGE : *30 minutes*
CUISSON : *10 minutes*

INGRÉDIENTS *(4 personnes)*
700 g d'épaule d'agneau désossée
Un morceau de racine de gingembre de 2,5 cm
125 ml de yogourt
1 pincée de coriandre en poudre
1 pincée de cumin en poudre
1 pincée de chili vert frais ou en conserve, haché menu
1 gousse d'ail
Le jus d'un demi-citron
1 c. à thé de sel
GARNITURE
Quartiers de citron
Menthe

Dégraissez l'agneau et détaillez-le en cubes de 2,5 cm. Pelez et hachez grossièrement le gingembre. Dans un grand bol, mélangez le yogourt avec la coriandre, le cumin, le chili et le gingembre ; ajoutez l'ail pelé et pilé, le jus de citron et le sel, puis jetez les morceaux d'agneau dans ce mélange. Enrobez-les bien et laissez-les mariner pendant au moins 30 minutes.

Enfilez les cubes de viande les uns à la suite des autres sur quatre brochettes d'acier de 20 à 25 cm et passez-les au gril en les tournant de temps à autre. La cuisson, qui demande 8 à 10 minutes, est à point quand l'agneau est rôti à l'extérieur mais rose à l'intérieur.

Dressez le chiche-kebab sur un lit de riz pilaf (p. 304) et décorez de quartiers de citron et de feuilles de menthe fraîche.

Volaille

ÉMINCÉS DE BŒUF AUX POIVRONS

L'addition de gingembre donne à ce plat une saveur orientale.

PRÉPARATION : *10 minutes*
CUISSON : *1 h 15*

INGRÉDIENTS *(4 à 6 personnes)*
700 g de bœuf dans la pointe de surlonge ou la ronde
45 g de beurre
1 c. à soupe d'huile végétale
2 poivrons verts de taille moyenne
225 g de champignons émincés
2 c. à soupe de fécule de pommes de terre ou de maïs
350 ml de bouillon de bœuf
3 c. à soupe de vinaigre blanc
15 g de sucre
Sel et poivre
1 pincée de gingembre en poudre (facultatif)

Dégraissez et dénervez la viande et émincez-la dans le sens contraire des fibres en lanières de 4 mm d'épaisseur et de 5 cm de longueur.

Dans une sauteuse à fond épais, faites chauffer l'huile et 15 g de beurre ; faites-y revenir la moitié de la viande à la fois. Couvrez et laissez mijoter 40 minutes ou jusqu'à ce que la viande soit tendre.

Lavez et videz les poivrons ; détaillez-les en lanières de 2,5 cm. Faites-les revenir à feu vif avec le reste du beurre et les champignons pendant 5 minutes. Ajoutez la viande et le jus de cuisson.

Délayez la fécule dans 50 ml d'eau froide et versez-la dans la sauteuse que vous aurez d'abord retirée du feu. Ajoutez peu à peu le bouillon de bœuf et amenez à ébullition en remuant. Incorporez le vinaigre et le sucre.

Rectifiez l'assaisonnement en sucre, sel et poivre. Ajoutez le gingembre, s'il y a lieu.

Prolongez la cuisson de 10 minutes à feu doux ; servez les émincés avec du riz nature.

PORC BRAISÉ À LA PORTUGAISE

Cette recette est née au Portugal, où le filet de porc est souvent cuit dans une sauce au vin, riche en aromates. On trouve généralement le cumin et la coriandre en poudre dans les bonnes épiceries. Si vous disposez de grains entiers, broyez-les dans un moulin à poivre.

PRÉPARATION : *20 minutes*
CUISSON : *25 à 30 minutes*

INGRÉDIENTS *(4 à 6 personnes)*
1 kg de filet de porc
1 c. à soupe de saindoux
250 ml de vin blanc sec
2 c. à soupe de cumin en poudre
2 c. à thé de coriandre en poudre
2 gousses d'ail
6 rondelles de citron
Sel, poivre

Dégraissez le filet de porc et coupez-le en dés de 2-3 cm de côté. Faites fondre le saindoux dans une grande poêle à fond épais et, quand il est bien chaud, faites revenir la viande à feu vif en remuant sans cesse pour l'empêcher de prendre au fond. Mouillez avec un peu plus de la moitié du vin ; ajoutez le cumin et l'ail pilé ; assaisonnez de sel et de poivre. Portez à ébullition, couvrez et laissez cuire doucement pendant 25 minutes environ, jusqu'à ce que la viande soit tendre. Ajoutez le reste du vin et les tranches de citron coupées en quatre ; laissez cuire, en remuant, jusqu'à ce que le jus épaississe un peu. Ajoutez la coriandre.

Mettez la viande avec sa sauce dans un plat de service et servez bien chaud, accompagné de pommes de terre sautées dans un mélange de beurre et d'huile d'olive ou de riz pilaf (p. 304).

BIFTECKS DIANE

Ce plat est originaire d'Australie, où il ne peut se concevoir que préparé avec un tendre filet de bœuf. Vous pouvez cependant le remplacer par du bifteck de ronde ou par un morceau de croupe.

PRÉPARATION : *20 minutes*
CUISSON : *10 minutes*

INGRÉDIENTS *(6 personnes)*
6 biftecks très minces de 150 g chacun
1 petit oignon
1 gros citron
180 g de beurre doux
Sauce Worcestershire
2 c. à soupe de cognac ou de brandy
Persil haché

Pelez, lavez et hachez finement l'oignon. Râpez le zeste du citron ; pressez le jus, filtrez et réservez.

Faites fondre 60 g de beurre dans une poêle large à fond épais et faites revenir l'oignon pendant 5 minutes environ, jusqu'à ce qu'il soit tendre et transparent. Egouttez-le soigneusement avec une écumoire et gardez-le au chaud. Dans la même poêle, faites cuire deux biftecks à feu vif, 1 minute de chaque côté ; mettez-les dans un autre plat et gardez-les au chaud.

Répétez l'opération deux fois encore en ajoutant chaque fois dans la poêle 60 g de beurre. Quand les six biftecks sont cuits, remettez l'oignon dans la poêle, ajoutez le zeste et le jus de citron, quelques gouttes de sauce Worcestershire et le persil. Laissez cuire un instant et remettez les biftecks dans la poêle. Versez dessus le cognac chauffé à part dans une louche et flambez.

Servez immédiatement dans un plat de service chaud, en recouvrant la viande de la sauce. Accompagnez de pommes de terre nouvelles au beurre, de laitues braisées ou d'une purée de céleri.

PETITES CROUSTADES À LA REINE

Garnies d'une composition délicieuse, dorées et croquantes, elles se mangent chaudes ou froides, en pique-nique ou à l'école.

PRÉPARATION : *30 minutes*
CUISSON : *20 minutes*

INGRÉDIENTS *(10 à 12 croustades)*
Pâte ordinaire préparée avec la moitié des quantités indiquées (p. 317)
225 g de chair de poulet cuit, détaillée en petits dés
1 c. à soupe de ketchup
1 c. à soupe de mayonnaise
Sauce Worcestershire
Moutarde sèche
Sel et poivre noir
Bain d'huile à friture

Sur une planche farinée, abaissez la pâte à 7 mm d'épaisseur et découpez-y 10 à 12 disques de 10 cm de diamètre.

Mélangez poulet, ketchup et mayonnaise ; ajoutez un peu de sauce Worcestershire et de moutarde sèche ; salez et poivrez au moulin.

Etendez le poulet à la cuillère sur chaque disque, humectez les bords, repliez la pâte et scellez avec le dos d'une fourchette.

Faites chauffer l'huile dans la friteuse. Plongez-y trois ou quatre croustades à la fois. La cuisson, qui demande 5 à 10 minutes, est terminée quand les croustades sont dorées et croquantes. Retirez-les alors de l'huile et épongez-les.

Servez les croustades chaudes avec des pommes de terre nouvelles au beurre persillé, des haricots ou des petits pois. Elles se mangent également froides.

POULET EN CHAUD-FROID

La recette traditionnelle prévoit un poulet cuit entier, découpé, puis reconstitué. Il est cependant commode de n'utiliser que les blancs et de n'acheter que la poitrine.

PRÉPARATION : *1 heure*
CUISSON : *50 à 55 minutes*

INGRÉDIENTS *(6 personnes)*
6 blancs de poulet
1 gros oignon
1 poireau
1 branche de thym
1 petite feuille de laurier
1 petite carotte
6 brins de persil
250 ml de vin blanc sec
6 grains de poivre
1 pincée de sel
250 ml de lait
30 g de beurre doux
2 c. à soupe de farine
1 sachet de gélatine nature
Sel, poivre
GARNITURE
1 grosse tomate
1 petit poivron rouge
1 petit poivron vert
1 petit citron
250 ml de gelée

Dans une grande casserole, mettez les blancs de poulet, l'oignon, le blanc de poireau, la carotte, le persil, le thym et le laurier ; recouvrez de deux tiers d'eau froide et d'un tiers de vin. Ajoutez les grains de poivre et le sel. Portez lentement à ébullition, écumez et couvrez. Laissez cuire à feu doux pendant 20 à 25 minutes, jusqu'à ce que la viande soit tendre. Egouttez les blancs de poulet et réservez-les.

Faites fondre le beurre dans une petite casserole, ajoutez la farine et laissez cuire 2 minutes à feu doux, en remuant sans arrêt. Incorporez le lait peu à peu ; portez à ébullition à feu doux, en remuant sans arrêt, et laissez cuire doucement pendant

Riz et pâtes

2 minutes. Assaisonnez cette sauce blanche de sel et de poivre.

Ramollissez la gélatine dans 3 cuillerées à soupe de bouillon de poulet clarifié et incorporez graduellement à la sauce blanche. Laissez cuire à feu très doux, tout en remuant, jusqu'à ce que la gélatine soit fondue.

Essuyez les blancs de poulet et mettez-les dans un tamis. Laissez refroidir la sauce jusqu'à ce qu'elle ait légèrement épaissi et qu'elle soit sur le point de prendre. Versez-la par cuillerée sur les blancs de poulet, en les recouvrant uniformément et en laissant couler l'excès de sauce. Laissez reposer 15 minutes pour que la sauce soit prise, puis déposez les blancs sur un grand plat de service.

Pour la garniture, faites fondre la gelée dans une petite casserole, que vous mettrez ensuite dans une jatte de glace pilée, en remuant jusqu'à ce que la gelée commence à prendre. Coupez en très fines lamelles la tomate, les poivrons et le zeste de citron ; trempez-les dans la gelée et disposez-les sur les blancs de poulet pour les décorer. Mettez le chaud-froid au réfrigérateur jusqu'à ce que la gelée soit bien prise.

Servez avec une salade verte assaisonnée à l'huile de noix. Vous pouvez également l'accompagner de toutes sortes de salades.

COURONNE DE RIZ AUX CREVETTES

Vous pouvez la servir comme entrée, mais également comme « plat unique » pour un repas en famille.

PRÉPARATION : *30 minutes*
CUISSON : *30 minutes*

INGRÉDIENTS *(4 à 6 personnes)*
300 à 350 g de crevettes cuites et décortiquées
300 g de riz
4 c. à soupe d'huile d'olive
1½ cube de bouillon de poulet
50 g de beurre doux
6 c. à soupe de farine
500 ml de lait
250 g de petits pois en conserve
250 g de grains de maïs en conserve
Sel, poivre
GARNITURE
Persil haché
1 citron

Faites chauffer l'huile dans une casserole large, à bords pas trop hauts ; jetez-y le riz, faites cuire 5 minutes à feu modéré, en remuant continuellement. Mouillez avec 750 ml d'eau bouillante, dans laquelle vous aurez fait dissoudre un peu de bouillon en cube. Portez à ébullition, couvrez et laissez cuire à feu doux pendant 15 à 20 minutes, jusqu'à ce que le riz soit cuit et que tout le liquide soit absorbé.

Pendant ce temps, faites fondre le beurre dans une petite casserole, ajoutez-y la farine et laissez cuire 2 minutes en remuant. Incorporez petit à petit autant de lait qu'il est nécessaire pour obtenir une sauce assez épaisse et homogène. Laissez cuire à feu très doux pendant encore 10 minutes, puis ajoutez les crevettes, les petits pois et le maïs, assaisonnez de sel et de poivre et maintenez à petit feu, sans ébullition, jusqu'à ce que l'ensemble soit chaud.

Beurrez un grand moule à sava-rin et versez-y le riz, en le tassant bien. Laissez reposer quelques minutes, renversez avec soin la couronne sur un plat de service. Remplissez-en le centre avec la préparation aux crevettes et, s'il en reste, servez en saucière.

Garnissez de persil et de quartiers de citron et servez accompagné de salade verte.

FETTUCCINES À LA CRÈME

Les Italiens, qui s'y connaissent en pâtes alimentaires, les servent souvent avec de la crème épaisse et du beurre, tout simplement. C'est tout simplement délicieux !

PRÉPARATION : *5 minutes*
CUISSON : *12 minutes*

INGRÉDIENTS *(6 personnes)*
500 g de fettuccines
120 g de beurre doux
250 ml de crème épaisse
Sel et poivre noir

Faites cuire les fettuccines dans beaucoup d'eau bouillante salée pendant 12 minutes. Au besoin, utilisez deux ou trois marmites pour que les pâtes ne s'agglutinent pas en cuisant. Les fettuccines sont prêts quand ils sont tendres, mais encore un peu croquants *(al dente)*. Egouttez-les avec soin dans une passoire, remettez-les dans la casserole et enrobez-les de beurre et de crème. Assaisonnez au goût de sel et de poivre fraîchement moulu. Servez immédiatement dans des assiettes chaudes.

RIZ À L'ORANGE

Le riz cuit dans du jus d'orange accompagne bien le poulet ou le veau en sauce à la crème. Froid, il s'apprête en salade.

PRÉPARATION : *10 minutes*
CUISSON : *40 minutes*

INGRÉDIENTS *(6 personnes)*
400 g de riz cru
1 petit oignon
3 côtes de céleri
90 g de beurre doux
2 grosses oranges
Sel et poivre noir
2 brins de thym

Pelez et hachez finement l'oignon. Lavez le céleri et détaillez-le en tranches très minces. Faites fondre le beurre dans une sauteuse à fond épais et faites-y revenir l'oignon et le céleri à feu doux pendant 5 minutes. Râpez finement le zeste des oranges ; pressez-les et passez le jus. Amenez à ébullition le jus d'orange additionné de 900 ml d'eau ; ajoutez le zeste râpé, une pincée de sel et le thym.

Versez le riz en pluie dans la casserole ; dès la reprise de l'ébullition, baissez le feu et laissez mijoter durant 25 minutes ou jusqu'à ce que le riz soit tendre et ait bu tout le liquide.

Avant de servir, retirez le thym et assaisonnez de poivre fraîchement moulu.

Légumes et salades

GNOCCHIS À LA ROMAINE

Les gnocchis se préparent de trois façons : soit avec une bouillie à la semoule, soit avec de la pâte à choux au lait, soit avec une purée de pommes de terre. Les gnocchis à la romaine sont, pour leur part, à base de semoule. Dans les épiceries fines, on trouvera de la semoule ordinaire à cuisson lente et de la semoule à cuisson rapide.

PRÉPARATION : 30 minutes
REPOS : 2 à 3 heures au moins
CUISSON : 1 heure

INGRÉDIENTS (6 personnes)
250 g de semoule
100 g de beurre doux
1 litre de lait
120 g de parmesan râpé
3 jaunes d'œufs
Noix muscade râpée
Sel et poivre gris

Dans le lait bouillant, faites tomber en pluie la semoule en remuant sans interruption. Portez lentement à ébullition, sans cesser de remuer ; laissez cuire à feu très doux pen-dant 20 minutes environ, en re-muant de temps en temps. Retirez du feu, incorporez à la pâte 70 g de beurre, les deux tiers du fromage râpé, les jaunes d'œufs un par un ; assaisonnez de sel, de poivre et de noix muscade, au goût.

Versez dans un grand plat de ser-vice beurré, en étendant la pâte en une couche uniforme, épaisse de 2 cm environ. Laissez-la reposer quelques heures, jusqu'à ce qu'elle soit froide et solide.

A l'aide d'un couteau mouillé, partagez la pâte en carrés de 4 cm de côté que vous transformerez en boulettes en les roulant dans un peu de semoule. Disposez les gnoc-chis dans un plat à gratin beurré ; saupoudrez de sel et de poivre.

Faites fondre le reste du beurre dans une petite casserole, versez-le sur les gnocchis ; saupoudrez du reste de parmesan. Mettez au cen-tre du four, préchauffé à 180°C, et laissez cuire 40 minutes, jusqu'à ce que les gnocchis soient légèrement dorés. Servez aussitôt.

RATATOUILLE

La ratatouille, ou sauté à la niçoise, est un ragoût d'aubergines, de courgettes et de tomates.

PRÉPARATION : 30 minutes
CUISSON : 1 h 15

INGRÉDIENTS (4 personnes)
2 grosses courgettes
2 grosses aubergines
5 grosses tomates
1 gros poivron vert
1 petit poivron rouge
1 gros oignon
2 gousses d'ail
4 c. à soupe d'huile d'olive
Sel et poivre noir

Parez les aubergines et les courget-tes, mais ne les pelez pas. Lavez-les et tranchez-les en rondelles de 7 mm d'épaisseur. Mettez-les dans une grande passoire que vous cou-vrirez d'une assiette et installez un poids sur celle-ci. Laissez reposer 1 heure pour que l'eau de végéta-tion s'égoutte. Pelez, épépinez et concassez les tomates ; lavez les poi-vrons, videz-les avec soin et détail-lez la chair en dés ; pelez et hachez grossièrement l'oignon et l'ail.

Chauffez l'huile d'olive dans une sauteuse à fond épais ; faites-y cuire l'oignon et l'ail à feu doux 5 minu-tes, jusqu'à ce qu'ils soient transpa-rents. Ajoutez les poivrons et prolongez la cuisson de 10 minu-tes. Jetez tous les autres ingrédients dans la sauteuse ; assaisonnez de sel et de poivre frais moulu. Couvrez et faites cuire 1 heure à feu doux en remuant de temps à autre. La cuis-son est à point quand les légumes sont tendres et que la ratatouille est onctueuse. Si elle est trop liquide, retirez le couvercle et faites réduire à feu vif.

La ratatouille chaude accompa-gne bien le gigot d'agneau rôti ou les côtes d'agneau au gril. Froide, elle se sert en entrée ou en hors-d'œuvre avec un jus de citron.

QUICHE AUX OIGNONS

Il s'agit là d'une sorte de tarte salée dont la garniture comporte tou-jours des œufs et de la crème. Celle-ci se mange chaude ou froide.

PRÉPARATION : 45 minutes
CUISSON : 40 minutes

INGRÉDIENTS (4 à 6 personnes)
500 g d'oignons
60 g de beurre doux
1 feuille de laurier
200 g de pâte ordinaire (p. 317)
2 œufs
Noix muscade râpée
250 ml de crème légère
Sel, poivre

Pelez les oignons et détaillez-les en tranches fines. Faites fondre le beurre dans une poêle et ajoutez les oignons et la feuille de laurier ; assaisonnez de sel et de poivre. Couvrez la poêle d'un papier paraf-finé et d'un couvercle hermétique ; laissez cuire à feu doux pendant 30 minutes, jusqu'à ce que les oignons soient tendres et dorés : pour éviter qu'ils attachent pendant la cuisson, remuez de temps en temps la poêle.

Etalez la pâte sur un plan de tra-vail fariné. Foncez-en un moule à tarte à bords amovibles de 20 ou 22 cm de diamètre ; piquez le fond avec une fourchette. Dans une grande jatte, battez les œufs avec du sel et de la noix muscade ; en battant toujours, ajoutez la crème. Versez les oignons dans une pas-soire, égouttez-les un moment et disposez-les sur la pâte en éliminant la feuille de laurier ; versez par-des-sus les œufs battus avec la crème.

Mettez au centre du four, chauf-fé à 200°C, et laissez cuire 40 minu-tes, jusqu'à ce que la pâte soit dorée et la garniture bien prise. En refroidissant, la garniture perd un peu de son volume. Servez froid ou chaud comme entrée, ou avec du jambon comme plat de résistance.

POIREAUX BRAISÉS

Ce plat peut être servi chaud avec n'importe quelle viande maigre, grillée ou rôtie. Il peut également accompagner le jambon froid ou le poulet.

PRÉPARATION : 10 minutes
CUISSON : 25 minutes

INGRÉDIENTS (4 à 6 personnes)
1 kg de poireaux
4 tomates
6 c. à soupe d'huile d'olive
2 gousses d'ail
1 feuille de laurier
Sel et poivre noir
Le jus d'un demi-citron

Supprimez les racines et les premiè-res feuilles des poireaux ; coupez-les en deux dans le sens de la longueur, lavez-les à l'eau courante pour enlever toute trace de sable et émincez-les en rondelles de 2,5 cm. Pelez, épépinez et concassez les to-mates. Pelez et pilez l'ail.

Dans une grande sauteuse cou-verte, où vous aurez chauffé la moi-tié de l'huile, faites étuver à feu doux les poireaux, l'ail et la feuille de laurier, pendant 20 minutes. Ajoutez ensuite les tomates et le reste de l'huile ; assaisonnez de sel et de poivre frais moulu et prolon-gez la cuisson de 5 minutes. Retirez la feuille de laurier et arrosez de jus de citron. Placez les poireaux dans un plat de service et servez aussitôt.

SALADE AUX POMMES ET AUX NOIX

La crème sure est un condiment apprécié, moins lourd que la mayonnaise ; dans cette recette, on l'utilise pour assaisonner une salade combinée qui accompagne bien un plat de viande froide.

PRÉPARATION : *30 minutes*

INGRÉDIENTS *(4 ou 5 personnes)*
4 pommes juteuses
2 c. à soupe de jus de citron
80 g de noix mondées
100 ml de crème sure
Le quart d'un chou rouge
3 côtes de céleri
12 gros radis ronds
40 g de raisins secs
Sel, poivre

Faites tremper les raisins secs dans de l'eau très chaude pendant 10 à 15 minutes, jusqu'à ce qu'ils soient bien gonflés et tendres. Mélangez à la crème 1 cuillerée à soupe de jus de citron et laissez reposer une vingtaine de minutes.

Lavez et épluchez les pommes, coupez-les en morceaux et mettez-les dans une jatte en les arrosant du reste de jus de citron pour qu'elles restent blanches. Hachez grossièrement les trois quarts des noix et ajoutez-les aux pommes.

Eliminez les grosses feuilles extérieures et le trognon du chou, lavez-le et coupez le cœur en lanières. Lavez et coupez les côtes de céleri en bâtonnets et les radis en rondelles. Egouttez les raisins secs.

Réunissez tous ces ingrédients aux pommes et aux noix ; versez par-dessus la crème sure, assaisonnez de sel et de poivre et mélangez.

Versez dans un saladier ou dans un plat de service et garnissez avec le reste des noix.

FONDS D'ARTICHAUTS GARNIS

Il faut de gros artichauts dont vous utiliserez seulement les fonds. Servez comme hors-d'œuvre ou pour accompagner un plat de viande ou de poulet froids.

PRÉPARATION : *25 minutes*
CUISSON : *1 heure*

INGRÉDIENTS *(6 personnes)*
6 gros artichauts
12 gros champignons
6 c. à soupe d'huile d'olive
3 c. à soupe de vinaigre de vin
1 gousse d'ail
Sel, poivre

Lavez bien les artichauts à l'eau courante froide et coupez les queues très près des fonds. Plongez-les dans une grande marmite d'eau bouillante salée ; couvrez et laissez-les cuire jusqu'à ce que les feuilles se détachent facilement des fonds. Sortez-les de l'eau et laissez-les égoutter, la pointe en bas, jusqu'à ce qu'ils soient froids.

Coupez les pieds des champignons au ras des chapeaux (vous les utiliserez pour une autre préparation) ; lavez rapidement les chapeaux à l'eau froide, essuyez-les aussitôt ; coupez-les en lamelles. Mélangez dans un bol l'huile, le vinaigre et la gousse d'ail pelée et écrasée ; assaisonnez de sel et de poivre.

Enlevez toutes les feuilles et le foin des artichauts ; disposez les fonds sur des assiettes individuelles, remplissez-les avec les lamelles de champignons, sur lesquelles vous verserez la sauce à l'ail.

Desserts

IMAM BAYILDI

Ce plat turc doit son nom à un imam qui se serait évanoui de plaisir pour avoir goûté à ces délicieuses aubergines farcies d'oignons et de tomates.

PRÉPARATION : *30 minutes*
CUISSON : *40 minutes*

INGRÉDIENTS (*6 personnes*)
3 grosses aubergines
3 gros oignons
350 g de tomates
1 gousse d'ail
1 pincée de cannelle en poudre
1 c. à thé de sucre
1 c. à soupe de persil haché
1 c. à soupe de pignons hachés
  (facultatif)
Huile d'olive
Le jus de 2 citrons
Sel, poivre

Equeutez les aubergines, lavez-les, jetez-les dans une casserole pleine d'eau bouillante et laissez-les bouillir à couvert pendant 10 minutes. Egouttez-les, plongez-les dans de l'eau froide et laissez-les reposer pendant 5 minutes. Coupez-les en deux dans le sens de la longueur et évidez-les, en conservant 5 mm de chair sur la peau. Réservez la chair enlevée. Disposez les moitiés d'aubergines dans un plat à gratin beurré ; assaisonnez-les de sel et de poivre et versez dans chacune d'elles 2 petites cuillerées à thé d'huile d'olive. Mettez le plat au centre du four, préchauffé à 180°C, et laissez cuire pendant 30 minutes.

Pendant ce temps, pelez et hachez grossièrement les oignons. Pelez les tomates, coupez-les en deux, pressez-les pour éliminer les graines et hachez-les. Faites chauffer dans une poêle 2 cuillerées à soupe d'huile d'olive, faites-y revenir 5 minutes, à feu doux, les oignons et l'ail ; ajoutez les tomates, la cannelle, le sucre et le persil ; assaisonnez de sel et de poivre. Laissez cuire à tout petit feu pendant 20

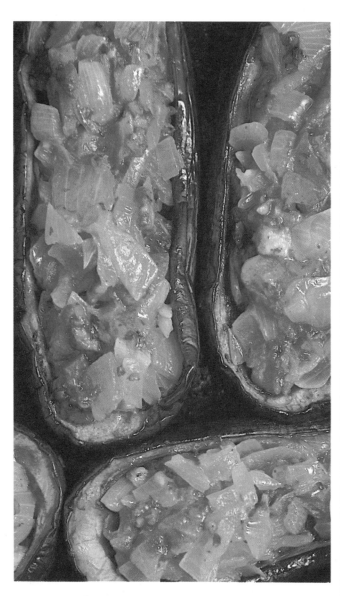

minutes, c'est-à-dire jusqu'à ce que l'eau rendue par les légumes se soit en partie évaporée. Ajoutez la chair des aubergines coupée en petits morceaux et les pignons hachés ; laissez cuire encore 10 minutes.

Retirez le plat du four et garnissez les moitiés d'aubergines avec cette préparation ; arrosez de jus de citron. Servez chaud ou froid, seul ou comme accompagnement d'une viande rôtie ou grillée.

TARTE AUX POMMES À LA FRANÇAISE

Les tartes aux fruits ou à la confiture sont d'origine alsacienne. On peut servir celle-ci « nature » ou accompagnée de crème ; elle est aussi bonne chaude que froide.

PRÉPARATION : *1 heure*
REPOS : *30 minutes*
CUISSON : *45 minutes*

INGRÉDIENTS (*4 à 6 personnes*)
1 kg de pommes à cuire
2 pommes à croquer
170 g de farine
120 g de beurre doux
150 g (12 c. à soupe) de sucre
1 jaune d'œuf
1 citron
1 c. à soupe de confiture d'abricots
Sel

Dans une jatte, disposez la farine en fontaine et saupoudrez d'une pincée de sel ; ajoutez 90 g de beurre ramolli détaillé en petits morceaux et amalgamez les ingrédients du bout des doigts, jusqu'à ce que vous obteniez une pâte ressemblant à de grosses mies de pain. Ajoutez alors 1 cuillerée de sucre, puis le jaune d'œuf et un peu d'eau froide, juste ce qu'il faut pour obtenir une pâte homogène mais souple.

Faites une boule, enveloppez-la dans un linge et laissez-la reposer au réfrigérateur pendant 30 minutes. Entre-temps, pelez et épluchez les pommes à cuire, que vous couperez en gros morceaux. Faites fondre dans une casserole le reste du beurre, ajoutez les morceaux de pomme et 7 cuillerées à soupe de sucre, couvrez et laissez cuire à feu doux pendant 10 minutes. Egouttez les pommes, en réservant le jus, et écrasez-les à la fourchette ; laissez refroidir cette compote. Lavez les pommes à croquer, évidez-les, coupez-les horizontalement en tranches épaisses de 5 mm environ et

arrosez-les d'un peu de jus de citron pour qu'elles ne noircissent pas.

Abaissez la pâte et foncez-en un moule beurré à bords amovibles de 18 cm de diamètre environ ; piquez-en le fond avec une fourchette. Versez la compote de pommes sur la pâte et recouvrez-la avec les tranches de pomme disposées en corolle.

Versez dans une casserole le jus des pommes cuites, 2 cuillerées à soupe de jus de citron, la confiture d'abricots et le reste de sucre et chauffez à feu doux jusqu'à ce que le sucre soit fondu ; faites bouillir à feu vif pendant 4 minutes. Badigeonnez les tranches de pomme avec un peu de ce mélange.

Mettez le moule au centre du four, préchauffé à 200°C, et laissez cuire 45 minutes ; recouvrez d'une feuille d'aluminium si les tranches de pomme ont tendance à trop se colorer. Retirez la tarte du four, badigeonnez les pommes avec le reste du mélange à base de confiture d'abricots ; servez chaud ou froid, à votre gré.

RHUBARBE EN CROÛTE

La saveur aigrelette de la jeune rhubarbe de printemps est agréablement tempérée par une croûte sucrée.

PRÉPARATION : *20 minutes*
CUISSON : *40 minutes*

INGRÉDIENTS (*4 à 6 personnes*)
900 g de rhubarbe
150 g de sucre
200 g de farine
100 g de beurre
125 ml de crème épaisse
1 morceau de gingembre confit, haché
1 c. à thé de sirop de gingembre

Lavez, parez et détaillez les tiges de rhubarbe en morceaux de 1 cm environ. Jetez-les dans un plat à four profond ; ajoutez la moitié du sucre et 2 cuillerées à soupe d'eau froide. Tamisez la farine et travaillez-la avec le beurre jusqu'à l'obtention d'une sorte de gruau. Incorporez le reste du sucre. Etendez cet appareil sur la rhubarbe en la pressant du bout des doigts. Faites cuire au centre du four porté à 190°C pendant 40 minutes ou jusqu'à ce que la croûte soit dorée.

Fouettez la crème ; aromatisez-la avec le gingembre et le sirop.

La rhubarbe en croûte se sert chaude ou froide, accompagnée de crème fouettée servie à part.

BISCUIT ROULÉ AU CITRON

La crème au citron peut également servir à garnir une tarte.

PRÉPARATION : *35 minutes*
CUISSON : *35 minutes*

INGRÉDIENTS *(6 personnes)*
PÂTE
4 œufs
100 g de sucre
30 g de farine tamisée
40 g de fécule de maïs
½ c. à thé d'essence de vanille
½ c. à thé de zeste de citron râpé
CRÈME AU CITRON
110 g de beurre
Le zeste d'un citron râpé
Le jus de 3 gros citrons
1 pincée de sel
300 g de sucre
3 œufs entiers
3 jaunes d'œufs
250 ml de crème épaisse
100 g de pistaches
Sucre à glacer

Pour la crème, faites fondre le beurre au bain-marie ; ajoutez le zeste et le jus des citrons, une pincée de sel, le sucre et les œufs ; laissez épaissir, en remuant sans arrêt, sans laisser bouillir. Retirez la crème du feu et laissez refroidir.

Pour la pâte, montez les blancs des œufs en neige, en ajoutant progressivement le sucre, jusqu'à ce que le mélange soit ferme. Battez les jaunes, auxquels vous incorporerez le quart des blancs en neige ; versez sur le reste des blancs et mélangez. Incorporez peu à peu la farine, la fécule de maïs, l'essence de vanille et le zeste de citron râpé. Tapissez de papier paraffiné un moule rectangulaire bas et versez-y le mélange. Faites cuire 10 minutes au four à 200°C. Renversez la pâte sur un linge saupoudré de sucre à glacer.

Fouettez la crème et incorporez-la à la préparation au citron. Etendez sur la pâte, parsemez de pistaches concassées et roulez ; saupoudrez de sucre à glacer.

MOUSSE AU CHOCOLAT

C'est un dessert qui plaît toujours. Il a d'infinies variantes : celle-ci est facile et demande peu de temps.

PRÉPARATION : *20 à 30 minutes*
RÉFRIGÉRATION : *1 heure*

INGRÉDIENTS *(6 à 8 personnes)*
350 g de chocolat amer
4 c. à thé de café fort
1 c. à soupe de Cointreau
8 œufs

Cassez le chocolat en petits morceaux dans une jatte et faites-le fondre au bain-marie avec le café en remuant de temps en temps. Lorsque le chocolat est en pommade, retirez la jatte du bain-marie.

Séparez les jaunes et les blancs des œufs ; montez les blancs en neige très ferme. Incorporez les jaunes et le Cointreau au chocolat encore tiède, puis ajoutez délicatement les blancs. Versez la mousse dans des coupes individuelles et laissez-la prendre au réfrigérateur pendant 1 heure.

PAMPLEMOUSSES AU WHISKY

PRÉPARATION : *12 minutes*
CUISSON : *8 minutes*

INGRÉDIENTS *(6 personnes)*
4 gros pamplemousses
100 g de sucre
4 c. à soupe de whisky

Pelez les pamplemousses à vif, coupez-les en tranches de 2 cm d'épaisseur. Mettez dans une large poêle le sucre et 100 ml d'eau. Faites chauffer à feu doux, en remuant souvent, jusqu'à ce que le sucre soit fondu, puis faites bouillir pendant 2 minutes. Baissez le feu, ajoutez les tranches de pamplemousse et laissez-les pocher dans ce sirop pendant 6 minutes, en les retournant une fois.

Disposez-les sur un plat de service, en métal de préférence : arrosez-les de whisky, saupoudrez-les légèrement de sucre et passez-les au gril quelques instants pour que le sucre se caramélise.

Le pamplemousse, avec son goût acidulé, convient aussi bien pour commencer que pour conclure un repas. On peut donc servir également ce plat en entrée, chaud ou froid, à votre goût.

SAINT-HONORÉ

Cette pâtisserie, qui porte le nom du saint patron des pâtissiers, est une spécialité parisienne.

PRÉPARATION : *1 heure*
CUISSON : *25 minutes*

INGRÉDIENTS *(4 à 6 personnes)*
200 g de farine
100 g de beurre doux
20 g de saindoux
2 gros œufs
Essence de vanille
3 c. à soupe de sucre
400 ml de crème épaisse
4 c. à soupe de sucre vanillé
Sel
GARNITURE
Cerises confites
Cédrat confit

Préparez une pâte ordinaire (p. 317) avec 100 g de farine, une pincée de sel, le saindoux et 30 g de beurre. Abaissez-la en un disque de 15 cm, que vous égaliserez avec un plat renversé ; déposez-le sur une plaque à four beurrée.

Pour la pâte à choux, tamisez le reste de la farine dans un bol. Mettez le reste du beurre, le sucre, le sel et 100 ml d'eau dans une casserole ; portez à ébullition ; retirez du feu et versez la farine en une seule fois, en remuant vigoureusement jusqu'à l'obtention d'une pâte homogène. Replacez la casserole sur le feu tout en remuant ; lorsque la pâte se détache bien, retirez la casserole du feu.

Incorporez les œufs et quelques gouttes de vanille, en remuant énergiquement jusqu'à ce que le mélange redevienne lisse et homogène. A l'aide d'une poche à large douille unie, disposez tout autour du disque de pâte de petits choux de 2,5 cm de diamètre assez espacés, car ils vont gonfler à la cuisson. Pressez le reste de la pâte pour former d'autres petits choux de la même dimension, que vous disposerez sur une autre plaque à four beurrée. Faites cuire à four assez chaud (200°C), pendant 10 à 15 minutes, jusqu'à ce que le disque de pâte et les choux soient dorés. Retirez du four et laissez refroidir.

Mettez dans une casserole 3 cuillerées à soupe d'eau froide avec 3 cuillerées à soupe de sucre ; faites chauffer à feu doux jusqu'à ce que le sucre soit fondu, puis portez à ébullition, mais retirez la casserole du feu dès que le sirop commence à épaissir. Plongez-y le fond des choux cuits à part et placez-les à cheval sur les premiers, de façon à former une double couronne.

Fouettez la crème, ajoutez le sucre vanillé et versez le mélange au centre du gâteau. Décorez de petites cerises confites entières et de morceaux de cédrat confit découpés en forme de petites feuilles.

Vous pouvez aussi superposer des choux glacés que vous tremperez entièrement dans le sirop. Remplacez alors la première couronne de choux par un bandeau étroit de pâte à choux.

TARTE AUX FRAISES

Elle est excellente et facile à préparer. Au lieu de fraises, vous pouvez utiliser des framboises, des mûres ou des bleuets.

PRÉPARATION : *30 minutes*
CUISSON : *15 à 20 minutes*

INGRÉDIENTS *(4 à 6 personnes)*
PÂTE
120 g de farine
90 g de beurre ramolli
1 jaune d'œuf
4 c. à soupe de sucre à glacer
1 c. à thé d'essence de vanille
¼ c. à thé de zeste de citron râpé
Sel
GARNITURE
10 c. à soupe de gelée de groseille
200 g de fraises
250 ml de crème épaisse
1 c. à soupe de sucre à glacer

Commencez par préparer la pâte. Mettez la farine et le sel dans une jatte, faites une fontaine au milieu et mettez-y le beurre ramolli en petits morceaux, le jaune d'œuf, le sucre à glacer, l'essence de vanille et le zeste de citron râpé. Amalgamez les ingrédients et travaillez la pâte jusqu'à ce qu'elle soit lisse et homogène. Mettez-la dans un moule à tarte de 20 cm de diamètre et, en pressant avec la paume de la main puis avec le bout des doigts, étendez-la sur le fond et les parois ; piquez-la avec une fourchette.

Mettez au four, préchauffé à 180°C, et laissez cuire 15 à 20 minutes, jusqu'à ce que la pâte soit dorée. Laissez refroidir.

Versez la gelée de groseille dans une petite casserole et faites chauffer à feu doux, en remuant jusqu'à ce qu'elle soit fondue : laissez-la refroidir légèrement et utilisez-la pour badigeonner le fond de pâte.

Lavez et équeutez les fraises ; disposez-les, la pointe en haut, sur le fond de la tarte et recouvrez-les du reste de gelée de groseille. Juste avant de servir, fouettez la crème sans la laisser devenir trop ferme, ajoutez-lui le sucre à glacer ou du sucre vanillé et décorez-en le dessus de la tarte.

BEIGNETS DE BANANES

Les beignets aux fruits sont un dessert simple, savoureux et économique. Vous pouvez relever le goût de la crème fouettée avec de la muscade ou de la vanille.

PRÉPARATION : *20 minutes*
CUISSON : *8 à 12 minutes*

INGRÉDIENTS *(6 personnes)*
6 petites bananes
120 g de farine
50 g de beurre
1 pincée de sel
1 gros œuf et 1 blanc
1 verre de lait étendu d'eau ou de bière
2 c. à soupe de rhum
Sucre
Crème fouettée
Huile à friture

Tamisez la farine dans une jatte, faites un puits au centre et versez le beurre fondu, l'œuf entier, le sel, le rhum et un peu de sucre : délayez avec le lait (et la bière) en tournant très rapidement jusqu'à l'obtention d'une pâte lisse de la consistance d'une pâte à crêpe. Si possible, laissez reposer 1 heure.

Epluchez les bananes, coupez-les en deux dans le sens de la longueur et trempez-les dans la pâte. Plongez-les dans une grande friture très chaude et laissez-les frire pendant 2-3 minutes jusqu'à ce que les beignets soient croquants et dorés.

Egouttez-les et posez-les sur du papier absorbant à l'entrée du four. Quand ils sont tous prêts, disposez-les sur un plat, saupoudrez-les de sucre et servez-les en présentant la crème fouettée à part.

Casse-croûte

BŒUF À LA DIABLE

La sauce à la diable, savoureuse et piquante, confère un goût agréable et nouveau aux restes de viande.

PRÉPARATION : *5 minutes*
CUISSON : *35 minutes*

INGRÉDIENTS *(4 personnes)*
8 à 10 tranches de bœuf cuit
3 échalotes
60 g de beurre
1 c. à soupe de farine
100 ml de vinaigre blanc
250 ml de bouillon de viande
100 ml de vin blanc sec
Sauce Worcestershire (facultatif)
1 c. à thé de câpres hachées
1 feuille de laurier
3-4 c. à soupe de chapelure
Sel et poivre de Cayenne

Faites fondre 15 g de beurre à feu moyen et ajoutez la farine, en remuant ; versez le bouillon chaud en remuant énergiquement. Portez la sauce à ébullition, en remuant jusqu'à ce qu'elle soit épaisse et homogène (10 minutes environ). Pendant ce temps, faites cuire à feu doux les échalotes finement hachées dans le mélange de vinaigre et de vin blanc. Laissez réduire, puis mélangez à la sauce. Ajoutez quelques gouttes de sauce Worcestershire, les câpres, la feuille de laurier et assaisonnez de sel et de poivre. Laissez bouillir à feu très doux pendant 5 à 10 minutes, en remuant fréquemment. Retirez la feuille de laurier.

Disposez les tranches de viande dans un plat beurré ; nappez de sauce, saupoudrez de chapelure, puis arrosez du reste de beurre fondu. Faites cuire au centre du four, à 190°C, pendant 20 minutes, jusqu'à ce qu'il se soit formé une croûte dorée. Servez chaud, avec du riz.

TOASTS CHAUDS À LA REINE

Ce sont des canapés de volaille et de champignons liés à la béchamel et saupoudrés de cheddar râpé.

PRÉPARATION : *10 minutes*
CUISSON : *15 minutes*

INGRÉDIENTS *(4 personnes)*
300 g de poulet cuit en petits dés
250 ml de sauce Béchamel épaisse (p. 269)
Sel, poivre noir, poivre de Cayenne
1 c. à thé de moutarde forte
80 g de petits champignons émincés très finement
4 toasts beurrés
75 g de cheddar râpé

Assaisonnez la sauce Béchamel de sel, de poivre noir et de poivre de Cayenne ; incorporez la moutarde, puis le poulet et les champignons. Mettez à feu très doux jusqu'à ce que tous les ingrédients soient bien chauds.

Tartinez les toasts avec cet appareil et saupoudrez-les de fromage râpé. Faites-les gratiner sous le gril jusqu'à ce que le fromage soit doré. Servez avec une salade de tomates à l'oignon ou un légume vert.

RIZ CANTONAIS

Pour cette version du riz cantonais, vous pouvez utiliser des restes de jambon, de poulet ou de porc.

PRÉPARATION : *10 minutes*
CUISSON : *10 à 15 minutes*

INGRÉDIENTS *(6 personnes)*
300 g de riz pilaf (p. 304)
250 g de viande cuite coupée en petits dés
3 œufs
100 g de petits pois bien égouttés
200 g de pousses de bambou en conserve
200 g de crevettes décortiquées
2 oignons hachés
3 c. à soupe d'huile
1 c. à soupe de sauce de soya
Sel, poivre

Dans une poêle, faites chauffer à petit feu assez d'huile pour faire revenir les oignons que vous réserverez au chaud. Mettez le reste d'huile dans la poêle et, lorsqu'elle est chaude, versez les œufs préalablement battus en omelette. Laissez-les cuire en remuant avec une fourchette jusqu'à ce qu'ils commencent à prendre. Ajoutez alors le riz, la viande en petits dés, les petits pois, les oignons, les pousses de bambou, les crevettes décortiquées et la sauce de soya. Remuez délicatement le mélange pendant 5 minutes pour que les ingrédients soient bien chauds. Rectifiez l'assaisonnement et servez aussitôt.

ROGNONS SUR TOASTS

Œufs brouillés et rognons sautés font ici un repas léger mais assez substantiel.

PRÉPARATION : *10 minutes*
CUISSON : *10 à 15 minutes*

INGRÉDIENTS *(4 personnes)*
4 rognons d'agneau coupés en petits dés
30 g de beurre doux
¼ c. à thé de sauce Worcestershire
1 c. à thé de ketchup
¼ c. à thé de moutarde forte
Sel et poivre noir
6 œufs
4 c. à soupe de crème légère
4 toasts beurrés

Sautez les rognons à feu vif dans la moitié du beurre ; ajoutez les sauces et la moutarde, le sel et le poivre, et faites cuire à feu modéré 2 minutes. Réservez au chaud.

Battez légèrement les œufs avec la crème ; salez et poivrez. Faites cuire cette préparation à feu doux dans le reste du beurre en remuant constamment jusqu'à ce que les œufs soient coagulés mais encore moelleux. Etalez cette préparation sur les toasts et garnissez de rognons. Servez immédiatement.

CLUB SANDWICHS

Ces sandwichs à double garniture font toujours les délices des gourmands, petits ou grands.

PRÉPARATION : *15 minutes*
CUISSON : *5 minutes*

INGRÉDIENTS *(4 personnes)*
12 tranches de pain blanc
60 g de beurre doux
4 petites tomates émincées
8 tranches de bacon cuit
8 petites feuilles de laitue
8 tranches minces de poulet cuit ou de dinde cuite
4 c. à soupe de mayonnaise

Faites griller le pain. Enlevez les croûtes et beurrez huit tranches d'un seul côté et les deux côtés des quatre autres. Sur quatre des premières tranches, déposez les tomates et le bacon. Recouvrez d'une tranche beurrée des deux côtés que vous garnirez de laitue et de poulet ou de dinde masqués de mayonnaise. Recouvrez des quatre dernières tranches de pain. Appuyez fermement sur les sandwichs et découpez-les en quatre en les assujettissant avec des cure-dents de fantaisie.

Mai

LES RECETTES DU MOIS

Gloires de nos rivières, voici les ombles de fontaine,
plus petits et plus fins que les truites de lac.

Au fil des saisons

En mai, que de tentations sur les marchés ! Les étalages de légumes nouveaux et de salades variées se multiplient. C'est le meilleur mois pour les asperges ; choisissez-les ni filiformes ni trop grosses et écartez celles dont la teinte n'est pas franche ou dont les têtes sont épointées. Vous les servirez de multiples manières : en sauce, en potage, pour accompagner de l'agneau, ou encore associées à des pommes de terre nouvelles et à du jambon. La qualité des concombres et des tomates s'améliore : servez-les en salade ou encore chauds et farcis (p. 134).

Pour vos menus de réception, vous pouvez faire appel à des recettes élaborées : le canard à la pékinoise (p. 130), à la peau laquée et croquante, servi selon la tradition ; les darnes de saumon à la crème (p. 126), puisque c'est le temps du saumon frais de l'Atlantique, ou les médaillons de porc aux pruneaux (p. 129).

Ce n'est pas encore la grande saison des fruits, mais déjà elle s'annonce sur nos marchés avec l'arrivée des cerises juteuses, des abricots dorés, des fraises et des ananas. Variez vos desserts avec les croûtes aux abricots (p. 136), un pithiviers (p. 135) ou un biscuit Tortoni (p. 136), élégant gâteau glacé aux macarons.

MENUS SUGGÉRÉS

Gravad Lax
...
Paupiettes de bœuf
Nouilles au beurre et salade panachée
...
Soufflé froid aux amandes

Potage aux navets
...
Agneau Argenteuil
Pommes de terre nouvelles au beurre
...
Croûte aux groseilles à maquereau

Canapés à la crème
...
Truites aux champignons
Pommes de terre au four
Salade de laitue et de tomates
...
Gâteau aux cerises et aux noix

Crème d'épinards
...
Foies de poulet aux raisins
...
Croûtes aux abricots

Œufs en fricassée
...
Canard à la pékinoise
...
Fraises et crème fraîche

Pâté de foies de poulet
...
Sole aux crêpes
Salade de riz
...
Avocat gourmand

Crème d'asperges
...
Sauté de bœuf aux olives vertes
Pommes de terre bouillies
Flageolets Napoléon
...
Biscuit Tortoni

Potages et entrées

CRÈME D'ÉPINARDS

Au lieu de hacher les épinards, vous pouvez vous contenter de passer le potage au mixer avant d'ajouter les œufs et la crème. Cette crème se sert chaude ou froide.

PRÉPARATION : *15 minutes*
CUISSON : *25 minutes*

INGRÉDIENTS *(6 personnes)*
700 g d'épinards frais, lavés et hachés
3 c. à soupe de beurre
100 ml de crème épaisse
1 litre de bouillon de poulet
3 jaunes d'œufs
2 c. à soupe de farine
2 oignons verts hachés (le blanc)
1 pincée de noix muscade
Sel, poivre
GARNITURE
1 blanc d'œuf dur haché
Le vert des oignons verts

Faites fondre le beurre dans une casserole à fond épais et mettez-y à revenir les oignons à feu modéré, en remuant souvent, pendant 5 minutes. Ajoutez les épinards et laissez cuire pendant 3 minutes, en remuant de temps en temps. Incorporez le sel, la muscade, le poivre et la farine. Au bout de 2 minutes de cuisson, ajoutez le bouillon de poulet ; en remuant toujours, portez lentement à ébullition et laissez frémir pendant 5 minutes.

Battez les jaunes d'œufs avec la crème. Ajoutez quelques cuillerées de bouillon chaud à ce mélange, puis, sans arrêter de remuer, versez-le dans la casserole et laissez chauffer jusqu'à ce que le potage épaississe. Ne laissez pas bouillir, car les jaunes d'œufs feraient des grumeaux. Versez dans une soupière ou dans des assiettes creuses, servez aussitôt ou laissez refroidir. Garnissez avec le hachis de blanc d'œuf et du vert des oignons.

GRAVAD LAX

Cette préparation d'origine scandinave se fait traditionnellement avec de l'aneth frais qu'on peut néanmoins remplacer par de l'aneth séché. Les condiments soulignent subtilement la saveur du saumon.

PRÉPARATION : *30 minutes*
RÉFRIGÉRATION : *12 heures à 5 jours*

INGRÉDIENTS *(6 personnes)*
700 g de filets de saumon, pris dans la partie la plus charnue du poisson
2 c. à soupe de sel de mer
1 c. à soupe de sucre granulé
1 c. à thé de poivre noir grossièrement moulu
1 c. à soupe de cognac (facultatif)
2 c. à soupe d'aneth frais haché ou 1 c. à soupe d'aneth séché
SAUCE
2 c. à soupe de moutarde allemande
1 c. à soupe de sucre
1 gros jaune d'œuf
7 c. à soupe d'huile d'olive
2 c. à soupe de vinaigre de vin
1 c. à soupe d'aneth frais haché ou 1 c. à thé d'aneth séché
Sel et poivre blanc

Demandez à votre poissonnier de détailler le saumon en deux filets. Mélangez tous les condiments. Déposez-en le quart dans une assiette et couchez-y un filet de saumon, la peau en dessous. Frottez la chair avec la moitié des condiments qui restent en les faisant pénétrer. Faites de même avec l'autre filet et posez-le sur le premier. Couvrez de papier d'aluminium et d'une planchette sur laquelle vous poserez un poids (par exemple, deux boîtes de conserve). Conservez le saumon ainsi au réfrigérateur de 12 heures à 5 jours, selon les goûts, en le retournant une fois par jour.

Au moment de servir, grattez le saumon pour enlever les condiments et épongez-le. Émincez-le finement, soit parallèlement à la peau, comme du saumon fumé, soit en lanières coupées dans le biais, et remettez le tout au réfrigérateur.

Préparez maintenant la sauce. Fouettez la moutarde avec le sucre et le jaune d'œuf jusqu'à ce que la préparation soit lisse. Ajoutez peu à peu l'huile et le vinaigre sans cesser de tourner avec une cuillère. Assaisonnez au goût d'aneth, de sel et de poivre blanc.

Dressez les tranches de saumon sur des assiettes individuelles et décorez d'une brindille d'aneth. Servez à part du pain de seigle beurré et la sauce en saucière.

CANAPÉS À LA CRÈME

Voici une petite entrée vite préparée. Les anchois salés, relevés de crème sure bien froide et dressés sur un toast chaud, offrent une gamme étonnante de saveurs.

PRÉPARATION : *8 minutes*
CUISSON : *10 à 12 minutes*

INGRÉDIENTS *(4 personnes)*
8 tranches de pain blanc
12 filets d'anchois
115 g de beurre clarifié (p. 305)
4 c. à soupe de crème sure
GARNITURE
Brins de persil

Découpez un cercle dans chaque tranche de pain avec un emporte-pièce uni ou cannelé. Egouttez les filets d'anchois et coupez-les en deux dans le sens de la longueur. Chauffez le beurre clarifié dans une poêle et faites-y frire le pain que vous garderez au chaud dans le four.

Déposez sur chaque toast trois filets d'anchois, masquez de 1 cuillerée de crème sure bien froide et décorez d'un brin de persil.

Servez immédiatement, avant que le pain ne s'imbibe de crème.

PÂTÉ DE FOIES DE POULET

Il faut laisser reposer ce pâté deux jours avant de le servir. Il se conserve au congélateur.

PRÉPARATION : *30 minutes*
CUISSON : *45 minutes*
RÉFRIGÉRATION : *2 jours*

INGRÉDIENTS *(6 personnes)*
250 g de foies de poulet
200 g de chair à saucisse
1 œuf
Thym et marjolaine en poudre
1 c. à soupe de cognac
2-3 c. à soupe de madère mi-sec
Beurre doux
120 g de lard
1 feuille de laurier
Sel, poivre

Débarrassez les foies des parties nerveuses ou tachées de vert et hachez-les jusqu'à l'obtention d'une fine purée. Ajoutez la chair à saucisse, l'œuf, le sel, le poivre, le thym, la marjolaine, le cognac et le madère et mélangez jusqu'à ce que vous ayez une pâte homogène.

Faites-en revenir 1 cuillerée à thé dans un peu de beurre pour vérifier l'assaisonnement ; goûtez et rectifiez si c'est nécessaire. Versez le mélange dans une terrine ou dans un plat de verre à feu d'une contenance de 750 ml.

Coupez le lard en fines lamelles, décorez-en la surface du pâté ; posez au milieu la feuille de laurier. Placez la terrine dans un plat creux dans lequel vous verserez autant d'eau bouillante qu'il faut pour arriver à la moitié de la hauteur de la terrine. Faites cuire 45 minutes au centre du four, à 200°C.

Laissez refroidir le pâté, puis couvrez-le d'un couvercle ou d'un morceau de feuille d'aluminium et mettez-le au réfrigérateur pendant deux jours environ, pour donner aux saveurs le temps de se développer pleinement.

SOUPE AUX POMMES D'ÉLIZA ACTON

En 1845, Eliza Acton publiait le premier livre de recettes important écrit en anglais : *Modern Cookery*. Elle y donnait la recette qui suit comme originaire de Bourgogne, mais on sait maintenant qu'il existait déjà une soupe aux pommes en Angleterre, au Moyen Age.

PRÉPARATION : *10 minutes*
CUISSON : *30 minutes*

INGRÉDIENTS *(6 personnes)*
2 litres de bouillon de bœuf (p. 266)
350 g de pommes à cuire
2 pincées de gingembre moulu
Sel et poivre noir
4 c. à soupe de riz

Dégraissez parfaitement le bouillon. Lavez les pommes et hachez-les grossièrement sans enlever ni la peau ni le cœur. Amenez le bouillon à ébullition dans une grande marmite ; jetez-y les pommes et couvrez. Laissez la soupe mijoter à feu doux jusqu'à ce que les pommes soient cuites.

Passez la soupe au chinois en récupérant le plus de pulpe possible. Ajoutez le gingembre et assaisonnez de sel et de poivre fraîchement moulu. Remettez la soupe sur le feu et écumez.

Entre-temps, faites cuire le riz dans beaucoup d'eau bouillante salée. Passez-le et gardez-le au chaud.

Servez la soupe dans des assiettes individuelles et dressez le riz à part.

POTAGE AUX NAVETS

Les navets sont un légume exquis, surtout en début de saison. Utilisez-les pour ce potage raffiné.

PRÉPARATION : *20 minutes*
CUISSON : *45 minutes*

INGRÉDIENTS *(6 à 8 personnes)*
350 g de petits navets blancs
250 g de pommes de terre
1 poireau
1 oignon
60 g de beurre doux
4 c. à soupe de farine
2 litres de bouillon de légumes (p. 266)
2 gros jaunes d'œufs
3 c. à soupe de crème épaisse
Sel, poivre
GARNITURE
Croûtons de pain frits dans le beurre

Pelez, lavez et coupez en dés les navets et les pommes de terre. Débarrassez le poireau de ses racines, de la partie verte et des feuilles extérieures dures, coupez-le en deux et lavez-le bien sous l'eau courante froide ; hachez-le grossièrement. Pelez, lavez et hachez grossièrement aussi l'oignon.

Faites fondre le beurre dans une grande casserole, ajoutez les légumes, couvrez et laissez cuire à feu doux pendant 10 minutes environ, sans faire prendre couleur. Ajoutez la farine et cuisez encore quelques minutes en remuant sans cesse. Versez peu à peu le bouillon ; assaisonnez au goût de sel et de poivre.

Portez à ébullition, baissez le feu, couvrez et laissez cuire à feu doux pendant 30 minutes environ ou jusqu'à ce que les légumes soient tendres.

Laissez un peu refroidir avant de passer le potage au moulin à légumes ou au mixer. Après l'avoir réduit en purée, remettez-le dans le récipient de cuisson et faites-le réchauffer à feu doux.

Poissons et fruits de mer

Battez dans une tasse les jaunes d'œufs avec la crème, ajoutez un peu de bouillon chaud, puis mélangez au potage, puis, sans cesser de remuer, laissez cuire quelques minutes à feu doux, en veillant à ne pas le faire bouillir. Goûtez, salez si c'est nécessaire, et servez en accompagnant de croûtons frits.

ŒUFS EN FRICASSÉE

Le terme « fricassée » s'applique en général à un sauté de viande dans lequel on ajoute en fin de cuisson une sauce qui contient souvent de la crème, mais on peut également préparer en fricassée des légumes et même des œufs.

PRÉPARATION : 20 minutes
CUISSON : 15 minutes

INGRÉDIENTS (6 personnes)
6 gros œufs
100 à 120 g de beurre doux
200 ml de crème épaisse
6 brins de persil
6 à 8 feuilles de basilic
Le jus d'un citron
Sel, poivre

Faites durcir les œufs en les laissant cuire 10 minutes environ ; sortez-les et plongez-les aussitôt dans de l'eau froide pour arrêter la cuisson. Ecalez-les, coupez-les en quartiers et mettez-les de côté. Hachez finement le persil et le basilic.

Faites fondre le beurre dans une poêle, mélangez-y la crème et laissez bouillir jusqu'à ce que le mélange épaississe. Ajoutez le hachis d'herbes et assaisonnez de sel, de poivre et de jus de citron.

Mettez dans la sauce les œufs coupés en quartiers et laissez-les bien chauffer. Servez sur des assiettes individuelles.

TIMBALE DE PALOURDES

Ce plat est originaire de la Nouvelle-Angleterre.

PRÉPARATION : 40 minutes
CUISSON : 1 heure

INGRÉDIENTS (6 personnes)
2 litres de palourdes en coquille
250 ml de vin blanc sec
1 carotte en petits dés
1 oignon moyen en petits dés
1 feuille de laurier
1 c. à thé de poivre frais moulu
SAUCE POULETTE
4 c. à soupe de beurre
4 c. à soupe de farine
250 ml de lait
225 g de champignons émincés
75 g de beurre
Sel et poivre
3 c. à soupe de xérès
Pâte feuilletée classique (p. 325)

Grattez les palourdes sous l'eau froide et déposez-les dans un faitout d'un matériau autre que l'aluminium. Ajoutez vin blanc, carotte, oignon, feuille de laurier et poivre ; couvrez et faites ouvrir les palourdes à la vapeur. Eliminez celles qui ne s'ouvrent pas ; sortez les autres de leur coquille ; hachez-les en petits dés et passez le jus de cuisson.

Faites cuire le beurre et la farine en remuant constamment jusqu'à ce que la préparation devienne couleur or. Incorporez peu à peu 250 ml de jus de cuisson et le lait ; remuez jusqu'à épaississement et laissez cuire 10 minutes.

Sautez rapidement tous les champignons dans le beurre, salez et poivrez ; ajoutez alors les palourdes, la sauce et le xérès. Rectifiez l'assaisonnement.

Versez dans un plat à four d'une contenance de 1,5 litre ; couvrez avec la pâte abaissée à 7 mm. Faites cuire 15 minutes à 230°C, puis baissez le thermostat à 180°C. Servez quand la timbale est dorée.

TRUITES AUX CHAMPIGNONS

Une manière originale de présenter un poisson très répandu : une sauce anisée aux champignons et à la crème accompagnera des truites fraîches ou surgelées.

PRÉPARATION : 10 minutes
CUISSON : 15 minutes

INGRÉDIENTS (4 personnes)
4 truites de 150 à 200 g chacune,
  prêtes à cuire
100 g de beurre clarifié
100 ml de crème épaisse
2 ou 3 c. à soupe d'un apéritif anisé
  (Pernod ou Ricard)
30 g de farine
250 g de petits champignons de couche
1 gousse d'ail
Sel, poivre

Assaisonnez les truites de sel et de poivre, puis farinez-les, en enlevant l'excès de farine. Dans une large poêle à fond épais ou dans une sauteuse, faites fondre le beurre et mettez-y à revenir les truites, à feu modéré, 5 minutes de chaque côté ou jusqu'à ce que la peau soit croquante et bien dorée.

Pendant ce temps, parez et lavez les champignons, essuyez-les et coupez-les en fines tranches ; pelez et écrasez la gousse d'ail.

Mettez les truites dans un plat de service et gardez-les au chaud dans le four, allumé à la température la plus basse.

Dans le beurre de cuisson des truites, faites revenir les champignons et l'ail, à feu doux, pendant 3-4 minutes. Mélangez-y l'apéritif anisé et faites bouillir un moment à feu vif. Ajoutez la crème et, en remuant sans arrêt, laissez cuire quelques minutes, jusqu'à ce que la sauce ait épaissi. Salez, poivrez et ajoutez un peu d'apéritif, si c'est nécessaire.

Versez cette sauce sur les truites et servez immédiatement, en accompagnant de riz ou de pommes de terre au beurre.

Viandes

MERLUS À LA SAUCE À L'ORANGE

Au XVIIIᵉ siècle, on assaisonnait le poisson avec de l'orange, comme on le fait aujourd'hui avec du citron. A l'origine, on utilisait des oranges amères, mais le mélange d'orange et de citron de cette recette est tout aussi agréable.

PRÉPARATION : *10 minutes*
CUISSON : *30 minutes*

INGRÉDIENTS *(6 personnes)*
6 merlus de 200 g environ chacun
120 g de beurre doux
1 citron
1 orange
5 c. à soupe de crème épaisse
150 ml de vin blanc sec
3 gros jaunes d'œufs
30 g de farine
Poivre de Cayenne
Sel, poivre
GARNITURE
1 orange coupée en quartiers
Persil haché

Levez les filets des merlus, de façon à en obtenir deux par poisson ; assaisonnez-les du jus d'un demi-citron et mettez-les de côté. Râpez l'écorce de l'orange et mettez-la aussi de côté.

Pressez l'orange et le citron dans une petite casserole. Ajoutez-y la crème, le vin et les jaunes d'œufs ; mettez la casserole au bain-marie en la plaçant dans une autre casserole contenant de l'eau frémissante et laissez cuire, en remuant jusqu'à ce que le mélange ait pris la consistance d'une crème liquide.

Assaisonnez la sauce de sel, de poivre et de poivre de Cayenne, ajoutez l'écorce d'orange. Coupez la moitié du beurre en petits morceaux et incorporez-le à la sauce, un petit morceau à la fois, sans cesser de remuer. Gardez la sauce au chaud, au bain-marie ; attention, elle ne doit pas bouillir.

Farinez les filets. Faites fondre le reste du beurre dans une poêle ; quand il mousse, mettez-y les filets et faites-les cuire à feu vif.

Dressez-les sur un plat chaud, garnissez de quartiers d'orange et de persil. On peut servir la sauce à part ou la verser sur le poisson.

SOLES AUX CRÊPES

L'association de filets de sole et de crêpes coupées en lamelles constitue une préparation délicate.

PRÉPARATION : *15 minutes*
CUISSON : *25 minutes*

INGRÉDIENTS *(6 personnes)*
12 filets de sole
50 g de farine
100 g de beurre doux
1 c. à soupe de persil haché
Sel, poivre
PÂTE À CRÊPES
60 g de farine
1 œuf
5 c. à soupe environ de lait
Sel
GARNITURE
Tranches de citron

Préparez d'abord la pâte, de façon qu'elle puisse reposer pendant que vous cuisinez les filets. Tamisez la farine et le sel dans une jatte, faites un puits au milieu et versez-y l'œuf légèrement battu. Mélangez bien et, en battant énergiquement, ajoutez petit à petit 5 cuillerées à soupe de lait, jusqu'à ce que la pâte ait la consistance d'une crème.

Essuyez les filets de sole avec un linge ou du papier absorbant, assaisonnez-les de sel et de poivre et passez-les dans la farine dont vous secouerez le surplus. Faites fondre dans une grande poêle 60 g de beurre, mettez-y les filets et faites-les cuire à feu modéré, en les retournant une fois, jusqu'à ce qu'ils soient bien colorés des deux côtés. Disposez-les dans un plat de service et gardez-les au chaud.

Avec la pâte et 20 g de beurre, préparez trois ou quatre crêpes. Roulez-les et coupez-les en lamelles de 1 cm. Faites fondre le reste du beurre et mettez-y à réchauffer ces lanières. Mélangez-y le persil haché et les filets de sole. Garnissez de tranches de citron.

Vous accompagnerez ce plat d'une salade de riz au fenouil.

DARNES DE SAUMON À LA CRÈME

Le saumon frais est le roi des poissons et on ne devrait jamais le servir avec une sauce trop riche ou avec de la mayonnaise, qui en effacent le goût délicat. La recette que voici est simple et raffinée : elle lui conserve toute sa saveur.

PRÉPARATION : *5 minutes*
CUISSON : *20 minutes*

INGRÉDIENTS *(6 personnes)*
6 darnes de saumon de 2,5 cm
60 g de beurre doux
500 ml environ de crème légère
1 petite feuille de laurier
Sel, poivre
GARNITURE
Tranches de citron

Essuyez les darnes avec un linge ou du papier absorbant et assaisonnez-les de sel et de poivre. Beurrez un plat à gratin assez grand pour contenir toutes les darnes en une seule couche. Ajoutez la crème en quantité suffisante pour couvrir le poisson, placez au milieu la feuille de laurier et couvrez d'une feuille d'aluminium.

Mettez au centre du four, chauffé à 180°C, et laissez cuire pendant 20 minutes, en ajoutant, si c'est nécessaire, encore un peu de crème.

Portez à table dans le plat de cuisson, en garnissant de tranches de citron. Accompagnez de pommes de terre nouvelles et d'une salade de laitue et de concombres.

SAUTÉ DE BŒUF AUX OLIVES VERTES

Le jarret est un morceau de viande économique et savoureux qui convient très bien aux daubes et aux sautés. La partie gélatineuse entremêlée à la viande donne de la consistance à la sauce et empêche que la viande ne devienne, en cuisant, filandreuse.

PRÉPARATION : *20 minutes*
CUISSON : *2 h 15*

INGRÉDIENTS *(6 à 8 personnes)*
1,2 kg de jarret de bœuf
60 g de farine
5 c. à soupe d'huile
150 ml de vin rouge
500 ml environ de bouillon de bœuf
1 gros oignon
1 grosse carotte
2 gousses d'ail
150 g d'olives vertes
Bouquet garni
1 c. à thé de crème d'anchois
Sel, poivre

Coupez la viande en cubes de 3-4 cm de côté ; assaisonnez-les de sel et de poivre et farinez-les. Epluchez et coupez finement l'oignon, la carotte et l'ail. Versez dans une poêle un peu d'huile ; quand elle est chaude, mettez-y à revenir la viande et les légumes jusqu'à ce que tout soit bien coloré. Transvasez dans une cocotte.

Versez dans la poêle le vin et un peu de bouillon et faites bouillir à feu vif, en remuant pour faire fondre les sucs qui se sont déposés. Versez cette sauce dans la cocotte en ajoutant du bouillon en quantité suffisante pour recouvrir la viande. Ajoutez le bouquet garni, mélangez au liquide la crème d'anchois et assaisonnez généreusement de poivre. Couvrez, mettez au centre du four chauffé à 150°C et laissez cuire pendant 2 heures ou jusqu'à ce que la viande soit tendre.

Versez la viande et les légumes dans un plat de service chaud et saupoudrez d'un peu de sel. Faites bouillir rapidement le liquide resté dans la cocotte jusqu'à ce qu'il soit réduit à une sauce épaisse, retirez le bouquet garni, ajoutez les olives et faites bouillir légèrement pendant 5 minutes. Si besoin est, ajoutez du sel. Versez une partie de la sauce sur la viande et servez le reste à part, dans une saucière chaude.

Accompagnez ce sauté de bœuf d'un plat de pâtes.

RIS DE VEAU À LA CHÂTELAINE

Dans cette recette originale, les ris de veau sont préparés avec une compote de fruits et une sauce à la crème et au cognac.

PRÉPARATION : *25 minutes*
CUISSON : *30 minutes*

INGRÉDIENTS *(6 personnes)*
800 à 900 g de ris de veau
120 g de beurre doux
50 g de farine
500 ml environ de bouillon de poulet
2 c. à thé de vinaigre blanc
5 c. à soupe de cognac
100 ml de crème épaisse
4 pommes
Jus de citron (facultatif)
Sucre (facultatif)
Sel, poivre

Mettez les ris dans une jatte assez grande avec une petite cuillerée de sel et assez d'eau tiède pour les recouvrir. Laissez-les tremper pendant 1 heure ; égouttez-les.

Mettez-les dans une casserole, recouvrez de bouillon de poulet et ajoutez le vinaigre ; portez à ébullition à feu doux et laissez cuire à petits bouillons pendant 10 minutes. Egouttez les ris, filtrez le liquide de cuisson dans une passoire très fine (chinois) et mettez-le de côté. Quand les ris sont refroidis, débar-

rassez-les soigneusement des parties nerveuses, du cartilage et du gras qu'ils contiennent, en laissant cependant intacte la fine pellicule qui les recouvre.

Lavez les pommes ; pelez-les, coupez-les en gros morceaux après avoir enlevé le trognon ; mettez-les dans une casserole avec 60 g de beurre et laissez-les cuire, à couvert, jusqu'à ce qu'elles soient bien tendres. Passez dans une passoire ou un moulin à légumes (disque à petits trous) jusqu'à l'obtention d'une purée bien moelleuse. Ajoutez du sucre et du jus de citron au goût, étendez la compote de fruits sur le fond d'un plat de service et gardez-la au chaud.

Coupez les ris de veau en tranches épaisses d'un peu plus de 1 cm, assaisonnez-les de sel et de poivre et farinez-les. A feu modéré, faites-les dorer des deux côtés avec le reste du beurre dans une poêle à fond épais ou dans une sauteuse. Ajoutez 100 ml du liquide de cuisson mis de côté et poursuivez la cuisson jusqu'à l'obtention d'une sauce épaisse, en retournant de temps en temps les tranches de ris de veau. Si la sauce réduisait trop rapidement avant que les ris ne soient cuits, ajoutez encore un peu de bouillon. Retirez les tranches de la poêle et disposez-les sur la purée de pommes.

Mélangez le cognac au fond de cuisson resté dans la poêle, en remuant bien ; ajoutez ensuite la crème, laissez cuire à petit feu pendant quelques minutes, jusqu'à ce que la sauce épaississe. Versez-la sur les ris de veau ou servez-la à part.

Pour accompagner ce plat, du riz au beurre ou aux amandes convient parfaitement.

PORC AUX PISTACHES

Ce plat n'est pas trop compliqué à préparer, ni excessivement coûteux : il convient très bien à un repas où il y a de nombreux convives. Le marinage au salpêtre (que vous pouvez faire faire par votre boucher) sert à donner à la viande une couleur plus rose, mais il n'est pas indispensable.

MARINAGE : *2-3 jours*
PRÉPARATION : *30 minutes*
CUISSON : *2 h 30*

INGRÉDIENTS *(8 à 10 personnes)*
2 kg de longe de porc
1 pincée de salpêtre
1 c. à soupe de sel
4 c. à soupe de cassonade (facultatif)
2 c. à soupe de pistaches épluchées
100 ml de vin blanc sec
Poivre gris

Achetez la longe deux ou trois jours à l'avance ; demandez à votre boucher de la désosser et de vous donner les os à part ; ne la dégraissez pas. Mélangez le salpêtre, le sel et la cassonade et passez ce mé-

lange sur la pièce de viande, surtout sur la partie qui était en contact avec les os, en le faisant bien pénétrer. Placez la viande dans un plat creux, la partie désossée vers le bas ; recouvrez d'une feuille d'aluminium et laissez au réfrigérateur pendant deux ou trois jours. Conservez-y aussi les os.

Avant de la cuisiner, essuyez la viande avec un linge propre. A l'aide d'un petit couteau, pratiquez dans le gras de petites fentes serrées et profondes, à intervalles réguliers, dans lesquelles vous introduirez les pistaches. Saupoudrez largement de poivre gris et ficelez la viande.

Disposez-la avec les os dans une cocotte où ils trouvent juste leur place ; ajoutez le vin et autant d'eau qu'il est nécessaire pour recouvrir la viande. Mettez au four, préchauffé à 180°C, à découvert, et laissez cuire pendant 30 minutes ou jusqu'à ce que le gras ait pris couleur. Mettez ensuite le couvercle, réduisez la température du four à 150°C

et poursuivez la cuisson du porc pendant encore 2 heures.

Quand la cuisson est terminée, enlevez les os et laissez refroidir la viande dans le jus, qui prendra en gelée. Otez la gelée du récipient, dégraissez-la et hachez-la finement. Vous pouvez enlever également l'excès de gras du morceau de viande. Coupez le porc froid en tranches épaisses d'environ 5 mm, disposez-les dans un plat de service, garnissez-les avec la gelée hachée. Les pistaches, outre qu'elles donnent à la viande de porc une saveur particulière, apportent aussi aux tranches un aspect attrayant, avec leur couleur verte qui contraste avec le rose de la viande.

Vous pouvez accompagner, par exemple, d'une salade verte assaisonnée d'une vinaigrette bien moutardée.

AGNEAU ARGENTEUIL

Argenteuil, dans la banlieue nord-ouest de Paris, était réputé pour ses plantations d'asperges : on a donné son nom à de nombreuses prépara-tions dans lesquelles entre ce légume.

PRÉPARATION : *30 minutes*
CUISSON : *1 h 15 environ*

INGRÉDIENTS *(6 personnes)*
1 kg d'épaule d'agneau désossée
1 kg d'asperges
4 petits oignons
Le jus d'un demi-citron
60 g de beurre
150 ml de crème épaisse
40 g de farine
Sel, poivre

Épluchez les asperges, mais n'en raccourcissez pas les tiges. Lavez-les, liez-les en trois ou quatre bottes avec une petite ficelle souple et fai-tes-les cuire dans une grande casse-role d'eau légèrement salée. Quand elles sont tendres, mais pas trop molles (c'est-à-dire au bout de 15 à 20 minutes selon la grosseur), égouttez-les bien, en mettant de côté le liquide de cuisson. Coupez les pointes (7-8 cm) et mettez-les de côté. Passez les tiges au mixer, puis au tamis ; mettez de côté la pu-rée obtenue, jetez les parties li-gneuses que la passoire a retenues.

Dégraissez, si c'est nécessaire, la viande d'agneau, coupez-la en mor-ceaux de 5 cm environ de côté, as-saisonnez-les de sel et de poivre et farinez-les. Pelez et hachez grossiè-rement les oignons. Faites fondre le beurre dans une cocotte et mettez-y à revenir la viande et les oignons jusqu'à ce que tout soit bien coloré. Ajoutez petit à petit 250 ml du li-quide de cuisson des asperges, en remuant sans arrêt jusqu'à ce que la sauce devienne homogène. Pour-suivez la cuisson à feu doux pen-dant 50 minutes ou jusqu'à ce que la viande soit tendre, en remuant de temps en temps et en enlevant la graisse qui monte à la surface.

Quand la viande est cuite, mélan-gez au jus de cuisson la purée d'as-perges et la crème, assaisonnez à volonté de sel, de poivre et quelques gouttes de jus de citron ; la sauce doit être assez épaisse.

Disposez les pointes d'asperges tout autour d'un plat de service chaud et versez au milieu la viande avec la sauce. Accompagnez de pommes de terre sautées.

GRATIN DE JAMBON

Avec une sauce et un passage au four, le jambon change d'aspect et de nature : de nourriture conve-nant à une rapide collation, il de-vient un plat des plus élégants.

PRÉPARATION : *15 minutes*
CUISSON : *45 minutes*

INGRÉDIENTS *(6 personnes)*
12 tranches de jambon cuit, légèrement fumé (en tout, 900 g environ)
30 g de beurre
100 ml de vin blanc sec
250 ml de crème épaisse
30 g de gruyère râpé
150 g de jeunes champignons
1 oignon de grosseur moyenne
3 échalotes (à défaut, un autre oignon)
1 boîte de tomates de 300 g
Sel, poivre

Disposez les tranches de jambon, en les faisant chevaucher, dans un plat à gratin.

Parez les champignons, coupez-les finement en tranches et faites-les cuire dans une petite poêle avec le beurre, à feu doux, pendant 8 minutes environ ; répartissez-les avec le beurre sur le jambon. Pelez et hachez finement l'oignon et les échalotes, mettez-les dans une cas-serole avec le vin, portez à ébullition et laissez bouillir à feu vif jusqu'à ce que le vin soit réduit à 1 ou 2 cuillerées à soupe environ.

Ajoutez les tomates hachées grossièrement et laissez cuire à feu modéré pendant 10 minutes envi-ron ou jusqu'à ce que l'ensemble soit réduit ; passez-le au tamis, au moulin à légumes (disque à petits trous) ou au mixer ; remettez dans la casserole qui a servi pour la cuis-son. Mélangez-y la crème, portez à ébullition, assaisonnez de sel et de poivre ; versez cette sauce sur le jambon et les champignons et sau-poudrez de fromage. Mettez dans la partie supérieure du four chauffé à 220°C et laissez cuire 10 minutes, jusqu'à ce que la surface soit bien colorée et que la sauce bouille.

Servez le gratin aussitôt sorti du four, en l'accompagnant d'épinards au beurre.

PAUPIETTES DE BŒUF

Pour la réussite de ce plat, il est très important que la viande de bœuf soit coupée en tranches très fines.

PRÉPARATION : *45 minutes*
CUISSON : *1 h 30*

INGRÉDIENTS *(6 personnes)*
700 g de bifteck de ronde en tranches
2 c. à soupe de moutarde forte
5-6 c. à soupe d'huile
250 ml de bouillon de bœuf
100 ml de vin rouge
20 g de beurre
1 c. à soupe de farine
800 g de légumes variés (oignons, carottes, navets, petits pois, haricots verts, par exemple)
Sel, poivre
FARCE
100 g de lard maigre
120 g de viande cuite de poulet ou de porc, coupée en tout petits dés
5 c. à soupe de cognac
40 g de beurre
3 tranches de mie de pain
1 œuf
1 échalote (ou 1 petit oignon)
1 gousse d'ail
4 c. à soupe de persil haché
Sel, poivre

Placez les tranches de viande entre deux morceaux de papier paraffiné et aplatissez-les bien, de façon à les faire très fines et, si c'est nécessaire, coupez-les en tranches plus petites, de 10 cm environ de côté. Endui-sez-les d'un peu de moutarde, assai-sonnez de sel et de poivre.

Préparez la farce. Pelez et hachez finement l'échalote (ou l'oignon) et l'ail, mettez-les dans le beurre que vous aurez fait fondre dans une poêle et laissez-les cuire à feu mo-déré, pendant 5-6 minutes ou jus-qu'à ce qu'ils soient transparents.

Mettez-les dans un saladier ; ajoutez le lard haché, la viande cuite en dés, la mie de pain finement émiettée, l'œuf battu, le persil ha-ché, du sel, du poivre, le cognac et remuez jusqu'à l'obtention d'un mélange parfaitement homogène.

Répartissez cette farce en parties égales sur les tranches de viande ; roulez chaque tranche en repliant à l'intérieur les bords, de façon que la farce y soit bien enfermée. Liez chaque paupiette avec une ficelle fine et mettez de côté.

Épluchez les légumes, coupez les carottes, les navets et les oignons en petits dés (gros comme des pe-tits pois) et les haricots verts en tron-çons très courts. Faites revenir tous les légumes quelques minutes à l'huile, dans une cocotte, en les lais-sant dorer. Retirez du feu. Dispo-sez les paupiettes sur les légumes, en une seule couche. Mouillez avec le bouillon et le vin, couvrez la co-cotte, mettez-la au centre du four, chauffé à 150°C, et laissez cuire 1 h 30. Au bout de 20 minutes, re-tirez le couvercle ; retournez la viande une fois pendant la cuisson.

Retirez les paupiettes de la co-cotte, enlevez la ficelle et disposez-les sur un plat de service, entourées des légumes. Versez dans une pe-tite casserole le liquide de cuisson et faites-le bouillir rapidement pour le faire réduire. Ajoutez peu à peu le beurre et la farine, que vous aurez maniés en les écrasant ensemble, et laissez cuire à feu modéré jusqu'à ce que la sauce épaississe. Versez-en un peu sur la viande et servez le reste à part, en saucière.

Un accompagnement n'est pas nécessaire, étant donné la présence de légumes dans ce plat. Néan-moins, vous pouvez servir du riz ou une purée de pommes de terre.

MÉDAILLONS DE PORC AUX PRUNEAUX

Cette recette est originaire de Tours, ville renommée pour ses pruneaux et sa charcuterie. Ce plat est facile à préparer, mais il faut faire tremper les pruneaux pendant 10 à 12 heures.

TREMPAGE : *10 à 12 heures*
PRÉPARATION : *15 minutes*
CUISSON : *40 minutes*

INGRÉDIENTS *(6 personnes)*
6 tranches de filet de porc épaisses de 2,5 cm ou 6 côtelettes de porc désossées
450 g de gros pruneaux
400 ml de vin blanc sec
150 ml de crème épaisse
60 g de beurre doux
50 g de farine
4 c. à soupe de gelée de groseille
Le jus d'un citron
Sel, poivre

Mettez les pruneaux dans une jatte, ajoutez le vin et laissez reposer pendant 10 à 12 heures ; versez-les ensuite dans une casserole avec le liquide et faites-les cuire doucement, à couvert, pendant 20 à 30 minutes ou jusqu'à ce qu'ils soient bien tendres.

Pendant que les pruneaux cuisent, dégraissez la viande si besoin est ; assaisonnez-la de sel et de poivre et farinez-la. Faites fondre le beurre dans une poêle à fond épais ou dans une sauteuse, mettez-y la viande et laissez-la cuire à feu doux, en la retournant une fois, jusqu'à ce qu'elle soit légèrement dorée des deux côtés. Couvrez et laissez cuire doucement pendant 30 minutes.

Quand la viande est presque à point, ajoutez-y le liquide de cuisson des pruneaux, montez le feu et faites bouillir vivement pendant quelques minutes, jusqu'à ce que le jus soit légèrement réduit. Mettez les tranches de viande sur un plat

de service, disposez autour les pruneaux et gardez au chaud pendant que vous préparez la sauce.

Mélangez la gelée de groseille au fond de la cuisson resté dans la poêle et faites bouillir cette sauce à feu vif, jusqu'à ce qu'elle prenne la consistance d'un sirop. Baissez légèrement le feu et incorporez peu à peu la crème, en remuant sans arrêt jusqu'à ce que la sauce devienne homogène et épaisse. Assaisonnez de sel, de poivre et de jus de citron à volonté.

Versez sur la viande et servez immédiatement. Traditionnellement, ce plat est servi avec des pommes de terre cuites à l'eau, mais vous pouvez aussi l'accompagner d'une purée composée de pommes de terre et de céleri.

BEIGNETS DE TRIPES

Les tripes sont en vente déjà blanchies et même, en général, partiellement cuites ; demandez à votre fournisseur le temps de cuisson supplémentaire, qui peut varier de 30 minutes à 2 heures.

PRÉPARATION : *20 minutes*
CUISSON : *1 heure à 2 h 30*

INGRÉDIENTS *(6 personnes)*
1 kg de tripes
Bouquet garni
2 oignons
2 carottes
2 poireaux
1 côte de céleri
12 grains de poivre noir, sel
250 g de pâte à frire (p. 312)
Huile pour friture
GARNITURE
5-6 tranches de citron

Lavez soigneusement les tripes, mettez-les dans une grande casserole, couvrez-les d'eau et ajoutez le bouquet garni. Couvrez et portez lentement à ébullition.

Pendant ce temps, pelez, lavez et émincez les carottes et les oignons ; épluchez et lavez bien les poireaux et le céleri et coupez-les en petits dés. Ajoutez aux tripes ces légumes, le poivre en grains et du sel ; baissez le feu et faites bouillir doucement jusqu'à ce que les tripes soient bien tendres.

Pendant que les tripes cuisent, préparez la pâte à frire ; laissez-la reposer 1 heure ; vous n'ajouterez le blanc d'œuf qu'au moment de l'utiliser.

Egouttez bien les tripes (vous pouvez conserver le liquide de cuisson et l'utiliser pour un potage ou une daube que vous servirez à un autre repas), laissez-les refroidir légèrement, coupez-les en morceaux larges de 2,5 cm environ et longs de 4 cm. Incorporez à la pâte le blanc d'œuf monté en neige et plongez-y les morceaux de tripe (peu à la fois), pour qu'ils en soient recouverts de façon uniforme.

Faites chauffer l'huile dans une bassine à friture (ou une grande poêle). Le récipient ne doit pas être rempli à plus de la moitié, et l'huile doit être chauffée à feu modéré jusqu'au moment où, si vous y laissez tomber un dé de pain rassis, il prend une couleur foncée en 40 à 50 secondes. Mettez-y les beignets et retirez-les dès qu'ils sont bien colorés et croquants. Au fur et à mesure qu'ils sont prêts, égouttez-les avec une écumoire, posez-les sur une plaque de four recouverte de papier absorbant et gardez-les au chaud à four très doux, à 100°C environ, pendant que vous faites frire les autres beignets.

Servez-les très chauds, garnis de tranches ou de quartiers de citron. Une salade verte ou variée convient bien comme accompagnement.

CERVELLE À L'INDIENNE

Comme tous les abats, la cervelle demande des soins : il faut la nettoyer et la faire dégorger au moins 1 heure. Mais le plaisir qu'on a à la déguster vaut bien cet effort.

PRÉPARATION : *1 h 15*
CUISSON : *30 à 35 minutes*

INGRÉDIENTS *(4 à 6 personnes)*
900 g de cervelle de veau
625 ml de lait
1 oignon
1 gousse d'ail
60 g de beurre
1½ c. à soupe de farine
1½ c. à thé de poudre de curry
300 ml de bouillon de poulet
225 à 350 g de raisins blancs sans pépins
125 ml de crème épaisse (facultatif)
Sel et poivre noir

Faites dégorger les cervelles pendant 1 heure, à l'eau froide additionnée de 2 cuillerées à soupe de sel. Rincez à l'eau claire et enlevez la fine membrane qui les recouvre. Supprimez les parties fibreuses ou décolorées. Déposez les cervelles dans une casserole et couvrez-les de lait. Quand le lait frémit, comptez 10 minutes de cuisson à feu doux.

Retirez les cervelles, coupez-les en tranches de 1 à 1,5 cm d'épaisseur et disposez-les dans un plat de service. Couvrez de papier d'aluminium et gardez au chaud. Passez et réservez le lait de cuisson.

Pelez et hachez menu l'oignon et l'ail ; dans une sauteuse où vous aurez fait fondre le beurre, faites-les revenir pendant 5 minutes à feu doux. Ajoutez la farine et la poudre de curry. Remuez bien, puis incorporez petit à petit le bouillon de poulet et 125 ml du lait de cuisson. Laissez réduire la sauce jusqu'à ce qu'elle atteigne la consistance d'une crème épaisse.

Ajoutez les raisins et prolongez la cuisson de 5 minutes. Incorporez la crème s'il y a lieu et assaisonnez au goût de sel et de poivre fraîchement moulu.

Nappez les morceaux de cervelle avec cette sauce et accompagnez-les de riz nature et de toasts coupés en triangles.

Volaille et gibier

CANARD
À LA PÉKINOISE

FOIES DE POULET AUX RAISINS

Les foies de poulet, qu'on peut facilement acheter au détail, sont économiques et nourrissants. Ici, ils constituent la base d'un plat vite fait qui ne manque pas pour autant d'élégance, grâce à la sauce au vin et à la présence insolite de raisins.

PRÉPARATION : *25 minutes*
CUISSON : *15 minutes*

INGRÉDIENTS *(6 personnes)*
700 à 800 g de foies de poulet
180 g de beurre
2 c. à soupe d'huile
100 ml de madère, de porto ou de
xérès (mi-sec)
350 g de raisins blancs
6 tranches de pain
Sel, poivre

Nettoyez les foies de poulet : enlevez avec soin les nerfs, la graisse et toutes les parties tachées de vert (ce sont des taches de fiel, qui donneraient un goût amer au reste); lavez les foies à l'eau froide et essuyez-les bien avec du papier absorbant; assaisonnez-les de sel et de poivre et mettez-les de côté.

Faites chauffer dans une poêle 120 g de beurre et l'huile; quand le beurre mousse, mettez-y les tranches de pain à revenir, puis retournez-les pour qu'elles soient bien dorées des deux côtés. Mettez ce pain frit sur une plaque et gardez-le au chaud à four très doux pendant que vous préparez les foies.

Faites fondre le reste du beurre et faites-y revenir les foies à feu vif pendant 7-8 minutes, en les retournant souvent. Ne les faites pas trop cuire; ils doivent rester légèrement rosés à l'intérieur. Retirez-les de la poêle et gardez-les au chaud. Versez le vin dans la poêle et faites bouillir à feu vif, en remuant pour bien déglacer, jusqu'à ce que vous ayez un jus épais. Ajoutez-y les raisins et laissez-les bien chauffer à feu plus doux.

Au moment de servir, disposez les canapés sur un plat de service, recouvrez-les des foies et de la sauce aux raisins. Servez immédiatement, pour éviter que la sauce n'imbibe les canapés.

Toujours pratiques et économiques, les blancs de poulet se présentent ici dans une version très simple mais savoureuse.

PRÉPARATION : *5 minutes*
CUISSON : *30 à 35 minutes*

INGRÉDIENTS *(6 personnes)*
6 blancs de poulet
2 fines tranches de jambon cuit
40 g de farine
1 c. à soupe d'huile d'olive
30 g de beurre doux
150 ml de bouillon de poulet
150 ml de vin blanc sec
12 feuilles de sauge
Sel, poivre

Assaisonnez les blancs de poulet de sel et de poivre, farinez-les. Faites chauffer l'huile et le beurre dans une grande poêle, à feu modéré; mettez-y les blancs, faites-les dorer légèrement des deux côtés.

Ajoutez le jambon coupé en fines lamelles et poursuivez la cuisson jusqu'à ce que le poulet soit bien doré de tous côtés. Ajoutez-y le vin blanc, le bouillon et la sauge grossièrement hachée.

Couvrez et laissez cuire à feu modéré pendant 15 à 20 minutes. Retirez les blancs de la poêle, disposez-les dans un plat de service et gardez-les au chaud. Montez le feu et faites bouillir le jus de cuisson jusqu'à ce qu'il soit bien épais. Assaisonnez-le de sel et de poivre, versez sur le poulet et servez en accompagnant, par exemple, de röstis (p. 97) et d'une salade verte.

Ceci est une variante de la classique recette chinoise. La préparation en est un peu laborieuse et il faut aller dans des magasins de produits exotiques pour trouver la sauce aux prunes et l'huile de sésame; mais le résultat en vaut vraiment la peine.

PRÉPARATION : *2 heures*
CUISSON : *1 h 30*

INGRÉDIENTS *(4 à 6 personnes)*
1 gros canard de 2 ou 3 kg
2 c. à soupe de cognac, vodka ou gin
(facultatif)
18 petits oignons verts (avec leurs
tiges)
CRÊPES
450 g de farine
2 c. à soupe d'huile de sésame
SAUCE D'ACCOMPAGNEMENT
5 c. à soupe de sauce aux prunes
2 c. à thé de sucre
2 c. à thé d'huile de sésame
SAUCE À BADIGEONNER
4 c. à soupe de sauce de soya
1½ c. à soupe de sucre

L'élément le plus important du canard à la pékinoise est la peau croquante, qui est détachée du canard cuit et servie à part. Avant la cuisson, la peau doit être parfaitement sèche. Lavez et essuyez le canard et passez-lui un morceau de corde sous les ailes afin de pouvoir le suspendre à un bâton ou à un manche à balai placé sur le dossier de deux chaises; sous le canard ainsi suspendu, mettez un récipient qui en recueillera les humeurs. Pour qu'elle sèche plus vite, vous pouvez frotter la peau avec du cognac, de la vodka ou du gin. Dirigez sur le canard le jet d'air d'un ventilateur électrique (ou d'un sèche-cheveux) et laissez-le sécher pendant au moins 3 ou 4 heures, ou bien laissez le canard suspendu pendant 8 heures (toute la nuit) dans un courant d'air.

Débarrassez les oignons verts de leurs racines et des feuilles extérieures, coupez-les à 10 cm de la base et lavez-les. Pratiquez plusieurs fentes en croix, dans le bulbe de chaque oignon. Mettez les oignons dans une cuvette d'eau froide, au réfrigérateur; les bulbes s'ouvriront en éventail.

Pour faire les crêpes, tamisez la farine. Portez 600 ml d'eau à ébullition, et, en remuant sans arrêt, ajoutez-y la farine : peu à la fois, autant qu'il en faut pour obtenir une pâte souple qui se détache facilement des parois du récipient. Travaillez la pâte sur une surface légèrement farinée, pendant 10 minutes, jusqu'à ce qu'elle devienne élastique. Couvrez-la d'un linge et laissez-la reposer pendant 20 minutes; abaissez-la ensuite à une épaisseur de 5 mm et découpez-y des disques de 5 cm de diamètre. Badigeonnez la surface de la moitié des disques avec l'huile de sésame; mettez sur chacun d'eux un des disques non badigeonnés. Abaissez chaque paire de crêpes (vous en aurez une douzaine environ), les faisant aussi minces que possible; elles devraient avoir un diamètre d'environ 15 cm.

Faites chauffer une sauteuse non graissée durant 30 secondes, puis baissez le feu. Mettez-y d'abord la première paire de crêpes, retournez-les lorsque apparaissent des bulles sur le dessus et que le dessous commence à présenter des taches brunes. Faites cuire toutes les crêpes ainsi et laissez-les refroidir. Enveloppez-les séparément dans une feuille d'aluminium et mettez-les au réfrigérateur.

Mélangez dans une casserole les ingrédients nécessaires à la sauce d'accompagnement, ajoutez-y une cuillerée d'eau froide et portez à ébullition. Remuez, à feu doux, pendant 2-3 minutes. Versez cette sauce dans un bol.

Mélangez les ingrédients de la sauce à badigeonner avec 100 ml

Riz et pâtes

RISOTTO ALLA MILANESE

Il existe bien des variantes du riz à la milanaise, certaines se faisant avec du bouillon de poulet, d'autres avec du vin blanc ou du marsala. Dans toutes, le safran est un condiment essentiel. Le risotto à la milanaise se sert fort bien seul, mais il peut aussi accompagner l'Osso Bucco (p. 164).

PRÉPARATION : *20 minutes*
CUISSON : *20 minutes*

INGRÉDIENTS : *(6 personnes)*
600 g de riz italien à grains courts
1 os à moelle
1 petit oignon
30 g de beurre doux
125 ml de vin blanc sec
1,25 litre de bouillon de bœuf
2 pincées de safran
120 g de parmesan râpé

Demandez au boucher de sectionner l'os en plusieurs tronçons pour faciliter l'extraction de la moelle : il doit y en avoir 75 ml environ. Pelez et hachez l'oignon menu.

Chauffez la moitié du beurre dans une grande sauteuse à fond épais et faites revenir l'oignon à feu moyen, jusqu'à ce qu'il devienne transparent. Ajoutez la moelle, puis le vin et laissez réduire la préparation de moitié, à feu vif. Versez alors le riz en pluie dans la sauteuse et laissez-le prendre couleur en remuant constamment.

Versez le bouillon de bœuf très chaud sur le riz, 1 tasse à la fois, et remuez jusqu'à ce qu'il ait été absorbé. Terminez en ajoutant le safran. La cuisson du riz prendra de 15 à 20 minutes. Allongez le bouillon d'un peu d'eau chaude si le riz a tendance à se dessécher.

Incorporez au risotto le reste du beurre et le parmesan râpé et servez sans attendre.

SPAGHETTI ALL'UOVA

Connu sous le nom de spaghettis du pauvre, ce plat, qui est dépourvu de viande, s'apprête habituellement avec des œufs et du fromage Romano. Ce fromage fait de lait de chèvre est une spécialité de la Sabine, région située dans le centre de l'Italie.

PRÉPARATION : *10 minutes*
CUISSON : *10 à 15 minutes*

INGRÉDIENTS *(6 personnes)*
600 g de spaghettis
Sel
60 à 90 g de romano ou de parmesan
6 œufs
225 g de beurre

Faites cuire les spaghettis à découvert dans une grande marmite d'eau bouillante salée pendant 10 à 12 minutes pour qu'ils soient tendres, mais un peu fermes *(al dente)*.

Râpez le fromage. Cassez les œufs dans un grand bol et battez-les légèrement à la fourchette. Déposez la moitié du beurre dans un plat de service et détaillez le reste en petits morceaux.

Egouttez bien les spaghettis et dressez-les dans un grand plat de service chaud. Ajoutez-y les œufs en remuant rapidement avec deux cuillères jusqu'à ce qu'ils se soient coagulés. Terminez par l'addition du beurre que vous aviez détaillé en petits morceaux.

Servez immédiatement avec du fromage râpé et le beurre mis en réserve.

---

d'eau froide et enduisez-en tout le canard. Placez celui-ci sur une grille posée dans un plat à rôti ; versez dans ce plat de l'eau bouillante sur 1 cm de hauteur. Mettez dans le bas du four, préchauffé à 200°C, et laissez cuire 1 h 15, en badigeonnant le canard toutes les 15 à 20 minutes avec la sauce ; après 45 minutes de cuisson, portez la température à 225°C et mettez les crêpes dans le four, toujours enveloppées dans les feuilles d'aluminium, pour qu'elles se réchauffent.

Pour la présentation du plat, détachez la peau du canard et coupez-la en carrés de 4-5 cm de côté, que vous mettrez dans un plat de service au chaud. Découpez ensuite la chair en aiguillettes que vous disposerez sur un autre plat, également au chaud. Dressez les crêpes sur un plat chaud et recouvrez-les d'une serviette ou d'un linge plié, pour qu'elles ne refroidissent pas. Disposez les oignons sur un plat et placez ensuite les différents plats sur la table, avec la sauce d'accom-

pagnement, qui doit être froide. A table, chaque convive ouvre avec soin les deux moitiés d'une crêpe, en partant du point où la jonction est le plus visible. Puis chacun trempe un oignon dans la sauce et en arrose généreusement la partie tendre de la crêpe ouverte. Par-dessus la sauce, on met un peu de peau de canard et quelques morceaux de viande ; puis on referme la crêpe et on la roule.

Légumes et salades

BEIGNETS DE RIZ

Les beignets de riz sont une spécialité italienne qui a toujours beaucoup de succès, que ce soit pour le goûter ou comme dessert.

PRÉPARATION : *30 minutes*
CUISSON : *30 minutes*

INGRÉDIENTS *(6 personnes)*
150 g de riz
250 ml de lait
1 c. à soupe de rhum
50 g de beurre
70 g de farine
60 g de sucre
3 œufs
1 citron
2 c. à thé de cannelle en poudre
Sel
Huile pour friture

Portez de l'eau à ébullition dans une casserole, jetez-y le riz et faites-le cuire à gros bouillons pendant 7 minutes. Egouttez-le, passez-le à l'eau courante froide et remettez-le dans la casserole avec le lait. Portez à ébullition à feu modéré et laissez bouillir doucement, en remuant souvent, pendant 10 minutes environ ou jusqu'à ce que le riz soit tendre et le lait presque complètement absorbé.

Retirez du feu ; mélangez au riz une bonne pincée de sel, 2 cuillerées à thé de sucre, le beurre et le zeste râpé du citron ; coupez le citron en quartiers. Laissez tiédir le riz ; incorporez-y la farine, les jaunes des trois œufs, préalablement battus à part, et enfin le rhum.

Montez les blancs en neige bien ferme, puis mélangez-les délicatement au riz.

Faites chauffer un grand bain d'huile dans une bassine à friture ; quand elle est bouillante, laissez-y tomber des cuillerées du mélange (peu à la fois, car la température de l'huile s'abaisserait trop). Laissez cuire jusqu'à ce que les beignets soient bien dorés, puis égouttez-les et épongez-les sur du papier absorbant. Attention à ne pas trop prolonger la cuisson, la couche extérieure du riz deviendrait dure.

Servez en garnissant de quartiers de citron et en présentant à part, dans une coupe, le reste du sucre mêlé à la cannelle.

POMMES DE TERRE ET ASPERGES AU JAMBON

Voici un plat complet, léger et facile, d'une présentation agréable. Gardez les tiges des asperges et leur liquide de cuisson pour préparer un potage.

PRÉPARATION : *45 minutes*
CUISSON : *30 minutes*

INGRÉDIENTS *(6 personnes)*
1 kg d'asperges
1 kg de pommes de terre nouvelles
6 fines tranches de jambon cru
220 g de beurre doux
Le jus d'un demi-citron
1 c. à soupe de persil haché
Sel

Epluchez les asperges, en raclant les tiges du haut vers le bas, et séparez les pointes des tiges. Liez les pointes en petites bottes avec de la ficelle et réservez les tiges. Grattez et lavez les pommes de terre nouvelles et mettez-les dans un faitout avec les bottes de pointes, bien droites, pointes en l'air ; couvrez d'eau froide, salez, fermez avec un couvercle et laissez cuire à feu modéré pendant 15 à 20 minutes.

Egouttez les bottes de pointes (laissez sur le feu les pommes de terre jusqu'à ce qu'elles soient cuites), déliez-les, partagez-les en six petites bottes, enroulez-les chacune dans une tranche de jambon et disposez-les tout autour du plat de service. Retirez les pommes de terre du faitout, égouttez-les et disposez-les au milieu du plat (conservez le liquide de cuisson et les tiges des asperges pour préparer la crème d'asperges, ci-contre).

Faites fondre le beurre à feu doux, versez-en une partie sur les pommes de terre et servez le reste à part dans une saucière, mélangé au jus de citron. Parsemez les pommes de terre de persil haché ; servez immédiatement.

CRÈME D'ASPERGES

Pour ce potage, vous utiliserez le liquide de cuisson et les tiges des asperges qui restent de la préparation aux pommes de terre et au jambon, auxquels vous ajouterez :

60 g de beurre doux
1 c. à soupe de farine
Lait
100 ml de crème épaisse
1 gros oignon
1 gousse d'ail
Persil (ou cerfeuil) haché
Sel, poivre

Pelez et hachez l'oignon et l'ail ; faites-les cuire avec le beurre dans une grande casserole, à feu doux, pendant 5 à 7 minutes ou jusqu'à ce qu'ils soient tendres et transparents. Ajoutez la farine et laissez cuire 2 minutes en remuant avec une cuillère en bois, puis versez peu à peu le liquide de cuisson des asperges. Ajoutez les tiges des asperges et laissez bouillir 10 minutes.

Retirez la casserole du feu, laissez un peu refroidir ; passez son contenu au mixer, puis au tamis, en appuyant avec le dos d'une cuillère pour obtenir une purée. Ajoutez autant de lait qu'il est nécessaire pour obtenir la consistance que vous désirez, assaisonnez de sel et de poivre au goût. Remettez sur le feu, faites chauffer sans porter à ébullition, ajoutez la crème et laissez-la chauffer.

Versez dans des assiettes creuses, parsemez de persil ou de cerfeuil haché et servez.

PETITS POIS AUX ŒUFS

C'est une recette ancienne, que vous pouvez servir comme entrée ou comme plat principal.

PRÉPARATION : *10 minutes*
CUISSON : *15 à 20 minutes*

INGRÉDIENTS *(6 personnes)*
2 kg environ de petits pois non écossés
7 œufs
100 ml de crème légère
6 c. à soupe d'huile d'olive
1 pincée de noix de muscade
1 pincée de macis
Poivre de Cayenne
Sel, poivre

Ecossez les petits pois, mettez-les dans un plat peu profond qui puisse aller sur le feu et être servi à table. Ajoutez 500 ml d'eau, l'huile, les épices, du poivre à volonté et une pincée de sel. Couvrez et faites cuire à feu doux pendant 8 minutes environ ou jusqu'à ce que les petits pois soient à moitié cuits. Si besoin est, ajoutez du sel et du poivre.

Retirez le plat du feu et, à l'aide d'une cuillère, pratiquez six petits creux dans la couche de petits pois. Cassez six œufs et faites-les glisser un à un dans ces creux. Remettez sur le feu, à couvert, et laissez cuire 8 à 10 minutes ou jusqu'à ce que le blanc des œufs soit pris.

Battez le dernier œuf avec la crème et un peu de sel, versez sur les œufs et passez au four, chauffé au maximum depuis une dizaine de minutes, pendant 5 minutes environ ou jusqu'à ce que le mélange d'œufs et de crème soit pris, ou bien mettez 2-3 minutes sous le gril du four.

Servez avec du pain grillé et du beurre.

PISSALADIÈRE

C'est une spécialité de la région de Nice : une tarte salée, un peu semblable à la pizza, mais faite d'une pâte plus sèche et plus légère. La pissaladière peut se préparer avec ou sans tomates. On la sert généralement en entrée, mais elle peut aussi constituer le plat principal d'un repas, si vous l'accompagnez d'une salade. Enfin, elle convient bien à un pique-nique.

PRÉPARATION : *20 minutes*
CUISSON : *1 h 15*

INGRÉDIENTS *(6 à 8 personnes)*
1 kg d'oignons
3 gousses d'ail
1 boîte de tomates pelées de 450 à
  500 g
1 c. à soupe de concentré de tomate
Bouquet garni
120 g d'olives noires
100 g de filets d'anchois
7 c. à soupe d'huile d'olive
1 c. à thé de sucre
Sel, poivre
PÂTE
200 g de farine
100 g de beurre doux ramolli
1 pincée de sel
1 jaune d'œuf

Commencez par préparer la pâte brisée. Sur une planche à pâtisserie, versez la farine en tas. Creusez un puits, dans lequel vous mettrez le sel, le beurre mou en petits morceaux et le jaune d'œuf. Travaillez du bout des doigts, en délayant peu à peu avec 100 ml d'eau. Vous devez obtenir une pâte homogène.
Versez-la sur un plan de travail fariné, travaillez-la encore un moment avec les mains ; avec un rouleau, étalez-la en une abaisse épaisse de 5 mm. Foncez-en un moule à tarte de 25 cm de diamètre, piquez la pâte avec une fourchette. Faites cuire « à blanc » au centre du four, chauffé à 200°C, pendant 15 minutes, jusqu'à ce que la pâte soit cuite, mais n'ait pas encore pris couleur.
Pelez les oignons et coupez-les en tranches fines ; pelez l'ail et hachez-le finement. Faites chauffer l'huile dans une sauteuse et faites cuire les oignons et l'ail à feu très doux pendant 40 minutes environ.
Hachez grossièrement les tomates en conserve et mettez-les dans une casserole avec le concentré de tomate, le sucre et le bouquet garni ; faites bouillir à feu vif jusqu'à ce que le mélange soit réduit à environ 6 cuillerées à soupe. Retirez le bouquet garni, mélangez les tomates aux oignons et assaisonnez de sel et de poivre, sans oublier toutefois que les anchois et les olives sont déjà salés.
Versez ce mélange dans le moule à tarte, garnissez avec les filets d'anchois disposés en croisillons et les olives. Remettez au four, à la même température, et laissez cuire 20 minutes, en badigeonnant la surface d'huile d'olive au bout de 10 minutes.
On peut manger cette préparation tiède ou froide, mais elle est meilleure aussitôt sortie du four.

FLAGEOLETS NAPOLÉON

En exil à Sainte-Hélène, l'Empereur, dit-on, appréciait tout particulièrement cette petite salade de flageolets bien relevée. Si vous utilisez des flageolets crus, faites-les tremper au moins 8 heures avant la cuisson.

PRÉPARATION : *10 minutes*
CUISSON : *2-3 heures*
RÉFRIGÉRATION : *1 heure*

INGRÉDIENTS *(6 personnes)*
225 g de flageolets crus ou 500 g de
  flageolets en conserve égouttés
1 oignon
1 carotte
Bouquet garni
Sel et poivre noir
1 c. à soupe d'un mélange de persil,
  cerfeuil, estragon, ciboulette et
  oignons verts hachés menu
75 ml d'huile d'olive
1½ c. à soupe de vinaigre aromatisé à
  l'estragon
1½ c. à thé de moutarde de Dijon
1 pincée de sucre fin

Versez les flageolets crus dans 1 litre d'eau bouillante salée. Maintenez l'ébullition 2 minutes, puis retirez la marmite du feu et laissez tremper les flageolets 1 heure. Après les avoir égouttés, mettez-les dans un grand faitout. Ajoutez l'oignon et la carotte pelés et coupés en quatre, le bouquet garni et beaucoup de poivre noir. Mouillez d'eau jusqu'à 1,5 cm au-dessus des flageolets, couvrez et mettez à cuire au centre du four chauffé à environ 150°C pendant 3 heures ou laissez mijoter sur le feu pendant 2 heures. Si c'est nécessaire, ajoutez de l'eau bouillante en cours de cuisson pour que les flageolets ne se dessèchent pas. Assaisonnez de sel au goût et prolongez la cuisson de 5 minutes.
Egouttez les flageolets et dressez-les dans un grand saladier après avoir retiré l'oignon, la carotte et le bouquet garni. Ajoutez les fines herbes, l'huile, le vinaigre, la moutarde et le sucre. Remuez bien et gardez la salade au réfrigérateur pendant 1 heure avant de la servir.

TOURTE AUX POMMES DE TERRE À LA LIMOUSINE

Au printemps aussi, il arrive qu'on ressente le besoin de mets solides, comme cette tourte paysanne.

PRÉPARATION : *35 minutes*
CUISSON : *35 minutes*

INGRÉDIENTS *(6 personnes)*
Pâte feuilletée fine (p. 326)
60 g de beurre doux
100 ml de crème légère
100 ml de crème épaisse
1 œuf
700 g de pommes de terre nouvelles
1 oignon moyen
3-4 gousses d'ail
1 c. à soupe de persil haché
1 c. à soupe d'oignons verts hachés
Noix muscade râpée
Sel, poivre

Séparez la pâte en deux parties égales. Sur un plan de travail fariné, avec un rouleau également fariné, étalez l'une d'elles en une abaisse ronde et foncez-en un moule à tarte beurré de 25 cm de diamètre. Grattez et lavez les pommes de terre, coupez-les en tranches très fines et faites-les tremper dans l'eau froide pour éviter qu'elles ne noircissent.
Portez à ébullition un faitout d'eau salée, jetez-y les tranches de pomme de terre et laissez cuire 2 minutes à partir du moment où l'eau se remet à bouillir. Versez les pommes de terre dans une passoire et laissez-les bien égoutter. Pelez l'oignon et les gousses d'ail, hachez-les finement.
Disposez sur la pâte au fond du moule une couche de pommes de terre, parsemez d'une cuillerée d'oignon et d'ail hachés et assaisonnez de sel, de poivre et de noix muscade. Recommencez jusqu'à épuisement des ingrédients, en terminant par une couche de pommes de terre que vous parsèmerez de petits morceaux de beurre. Mélangez les deux sortes de crème et versez-en la moitié sur la préparation.
Abaissez l'autre morceau de pâte feuilletée pour faire le disque de couverture ; étendez-le sur les pommes de terre et, en appuyant bien, soudez-en le bord à celui de la pâte utilisée pour foncer le moule. Pratiquez un petit trou au centre du couvercle de pâte, pour permettre à la vapeur de sortir. Battez l'œuf avec le reste de la crème et utilisez un peu de ce mélange pour badigeonner la surface ; incisez-la ensuite avec un couteau, en dessinant six à huit sillons très superficiels, en éventail, en partant du centre. Il sera ainsi plus facile de couper la tourte en tranches.
Mettez dans la partie supérieure du four, préchauffé à 230°C, et laissez cuire 30 minutes. Si la pâte a tendance à trop se colorer, recouvrez la tourte de papier paraffiné.
Ajoutez le persil et l'oignon vert au reste du mélange d'œuf et de crème. Quand la tourte est cuite, versez le mélange par le trou central du couvercle de pâte en vous servant d'un entonnoir ; versez doucement, car sous la croûte, il n'y a peut-être pas assez de place pour toute la préparation. Remettez au four 5 minutes, puis servez aussitôt.

Desserts

CONCOMBRES FARCIS

Nous sommes habitués à manger les concombres crus, en salade. Ici, au contraire, ils sont cuits et farcis et se servent chauds, comme plat complet ou comme hors-d'œuvre.

PRÉPARATION : *10 minutes*
CUISSON : *50 minutes*

INGRÉDIENTS *(6 personnes)*
3 gros concombres (non cirés)
170 g de riz à grains longs
1 gros oignon
150 g de beurre doux
220 g de champignons de couche
4 tranches de bacon maigre
Sel, poivre
3 œufs
Persil haché

Lavez, mais ne pelez pas les concombres ; coupez-les en deux dans le sens de la longueur et chaque moitié en deux morceaux dans le sens de la largeur. Avec la pointe d'un couteau, enlevez les graines et jetez-les. Faites cuire les concombres 10 minutes à l'eau bouillante salée, égouttez-les, mettez-les dans un plat de service, couvrez-les d'un saladier renversé et gardez-les au chaud dans le four.

Jetez le riz dans de l'eau bouillante salée ; laissez-le cuire à petits bouillons pendant 15 minutes environ ou jusqu'à ce qu'il soit tendre. Pendant que le riz cuit, pelez et hachez l'oignon, mettez-le dans une poêle avec 50 g de beurre et laissez-le cuire à feu doux pendant 5-6 minutes ou jusqu'à ce qu'il soit tendre ; il ne doit pas se colorer.

Nettoyez bien les champignons, émincez-les et ajoutez-les à l'oignon ; mettez également le bacon, coupé en lamelles ; assaisonnez de sel et de poivre. Quand le riz est cuit, égouttez-le, passez-le sous l'eau froide et mettez-le aussi dans la poêle, avec 50 g de beurre. Laissez cuire à feu doux pendant 5 à 10 minutes, en remuant de temps en temps.

Battez les œufs avec du sel et du poivre et, avec le reste du beurre, préparez deux ou trois petites omelettes ; roulez-les et coupez-les en petites tranches de 1 cm de large, que vous ajouterez dans la poêle aux autres ingrédients.

Pour terminer, remplissez de ce mélange les barquettes de concombre et parsemez-les de persil haché. Servez aussitôt.

GÂTEAU AUX CERISES ET AUX NOIX

Ce gâteau aromatisé de whisky se sert tel quel, sans être glacé, et se garde longtemps. Vous le confectionnerez la veille.

PRÉPARATION : *35 minutes*
CUISSON : *1 heure*

INGRÉDIENTS *(8 à 10 personnes)*
1 bocal de 115 g de cerises au marasquin
175 à 250 g de noix mondées
185 g de farine
1 c. à thé de levure chimique à double action
2 pincées de sel
2 c. à thé de muscade
125 ml de whisky ou de bourbon
3 œufs
200 g de sucre
1 bâtonnet de beurre en pommade
2 c. à soupe de sucre glace (facultatif)

Égouttez, hachez et séchez les cerises. Hachez les noix, ajoutez-les aux cerises et farinez le tout avec 60 g de farine. Tamisez le reste de la farine avec la levure chimique et le sel. Mélangez à part muscade et whisky.

Séparez les œufs. Fouettez les blancs à la main ou au mixer à grande vitesse jusqu'à ce qu'ils soient fermes ; ajoutez peu à peu 75 g de sucre en continuant de fouetter et mettez de côté.

Dans un grand bol, battez le beurre, le reste du sucre et les jaunes d'œufs ensemble jusqu'à ce que ces derniers soient légers. Incorporez lentement le whisky aromatisé en alternant avec la farine mêlée à la levure. Avec une spatule de caoutchouc, intégrez délicatement les cerises et les noix à la pâte, puis les blancs d'œufs. Versez la pâte dans un moule à cheminée de 23 cm de diamètre, que vous aurez beurré et chemisé de papier paraffiné.

Faites cuire le gâteau au centre du four préchauffé à 160°C pendant 1 heure ou jusqu'à ce qu'une aiguille insérée dans la pâte en ressorte sèche. Sortez le moule du four ; posez-le à l'envers sur une grille et laissez-le refroidir 30 minutes. Démoulez alors le gâteau et enlevez le papier. Saupoudrez-le à volonté de sucre glace quand il est complètement froid.

CROÛTE AUX GROSEILLES À MAQUEREAU

Basé sur une vieille recette anglaise du XVIIIe siècle, où l'on appréciait beaucoup les purées de fruits au vin, ce dessert utilise des baies que mai ramène sur nos marchés.

PRÉPARATION : *1 heure*
CUISSON : *15 minutes*

INGRÉDIENTS *(6 personnes)*
700 g de groseilles à maquereau
125 g de farine
4 c. à thé de sucre glace
11 c à soupe de beurre doux
Sucre à fruits
3 œufs entiers et 1 jaune
1 c. à soupe d'eau de fleur d'oranger ou 2 c. à soupe de muscat blanc

Tamisez ensemble la farine et le sucre glace. Émiettez 5 cuillerées à soupe de beurre dans la farine de façon que l'appareil ressemble à de la chapelure. Ajoutez le jaune d'œuf et assez d'eau pour lier.

Abaissez la pâte à 7 mm d'épaisseur sur un plan légèrement fariné ; foncez-en un moule à tarte beurré de 18 cm de diamètre à fond amovible. Piquez l'abaisse avec une fourchette et faites-la cuire à blanc 15 minutes, à 180°C.

Lavez et égouttez les groseilles à maquereau. Déposez-les dans une grande casserole avec 5 cuillerées à soupe d'eau. Couvrez et démarrez la cuisson à feu doux pendant 10 minutes. Augmentez alors la chaleur et laissez cuire les groseilles jusqu'à ce qu'elles soient gonflées et tendres. Réduisez les fruits en purée et sucrez au goût avec du sucre à fruits. Réchauffez à feu doux en ajoutant 6 cuillerées à soupe de beurre coupé en petits morceaux. Retirez du feu.

Battez les trois œufs et, après les avoir ajoutés à la purée, remettez celle-ci sur le feu pour qu'elle épaississe. Remuez constamment sans laisser bouillir. Quand elle est à point, laissez-la refroidir quelques minutes, puis incorporez l'eau de fleur d'oranger ou le muscat.

Dressez la purée de groseilles à l'intérieur de la croûte, qu'on aura réchauffée si c'est nécessaire, et servez tiède avec de la crème fraîche.

SOUFFLÉ FROID AUX AMANDES

Ce soufflé glacé avec une croûte croquante constitue un dessert original et raffiné.

PRÉPARATION : *20 à 30 minutes*
CUISSON : *5 à 10 minutes*
RÉFRIGÉRATION : *3-4 heures*

INGRÉDIENTS *(6 personnes)*
100 g d'amandes non pelées
200 g de sucre
1 c. à table de sucre glace
250 ml de lait
250 ml de crème épaisse
3 œufs
½ gousse de vanille
1 enveloppe de gélatine (8 g)
GARNITURE
60 g d'amandes pelées
8 biscuits Graham

Coupez en deux les amandes non pelées. Mettez dans une petite casserole 8 cuillerées à soupe de sucre et 2 cuillerées à soupe d'eau froide et faites chauffer à feu doux, en remuant souvent, jusqu'à ce que le sucre soit fondu. Portez ce sirop à ébullition et laissez-le cuire, sans plus remuer, jusqu'à ce qu'il ait pris une couleur brun foncé ; jetez-y alors les amandes non pelées, remuez, retirez la casserole du feu et versez le mélange sur une plaque à four huilée. Quand il s'est refroidi et solidifié, coupez-le en morceaux et mettez-le quelques minutes dans un mixer robuste ou bien écrasez-le au rouleau à pâtisserie.

Préparez le mélange pour le soufflé ; mettez dans une casserole le lait, la demi-gousse de vanille et le reste de sucre ; portez à ébullition à feu doux, retirez du feu. Versez dans une casserole les jaunes des œufs et ajoutez peu à peu le lait bouillant, en remuant pour empêcher la formation de grumeaux. Placez cette casserole au bain-marie et laissez cuire, toujours en tournant, jusqu'à ce que la crème commence à épaissir. Retirez la casserole du bain-marie et enlevez la gousse de vanille. Faites dissoudre la gélatine dans 5 cuillerées à soupe d'eau chaude ; laissez légèrement refroidir et ajoutez à la crème aux œufs. Mélangez bien et transvasez la crème dans une jatte froide, en la passant au chinois.

Quand la crème est froide, mais pas encore prise, incorporez-y délicatement la crème fouettée, le sucre glace, puis, plus délicatement encore, les blancs des trois œufs montés en neige ferme et enfin la poudre d'amandes pralinées.

Attachez une collerette de papier paraffiné sur le bord d'un moule à soufflé de capacité moyenne. Versez la crème dans le moule et réfrigérez 3-4 heures.

Pendant ce temps, faites griller au four les amandes pelées, jusqu'à ce qu'elles soient dorées ; réduisez-les en poudre, en même temps que les biscuits, avec un rouleau à pâtisserie. Juste avant de servir, enlevez la collerette de papier du moule et recouvrez les bords et la surface du soufflé avec le mélange de biscuits et d'amandes en poudre.

PITHIVIERS

Cette exquise pâtisserie, faite de pâte feuilletée fourrée à la crème d'amandes, est une spécialité de Pithiviers, petite ville du Loiret, en France.

PRÉPARATION : *1 heure (sans la pâte)*
CUISSON : *45 minutes*

INGRÉDIENTS *(6 personnes)*
500 g de pâte feuilletée fine (p. 326)
1 œuf
1 c. à soupe de sucre glace
CRÈME D'AMANDES
100 g d'amandes en poudre
100 g de beurre ramolli
8 c. à soupe de sucre
2 jaunes d'œufs
1 c. à soupe de kirsch ou de rhum

Séparez la pâte en deux moitiés, mettez-en une au réfrigérateur. Sur un plan de travail fariné, avec un rouleau fariné, abaissez l'autre moitié de la pâte sur une épaisseur de 3 mm. Sur cette abaisse, renversez un moule à tarte de 25 cm de diamètre et découpez un disque de pâte en suivant le bord du moule ; il servira pour la couche inférieure du gâteau. Enroulez le disque de pâte autour du rouleau, puis déroulez-le sur une plaque à four mouillée d'eau froide. Mettez-le au réfrigérateur.

Sortez du réfrigérateur l'autre moitié de la pâte, abaissez-la sur une épaisseur de 5 mm et découpez-y un autre disque de 25 cm de diamètre. Enroulez-le autour du rouleau et déroulez-le sur une autre plaque à four recouverte de papier paraffiné huilé ; ce disque formera la couche supérieure du gâteau. Mettez au réfrigérateur.

Pour préparer la crème d'amandes, battez le beurre avec le sucre jusqu'à l'obtention d'un mélange crémeux et bien mousseux ; ajoutez les autres ingrédients et mélangez rapidement ; faites durcir cette crème au réfrigérateur pendant 1-2 heures ou bien au congélateur pendant 30 à 40 minutes. Avec les mains, donnez-lui la forme d'un disque de 12-13 cm.

Retirez du réfrigérateur la plaque portant le disque de pâte destiné à être la couche inférieure du gâteau et placez en son centre le disque de pâte d'amande ; humidifiez avec de l'eau bien froide la pâte feuilletée qui dépasse.

Sortez du réfrigérateur l'autre disque de pâte et recouvrez-en le premier garni de crème d'amandes en appuyant bien sur le bord avec les doigts légèrement farinés. A l'aide d'un couteau pointu, pratiquez sur le bord du gâteau des encoches séparées l'une de l'autre de 4 cm environ et, passant d'une encoche à l'autre, découpez le bord en festons. Mettez au réfrigérateur pendant 20 minutes et, en attendant, allumez le four à 220°C.

Sortez le gâteau du réfrigérateur. Avec un petit couteau pointu, pratiquez au centre du couvercle de pâte un trou de 1 cm de diamètre dans lequel vous introduirez une cheminée en papier d'aluminium (pour permettre à la vapeur de sortir). Battez l'œuf avec une cuillerée à soupe d'eau et badigeonnez-en la surface du gâteau, en veillant à ce qu'il ne coule pas au-delà du bord, ce qui empêcherait la pâte de gonfler uniformément. Avec la pointe d'un couteau, pratiquez dans le couvercle de pâte des lignes courbes de 3 mm de profondeur, du trou central à l'extrémité des festons, comme pour dessiner les pétales d'une fleur. Mettez le gâteau à four chaud pendant 5 minutes, puis abaissez la température du four à 200°C et laissez cuire encore 40 minutes ou jusqu'à ce qu'il soit bien doré.

Retirez du feu, saupoudrez de sucre glace et remettez au four, en portant la température au maximum ou en allumant le gril quelques minutes pour faire fondre le sucre. Faites refroidir le gâteau sur une grille ; servez-le à votre gré tiède ou froid.

Une croûte aux abricots surmontée de crème fouettée et garnie de cédrat confit : le couronnement parfait d'un repas plantureux.

Le biscuit Tortoni est un dessert de grande classe dont Victor Hugo raffolait.

CROÛTES AUX ABRICOTS

Les croûtes, malgré leur nom peu solennel, sont un dessert de la grande cuisine classique.

PRÉPARATION : *10 minutes*
CUISSON : *20 minutes*

INGRÉDIENTS *(6 personnes)*
12 beaux abricots ou 24 moitiés
  d'abricots en boîte
150 g de sucre (ou 50 g si vous
  utilisez des abricots en boîte)
6 tranches de brioche
100 g de beurre
100 ml de crème épaisse
1 c. à soupe de kirsch (facultatif)
GARNITURE
Cédrat confit

Coupez les abricots en deux et dénoyautez-les. Dans une casserole, portez à ébullition 2 cuillerées à soupe d'eau et le sucre, jetez-y les moitiés des abricots et laissez-les cuire à feu très doux pendant 4 à 6 minutes, jusqu'à ce qu'ils soient tendres. Egouttez-les et gardez-les au chaud. Faites bouillir le liquide de cuisson pour obtenir un sirop épais, mais non coloré. Laissez refroidir. Si vous utilisez des abricots en boîte, faites-les chauffer à feu doux dans leur sirop, puis égouttez-les et gardez-les au chaud. Ajoutez au sirop 50 g de sucre et faites-le épaissir.

Dans une grande poêle, faites dorer au beurre les tranches de brioche, en les retournant dès qu'elles commencent à blondir ; gardez-les au chaud. Fouettez la crème, mélangez-y le sirop d'abricot et le kirsch si vous le désirez.

Pour servir, disposez les croûtes sur un plat chaud ; placez sur chacune d'elles quatre moitiés d'abricots et une bonne cuillerée de crème fouettée. Garnissez de petits morceaux de cédrat confit.

BISCUIT TORTONI

Au siècle dernier, à Paris, le restaurant Tortoni, renommé pour sa cuisine, était fréquenté par bon nombre d'écrivains célèbres. Ce gâteau était l'une de ses spécialités les plus fameuses.

PRÉPARATION : *15 minutes*
CONGÉLATION : *3 heures*

INGRÉDIENTS *(6 à 8 personnes)*
300 ml de crème épaisse
100 ml de crème légère
100 g de sucre glace
12 macarons
6 c. à soupe de xérès doux ou de
  marsala
Sel

Une heure environ avant de commencer la préparation du gâteau, réglez le congélateur à la température la plus basse possible.

Fouettez le mélange des deux crèmes avec une pincée de sel, mélangez-lui le sucre et versez-le dans un moule à gâteau rectangulaire d'environ 25 cm de long, couvrez d'un morceau de papier d'aluminium plié en deux et mettez au congélateur jusqu'à ce que la préparation se soit solidifiée.

Mettez les macarons dans un petit sac de plastique ou de papier fort et écrasez-les au rouleau à pâtisserie jusqu'à ce qu'ils soient réduits en fines miettes ; vous pouvez également les passer au mixer. Mettez-en un tiers de côté pour la décoration du gâteau.

Placez la crème gelée dans une jatte, en la cassant en morceaux, et fouettez-la en y mélangeant le xérès ou le marsala et les macarons émiettés. Lavez et essuyez le moule à gâteau et versez-y le mélange ; couvrez de nouveau et remettez au congélateur.

Quand la crème s'est de nouveau raffermie, posez le moule renversé sur un plat de service, enveloppez-le d'un linge plongé dans l'eau très chaude, puis bien essoré, et laissez-le jusqu'à ce que le gâteau se détache des parois du moule et reste sur le plat. Recouvrez-le des miettes de macaron, en pressant délicatement avec une spatule large. Servez aussitôt.

AVOCAT GOURMAND

Bien qu'étant un fruit, l'avocat était surtout apprêté jusqu'à tout récemment en petite entrée salée. Depuis quelques années, les chefs s'ingénient à lui trouver de nouveaux emplois, comme en témoigne cette recette qui marie l'avocat à la crème fouettée aromatisée à la lime ou au citron.

PRÉPARATION : *20 minutes*
RÉFRIGÉRATION : *2 heures*

INGRÉDIENTS *(6 personnes)*
3 gros avocats
2 limes ou 1 gros citron
1½ c. à soupe de sucre glace
100 ml de crème épaisse

Pelez les avocats, retirez les noyaux et détaillez la chair en petits dés. Prélevez une fine tranche au milieu du citron ou d'une lime et taillez-la en six pointes. Mettez de côté. Pressez les fruits pour en extraire le jus ; sucrez-le avec le sucre glace.

Passez le jus au mixer pendant 30 secondes ; ajoutez les dés d'avocat et réduisez-les en purée. Fouettez la crème et incorporez-la à la purée ; ajoutez, au goût, du sucre et du jus de fruits.

Dressez la purée dans six coupes et mettez-la au moins 2 heures au réfrigérateur. Décorez les coupes avec les triangles de fruit mis en réserve et servez avec des doigts de dame.

Casse-croûte

POMPONNETTES

Ces petites préparations constituaient le repas du midi des mineurs dans la région cuprifère du Michigan et elles y sont encore appréciées. La garniture peut être composée de légumes, de viande ou de volaille.

PRÉPARATION : *20 à 30 minutes*
CUISSON : *40 minutes*

INGRÉDIENTS *(4 personnes)*
Pâte ordinaire (p. 317)
225 g de bœuf à ragoût
2 pommes de terre grossièrement râpées
1 petit navet grossièrement râpé
1 oignon haché menu
Sel et poivre noir
1 c. à soupe de beurre doux
1 œuf légèrement battu

Dégraissez la viande et émincez-la très finement avec un couteau. Mélangez-la aux légumes.

Abaissez la pâte à 7 mm sur une planche légèrement farinée. Découpez quatre cercles à l'aide d'une grande soucoupe. Dressez la garniture en pyramide au centre des cercles ; salez, poivrez et déposez au sommet une noisette de beurre. Humectez le tour des cercles avec de l'eau froide et ramenez les bords de façon à former une petite bourse en pinçant et en tordant la pâte. Pratiquez une ouverture sur le côté de chaque pomponnette.

Badigeonnez les pièces avec l'œuf battu et déposez-les sur une tôle à pâtisserie graissée que vous placerez au centre du four préchauffé à 220°C. Laissez cuire les pomponnettes 10 minutes à cette température, puis baissez le thermostat à 180°C et prolongez la cuisson de 30 minutes.

SAUCISSES À LA DIABLE

Arrosées d'une sauce fortement relevée, ces saucisses cuites au four ont le goût que donne une cuisson sur des braises ardentes.

PRÉPARATION : *10 minutes*
MARINAGE : *1 heure*
CUISSON : *20 minutes*

INGRÉDIENTS *(4 personnes)*
450 g de saucisses de porc
2 c. à soupe d'huile d'olive
2 c. à soupe de ketchup
2 c. à thé de moutarde de Dijon
½ c. à thé de sauce Worcestershire
Sel et poivre noir

Piquez les saucisses avec une fourchette et déposez-les côte à côte dans une rôtissoire. Mélangez huile, ketchup, moutarde et sauce Worcestershire, sel et poivre ; versez sur les saucisses. Laissez-les mariner pendant 1 heure en les retournant de temps à autre.

Faites cuire les saucisses dans le four préchauffé à 200°C pendant 20 minutes en les arrosant souvent. La cuisson est à point quand elles sont rôties.

Servez les saucisses fumantes, accompagnées de purée de pommes de terre et de tomates grillées ; elles peuvent aussi se manger froides dans des petits pains beurrés.

RISSOLES AU SAUMON

Ces petits sandwichs au saumon rissolés composent un repas léger si on les accompagne d'un légume vert et d'une salade.

PRÉPARATION : *15 minutes*
CUISSON : *8 à 10 minutes*

INGRÉDIENTS *(4 personnes)*
16 tranches de pain blanc
60 g de beurre doux
1 boîte de saumon de 225 g environ
60 g de fromage à la crème
1 c. à soupe de parmesan râpé
Sel et poivre noir
1 œuf
1 cuillerée à soupe de lait
Paprika
Graisse ou huile pour la friture

A l'aide d'un emporte-pièce de 5 à 7,5 cm, découpez 16 cercles dans les tranches de pain et beurrez-les. Egouttez le saumon, enlevez peau et arêtes et écrasez la chair à la fourchette en y incorporant peu à peu le fromage à la crème et le parmesan râpé. Poivrez et salez avec discrétion. Etalez cet appareil sur huit cercles ; recouvrez des huit autres cercles et pressez à la main.

Battez l'œuf avec le lait ; salez, poivrez et ajoutez le paprika. Roulez-y les sandwichs et faites-les rissoler à feu vif dans la graisse ou l'huile fumante jusqu'à ce qu'ils soient croustillants et dorés. Servez aussitôt.

PÂTÉ DU BERGER

Voici une vieille recette anglaise qui allie agneau et pommes en un pâté savoureux rehaussé de fines herbes.

PRÉPARATION : *20 minutes*
CUISSON : *35 minutes*

INGRÉDIENTS *(4 à 6 personnes)*
350 g d'agneau cuit en dés
250 g de jambon cuit en dés
225 g de pommes à cuire
1 gros oignon émincé finement
Sel et poivre noir
1 pincée de romarin
1 pincée de sauge
300 à 400 ml de bouillon de poulet
1 c. à soupe de concentré de tomate
Pâte ordinaire (p. 317)
1 œuf battu

Pelez, videz et émincez les pommes. Dans un plat à four beurré de 20 cm, disposez en couches superposées l'agneau et le jambon, les pommes et l'oignon. Saupoudrez chaque couche de sel, de poivre et de fines herbes. Délayez le concentré de tomate dans le bouillon de poulet ; mouillez-en la viande. Abaissez la pâte et recouvrez-en le pâté en faisant bien adhérer les bords. Pratiquez une cheminée au centre pour permettre à la vapeur de s'échapper. Dorez l'abaisse avec l'œuf légèrement battu.

Déposez le pâté au centre du four préchauffé à 230°C. Après 10 minutes de cuisson, baissez le thermostat à 180°C et prolongez la cuisson de 25 minutes. Le pâté du berger se mange chaud ou froid, accompagné d'une salade verte et d'une chope de bière.

GÂTEAU À L'ESPAGNOLE

Avec un reste de génoise ou de gâteau aux fruits rassis et de salade de fruits, vous préparez ce dessert économique et savoureux.

PRÉPARATION : *10 minutes*
CUISSON : *15 minutes*

INGRÉDIENTS *(4 à 6 personnes)*
4 à 6 grosses tranches de génoise ou de gâteau aux fruits rassis
250 à 300 g de fruits frais ou en conserve
100 ml de jus d'orange
1 c. à soupe de rhum
1 c. à thé de fécule de maïs
250 ml de crème fraîche
2 jaunes d'œufs
4 c. à soupe de sucre
Extrait liquide de vanille
Sel

Disposez dans un plat à four beurré les tranches de génoise ou de gâteau, versez les fruits par-dessus. Mouillez avec le jus d'orange mélangé au rhum, mettez au centre du four, préchauffé à 180°C, et laissez cuire 10 à 15 minutes.

Pendant ce temps, délayez dans une casserole la fécule de maïs avec la moitié de la crème ; battez les jaunes d'œufs avec le reste de la crème et incorporez-les au mélange dans la casserole, en ajoutant le sucre et une pincée de sel. Faites cuire à feu doux, en remuant sans arrêt, jusqu'à ce que vous obteniez une crème lisse et épaisse. Ajoutez quelques gouttes d'extrait de vanille, versez la crème dans le plat sur le gâteau et servez aussitôt.

Juin

LES RECETTES DU MOIS

*C'est l'été ; le thé est servi au jardin avec des bouchées
aux concombres et des fraises à la crème.*

Au fil des saisons

Avec juin, le printemps cède peu à peu la place à l'été ; on commence à apprécier les repas légers, vite faits, les plats froids comme le velouté froid au brocoli (p. 141). C'est aussi le temps des salades de toutes sortes et celui des glaces et des sorbets aux premiers fruits frais de la saison.

Les légumes se font plus abondants, plus variés et coûtent moins chers. Les concombres, par exemple, sont excellents en salade, mélangés à des fraises dans la très insolite salade Elona (p. 151), mais ils peuvent se marier de manière tout aussi originale avec des maquereaux (p. 143). Les tomates deviennent plus rouges, plus juteuses, si savoureuses qu'on peut enfin les manger à la croque au sel. Préférez-les maintenant aux tomates en conserve pour préparer le veau aux tomates (p. 144) ou la fondue d'aubergines (p. 152).

A mesure que le temps se réchauffe, le poisson, plus léger, se substitue bien à la viande. Pensez au saumon en croûte (p. 143) ou à la quiche au crabe (p. 144).

Juin nous ramène les fraises du pays dans toute leur gloire. Servez-les nature, additionnées de sucre et de crème ou de vin rouge. Pour varier, confectionnez des desserts raffinés : parfaits ou sorbets aux fraises (p. 154). Les framboises font aussi leur apparition. C'est le moment de servir les exquises pêches Melba arrosées d'un coulis frais de framboise (p. 152).

Enfin, ceux qui ont la chance de mettre la main sur les premières baies pourront confectionner dès maintenant la timbale de bleuets (p. 153) ou encore la charlotte aux mûres (p. 153).

MENUS SUGGÉRÉS

Velouté froid au brocoli
...
Saumon en croûte
Pommes de terre nouvelles au beurre
Salade de concombres
...
Parfait aux fraises

Quiche au crabe froide
...
Gigot d'agneau au vin rouge
Pommes de terre sautées
Carottes au beurre
...
Timbale de bleuets à l'ancienne

Côtes de porc aux pommes
...
Pommes de terre à la crème
Petits pois et oignons verts
...
Pouding au citron et aux bleuets

Œufs farcis aux anchois
...
Jambon au four farci aux abricots
Pommes de terre au four
Epinards à la crème
Salade de courgettes à la menthe
...
Sorbet aux fraises

Curry : Ragoût de poisson à l'indienne,
Bœuf au curry de Madras,
Œufs durs à l'indienne
Riz nature
...
Pêches Melba

Blinis au caviar
...
Poulet marengo
Nouilles au beurre
Salade verte à la vinaigrette
...
Charlotte aux mûres

Potages et entrées

VELOUTÉ FROID AU BROCOLI

Fraîche et appétissante, cette crème vert clair commence bien un repas d'été. Vous pouvez la préparer à l'avance et même la veille.

PRÉPARATION : *25 minutes*
CUISSON : *20 minutes*
RÉFRIGÉRATION : *4 heures*

INGRÉDIENTS *(6 personnes)*
1 petit oignon
1 côte de céleri
1 carotte
30 g de beurre
500 g ou 3 grosses tiges de brocoli
750 ml de bouillon de poulet
375 ml de crème légère
Sel et poivre

Hachez l'oignon, le céleri et la carotte. Faites-les revenir dans le beurre à feu moyen pendant 5 minutes, en remuant de temps à autre. Par ailleurs, lavez le brocoli, enlevez les inflorescences et réservez-les ; épluchez et hachez les tiges.

Dès que les légumes sont dorés, ajoutez les tiges de brocoli et mouillez avec le bouillon de poulet. Amenez à ébullition, puis réduisez la chaleur et laissez mijoter 15 minutes. Ajoutez alors les inflorescences de brocoli et prolongez la cuisson de 5 minutes ou jusqu'à ce qu'elles soient tendres ; retirez-en la moitié avec l'écumoire et mettez-les en réserve.

Réduisez les légumes en purée dans le mixer ou utilisez un presse-purée. Laissez refroidir à découvert et ajoutez la crème. Comptez alors 4 heures de réfrigération au moins.

Au moment de servir, rectifiez l'assaisonnement et versez le velouté dans des bols en le décorant des inflorescences que vous aviez mises de côté. Le velouté au brocoli est également très bon chaud.

BLINIS AU CAVIAR

En Russie, pays d'origine de ce plat, les blinis se servent avec du caviar, de la crème sure et de l'oignon cru haché. Mais ils accompagnent aussi très bien tous les poissons fumés.

PRÉPARATION : *2 heures*
CUISSON : *20 minutes*

INGRÉDIENTS *(6 personnes)*
1 sachet de levure de bière (18 g)
280 g de farine de froment et 70 g de farine de sarrasin (ou 350 g de farine tout usage)
250 ml de lait
30 g de beurre doux
2 gros œufs
1 c. à thé de sucre
Huile
Sel
GARNITURE
2 gros oignons
1 citron entier
250 ml de crème sure
200 g de caviar (ou d'œufs de lump)

Versez dans une jatte 350 ml d'eau tiède (45°C). Mettez la levure et laissez reposer dans un endroit chaud pendant 15 minutes, ou jusqu'à ce que le liquide mousse. Mélangez les deux espèces de farine, tamisez-en la moitié dans une jatte et mêlez-y peu à peu l'eau dans laquelle vous avez fait fondre la levure. Battez jusqu'à l'obtention d'une pâte homogène, couvrez d'un linge propre et laissez lever dans un endroit chaud pendant 30 minutes ou jusqu'à ce que le mélange ait doublé de volume.

Pelez et hachez grossièrement les oignons et mettez-les dans un plat de service. Placez la crème, le caviar et le citron coupé en quartiers dans trois autres petits plats. Mettez l'ensemble au réfrigérateur.

Faites fondre le beurre dans une casserole et laissez-le légèrement refroidir. Séparez les œufs. Ajoutez à la pâte levée, petit à petit, le reste des farines, le beurre fondu, les jau-

nes, le sucre et une pincée de sel. Battez le mélange pour qu'il soit homogène. Faites chauffer le lait, sans le laisser bouillir, et ajoutez-le peu à peu à la pâte, en remuant sans arrêt. Laissez lever à nouveau.

Montez les blancs en neige et incorporez-les à la pâte. Couvrez et laissez lever pour la troisième fois.

Faites chauffer un peu d'huile dans deux poêles, à feu vif. Versez dans chacune une cuillerée de pâte pour former deux blinis, larges chacun de 10 cm et épais de 5 mm. Faites cuire les blinis 1 minute environ de chaque côté, jusqu'à ce qu'ils soient dorés, puis retournez-les. Gardez-les au chaud, recouverts de

papier d'aluminium, pendant que vous préparez les autres (vous devriez en avoir une vingtaine).

Répartissez les blinis dans les assiettes et servez, en présentant à part l'oignon, la crème sure, les quartiers de citron et le caviar.

Poissons

AVOCATS À LA MODE DE BRISTOL

Homard et avocat : couleurs et saveurs qui s'opposent en un plat raffiné et de très belle apparence. Les avocats sont toujours préparés au dernier moment, sans cela leur chair verte deviendrait brune. Vous pouvez remplacer le homard par du crabe ou de la langouste.

PRÉPARATION : 25 minutes

INGRÉDIENTS (4 personnes)
2 gros avocats
1 homard de 700 g cuit au court-
    bouillon
6 c. à soupe de crème épaisse
2 c. à soupe de jus de citron
Poivre de Cayenne
Paprika
Sel

Coupez le homard cuit en deux dans le sens de la longueur. Eliminez la poche sableuse et la veine intestinale ; extrayez toute la chair de la tête, des pinces et de la queue ; mettez de côté les pattes, pour garnir.

Hachez finement la chair du crustacé, mettez-la dans un saladier et mélangez-y la crème et le jus de citron. Assaisonnez de poivre de Cayenne au goût.

Coupez en deux les avocats dans le sens de la longueur et enlevez-en le noyau. A l'aide d'une cuillère, retirez une partie de la chair, en en laissant une couche de 1 cm environ qui servira à maintenir en forme les moitiés d'avocat ; coupez en petits dés la chair que vous avez enlevée et mélangez-la au homard. Si c'est nécessaire, salez.

Répartissez ce mélange dans les avocats évidés, en saupoudrant d'un peu de paprika ; garnissez avec les pattes mises de côté.

CERVELLE AU BEURRE NOIR

Pour cette recette classique, on utilise généralement de la cervelle de veau, mais la cervelle d'agneau est également savoureuse.

PRÉPARATION : 30 minutes
CUISSON : 35 minutes

INGRÉDIENTS (4 personnes)
450 à 500 g de cervelle
180 g de beurre doux
1 c. à thé de câpres au vinaigre
2 c. à thé du vinaigre des câpres
1 feuille de laurier
Sel, poivre
GARNITURE
Persil haché
Triangles de pain blanc grillés

Laissez tremper la cervelle dans une jatte d'eau froide légèrement salée pendant au moins 30 minutes, de façon à éliminer le sang. Egouttez-la et débarrassez-la de la pellicule transparente. Rincez de nouveau à l'eau froide et coupez-la en quatre morceaux égaux.

Mettez les morceaux de cervelle dans une casserole, couvrez-les d'eau froide légèrement salée. Portez à ébullition à feu modéré, écumez avec soin ; baissez le feu, ajoutez la feuille de laurier, mettez un couvercle et laissez cuire à feu doux pendant 20 minutes (15 minutes pour des cervelles d'agneau). Egouttez bien et disposez la cervelle sur un plat de service chaud ; salez et poivrez.

Faites fondre le beurre dans une petite casserole, à feu modéré, et faites-le brunir, en veillant toutefois à ce qu'il ne brûle pas. Mélangez-y les câpres et leur liquide et versez immédiatement cette sauce sur la cervelle.

Parsemez de persil haché. Servez avec des triangles de pain blanc dorés.

PÉTONCLES SAUTÉS À L'AIL ET AU PERSIL

Le goût piquant de l'ail fait un contraste heureux avec la fraîcheur du persil. Pour une jolie présentation, servez donc les pétoncles dans des coquilles.

PRÉPARATION : 5 minutes
CUISSON : 5 à 10 minutes

INGRÉDIENTS (4 personnes)
700 g de pétoncles
40 g de farine
6 c. à soupe d'huile d'olive
2-3 gousses d'ail pelées et hachées
    finement
4 c. à soupe de persil haché
Sel, poivre

Nettoyez, lavez et essuyez les pétoncles, puis farinez-les.

Faites chauffer l'huile dans une grande poêle, jetez-y les pétoncles et faites-les dorer à feu vif en remuant délicatement et en secouant la poêle pour qu'ils n'attachent pas ; baissez le feu et faites cuire encore 2-3 minutes à feu modéré. Pendant la cuisson, ajoutez l'ail haché, en remuant bien ; assaisonnez de sel et de poivre.

Un instant avant de retirer la poêle du feu, ajoutez le persil haché et remuez pour bien le répartir. Servez dans un plat ou dans des coquilles creuses tenues au chaud. Garnissez de rondelles de citron.

AIGLEFIN AUX CREVETTES

Aiglefin frais et crevettes se combinent ici à une sauce Mornay avant d'être passés au gril.

PRÉPARATION : 15 minutes
CUISSON : 30 minutes

INGRÉDIENTS (4 personnes)
4 filets d'aiglefin frais de 170 g
    chacun environ
12 crevettes cuites et décortiquées
Farine assaisonnée de sel et de poivre
60 g de beurre
3 c. à soupe de farine
300 ml de lait
50 à 60 g de cheddar râpé
1 petit oignon
Sel et poivre de Cayenne
6 c. à soupe de crème épaisse

Lavez et essuyez les filets. Enrobez-les légèrement de farine assaisonnée. Beurrez un moule à four peu profond et déposez-y les filets côte à côte.

Chauffez le reste du beurre, ajoutez les 3 cuillerées à soupe de farine, laissez cuire quelques minutes, puis incorporez le lait peu à peu pour obtenir une sauce blanche (p. 269). Ajoutez le fromage râpé ainsi que l'oignon pelé et haché finement. Détaillez les crevettes en gros dés et mettez-les dans la sauce. Incorporez la crème épaisse et terminez en salant et en poivrant.

Nappez les filets avec cette sauce et faites cuire dans le centre du four préchauffé à 200°C pendant 20 minutes. Si le plat n'est pas encore gratiné, passez-le quelques minutes sous le gril.

Servez immédiatement avec des épinards et du riz nature ou des pommes de terre à l'anglaise.

SAUMON EN CROÛTE

Saumon et purée d'asperges fraîches rassemblés dans une pâte feuilletée très légère : voilà un plat parfait pour un dîner élégant. Vous pouvez le servir chaud ou froid, avec l'avantage, dans le second cas, de pouvoir le préparer plusieurs heures à l'avance.

PRÉPARATION : *45 minutes*
CUISSON : *40 minutes*

INGRÉDIENTS *(4 à 6 personnes)*

2 filets de saumon sans la peau de 600 g environ chacun
500 g d'asperges
Pâte feuilletée fine (p. 326), préparée avec la moitié des quantités indiquées
3 fines tranches de jambon cuit
1 jaune d'œuf
1 c. à soupe de lait
2 c. à soupe de crème épaisse
2 pincées de feuilles d'aneth hachées (facultatif)
1 citron coupé en quartiers
Sel, poivre

Epluchez et lavez les asperges, faites-en une botte et plongez-les bien droites, les pointes hors de l'eau, dans un faitout plein d'eau bouillante légèrement salée : laissez-les cuire 10 à 15 minutes, jusqu'à ce que les pointes soient tendres au toucher. Egouttez-les bien et coupez-en les pointes à partir de l'endroit où elles sont tendres (les tiges pourront être utilisées pour un potage) ; passez les pointes au tamis ou réduisez-les en purée au mixer. Mélangez à la purée obtenue la crème, l'aneth et du poivre.

Mettez cette purée d'asperges sur un filet de saumon et posez l'autre par-dessus (s'il y a trop de purée, vous pouvez en enduire également le second filet). Enroulez les tranches de jambon autour du poisson et mettez le tout de côté.

Sur une surface farinée, avec un rouleau fariné, abaissez la pâte de manière à obtenir un rectangle de 25 cm sur 30 cm environ. En son centre, mettez le saumon et enveloppez-le dans l'abaisse, après en avoir badigeonné les bords avec le jaune d'œuf, légèrement battu avec le lait. Collez bien les deux bords les plus longs, puis repliez avec soin les côtés courts en les collant à leur tour avec l'œuf et le lait. Retournez l'ensemble de manière que les bords soudés soient en dessous, et disposez-le sur une plaque à four humidifiée avec de l'eau froide. Faites une ou deux fentes à la surface supérieure pour permettre à la vapeur de sortir pendant la cuisson et décorez de petites feuilles faites avec les chutes de pâte. Badigeonnez avec ce qui reste d'œuf et de lait. Faites cuire au centre du four, préchauffé à 220°C, pendant 20 minutes ; réduisez ensuite la température à 180°C et laissez cuire encore 20 à 25 minutes, jusqu'à ce que la pâte ait pris une belle couleur d'or foncé.

Servez, chaud ou froid, coupé en tranches et garni de quartiers de citron. Accompagnez de petites pommes de terre nouvelles cuites à la vapeur et parsemées de beurre et, si possible, de feuilles d'aneth et d'une salade de concombres.

MAQUEREAUX AU CONCOMBRE

La fraîcheur de son goût et sa délicate couleur verte font du concombre un excellent accompagnement pour des poissons gras, comme le maquereau et la truite. Vous pouvez servir ce plat chaud ou froid.

PRÉPARATION : *25 minutes*
CUISSON : *35 minutes*

INGRÉDIENTS *(4 personnes)*
4 maquereaux de 200 g chacun environ
90 g de beurre
1 petit concombre non ciré
2 c. à soupe de vinaigre blanc ou de vin blanc sec
Sel, poivre

Demandez à votre poissonnier de vous préparer les poissons, en leur enlevant aussi la tête. Lavez les maquereaux et essuyez-les ; lavez et essuyez le concombre et coupez-le en tranches fines. Graissez un plat à gratin avec le tiers du beurre ; couvrez-en le fond d'une couche de tranches de concombre et disposez les maquereaux sur celles-ci ; couvrez avec le reste de concombre. Assaisonnez de sel et de poivre au goût, arrosez avec le vinaigre ou le vin et parsemez d'un autre tiers de beurre coupé en petits morceaux. Couvrez, mettez au centre du four préchauffé à 220°C et faites cuire 20 minutes.

Retirez du feu, disposez poissons et concombre dans le plat de service ; si vous voulez servir ce plat chaud, gardez-le dans le four éteint. Filtrez le fond de cuisson dans une passoire fine, recueillez-le dans une petite casserole, portez à ébullition et faites bouillir à feu vif, en ajoutant par petits morceaux le reste du beurre et en remuant de temps en temps, jusqu'à ce que le liquide soit réduit environ de moitié et soit devenu brillant et épais. Versez-le sur les maquereaux et servez tout de suite ou bien laissez refroidir.

Si vous servez chaud, accompagnez de pommes de terre sautées au beurre et parsemées de persil et de petits pois nouveaux. Si vous servez froid, vous pouvez accompagner d'une salade verte et de pommes de terre à l'ail (p. 261).

MORUE BONNE FEMME

La morue s'accommode d'une infinité de façons. Ici, pochée au vin blanc avec addition d'échalotes et de champignons, elle est idéale pour un repas léger.

PRÉPARATION : *15 minutes*
CUISSON : *20 minutes*

INGRÉDIENTS *(4 personnes)*
4 filets de morue d'environ 150 g chacun
2-3 c. à soupe de farine
90 g de beurre doux
3 échalotes
115 g de champignons
Sel et poivre noir
2 c. à soupe de vin blanc sec
2 c. à thé de jus de citron
GARNITURE
1 c. à soupe de persil haché

Lavez et essuyez les filets. Dépouillez-les de leur peau et farinez-les sans excès. Graissez un grand plat à four peu profond avec le tiers du beurre et disposez-y les filets côte à côte. Pelez et hachez finement les échalotes. Faites-les étuver dans le reste du beurre chaud pendant 2-3 minutes. Lavez et parez les champignons ; émincez-les finement et ajoutez-les aux échalotes quand elles sont transparentes. Prolongez la cuisson de 2 minutes et assaisonnez de sel et de poivre fraîchement moulu.

Répandez le mélange de champignons et d'échalotes sur les filets de morue et versez le vin. Couvrez le plat et faites cuire le poisson 15 minutes au centre du four préchauffé à 220°C.

La morue bonne femme passe directement du four à la table. Relevez la sauce de jus de citron et décorez de persil.

Viandes

AIGLEFIN MONTE-CARLO

Ce plat à base d'œufs et d'aiglefin fumé compte parmi les spécialités des beaux restaurants de la côte monégasque.

PRÉPARATION : *10 minutes*
CUISSON : *20 à 30 minutes*

INGRÉDIENTS *(4 personnes)*
1 filet de 400 à 500 g d'aiglefin fumé
600 ml de lait
1 feuille de laurier
60 g de beurre
4 c. à soupe de farine
Sel et poivre de Cayenne
120 g de cheddar râpé
4 œufs

Lavez et essuyez le filet avant de le déposer dans un grand plat avec le lait et la feuille de laurier. Faites pocher le poisson à feu modéré et à découvert pendant 10 minutes. Retirez alors le poisson avec une écumoire, dépouillez-le de sa peau et composez quatre portions dans un plat chaud que vous mettrez en attente dans le four tiède.

Passez le lait et servez-vous-en pour confectionner une sauce blanche (p. 269) avec le beurre manié (mélange du beurre et de la farine). Assaisonnez au goût de sel et de poivre de Cayenne, puis incorporez le fromage râpé.

Faites pocher les œufs dans de l'eau frémissante légèrement salée ; lorsqu'ils sont à point, retirez-les avec l'écumoire et déposez un œuf sur chaque portion de poisson. Nappez de sauce et passez le plat 2-3 minutes sous le gril pour le faire dorer.

Accompagnez ce plat d'épinards à la crème (p. 150).

QUICHE AU CRABE

Comme c'est le cas pour beaucoup de tartes ou de quiches, la pâte ici est cuite partiellement seule, avant d'être garnie d'une savoureuse préparation. C'est un plat idéal pour l'été, aussi bon froid que chaud.

PRÉPARATION : *20 à 30 minutes*
CUISSON : *30 minutes*

INGRÉDIENTS *(4 à 6 personnes)*

PÂTE
220 g de farine
60 g de beurre ramolli
60 g de saindoux
30 g de cheddar râpé
1 jaune d'œuf
Poivre de Cayenne
Sel

GARNITURE
280 à 300 g de chair de crabe
(éventuellement en boîte)
3 œufs
2 c. à thé de jus de citron
½ c. à thé de sauce Worcestershire
100 ml de crème épaisse

Tamisez la farine, le sel et le poivre de Cayenne. Ajoutez le beurre et le saindoux en morceaux, et amalgamez les ingrédients, en pétrissant du bout des doigts, jusqu'à l'obtention d'une sorte de chapelure. Ajoutez le fromage, le jaune d'œuf et un peu d'eau froide pour obtenir une pâte lisse. Laissez reposer 30 minutes.

Abaissez la pâte au rouleau fariné sur une surface légèrement farinée et foncez-en un moule rond d'un diamètre de 22 cm environ.

Piquez le fond avec une fourchette et faites cuire « à blanc », dans le four préchauffé à 200°C, pendant 10 minutes ou jusqu'à ce que la pâte soit dorée.

Emiettez la chair de crabe, mélangez-y les œufs battus avec le jus de citron, la sauce Worcestershire et la crème ; salez au goût.

Versez le mélange dans la croûte et remettez au four pendant 25 à 30 minutes, à 180°C. Servez chaud ou froid à votre gré, en accompagnant d'une salade.

BŒUF AUX PETITS POIS

Une bonne tranche d'intérieur de ronde convient bien à la préparation de cette recette à la cuisson lente et douce.

PRÉPARATION : *10 minutes*
CUISSON : *1 h 30 à 2 heures*

INGRÉDIENTS *(6 personnes)*
1,2 kg d'intérieur de ronde
60 g de beurre doux
1 gousse d'ail (facultatif)
700 g de petits pois écossés
Sel, poivre

Si vous utilisez l'ail, coupez-le en petites lamelles et introduisez-les dans de petites fentes pratiquées dans le morceau de viande, à intervalles réguliers, avec un couteau à lame fine. Assaisonnez la viande de sel et de poivre, faites-la revenir dans une cocotte avec la moitié du beurre, à feu modéré, en la retournant de telle sorte qu'elle se colore de tous les côtés. Ajoutez les petits pois et le reste du beurre. Couvrez avec un couvercle qui ferme bien, mettez au centre du four, préchauffé à 160°C, et laissez cuire pendant 1 h 30 si vous voulez servir la viande saignante, 2 heures si vous la préférez bien cuite.

Retirez la viande de la cocotte ; coupez-la en fines tranches et disposez-la sur un plat de service chaud, en accompagnant de petites pommes de terre nouvelles cuites à la vapeur et parsemées de morceaux de beurre et de ciboulette (ou de menthe) hachée.

VEAU AUX TOMATES

L'épaule de veau désossée est un morceau très indiqué pour les préparations à cuisson lente.

PRÉPARATION : *20 minutes*
CUISSON : *1 h 30 à 2 heures*

INGRÉDIENTS *(6 personnes)*
1,2 kg d'épaule de veau désossée et roulée
60 g de beurre doux
700 g de tomates
2 oignons
6 à 8 grains de poivre pilés
1 pincée d'estragon séché
Sel

Demandez au boucher de rouler et d'attacher le morceau de viande avec une ficelle qui en maintient la forme pendant la cuisson ; salez-le légèrement. Faites fondre la moitié du beurre dans une cocotte et faites-y revenir la viande à feu modéré, en la faisant dorer de tous les côtés.

Pelez les tomates, coupez-les en deux dans le sens de la largeur, pressez-les pour en faire sortir les graines et hachez-les grossièrement. Pelez et hachez finement les oignons. Faites fondre le reste du beurre dans une poêle et faites-y revenir pendant 3-4 minutes, à feu modéré, tomates et oignons ; ajoutez les grains de poivre pilés et l'estragon, et versez cette préparation sur la viande. Couvrez la cocotte, mettez-la au centre du four, préchauffé à 150°C, et laissez cuire 1 h 30 à 2 heures.

Lorsque la cuisson est terminée, déficelez la viande, coupez-la en tranches et servez-la bien chaude, après l'avoir arrosée de la sauce à la tomate. Accompagnée de spaghettis au beurre, cette viande en sauce constitue un plat substantiel.

CÔTES DE PORC AUX POMMES

Les pommes vont particulièrement bien avec la viande de porc dont elles compensent le côté un peu gras par leur goût acidulé.

PRÉPARATION : *15 minutes*
CUISSON : *1 h 10*

INGRÉDIENTS *(4 personnes)*
4 côtelettes de porc assez épaisses
30 à 60 g de beurre doux
3-4 grosses pommes acidulées
Le jus d'un citron
Sel, poivre

Mettez les côtelettes dont vous aurez enlevé l'excès de gras dans un plat à gratin beurré ; assaisonnez de sel et de poivre. Epluchez les pommes et coupez-les en tranches fines que vous disposerez sur les côtelettes de façon à les recouvrir complètement. Faites fondre le reste du beurre, mettez-en une partie sur les tranches de pomme. Arrosez de jus de citron et couvrez avec un couvercle qui ferme bien ou avec une feuille d'aluminium.

Mettez au centre du four, préchauffé à 160°C, et laissez cuire 1 heure. Découvrez, badigeonnez les pommes avec le reste du beurre fondu et laissez cuire encore 10 minutes, jusqu'à ce que les pommes soient dorées sans être sèches et que la viande soit tendre.

Vous pouvez servir à table dans le plat de cuisson, ou bien mettre les côtelettes et les pommes dans un plat de service chaud. Avec le goût aigrelet des pommes, de petites pommes de terre nouvelles et des endives braisées conviennent particulièrement bien.

TERRINE DE CAMPAGNE

Le mot « terrine » désignait à l'origine un récipient de terre cuite, mais le sens s'est désormais étendu au contenu même du récipient, qui peut être une préparation à base de poisson, de viande ou de volaille. Cette terrine de foie et de viande de veau est une excellente solution pour un pique-nique ou pour un buffet.

PRÉPARATION : *20 minutes*
CUISSON : *2 heures*

INGRÉDIENTS *(6 à 8 personnes)*
350 g de fines tranches de bacon
350 g de foie de veau
700 g de viande de veau hachée
1 gros oignon
2 gousses d'ail
1 c. à soupe de concentré de tomate
1 pincée de feuilles de sauge séchées
1 pincée d'origan
4 feuilles de laurier
120 g de beurre
200 ml de vin rouge
Sel, poivre

Tapissez une terrine ou un autre moule d'une capacité de 1 litre environ avec les fines tranches de bacon que vous laisserez dépasser du bord.

Enlevez la peau du foie ainsi que toutes les parties dures et passez-le au hachoir à viande, en utilisant le disque à gros trous ; mélangez le foie, l'oignon, l'ail et la viande de veau hachée dans un grand bol, en ajoutant le concentré de tomate, la sauge et l'origan. Faites fondre le beurre et incorporez-le au mélange, en même temps que du vin en quantité suffisante pour amollir la pâte sans la rendre liquide. Assaisonnez de sel et de poivre au goût.

Versez le mélange dans la terrine, par-dessus le bacon. Disposez à la surface les feuilles de laurier et repliez vers le centre la partie des tranches de bacon qui dépasse.

Fermez bien avec un couvercle ou une feuille d'aluminium et laissez cuire 2 heures au centre du four, préchauffé à 180°C.

Lorsque la cuisson est terminée, découvrez le récipient et mettez une nouvelle feuille d'aluminium sur laquelle vous placerez une planchette ; sur cette planchette, mettez un poids. Laissez refroidir, puis mettez au réfrigérateur, sans enlever le poids.

Servez directement dans la terrine, ou bien en renversant la préparation sur un plat de service. Si vous la servez comme plat principal, accompagnez-la d'une salade variée et de pain de campagne.

GIGOT D'AGNEAU AU VIN ROUGE

Le vin rouge et le gingembre donnent au traditionnel gigot une saveur particulière et très nouvelle.

PRÉPARATION : *15 minutes*
CUISSON : *1 h 45 à 2 heures*

INGRÉDIENTS *(6 à 8 personnes)*
1 gigot d'agneau de 2 à 2,5 kg
1 c. à soupe d'huile
60 g de beurre doux
300 ml de vin rouge
2 gousses d'ail
2 oignons
2 carottes
3-4 branches de thym
Gingembre en poudre
Sel, poivre

Débarrassez le gigot de la fine membrane qui le recouvre. Coupez une gousse d'ail en trois et insérez-en les morceaux dans la viande en pratiquant de petites incisions. Utilisez l'autre gousse pour en frotter le gigot. Assaisonnez-le de sel et de poivre, saupoudrez-le de gingembre et faites-le revenir dans une grande poêle avec l'huile, à feu modéré, jusqu'à ce qu'il soit coloré de tous les côtés ; réservez.

Dans la même poêle, faites fondre le beurre et mettez à revenir les carottes et les oignons, que vous aurez entre-temps épluchés, lavés et hachés grossièrement. Quand ils sont dorés, couvrez-en le fond d'une cocotte ; couchez-y le gigot, ajoutez le thym.

Couvrez avec un couvercle qui ferme bien ou une feuille d'aluminium bien soudée sur les bords, mettez au centre du four, préchauffé à 220°C, et laissez cuire 25 minutes. Ajoutez le vin, abaissez la température à 180°C et laissez cuire encore 1 h 15 en arrosant deux ou trois fois avec le jus recueilli au fond de la cocotte.

Dressez le gigot sur un plat de service et gardez-le au chaud dans le four éteint. Filtrez le fond de cuisson, mettez-le dans une petite casserole et faites-le bouillir jusqu'à ce qu'il soit réduit de un tiers environ. Si trop de gras est monté à la surface, retirez-le avec une cuillère ou avec du papier absorbant ; rectifiez l'assaisonnement et versez dans une saucière chaude. Servez séparément le gigot, que vous découperez à table ; vous pouvez l'accompagner de pommes de terre sautées et de carottes nouvelles au beurre et au persil.

CURRY

On croit à tort en Occident que le curry désigne une sorte de ragoût dans lequel la viande est nappée d'une sauce aromatisée au curry. Le vrai curry, celui qu'on sert aussi bien en Inde qu'au Pakistan ou en Malaysia, se compose de plusieurs plats de viande, poisson, volaille et légumes assaisonnés d'un mélange d'ingrédients vendu chez nous sous le nom de poudre de curry et dans lequel il entre du curcuma, de la coriandre, du cumin, du poivre, du gingembre, etc.

Les plats qui suivent, conçus pour 6 à 8 personnes, tiennent compte de nos habitudes alimentaires. Il est prudent d'y mettre peu de curry au début, quitte à en augmenter la quantité par la suite. Le plat de viande est meilleur s'il est préparé la veille.

RAGOÛT DE POISSON À L'INDIENNE

PRÉPARATION : *15 minutes*
CUISSON : *1 h 10*

INGRÉDIENTS
225 g de crevettes cuites décortiquées ou 450 g de filets de poisson cuits, détaillés en dés
2 oignons
1 gousse d'ail
30 g de beurre doux
1-2 c. à soupe de poudre de curry
2 pincées de chili
600 à 650 ml de bouillon de poulet
2 c. à soupe de purée de tomates
Le jus d'un citron
2 c. à thé de miel
1 anis étoilé (facultatif)
Sel et poivre noir

Pelez et hachez grossièrement les oignons ; pelez et pilez l'ail. Dans une sauteuse épaisse, faites chauffer le curry et le chili dans le beurre à feu doux pendant 1 minute. Ajoutez les oignons et l'ail. Au bout de 2-3 minutes de cuisson, versez lentement le bouillon de poulet en tournant ; incorporez la purée de tomates, le jus de citron et le miel, puis l'anis étoilé, s'il y a lieu. Couvrez et laissez mijoter 1 heure. La sauce devrait être épaisse.

Retirez l'anis et jetez les crevettes ou le poisson dans la sauce ; prolongez la cuisson de 10 minutes et assaisonnez au goût de sel et de poivre fraîchement moulu.

BŒUF AU CURRY DE MADRAS

PRÉPARATION : *20 minutes*
CUISSON : *2 h 30*

INGRÉDIENTS
700 g de bœuf dans la palette
1 gros oignon
2 gousses d'ail
6 c. à soupe de saindoux ou de graisse de rôti
2 c. à soupe de poudre de curry
1,25 litre de bouillon de bœuf
Le jus d'un demi-citron
2 feuilles de laurier
Sel et poivre noir
1 c. à soupe de cassonade
2 c. à soupe de purée de tomates

Pelez et hachez l'oignon menu ; pelez et pilez l'ail. Dans une sauteuse à fond épais, faites chauffer la moitié du curry dans la moitié du saindoux en remuant constamment pendant 1 minute. Ajoutez l'oignon et l'ail ; prolongez la cuisson de 2 minutes. Versez le bouillon de bœuf et le jus de citron dans la sauteuse, ajoutez les feuilles de laurier. Lorsque l'ébullition reprend, couvrez et laissez mijoter 45 minutes à feu doux.

Pendant ce temps, dégraissez et dénervez la viande, détaillez-la en dés de 2,5 cm et assaisonnez-la avec du sel, du poivre noir fraîchement moulu et le reste du curry. A feu vif, faites revenir le bœuf dans le reste du saindoux en utilisant une sauteuse à fond épais. La viande doit rôtir de tous les côtés.

Passez le bouillon à travers un tamis grossier et versez-le sur la viande ; incorporez la purée de tomates et la cassonade. Couvrez et laissez mijoter 1 h 30 ; la sauce s'épaissira en réduisant. Rectifiez au besoin l'assaisonnement en curry en réchauffant préalablement celui-ci dans un peu de gras.

Laissez le ragoût refroidir complètement et enlevez le gras qui se sera figé à la surface. Réchauffez-le avant de le servir.

ŒUFS DURS À L'INDIENNE

PRÉPARATION : *15 minutes*
CUISSON : *1 h 30*

INGRÉDIENTS
8 œufs
2 oignons
30 g de beurre doux
2 c. à thé de poudre de curry
2 pincées de chili
1½ c. à soupe de farine
125 ml de vinaigre de vin blanc
500 ml de bouillon de poulet, de bœuf ou de veau
1 feuille de laurier
1 brin de thym
Sel et poivre noir

Faites cuire les œufs à l'eau bouillante 8 minutes, pour qu'ils soient durs, puis plongez-les dans l'eau froide. Débarrassez-les de leur coquille et laissez-les refroidir. Pelez et hachez l'oignon finement. Faites chauffer à feu doux le curry et le chili dans le beurre en utilisant une poêle épaisse. Au bout de 2 minutes environ, ajoutez la farine, puis les oignons et prolongez la cuisson de 2 minutes en remuant constamment : la préparation devrait être épaisse. Incorporez peu à peu le vinaigre et le bouillon. Quand la sauce est onctueuse, ajoutez la feuille de laurier et le thym et assaisonnez au goût de sel et de poivre fraîchement moulu.

Laissez mijoter la sauce à couvert pendant 1 heure en remuant de temps à autre. Coupez les œufs durs en deux et posez-les côte à côte dans un plat de service allant au four; nappez-les de la sauce au curry passée.

Laissez les œufs s'imprégner du parfum du curry pendant 2 à 3 heures. Couvrez le plat et mettez-le au four à 200°C pendant 30 minutes. Faites-le passer du four à la table.

Ces trois plats se servent en même temps, avec du riz nature. Offrez aussi aux convives des cornichons marinés et différents chutneys, par exemple lime et mangue, piment doux et tomate.

Les plats au curry peuvent être accompagnés de noix de coco râpée, d'oignons émincés finement ou détaillés en anneaux, de bananes en rondelles aspergées de jus de citron et de concombres en dés marinés dans du vinaigre de vin sucré. Le yogourt nature apaise le feu du curry et facilite la digestion.

En Inde, on sert avec les plats au curry des *chapatis,* petites gaufres sans levain; en Malaysia, des *papadams,* une sorte de crêpes frites dans l'huile bouillante, accompagnent les mêmes plats.

JAMBON AU FOUR FARCI AUX ABRICOTS

Un plat idéal lorsque vous avez de nombreux invités. S'il y a des restes, vous les utiliserez en croquettes, salades ou gratins.

MARINAGE : *6 heures au moins*
PRÉPARATION : *15 minutes*
CUISSON : *2 h 15*

INGRÉDIENTS *(10 à 12 personnes)*
1 jambon désossé de 3 kg environ
250 ml de vin rouge
2 feuilles de laurier
250 g d'abricots
Clou de girofle
2-3 c. à soupe de cassonade

Demandez au boucher de désosser le jambon pour laisser de la place à la farce. Mettez la viande dans un récipient, ajoutez le vin et les feuilles de laurier et laissez mariner pendant au moins 6 heures, en retournant le morceau.

Lavez et essuyez les abricots, coupez-les en deux et enlevez les noyaux; égouttez la viande, versez la marinade dans une casserole, ajoutez-y les abricots, portez à ébullition à feu doux et laissez cuire 10 minutes, jusqu'à ce que les abricots soient tendres et que le vin soit absorbé. Otez les feuilles de laurier, laissez refroidir les abricots, puis réduisez-les en purée.

Séchez bien le jambon. Farcissez-le de toute la purée d'abricots, autant que le vide laissé par l'os peut en recevoir; ficelez-le et enveloppez-le dans une double feuille d'aluminium, dans laquelle vous pratiquerez une fente pour laisser sortir la vapeur. Mettez dans la lèchefrite et laissez cuire 2 heures au centre du four, préchauffé à 180°C.

Retirez le jambon du four, sortez-le de la feuille d'aluminium et laissez-le un peu refroidir. A l'aide d'un couteau bien aiguisé, coupez la couenne en long, puis enlevez-la

entièrement, ne laissant sur la viande qu'une couche de gras ne dépassant pas 3 mm. Dans le gras, pratiquez des fentes superficielles en diagonale, distantes de 2 cm l'une de l'autre, de façon à former des croisillons en losanges, et à chaque intersection, plantez un clou de girofle. Enrobez le jambon de cassonade et placez-le dans un grand plat à gratin; remettez au four dont vous aurez entre-temps porté la température à 220°C pour 15 minutes environ, jusqu'à ce que la cassonade soit fondue et qu'elle ait pris une belle couleur d'or bruni.

Servez le jambon chaud ou froid, coupé en tranches fines. Dans le premier cas, vous pouvez l'accompagner d'épinards à la crème (p. 150) et de pommes de terre au four; dans le second cas, servez-le avec des salades variées.

Volaille

CANARD AU PAPRIKA

Le paprika donne à la fois du goût et de la couleur à ce canard en sauce, d'inspiration hongroise.

PRÉPARATION : 15 minutes
CUISSON : 1 h 15 à 1 h 30

INGRÉDIENTS (4 à 6 personnes)
1 canard de 2,5 kg environ
50 g de beurre doux
2 c. à soupe de farine
2 c. à thé de paprika
250 ml de vin rouge
Bouillon de poulet ou de canard
1 c. à thé de fécule (facultatif)
2 oignons
1 gousse d'ail
4 à 5 tomates
Sel, poivre

Pelez et hachez finement les oignons et l'ail et faites-les cuire quelques minutes avec le beurre dans une grande cocotte. Quand ils sont tendres et transparents, ajoutez le canard ; faites-le bien dorer de tous les côtés ; mettez-le sur un plat. Dans la cocotte, versez en pluie la farine et le paprika et laissez cuire quelques minutes en remuant ; en remuant toujours, ajoutez le vin et laissez cuire jusqu'à l'obtention d'une sauce homogène. Assaisonnez de sel et de poivre selon votre goût et remettez le canard dans la cocotte.

Pelez les tomates, coupez-les en deux horizontalement, pressez-les pour faire sortir les graines et hachez-les grossièrement. Ajoutez-les au canard, en allongeant légèrement la sauce, si c'est nécessaire, avec un peu de bouillon.

Couvrez et laissez cuire à feu doux pendant 1 h 15 environ, jusqu'à ce que le canard soit tendre. Si la sauce est trop épaisse, ajoutez encore du bouillon.

Quand la cuisson est terminée, sortez le canard du récipient et découpez-le en six ou huit portions, que vous disposerez dans un plat de service chaud. Enlevez tout le gras de la surface de la sauce ; si elle vous semble trop liquide, vous pouvez l'épaissir en y mélangeant un peu de fécule délayée dans un peu d'eau froide et en la faisant bouillir doucement pendant quelques minutes. Versez-la sur le canard et servez avec du riz nature.

POULET MARENGO

L'histoire rapporte que ce plat, devenu par la suite un classique de la cuisine française, fut inventé par le cuisinier de Bonaparte au soir de la bataille de Marengo (1800) et confectionné avec les ingrédients dont il disposait : un poulet, des tomates, des écrevisses, des œufs, de l'huile, de l'ail et du cognac. La recette proposée ici est une variante.

PRÉPARATION : 30 minutes
CUISSON : 1 heure

INGRÉDIENTS (6 personnes)
1 gros poulet de 2 kg environ coupé en morceaux
60 g de beurre doux
3 c. à soupe d'huile d'olive
40 g de farine
200 ml de bouillon de poulet
200 ml de vin blanc sec
1 c. à soupe de cognac
2 oignons (ou 2 échalotes)
1 gousse d'ail
6 tomates
12 champignons de couche
Sel, poivre
GARNITURE
1 c. à soupe de persil haché

Pelez les oignons et l'ail ; hachez grossièrement les oignons et écrasez l'ail. Salez et poivrez les morceaux de poulet.

Dans une cocotte, faites chauffer le beurre et l'huile. Mettez-y à revenir les morceaux de poulet jusqu'à ce qu'ils soient bien dorés de tous les côtés. Ajoutez alors les oignons et l'ail, remuez bien pour qu'ils dorent sans brunir. Saupoudrez de farine et laissez cuire, en remuant, jusqu'à ce que la farine se colore. Incorporez peu à peu le bouillon et le vin blanc, et portez à ébullition ; baissez le feu et poursuivez la cuisson à tout petits bouillons pendant 30 minutes.

Pelez les tomates, enlevez-en les graines et hachez-les grossièrement. Épluchez les champignons, lavez-les rapidement à l'eau froide, essuyez-les et coupez-les en tranches fines. Ajoutez les tomates et les champignons à la préparation, assaisonnez à votre goût de sel et de poivre, couvrez et laissez encore mijoter à feu doux pendant 20 minutes ou jusqu'à ce que le poulet soit tendre, en remuant de temps en temps pour éviter que la sauce attache au fond de la cocotte. Environ 10 minutes avant la fin de la cuisson, ajoutez le cognac.

Servez très chaud, saupoudré de persil haché, en accompagnant de petites pommes de terre cuites à la vapeur, de purée de pommes de terre ou de tagliatelles au beurre.

POULET AUX CHAMPIGNONS

Voici un plat léger, facile à digérer. D'éventuels restes de poulet et de sauce, réduits en purée, peuvent être utilisés pour un potage.

PRÉPARATION : 25 minutes
CUISSON : 1 heure à 1 h 30

INGRÉDIENTS (6 personnes)
1 poulet de 1,5 kg environ
50 g de beurre doux
Sauce Worcestershire
1 c. à soupe de farine
5 c. à soupe de crème épaisse
2 oignons
2 côtes de céleri
1 feuille de laurier
12 à 16 champignons de couche
Sel, poivre
GARNITURE
1 c. à soupe de persil finement haché

Pelez les oignons, lavez le céleri ; hachez-les finement, faites-les revenir dans 30 g de beurre, que vous aurez fait fondre dans une grande cocotte, et laissez cuire à feu doux, en remuant souvent, pendant 10 minutes environ, jusqu'à ce qu'ils soient tendres et commencent à prendre couleur.

Pendant ce temps, nettoyez les abattis et le foie du poulet. Mettez le poulet dans la cocotte où vous avez fait revenir les oignons et le céleri avec le foie et les abattis, et couvrez-le d'eau. Portez à ébullition, écumez, ajoutez du sel, du poivre et la feuille de laurier ; couvrez et laissez bouillir doucement pendant 1 heure à 1 h 30, jusqu'à ce que le poulet soit tendre, mais pas trop cuit. Mettez-le dans un plat et gardez-le au chaud. Filtrez le liquide de cuisson et mettez-le de côté pour préparer la sauce.

Épluchez les champignons, lavez-les rapidement sous l'eau courante froide, essuyez-les et coupez-les en fines tranches. Faites fondre le reste du beurre dans une petite poêle, et mettez-y à revenir les champignons, à feu doux, pendant 2-3 minutes. Ajoutez quelques gouttes de sauce Worcestershire, saupoudrez de farine et laissez cuire, sans cesser de remuer, jusqu'à ce que toute la graisse ait été absorbée par la farine. Incorporez peu à peu 100 ml du bouillon de poulet filtré ou autant qu'il en faut pour obtenir une sauce lisse. Mélangez la crème à la sauce et faites bien chauffer. Si nécessaire, rectifiez l'assaisonnement en sel.

Coupez le poulet en deux dans le sens de la longueur, en le mettant sur une planche à découper, le dos vers le bas, et en utilisant un couteau solide. Fendez-le d'abord à la moitié de la poitrine, puis le long de la colonne vertébrale.

Les deux moitiés peuvent encore être partagées en deux parties chacune : l'une avec l'aile, l'autre avec la cuisse. Disposez le poulet ainsi découpé dans un plat de service creux, recouvrez-le de la sauce aux champignons, garnissez de persil haché et servez en accompagnant de brocoli, de pommes de terre sautées ou bien de riz au beurre.

Riz et pâtes

RIZ PILAF
AU POULET

Le pilaf est une façon orientale de préparer le riz avec différentes épices. On peut le servir seul, comme accompagnement, ou encore y mélanger de la viande cuite, du poulet ou du poisson, et dans ce cas, il peut servir d'entrée ou de plat unique.

PRÉPARATION : *20 minutes*
CUISSON : *1 h 15 environ*

INGRÉDIENTS *(6 personnes)*
300 g de riz à grains longs
350 g de poulet cuit, pelé et haché grossièrement
120 g de beurre doux
800 ml de bouillon de poulet
2 oignons
1 gousse d'ail
3 tomates moyennes
16 champignons de couche
Safran
Sel, poivre

Pelez et hachez finement les oignons et l'ail. Dans une cocotte, faites fondre le beurre et mettez-y à cuire à feu doux les oignons et l'ail, jusqu'à ce qu'ils soient tendres sans prendre couleur ; il faudra 5 à 7 minutes. Ajoutez le riz et, en remuant sans interruption, laissez cuire quelques minutes. Mouillez avec environ 600 ml de bouillon.

Epluchez les champignons et hachez-les grossièrement. Ajoutez-les au riz avec une pincée de safran, du sel et du poivre. Portez rapidement à ébullition, mélangez bien, couvrez et placez la cocotte au centre du four, préchauffé à 180°C, pendant 40 minutes.

Pendant ce temps, pelez et épépinez les tomates et hachez-les grossièrement. Ajoutez-les au riz, en même temps que le poulet, remuez bien et remettez au four. Poursuivez la cuisson pendant encore 20 minutes, jusqu'à ce que le riz ait absorbé tout le liquide et qu'il soit tendre. Si cependant le riz absorbait trop rapidement le liquide, ajoutez encore un peu de bouillon de poulet ; le pilaf ne doit pas être trop sec. Servez aussitôt.

SPAGHETTI
ALLE VONGOLE

Les *vongole* désignent de petites palourdes dont on garnit les spaghettis. En Italie méridionale, ce plat se sert habituellement sans fromage.

PRÉPARATION : *15 minutes*
CUISSON : *20 minutes*

INGRÉDIENTS *(4 à 6 personnes)*
500 g de spaghettis
Sel
45 g de beurre doux
4 gousses d'ail
1 c. à soupe d'huile d'olive
6 c. à soupe de vin blanc
1 boîte de palourdes ou de moules de 300 g

Faites cuire les spaghettis 10 minutes à découvert dans beaucoup d'eau bouillante salée. Quand ils sont tendres, égouttez-les parfaitement, dressez-les dans un plat de service, ajoutez aussitôt le beurre et remuez bien.

Pendant la cuisson des spaghettis, pelez et pilez l'ail. Chauffez l'huile dans une petite casserole et faites-y revenir l'ail 2-3 minutes à feu moyen. Ajoutez le vin blanc et amenez-le au point d'ébullition pour le faire réduire. Jetez les palourdes dans la casserole avec 2-3 cuillerées à soupe de leur liquide et retirez la casserole du feu.

Avant de servir, réchauffez la sauce et nappez-en les spaghettis. Accompagnez ce plat d'une salade de tomates.

RAVIOLIS AU FROMAGE

Pour conserver à ces pâtes toute leur délicate saveur, ne les assaisonnez pas de jus de viande ou de sauce, mais seulement de beurre et de fromage râpé.

PRÉPARATION : *1 heure*
CUISSON : *10 minutes*

INGRÉDIENTS *(6 à 8 personnes)*
220 g de farine tamisée
6 jaunes d'œufs
450 g de ricotta
120 g de parmesan râpé
2 c. à soupe d'oignon haché
Sel, poivre
GARNITURE
50 g de beurre doux fondu
50 g de parmesan râpé

Tamisez la farine ; formez un puits dans lequel vous verserez trois jaunes d'œufs. Ajoutez une pincée de sel et 3 cuillerées à soupe d'eau chaude. Travaillez jusqu'à l'obtention d'une pâte bien consistante, en ajoutant au besoin un peu d'eau chaude. Après avoir travaillé la pâte jusqu'à ce qu'elle soit lisse et élastique, couvrez-la et laissez-la reposer 15 minutes.

Divisez-la en deux parties égales et abaissez la première, à l'aide d'un rouleau à pâtisserie fariné, en une feuille la plus fine possible. Mélangez dans un bol le reste des jaunes d'œufs, le ricotta, le parmesan et l'oignon ; salez et poivrez.

Mettez 1 cuillerée à thé du mélange au centre de l'abaisse ; répétez l'opération en espaçant les cuillerées de 5 cm les unes des autres.

Etendez l'autre moitié de la pâte et disposez cette seconde abaisse par-dessus la première, après en avoir humecté les bords pour qu'ils adhèrent bien. Comprimez solidement les deux couches de pâte autour de chaque boule de farce.

Coupez en carrés avec une roulette à pâtisserie ou un couteau bien aiguisé. Jetez les raviolis ainsi obtenus dans l'eau bouillante salée et laissez-les cuire 10 minutes. Egouttez et arrosez de beurre fondu et de parmesan râpé.

Légumes et salades

MANICOTTIS À L'AIGLEFIN

Les pâtes alimentaires connues sous le nom de manicottis sont en général garnies d'un salpicon de viande ou de volaille, que remplace ici le poisson. C'est un plat léger à servir le midi aussi bien que le soir.

PRÉPARATION : 30 minutes
CUISSON : 45 minutes

INGRÉDIENTS (4 à 6 personnes)

450 à 500 g de filets d'aiglefin fumé
600 ml de lait
2 feuilles de laurier
12 tubes de manicottis
6 c. à soupe de crème épaisse
Sel et poivre noir
60 g de beurre doux
4 c. à soupe de farine
150 g de cheddar ou de parmesan râpé

Après avoir lavé et épongé l'aiglefin, déposez-le avec le lait et les feuilles de laurier dans une grande casserole et amenez doucement au point de frémissement. Pochez l'aiglefin à feu doux 10 minutes. Retirez la casserole et sortez le poisson avec une écumoire. Laissez-le refroidir. Passez le lait de pochage et mettez-le de côté.

Amenez une grande marmite d'eau à ébullition. Ajoutez 2 cuillerées à thé de sel et les manicottis et faites-les cuire 15 minutes à découvert. Quand les pâtes sont tendres, égouttez-les bien, passez-les à l'eau froide et épongez-les parfaitement avec du papier absorbant.

Durant la cuisson des manicottis, dépouillez l'aiglefin de sa peau et de ses arêtes et émiettez-en la chair ; à l'aide d'un pilon ou d'une fourchette, défaites-la en purée en y incorporant progressivement la crème. Assaisonnez de sel et de poivre fraîchement moulu.

Placez cette farce dans une poche à décorer que vous aurez munie d'une douille à bout uni et garnissez-en les manicottis. Déposez-les ensuite côte à côte dans un plat à gratin beurré avec 1 cuillerée à table de beurre.

Avec le reste du beurre, la farine et le lait passé, confectionnez une sauce blanche épaisse (p. 269), dans laquelle vous mettrez 120 g du fromage râpé. Après l'avoir fait cuire quelques minutes à feu doux, nappez-en les manicottis.

Répandez le reste du fromage en surface et faites gratiner dans le four préchauffé à 190°C, pendant 25 minutes.

Servez les manicottis fumants dans leur sauce. Une salade de concombres et de céleri relevée de vinaigrette complète bien ce plat.

ÉPINARDS À LA CRÈME

Achetez des épinards bien frais et utilisez-les le plus vite possible.

PRÉPARATION : 10 minutes
CUISSON : 10 à 15 minutes

INGRÉDIENTS (4 personnes)
1 kg d'épinards
30 g de beurre doux
1 pincée de noix muscade râpée
6 c. à soupe de crème épaisse
Sel

Epluchez les épinards, en éliminant les racines, les feuilles abîmées et les tiges dures ; lavez-les avec soin dans une grande quantité d'eau froide, en ayant bien soin d'enlever toute trace de terre. Mettez-les dans un faitout sans ajouter d'eau (celle qui est restée sur les feuilles suffit) et faites cuire à feu modéré, en secouant le faitout de temps en temps, jusqu'à ce que les épinards aient diminué de volume en perdant leur eau. Salez, couvrez et laissez bouillir doucement pendant 5 à 8 minutes.

Egouttez les épinards et, dès qu'ils sont assez refroidis pour qu'on puisse les manipuler, pressez-les bien pour en faire sortir le plus d'eau possible.

Hachez-les grossièrement, mettez-les dans une poêle dans laquelle vous aurez fait fondre le beurre, ajoutez la noix muscade et faites bien chauffer, en remuant, avant d'ajouter la crème. Remuez encore, mettez dans un plat chaud et servez aussitôt.

SALADE DE TOMATES

Dans la plupart de nos régions, les tomates nouvelles font leur apparition en juin. Présentées en salade, elles constituent une petite entrée toute fraîche ou servent d'accompagnement aux viandes froides.

PRÉPARATION : 20 minutes
RÉFRIGÉRATION : 1 heure

INGRÉDIENTS (6 personnes)
12 tomates
1-2 c. à thé de sucre à fruits
Sel et poivre noir
5 c. à soupe d'huile d'olive ou de maïs
4 c. à thé de vinaigre de vin blanc
1 c. à soupe de ciboulette (ou d'estragon) hachée

Pelez et émincez finement les tomates. Dressez-les dans un saladier et assaisonnez-les au goût de sel, de poivre fraîchement moulu et de sucre à fruits. Mélangez l'huile et le vinaigre et versez la sauce sur les tomates. Ajoutez la ciboulette ou l'estragon et mettez la salade au froid pendant au moins 1 heure. Tournez les tomates une ou deux fois dans la sauce pour les napper.

SALADE DE CHAMPIGNONS

Achetez les champignons le jour même où vous les utiliserez : s'ils restent quelque temps au réfrigérateur, ils deviennent foncés et s'amollissent.

PRÉPARATION : 15 minutes
REPOS : 1 heure

INGRÉDIENTS (4 à 6 personnes)
500 g de gros champignons de couche
2 c. à thé de sauce Worcestershire
1 c. à soupe de sauce de soya
Sel, poivre
GARNITURE
1 c. à soupe de persil haché

Epluchez les champignons, lavez-les rapidement sous l'eau courante, coupez-les en tranches très fines et disposez-les dans un saladier. Assaisonnez-les de sel et de poivre, arrosez avec les deux sauces, remuez bien et laissez reposer 1 heure, en mélangeant de temps en temps.

Au moment de servir, vous vous apercevrez que les champignons ont rendu une certaine quantité de liquide : celui-ci fait partie de l'assaisonnement et ne doit pas être retiré. Parsemez de persil haché et servez.

SALADE DE COURGETTES À LA MENTHE

Les courgettes cuites, qu'on a l'habitude de manger chaudes, sont également très bonnes froides, en salade, comme accompagnement d'un plat de viande ou de poulet.

PRÉPARATION : *5 minutes*
CUISSON : *5 minutes*
RÉFRIGÉRATION : *1 heure*

INGRÉDIENTS *(4 personnes)*
350 à 400 g de courgettes
2 c. à soupe d'huile d'olive
Le jus d'un demi-citron
1 c. à soupe de menthe hachée
Sel, poivre

Lavez les courgettes, coupez-en les extrémités et mettez-les dans un faitout plein d'eau bouillante salée. Reportez à ébullition, laissez cuire 5 minutes ; égouttez les courgettes, passez-les sous l'eau froide du robinet et coupez-les en rondelles de 1 cm environ d'épaisseur, que vous disposerez dans un plat de service creux.

Préparez la sauce, en mélangeant l'huile avec le jus de citron, le sel et le poivre frais moulu ; versez cette sauce sur les courgettes, ajoutez la menthe hachée, mélangez bien et mettez au réfrigérateur pour une

petite heure. Remélangez avant de servir. Vous pouvez remplacer la menthe par de la ciboulette ou par du persil mélangé à un peu d'ail, d'oignon ou d'échalote.

SALADE ÉLONA

Une salade vraiment inédite, composée de concombre et de fraises : accompagnement indiqué pour de la dinde ou du poulet froid, ou pour un poisson de goût délicat ou bien encore plat tout indiqué pour un élégant buffet d'été.

PRÉPARATION : *15 minutes*
RÉFRIGÉRATION : *1 heure*

INGRÉDIENTS *(4 à 6 personnes)*
1 concombre de grosseur moyenne
12 grosses fraises pas trop sucrées
1-2 c. à soupe de vin blanc sec ou de vinaigre de cidre
Sel, poivre

Pelez le concombre et coupez-le en fines rondelles. Lavez les fraises, égouttez-les bien, ôtez les queues et coupez-les en tranches très fines. Disposez les tranches de concombre et de fraises dans un grand plat de service rond, en cercles concentriques alternés et légèrement superposés, en allant du bord vers le centre et en terminant, au centre, avec les fraises. Assaisonnez de sel et de poivre, arrosez avec le vin ou le vinaigre, et mettez au réfrigérateur 1 heure au moins avant de servir.

Quelques salades d'été. De haut en bas : salade de courgettes à la menthe, salade de champignons, salade de tomates et salade Elona.

151

Desserts

PETITS POIS ET OIGNONS VERTS

Le goût des petits pois et des oignons verts se fond délicatement dans ce plat, accompagnement idéal pour l'agneau ou le poulet rôtis.

PRÉPARATION : *15 à 20 minutes*
CUISSON : *20 à 30 minutes*

INGRÉDIENTS *(4 à 6 personnes)*
1,2 kg de petits pois
10 à 12 oignons verts
250 ml de bouillon de poulet
1 c. à soupe de beurre
2 c. à soupe de farine
Sel, poivre

Ecossez les petits pois. Epluchez les oignons verts en enlevant les racines et la feuille extérieure. Lavez-les et coupez les tiges en laissant environ 2 cm de vert. Mettez les oignons dans une casserole avec le bouillon et laissez cuire à feu doux jusqu'à ce qu'ils commencent à être tendres ; ajoutez les petits pois et laissez cuire encore 20 minutes, jusqu'à ce que les petits pois soient tendres.

Ajoutez peu à peu le beurre et la farine, que vous aurez pétris en les écrasant ensemble sur une assiette à la fourchette et poursuivez la cuisson jusqu'à ce que le jus soit épais. Assaisonnez de sel et de poivre et servez aussitôt.

FONDUE D'AUBERGINES ET DE TOMATES

Cette garniture savoureuse accompagne très bien les viandes au gril, les œufs brouillés et les omelettes nature ou au fromage.

PRÉPARATION : *40 minutes*
CUISSON : *30 à 35 minutes*

INGRÉDIENTS *(4 personnes)*
2 grosses aubergines (ou 3 petites)
1 gros oignon
1 boîte de tomates pelées de 450 g
30 g de beurre doux
Sel, poivre

Pelez les aubergines et coupez-les en rondelles de 1 cm d'épaisseur environ. Disposez-les dans un grand plat, salez et laissez reposer pendant 30 minutes à 1 heure pour permettre aux aubergines de rejeter leur eau de végétation et de perdre leur goût amer. Rincez-les à l'eau froide et essuyez-les.

Pelez l'oignon, lavez-le, émincez-le. Faites fondre le beurre dans une casserole, mettez-y l'oignon et laissez-le cuire à feu doux pendant environ 5 minutes, sans le laisser colorer. Ajoutez les tranches d'aubergine, remuez, ajoutez ensuite les tomates avec tout leur jus et assaisonnez de sel et de poivre. Couvrez et laissez cuire à feu modéré pendant 30 minutes. S'il reste un peu trop de liquide en fin de cuisson, retirez le couvercle et augmentez légèrement le feu. Servez bien chaud.

PETITS POIS ET LAITUE À L'ÉTUVÉE

La laitue et les petits pois sont deux légumes qui se marient très bien : cuits ensemble à l'étuvée, ils constituent un accompagnement exquis pour toutes sortes de viandes.

PRÉPARATION : *15 minutes*
CUISSON : *25 minutes*

INGRÉDIENTS *(4 à 6 personnes)*
10 grandes feuilles de laitue romaine
1 kg de petits pois
1 c. à thé de feuilles de menthe hachées
30 g de beurre
1 c. à thé de sucre
Sel, poivre

Lavez les feuilles de laitue, mais ne les égouttez pas : utilisez-en la moitié pour recouvrir le fond d'une casserole. Ecossez les petits pois, versez-les dans la casserole par-dessus la laitue, parsemez-les de menthe. Ajoutez le beurre coupé en petits morceaux, du sel, du poivre et le sucre ; couvrez avec le reste de laitue.

Mettez un couvercle qui ferme bien et laissez cuire à feu doux pendant 25 minutes environ, jusqu'à ce que les petits pois soient tendres, en secouant de temps en temps la casserole pour que les légumes n'attachent pas.

Mettez laitue et petits pois, avec tout leur jus, dans un plat de service chaud et servez aussitôt.

PÊCHES MELBA

Ce dessert raffiné doit son nom à Nellie Melba, cantatrice australienne pour qui elles furent créées en 1893, au Savoy de Londres, par le cuisinier français Escoffier.

PRÉPARATION : *15 minutes*
CUISSON : *10 minutes, plus le temps nécessaire au refroidissement*

INGRÉDIENTS *(6 personnes)*
3 grosses pêches mûres
150 g de sucre
325 ml d'eau
1 c. à thé d'essence de vanille
300 g de framboises
12 boules de glace à la vanille

Plongez les pêches quelques secondes dans l'eau bouillante ; égouttez, passez sous l'eau froide, pelez, coupez en deux et dénoyautez.

Réunissez dans une casserole l'eau, 100 g de sucre et l'essence de vanille, et portez à lente ébullition, en remuant sans arrêt pour faire fondre le sucre.

Pochez les moitiés de pêches dans ce sirop, à feu doux, jusqu'à ce qu'elles soient tendres mais pas molles (il faudra quelques minutes). Egouttez-les, laissez-les refroidir et mettez-les au réfrigérateur. Passez les framboises à travers un tamis non métallique, à mailles larges, en pressant bien avec une cuillère en bois ; mélangez le reste de sucre à la purée obtenue, mettez au réfrigérateur.

Au moment de servir, dressez les moitiés de pêches sur des boules de glace à la vanille et nappez-les de purée de framboises.

CHARLOTTE AUX MÛRES

La charlotte classique est une pâtisserie froide dont les ingrédients de base sont des doigts de dame et des fruits cuits. Celle-ci est coiffée d'une meringue, parfumée au sirop de mûre, qui, tout en étant croquante à l'extérieur, est tendre et moelleuse à l'intérieur.

PRÉPARATION : *40 minutes*
CUISSON : *25 minutes*
RÉFRIGÉRATION : *1 heure*

INGRÉDIENTS *(4 à 6 personnes)*

450 à 500 g de mûres
60 g de sucre très fin
4 c. à thé de fécule de maïs
2 jaunes d'œufs
5 c. à soupe de crème épaisse
Le jus d'un citron
100 g de doigts de dame

MERINGUE
2 blancs d'œufs
120 g de sucre glace
5 c. à soupe de sirop de mûre

Equeutez les mûres, lavez-les rapidement et réservez-en une douzaine parmi les plus belles pour la décoration. Faites fondre à feu modéré le sucre dans 250 ml d'eau ; quand le sucre est fondu, mettez-y les mûres à pocher à feu doux pendant 10 minutes environ, jusqu'à ce que les fruits soient devenus tendres sans s'écraser. Egouttez-les et réservez le sirop.

Mettez la fécule de maïs dans une petite casserole et ajoutez peu à peu, en remuant, 250 ml de sirop de mûre ; laissez cuire à feu doux pendant 3-4 minutes, en remuant sans arrêt, jusqu'à ce que le mélange soit transparent et commence à épaissir.

Dans une jatte, battez les jaunes d'œufs avec la crème et ajoutez, peu à peu, le sirop lié à la fécule de maïs. Parfumez cette crème avec du jus de citron à volonté.

Enlevez à chacun des doigts de dame une de ses extrémités. Dans un moule à soufflé d'une contenance de 600 ml environ, étendez sur le fond une couche de crème au sirop de mûre de 1 cm d'épaisseur environ. Tapissez les bords du moule avec les doigts de dame disposés verticalement l'un à côté de l'autre, l'extrémité coupée vers le bas. Remplissez le moule de couches alternées de crème et de mûres, jusqu'à épuisement des ingrédients, en terminant par une couche de crème.

Pour la coiffe de meringue, versez dans une jatte les blancs d'œufs, le sucre glace et les 5 cuillerées à soupe de sirop de mûre ; posez la jatte au-dessus d'une casserole d'eau bouillante et battez le mélange au fouet, jusqu'à l'obtention d'un mélange moelleux et bien ferme ; retirez la jatte du bain-marie et continuez à battre jusqu'à ce que le mélange soit froid. Etalez-le rapidement sur la dernière couche de crème.

Mettez au centre du four, préchauffé à 150°C, et laissez cuire 20 minutes, jusqu'à ce qu'il se soit formé une croûte dorée à la surface de la meringue. Laissez refroidir et mettez au réfrigérateur pendant 1 heure. Avant de servir, décorez avec les mûres restantes.

TIMBALE DE BLEUETS À L'ANCIENNE

Ce plat américain se sert tiède ou froid, accompagné de crème.

PRÉPARATION : *30 minutes*
CUISSON : *45 minutes*
RÉFRIGÉRATION : *1 heure*

INGRÉDIENTS *(6 personnes)*
PÂTE
250 g de farine
1 pincée de sel
150 g de beurre doux
Eau glacée
GARNITURE
1,2 kg de bleuets
3 c. à soupe de farine
Sucre à volonté (200 g environ)
90 g de beurre
1 jaune d'œuf

Tamisez la farine et le sel sur une planche à pâtisserie en formant une pyramide ; ajoutez le beurre et mélangez-le rapidement à la farine en pétrissant du bout des doigts. Ajoutez l'eau glacée en quantité suffisante pour lier la pâte (3-4 cuillerées). Détachez de petits morceaux de pâte, aplatissez-les avec la paume de la main, puis rassemblez-les en une boule, que vous laisserez 1 heure au réfrigérateur.

Beurrez une timbale et mettez-y les bleuets, en les disposant légèrement en dôme ; saupoudrez-les de farine et de sucre et parsemez-les de petits morceaux de beurre. A l'aide d'un rouleau, abaissez la pâte en formant un disque ; étendez-le sur la timbale, en le soudant bien au bord, et pratiquez une petite fente au centre pour laisser sortir la vapeur pendant la cuisson. Badigeonnez avec le jaune d'œuf battu. Mettez au four, préchauffé à 230°C, et laissez cuire pendant 10 minutes ; baissez ensuite la température à 180°C et laissez au four jusqu'à ce que la pâte soit bien dorée.

Servez avec de la glace à la vanille ou à l'érable ou encore avec un pot de crème épaisse.

PARFAIT AUX FRAISES

Les desserts glacés aux fraises sont très appréciés durant les chaudes soirées d'été. Celui-ci doit se préparer la veille.

PRÉPARATION : *15 à 20 minutes*
CONGÉLATION : *12 heures*

INGRÉDIENTS *(6 personnes)*
500 g de fraises
200 g de sucre à glacer
Le jus d'un citron
175 ml de crème épaisse
125 ml de crème légère
GARNITURE
6 à 8 belles fraises

Equeutez les fraises et lavez-les ; placez-les dans une passoire, laissez-les bien s'égoutter et détaillez-les en morceaux. Passez-les au mixer avec le sucre et le jus de citron. (A défaut de mixer, faites passer les fruits à travers un tamis fin en les écrasant avec une grande cuillère en bois et ajoutez ensuite à cette purée le sucre tamisé et le jus de citron.)

Fouettez ensemble les deux crèmes jusqu'à ce qu'elles soient très épaisses sans être trop fermes et incorporez la purée de fraises.

Déposez l'appareil dans un plat de plastique, couvrez et laissez prendre au congélateur pendant 12 heures. Retirez le parfait du congélateur 1 ou 2 heures avant de servir et laissez-le s'amollir un peu au réfrigérateur.

Servez-le dans des coupes individuelles en le décorant de quelques tranches de fraises fraîches.

SORBET AUX FRAISES

Un sorbet est économique et facile à réaliser, désaltérant et rafraîchissant ; on peut le déguster à n'importe quelle heure du jour et il constitue le dessert idéal pour terminer un repas substantiel. Si vous le préparez dans le compartiment à glace, réglez 2 heures à l'avance le réfrigérateur à la température la plus basse.

PRÉPARATION : *10 minutes*
CONGÉLATION : *2 h 30 au moins*

INGRÉDIENTS *(4 à 6 personnes)*
500 g de grosses fraises
200 g de sucre glace
Le jus de 2 citrons
2 blancs d'œufs

Lavez les fraises, égouttez-les bien, équeutez-les et coupez-les en morceaux. Passez-les au mixer avec le sucre, ou bien passez-les au tamis et ajoutez le sucre à la purée de fruits.

En remuant, ajoutez le jus de citron. Versez la préparation dans un bac à glace ou dans un contenant de plastique, couvrez d'une feuille d'aluminium et mettez dans le compartiment à glace du réfrigérateur ou au congélateur pendant 1 heure environ.

Quand la préparation commence à prendre le long des bords du récipient, sortez-la, versez-la dans une jatte, remuez avec une fourchette pour casser les cristaux de glace. Montez les blancs d'œufs en neige, mais pas trop fermes, et incorporez-les délicatement à la préparation. Remettez à congeler, dans le même récipient ou dans des coupes individuelles, couvrez et laissez reposer jusqu'à ce que le sorbet soit pris (1 h 30 au moins).

POUDING AU CITRON ET AUX BLEUETS

La saveur des bleuets se marie bien à celle du citron dans ce pouding que l'on peut manger chaud ou froid, selon la préférence.

PRÉPARATION : *25 minutes*
CUISSON : *45 minutes*

INGRÉDIENTS *(4 personnes)*
225 g de bleuets
30 g de beurre doux
100 g de sucre
1 citron
2 œufs
125 ml de lait
30 g de farine
125 ml de crème épaisse, fouettée

Défaites le beurre en crème, ajoutez le sucre et le zeste du citron finement râpé. Incorporez le jus du citron pressé et remuez bien.

Séparez les œufs. Battez les jaunes avec le lait. Incorporez-les peu à peu au beurre en alternant avec la farine tamisée et le reste du sucre. La composition doit être parfaitement homogène. Fouettez les blancs d'œufs pour les rendre fermes sans pour autant les dessécher et faites-les entrer délicatement dans la pâte.

Equeutez les bleuets. Réservez-en quelques-uns, les plus beaux, pour la décoration. Déposez les autres dans un plat à soufflé de 600 ml environ. Versez la pâte par-dessus et posez le plat dans une grande rôtissoire où vous aurez mis 2 cm d'eau chaude. Faites cuire le pouding au four, préchauffé à 190°C, pendant 40 à 45 minutes ou jusqu'à ce que la pâte soit dorée et à point. Appuyez le doigt dessus ; la cuisson est terminée si la pâte ne garde pas l'empreinte.

Saupoudrez le pouding de sucre et décorez-le avec les bleuets mis de côté. Servez-le chaud ou froid avec une jatte de crème fouettée.

Casse-croûte

OMELETTE ALPHONSE

Les petits bistrots français excellent à apprêter les restes de viande et de légumes.

PRÉPARATION : *10 minutes*
CUISSON : *10 minutes*

INGRÉDIENTS *(3-4 personnes)*
6 œufs
4 c. à soupe de crème épaisse
75 à 100 g de jambon cuit en dés
100 à 115 g de petits pois cuits
100 à 115 g de carottes cuites en dés
Sel et poivre noir
30 g de beurre doux
75 g de cheddar râpé

Battez les œufs 30 secondes à la fourchette. Ajoutez la moitié de la crème, puis les légumes et le jambon. Salez et poivrez.

Chauffez le beurre dans une grande poêle à omelette et faites cuire les œufs 6 minutes à feu modéré en crevant de temps à autre avec un couteau les bulles qui se forment. Quand les œufs sont pris, pliez l'omelette en deux et faites-la glisser sur une assiette de service allant au four. Mélangez le fromage et le reste de la crème ; versez sur l'omelette et faites gratiner sous le gril. Servez avec une salade de tomates ou de champignons.

PÂTÉ MINUTE AU POULET

Les pâtés à la viande constituent des entrées appréciées, mais généralement longues à préparer. Celui-ci a deux avantages : il utilise des restes de poulet et se fait rapidement.

PRÉPARATION : *10 minutes*
CUISSON : *5 minutes*
RÉFRIGÉRATION : *30 minutes*

INGRÉDIENTS *(4 personnes)*
2 tranches de bacon, en morceaux
115 g de liverwurst ou de
  braunschweiger
150 à 200 g de poulet cuit en dés
1 gousse d'ail pilée
1 c. à thé de persil haché
1 c. à thé de ciboulette hachée
Sel et poivre noir

Faites frire le bacon 5 minutes à feu moyen. Mélangez le gras de bacon au liverwurst, puis ajoutez le bacon, le poulet, l'ail, le persil et la ciboulette. Salez et poivrez. Mélangez parfaitement.

Dressez l'appareil dans une petite terrine, couvrez et faites refroidir au moins 30 minutes au réfrigérateur.

Servez avec des toasts chauds.

SALADE DE MI-ÉTÉ

Des restes de viandes froides et des légumes frais composent une appétissante salade.

PRÉPARATION : *20 minutes*
RÉFRIGÉRATION : *30 minutes*

INGRÉDIENTS *(4 personnes)*
12 petits ou 6 gros champignons
  émincés
2 grosses ou 4 petites carottes râpées
La moitié d'une botte de cresson
La moitié d'un concombre pelée et
  émincée finement
1 pomme de laitue frisée
12 tranches minces de viande ou de
  volaille froides
Sauce vinaigrette (p. 272)
4 c. à soupe de crème épaisse

Disposez les carottes et les champignons en pyramide au centre du plat de service. Ceinturez-les, dans l'ordre, de cresson, de laitue en chiffonnade, de concombre et de viande. Mettez la salade au réfrigérateur. Avant de servir, mélangez la sauce vinaigrette et la crème, arrosez-en uniformément carottes et champignons.

ŒUFS FARCIS AUX ANCHOIS

Souvent servis en hors-d'œuvre, ces œufs peuvent convenir pourtant à un repas du midi ou du soir si on les accompagne d'épinards à la crème (p. 150).

PRÉPARATION : *20 minutes*
CUISSON : *15 minutes*

INGRÉDIENTS *(4 personnes)*
8 œufs durs
1 boîte de filets d'anchois de 50 g
2 c. à soupe de ketchup
2 c. à soupe de crème épaisse
Sel et poivre noir
75 g de cheddar râpé
300 ml de sauce blanche (p. 269)
2 pincées de paprika

Coupez les œufs durs en deux et prélevez les jaunes. Écrasez ceux-ci à la fourchette avec les filets d'anchois, jusqu'à l'obtention d'une pâte lisse. Incorporez à cette pâte le ketchup et la crème ; assaisonnez au goût de sel et de poivre fraîchement moulu.

Garnissez les blancs des œufs avec cet appareil et disposez-les sur une assiette beurrée allant au four. Ajoutez la moitié du fromage à la sauce blanche et versez-la sur les œufs. Saupoudrez le reste du fromage et le paprika sur le plat. Faites gratiner au gril quelques minutes avant de servir.

PAIN DORÉ À LA PURÉE DE FRUITS

Le pain doré, qu'on appelle en France pain perdu, se prépare avec du pain rassis trempé dans des œufs.

PRÉPARATION : *10 minutes*
CUISSON : *10 minutes*

INGRÉDIENTS *(6 personnes)*
8 tranches de pain blanc rassis
125 ml de lait
2 œufs
60 g de sucre
Quelques gouttes d'essence de vanille
1 boîte d'abricots de 140 g
Le jus d'un demi-citron
30 à 60 g de beurre doux

Éliminez les croûtes de pain et sectionnez chaque tranche en trois bâtonnets. Fouettez le lait et les œufs avec le sucre et l'essence de vanille.

Réduisez les abricots en purée avec leur jus en les pressant à travers un tamis grossier ou à l'aide d'un mixer. Chauffez la purée avec le jus de citron à feu moyen et gardez-la au chaud.

Trempez les bâtonnets dans le lait aux œufs et faites-les dorer dans le beurre. Épongez-les sur du papier absorbant et disposez-les dans un plat chaud. Nappez de purée d'abricots et servez aussitôt avec une jatte de crème fraîche.

155

Juillet

LES RECETTES DU MOIS

Juillet, c'est la corne d'abondance. Nos marchés regorgent
de fruits et de légumes d'une exquise fraîcheur.

Au fil des saisons

L'été s'est installé. Au marché, c'est le festival des légumes et des fruits. Carottes, haricots verts ou jaunes, petits pois et poireaux, tout est si beau et savoureux que la meilleure cuisine consistera souvent à apprêter tous ces légumes au beurre. C'est le temps de préparer des plats simples mais exquis qui peuvent se manger froids ou être réchauffés au dernier moment. La ratatouille est sans doute le plat d'été par excellence, mais vous servirez aussi les tomates farcies au vert (p. 169), les aubergines au jambon (p. 168) et les champignons aux crevettes (p. 169).

Les haricots et les poivrons sont en pleine saison. Accommodez les premiers à la crème sure (p. 169) ou saupoudrez-les avec les jaunes d'œufs mimosa pour les rendre un peu insolites (p. 168), et servez les poivrons verts ou rouges à toutes les sauces, mais aussi en salade (p. 170).

Ne laissez pas passer juillet sans préparer quelques plats de poisson, chauds ou froids : salade rose aux harengs (p. 159), mousse de truite fumée (p. 160) et filets de sole à la Dugléré (p. 161).

Cueillez au jardin ou procurez-vous au marché toutes les fines herbes fraîches qui s'y trouvent : thym, romarin, sauge et basilic, ainsi que l'exquise ciboulette dont il faudra bientôt couper les fleurs. Ces herbes sont tellement meilleures fraîches que séchées !

Mais surtout, régalez-vous de fruits. Transformez fraises, framboises, pêches et abricots en tartes, en glaces, en mousses ou en poudings. Profitez du temps des cerises pour confectionner le délicieux clafoutis limousin (p. 171).

MENUS SUGGÉRÉS

Potage à la laitue
...
Bœuf poché aux aromates
Tomates farcies au vert
...
Clafoutis limousin

Œufs mimosa à la provençale
...
Truites à la jurassienne
Champignons aux crevettes
...
Sorbet de framboises au yogourt

Crevettes et champignons flambés
...
Poulet Rock Cornish aux olives
Brown Tom
...
Cœurs à la crème

Tarama
...
Escalopes de dinde cordon bleu
Haricots verts mimosa
...
Soufflés froids au caramel

Mousse de truite fumée
...
Poulet au sésame sur riz pilaf
Concombres gratinés
...
Pouding aux petits fruits

Coupes de concombres et de crevettes
...
Osso buco
Risotto bianco
...
Pêches farcies

Potage libanais aux concombres
...
Pizza fine
Salade verte avec vinaigrette moutardée
...
Coupes de fruits frais

Potages et entrées

POTAGE LIBANAIS AUX CONCOMBRES

Il existe plusieurs variantes de ce potage aux concombres, très commun au Proche-Orient, et que l'on sert froid. Facile à préparer, il met sur la table une note raffinée, surtout si on le garnit de crevettes roses.

PRÉPARATION : *15 minutes*
RÉFRIGÉRATION : *1 heure environ*

INGRÉDIENTS *(4 à 6 personnes)*
1 gros concombre ou 2 petits
250 ml de crème légère
1 yogourt
1 gousse d'ail
2 c. à soupe de menthe fraîche
 finement hachée
2 c. à soupe de vinaigre aromatisé
Sel, poivre
GARNITURE
Fines tranches de cornichon ou 1 c. à
 soupe de cornichons finement hachés
Feuilles de menthe ou herbes
 aromatiques hachées
18 crevettes (facultatif)

Lavez et essuyez le concombre, sans le peler ; râpez-le grossièrement dans une grande jatte. Ajoutez la crème, le yogourt, l'ail pelé et écrasé, la menthe hachée et le vinaigre. Remuez bien, assaisonnez de sel et de poivre à volonté, mettez au réfrigérateur pendant au moins 1 heure.

Servez ce potage d'une couleur vert pâle dans des tasses individuelles, que vous garnirez d'une fine tranche de cornichon, d'herbes aromatiques hachées (persil ou ciboulette, par exemple), de cornichons hachés ou d'une petite touffe de menthe fraîche. Pour une occasion particulière, vous pouvez ajouter à cette décoration verte le rose de quelques crevettes décortiquées.

CREVETTES ET CHAMPIGNONS FLAMBÉS

Le bouquet du cognac s'associe au goût particulier des champignons pour composer une petite entrée aux crevettes qui a fière allure et qui convient bien à un grand dîner.

PRÉPARATION : *10 minutes*
CUISSON : *10 minutes*

INGRÉDIENTS *(4 personnes)*
225 g de petites crevettes cuites
225 g de champignons
45 g de beurre doux
1 pincée de muscade
Sel et poivre noir
4 tranches de pain de blé entier
2 c. à soupe de cognac

Parez et essuyez les champignons ; émincez-les finement. Chauffez le beurre dans une petite casserole et faites-y cuire les champignons 2-3 minutes, jusqu'à ce qu'ils commencent à fondre. Ajoutez les crevettes et réchauffez à feu moyen en remuant. Salez ; assaisonnez d'une pointe de muscade et donnez quelques tours de moulin à poivre.

Faites griller les tranches de pain, puis disposez-les dans des assiettes que vous garderez au chaud.

Réchauffez le cognac ; versez-le sur les crevettes et flambez. Laissez les flammes mourir, dressez l'appareil sur les toasts chauds et servez.

SALADE ROSE AUX HARENGS

Cette salade colorée paraît souvent sur les tables de Suède ou d'Europe centrale ; elle est meilleure préparée la veille, car les différentes saveurs ont alors le temps de se fondre. On peut la servir comme hors-d'œuvre, mais elle peut aussi bien constituer un plat unique pour un repas léger ou le plat principal d'un buffet froid.

PRÉPARATION : *15 à 20 minutes*
RÉFRIGÉRATION : *4 heures ou plus*

INGRÉDIENTS *(8 personnes)*
2 grosses pommes de terre cuites à l'eau
200 g environ de veau cuit
2 grosses pommes crues
1 grosse betterave cuite
200 g de filets de hareng marinés
2 c. à soupe de câpres égouttées
1 oignon moyen finement haché
Quelques feuilles de laitue
Mayonnaise (p. 271)

Coupez en dés les pommes de terre, le veau, les pommes, la betterave et le hareng. Rassemblez tous les ingrédients, sauf la mayonnaise et les feuilles de laitue, et mélangez bien. Laissez refroidir au réfrigérateur pendant 4 heures ou plus. Ajoutez alors la mayonnaise, remuez et versez dans un grand saladier, sur des feuilles de laitue. Vous pouvez décorer avec de la mayonnaise, des œufs durs hachés, des rondelles de cornichon ou des olives.

MOUSSE DE TRUITE FUMÉE

Plus facile à préparer que l'apprêt classique qui doit être poché, cette mousse crémeuse emprunte à la truite fumée un parfum particulier. Elle peut se garder 24 heures au réfrigérateur.

PRÉPARATION : *15 minutes*
RÉFRIGÉRATION : *1 heure au moins*

INGRÉDIENTS *(4 à 6 personnes)*
350 g de truite fumée
120 g de fromage blanc (cottage)
125 ml de crème sure
Le jus d'un demi-citron
Sel et poivre noir
GARNITURE
Persil haché finement

Dépouillez la truite de sa peau et ôtez ses arêtes ; effeuillez la chair dans le bol du mixer. Ajoutez le fromage blanc et la crème sure et réduisez la préparation en purée. A défaut de mixer, pilez la chair de truite au mortier et, quand elle est réduite en purée, ajoutez le fromage blanc et la crème sure passés à travers un tamis. Assaisonnez au goût de jus de citron, de sel et de poivre. Dressez la mousse dans de petits ramequins et réfrigérez au moins 1 heure.

Au moment de servir, couronnez chaque ramequin d'une fine bordure de persil haché et présentez en même temps des triangles ou des bâtonnets de toasts beurrés.

ŒUFS MIMOSA À LA PROVENÇALE

Voici l'une des multiples versions d'une recette classique que vous pourrez servir comme hors-d'œuvre, mais aussi comme plat principal lors d'un repas d'été léger.

PRÉPARATION : *40 minutes*
CUISSON : *15 minutes*

INGRÉDIENTS *(4 à 6 personnes)*
6 œufs
150 g d'olives noires dénoyautées
70 g de thon à l'huile
6 filets d'anchois à l'huile
2 c. à soupe de câpres
1 c. à thé de moutarde
5-6 c. à soupe d'huile d'olive
2 c. à thé de cognac
Poivre gris
Le jus d'un citron
GARNITURE
Feuilles de laitue

Faites durcir les œufs dans de l'eau salée pendant 9-10 minutes ; retirez-les du feu, plongez-les dans de l'eau froide pour les écaler plus facilement. Quand ils sont tout à fait refroidis, écalez-les, coupez-les en deux dans le sens de la longueur avec un couteau affilé et enlevez délicatement les jaunes. Dans le mortier, écrasez les olives au pilon jusqu'à l'obtention d'une pâte bien lisse ; ajoutez le thon émietté, les filets d'anchois et les câpres, et continuez à piler jusqu'à ce que le mélange soit parfaitement homogène. Incorporez alors la moutarde, puis, peu à peu, l'huile d'olive et le cognac : le mélange doit devenir crémeux. Assaisonnez de poivre et de jus de citron.

Disposez cette pâte en dôme dans les blancs, en vous servant d'une cuillère ou d'une poche à douille cannelée ; saupoudrez avec les jaunes passés au tamis. Posez les œufs farcis dans un plat garni de feuilles de laitue et servez avec du pain très frais et du beurre.

POTAGE À LA LAITUE

S'il vous arrive d'avoir de la laitue qui n'est plus assez fraîche et croquante pour être servie en salade, voici le moyen d'en faire un potage léger et économique, idéal l'été.

PRÉPARATION : *10 minutes*
CUISSON : *15 minutes*

INGRÉDIENTS *(4 à 6 personnes)*
1 grosse laitue
1 petit oignon
40 g de beurre
500 ml de bouillon de poulet
400 ml de lait
1-2 jaunes d'œufs
2 c. à soupe de crème épaisse
Sel
Poivre gris, sucre, noix muscade
GARNITURE
Croûtons de pain
25 g de beurre

Jetez les feuilles de laitue bien lavées dans de l'eau bouillante salée, égouttez-les au bout de 5 minutes, passez-les à l'eau froide, égouttez-les à nouveau et hachez-les. Pelez et émincez l'oignon.

Faites fondre le beurre dans une casserole et faites revenir l'oignon à feu doux pendant 5 minutes sans le laisser blondir. Ajoutez la laitue en réservant quelques feuilles. Versez le bouillon de poulet et portez à ébullition. Assaisonnez de sel, de poivre, d'un peu de sucre, et d'un rien de noix muscade.

Laissez refroidir légèrement le potage, puis passez-le au mixer ou au moulin à légumes ; remettez-le dans la casserole, ajoutez le lait et faites cuire à petits bouillons, 5 minutes environ.

Battez les jaunes d'œufs avec la crème, ajoutez-y un peu de purée de laitue chaude, mais pas bouillante, et remuez bien. Toujours en remuant, versez le mélange d'œufs et de crème dans le potage et laissez cuire sans bouillir jusqu'à ce qu'il épaississe.

Au moment de servir, ajoutez les feuilles de laitue que vous avez mises de côté. Servez le potage accompagné de croûtons de pain croquants revenus au beurre.

TARAMA

En Grèce, les hors-d'œuvre variés, ou *mezès,* comportent presque toujours une sorte de pâté crémeux préparé avec des œufs de mulet ou de thon séchés, salés et pressés : la poutargue. Vous pouvez remplacer la poutargue par le même poids de caviar rouge.

PRÉPARATION : *30 minutes*
RÉFRIGÉRATION : *45 minutes*

INGRÉDIENTS *(4 à 6 personnes)*
4 tranches de pain blanc, sans les
croûtes
5 c. à soupe de lait
300 g de poutargue
6 à 8 c. à soupe d'huile d'olive
1 jaune d'œuf
Le jus d'un gros citron
1 c. à soupe de vinaigre
Sel, poivre gris

Emiettez le pain et faites-le tremper dans le lait. Ecrasez la poutargue dont vous aurez retiré l'enveloppe (utilisez le mortier ou un mixer). Ajoutez la mie de pain trempée, le jaune d'œuf, le jus du citron, le vinaigre et, petit à petit, l'huile d'olive, comme si vous faisiez une mayonnaise. Battez énergiquement jusqu'à ce que le mélange ait l'aspect d'une purée crémeuse.

Assaisonnez de sel et de poivre à votre goût et mettez le mélange dans un ravier. Couvrez et réservez au frais.

Servez en présentant à part du pain grillé, du beurre, des olives noires et des quartiers de citron.

Poissons

SOUFFLÉ D'AIGLEFIN FUMÉ

Les belles journées ensoleillées de juillet appellent des plats légers, tels que ce soufflé beau à voir et facile à préparer. Vous le servirez comme entrée dans des ramequins individuels ou comme plat principal avec une salade.

PRÉPARATION : *30 minutes*
CUISSON : *30 minutes*

INGRÉDIENTS *(4 à 6 personnes)*
350 g de filets d'aiglefin fumé
300 ml de lait
5 c. à soupe de beurre doux
4 c. à soupe de farine
Le zeste râpé d'un demi-citron
2 c. à soupe de parmesan râpé
Poivre de Cayenne
4 œufs
1 c. à soupe de persil haché

Lavez les filets d'aiglefin et épongez-les sur du papier absorbant. Déposez-les dans un grand plat peu profond avec le lait et 1 cuillerée à soupe d'eau. Amenez-les lentement au point d'ébullition et retirez-les aussitôt du feu. Réservez le fond de cuisson. Quand le poisson s'est un peu refroidi, émiettez la chair et réduisez-la finement en purée avec une fourchette.

Faites fondre 4 cuillerées à soupe de beurre dans une petite casserole ; ajoutez la farine et maniez la pâte. Hors du feu, ajoutez graduellement le liquide de cuisson de l'aiglefin en remuant sans arrêt. Remettez la sauce sur le feu et laissez-la mijoter en remuant constamment jusqu'à ce qu'elle ait acquis une texture crémeuse. Ajoutez alors le zeste de citron, le parmesan, le poivre de Cayenne et la chair d'aiglefin.

Séparez les jaunes des blancs d'œufs. Incorporez les jaunes un à un. Fouettez les blancs en neige ferme mais non sèche et ajoutez-les délicatement à la préparation.

Beurrez un plat à soufflé d'une contenance de 1,5 à 2 litres ou six ramequins individuels et parsemez-en le fond de persil haché. Versez la pâte dans les moules, à la cuillère ou à la louche, et enfournez au centre du four que vous aurez préalablement chauffé à 200°C. Comptez 30 minutes de cuisson : le soufflé doit être doré et bien levé.

Servez le soufflé immédiatement en l'accompagnant, en plat principal, d'un légume vert et de pommes de terre au beurre.

FILETS DE SOLE À LA DUGLÉRÉ

C'est un chef français de grande réputation, Adolphe Dugléré, qui a inventé cet apprêt au XIXᵉ siècle.

PRÉPARATION : *20 à 30 minutes*
CUISSON : *25 minutes*

INGRÉDIENTS *(4 personnes)*
8 filets de sole
2-3 échalotes
4 grosses tomates
60 g de beurre doux
La moitié d'une gousse d'ail
Sel et poivre noir
125 ml de fumet de poisson
125 ml de vin blanc sec
250 à 300 ml de crème épaisse
Beurre manié (p. 271)
1 c. à thé d'estragon frais haché
  (facultatif)
1 jaune d'œuf
Jus de citron
Sauce Tabasco
GARNITURE
Persil haché

Pelez et hachez finement les échalotes. Pelez, épépinez et concassez les tomates. Beurrez un plat peu profond allant au feu. Pelez la gousse d'ail, divisez-la en deux et frottez-en les bords du plat. Disposez-y les filets de sole côte à côte ; assaisonnez de sel et de poivre fraîchement moulu.

Eparpillez les échalotes hachées sur les filets ; recouvrez le tout avec les tomates. Mouillez de fumet et de vin et couvrez le plat d'une feuille de papier paraffiné beurrée. Chauffez de façon à amener les liquides juste sous le point d'ébullition, sur un élément de surface de votre cuisinière ; diminuez la chaleur et laissez pocher doucement les filets de sole pendant 7 minutes pour qu'ils soient un peu fermes. Vous pouvez aussi enfourner le poisson au centre du four, préchauffé à 180°C, pendant 15 minutes environ.

Quand le poisson est cuit, égouttez-le et conservez-le au chaud, sur la porte du four par exemple. Amenez le fond de pochage à ébullition et laissez-le réduire au moins du quart. Hors du feu, incorporez alors la crème, puis le beurre manié en battant constamment la sauce avec le fouet. Ajoutez l'estragon s'il y a lieu. Faites fondre le reste du beurre ; mélangez-le au jaune d'œuf battu et videz le tout dans la sauce. Rectifiez l'assaisonnement au goût, si c'est nécessaire.

Au moment de servir, disposez les filets de sole sur un grand plat de service chaud et aspergez-les de jus de citron. Laissez tomber quelques gouttes de sauce Tabasco dans la sauce à la Dugléré avant de l'étendre sur les filets ; saupoudrez de persil.

Les filets de sole à la Dugléré se servent avec des pommes de terre à l'anglaise et une salade verte.

MAQUEREAUX À LA MARSEILLAISE

On dit parfois du maquereau que c'est la truite du pauvre. Pourtant, bien que tous deux gras de chair, ces poissons ont un goût bien différent.

PRÉPARATION : *30 minutes*
CUISSON : *20 minutes*

INGRÉDIENTS *(4 à 6 personnes)*
6 maquereaux de taille moyenne
Farine assaisonnée de sel et de poivre
4 c. à soupe d'huile d'olive
1 oignon
8 petits champignons
1 gousse d'ail
350 g de tomates fermes
2 c. à soupe de beurre
Sel et poivre noir
1 c. à thé de persil haché fin
2 c. à thé de vinaigre de vin

Nettoyez les maquereaux. Levez les filets, épongez-les, puis farinez-les ; secouez-les bien pour enlever tout excès de farine. Dans une sauteuse épaisse, chauffez 3 cuillerées à soupe d'huile et, lorsqu'elle est bien chaude, faites-y dorer les filets des deux côtés pendant 10 minutes environ en les retournant une fois seulement.

Entre-temps, pelez l'oignon et l'ail ; parez et essuyez les champignons. Détaillez séparément oignon et champignons en dés et écrasez l'ail. Pelez et émincez les tomates. Dans une poêle, chauffez le reste de l'huile et faites-y sauter l'oignon à feu modéré pendant quelques minutes. Ajoutez les champignons et l'ail. Après 5 minutes de cuisson à feu très doux, salez et poivrez au moulin, puis incorporez le vinaigre et le persil. Dans une autre poêle, faites revenir à feu doux les tomates dans le beurre pendant 3 minutes environ.

Dressez les filets de maquereau sur un plat de service chaud en les faisant alterner avec les tranches de tomate. Avec une cuillère, versez sur chaque filet un peu du mélange de champignons et d'oignon et servez avec des pommes de terre nouvelles et une salade verte.

161

Viandes

KEDGEREE

Le kedgeree, plat indien à base de poisson et de riz, est une préparation légère qui vous permettra d'utiliser des restes de poisson.

PRÉPARATION : *5 minutes*
CUISSON : *30 minutes*

INGRÉDIENTS *(4 à 6 personnes)*
250 g de poisson cuit
160 à 170 g de riz à grains longs
1 oignon
60 g de beurre
2 œufs durs
Persil haché
Sel, poivre gris et poivre de Cayenne

Débarrassez le poisson des arêtes et de la peau et émiettez-le. Dans un grand faitout, portez à ébullition 350 ml d'eau, en ajoutant une pincée de sel, une pincée de poivre gris et une de poivre de Cayenne. Jetez-y le riz, couvrez et laissez cuire à feu doux pendant 20 minutes, jusqu'à ce que le riz soit tendre et l'eau entièrement absorbée.

Pelez et hachez finement l'oignon. Faites fondre une noix de beurre dans une petite poêle et faites revenir l'oignon à feu doux pendant 5 à 7 minutes, jusqu'à ce qu'il soit tendre ; réservez-le. Ecalez les œufs durs, séparez jaunes et blancs ; hachez grossièrement les blancs et passez les jaunes au tamis.

Coupez le reste du beurre en petits morceaux et incorporez-le au riz cuit, en même temps que le poisson, l'oignon et les blancs d'œufs. Rectifiez l'assaisonnement et réchauffez à feu doux.

Pour servir, dressez la préparation en pyramide sur un plat de service chaud, décorez avec les jaunes d'œufs, disposés en étoile, ou autre motif décoratif selon votre fantaisie, et parsemez généreusement de persil haché.

TRUITES À LA JURASSIENNE

Comme son nom l'indique, cette recette est originaire du Jura, région montagneuse de l'Est de la France.

PRÉPARATION : *15 minutes*
CUISSON : *35 à 45 minutes*

INGRÉDIENTS *(6 personnes)*
6 truites de taille moyenne
60 g de beurre doux
2 échalotes ou 1 petit oignon
300 ml de vin rosé
125 ml de sauce hollandaise (p. 271)
1 c. à soupe de crème épaisse
Sel et poivre noir
GARNITURE
Croûtons (p. 268) et persil haché

Disposez les truites côte à côte dans un plat à four beurré ; pelez et hachez finement les échalotes et parsemez-en le poisson. Mouillez avec le vin. Couvrez avec du papier paraffiné ou du papier d'aluminium beurré. Faites cuire dans le centre du four, porté à 150°C, pendant 25 minutes.

Entre-temps, apprêtez la sauce hollandaise et réchauffez-la sans la faire bouillir. Quand les truites sont cuites, déposez-les avec soin sur un linge à vaisselle et enlevez la peau. Gardez-les au chaud sur un plat de service.

Passez le jus de cuisson et faites-le bouillir vivement jusqu'à ce qu'il n'en reste plus que 2-3 cuillerées à soupe. Lorsque cette réduction est froide, ajoutez-la à la sauce hollandaise, puis incorporez la crème. Rectifiez l'assaisonnement.

Au moment de servir, nappez les truites de sauce et garnissez le plat de croûtons frits et de persil haché fin. Présentez avec des pommes de terre bouillies et des champignons étuvés au beurre.

ROGNONS D'AGNEAU ÉPICURE

Une recette originale que vous pouvez réaliser tout aussi bien avec des rognons de veau qu'avec des rognons de porc.

PRÉPARATION : *15 minutes*
CUISSON : *15 minutes*

INGRÉDIENTS *(4 personnes)*
8 rognons d'agneau (environ 500 g)
2 c. à soupe de beurre
1 petite échalote
1½ c. à soupe de farine
500 ml de bouillon de bœuf
1 c. à soupe de moutarde de Dijon
2 c. à thé de gelée de groseille épaisse
2 c. à soupe de crème épaisse
1 c. à soupe de porto
Sel, poivre

Coupez les rognons en deux dans le sens de la longueur, mettez-les dans une grande jatte et couvrez-les d'eau bouillante. Egouttez-les au bout de 2 minutes, essuyez-les, enlevez la peau et le nœud central. Coupez chaque demi-rognon en trois ou quatre tranches, jetez-les dans le beurre que vous aurez fait fondre dans une poêle, et faites-les revenir à feu modéré pendant 3-4 minutes ou jusqu'à ce qu'elles soient légèrement colorées.

Retirez-les de la poêle et gardez-les au chaud. Dans le fond de cuisson, faites revenir, jusqu'à ce qu'elle soit tendre, l'échalote pelée et finement hachée. Mélangez-y la farine et, toujours en remuant, ajoutez peu à peu le bouillon et laissez cuire à feu modéré jusqu'à l'obtention d'une sauce homogène et lisse. Assaisonnez-la à votre goût de sel et de poivre ; ajoutez la moutarde, la gelée de groseille, la crème et le porto ; faites réchauffer les rognons dans cette sauce, à feu doux, sans jamais porter à ébullition. Servez avec une couronne de riz nature.

RIS DE VEAU AU BEURRE NOISETTE

Tenez compte, dans le calcul des temps de préparation, qu'avant de cuisiner le ris vous devez le faire dégorger pour en éliminer le sang.

PRÉPARATION : *30 minutes*
REPOS : *2 h 30 environ*
CUISSON : *40 minutes*

INGRÉDIENTS *(4 à 6 personnes)*
600 g de ris de veau
4 c. à soupe de vinaigre blanc
1 carotte
1 côte de céleri
500 ml de bouillon de poulet ou de veau
La moitié d'une feuille de laurier
1 branche de thym
6 grains de poivre
Farine
50 g de beurre
1 c. à soupe d'huile d'olive
150 g de beurre, si possible clarifié
Sel, poivre
GARNITURE
Persil haché
Quartiers de citron

Laissez tremper le ris pendant 30 minutes à l'eau froide souvent renouvelée, et encore 30 minutes dans de l'eau acidulée avec 1 cuillerée de vinaigre. Egouttez-le, épongez-le dans un linge, mettez-le dans une casserole, couvrez-le d'eau froide et portez lentement à ébullition. Retirez du feu aussitôt, égouttez-le, passez-le sous l'eau courante froide, débarrassez-le des vaisseaux sanguins, devenus noirs à la cuisson, et éliminez la peau fine qui le recouvre. Enveloppez-le ensuite dans un linge fin et mettez-le au réfrigérateur pendant 1 heure ou plus, en le pressant entre deux assiettes ou deux planchettes de bois, sur lesquelles vous mettrez un poids. Pendant ce temps, épluchez, lavez et coupez en fines tranches la carotte et le céleri.

Mettez le ris dans une casserole, ajoutez du bouillon, en quantité suffisante pour le recouvrir de 2 cm environ ; ajoutez la carotte, le céleri, le laurier, le thym et le poivre en grains. Faites chauffer à feu doux, portez à légère ébullition et laissez cuire 10 minutes, sans couvrir. Egouttez le ris avec une écumoire, filtrez le bouillon dans un chinois fin, remettez-y le ris et laissez-le reposer 30 minutes environ, jusqu'à ce qu'il soit assez refroidi pour qu'on puisse le manier.

Retirez ensuite le ris du bouillon, essuyez-le dans un linge de cuisine ; coupez-le en tranches épaisses, assaisonnez-le de sel et de poivre, farinez-le. Dans une sauteuse, faites chauffer à feu modéré l'huile et les 50 g de beurre ; mettez-y les tranches de ris et faites-les cuire 3 minutes environ de chaque côté, jusqu'à ce qu'elles soient colorées. Dressez-les sur un plat de service et gardez-les au chaud jusqu'au moment de servir.

Faites chauffer le reste du vinaigre dans un petit plat et faites-le bouillir jusqu'à ce qu'il soit réduit des deux tiers. Dans une autre casserole, faites chauffer doucement le beurre clarifié et, quand il est couleur noisette, mélangez-y le vinaigre. Assaisonnez de sel et de poivre à volonté, versez sur les tranches de ris ; parsemez de persil haché et servez immédiatement, en garnissant de quartiers de citron.

Pour accompagner ce plat, du riz nature et des concombres au gratin (p. 169) conviennent particulièrement bien.

BŒUF POCHÉ AUX AROMATES

INGRÉDIENTS *(8 à 10 personnes)*
1,8 kg de bœuf désossé dans la palette
400 g de gros sel
2 échalotes
3 feuilles de laurier
1 c. à thé de nitrate de potassium (salpêtre)
1 c. à thé de toute-épice
4 c. à soupe de cassonade
1 c. à thé de clous de girofle en poudre
1 c. à thé de macis en poudre
2 pincées de poivre noir concassé
2 pincées de thym séché

PRÉPARATION : *20 minutes*
MACÉRATION : *8 jours*
CUISSON : *4-5 heures*

Cet apprêt est particulièrement indiqué pour les dîners d'été et les buffets. La viande doit macérer 8 jours avant d'être cuite.

Essuyez la viande désossée avant de la déposer dans un plat creux ; ne la roulez pas. Frottez-la énergiquement de tous les côtés avec 300 g de sel. Couvrez et laissez reposer 24 heures au froid.

Mélangez ensemble les échalotes pelées et hachées finement, les feuilles de laurier fragmentées, le reste du sel et les autres ingrédients. Chaque jour, frottez le bœuf avec cette composition en enlevant le liquide rendu par la viande, s'il y en a. Après 7 jours, les aromates devraient avoir été complètement absorbés.

Roulez la pièce de viande en la ficelant en plusieurs endroits. Déposez-la dans un plat creux et lourd, où elle tiendra juste, et mouillez d'eau chaude à hauteur.

Couvrez et portez au point d'ébullition ; faites ensuite cuire à petits bouillons de 4 à 5 heures. La viande est à point quand elle paraît tendre sous la fourchette. Laissez-la refroidir dans son jus avant de la déposer entre deux assiettes sur lesquelles vous poserez un poids. Comptez 8 heures de tassement.

Le bœuf aux aromates se sert froid accompagné de pommes de terre au four, de diverses salades, de betteraves marinées et de petits cornichons sucrés.

OSSO BUCO

PRÉPARATION : *30 minutes*
CUISSON : *1 h 45 à 2 heures*

INGRÉDIENTS *(6 personnes)*
1 kg de veau dans le jarret
Farine assaisonnée de sel et de poivre
3 carottes
2 côtes de céleri
1 oignon
2 gousses d'ail
60 g de beurre
250 ml de vin blanc sec
*250 ml de bouillon de poulet ou de
    veau*
1 boîte de tomates de 500 ml
Sel et poivre noir
Sucre
*1 brin de romarin frais ou 2 pincées
    de romarin séché*
GARNITURE
4 c. à soupe de persil haché fin
Le zeste râpé de 2 gros citrons
2-3 gousses d'ail hachées finement

C'est de l'Italie que nous vient cet excellent ragoût composé de rouelles de jarret de veau braisées dans un fond additionné de tomates. Dans le Milanais, on l'assaisonne d'une préparation qui porte le nom de *cremolata*.

Demandez au boucher de détailler le jarret de veau en rouelles d'environ 4 cm d'épaisseur. Enrobez-les de farine assaisonnée.

Chauffez le beurre dans une grande poêle à frire et faites-y dorer les rouelles avec les légumes nettoyés et hachés. Quand les rouelles commencent à prendre couleur, mettez-les debout pour que la moelle ne s'échappe pas en cuisant. Ajoutez le vin, le bouillon et les tomates avec leur jus. Assaisonnez de sel, de poivre frais moulu, de sucre et de romarin. Laissez mijoter l'osso buco à couvert sur feu doux pendant 1 h 30 environ ou jusqu'à ce que la viande soit tendre sous la fourchette.

Dans l'intervalle, préparez la garniture de *cremolata*.

Au moment de servir, dressez le ragoût avec sa garniture dans un plat creux. On peut laisser la moelle dans les os ou l'extraire et en tartiner des rôties. En Italie, on accompagne l'osso buco de risotto alla milanese (p. 131), mais pour un repas d'été, il est préférable de servir des nouilles au beurre.

VITELLO TONNATO

Le veau en terrine avec sauce au thon est une spécialité estivale d'Italie. Dans sa version classique, le veau est poché dans un court-bouillon, mais il peut aussi être rôti au four. Il est recommandé de préparer ce plat 24 heures à l'avance pour le garder au réfrigérateur pendant au moins 12 heures.

PRÉPARATION : *30 minutes*
CUISSON : *1 h 45*
MACÉRATION : *12 heures*

INGRÉDIENTS *(6 personnes)*
1 kg de veau dans le jarret ou la longe
1 carotte
1 oignon
1 côte de céleri
4 grains de poivre
1 c. à thé de sel
100 g de thon en conserve
4 filets d'anchois
125 ml d'huile d'olive
2 jaunes d'œufs
Poivre noir
2 c. à soupe de jus de citron
GARNITURE
Câpres
Petits cornichons sucrés
Estragon frais (si possible)

Demandez au boucher de désosser le jarret ou la longe, de rouler et de ficeler la viande ; conservez les os.

Grattez et lavez la carotte ; coupez-la en quatre ainsi que l'oignon pelé. Nettoyez et hachez le céleri. Déposez la viande avec les os, les légumes, les grains de poivre et le sel dans un grand faitout et mouillez d'eau à hauteur. Quand l'ébullition est prise, diminuez le feu, couvrez le faitout et comptez 1 h 45 de cuisson. Dès que la viande est tendre, retirez-la avec soin du faitout et laissez-la refroidir. Faites réduire vivement le jus de cuisson, passez-le à travers une mousseline et réservez.

Préparez alors la sauce. Egouttez le thon et les filets d'anchois et écrasez-les à la fourchette avec 1 cuillerée à soupe d'huile d'olive. Incorporez les jaunes d'œufs et poivrez au goût. Passez la préparation à travers un tamis avant de la relever de jus de citron. Ajoutez le reste de l'huile goutte à goutte en battant bien après chaque addition. Lorsque la sauce est épaisse et lustrée, ajoutez du jus de citron au goût et allongez-la en lui incorporant 2 cuillerées à soupe du bouillon de veau. Elle prendra alors la consistance de la crème légère.

Escalopez le veau froid et disposez-le dans une terrine ; couvrez la viande complètement de sauce. Enveloppez la terrine de papier d'aluminium et laissez la préparation macérer une nuit entière.

Avant de servir, décorez la terrine de câpres et de quelques cornichons sucrés détaillés en rondelles ou d'une branche d'estragon. Une salade de riz (p. 304) ou de laitue et tomates est l'accompagnement idéal du vitello tonnato.

NOISETTES D'AGNEAU

Pour cette préparation, il faut des côtelettes d'un agneau assez gros. Préparées selon cette recette, les côtelettes sont exquises et parfaites si vous avez des invités, car la sauce, qui demande un long temps de cuisson, peut être préparée à l'avance.

PRÉPARATION : *15 à 25 minutes*
CUISSON : *2 h 30 environ pour la
    sauce, 12 minutes pour la viande*

INGRÉDIENTS *(4 à 6 personnes)*
8 à 12 côtelettes d'agneau
70 g de beurre
1 c. à soupe d'huile d'olive
SAUCE
1 petite carotte
1 petit oignon
2 côtes de céleri
*1 tranche de bacon maigre de 30 à
    40 g*
50 g de beurre
4 c. à soupe de farine
500 ml de bouillon concentré
250 ml de vin sec blanc ou rouge
2 c. à thé de concentré de tomate
Bouquet garni
1 branche de romarin
2 c. à soupe de gelée de groseille
Sel, poivre

Désossez les côtelettes et ficelez-les pour leur donner une forme circulaire (diamètre de 5 cm environ). Réservez les déchets.

Pour la sauce, que vous devez préparer en premier, grattez la carotte, pelez l'oignon, épluchez le céleri, lavez le tout et coupez en dés. Détaillez aussi le bacon en dés, jetez-le dans un peu d'eau bouillante, égouttez-le au bout de 3-4 minutes. Faites fondre 50 g de beurre dans une sauteuse, à feu modéré, et faites revenir pendant 10 minutes les légumes, les déchets d'agneau hachés et le bacon. Retirez du feu, ajoutez la farine, remettez à feu doux et laissez cuire en-

Volaille

core 10 minutes, tout en remuant jusqu'à ce que le mélange soit légèrement coloré. Retirez du feu.

Dans une petite casserole, portez à ébullition le bouillon et le vin et versez le liquide chaud sur le mélange contenu dans la sauteuse. Ajoutez le concentré de tomate, le bouquet garni et le romarin; couvrez la sauteuse à moitié et laissez cuire, à feu très doux, pendant au moins 2 heures, en remuant de temps en temps et en enlevant l'écume qui se forme à la surface. Quand la sauce est assez épaisse pour « tenir » sur le dos d'une cuillère, retirez-la du feu, passez-la au tamis à gros trous et enlevez tout le gras qui monte à la surface.

Environ 30 minutes avant de servir, faites doucement réchauffer la sauce, mélangez-y la gelée de groseille et faites bouillir doucement jusqu'à ce que la gelée soit fondue. Assaisonnez de sel et de poivre au

goût et gardez au chaud. Dans une autre sauteuse, faites chauffer 70 g de beurre et l'huile, et faites revenir les noisettes d'agneau à feu modéré 5-6 minutes de chaque côté, selon l'épaisseur; la chair doit être bien colorée à l'extérieur et légèrement rosée à l'intérieur.

Disposez les noisettes d'agneau sur un plat chaud; nappez avec la sauce épaisse et foncée. Servez aussitôt dans des assiettes chaudes; accompagnez de pommes de terre nouvelles cuites à l'eau, de courgettes ou de haricots verts.

POULET AU SÉSAME SUR RIZ PILAF

Les graines et l'huile de sésame sont couramment utilisées en Extrême-Orient où on s'en sert pour communiquer une saveur particulière à la viande et à la volaille. Le poulet au sésame est dressé ici sur un riz relevé qui accompagne bien, chaud ou froid, de nombreux autres plats de poulet ou de viande.

PRÉPARATION : 50 minutes
CUISSON : 25 minutes

INGRÉDIENTS (4 personnes)
2 poulets de 1,5 kg chacun
225 g de riz cru à grains longs
90 g de farine à tout usage
Sel et poivre noir
1 c. à thé de graines de sésame en poudre ou 1 c. à soupe rase de graines entières
90 g de beurre
1 c. à thé d'huile d'olive
300 ml de bouillon de poulet
3 c. à soupe de vin blanc sec
2 pincées de coriandre moulue
1 pincée de gingembre moulu
1 pincée de chili
300 ml de crème épaisse

N'utilisez que les blancs de poulet; réservez les cuisses pour une autre recette.

Dépouillez les poulets de leur peau et désossez les poitrines de façon à dégager les blancs d'un seul morceau. Détachez les cuisses. Avec la peau, les ailes et les carcasses, préparez un fond de poulet concentré. Passez-le au chinois et faites-le réduire par ébullition vive à 300 ml.

Avant de commencer la cuisson du poulet, faites cuire le riz dans une grande casserole d'eau bouillante salée. Mélangez la farine avec le sel, le poivre fraîchement moulu, les graines ou la poudre de sésame, et enrobez-en les blancs de poulet. Chauffez 60 g de beurre dans une

sauteuse épaisse, ajoutez l'huile d'olive et faites dorer le poulet à feu modéré pendant 3 minutes environ de chaque côté. Enlevez l'excès de gras et videz le bouillon et le vin sur le poulet, dans la sauteuse. Couvrez et laissez mijoter 10 à 15 minutes à feu doux.

Ajoutez le reste du beurre au riz et assaisonnez au goût de sel et de poivre, de coriandre, de gingembre et d'une pincée de chili. Dressez le riz pilaf dans un grand plat de service creux et gardez-le au chaud.

Retirez les blancs de poulet de leur fond de pochage et disposez-les sur le riz. Versez la crème dans le jus de cuisson et laissez réduire en remuant constamment jusqu'à ce que la sauce soit épaisse et onctueuse. Nappez-en le poulet et servez sans plus attendre.

POULET ROCK CORNISH AUX OLIVES

Les poulets rock cornish ont une saveur fine à laquelle conviennent de nombreux apprêts. Celui-ci est particulièrement délicat. Comptez un poulet par personne.

PRÉPARATION : 15 minutes
CUISSON : 1 h 15 à 1 h 45

INGRÉDIENTS (2 personnes)
2 poulets rock cornish
1 gros oignon
1 carotte
1 poivron vert
3 côtes de céleri
6 brins de persil
Sel et poivre
250 ml de vin blanc
24 petites olives vertes

Mettez les abattis, y compris les ailerons et le cou, dans une petite casserole avec 500 ml d'eau et faites-les cuire à couvert pendant 45 minutes. Passez et réservez le bouillon. Pelez l'oignon et la ca-

rotte et débarrassez le poivron vert de ses graines; hachez grossièrement ces trois légumes avec le céleri et le persil. Disposez le tout dans le fond d'un plat à four.

Frottez les poulets de sel et de poivre et déposez-les sur les légumes. Mouillez avec le vin blanc et le bouillon passé et faites cuire au four, préchauffé à 160°C, pendant 1 h 15 à 1 h 45. Arrosez les poulets toutes les 20 minutes avec le fond de braisage pour qu'ils ne se dessèchent pas.

Quand les poulets sont à point, retirez-les du plat et déposez-les sur une assiette chaude que vous garderez dans le four éteint, porte ouverte, pendant que vous apprêtez la sauce.

Passez les légumes et le jus de cuisson à travers un chinois en pressant avec une grande cuillère pour récupérer le plus de pulpe possible. On peut aussi utiliser un presse-purée, un moulin à viande muni d'une grille fine ou passer les légumes au mixer.

Réchauffez la sauce, dégraissez-la le plus possible et vérifiez l'assaisonnement. Quelques minutes avant de servir, ajoutez les olives à la sauce pour les réchauffer. Accompagnez les poulets de pommes de terre en robe de chambre, c'est-à-dire cuites à l'eau salée sans être pelées, ou de pommes de terre pelées, cuites à la vapeur et garnies de beurre persillé; couronnez le plat de service avec des petits pois et servez la sauce, à part, en saucière.

ESCALOPES DE DINDE CORDON BLEU

Les escalopes de dinde sont économiques et se prêtent aux préparations les plus variées, dont certaines, comme celle-ci, ne manquent pas d'élégance.

PRÉPARATION : *20 minutes*
CUISSON : *25 minutes*

INGRÉDIENTS *(4 personnes)*
4 escalopes de dinde
4 tranches de jambon cuit maigre
4 fines tranches de gruyère
100 g de champignons
90 g de beurre
1 c. à soupe d'huile
1-2 c. à soupe de persil haché
5-6 c. à soupe de bouillon de poulet
Farine
Sel, poivre

Demandez à votre boucher de vous donner des escalopes, toutes égales, d'une forme régulière et de bien les aplatir. Coupez les tranches de jambon et de fromage aux dimensions des escalopes. Parez les champignons en enlevant la partie terreuse des pieds ; lavez-les rapidement à l'eau froide, essuyez-les aussitôt et coupez-les en fines lamelles. Faites chauffer 20 g de beurre dans une petite poêle ; quand il mousse, jetez-y les champignons ; laissez-les cuire à feu vif 4-5 minutes ou jusqu'à ce qu'ils soient dorés, en remuant souvent ; mettez-les de côté. Assaisonnez les escalopes de dinde avec du sel et du poivre et farinez-les légèrement.

Dans une grande poêle ou une sauteuse, faites chauffer à feu modéré le reste du beurre et l'huile ; mettez-y les escalopes et faites-les

cuire 5 à 7 minutes de chaque côté. Etendez sur chaque escalope une tranche de jambon, mettez les champignons par-dessus, assaisonnez-les d'un peu de poivre, parsemez-les d'une partie du persil et couvrez enfin avec une tranche de fromage. Versez sur les escalopes le bouillon de poulet encore bouillant, mettez un couvercle qui ferme bien ou recouvrez la sauteuse d'une feuille d'aluminium bien soudée autour des bords et laissez cuire à feu doux pendant 10 minutes environ ou jusqu'à ce que le fromage soit fondu.

Retirez les escalopes et disposez-les dans un plat de service chaud ; parsemez du reste de persil et garnissez, si vous voulez, avec des touffes de cresson ou de laitue. Vous pouvez accompagner d'un légume au beurre ou d'une salade.

POULET À LA CRÈME

Cette recette de poulet, avec une sauce à la crème et au calvados, est originaire de Normandie. S'il y a des restes, ils sont excellents le lendemain : il suffit de les faire réchauffer au bain-marie.

PRÉPARATION : *10 minutes*
CUISSON : *1 h 15 à 1 h 30*

INGRÉDIENTS *(4 à 6 personnes)*

1 gros poulet (1,5 kg environ)
1 oignon jaune
2 tranches de jambon cuit ou de bacon maigre
70 g de beurre
4 c. à soupe de calvados
2 c. à thé de feuilles de céleri hachées

250 ml de cidre
2 gros jaunes d'œufs
150 ml de crème épaisse
Sel, poivre gris
GARNITURE
2 pommes à croquer
2 c. à soupe de beurre

Si vous faites préparer le poulet par votre fournisseur, faites-vous donner les abats. Bridez le poulet et assaisonnez-le abondamment de sel et de poivre. Pelez, hachez finement l'oignon et coupez en dés le jambon ou le bacon.

Faites fondre le beurre dans une casserole, à feu doux, et faites revenir l'oignon pendant 5 à 7 minutes, jusqu'à ce qu'il devienne tendre et transparent. Ajoutez le jambon ou le bacon et laissez cuire encore 2-3 minutes. Ajoutez le poulet et faites-le dorer légèrement de tous les côtés. Faites chauffer dans une petite casserole le calvados, approchez une allumette (la flamme du calvados est assez haute) et versez le calvados flambant sur le poulet ; secouez délicatement la casserole jusqu'à ce que le feu soit éteint.

Ajoutez le cou du poulet, le gésier et le cœur, mais réservez le foie. Parsemez de feuilles de céleri hachées, arrosez avec le cidre ; portez à ébullition et laissez bouillir tout doucement quelques minutes. Tournez le poulet sur le flanc, couvrez bien le récipient avec une feuille d'aluminium ou un couvercle bien ajusté et poursuivez la cuisson à feu doux ; vous pouvez, si vous préférez, effectuer la cuisson à four doux (160°C).

Au bout de 20 à 25 minutes, retournez le poulet sur l'autre côté et faites-le cuire pendant le même temps, toujours couvert. Enfin, déposez-le sur le dos, couvrez de nouveau et laissez cuire encore 10 minutes.

Pendant que le poulet cuit, pelez et évidez les pommes. Coupez-les, sans les casser, en tranches horizontales épaisses de 5 mm environ. Faites fondre le beurre dans une poêle et faites cuire les pommes à feu vif, jusqu'à ce qu'elles soient bien dorées des deux côtés (6 à 8 minutes).

Mettez le poulet dans un plat de service chaud et gardez-le à l'entrée du four. Filtrez le liquide de cuisson et faites-le réduire légèrement à feu vif ; retirez-le du feu. Battez ensemble les jaunes d'œufs et la crème ; ajoutez quelques cuillerées du fond de cuisson du poulet, puis, toujours en remuant, versez le mélange dans le reste du liquide et laissez cuire à feu doux, sans porter à ébullition, pour que la sauce épaississe.

Juste avant de servir, versez la sauce bien chaude sur le poulet et garnissez avec les tranches de pomme. Comme accompagnement, une salade verte peut suffire, mais vous pouvez servir également des pommes de terre à l'anglaise.

Riz et pâtes

PIZZA FINE

Spécialité napolitaine, la pizza classique comporte une croûte à la levure garnie d'une préparation relevée.

La mozzarella s'impose bien sûr, mais tout autre fromage fondant, comme le gruyère, fait l'affaire.

PRÉPARATION : *1 h 45*
CUISSON : *20 à 25 minutes*

INGRÉDIENTS *(6 personnes)*

250 g de farine à tout usage
1 c. à thé de sel
5 c. à soupe de lait
½ pain de levure fraîche ou 1 sachet de levure séchée
1 c. à thé de sucre
45 g de beurre doux fondu
1 gros œuf
GARNITURE
2 gros oignons
2 petites gousses d'ail
450 g de tomates
2 c. à soupe d'huile d'olive
1 c. à soupe de marjolaine fraîche ou 2 pincées d'origan séché
Sel et poivre noir
120 g de fromage
DÉCORATION
60 g de filets d'anchois en conserve
Une dizaine d'olives noires

Tamisez la farine avec le sel dans un bol chaud en ménageant un puits au centre. Faites tiédir le lait (45°C), puis prélevez-en quelques gouttes pour défaire en crème la levure fraîche avec le sucre. (Si vous employez de la levure sèche, mélangez-la à la totalité du lait tiède et sucré.) Versez la levure et le lait dans la farine en même temps que l'œuf battu et le beurre fondu. Travaillez la pâte avec les mains jusqu'à ce qu'elle soit lisse et se détache bien du bol. Après l'avoir façonnée en boule, glissez-la dans un sac de plastique huilé et gardez-la au chaud le temps qu'il faudra pour qu'elle double de volume.

Entre-temps, préparez la garniture. Pelez et hachez grossièrement les oignons et l'ail ; pelez, épépinez et concassez les tomates. Chauffez l'huile d'olive dans une casserole à fond épais et faites-y cuire à feu modéré les oignons et l'ail. Quand ils sont tendres et transparents, ajoutez les tomates et, 10 minutes plus tard, la marjolaine ou l'origan.

Assaisonnez au goût et mettez l'appareil de côté. Détaillez le fromage en fines lamelles triangulaires et égouttez les anchois.

Quand la pâte a doublé de volume, dégonflez-la en la pétrissant du bout des doigts 1-2 minutes. Façonnez-la en un disque de 30 cm de diamètre que vous déposerez sur une plaque graissée et farinée. Etalez dessus la fondue de tomates et d'oignons en laissant 2 cm à découvert tout autour. Disposez les lamelles de fromage en éventail de façon qu'elles chevauchent partiellement et décorez avec les filets d'anchois et les olives noires.

Placez la pizza dans le haut du four, à 220°C, et calculez 20 à 25 minutes de cuisson ; elle est à point quand la pâte est gonflée et le fromage doré. La pizza se sert habituellement chaude, au sortir du four. Mais on peut aussi la réchauffer à four modéré ou la manger froide. Comme plat de résistance, on l'accompagnera d'une salade verte à la vinaigrette (p. 272).

GNOCCHIS VERTS

Ces gnocchis d'épinards demandent un peu de patience et une certaine habileté, mais ils sont si légers et exquis que cela vaut la peine d'apprendre à les faire. Les quantités indiquées ici sont suffisantes pour six personnes, si vous servez les gnocchis comme entrée, et pour quatre personnes si vous les servez comme plat principal.

PRÉPARATION : *20 minutes*
RÉFRIGÉRATION : *2 heures*
CUISSON : *15 à 20 minutes*

INGRÉDIENTS *(4 à 6 personnes)*
300 g d'épinards
120 g de beurre
300 g de fromage blanc (cottage)
2 œufs
2 c. à soupe de crème épaisse
4 c. à soupe de farine
80 g de parmesan râpé
Noix de muscade râpée
Sel, poivre gris

Epluchez les épinards. Lavez-les dans une grande quantité d'eau froide, renouvelée plusieurs fois. Mettez-les, sans trop les égoutter, dans un faitout avec un couvercle hermétique et faites-les cuire sans ajouter d'eau, pendant 5 minutes environ, jusqu'à ce qu'ils soient tout juste ramollis. Egouttez-les, pressez-les pour en faire sortir toute l'eau et hachez-les finement.

Faites fondre dans une poêle 60 g de beurre, mettez-y les épinards et laissez cuire, en remuant sans arrêt, pendant 2 minutes environ, jusqu'à ce que toute l'humidité se soit évaporée ; si c'est nécessaire, pressez encore les épinards en les passant au tamis. Passez aussi le fromage, ajoutez-le aux épinards dans la poêle, et laissez cuire environ 3-4 minutes, en remuant sans interruption. Retirez la poêle du feu et ajoutez les œufs légèrement battus, la crème, la farine et un tiers du parmesan ; assaisonnez de poivre et de noix de muscade râpée. Versez le mélange dans un plat et mettez-le à refroidir pendant 2 heures.

Faites chauffer dans une casserole une grande quantité d'eau salée, jusqu'à ébullition légère. Avec vos mains farinées, formez avec la pâte aux épinards de petites boules de 2 cm de diamètre ; laissez-en tomber dans l'eau (six ou huit à la fois) et, au fur et à mesure qu'elles gonflent et montent à la surface, retirez-les avec une écumoire.

Disposez les gnocchis dans un plat à gratin ; arrosez-les avec le reste du beurre que vous aurez fait fondre à feu doux ; saupoudrez avec le reste de parmesan et mettez à four très chaud jusqu'à ce que le fromage soit fondu et doré. Servez immédiatement.

167

Légumes et salades

RISOTTO BIANCO

Dans le Nord de l'Italie, le riz joue le même rôle que tiennent les pâtes alimentaires dans le Sud. Le risotto est un plat de résistance qui se sert seul, avec du beurre frais et du fromage.

PRÉPARATION : *10 minutes*
CUISSON : *20 à 25 minutes*

INGRÉDIENTS *(4 à 6 personnes)*
*300 g de riz italien, de préférence
  Arborio*
1 petit oignon
1 petite gousse d'ail
90 g de beurre
2 c. à thé d'huile d'olive
1 litre environ de fond blanc (p. 266)
Sel et poivre noir
150 g de parmesan râpé

Pelez et hachez menu l'oignon et l'ail ; dans une sauteuse à fond épais, faites-les revenir doucement dans 60 g de beurre et l'huile jusqu'à ce qu'ils commencent à prendre couleur. Ajoutez le riz et faites-le cuire à feu doux en remuant le temps qu'il faudra pour qu'il devienne jaune et brillant.

Versez le tiers du fond bouillant dans la sauteuse. Quand l'ébullition est prise, remuez, couvrez et laissez cuire à feu modéré jusqu'à l'absorption complète du liquide. Ajoutez alors le reste du bouillon. Couvrez et prolongez la cuisson d'environ 15 minutes en remuant de temps à autre. Le bouillon devra avoir été absorbé complètement par le riz qui sera alors ferme mais crémeux. Surveillez bien le riz vers la fin de la cuisson pour qu'il n'attache pas au fond.

Assaisonnez le risotto au goût de sel et de poivre fraîchement moulu. Ajoutez-y le reste du beurre et la moitié du fromage, remuez pour enrober tous les grains et dressez le risotto dans un plat chaud et creux ; saupoudrez avec le reste du fromage et servez.

HARICOTS VERTS MIMOSA

Une salade de haricots verts est un plat très simple, mais, bien présentée, elle sort vraiment complètement de l'ordinaire.

PRÉPARATION : *10 minutes*
CUISSON : *7 à 10 minutes*

INGRÉDIENTS *(4 à 6 personnes)*

800 g de haricots verts fins   *Sel, poivre*
6 c. à soupe d'huile d'olive   GARNITURE
2 c. à soupe de jus de citron   *1 œuf dur*

Eboutez et effilez les haricots, lavez-les, jetez-les dans un grand bain d'eau bouillante salée et laissez-les cuire 7 à 10 minutes ; ils doivent rester croquants.

Retirez-les et passez-les sous l'eau froide pour arrêter la cuisson ; égouttez-les avec soin ; disposez-les en rosace sur un plat de service rond. Mélangez l'huile, le jus de citron et le poivre et versez sur les haricots verts ; si c'est nécessaire, ajoutez un peu de sel.

Coupez l'œuf dur en deux et détachez le blanc du jaune. Hachez grossièrement le blanc et passez le jaune au tamis. Avant de porter à table, disposez le blanc en monticule au centre du plat et saupoudrez le jaune en étoile.

PURÉE D'ÉPINARDS FORESTIÈRE

Ce plat, qui peut accompagner une viande blanche, peut aussi se servir seul comme entrée ou comme plat principal lors d'un dîner léger.

PRÉPARATION : *20 minutes*
CUISSON : *20 minutes*

INGRÉDIENTS *(4 personnes)*
1 kg d'épinards
90 g de beurre
200 à 250 g de champignons
4 c. à soupe de farine
500 ml de lait
80 à 100 g de parmesan râpé
Noix de muscade
Sel, poivre gris

Triez les épinards en éliminant les feuilles abîmées et lavez-les dans une grande quantité d'eau froide plusieurs fois renouvelée. Mettez-les dans un faitout, sans trop les égoutter et sans ajouter d'eau ; salez, couvrez et laissez cuire à feu modéré pendant 5-6 minutes, jusqu'à ce que les épinards soient tendres. Egouttez-les, pressez-les bien pour en faire sortir l'eau. Faites-en une purée en les passant au moulin à légumes ou au mixer.

Dans une casserole, faites fondre 30 g de beurre, ajoutez la purée, faites-la chauffer à feu modéré ; assaisonnez-la à votre goût de sel, de poivre et de noix de muscade et étendez-la en une couche régulière dans un plat à gratin beurré. Coupez les pieds des champignons au ras des chapeaux (vous pourrez les utiliser pour une autre préparation) ; lavez les têtes, essuyez-les aussitôt et disposez-les sur les épinards, la partie bombée tournée vers l'extérieur. Mettez le plat au four chauffé à 200°C.

Avec le reste du beurre, la farine et le lait, préparez une sauce blanche ; assaisonnez de sel, de poivre et de noix de muscade, ajoutez le fromage râpé, mélangez bien et poursuivez la cuisson à feu doux pendant 5 minutes environ.

Versez la sauce sur les épinards et les champignons, montez la température du four à 250°C pour que la préparation prenne une belle couleur brune. Servez aussitôt.

AUBERGINES AU JAMBON

Les aubergines farcies constituent à elles seules un repas.

PRÉPARATION : *25 minutes*
CUISSON : *20 minutes environ*

INGRÉDIENTS *(4 personnes)*
4 aubergines moyennes ou 2 grosses
*2 tranches de jambon cuit un peu
  épaisses (180 à 200 g en tout)*
100 ml environ d'huile d'olive
60 g de beurre
1½ c. à soupe de farine
250 ml de lait
Le jus d'un demi-citron
Chapelure
Sel, poivre gris

Coupez la queue des aubergines ; lavez-les, essuyez-les, coupez-les en deux dans le sens de la longueur et creusez-les délicatement sans abîmer la peau. Coupez en dés la chair extraite des aubergines et le jambon en réservez-les séparément.

Faites chauffer l'huile dans une sauteuse à feu modéré et faites rissoler les moitiés d'aubergines en les retournant avec une spatule. Quand elles sont bien attendries, égouttez-les et posez-les sur du papier absorbant pour éliminer l'excès d'huile. Dans l'huile restée au fond de la poêle, faites cuire la chair des aubergines jusqu'à ce qu'elle soit colorée et tendre, retirez-la avec une écumoire et égouttez-la sur du papier absorbant. Dans une autre petite poêle, faites fondre la moitié du beurre et faites revenir le jambon.

Délayez la farine dans l'huile utilisée pour la cuisson des aubergines, puis, en remuant sans arrêt, ajoutez progressivement du lait pour obtenir une sauce blanche épaisse. Ajoutez à la sauce le jambon, la chair des aubergines et le jus de citron, assaisonnez de sel et de poivre et amalgamez bien.

Avec ce mélange, remplissez les moitiés d'aubergines ; disposez-les dans un plat à gratin beurré, saupoudrez-les de chapelure et répartissez à la surface des noisettes de beurre. Mettez le plat dans le haut du four préchauffé à 200°C et laissez cuire 20 minutes environ, jusqu'à ce que les aubergines se recouvrent d'une croûte dorée.

CONCOMBRES GRATINÉS

Les concombres blanchis et gratinés au gruyère accompagnent parfaitement le poulet ou le poisson.

PRÉPARATION : *15 à 20 minutes*
CUISSON : *30 minutes*

INGRÉDIENTS : *(4 à 6 personnes)*
2 concombres
225 g de gruyère râpé
Sel et poivre noir
45 à 60 g de beurre

Pelez et épépinez les concombres. Détaillez-les en bâtonnets de 7,5 cm et faites-les blanchir 10 minutes à l'eau bouillante salée. Retirez-les de la casserole avec une écumoire et épongez-les.

Disposez une rangée de concombre dans un plat à four beurré ; saupoudrez uniformément le tiers du fromage râpé, salez et poivrez ; continuez de la sorte en terminant par le fromage. Pour finir, parsemez le plat de noisettes de beurre. Enfournez les concombres à 220°C et comptez 30 minutes de cuisson. Le plat est à point lorsque le fromage est bien gratiné.

CHAMPIGNONS AUX CREVETTES

C'est une salade très fraîche, qui convient particulièrement bien aux jours d'été. Elle peut servir de hors-d'œuvre ou de plat principal pour un repas léger.

PRÉPARATION : *15 minutes*
REPOS : *1 heure*

INGRÉDIENTS *(4 personnes)*
250 g de gros champignons
100 ml environ d'huile d'olive
2 c. à soupe de jus de citron
2 échalotes
100 g de crevettes décortiquées
Sel, poivre
GARNITURE
3 c. à soupe de persil haché

Coupez les champignons en tranches moyennes que vous disposerez dans un plat creux. Dans un bol, mélangez l'huile, le jus de citron, les échalotes pilées et le poivre. Versez rapidement cette sauce sur les champignons, pour qu'ils ne noircissent pas ; remuez à plusieurs reprises pour qu'ils s'imprègnent bien de l'assaisonnement. Laissez reposer 1 heure au frais.

Vous remarquerez que les champignons ont absorbé beaucoup d'huile ; si c'est nécessaire, ajoutez-en un peu avant de porter à table. Disposez les crevettes sur les champignons, salez, garnissez avec le persil haché et servez aussitôt.

TOMATES FARCIES AU VERT

Choisissez des tomates grosses et fermes, toutes de la même taille : servez-les bien froides autour d'un plat de viandes froides ou avec des œufs durs.

PRÉPARATION : *20 minutes*
RÉFRIGÉRATION : *2 heures*

INGRÉDIENTS *(6 personnes)*
6 tomates fermes
150 ml de mayonnaise (p. 271)
100 ml de crème épaisse
1 citron
2 c. à soupe de raifort (facultatif)
6 brins de persil
Herbes aromatiques fraîches hachées
(basilic, persil et, si possible, ciboulette et cerfeuil)
Sel

Préparez la mayonnaise. Enlevez la calotte supérieure des tomates avec un couteau-scie et videz-les soigneusement à l'aide d'une petite cuillère. Salez légèrement l'intérieur des tomates, retournez-les sur un plat pour en faire sortir l'eau de végétation et mettez-les au réfrigérateur pendant 2 heures au moins ainsi que les calottes.

Fouettez légèrement la crème et mélangez-la, dans une jatte, à la mayonnaise ; ajoutez du jus de citron à volonté, le raifort et les herbes hachées. Couvrez la jatte et mettez à refroidir sur la clayette inférieure du réfrigérateur pendant 1 heure environ.

Juste avant de servir, remplissez les tomates de mayonnaise et coiffez-les de leur calotte ; piquez au centre un brin de persil.

HARICOTS VERTS À LA CRÈME SURE

En été, les haricots verts sont tendres et savoureux ; conservez-leur tout leur goût en ne les faisant bouillir que quelques minutes et en terminant la cuisson au four avec de la crème sure.

PRÉPARATION : *25 minutes environ*
CUISSON : *15 à 20 minutes*

INGRÉDIENTS *(4 personnes)*
700 g de haricots verts
150 ml de crème sure
2 c. à soupe de jus de citron
½ c. à thé de graines de cumin (facultatif)
60 g de beurre
10 c. à soupe de mie de pain blanc émiettée
Noix de muscade
Sel, poivre

Mêlez le jus de citron à la crème et laissez reposer 20 minutes environ. Eboutez et effilez les haricots verts, jetez-les dans un grand bain d'eau bouillante salée ; laissez-les cuire 5 minutes, égouttez-les bien. Ajoutez à la crème sure sel, poivre et noix de muscade à volonté, et, à votre goût, les graines de cumin. Assaisonnez les haricots verts avec cette sauce, en remuant bien.

Beurrez un plat à gratin, avec le quart du beurre ; faites fondre le reste du beurre dans une petite poêle et mélangez-y la mie de pain émiettée. Disposez les haricots verts dans le plat, recouvrez-les des miettes de pain, mettez au centre du four, préchauffé à 180°C, et laissez cuire pendant 10 à 15 minutes, jusqu'à ce qu'il se soit formé une croûte bien dorée. Servez aussitôt.

Desserts

BROWN TOM

Ce plat au nom plutôt insolite est un genre de pâté à base de pain, de bacon et de tomates. On peut le servir seul ou avec une omelette et une salade verte.

PRÉPARATION : *20 minutes*
CUISSON : *30 à 35 minutes*

INGRÉDIENTS *(4 personnes)*
500 g de tomates
1 gros oignon
2 tranches de bacon maigre
4 grosses tranches de pain de blé entier
1 c. à soupe de persil haché
1½ c. à soupe de basilic haché
40 à 50 g de beurre
Sucre
Sel, poivre gris

Pelez et détaillez grossièrement l'oignon et coupez le bacon en morceaux ; passez-les ensemble au hachoir. Enlevez la croûte du pain, émiettez la mie et mélangez-la au bacon et à l'oignon ; ajoutez aussi le persil et le basilic. Pelez les tomates et coupez-les en tranches fines.

Beurrez un plat à gratin un peu haut, genre plat à soufflé, et étendez au fond une couche de la préparation au bacon, couvrez d'une couche de tomates ; assaisonnez de sel et de poivre et d'une pincée de sucre. Alternez les couches jusqu'à épuisement des ingrédients, en terminant par une couche de hachis.

Répartissez à la surface le beurre en noisettes, mettez dans la partie supérieure du four, préchauffé à 200°C, et laissez cuire 30 à 35 minutes, jusqu'à ce qu'il se soit formé à la surface une croûte foncée. Servez aussitôt.

SALADE PANACHÉE

Cette salade au caractère insolite s'associe bien aux côtelettes grillées et à la plupart des apprêts à base de poulet. On peut aussi la servir en guise d'entrée.

PRÉPARATION : *35 minutes*
RÉFRIGÉRATION : *30 minutes*

INGRÉDIENTS *(4 personnes)*
2 gros poivrons rouges doux
3 grosses tomates
120 g de filets d'anchois en conserve
1 gousse d'ail
3-4 c. à soupe d'huile d'olive
Le jus d'un demi-citron
Sel et poivre noir

Placez les poivrons sous le gril allumé ou piquez-les au bout d'une fourchette et tournez-les au-dessus d'une flamme jusqu'à ce que la peau soit noire et carbonisée. Pelez-les en les frottant sous le robinet d'eau froide. Coupez-les en deux et enlevez les graines ainsi que toutes les membranes blanches. Détaillez la chair des poivrons en lanières. Pelez, épépinez les tomates et coupez-les en tranches. Egouttez les filets d'anchois et rincez-les à l'eau froide pour enlever l'excès d'huile et de sel ; dégagez-les avec soin les uns des autres.

Disposez les lanières de poivron et les tranches de tomate sur une assiette de service ; par-dessus, dressez en croisillons les filets d'anchois.

Pelez et écrasez l'ail ; ajoutez-le à l'huile dont vous napperez la salade. Aspergez de jus de citron, salez et poivrez au moulin avec discrétion. Comptez au minimum 30 minutes de réfrigération avant de servir cette salade.

CLAFOUTIS LIMOUSIN

Le clafoutis est un gâteau traditionnel de la région de Limoges, en France. Sa recette classique prévoit des cerises noires, mais on peut aussi le confectionner avec des poires juteuses, en automne.

PRÉPARATION : *25 minutes*
CUISSON : *30 minutes*

INGRÉDIENTS *(6 personnes)*
750 g de cerises noires dénoyautées
4 œufs
4 c. à soupe de farine
6 c. à soupe de sucre
450 ml de lait
1 c. à soupe de rhum (facultatif)
30 à 40 g de beurre doux
Sel

Battez légèrement les œufs dans une jatte, puis, toujours en battant et en ayant soin de ne pas faire de grumeaux, ajoutez peu à peu la farine ; incorporez enfin 4 cuillerées à soupe de sucre, le beurre ramolli et une pincée de sel. Faites tiédir le lait et versez-le petit à petit sur le mélange, en remuant continuellement ; ajoutez le rhum. Cette préparation doit avoir l'apparence d'une pâte à crêpes un peu épaisse.

Beurrez un moule bas ou un plat à gratin ; garnissez-le avec les cerises et versez la pâte par-dessus. Mettez au centre du four, préchauffé à 220°C, et laissez cuire 25 à 30 minutes. Servez tiède après avoir saupoudré le clafoutis avec le reste du sucre.

SORBET DE FRAMBOISES AU YOGOURT

Le sorbet est l'un des desserts qui conviennent le mieux à une chaude soirée d'été : celui-ci, préparé avec du yogourt, est particulièrement rafraîchissant.

PRÉPARATION : *30 minutes environ*
CONGÉLATION : *2-3 heures*

INGRÉDIENTS *(6 personnes)*
200 g de framboises
4 à 6 c. à soupe de sucre à glacer
3 yogourts
Le jus d'un demi-citron
1 c. à soupe (1 enveloppe) de gélatine
2 blancs d'œufs

Versez la gélatine dans un bol où vous aurez mis 4 cuillerées à soupe d'eau froide. Laissez reposer 5 minutes. Plongez le bol dans de l'eau chaude et remuez jusqu'à ce que la gélatine soit dissoute et que le liquide soit clair.

Passez les framboises à travers un tamis à grosse trame non métallique, en pressant bien avec un pilon en bois ; additionnez de sucre à volonté, ajoutez à la purée de fruits le jus de citron, le yogourt et la gélatine.

Incorporez enfin, délicatement, les blancs d'œufs montés en neige pas trop ferme.

Versez le mélange dans un bac, couvrez et mettez au congélateur ou dans le compartiment à glace du réfrigérateur. Quand le mélange est sur le point de prendre, battez-le énergiquement à la fourchette et remettez-le au congélateur jusqu'à ce qu'il soit tout à fait solide.

CŒURS À LA CRÈME

Ce dessert à base de fromage blanc et de crème appartient à la cuisine classique d'été en France. L'appareil est généralement moulé en forme de cœur dans de petits ramequins de porcelaine ou de vannerie (qu'on peut se procurer dans les grands magasins ou les épiceries fines) et servi avec de la crème et des petits fruits frais.

PRÉPARATION : *20 minutes*
RÉFRIGÉRATION : *12 heures*

INGRÉDIENTS *(4 à 6 personnes)*
225 g de fromage à la crème ou de fromage blanc (cottage)
300 ml de crème épaisse
60 g de sucre
2 blancs d'œufs
375 ml de framboises ou autres baies
125 ml de crème légère

Passez le fromage à travers une passoire ou un tamis fin ; mélangez-le à la crème épaisse et ajoutez le sucre en remuant bien. (Le fromage à la crème donne un apprêt plus onctueux, plus riche que le fromage blanc.) Fouettez les blancs d'œufs pour qu'ils soient fermes, mais non desséchés. Incorporez-les délicatement à la préparation.

Doublez les moules de coton à fromage pour faciliter le démoulage. On peut également utiliser, en guise de moule, une passoire fine doublée de coton à fromage.

Remplissez les moules à la cuillère et posez-les sur un plateau. Comptez une nuit entière de réfrigération pour que la préparation s'égoutte bien et se raffermisse.

Au moment de servir, démoulez les petits cœurs, nappez-les de crème légère et présentez-les avec des fruits frais : fraises, framboises ou autres. A défaut de fruits entiers, servez un coulis sucré.

PÊCHES FARCIES

Traditionnellement, ce dessert italien se confectionne avec des amaretti, ces macarons italiens à base d'amandes de noyaux d'abricots. Choisissez des pêches jaunes ou blanches, mais bien fermes.

PRÉPARATION : *20 minutes*
CUISSON : *20 à 30 minutes*

INGRÉDIENTS *(4 à 6 personnes)*

4 grosses pêches
4 c. à thé de sucre
20 g de beurre doux

1 jaune d'œuf
½ tasse d'amaretti ou 4 à 6 macarons

Battez dans une jatte le beurre, le sucre et le jaune d'œuf jusqu'à l'obtention d'une crème homogène ; écrasez les macarons au pilon et incorporez-les à la crème.

Plongez pendant 2-3 minutes les pêches dans de l'eau bouillante, passez-les à l'eau froide, pelez-les, coupez-les en deux et enlevez les noyaux.

Prélevez avec une cuillère un peu de la pulpe des pêches que vous mélangerez bien à la préparation aux macarons. Remplissez les moitiés de pêches avec cette crème, disposez-les dans un moule beurré, mettez au centre du four, préchauffé à 180°C, et laissez cuire pendant 20 minutes, jusqu'à ce que les pêches soient tendres mais pas trop molles.

Servez chaud ou tiède selon votre goût, avec une crème anglaise ou une crème fouettée.

SOUFFLÉS FROIDS AU CARAMEL

La saveur légèrement amère du caramel rend ces soufflés particulièrement agréables en été.

PRÉPARATION : *35 minutes*
RÉFRIGÉRATION : *1 heure au moins*

INGRÉDIENTS *(4 personnes)*
130 g de sucre
1 c. à soupe (1 enveloppe) de gélatine
Le jus d'un citron
2 œufs entiers et 1 jaune
100 ml de crème épaisse

Pour préparer le caramel, mettez dans une petite casserole 100 g de sucre et 250 ml d'eau et faites chauffer, sans remuer, jusqu'à ce que le sucre soit fondu ; montez ensuite le feu et faites bouillir vivement jusqu'à ce que ce sirop devienne brun doré. Retirez la casserole du feu, posez-la sur une surface froide, ajoutez 4 cuillerées à soupe d'eau chaude, remuez et versez le caramel dans une jatte tenue au chaud.

Séparez les jaunes des blancs des deux œufs. Mettez dans un saladier les trois jaunes avec le reste de sucre, posez-le au-dessus d'un faitout rempli d'eau bouillante et continuez à battre jusqu'à l'obtention d'une crème épaisse. Retirez le saladier du faitout et laissez refroidir, en remuant de temps en temps.

Mettez dans une petite casserole la gélatine, 3 cuillerées à soupe d'eau, le jus du citron et laissez reposer 5 minutes. Faites chauffer, en remuant et sans laisser bouillir, pendant 2 minutes, jusqu'à ce que la gélatine soit fondue. Incorporez cette préparation et le caramel à la crème aux œufs, laissez refroidir et prendre partiellement, puis incorporez la crème, légèrement fouettée, et les blancs d'œufs en neige.

Versez dans de petits moules à soufflé et mettez au réfrigérateur pendant au moins 1 heure.

POUDING AUX PETITS FRUITS

Au commencement du XVIIIe siècle, on servait ce pouding dans les hôpitaux anglais aux malades auxquels on avait prescrit un régime sans matières grasses. Il n'a pourtant pas l'air d'un plat de régime : bien au contraire, il est coloré et savoureux.

PRÉPARATION : *30 à 40 minutes*
RÉFRIGÉRATION : *8 heures*

INGRÉDIENTS *(6 personnes)*
6 à 8 tranches de pain blanc rassis épaisses de 12 mm, sans croûte
650 à 700 g de framboises, fraises, groseilles et bleuets mélangés
150 g de sucre
Crème épaisse

Les fraises, les framboises, les groseilles et les bleuets, parfaitement adaptés à la préparation de ce pouding, peuvent être utilisés en proportions variables selon le goût et les arrivages. Si vous ne trouvez pas ces quatre variétés de fruits, limitez-vous à deux ou trois et ajoutez des cerises noires dénoyautées.

Avec le pain, tapissez le fond et les parois d'un moule à soufflé de 1 litre, en recoupant les tranches si nécessaire, pour qu'il ne subsiste aucun vide.

Equeutez tous les fruits, lavez-les et rassemblez-les dans une grande cocotte avec le sucre : portez à ébullition à feu doux et laissez cuire 2-3 minutes, jusqu'à ce que le sucre soit fondu et que les fruits commencent à rendre leur jus. Retirez la casserole du feu, réservez 2-3 cuillerées de jus ; versez dans le moule à soufflé tapissé de pain les fruits avec le reste de jus et recouvrez-les avec le reste de pain.

Posez sur le pouding une assiette qui entre dans le moule, chargez-la avec un poids. Mettez au réfrigérateur pendant au moins 8 heures.

Avant de servir, enlevez le poids et l'assiette, posez sur le moule un plat de service renversé et retournez prestement ; démoulez. Avec le jus réservé, mouillez les morceaux de pain qui n'auraient pas été imbibés et seraient restés blancs.

Servez aussitôt le pouding en l'accompagnant de crème fraîche fouettée ou non.

Vous pouvez remplacer le pain blanc par des brioches ou des boudoirs pour rendre le pouding plus léger.

Casse-croûte

QUICHE AU BACON ET AU FROMAGE À LA CRÈME

Ce n'est pas la quiche classique, mais cette variante est rapide à préparer et délicieuse.

PRÉPARATION : *25 minutes*
CUISSON : *30 minutes*

INGRÉDIENTS *(4 à 6 personnes)*
Pâte ordinaire préparée avec les trois quarts des quantités indiquées (p. 317)
4 tranches de bacon
1 œuf
3 jaunes d'œufs
225 g de fromage à la crème
155 ml de crème épaisse
Sel et poivre noir
3 petites tomates, pelées et émincées
GARNITURE
Tranches de bacon roulées

Abaissez la pâte et garnissez-en une assiette à flan ou à tarte de 20 cm. Détaillez les tranches de bacon, dans le sens de la largeur, en lanières de 7 mm. Faites-les frire dans leur gras à feu modéré pendant 5 minutes environ. Egouttez-les sur du papier absorbant et disposez-les sur l'abaisse.

Fouettez l'œuf avec les jaunes en ajoutant progressivement le fromage à la crème ramolli en pommade. Quand l'appareil est bien onctueux, incorporez graduellement la crème. Salez, poivrez et versez la préparation sur le bacon. Couvrez avec les tomates.

Enfournez la quiche au centre du four porté à 200°C. Après 20 minutes, réglez le thermostat à 180°C et prolongez la cuisson de 10 minutes.

Quand la garniture est ferme, retirez la quiche et décorez-la de tranches de bacon roulées. Découpez-la en pointes et servez-la, chaude, avec un légume vert ou, froide, avec une salade.

PETITES COUPES DE CONCOMBRES

C'est un plat simple et appétissant, à préparer un peu à l'avance pour le servir très frais.

PRÉPARATION : *15 minutes*
RÉFRIGÉRATION : *30 minutes*

INGRÉDIENTS *(8 personnes)*
2 très gros concombres
200 g de crevettes roses
3 yogourts
1 c. à soupe de menthe fraîche hachée
2 échalotes pilées
Sel, poivre

Coupez les concombres en quatre tronçons d'égale longueur après en avoir éliminé les extrémités : évidez-les partiellement pour former des coupes. A l'aide d'un couteau bien affilé, coupez des lamelles de peau larges de 1 cm, à 1 cm d'intervalle, de façon à obtenir des rayures verticales. Réservez huit crevettes pour la décoration : décortiquez les autres et hachez-les. Mélangez le yogourt, les crevettes hachées, la menthe et les échalotes pilées ; assaisonnez à votre goût de sel et de poivre ; remplissez les petites coupes de concombres avec ce mélange : décorez avec les crevettes entières. Mettez 30 minutes au réfrigérateur avant de servir.

PROSCIUTTO ET GORGONZOLA EN SANDWICH

Voici la version italienne du sandwich classique au jambon et au fromage.

PRÉPARATION : *10 minutes*

INGRÉDIENTS *(par personne)*
2 tranches de pain blanc
2-3 tranches très minces de prosciutto
2-3 tranches très minces de gorgonzola ramolli

Disposez le prosciutto et le gorgonzola entre les deux tranches de pain. Parez les côtés et enduisez de beurre les deux faces du sandwich. Faites-le sauter lentement à feu doux jusqu'à ce que le pain soit doré et croustillant. Détaillez-le en trois ou en quatre avant de servir. En fondant, le fromage assure la liaison du sandwich.

PÂTÉ DE POULET ET DE JAMBON

Voici une excellente façon d'utiliser des restes de poulet et de jambon. Ce pâté, tout indiqué pour les repas froids, se conserve bien au congélateur.

PRÉPARATION : *1 h 15*
CUISSON : *1 heure*

INGRÉDIENTS *(6 à 8 personnes)*
300 g de chair de poulet cuit détaillée en dés
1 gros pain non tranché
90 g de beurre
2 oignons hachés fin
225 g de champignons émincés fin
1 c. à soupe de persil haché menu
Sel et poivre noir
225 g de chair à saucisse
6 tranches de bacon maigre détaillées en dés
300 g de jambon cuit détaillé en dés
2 c. à soupe de xérès (au goût)
1 pincée de sauge
1 pincée de thym
3 c. à soupe de chapelure

Enlevez une tranche de 1,5 cm sur le dessus du pain et retirez la mie avec soin. (Vous vous en servirez pour préparer de la chapelure.) Gardez à la croûte de pain une épaisseur uniforme de 1,5 cm pour qu'elle ne se déforme pas. Faites fondre 60 g de beurre et badigeonnez-en le pain à l'intérieur et à l'extérieur.

Remettez sur le pain la tranche que vous avez enlevée et faites-le dorer 5 à 10 minutes au four à 200°C. Laissez-le refroidir.

Faites revenir les oignons dans le reste du beurre ; lorsqu'ils sont tendres, ajoutez les champignons et, 2 minutes plus tard, le persil. Salez et poivrez.

Mélangez la chair à saucisse, le bacon, le jambon et la chapelure. Ajoutez le xérès et les fines herbes ; salez et poivrez. Disposez la moitié de cette préparation dans le pain ; recouvrez avec la moitié des champignons, puis avec le poulet. Terminez avec le reste des champignons et la chair à saucisse. Remettez la tranche du dessus en place et enveloppez le pain dans du papier d'aluminium avant de le mettre à cuire 1 heure au centre du four porté à 190°C.

Ce pâté se mange chaud ou froid, détaillé en tranches épaisses.

Août

LES RECETTES DU MOIS

Un pique-nique pour temps chaud : tarte à la basquaise avec salade de riz et tomates relevées de mayonnaise au raifort ; demi-melons aux framboises sauvages.

Au fil des saisons

Les longues et chaudes journées du mois d'août invitent aux pique-niques, aux barbecues, aux dîners dans le jardin ou sur la terrasse. Beaucoup de recettes de ce chapitre, et notamment le gaspacho andalou (p. 177), le sabayon de haricots verts (p. 188) ou la salade niçoise (p. 177), sont idéales pour un repas de plein air et utilisent avec fantaisie l'abondance de légumes qu'on trouve maintenant sur le marché.

Vous n'avez, en effet, que l'embarras du choix : des aubergines aux tomates et aux poivrons, des courgettes aux haricots verts et aux concombres, tous les légumes sont là, éclatant de couleurs et plus savoureux que jamais. Apprenez de nouvelles façons de les préparer : farcissez les tomates d'un hachis de viande au riz (p. 191), présentez des barquettes de courgettes avec une sauce au fromage (p. 187), apprêtez les betteraves au jus et au zeste d'orange (p. 186).

Variez votre répertoire de plats froids en préparant un potage glacé venu des Indes, le mulligatoni (p. 177), ou encore un saumon en gelée (p. 179) ou un bœuf en gelée (p. 181).

Gorgés de soleil, les fruits sont au sommet de leur qualité. Faites pocher des prunes dans un sirop au vin (p. 188) ; servez les pêches relevées de crème sure (p. 189) ; présentez de la pastèque farcie au kirsch (p. 190) ou encore une glace au melon (p. 190). N'oubliez pas que les abricots peuvent aussi accompagner le canard (p. 184) et faites des débauches de petits fruits : framboises, mûres, bleuets et groseilles de toutes variétés, puisque leur saison va bientôt se terminer.

MENUS SUGGÉRÉS

Concombres aux crevettes
Escalopes de veau au gingembre
Ragoût de laitue et de petits pois
...
Granité au café

Gaspacho andalou
...
Filets de sole à l'orange
Salade panachée
Pommes de terre nouvelles au beurre
...
Prunes au vin

Crème de carottes
Salmis de perdrix
Croûtons de pain frits ou farce au pain
...
Pêches à la crème sure

Potage au yogourt
...
Bœuf en gelée
Concombres à la crème sure
...
Glace au melon

Tomates farcies aux œufs
...
Jambon picnic au four
Carottes à la paysanne
...
Bananes flambées

Pâté de hareng fumé
...
Porc cuit dans le lait
Salade de légumes
...
Gâteau étagé à la danoise

Salade niçoise
Spaghettis à la sauce au thon
...
Syllabub au citron

Potages et entrées

MULLIGATONI GLACÉ

Le mulligatoni ou *mulligatawny soup* est un potage riche en saveur dont les Britanniques rapportèrent la recette des Indes. Il présente le double avantage de pouvoir se servir chaud ou froid.

PRÉPARATION : *20 minutes*
CUISSON : *30 minutes*
RÉFRIGÉRATION : *1-2 heures*

INGRÉDIENTS (6 personnes)
1 petit poulet
150 g de poitrine fumée coupée en dés
1 oignon
1 carotte
1 gousse d'ail
60 g de beurre doux
3 c. à soupe de farine
1 c. à soupe de curry
1,25 litre de bouillon de poulet
1 c. à soupe de sauce Chutney à la mangue (facultatif)
GARNITURE
Croûtons frits

Pelez et hachez finement l'oignon, l'ail et la carotte. Faites fondre le beurre dans une grande casserole, à feu modéré, et faites-y cuire les deux légumes jusqu'à ce que l'oignon soit transparent. Ajoutez la poitrine fumée ; saupoudrez de farine et de curry, que vous aurez auparavant tamisés ensemble, et poursuivez la cuisson, toujours à feu modéré, en remuant sans interruption, jusqu'à ce que le mélange prenne une belle couleur marron foncé. Incorporez peu à peu le bouillon chaud, portez à ébullition ; ajoutez le poulet et laissez cuire à tout petits bouillons pendant 30 minutes.

Si vous voulez consommer le mulligatoni frais, laissez-le refroidir complètement et mettez-le au réfrigérateur pendant 1-2 heures. Versez dans des assiettes individuelles et accompagnez de petits croûtons frits au beurre.

SALADE NIÇOISE

Ce hors-d'œuvre provençal se prépare de bien des façons, mais on y retrouve toujours les mêmes ingrédients de base : laitue, œufs, filets d'anchois, olives noires et tomates.

PRÉPARATION : *25 minutes*

INGRÉDIENTS (6 personnes)
2 œufs
225 g de haricots verts
350 g de tomates fermes
La moitié d'un oignon
1 pomme de laitue
La moitié d'un poivron vert
125 ml de vinaigrette à la moutarde additionnée d'ail (p. 272)
200 g de thon en conserve
60 g de filets d'anchois en conserve
Une vingtaine de petites olives noires

Faites cuire les œufs 8 à 10 minutes et plongez-les dans de l'eau froide avant de les écaler et de les couper en quatre. Triez et parez les haricots, lavez-les et faites-les cuire 5 à 8 minutes dans de l'eau bouillante salée. Egouttez-les et gardez-les en réserve.

Pelez et divisez les tomates en quartiers. Epluchez et émincez finement l'oignon ; détaillez-le en rondelles. Lavez et essorez la laitue. Lavez le poivron, enlevez graines et membranes et émincez-le en fines lanières.

Mettez la laitue, détaillée en chiffonnade, et les haricots verts, tronçonnés en biseau, dans un saladier où vous aurez déjà versé la moitié de la vinaigrette ; mélangez bien. Egouttez et effeuillez le thon ; disposez-le sur la laitue avec les filets d'anchois égouttés, les olives, le poivron et l'oignon. Décorez de quartiers de tomate et d'œufs durs et arrosez du reste de la vinaigrette. Servez immédiatement.

GASPACHO ANDALOU

Les chaudes journées d'été, un potage glacé est toujours le bienvenu. Voici une vieille recette très simple qui nous vient d'Andalousie et dont vous apprécierez la légèreté. En Espagne, juste avant de servir le gaspacho, on place un glaçon dans chaque bol.

PRÉPARATION : *35 minutes*
RÉFRIGÉRATION : *1-2 heures*

INGRÉDIENTS (6 personnes)
700 g de tomates
1 concombre
2 gousses d'ail
1 gros oignon
1 poivron vert
4 c. à soupe de vinaigre de vin
4 c. à soupe d'huile d'olive
4 tranches de pain français assez épaisses
1 c. à soupe de concentré de tomate
1 litre d'eau glacée
Sel, poivre
GARNITURE
1 concombre
1 poivron vert
1 poivron rouge
Petits croûtons frits
2 tomates
2 oignons
Olives vertes, olives noires (facultatif)

Pelez, épépinez les tomates et coupez-les en morceaux ; pelez et hachez grossièrement le concombre et l'oignon ; équeutez et débarrassez le poivron de ses graines et coupez-le en lanières ; pelez et pilez les gousses d'ail ; émiettez le pain français dont vous aurez éliminé la croûte.

Passez tous les ingrédients à la moulinette au-dessus de la soupière (vous pouvez également les passer au mixer, mais la moulinette donne une meilleure consistance à ce potage d'été). Tout en remuant, ajoutez l'eau, le vinaigre, l'huile et le concentré de tomate. Salez, poi-

vrez, battez légèrement l'ensemble. Fermez la soupière avec son couvercle ou avec une feuille de papier d'aluminium. Mettez au réfrigérateur pendant 1-2 heures.

Avant de servir, battez le potage au fouet quelques instants et servez en disposant au centre de la table de petites coupes remplies de concombre coupé en dés, de poivrons vert et rouge détaillés en petits morceaux, d'oignon haché, de to-

mates pelées coupées en quartiers, de petits croûtons frits à l'huile d'olive et d'olives vertes et noires. Si vous servez le potage dans des assiettes individuelles, ajoutez un glaçon dans chacune d'elles pour lui conserver sa fraîcheur.

TOMATES FARCIES AUX ŒUFS

Un hors-d'œuvre coloré, appétissant et assez substantiel.

PRÉPARATION : *40 minutes*
CUISSON : *20 minutes*

INGRÉDIENTS *(4 personnes)*
4 grosses tomates bien fermes
1 gousse d'ail
4 œufs
2 c. à thé de concentré de tomate
2 c. à soupe de crème épaisse
1 c. à soupe de parmesan râpé
4 tranches de pain
30 g de beurre doux
2 c. à soupe d'huile d'olive
Sel, poivre

Lavez les tomates, essuyez-les ; découpez la calotte supérieure ; à l'aide d'une petite cuillère, enlevez délicatement les graines et une partie de la pulpe. Saupoudrez l'intérieur de sel et d'ail finement haché, retournez les tomates et laissez-les dégorger 30 minutes.

Ensuite, cassez un œuf dans chacune d'elles, en cherchant à retenir le plus de blanc possible ; salez et poivrez. Mêlez le concentré de tomate à la crème et versez le mélange sur les œufs ; saupoudrez enfin d'un peu de parmesan. Disposez les tomates dans un grand plat à gratin, mettez dans la partie supérieure du four préchauffé à 180°C et laissez cuire pendant 15 à 20 minutes, jusqu'à ce que les œufs soient pris mais encore mollets.

Entre-temps, découpez un disque dans chaque tranche de pain ; faites-les frire dans une poêle avec le beurre et l'huile ; quand ils sont croquants et bien dorés des deux côtés, égouttez-les, mettez-les sur un plat de service chaud ou sur des assiettes individuelles.

Disposez les tomates sur ces canapés et servez immédiatement, en accompagnant, si vous le désirez, d'une salade variée.

POTAGE AU YOGOURT

Au Moyen-Orient, le yogourt remplace très souvent la crème. Ici, il apporte au potage une pointe d'acidité.

PRÉPARATION : *15 minutes*
CUISSON : *20 minutes*

INGRÉDIENTS *(6 personnes)*
500 ml de yogourt
1½ c. à thé de fécule de maïs
1 litre de bouillon de poulet
5 jaunes d'œufs
40 g d'amandes broyées
Sel et poivre noir
2 c. à soupe de menthe hachée
1 c. à soupe de beurre doux

Avant la cuisson, stabilisez le yogourt en lui ajoutant la fécule de maïs délayée dans un peu d'eau. Amenez à feu modéré au point d'ébullition en remuant sans arrêt. Laissez mijoter 10 minutes ou jusqu'à épaississement.

Entre-temps, portez le bouillon de poulet à ébullition dans une autre casserole. Retirez-le aussitôt du feu et laissez-le refroidir pendant que vous battez les jaunes d'œufs. Ajoutez un peu de bouillon à ceux-ci pour les réchauffer avant de les verser dans la casserole. Chauffez la préparation à feu doux jusqu'à ce qu'elle frémisse ; évitez l'ébullition qui ferait coaguler les œufs. Remuez constamment jusqu'à ce que le bouillon épaississe. Ajoutez-lui alors graduellement le yogourt.

Incorporez les amandes broyées et rectifiez l'assaisonnement, si c'est nécessaire. Faites sauter la menthe hachée pendant 1-2 minutes dans le beurre et ajoutez-la au potage juste au moment de servir.

CONCOMBRES AUX CREVETTES

On sert d'ordinaire le concombre cru, en salade ou en sandwich ; pourtant, la cuisson ne lui enlève rien de sa saveur. Ce petit hors-d'œuvre vite fait rappelle par sa délicatesse certains apprêts de la cuisine chinoise.

PRÉPARATION : *15 minutes*
CUISSON : *15 minutes*

INGRÉDIENTS *(4 personnes)*
1 gros ou 2 petits concombres
Sel et poivre noir
115 g de petits champignons
45 g de beurre
1 c. à thé de farine
5 c. à soupe de bouillon de poulet
5 c. à soupe de crème légère
Sauce de soya (facultatif)
225 g de crevettes décortiquées
GARNITURE
Ciboulette, basilic ou aneth hachés
Tranches minces de concombre

Lavez le concombre, mais ne le pelez pas. Détaillez-le en dés de 1,5 cm et blanchissez-le pendant 3 minutes à l'eau bouillante légèrement salée. Rincez-le à l'eau froide et faites-le égoutter dans une passoire. Parez les champignons et émincez-les en tranches de 7 mm d'épaisseur.

Faites revenir les champignons dans le beurre 2-3 minutes. Lorsqu'ils commencent à brunir, ajoutez les dés de concombre et laissez étuver le tout 2-3 minutes à couvert sur feu doux. Saupoudrez de farine et mélangez bien. Versez petit à petit le bouillon et la crème en remuant pour que la préparation soit onctueuse. Lorsque l'ébullition est prise, assaisonnez au goût de sel et de poivre fraîchement moulu ; aspergez de quelques gouttes de sauce de soya. Après 2-3 minutes de cuisson, ajoutez les crevettes et réchauffez-les sans laisser bouillir la sauce.

Versez la préparation dans un plat de service chaud ou dans des coquilles Saint-Jacques ; décorez avec les fines herbes et les tranches minces de concombre. Servez immédiatement à table.

CRÈME DE CAROTTES

Ce potage, qui sera particulièrement bon si vous pouvez disposer de carottes nouvelles, peut se servir chaud, mais son goût ressort mieux lorsqu'il est froid ou glacé.

PRÉPARATION : *20 minutes*
CUISSON : *45 minutes*
RÉFRIGÉRATION : *1 heure*

INGRÉDIENTS *(6 personnes)*
600 g de carottes
1 oignon
3-4 gousses d'ail
30 g de beurre
1,25 litre de bouillon de bœuf
200 ml de crème épaisse
Persil finement haché
Sel, poivre

Pelez et émincez l'oignon ; pelez et écrasez l'ail. Faites fondre le beurre dans une sauteuse et faites revenir l'ail et l'oignon à feu doux, à couvert, pendant 5-6 minutes, jusqu'à ce que l'oignon soit tendre et transparent, mais pas doré.

Pendant ce temps, épluchez les carottes en enlevant les extrémités et en les grattant si besoin est ; lavez-les, hachez-les grossièrement, mettez-les dans la sauteuse, couvrez et poursuivez la cuisson pendant 8 minutes environ. Portez le bouillon de bœuf à ébullition et versez-le sur les légumes ; chauffez jusqu'à ébullition légère et laissez bouillir doucement 30 minutes environ.

Retirez du feu, passez le potage à la moulinette ou bien laissez-le refroidir légèrement et passez-le au mixer pour qu'il soit parfaitement lisse et homogène.

Poissons et fruits de mer

Dans une grande jatte, fouettez légèrement la moitié de la crème de façon qu'elle devienne assez solide pour ne pas s'affaisser. Mélangez-la ensuite à la purée de carottes, assaisonnez de sel et de poivre au goût et mettez au réfrigérateur pendant au moins 1 heure.

Servez dans des tasses individuelles, ajoutez le reste de crème et parsemez de persil haché.

CHAMPIGNONS FARCIS

Pour ce plat, choisissez de gros champignons. Dans la farce, vous pouvez remplacer le jambon par de la chair de poulet rôti.

PRÉPARATION : *20 minutes*
CUISSON : *15 minutes*

INGRÉDIENTS *(4 personnes)*
12 champignons
50 g de beurre
1 oignon assez petit, haché
3 tranches de pain blanc
100 à 120 g de jambon cuit ou de poulet haché
2 c. à soupe de xérès ou de vin blanc sec
Persil haché
Sel, poivre

Détachez, lavez et hachez les pieds des champignons, faites-les revenir avec l'oignon, pendant 2 minutes, dans 15 g de beurre. Mêlez-y le pain émietté, le jambon, le xérès ou le vin blanc ; salez et poivrez. Garnissez chaque tête de champignon avec cette farce et répartissez à la surface le reste du beurre détaillé en noisettes ; mettez au four préchauffé à 190°C et laissez cuire environ 15 minutes, jusqu'à ce que les champignons soient bien dorés et tendres. Au moment de servir, parsemez de persil haché.

FILETS DE SOLE À L'ORANGE

Les filets de sole pochés puis refroidis composent un repas léger et vite fait, fort apprécié par temps de canicule. L'orange enrobée de vinaigrette vient tempérer la richesse du plat.

PRÉPARATION : *20 minutes*
CUISSON : *20 minutes*

INGRÉDIENTS *(4 à 6 personnes)*
12 filets de sole (ou de plie)
Le jus d'un demi-citron
3 oranges
Sel et poivre noir
45 g de beurre
125 ml de mayonnaise (p. 271)
Paprika
60 g de filets d'anchois en conserve
2 c. à soupe de vinaigrette à la moutarde (p. 272)

Aspergez les filets de sole du jus de citron et du jus d'une demi-orange ; salez et poivrez avec le moulin. Râpez le zeste d'une orange et saupoudrez-en le poisson. Enroulez les filets sur eux-mêmes en commençant par l'extrémité la plus large et piquez de cure-dents. Enfin, disposez ces roulades côte à côte dans un plat à four beurré.

Versez dessus le jus d'une autre demi-orange et parsemez de noisettes de beurre. Couvrez avec du papier paraffiné beurré et faites cuire pendant environ 12 minutes au centre du four préalablement porté à 220°C. Quand les filets sont tendres mais encore fermes, retirez le plat du four et laissez-le refroidir.

Faites délicatement passer les filets du plat de cuisson au plat de service et enlevez les cure-dents. Ajoutez goutte à goutte le jus d'une demi-orange à la mayonnaise ainsi que le zeste râpé. Nappez-en les filets. Saupoudrez de paprika et décorez chaque filet de deux anchois disposés en X.

Pelez l'orange entière et la demie qui restent en enlevant bien la peau blanche et détaillez la pulpe en fines rondelles avec un couteau-scie. Garnissez-en le plat ou servez-les à part après les avoir enrobées de vinaigrette à la moutarde.

Accompagnez les filets de sole d'une salade composée de rondelles de courgette blanchies, de lanières de poivron rouge et vert et de rouelles d'oignon.

SAUMON EN GELÉE

C'est un plat délicieux pour une grande occasion ou un buffet, qui présente de surcroît l'avantage de pouvoir être préparé à l'avance.

PRÉPARATION : *30 minutes*
CUISSON ET REPOS : *1 h 15 environ*

INGRÉDIENTS *(6 à 8 personnes)*
1 saumon de 1,5 kg environ
1 c. à soupe (1 enveloppe) de gélatine
1 c. à soupe de vinaigre de cidre
6 c. à soupe de porto
2 blancs d'œufs
COURT-BOUILLON
1 carotte
1 oignon
4 grains de poivre
1½ c. à soupe de vinaigre
1 pincée de sel
Bouquet garni
GARNITURE
250 g de crevettes décortiquées
Cresson ou laitue

Préparez d'abord le court-bouillon, en mettant tous les ingrédients dans un faitout avec 600 ml d'eau. Portez à ébullition, couvrez et laissez bouillir doucement pendant 20 minutes environ ; filtrez le bouillon à travers une gaze ou une passoire très fine.

Videz et ébarbez le poisson ; lavez-le bien (même à l'intérieur, pour éliminer toute trace de sang), mettez-le dans une poissonnière ou dans un plat en porcelaine à feu. Versez par-dessus le court-bouillon chaud, couvrez d'un couvercle ou d'une feuille de papier d'aluminium et laissez cuire pendant 25 à 30 minutes sur une plaque électrique à feu doux ou, à défaut, au four préchauffé à 180°C pendant 30 minutes, en l'arrosant régulièrement.

Sortez délicatement le poisson à l'aide de deux spatules, et laissez-le refroidir sur un plat long. Quand il est tout à fait froid, coupez la peau avec des ciseaux, juste au-dessous

de la tête, puis détachez-la entièrement, en ayant soin cependant de garder intactes la tête et la queue. A l'aide d'un couteau bien affilé, incisez la chair du poisson tout le long de l'épine dorsale ; avec les ciseaux, coupez l'arête centrale au-dessous de la tête et au-dessus de la queue et retirez-la délicatement.

Pendant ce temps, faites dissoudre la gélatine dans quelques cuillerées d'eau tiède. Filtrez le liquide de cuisson du poisson à travers une gaze ou une passoire très fine ; recueillez-le dans une casserole où vous ajouterez la gélatine, le vinaigre et les blancs d'œufs ; faites chauffer à feu modéré, en remuant sans interruption avec un fouet, jusqu'à ce que le mélange arrive à ébullition. Retirez immédiatement du feu et laissez reposer 5 minutes. Reportez à ébullition et, de nouveau, retirez du feu et laissez reposer 5 autres minutes. A ce moment, le liquide devrait être limpide ; s'il ne l'était pas, recommencez une autre fois toute l'opération. Filtrez le liquide à travers un linge propre, mouillé dans de l'eau froide et bien essoré, ajoutez le porto et laissez refroidir.

Versez quelques cuillerées de gelée encore liquide au fond d'un plat de service ovale, mettez au réfrigérateur. Lorsque la gelée est prise, couchez délicatement le poisson dessus. Décorez-le avec des crevettes, que vous arroserez d'un peu de gelée ; laissez prendre ; versez alors, cuillerée par cuillerée, juste assez de gelée pour napper uniformément le poisson et mettez quelques minutes au réfrigérateur.

Servez enfin le saumon, en l'entourant de touffes de cresson ou de feuilles de laitue et du reste de la gelée hachée à la fourchette. Accompagnez d'une mayonnaise à la moutarde et au raifort.

SAUMON À L'AIGRE-DOUCE

Un plat élégant très facile à faire ; vous pouvez le servir chaud, si vous préférez, mais en le laissant refroidir vous ferez mieux ressortir sa délicate saveur aigre-douce.

PRÉPARATION : 10 minutes
CUISSON : 35 à 40 minutes
RÉFRIGÉRATION : 2 h 30 à 3 heures

INGRÉDIENTS (4 personnes)
4 tranches de saumon épaisses de
 2,5 cm environ
2 gros oignons
2 c. à soupe de vinaigre de cidre
2 c. à soupe de cassonade ou 1½ c.
 à soupe de sucre
Le jus de 2 citrons
2 jaunes d'œufs
Sel, poivre
GARNITURE
Fines rondelles de concombre

Assaisonnez les tranches de saumon de sel et de poivre et disposez-les dans le fond d'un plat à gratin à bords bas ; recouvrez-les d'oignons pelés et émincés.

Versez sur le poisson de l'eau bouillante légèrement salée, en quantité suffisante pour le recouvrir ; couvrez le plat avec une feuille d'aluminium que vous fixerez parfaitement aux bords. Mettez au centre du four préchauffé à 160°C et laissez cuire pendant 20 à 25 minutes. Retirez du four, enlevez l'arête centrale (maintenant que le poisson est cuit, elle se détache très bien) et, à l'aide d'une écumoire, disposez délicatement les tranches sur un plat de service chaud ; retirez les lamelles d'oignon collées au poisson.

Filtrez le liquide de cuisson à travers un chinois très fin et versez-en 250 ml dans une petite casserole ; ajoutez le vinaigre, le sucre, le jus de citron et faites réduire légèrement à feu doux. Battez les œufs dans une jatte et incorporez-y une cuillerée de liquide chaud ; mélangez bien ; puis, toujours en remuant, ajoutez peu à peu le reste du liquide. Portez la jatte au bain-marie et laissez cuire en remuant jusqu'à ce que la sauce épaississe. Nappez-en le saumon, laissez refroidir à la température ambiante, puis mettez au réfrigérateur 2 heures au moins.

Garnissez de petites tranches de concombre.

TRUITES EN SAUCE DIJONNAISE

La sauce dijonnaise est une sorte de mayonnaise fortement relevée de moutarde et montée ici au beurre en pommade. Elle accompagne parfaitement truites ou maquereaux froids.

PRÉPARATION : 25 minutes
CUISSON : 25 à 30 minutes

INGRÉDIENTS (4 à 6 personnes)
4 grosses truites
1 c. à soupe d'huile d'olive
SAUCE
2 c. à soupe de moutarde de Dijon
2 jaunes d'œufs
2 c. à thé de vinaigre de vin, de cidre
 ou à l'estragon
90 g de beurre doux
2 c. à soupe de persil et de ciboulette
 hachés
Sel et poivre noir
GARNITURE
La moitié d'un concombre

Lavez et nettoyez les truites ; épongez-les après avoir sectionné les têtes. Enveloppez chaque poisson de papier d'aluminium huilé et mettez-les dans un plat à four. Faites cuire 15 à 18 minutes au centre du four porté à 220°C.

Quand la cuisson est à point, retirez le plat et ouvrez les papillotes pour que les truites refroidissent. Fendez chaque poisson en deux et, avec un couteau pointu, dégagez délicatement l'arête dorsale. Retirez-la en enlevant la plus grande partie possible des petites arêtes latérales. Mettez les truites de côté.

Préparez maintenant la sauce. Mélangez parfaitement la moutarde, les jaunes d'œufs et le vinaigre ; salez à point et donnez quelques tours de moulin à poivre. En remuant constamment, faites ramollir le beurre au bain-marie : il doit avoir la consistance d'une pommade très crémeuse, mais ne doit pas être fondu. Incorporez-le peu à peu à la sauce en battant sans arrêt jusqu'à ce que celle-ci acquière la consistance de la crème épaisse. Ajoutez les fines herbes.

Dépouillez les truites de leur peau et divisez-les en filets que vous disposerez sur le plat de service ; nappez-les de sauce dijonnaise. Pelez le concombre ; coupez-le en deux dans le sens de la longueur et enlevez les graines avec une cuillère pointue. Détaillez la chair en petits dés et garnissez-en les filets de truite.

Les truites en sauce dijonnaise se servent en plat de résistance avec pain croûté et beurre ou en entrée.

MOUSSE DE CRABE

Quoi de meilleur par temps chaud qu'une mousse fraîche et légère ? Cette recette peut se préparer d'avance avec du crabe frais, surgelé ou en conserve.

PRÉPARATION : 45 minutes
RÉFRIGÉRATION : 3 heures

INGRÉDIENTS (6 personnes)
450 à 500 g de chair de crabe
20 g de parmesan râpé
125 ml de crème épaisse
1½ c. à soupe de gélatine non
 aromatisée
125 ml d'eau froide
125 ml de jus de palourde
Sel et poivre noir
Poivre de Cayenne
Le jus d'un citron
4 blancs d'œufs
GARNITURE
Tranches de concombre

Nettoyez avec soin la chair de crabe en rejetant tout débris de carapace. Effeuillez-la dans un bol. Ajoutez le parmesan et pilez énergiquement au mortier. Vous pouvez également passer la chair de crabe au mixer avec le fromage et la crème pendant 1-2 minutes, à vitesse moyenne.

Faites gonfler la gélatine 5 minutes dans l'eau froide avant de la dissoudre au bain-marie. Ajoutez le jus de palourde à la gélatine et incorporez le tout au crabe en même temps que la crème, si vous n'avez pas déjà effectué le mélange au mixer. Assaisonnez de sel et de poivre frais moulu ; ajoutez une pincée de cayenne et le jus de citron, puis réfrigérez jusqu'à ce que l'appareil soit pris.

Fouettez les blancs d'œufs en neige et incorporez-les à la mousse de crabe. Dressez la préparation dans un moule à soufflé et réfrigérez au moins 3 heures.

Démoulez la mousse en plongeant le moule 5 secondes dans de l'eau très chaude. Dressez-la sur un plat de service bien froid et décorez de rondelles de concombre.

Servez en même temps une salade de verdures ou de pommes de terre à la ciboulette.

SOLE VÉRONIQUE

On réserve le terme de véronique à un apprêt habituellement destiné au poisson dans lequel le vin blanc et la crème jouent un rôle essentiel. Le plat est garni de raisin muscat qu'on peut remplacer par du raisin blanc sans pépins.

PRÉPARATION : 20 minutes
CUISSON : 20 minutes

INGRÉDIENTS (4 à 6 personnes)
8 filets de sole ou de plie
2 échalotes
3 petits champignons
1 brin de persil
1 feuille de laurier
Sel et poivre noir
3 c. à thé de jus de citron
125 ml de vin blanc demi-sec
20 g de beurre doux
2 c. à soupe de farine
125 ml de lait
125 ml de crème épaisse
170 g de raisin muscat ou de raisin
 blanc sans pépins

Viandes

Couchez les filets dans un plat à four beurré. Pelez et hachez menu les échalotes ; parez les champignons et émincez-les en tranches fines. Disposez les échalotes et les champignons sur les filets avec le persil et la feuille de laurier. Ajoutez sel, poivre frais et jus de citron.

Mouillez à hauteur avec le vin et une quantité suffisante d'eau. Recouvrez le plat de papier d'aluminium et faites cuire au centre du four porté à 220°C pendant 10 à 12 minutes.

Quand la cuisson est à point, disposez délicatement les filets sur un plat de service après les avoir coupés en deux et gardez-les au chaud.

Passez le fond de cuisson et versez-le dans une petite casserole où vous le ferez réduire de moitié à feu vif. Préparez un roux avec le beurre fondu et la farine et faites-le cuire 2 minutes à feu modéré.

Ajoutez le lait à la réduction de façon à obtenir environ 300 ml de liquide et incorporez-le au roux en remuant sans arrêt. Laissez mijoter la sauce à feu doux de façon qu'elle acquière la consistance de la crème épaisse. Versez-y la crème fraîche et le reste du jus de citron et ramenez-la au point d'ébullition. Retirez du feu, rectifiez les assaisonnements et ajoutez les deux tiers du raisin.

Versez la sauce sur les filets et faites gratiner. Quand le plat est bien doré, disposez le reste des raisins aux deux extrémités et servez sans attendre.

Pour accompagner ce plat, servez des haricots verts mimosa (p. 168) et des pommes de terre au beurre.

BŒUF EN GELÉE

Vous pouvez bien sûr utiliser des restes de pot-au-feu et les mêler dans la gelée avec des rondelles de carotte et de cornichon et des quartiers d'œufs durs. L'effet sera remarquable, mais rien ne vaut un beau morceau de haut-de-ronde que vous découperez en tranches fines avant de le napper de gelée.

PRÉPARATION : *1 heure*
MARINAGE : *4 heures*
CUISSON : *4 heures*
RÉFRIGÉRATION : *12 heures*

INGRÉDIENTS *(8 personnes)*
1,5 kg de haut-de-ronde ou de croupe
Quelques os
150 g de lard gras
2 c. à soupe de saindoux
1 pied de veau ou un morceau de jarret
2 gros oignons
2 grosses carottes
2 échalotes
2 gousses d'ail
1 botte de carottes nouvelles
2 bottes de petits oignons
750 ml de vin blanc sec
500 ml de bouillon de bœuf
100 ml de cognac
Bouquet garni
Sel, poivre

Roulez et ficelez solidement la viande. Détaillez le lard en lanières de 5 mm de large, salez-les, poivrez-les et arrosez-les avec un peu de cognac. Introduisez le lard dans la viande, parallèlement aux fibres.

Déposez la viande lardée dans une terrine creuse, assaisonnez-la de sel et de poivre et arrosez-la de vin blanc. Couvrez et laissez mariner pendant 4 heures en retournant de temps en temps.

Épluchez tous les légumes et réservez-les entiers.

Après le marinage, essuyez la viande. Dans une cocotte juste à la taille de la pièce de viande, faites fondre le saindoux et, lorsqu'il est très chaud, faites roussir la viande

de toutes parts (comptez au moins 15 minutes pour qu'elle soit dorée à point). Enlevez la viande et faites revenir dans la graisse les gros oignons, les échalotes, les gousses d'ail et les grosses carottes coupées en trois morceaux chacune. Remettez la viande dans la cocotte avec les os et le pied de veau ou le jarret coupé en six ou huit morceaux. Arrosez avec le reste du cognac et faites flamber. Versez ensuite la marinade et le bouillon de bœuf chaud, ajoutez le bouquet garni, couvrez et laissez cuire pendant 3 heures à tout petit feu en retournant de temps en temps.

Au bout de 3 heures, retirez la viande et le pied de veau de la cocotte. Passez le jus de cuisson au chinois fin. Remettez la viande et les morceaux de pied de veau dans la cocotte, ajoutez alors les petits oignons et les carottes nouvelles que vous tournerez en billes ou que vous couperez en bâtonnets. Versez par-dessus le jus de cuisson filtré. Rectifiez l'assaisonnement ; couvrez et laissez cuire 1 heure de plus à feu très doux.

Quand tout est cuit et un peu refroidi, choisissez une terrine à bords assez hauts, disposez dedans la pièce de bœuf coupée en tran-

ches minces et reconstituée, entourez avec les carottes nouvelles, les petits oignons et les morceaux de pied de veau. Versez par-dessus la sauce encore fluide (la viande doit être bien recouverte) et laissez la terrine dans le réfrigérateur pendant 12 heures.

Pour servir, enlevez avec la lame souple d'un couteau la graisse montée à la surface de la gelée. Démoulez en passant le couteau le long des bords de la terrine ; retournez sur un plat de service garni de laitue. Servez bien froid avec une salade verte ou des haricots verts mimosa (voir p. 168).

181

ESCALOPES DE VEAU AU GINGEMBRE

Coupées dans le cuisseau, les escalopes de veau sont souvent nappées d'une sauce à base de vin blanc ou de marsala. Ici, le vin de gingembre donne à l'apprêt un relief particulier qui s'allie bien au veau.

PRÉPARATION : *10 minutes*
CUISSON : *15 minutes*

INGRÉDIENTS *(4 personnes)*

4 escalopes de veau de 7 mm d'épaisseur de 90 g chacune environ
Farine assaisonnée de sel et de poivre
60 g de beurre doux
1 c. à thé d'huile d'olive
6 c. à soupe de vin de gingembre

2 c. à thé de jus de citron
4 c. à soupe de crème épaisse
Sel et poivre noir
GARNITURE
4 rondelles de citron
1 c. à soupe de persil haché fin

Dégraissez les escalopes et donnez-leur une forme régulière. Saupoudrez-les de farine assaisonnée et faites-les revenir à feu modéré dans une sauteuse à fond épais où vous aurez mis le beurre et l'huile à chauffer. Quand elles sont bien dorées des deux côtés, gardez-les au chaud dans un plat de service.

Versez le vin de gingembre dans la sauteuse et déglacez le jus de cuisson avec une spatule de caoutchouc. Quand l'ébullition est prise, réduisez la chaleur pour que la sauce mijote doucement pendant 5 minutes. Lorsqu'elle est sirupeuse, ajoutez le jus de citron et la crème et prolongez la cuisson de 2-3 minutes, jusqu'à ce qu'elle acquière une coloration brun pâle. Assaisonnez de sel et de poivre frais moulu. Nappez les escalopes, puis garnissez-les des tranches de citron parsemées de persil.

Servez avec des pommes de terre à l'anglaise et des haricots verts.

JAMBON PICNIC AU FOUR

Un bon jambon picnic coupé dans l'épaule est une pièce de porc fort économique qui vous donnera un repas substantiel et assez de restes pour vous permettre de préparer par la suite des assiettes froides ou des sandwichs.

PRÉPARATION : *20 minutes*
CUISSON : *2 h 15 environ*

INGRÉDIENTS *(8 personnes)*
2,25 kg de jambon picnic fumé
8 grains de poivre
3 clous de girofle
Bouquet garni
40 à 50 g de cassonade blonde
125 ml de cidre sec ou de jus de pomme non sucré
4 pêches
90 g de beurre doux
3 c. à soupe de miel ou de cassonade brune
Cannelle

Déposez le jambon dans un faitout épais où il tiendra juste. Mouillez-le à hauteur d'eau froide en ajoutant les grains de poivre, les clous de girofle et le bouquet garni. Portez à ébullition, écumez et couvrez ; réduisez la chaleur et laissez mijoter pendant 1 h 30.

Retirez la viande du faitout et laissez-la refroidir et se tasser. Ciselez le gras en losanges tous les 1,5 cm et enrobez tout le jambon de cassonade blonde. Déposez la pièce dans une rôtissoire et ajoutez le cidre ou le jus de pomme chaud. Arrosez-en la viande à quelques reprises en prenant soin de ne pas défaire la couche de cassonade.

Blanchissez les pêches à l'eau bouillante pendant 10 secondes pour pouvoir les peler plus facilement. Coupez-les ensuite en deux et retirez le noyau. Agrandissez un peu la cavité avec une cuillère à thé pointue et garnissez chaque demi-pêche de beurre défait en crème et

aromatisé de miel (ou de cassonade brune) et d'une pincée de cannelle.

Faites cuire le jambon au centre du four porté à 180°C pendant 30 minutes en l'arrosant fréquemment. Après ce temps, disposez les demi-pêches autour de la viande et montez le thermostat à 200°C. Prolongez la cuisson de 15 minutes. Le jambon est à point quand il est luisant et bien doré.

Servez la pièce entière ou découpée en tranches, avec sa garniture de pêches. Accompagnez de pommes de terre bouillies et d'une salade verte ou de carottes à la paysanne (p. 188) et de haricots verts au beurre.

PORC CUIT DANS LE LAIT

Préparé de cette manière, le porc est particulièrement délicat et tendre, même si l'on utilise des morceaux bon marché comme l'épaule. Vous pouvez servir ce plat chaud ou froid.

PRÉPARATION : *10 minutes*
CUISSON : *2 heures*

INGRÉDIENTS *(6 à 8 personnes)*
1,5 kg d'épaule de porc désossée et roulée
1 gousse d'ail
12 graines de coriandre (facultatif)
2 oignons moyens
2 tranches de jambon cuit assez épaisses
1 c. à soupe d'huile d'olive
800 ml de lait
Sel, poivre

Demandez à votre boucher de dégraisser légèrement l'épaule désossée avant de la ficeler. Frottez-la uniformément de sel et de poivre. Pelez l'ail et coupez-le en fines lamelles dans le sens de la longueur ; avec la pointe d'un couteau, pratiquez dans la viande de petites incisions dans lesquelles vous intro-

duirez les petits morceaux d'ail et, si vous les utilisez, les graines de coriandre. Pelez et hachez finement les oignons ; coupez le jambon cuit en dés.

Faites chauffer l'huile dans une cocotte où le morceau de viande ait juste sa place. Ajoutez les oignons et le jambon et faites cuire à feu modérément vif pendant quelques minutes, jusqu'à ce qu'ils commencent à se colorer. Mettez la viande dans la cocotte, faites-la dorer légèrement de tous les côtés. Versez sur le porc juste ce qu'il faut de lait bouillant pour le couvrir de 1 cm environ.

Laissez cuire sans couvercle pendant 1 heure environ, à feu très doux (pour que la chaleur soit encore plus douce et mieux répartie, mettez si possible sous la cocotte un diffuseur de chaleur). Pendant la cuisson, le lait doit à peine frémir. Il se formera une peau qui, peu à peu, prendra couleur. Au bout de 1 heure, crevez la peau du lait et retournez le morceau de viande ; raclez tout ce qui adhère aux parois pour le ramener vers le centre de la cocotte.

Poursuivez la cuisson pendant encore 45 minutes, jusqu'à ce que le lait ait réduit des trois quarts environ et forme une sauce épaisse. En vous aidant d'une spatule large, mettez la viande dans un plat de service chaud, enlevez la ficelle et arrosez avec le fond de cuisson ; disposez autour du plat les petits morceaux d'oignon et de jambon.

Servez chaud ou froid, avec des pommes de terre cuites à l'eau et une salade verte.

FOIE AU DUBONNET ET À L'ORANGE

Pour cette recette, qui fait appel à une garniture fruitée et un peu sucrée, on choisira du foie de veau ou d'agneau et on le gardera rose.

PRÉPARATION : *15 minutes*
CUISSON : *10 à 15 minutes*

INGRÉDIENTS *(6 personnes)*
450 g de foie
Farine assaisonnée de poivre et de sel
2 petits oignons
1 gousse d'ail
1 c. à soupe d'huile d'olive
45 g de beurre
SAUCE
1 c. à soupe de jus d'orange
8 c. à soupe de Dubonnet rouge
2 c. à soupe de persil haché
Le zeste d'une orange râpé
1 c. à thé de zeste de citron

Enlevez les parties coriaces ou décolorées du foie et escalopez-le en tranches de 1,5 cm d'épaisseur ; saupoudrez bien les tranches de farine assaisonnée.

Chauffez le beurre et l'huile dans une grande sauteuse à fond épais et faites-y revenir les oignons et l'ail pelés et hachés menu jusqu'à ce qu'ils soient tendres et commencent à prendre couleur.

Disposez les tranches de foie côte à côte sur les oignons et faites-les cuire à feu doux. Dès que le sang perle à la surface, retournez les tranches et cuisez-les sur ce côté un peu moins longtemps que pour l'autre.

Lorsque le foie est à point, disposez les tranches sur un plat de service chaud avec la fondue d'oignons en prenant celle-ci avec une écumoire. Gardez le plat au chaud.

Versez le jus d'orange et le Dubonnet dans la sauteuse et déglacez rapidement à feu vif pour que le liquide réduise de moitié. Hors du feu, ajoutez le persil haché fin, le zeste d'orange râpé grossièrement et celui du citron râpé fin. Réservez-en un peu pour la décoration.

Nappez les tranches de foie avec la sauce à l'orange et garnissez-les de zeste et de persil. Servez sans attendre avec une purée de pommes de terre et un légume vert.

ÉPAULE D'AGNEAU BRAISÉE

L'épaule d'agneau surgelée de la Nouvelle-Zélande convient parfaitement à cette recette qui, elle aussi, vient justement de ce pays.

PRÉPARATION : *30 minutes*
CUISSON : *2 h 30*

INGRÉDIENTS *(6 personnes)*
1,8 kg d'épaule d'agneau désossée
Sel et poivre noir
625 ml de bouillon
6 carottes
6 côtes de céleri
6 navets
2 gros oignons
FARCE
100 g d'abricots déshydratés
30 g de beurre
1 c. à soupe d'oignon haché
4 c. à soupe de chapelure fine de pain blanc
1 c. à thé de persil haché
1-2 c. à soupe de lait

Après avoir fait tremper les abricots secs dans de l'eau froide pendant 12 heures, égouttez-les et hachez-les menu.

Préparez la farce. Faites revenir l'oignon dans le beurre jusqu'à ce qu'il soit tendre et transparent. Hors du feu, ajoutez la chapelure et le persil. Salez, poivrez et mettez juste ce qu'il faut de lait pour lier la farce. Ajoutez les abricots.

Salez et poivrez l'intérieur de l'épaule avant de la garnir de sa farce. Roulez et ficelez la viande. Déposez-la dans un plat à four.

Enfournez à 230°C et faites cuire 15 minutes environ à découvert. Ajoutez la moitié du bouillon et réduisez la chaleur à 180°C. Couvrez et prolongez la cuisson de 45 minutes. Pendant ce temps, hachez grossièrement les carottes, le céleri, les navets et les oignons.

Disposez ces légumes autour de la viande et ajoutez le reste du bouillon. Couvrez et comptez encore 1 h 15 de cuisson.

Dressez l'épaule en l'entourant de sa garniture de légumes dans un plat de service et gardez-la au chaud.

Enlevez le gras qui est monté à la surface de la sauce et faites-la réduire vivement de moitié. Servez-la en saucière.

JAMBON À LA CRÈME

On peut apprêter ainsi un jambon entier préalablement cuit et détaillé en tranches ou acheter des tranches comme ci-dessous.

PRÉPARATION : *20 minutes*
CUISSON : *20 minutes*

INGRÉDIENTS *(4 à 6 personnes)*
8 tranches épaisses de jambon cuit
225 g de champignons
250 ml de vin blanc sec
3-4 échalotes
450 g de tomates
75 g de beurre
1½ c. à soupe de farine
250 ml de crème épaisse
Sel et poivre blanc
75 g de parmesan râpé

Parez les champignons et détaillez-les en tranches épaisses. Mettez-les avec le vin dans une casserole peu profonde et faites cuire jusqu'à ce qu'il ne reste plus que 3 cuille-rées à soupe de vin. Retirez les champignons avec une écumoire et réservez-les.

Pelez et hachez menu les échalotes. Jetez-les dans la casserole où se trouve le vin et faites cuire à feu modéré jusqu'à réduction presque complète du liquide. Entre-temps, pelez, épépinez et concassez les tomates.

Dans une autre poêle, chauffez 60 g de beurre ; ajoutez la farine et laissez cuire 2 minutes. Incorporez graduellement la crème en remuant pour que la sauce soit lisse. Salez, poivrez et ajoutez les échalotes ainsi que les tomates. Dès que la sauce atteint le point d'ébullition, diminuez la chaleur et laissez mijoter doucement 5-6 minutes en remuant de temps à autre pour que la sauce n'attache pas.

Disposez le jambon dans un plat à four beurré, recouvrez-le des champignons et nappez-le de sauce à la crème. Saupoudrez de fromage râpé. Détaillez le reste du beurre en noisettes et parsemez-en le plat. Faites cuire au gril assez longtemps pour que le jambon soit chaud et le fromage fondu et doré. (On peut aussi déposer le plat au centre du four porté à 200°C et l'en retirer dès que le fromage est gratiné.)

Accompagnez à volonté le jambon à la crème de nouilles au beurre et d'une salade verte ou de pommes de terre bouillies et d'épinards au beurre.

Volaille et gibier

ROGNONS AU XÉRÈS

C'est un plat de la cuisine bourgeoise espagnole que vous pouvez préparer — faute de xérès — avec d'autres vins à fort degré d'alcool, comme le porto ou le madère. Attention à ne pas trop prolonger la cuisson : les rognons doivent toujours rester un peu saignants.

PRÉPARATION : *20 minutes*
CUISSON : *15 minutes*

INGRÉDIENTS *(4 personnes)*

2 rognons de veau	*4 c. à soupe de bouillon de bœuf*
1 oignon	*1½ c. à soupe de persil haché*
1 petite gousse d'ail	*5 c. à soupe de xérès*
3 c. à soupe d'huile d'olive	*Sel, poivre*
1 petite feuille de laurier	GARNITURE
1 c. à soupe de farine	*Persil haché*

Débarassez les rognons de leur pellicule, coupez-les en deux dans le sens de la longueur et éliminez le nœud spongieux central. Coupez chaque demi-rognon, dans le sens de la longueur, en tranches de 5 mm d'épaisseur environ. Faites chauffer la moitié de l'huile dans une petite poêle, à feu modéré ; ajoutez l'oignon et l'ail, pelés et finement hachés, et la feuille de laurier ; faites cuire, en remuant souvent, pendant 5 minutes environ, jusqu'à ce que l'oignon soit devenu tendre et transparent. Saupoudrez de farine tout en remuant bien. Incorporez le bouillon, petit à petit, et laissez cuire à feu vif, en remuant sans arrêt, jusqu'à ce que le mélange épaississe et commence à bouillir. Ajoutez le persil, baissez le feu et laissez frémir pendant 3 minutes ; retirez la feuille de laurier et réservez la sauce.

Faites chauffer le reste de l'huile dans une grande poêle, mettez-y les tranches de rognon, assaisonnez-les de sel et d'un peu de poivre et faites-les sauter 5 minutes à feu assez vif, en les retournant souvent pour les faire dorer de tous les côtés sans les faire brûler. Disposez-les dans un plat de service tenu au chaud, retirez l'huile restée dans la poêle ; versez à la place le xérès et portez à ébullition, en remuant bien pour déglacer le jus. Ajoutez la sauce préparée dans la petite poêle et les tranches de rognon, remuez et laissez cuire tout ensemble à feu doux pendant 2-3 minutes. Rectifiez l'assaisonnement et saupoudrez de persil.

Servez les rognons avec un risotto. Des champignons sautés au beurre ou de petites tomates cuites au four conviendraient bien aussi comme garniture.

LAPIN À LA MOUTARDE

C'est une recette de la cuisine rustique française, qui peut s'appliquer aussi au poulet, à condition de réduire le temps de cuisson.

PRÉPARATION : *15 minutes*
REPOS : *12 heures environ*
CUISSON : *1 h 15*

INGRÉDIENTS *(5 à 6 personnes)*
1 lapin de 1,5 kg environ, prêt à cuire
6 c. à soupe de moutarde forte
60 g de beurre doux
1 tranche de lard salé gras de 125 g environ
1 oignon
1 gousse d'ail
200 ml de crème épaisse
Farine
1 branche de thym
Sel, poivre
GARNITURE
Cerfeuil ou persil haché
Croûtons

Coupez le lapin en six ou huit morceaux, mettez-les dans un grand récipient, couvrez-les d'eau froide salée et laissez-les tremper pendant 1-2 heures. Egouttez les morceaux de lapin, puis essuyez-les bien ; badigeonnez-les uniformément avec la moutarde et laissez-les au réfrigérateur pendant 12 heures environ, recouverts d'une gaze.

Salez et poivrez les morceaux de lapin, saupoudrez-les légèrement mais uniformément de farine et faites-les revenir dans du beurre, que vous aurez fait fondre dans une sauteuse, en les faisant dorer de tous côtés ; retirez-les de la sauteuse et gardez-les au chaud.

Après en avoir ôté la couenne, hachez grossièrement le lard ; pelez et hachez finement l'oignon et l'ail. Faites revenir le lard pendant 2-3 minutes dans le beurre resté dans la sauteuse, puis ajoutez-y l'oignon, l'ail et la branche de thym et laissez cuire à feu doux jusqu'à ce que l'oignon soit devenu tendre. Remettez les morceaux de lapin dans la sauteuse, fermez hermétiquement avec un couvercle ou une feuille de papier d'aluminium et laissez cuire à feu doux pendant 30 minutes. Retirez du feu et mélangez la crème à la sauce. Couvrez de nouveau et poursuivez la cuisson à feu doux ou au four préchauffé à 160°C, pendant 45 minutes environ, jusqu'à ce que le lapin soit tendre ; remuez délicatement une ou deux fois.

Servez le lapin dans son plat de cuisson, en garnissant de persil haché et de croûtons frits au beurre. Vous pouvez l'accompagner de pâtes fraîches au beurre.

CANARD AUX ABRICOTS

On connaît le canard à l'orange qui est un apprêt classique. Ici, l'abricot dont la saison tire à sa fin prête au canard son goût un peu acidulé. On peut également employer des abricots de conserve.

PRÉPARATION : *10 minutes*
CUISSON : *2 h 30 environ*

INGRÉDIENTS *(4 personnes)*
1 canard d'environ 2,25 kg
Sel et poivre noir
300 ml de bouillon de veau ou de poulet
125 ml de vin blanc demi-sec
450 g d'abricots frais
Le jus d'une demi-orange
1 c. à soupe de brandy à l'abricot
2 c. à soupe de cognac
GARNITURE
Tranches d'abricot

Frottez le canard de sel et de poivre fraîchement moulu et posez-le sur une grille dans une rôtissoire. Piquez la peau un peu partout et enfournez à 230°C. Laissez-le cuire 30 à 40 minutes. A ce point, la peau du canard devrait être brun doré et le gras s'être déposé au fond de la rôtissoire. Mettez alors le canard dans un grand plat à four.

Versez le bouillon et le vin dans la rôtissoire et, une fois que l'ébullition est prise, arrosez-en le canard. Couvrez le plat avec du papier d'aluminium à défaut de couvercle et enfournez à 180°C. Comptez 1 h 30 de cuisson.

Riz et pâtes

Lavez, asséchez les abricots et coupez-les en deux ; retirez les noyaux. Disposez la moitié des fruits autour du canard après 45 minutes de cuisson ; réservez le reste.

Quand le canard est cuit, posez-le sur un plat de service et gardez-le au chaud. Passez le jus de cuisson et enlevez le plus de gras possible. Remettez-le dans une casserole et faites-le réduire vivement du tiers. Pendant ce temps, passez les abricots cuits au mixer ou au tamis pour obtenir une purée. Quand la réduction du fond de cuisson est à point, ajoutez-y le jus d'orange et la purée d'abricots.

Dressez le reste des fruits frais autour du canard. Réchauffez le brandy et le cognac et versez-les sur le canard. Flambez et servez immédiatement en présentant avec un plat de riz sauvage et une salade. Offrez la sauce en saucière.

SALMIS
DE PERDRIX

Alors que les perdreaux, jeunes et tendres, se font rôtir entiers à raison d'un oiseau par convive, les perdrix se servent plus volontiers en salmis, c'est-à-dire à demi rôties, braisées dans un fond de gibier et déglacées au vin blanc ou au vin rouge. C'est un apprêt qui a beaucoup de classe.

PRÉPARATION : *10 minutes*
CUISSON : *1 h 30*

INGRÉDIENTS *(2 à 4 personnes)*
2 perdrix
1 oignon
Sel et poivre noir
115 g de champignons
125 ml de vin rouge
12 baies de genièvre ou 50 ml de genièvre (gin)
15 g de beurre
1 c. à soupe de farine
GARNITURE
Persil haché fin

Faites trousser et barder les perdrix ; conservez les abattis. Couchez les perdrix sur la poitrine dans une rôtissoire et faites-les cuire 15 minutes au centre du four porté à 190°C. Enlevez la rôtissoire du four, retirez les bardes et prélevez soigneusement les blancs que vous trancherez en deux. Réservez.

Mettez les carcasses et la peau des perdrix dans une casserole, couvrez d'eau froide et faites mijoter pendant 30 minutes environ avec l'oignon, pelé et haché. Passez le jus de cuisson au chinois ou dans une mousseline et assaisonnez-le de sel et de poivre frais moulu.

Parez les champignons et détaillez-les en tranches épaisses.

Disposez les blancs de perdrix dans un plat à four peu profond, recouvrez-les des champignons et mouillez à hauteur avec du bouillon de perdrix. Couvrez et laissez mijoter à feu doux pendant 30 minutes environ.

Entre-temps, ajoutez le vin au bouillon qui reste ; jetez-y également les abattis dont les foies réduits en purée, ainsi que les baies de genièvre écrasées ou le genièvre. Portez à ébullition, puis laissez mijoter 10 à 15 minutes.

Dressez les blancs de perdrix cuits sur un plat de service, mais gardez-les au chaud dans le four. Ajoutez le fond de braisage à la sauce au vin. Maniez le beurre avec la farine et incorporez-le par petits morceaux à la sauce en battant au fouet. Toujours à feu doux, prolongez la cuisson jusqu'à épaississement et vérifiez l'assaisonnement.

Nappez les blancs de perdrix de sauce salmis et parsemez de persil haché. Servez avec des pommes de terre frites ou des croustilles (p. 301), des croûtons frits et de petits bouquets de cresson.

CROQUETTES
DE RIZ

Une version savoureuse d'un plat sicilien fameux, que vous pourrez exécuter en utilisant des restes de riz blanc ou de risotto.

PRÉPARATION : *45 minutes*
CUISSON : *30 minutes*

INGRÉDIENTS *(6 personnes)*
220 g de riz cuit al dente
60 g de parmesan râpé
2 petits œufs
250 ml de sauce tomate bien épaisse
100 g de port-salut en tout petits dés
75 g de salami, de jambon ou de poulet cuit en dés
Chapelure
Huile à friture
2-3 c. à soupe de crème légère (facultatif)
Sel, poivre
GARNITURE
Feuilles de basilic

Versez le riz dans une grande jatte ; ajoutez le parmesan, les œufs battus, 1 cuillerée à soupe de sauce tomate et du sel ; mélangez bien et laissez refroidir.

Réunissez dans une jatte les dés de port-salut et de jambon ; mélangez-y 2 cuillerées à soupe de sauce tomate et assaisonnez de sel et de poivre à votre goût. Mettez 2 cuillerées à soupe de riz froid sur la

paume de la main bien farinée, formez avec le dos d'une cuillère un creux dans lequel vous verserez un peu de farce au fromage et au jambon ; recouvrez de riz et modelez le tout en forme de boule de 4 cm de diamètre environ. Quand toutes les croquettes sont prêtes (vous en aurez une douzaine environ), passez-les dans la chapelure.

Faites chauffer dans une friteuse un grand bain d'huile, et quand il est bien chaud, faites frire les croquettes à raison de deux ou trois à la fois. Sortez-les quand elles sont croquantes et dorées, épongez-les sur du papier absorbant et gardez-les au chaud pendant que vous préparez les suivantes. Servez-les garnies de feuilles ou de touffes de basilic ; présentez à part le reste de sauce tomate bien chaude. (Vous pouvez, si vous le voulez, l'allonger de quelques cuillerées de crème légère ; dans ce cas, réchauffez la crème sans la laisser bouillir et présentez en saucière.)

GRATIN
D'ŒUFS DURS
SUR PÂTES

Une insolite association d'œufs farcis et de pâtes : un plat unique et économique pour le déjeuner.

PRÉPARATION : *20 minutes*
CUISSON : *15 minutes*

INGRÉDIENTS *(6 personnes)*
500 g de pâtes
500 ml de sauce blanche pas trop épaisse (p. 269)
80 à 100 g de parmesan râpé
12 œufs
3 c. à soupe de pâte d'anchois
100 g de beurre doux
100 ml de crème épaisse
Sel, poivre

Commencez par préparer la sauce blanche à laquelle vous incorporerez le fromage râpé ; gardez-la au

chaud. Mettez les œufs dans une grande casserole d'eau froide que vous porterez à ébullition ; retirez du feu et laissez les œufs pendant 12 à 15 minutes dans l'eau très chaude, puis retirez-les et plongez-les dans de l'eau froide.

Ecalez-les sous l'eau froide courante, coupez-les en deux dans le sens de la longueur et retirez-en délicatement les jaunes. Réchauffez les blancs en les plongeant dans une jatte d'eau bouillante. Mélangez dans un plat les jaunes passés au tamis, 60 g de beurre que vous aurez ramolli en l'écrasant à la fourchette, la pâte d'anchois, la crème épaisse et le poivre selon votre goût. Disposez cette farce, en pyramide, dans les moitiés d'œufs. Mettez ces moitiés d'œufs dans un plat à gratin légèrement beurré. Couvrez d'une feuille d'aluminium et mettez au centre du four, préchauffé à 150°C, pendant 8 minutes, puis augmentez la chaleur jusqu'à environ 250°C.

Sortez le plat du four, nappez les œufs de sauce au fromage bien chaude et remettez dans la partie haute du four pendant 2 minutes, jusqu'à ce que la sauce fasse des bulles et prenne couleur.

Pendant ce temps, faites cuire les pâtes dans une grande quantité d'eau salée ; égouttez-les quand elles sont cuites al dente ; assaisonnez-les avec le reste du beurre ; versez-les dans un plat de service chaud. Servez séparément les œufs et les pâtes.

185

Légumes et salades

SPAGHETTIS À LA SAUCE AU THON

En famille, des pâtes assaisonnées d'une sauce substantielle peuvent très bien constituer le plat principal d'un repas.

PRÉPARATION : *10 minutes*
CUISSON : *15 minutes*

INGRÉDIENTS *(4 à 6 personnes)*
400 à 450 g de spaghettis
1 gousse d'ail
2 c. à soupe d'huile d'olive
60 g de beurre
200 ml de bouillon de poulet
3 c. à soupe de vin blanc sec
200 à 250 g de thon à l'huile
2 c. à soupe de persil finement haché
Sel, poivre

Commencez à préparer la sauce au moment où vous mettez sur le feu l'eau pour les spaghettis.

Pelez et hachez finement l'ail. Faites chauffer dans une petite casserole l'huile et la moitié du beurre, ajoutez l'ail et laissez cuire en remuant pendant 1-2 minutes ; ajoutez le bouillon et le vin et faites bouillir à feu vif jusqu'à ce que le liquide soit réduit des deux tiers à peu près. Egouttez le thon, émiettez-le, ajoutez-le à la sauce dans la petite casserole. Assaisonnez de sel et de poivre.

Lorsque les spaghettis sont cuits *al dente*, égouttez-les ; mettez-les dans une soupière, assaisonnez-les du reste de beurre. Versez au milieu la sauce au thon, parsemez du persil haché et servez aussitôt.

ROULÉ AUX ÉPINARDS

Ce plat yougoslave peut être servi comme entrée ou accompagner un jambon sauce madère.

PRÉPARATION : *45 minutes*
CUISSON : *30 minutes*

INGRÉDIENTS *(4 personnes)*
1 kg d'épinards
200 g de pâte feuilletée fine (p. 326)
120 g de fromage blanc (cottage) ou ricotta
30 g de parmesan râpé
3 œufs et 1 jaune d'œuf
Sel, poivre, noix de muscade

Réservez un peu de pâte pour la décoration. Abaissez le reste de la pâte en une feuille rectangulaire de 20 cm sur 30 cm, épaisse de 5 mm.

Nettoyez les épinards en éliminant les feuilles abîmées et les tiges dures, et lavez-les soigneusement dans une grande quantité d'eau souvent renouvelée. Mettez-les dans un faitout sans trop les égoutter et sans ajouter de liquide ; couvrez et faites cuire à feu modéré pendant 5 à 7 minutes, jusqu'à ce qu'ils soient tendres. Egouttez-les, hachez-les et égouttez-les de nouveau, mais ne les pressez pas.

Séparez les blancs des jaunes des trois œufs, battez les jaunes dans une jatte et mélangez-les aux épinards ; ajoutez également le fromage que vous aurez d'abord passé au tamis, le parmesan, du sel, du poivre et la noix de muscade râpée ; mélangez bien. Montez les blancs en neige ferme et incorporez-les délicatement au mélange.

Mouillez les bords du rectangle de pâte avec un peu d'eau froide et étendez au milieu la farce aux épinards en laissant dépasser 2-3 cm de pâte sur les petits côtés. Repliez rapidement la pâte sur les épinards, pressez les bords du bout des doigts et finissez de les souder en les badigeonnant avec le quatrième jaune

d'œuf légèrement battu. Etendez au rouleau le reste de pâte feuilletée et découpez de petits motifs décoratifs que vous disposerez sur le roulé aux épinards. Badigeonnez l'ensemble avec le reste de l'œuf battu, disposez le roulé sur la plaque du four beurrée et farinée, et pratiquez dans le haut deux ou trois incisions pour que la vapeur sorte pendant la cuisson. Mettez au centre du four, préchauffé à 230°C, et laissez cuire 20 minutes ; baissez la température à 180°C et poursuivez la cuisson encore 10 minutes, jusqu'à ce que la pâte soit bien gonflée et ait pris une couleur brun doré. Servez chaud ou froid.

POMMES DE TERRE EN FOND BRUN

Apprêtées de cette façon, les pommes de terre sont délicieusement fondantes. Servez-les avec un rôti.

PRÉPARATION : *30 minutes*
CUISSON : *1 h 15*

INGRÉDIENTS *(6 personnes)*
90 g de beurre
900 g de pommes de terre
1 c. à thé de sel
1 pincée de poivre
150 g de fromage suisse râpé
300 ml de bouillon de bœuf

Beurrez le fond d'un plat à four de 25 cm. Epluchez, lavez et émincez les pommes de terre en tranches de 3 mm d'épaisseur. Disposez-les par couches dans le plat en mettant sel, poivre et fromage sur chaque couche. Terminez avec un peu de fromage et le reste du beurre détaillé en noisettes.

Réchauffez le bouillon et versez-le sur les pommes de terre. Portez à ébullition sur un élément de surface, puis enfournez le plat à 220°C et laissez cuire pendant 20 à 30 minutes : les pommes de terre devraient être tendres et dorées.

BETTERAVES À L'ORANGE

Cette recette associe des betteraves cuites à de la marmelade d'oranges : alliance surprenante mais exquise, surtout avec le gibier, le canard ou l'oie.

PRÉPARATION : *5 minutes*
CUISSON : *10 minutes*

INGRÉDIENTS *(4 personnes)*
450 g de betteraves cuites
30 g de beurre doux
1 c. à soupe de marmelade d'oranges
Le jus d'une demi-orange
GARNITURE
1 tranche d'orange

Pelez les betteraves cuites ; détaillez-les en dés. Dans une casserole, mélangez le beurre, la marmelade et le jus d'orange ; chauffez jusqu'à ce que le beurre fonde et ajoutez les betteraves. Laissez mijoter doucement 10 minutes en remuant de temps à autre pour que le liquide s'évapore et que les betteraves soient uniformément glacées.

Dressez les betteraves dans un ravier et décorez d'une mince tranche d'orange.

RAGOÛT DE LAITUE ET DE PETITS POIS

Les petits pois, qui sont encore très tendres à cette saison, constituent l'ingrédient principal de ce plat qui peut être servi seul ou pour accompagner une viande blanche ou du poulet rôti.

PRÉPARATION : *25 minutes*
CUISSON : *20 à 30 minutes*

INGRÉDIENTS *(4 personnes)*
2 grosses laitues
900 g de petits pois
12 à 16 oignons verts
2 tranches épaisses de jambon cuit bien maigre (150 g environ)
90 g de beurre
1 c. à soupe de sucre
Sel, poivre
GARNITURE
Croûtons de pain frits

Ecossez les petits pois et réservez une douzaine des plus petites cosses. Débarrassez les laitues des feuilles extérieures trop dures et partagez les cœurs en quatre ; lavez-les bien et égouttez-les dans un linge de cuisine. Epluchez les oignons verts et coupez le jambon en dés de 1,5 cm de côté.

A feu modéré, faites fondre 70 g de beurre dans une grande casserole ; mettez-y les laitues, les petits pois, les 12 cosses, les oignons et mélangez délicatement pour que l'ensemble s'imprègne de beurre. Assaisonnez de sel et de poivre, ajoutez le jambon, 3 cuillerées à soupe d'eau chaude et le sucre ; couvrez et laissez cuire à feu doux pendant 20 à 30 minutes, jusqu'à ce que les petits pois soient tendres mais pas trop mous. Vérifiez souvent le degré de cuisson et secouez de temps en temps la casserole pour éviter que la préparation n'attache.

Au moment de servir, retirez les cosses et ajoutez le reste du beurre,
en remuant délicatement pour ne pas écraser les petits pois.

Servez chaud, avec une garniture de croûtons frits coupés en petits triangles.

MAÏS EN ÉPI

Plus il est frais, meilleur il est. Choisissez des épis aux grains tendres et laiteux et servez-les en entrée ou comme accompagnement.

PRÉPARATION : *10 minutes*
CUISSON : *5 minutes*

INGRÉDIENTS *(4 personnes)*
4 épis de maïs
60 g de beurre
Sel et poivre noir
2 c. à thé de sucre

Le beurre au poivre qui accompagne le maïs doit être préparé assez longtemps d'avance pour qu'il puisse devenir très ferme au réfrigérateur. Défaites le beurre en crème et malaxez-le avec du poivre fraîchement moulu et un peu de sel. Formez un rouleau que vous envelopperez de papier paraffiné ou d'aluminium. Réfrigérez jusqu'à ce qu'il soit ferme.

Débarrassez les épis des feuilles et des soies qui les enveloppent. Déposez-les avec le sucre dans un plat peu profond et de dimensions appropriées et mouillez à hauteur d'eau bouillante. Laissez cuire 5 minutes à pleine ébullition.

Egouttez le maïs et servez-le immédiatement. Présentez à part le beurre détaillé en fines rondelles. Pour faciliter la manipulation, insérez un pique-maïs, une brochette ou un cure-dents robuste à chaque extrémité des épis.

BARQUETTES DE COURGETTES AU FROMAGE

Une recette raffinée, dans laquelle une sauce au vin blanc et au fromage met bien en valeur le goût délicat de la courgette.

PRÉPARATION : *40 minutes*
CUISSON : *40 minutes*

INGRÉDIENTS *(6 personnes)*
6 à 8 courgettes de grosseur moyenne
30 g de beurre doux
Le jus d'un demi-citron
Sel, poivre
SAUCE
60 g de beurre doux
40 g de farine
3 jaunes d'œufs
250 ml de vin blanc sec
4 c. à soupe de crème
50 g de parmesan râpé ou 100 g de gruyère râpé
Sel, poivre

Lavez les courgettes et coupez-en les extrémités. Faites-les blanchir dans l'eau bouillante et sortez-les au bout de 2 minutes. Egouttez-les, essuyez-les très soigneusement et coupez-les en deux dans le sens de la longueur ; retirez les graines et une petite partie de la chair avec une cuillère. Disposez-les, la partie évidée vers le haut, dans un plat à gratin beurré ; assaisonnez-les de sel et de poivre, arrosez-les du jus de citron et parsemez du reste de beurre détaillé en noisettes. Couvrez le plat d'une feuille de papier d'aluminium bien soudée aux bords et faites cuire 25 minutes au centre du four, préchauffé à 180°C. Pendant ce temps, préparez la sauce. Réservez 20 g de beurre, coupez le reste en petits morceaux et faites-le fondre à feu doux dans une petite casserole. Ajoutez la farine et, tout en remuant à la cuillère en bois, surveillez la cuisson pour que le mélange reste blond. Mouillez peu à peu avec le vin

blanc en tournant toujours avec la cuillère en bois ; salez, poivrez et laissez cuire à feu très doux pendant 10 à 15 minutes.

Dans une jatte, battez la crème fraîche, les jaunes d'œufs et 2-3 cuillerées de sauce blanche au vin. Versez le mélange dans la casserole ; portez quelques instants à ébullition tout en remuant au fouet. Ajoutez les deux tiers du fromage râpé et mélangez.

Versez la sauce au creux des courgettes et saupoudrez avec le reste de fromage ; disposez sur chacune d'elles une noisette de beurre
et mettez le plat dans la partie supérieure du four, chauffé au maximum, pendant une dizaine de minutes, jusqu'à ce que la surface se colore.

Servez aussitôt autour d'un plat de viande, comme l'escalope de veau, ou encore autour d'un poulet rôti ou farci.

Desserts

CAROTTES À LA PAYSANNE

Choisissez de petites carottes jeunes et tendres pour cette savoureuse garniture qui convient aux plats de viande.

PRÉPARATION : *15 minutes*
CUISSON : *30 minutes*

INGRÉDIENTS *(4 à 6 personnes)*
600 g de petites carottes
1 gros oignon
2 tranches de bacon
70 g de beurre doux
200 ml environ de bouillon de poulet
1 pincée de sucre
1 c. à soupe de crème épaisse
Persil haché
Sel

Epluchez ou grattez les carottes, coupez les extrémités, lavez-les. Jetez-les 5 minutes dans de l'eau bouillante salée et égouttez-les.
Pelez l'oignon, coupez-le en tranches fines ; coupez le bacon en dés. Faites fondre le beurre dans une grande sauteuse, ajoutez l'oignon et le bacon et laissez cuire à feu doux pendant une dizaine de minutes, jusqu'à ce qu'ils soient tendres et commencent à se colorer.
Ajoutez les carottes et du bouillon de poulet en quantité suffisante pour les recouvrir, mettez un couvercle et laissez cuire à feu modéré jusqu'à ce que les carottes soient tendres. Retirez-les de la sauteuse avec une écumoire, disposez-les dans un plat de service et gardez-les au chaud.
Faites bouillir le liquide restant à feu vif jusqu'à ce qu'il soit réduit à quelques cuillerées ; ajoutez-y le sucre et la crème, salez et laissez cuire encore à feu doux, jusqu'à ce que le mélange épaississe ; versez sur les carottes, saupoudrez de persil haché, servez.

SABAYON DE HARICOTS VERTS

Une sauce insolite où se mêlent le sucre et le vinaigre. En Toscane, d'où elle nous vient, cette recette s'exécute avec du jus de raisin muscat.

PRÉPARATION : *15 minutes*
CUISSON : *15 à 20 minutes*

INGRÉDIENTS *(6 personnes)*
650 à 700 g de haricots verts
Sel
SAUCE
2 jaunes d'œufs
2 c. à soupe de vin blanc sec dans lequel vous ferez fondre 1 c. à soupe de sucre
1 c. à soupe de vinaigre de vin

Eboutez et effilez les haricots verts, lavez-les, coupez-les en deux et jetez-les dans un grand faitout rempli d'eau bouillante salée ; laissez cuire 8 à 10 minutes, jusqu'à ce que les haricots verts soient tendres, mais encore croquants. Egouttez-les et disposez-les dans un plat de service creux, couvrez-les d'une feuille d'aluminium et gardez-les au chaud à four très doux (120°C).
Pendant ce temps, réunissez dans une casserole tous les ingrédients nécessaires à la sauce ; posez cette casserole dans un bain-marie et laissez cuire en remuant sans interruption avec un fouet, jusqu'à ce que la sauce soit épaisse et mousseuse et commence à monter.
Versez-la sur les haricots verts et servez aussitôt.

CONCOMBRES À LA CRÈME SURE

Cette fraîche petite entrée s'associe bien aux viandes chaudes ou froides. Vous la servirez tout particulièrement pour accompagner le bœuf, le veau ou le poulet rôtis.

PRÉPARATION : *15 à 20 minutes*
RÉFRIGÉRATION : *2 heures*

INGRÉDIENTS *(4 personnes)*
2 gros ou 4 petits concombres
1½ c. à soupe de farine
2 pincées de sel
2 pincées de sucre
2 pincées de moutarde sèche
2 c. à soupe de vinaigre de vin blanc ou à l'estragon
2 jaunes d'œufs
4 c. à soupe d'huile d'olive
125 ml de crème sure
2 c. à soupe de ciboulette finement hachée

Mélangez la farine, le sel, le sucre et la moutarde dans une petite casserole à fond épais ; délayez avec 1 cuillerée à soupe d'eau et faites cuire à feu doux en remuant constamment jusqu'à l'homogénéisation complète. Ajoutez peu à peu le vinaigre et 2 cuillerées à soupe d'eau et prolongez la cuisson jusqu'à épaississement. A ce point, portez rapidement à ébullition, puis laissez mijoter à feu doux 2-3 minutes.
Hors du feu, incorporez les jaunes d'œufs un à un, en battant constamment. Ajoutez l'huile, quelques gouttes à la fois, puis mettez la sauce à refroidir au réfrigérateur.
Une heure avant de servir, incorporez la crème sure et la ciboulette et remettez au réfrigérateur.
Lavez et pelez les concombres ; épépinez-les, si vous le désirez, et détaillez-les en petits dés de 1,5 cm. Enrobez-les de sauce et dressez-les en ravier à la toute dernière minute.

PRUNES AU VIN

La cuisson dans un sirop de sucre et de vin liquoreux exalte la saveur délicate des prunes. Servez chaud de préférence.

PRÉPARATION : *5 minutes*
CUISSON : *30 minutes*

INGRÉDIENTS *(6 personnes)*
800 à 900 g de prunes à chair rouge
100 g de sucre
250 ml de porto, de madère ou de marsala
2 c. à soupe d'amandes pelées et effilées
300 ml de crème épaisse

Mettez dans une casserole le sucre et 250 ml d'eau, portez à ébullition à feu doux et faites bouillir doucement 10 minutes ; ajoutez le vin et reportez à ébullition. Entre-temps, équeutez les prunes, lavez-les et essuyez-les soigneusement dans un linge de cuisine ; mettez-les, une par une, dans le sirop brûlant. Couvrez la casserole, retirez-la du feu et laissez les prunes dans le sirop pendant 10 minutes.
Egouttez-les avec une écumoire, une par une, et disposez-les dans une coupe de cristal ; couvrez d'une feuille de papier d'aluminium et gardez au chaud. Faites bouillir le sirop à feu vif jusqu'à ce qu'il réduise du tiers et qu'il épaississe légèrement ; versez-le alors sur les prunes.
Faites griller les amandes effilées au four pendant 5 minutes, jusqu'à ce qu'elles soient dorées. Parsemez-en les prunes et servez ce dessert en présentant à part une coupe de crème fraîche.

GRANITÉ AU CAFÉ

Vous pouvez servir ce granité dé-saltérant à la fin d'un repas ou bien au cours de l'après-midi ou d'une soirée.

PRÉPARATION : *10 minutes*
RÉFRIGÉRATION : *3-4 heures*

INGRÉDIENTS *(4 personnes)*
450 ml de café fort
4 c. à soupe de sucre
150 ml de crème épaisse
1 c. à soupe de sucre à glacer

Avant de commencer la prépara-tion, réglez le réfrigérateur à la température la plus froide. Mettez dans une casserole 4 cuillerées à soupe de sucre et 100 ml d'eau et portez à ébullition, en remuant jus-qu'à ce que le sucre soit complète-ment fondu ; laissez bouillir à feu vif pendant 4 minutes, puis retirez du feu et laissez refroidir.

Mélangez le café au sirop froid et versez le liquide dans le bac à glace, en laissant à leur place les cloisons afin d'obtenir des cubes. Mettez le bac dans le compartiment à glace où vous le laisserez au moins 3 heu-res, en remuant de temps en temps avec une fourchette pour détacher les cristaux de glace des parois et les pousser vers le centre.

Au bout de 3 heures, renversez les cubes dans une jatte et cassez-les délicatement au pilon ou à la four-chette. Versez le granité dans des verres et servez immédiatement, en présentant à part la crème, que vous aurez fouettée et adoucie avec le sucre à glacer.

PÊCHES À LA CRÈME SURE

Nature, pochée au vin blanc ou en croûte, la pêche sucrée et juteuse constitue un merveilleux dessert es-tival. Ici, elle est pochée dans un si-rop et servie bien froide, nappée de crème sure et décorée d'amandes.

PRÉPARATION : *35 minutes*
RÉFRIGÉRATION : *30 minutes*

INGRÉDIENTS *(6 personnes)*
6 grosses pêches
200 g de sucre vanillé (ou 200 g de sucre ordinaire et 2 c. à thé d'essence de vanille)
Sucre à fruits
250 ml de crème sure
GARNITURE
30 g d'amandes effilées et grillées

Faites dissoudre le sucre vanillé ou le sucre et l'essence de vanille dans 300 ml d'eau et laissez cuire ce si-rop 5 minutes à feu modéré.

Lavez et épongez les pêches. Mettez-les à pocher doucement dans le sirop pendant 5 à 10 minu-tes selon le degré de maturité des fruits.

Retirez-les avec une écumoire et, quand elles sont un peu refroidies, débarrassez-les de leur peau et tran-chez-les en deux. Enlevez les noyaux et émincez la chair en tran-ches fines. Disposez-les dans un compotier en saupoudrant chaque tranche d'un peu de sucre à fruits. Passez le sirop et réservez-le pour un autre usage.

Nappez généreusement les pê-ches de crème sure et mettez le plat à refroidir au réfrigérateur. Déco-rez à la dernière minute d'amandes effilées, grillées au four.

GÂTEAU ÉTAGÉ À LA DANOISE

Ce gâteau existe en plusieurs ver-sions, les unes simples, les autres complexes. La recette classique comprend une génoise fourrée de crème et garnie de fruits.

PRÉPARATION : *45 minutes*
CUISSON : *25 minutes*
RÉFRIGÉRATION : *1 heure*

INGRÉDIENTS *(6 à 8 personnes)*
4 œufs
Le zeste et le jus d'un demi-citron
250 g de sucre à glacer
100 g de farine tout usage
20 g de fécule de maïs
2 pincées de levure chimique
GARNITURE
1 c. à soupe (1 enveloppe) de gélatine non aromatisée
625 ml de crème épaisse
6 c. à soupe de sucre vanillé (ou 6 c. à soupe de sucre et 1 c. à thé d'essence de vanille)
5 tranches de 7 mm d'ananas frais ou d'ananas en conserve
50 g de chocolat noir non sucré (1 tablette)

Séparez les blancs d'œufs des jau-nes et videz ceux-ci dans un grand bol avec le zeste et le jus de citron. Ajoutez peu à peu le sucre à glacer tamisé en battant après chaque ad-dition. Fouettez les blancs jusqu'à ce qu'ils soient fermes en formant des pics et incorporez-les délicate-ment aux jaunes. Tamisez la farine avec la fécule de maïs et la levure chimique et incorporez à la pâte en mélangeant bien.

Beurrez un moule à gâteau rond de 20 cm de diamètre et doublez-le de papier paraffiné beurré. Versez-y la pâte en l'égalisant délicate-ment. Faites cuire au centre du four porté à 180°C pendant 25 minutes ou jusqu'à ce que la génoise ait levé et soit bien dorée.

Dégagez le gâteau avec un cou-teau tranchant et démoulez-le sur une grille. Quand il est froid, tran-chez-le en trois disques d'égale épaisseur que vous garnirez avec la crème décrite ci-dessous.

Faites gonfler la gélatine dans 4 cuillerées à soupe d'eau tiède avant de la faire fondre au bain-marie. Quand elle s'est un peu re-froidie, incorporez-la aux deux tiers de la crème préalablement fouettée en ajoutant le sucre vanillé ou le sucre et la vanille. Epluchez et parez les tranches d'ananas (ou égouttez-les s'il s'agit d'ananas en conserve) ; réservez-en une tranche pour la décoration et détaillez les autres en petits dés. Râpez le cho-colat et incorporez-le à la crème en même temps que les dés d'ananas. Laissez prendre la garniture.

Etalez la moitié de la crème entre les tranches de génoise, le reste sur le dessus et les côtés du gâteau. A l'aide d'un petit tube à rosette, dé-corez de crème fouettée le bord du gâteau et les côtés. Terminez la dé-coration en utilisant la tranche d'ananas qui reste, détaillée en pe-tits morceaux.

Réfrigérez le gâteau environ 1 heure avant de le servir, coupé en pointes.

GLACE AU MELON

L'été est la grande saison des melons. Choisissez-en un bien mûr et parfumé pour cette glace que vous pourrez préparer à la maison sans appareils spéciaux, en ayant seulement recours au compartiment à glace de votre réfrigérateur et en prenant bien soin de régler celui-ci à la température minimale quelques heures avant de commencer.

PRÉPARATION : *30 à 40 minutes*
RÉFRIGÉRATION : *3 heures*

INGRÉDIENTS *(4 personnes)*
1 melon de 1,2 kg environ
120 g de sucre
4 jaunes d'œufs
2 c. à soupe de rhum
2 c. à soupe de jus de citron
500 ml environ de crème épaisse

Coupez dans le melon une calotte épaisse de 4 cm environ ; à l'aide d'une cuillère, éliminez graines et fibres, puis enlevez la pulpe, en faisant attention de ne pas abîmer l'écorce. Placez l'écorce au réfrigérateur. Mettez la pulpe dans une casserole, ajoutez le sucre et faites cuire à feu doux jusqu'à ce que le sucre soit fondu et la pulpe amollie. Ecrasez-la avec une fourchette.

Battez les jaunes jusqu'à ce qu'ils soient bien crémeux, puis versez-les dans la casserole où se trouve la pulpe du melon, mélangez bien, remettez la casserole sur feu doux et laissez cuire, en remuant continuellement pour empêcher que l'œuf fasse des grumeaux et jusqu'à ce que le mélange ait épaissi.

Versez-le dans une jatte et laissez-le refroidir complètement ; ajoutez alors le rhum, le jus de citron, puis, très délicatement, la crème légèrement fouettée. Couvrez la jatte d'une feuille d'aluminium et mettez au réfrigérateur pendant au moins 30 minutes.

Après ce temps, sortez la jatte du réfrigérateur et remuez à la fourchette pour éviter que se forment des cristaux de glace.

Transvasez la préparation dans un récipient ou un bac à glace, couvrez d'une feuille d'aluminium et mettez 2-3 heures au congélateur ; remuez de temps en temps pour empêcher la formation de cristaux. Servez dans l'écorce vide du melon ou dans des coupes individuelles.

PASTÈQUE FARCIE AU KIRSCH

Le kirsch convient bien aux préparations à base de fruits crus. Il est ici utilisé pour une macédoine qui fera beaucoup d'effet servie dans une écorce de pastèque.

PRÉPARATION : *1 h 30*
RÉFRIGÉRATION : *3 heures*

INGRÉDIENTS *(20 personnes)*
1 pastèque ovale assez grosse
1 melon brodé
1 melon honeydew
1 ananas frais
400 g de grosses fraises
Sucre
200 ml environ de kirsch
GARNITURE
Menthe fraîche

Enlevez à la pastèque une calotte assez épaisse. Avec un évidoir spécial, façonnez dans la pulpe le plus grand nombre possible de boules de forme régulière ; rassemblez-les dans une jatte. Retirez le reste de la pulpe à la cuillère et mettez-la de côté pour un autre usage. Avec la même cuillère, lissez bien les parties intérieures de l'écorce évidée ; mettez-la au réfrigérateur.

Coupez les deux melons en deux, éliminez les graines et les fibres, formez avec la pulpe autant de boules que vous pouvez et mélangez-les à celles de la pastèque.

Epluchez l'ananas, partagez-le en tranches que vous découperez en triangles. Ajoutez-les aux autres fruits dans la jatte.

Ajoutez les fraises lavées et équeutées, du sucre selon le goût et le kirsch ; mélangez et mettez au réfrigérateur pendant 2 heures environ, tout comme la pastèque vide.

Disposez la macédoine de fruits dans la pastèque et remettez au réfrigérateur 1 heure environ ou jusqu'au moment de servir. Garnissez de menthe fraîche.

SYLLABUB AU CITRON

Le syllabub est une boisson sucrée à base de vin et de crème, déjà populaire en Angleterre au temps de la reine Elisabeth Ire. On peut le servir comme dessert.

PRÉPARATION : *20 minutes*
REPOS : *6 heures*
RÉFRIGÉRATION : *3 heures environ*

INGRÉDIENTS *(6 personnes)*
1 citron
3-4 c. à soupe de cognac
6 c. à soupe de sucre
300 ml de crème épaisse
100 ml de vin blanc doux

Epluchez le citron avec un couteau-éplucheur ou un petit couteau bien affilé, en ayant soin de ne prendre que la partie extérieure du zeste, sans rien du blanc intérieur. Pressez le citron, mettez le jus dans un bol et ajoutez du cognac en quantité suffisante pour obtenir en tout 5 cuillerées à soupe de liquide ; ajoutez le zeste de citron et laissez reposer pendant au moins 6 heures.

Filtrez le liquide dans un chinois à mailles très serrées, ajoutez le sucre et remuez jusqu'à ce qu'il soit fondu ; mettez alors le vin. Fouettez la crème et incorporez-y peu à peu le mélange contenant le vin et le jus du citron en remuant délicatement, de telle sorte que la crème l'absorbe sans s'affaisser. Versez dans des verres et mettez au réfrigérateur pendant quelques heures.

Pour garnir, découpez l'écorce du citron en lamelles très fines longues d'environ 4 cm, jetez-les dans l'eau bouillante pendant 2-3 minutes, égouttez-les et, au moment de servir, disposez-les sur les verres.

Casse-croûte

ŒUFS COCORICO

Les œufs cuits en ramequin rallient tous les gourmets, aussi bien le matin que le soir.

PRÉPARATION : *10 minutes*
CUISSON : *8 à 10 minutes*

INGRÉDIENTS *(4 personnes)*
8 œufs
8 tranches de bacon maigre, en dés
60 g de beurre
115 g de petits champignons hachés
Sel et poivre noir
8 c. à soupe de crème épaisse
Cerfeuil
4 tranches de pain blanc
Huile à friture

Faites sauter le bacon dans le beurre 3 minutes à feu modéré. Ajoutez les champignons et prolongez la cuisson de 2 minutes. Salez, poivrez et déposez une cuillerée de cette préparation dans chaque ramequin. Cassez un œuf par-dessus, nappez-le de 1 cuillerée à soupe de crème et parsemez d'un peu de cerfeuil frais.

Mettez les ramequins au centre du four porté à 180°C et faites cuire pendant 8 à 10 minutes.

Dans l'intervalle, débarrassez le pain de ses croûtes, coupez-le en triangles que vous ferez dorer dans de l'huile bouillante. Comptez deux ramequins par convive et servez le pain séparément.

PÂTÉ DE HARENG FUMÉ

Le parfum du hareng fumé donne un caractère insolite à ce pâté qui se conserve bien au réfrigérateur. Vous le servirez en sandwich ou sur des toasts.

PRÉPARATION : *20 minutes*

INGRÉDIENTS *(4 personnes)*
2 harengs fumés sans arêtes
1 c. à soupe de crème épaisse
90 à 120 g de beurre doux
1 c. à soupe de jus de citron
Poivre de Cayenne
1 pincée de macis moulu

Posez les harengs, tête en bas, dans un pot et couvrez-les d'eau bouillante jusqu'au niveau de la queue. Laissez reposer ainsi 5 minutes. Jetez l'eau et dépouillez les harengs de leur peau. Laissez-les refroidir.

Pilez la chair des harengs au mortier en lui incorporant peu à peu la crème, le beurre et le jus de citron. Assaisonnez de cayenne et de macis. (Cette opération peut se faire au robot culinaire.) Gardez le pâté au réfrigérateur dans une terrine.

BANANES FLAMBÉES

Pochées dans un sirop vanillé ou cuites au beurre, les bananes ainsi apprêtées constituent un dessert vite fait qui ne manque pas d'élégance et finit bien un repas léger.

PRÉPARATION : *5 minutes*
CUISSON : *2 minutes*

INGRÉDIENTS *(6 à 8 personnes)*
6 à 8 bananes fermes et mûres
30 g de beurre
100 g de cassonade brune bien tassée ou de sucre d'érable râpé
75 ml de rhum ou de Grand Marnier
Glace à la vanille

Pelez, émincez les bananes en rondelles de 3 à 7 mm d'épaisseur et faites-les revenir dans le beurre chaud pendant 30 secondes après les avoir saupoudrées de cassonade ou de sucre d'érable râpé. Remuez-les de temps à autre avec une spatule de caoutchouc, en prenant soin de ne pas les réduire en purée.

Versez le rhum ou le Grand Marnier chaud dans une louche et répandez-le sur les bananes après l'avoir flambé. Servez immédiatement avec une glace à la vanille ou à un autre parfum.

TOMATES AU FOUR

Avec un peu de restes de viande et de riz, vous transformerez de simples tomates en un plat savoureux et léger. Accompagnez-les de pommes de terre bouillies et de haricots verts.

PRÉPARATION : *20 minutes*
CUISSON : *35 minutes*

INGRÉDIENTS *(6 personnes)*
12 grosses tomates fermes
1 oignon haché menu
225 g de viande cuite et hachée
100 g de riz cuit
45 à 60 g de beurre
2-3 c. à soupe de bouillon
1 c. à soupe de crème légère
2 c. à thé de sauce Worcestershire
2 c. à soupe de persil haché fin
Sel, poivre
60 g de cheddar râpé
1 c. à soupe de chapelure

Ouvrez les tomates du côté de la tige et retirez la chair. Faites revenir l'oignon dans le beurre. Quand il est tendre, ajoutez la viande, le riz, le bouillon, la crème, la sauce Worcestershire et le persil. Poivrez, salez au goût et laissez cuire 3 minutes.

Remplissez les tomates avec cette farce et déposez-les dans un plat à four beurré. Saupoudrez de chapelure mélangée au fromage et faites cuire 15 à 20 minutes à 190°C.

SALADE DE ROSBIF SAIGNANT

Des restes de rosbif marinés dans une sauce piquante composent un plat de résistance léger qui ne manque pas d'intérêt.

PRÉPARATION : *15 minutes*
RÉFRIGÉRATION : *1 h 15*

INGRÉDIENTS *(4 personnes)*
225 à 350 g de rosbif saignant froid
125 ml d'huile d'olive
2 c. à soupe de vinaigre de vin
1 c. à thé de moutarde anglaise sèche
4 filets d'anchois hachés menu
2 c. à thé de câpres hachées
1 c. à soupe de ciboulette hachée
3 c. à soupe de persil haché fin
Poivre noir
8 pommes de terre cuites émincées
2 œufs durs

Détaillez le rosbif en fines lanières. Mélangez l'huile, le vinaigre et la moutarde. Mettez la moitié de cette préparation de côté pour les pommes de terre. Ajoutez les anchois, les câpres, la ciboulette, la moitié du persil et poivrez. Laissez macérer la viande dans cette sauce au moins 1 heure. Ajoutez tout de suite le reste de la sauce aux rondelles de pomme de terre.

Dressez la viande au centre d'un plat de service, entourez-la de rondelles de pomme de terre et décorez avec les œufs durs détaillés en dés. Parsemez le plat avec du persil. Réfrigérez avant de servir.

Septembre

LES RECETTES DU MOIS

*Et voici l'automne des moissons et de la chasse, la saison à laquelle
nous reviennent pommes, courges, citrouilles et maïs.*

Au fil des saisons

L'été s'efface peu à peu devant l'automne qui s'installe, nous ramenant tous ses trésors : champignons fleurant bon les sous-bois, raisins gorgés de soleil, gibier à poil et à plume. Aubergines, courgettes, tomates et poivrons sont toujours au rendez-vous, colorés et savoureux, prêts à composer diverses préparations : tomates farcies aux petits pois (p. 205), poivrons farcis de viande (p. 205) ou courgettes au gratin (p. 206).

A l'étal des poissonniers, c'est le retour en abondance des poissons et des fruits de mer : truites de mer, dorés et daurades, vivaneaux et harengs, crabe des neiges, crevettes, homards et langoustines. Pensez aux moules, délicieuses et si peu chères (moules sauce poulette [p. 198] ou coquillettes aux moules [p. 204]), aux maquereaux, hauts en saveur et de prix toujours très abordables (maquereaux au cidre [p. 197]) ou préparez des filets à la sauce marine (p. 197).

Avec l'arrivée des premiers jours froids, vous aurez plaisir à savourer une soupe nourrissante, comme le bortsch russe (p. 195) ou le potage citronné à l'agneau (p. 195). Et puisque c'est le temps de la chasse, profitez des oiseaux sauvages que vous ramèneront vos nemrods pour apprêter un canard à la bigarade (p. 202).

En septembre, l'été jette ses derniers feux dans une apothéose de fruits que vous vous hâterez de manger au naturel puisqu'ils sont encore de chez nous. Pêches, prunes, abricots, nectarines et brugnons sont de saison pendant que l'automne nous ramène des raisins de toutes les couleurs et les superbes pommes de nos vergers, base d'un dessert dont les enfants raffolent : le pouding du paradis (p. 207).

MENUS SUGGÉRÉS

Ramequins d'épinards
...
Epaule de veau farcie braisée
Courgettes au gratin
...
Poires flambées

Tarte au fromage
...
Poisson sauce marine
Haricots verts au beurre
Salade verte
...
Diplomate aux abricots

Melon et jambon en gondoles
Poulet à la Teriyaki
Brocolis au beurre
Pommes de terre à la crème
...
Tarte aux reines-claudes

Bortsch
...
Canard sauvage à la bigarade
Tomates farcies aux petits pois
...
Gantois aux framboises

Cocktail aux œufs
...
Bœuf à la jardinière
Chou au beurre
...
Pouding au riz

Potage paysanne
...
Epigrammes d'agneau
Friture de chou
...
Pouding du paradis

Paella valenciana
Salade verte à la vinaigrette
...
Gâteau aux petits fruits

Potages et entrées

POTAGE CITRONNÉ À L'AGNEAU

D'origine grecque, ce potage est assez épais et contient assez de viande pour constituer en soi un véritable repas.

PRÉPARATION : *15 minutes*
CUISSON : *3 h 15*

INGRÉDIENTS *(6 personnes)*
1 kg de collet d'agneau en tranches
2 carottes
1-2 navets
2 oignons
2 poireaux
1 côte de céleri
1 brin de persil
2 feuilles de laurier
2 pincées d'origan ou de thym
2 pincées de marjolaine
75 g d'orge perlé ou de riz à grains
  longs
Sel et poivre noir
Le jus d'un citron
2 jaunes d'œufs
GARNITURE
1 cœur de laitue

Dégraissez les tranches d'agneau et mettez-les avec 1,25 litre d'eau dans une grande marmite. Amenez à ébullition.

Pendant ce temps, lavez et grattez les carottes et les navets ; pelez les oignons ; parez les poireaux et lavez-les à l'eau courante en même temps que la côte de céleri. Hachez tous ces légumes grossièrement.

Ecumez le potage avant d'ajouter les légumes, les fines herbes et l'orge. (Si vous utilisez du riz, vous ne l'ajouterez qu'une heure plus tard.) Salez, donnez quelques tours de moulin à poivre et couvrez la marmite ; laissez mijoter 2 heures à 2 h 30. La chair doit se détacher facilement des os.

Enlevez les feuilles de laurier et le persil et retirez la viande. Ne gardez que le maigre et détaillez-le en dés avant de le remettre dans la marmite.

Retirez celle-ci du feu et laissez refroidir une nuit entière si possible, de façon que le gras fige en surface et que vous puissiez l'enlever facilement. Remettez la soupe sur le feu pour la réchauffer. Juste avant de servir, ajoutez les deux jaunes d'œufs légèrement battus avec le jus de citron et 3 ou 4 cuillerées à soupe de bouillon chaud. Remuez quelques instants.

Garnissez chaque assiette de laitue détaillée en chiffonnade.

BORTSCH

Il existe de nombreuses versions de cette fameuse soupe russe, chaudes et froides, avec ou sans viande, qui présentent toutes deux éléments communs : la betterave et la crème sure. Pour la préparer, vous pouvez utiliser du bouillon de bœuf ou du bouillon de volaille.

PRÉPARATION : *25 minutes*
CUISSON : *1 heure*

INGRÉDIENTS *(6 personnes)*
500 g de betteraves rouges crues
1 oignon
1 poireau
1 carotte
1 navet
1 grosse pomme de terre
1 côte de céleri
1 petit cœur de chou vert (facultatif)
1 bulbe de fenouil (facultatif)
1,25 litre de bouillon (de bœuf ou de poulet)
1 feuille de laurier
1 c. à soupe de persil haché
1 c. à soupe de concentré de tomate
1 c. à thé de sucre
1 c. à thé de jus de citron
150 ml de crème sure
Sel, poivre
GARNITURE
3 c. à soupe de menthe, de fenouil ou de ciboulette

Pelez les betteraves, réservez-en un quart et coupez le reste en petits dés. Epluchez et émincez finement l'oignon. Débarrassez le poireau de ses racines, des feuilles dures extérieures et des parties vertes ; lavez-le bien sous l'eau courante froide et émincez-le finement.

Lavez le cœur de chou vert et le fenouil, si vous en utilisez ; émincez-les. Pelez et lavez la carotte et le navet, coupez-les en très fins bâtonnets. Epluchez la pomme de terre, lavez-la et coupez-la en petits dés. Lavez le céleri et hachez-le finement.

Mettez tous ces légumes dans une grande casserole, ajoutez le bouillon, le laurier, le persil, du sel et du poivre ; couvrez et faites cuire à feu doux 30 minutes. Dans un bol, mettez le concentré de tomate, le sucre et le jus de citron ; mélangez bien et versez dans la soupe. Poursuivez la cuisson à feu modéré, en mélangeant de temps en temps, pendant encore 30 minutes ou jusqu'à ce que les légumes soient tendres.

Environ 10 minutes avant de servir, râpez le reste des betteraves et ajoutez-les à la soupe, que vous pouvez allonger avec un peu de bouillon. Servez cette soupe bouillante ou glacée, chaude ou froide, réduite ou non en purée.

Dans tous les cas, ajoutez au dernier moment, juste avant de servir, quelques cuillerées de crème sure et de la ciboulette. Vous pouvez accompagner d'oignon et d'œuf dur haché et de concombre râpé, que vous présenterez à part dans de petits raviers.

MELON ET JAMBON EN GONDOLES

La chair fondante et sucrée du melon s'associe parfaitement au jambon italien fumé et cru, appelé *prosciutto*, ou à son cousin de Westphalie. On peut remplacer le melon par des figues bien mûres.

PRÉPARATION : *12 minutes*

INGRÉDIENTS *(6 personnes)*

La moitié d'un gros honeydew mûr
6 tranches minces de jambon fumé
Le jus d'un citron
Poivre noir

GARNITURE
Quartiers de citron

Faites bien refroidir le melon. Détaillez-le en six longues tranches dont vous supprimerez les graines et l'écorce. Enveloppez chaque tranche de melon dans une tranche de jambon ; aspergez-la de jus de citron et poivrez.

Décorez chaque gondole de melon au jambon d'un quartier ou d'une rondelle de citron.

RAMEQUINS D'ÉPINARDS

Ce hors-d'œuvre insolite et appétissant, d'origine italienne, est constitué d'une épaisse crème d'épinards, de sardines et d'œufs. Servez avec des biscottes ou des crackers.

PRÉPARATION : *10 à 15 minutes*
RÉFRIGÉRATION : *30 minutes à 1 heure*

INGRÉDIENTS *(4 personnes)*
500 g d'épinards
1 oignon
2 pincées d'estragon sec
1½ c. à soupe de persil finement haché
1 œuf dur
4 sardines à l'huile
2 c. à soupe de crème épaisse
Sel, poivre
GARNITURE
1 œuf dur
4 filets d'anchois

Épluchez les épinards en enlevant les feuilles abîmées et les tiges dures ; lavez-les plusieurs fois à grande eau froide. Egouttez-les un peu, mettez-les dans un faitout avec l'oignon pelé et finement haché, l'estragon et le persil. Couvrez et laissez cuire à feu doux pendant 7 à 10 minutes, jusqu'à ce que les épinards soient tendres. Egouttez-les le mieux possible.

Hachez l'œuf dur et les sardines dont vous aurez enlevé l'arête, mélangez-les aux épinards, en les passant au tamis ou au mixer ; incorporez-y la crème, assaisonnez de sel et de poivre frais moulu. Versez cette purée dans des ramequins et mettez au réfrigérateur jusqu'à ce qu'elle ait pris une consistance bien ferme.

Pour la garniture, séparez le jaune et le blanc de l'œuf dur ; hachez finement le blanc et passez le jaune au tamis. Décorez chaque ramequin de lignes alternées de blanc et de jaune. Coupez les filets d'anchois et étendez-les à la surface de manière à former un motif quadrillé.

TARTE AU FROMAGE

Vous pouvez faire une tarte ou des tartelettes. Servez à table comme entrée ou comme plat de résistance, ou avec les apéritifs.

PRÉPARATION : *15 minutes*
CUISSON : *15 à 30 minutes*

INGRÉDIENTS *(4 personnes)*
Pâte ordinaire préparée avec les ¾ des quantités indiquées (p. 317)
200 g de fromage à la crème
2 œufs
2 tranches de saumon fumé ou de jambon cuit
2 c. à thé de zeste de citron râpé ou de persil haché
60 g de gruyère
Sel, poivre
GARNITURE
Cresson
Olives noires

Avec le rouleau fariné, sur un plan de travail fariné, abaissez la pâte en un disque épais de 5 mm environ ; foncez-en un moule à flan d'un diamètre de 20 cm ou six petits moules à tartelette.

Dans une jatte, battez le fromage à la fourchette jusqu'à ce qu'il soit moelleux et lisse ; mêlez-y les deux œufs légèrement battus, le saumon (ou le jambon) coupé en petits morceaux, le zeste de citron ou le persil, du sel et du poivre. Versez le mélange dans le moule jusqu'au niveau du bord de la pâte. Avec un couteau bien aiguisé, coupez le gruyère en fines lamelles, disposez-les en une seule couche à la surface de la préparation.

Mettez au centre du four, préchauffé à 200°C, et laissez cuire pendant 25 à 30 minutes pour la tarte, 15 à 20 minutes pour les tartelettes, jusqu'à ce que le mélange soit bien gonflé et la surface d'une belle couleur d'or bruni.

Servez aussitôt sorti du four, en garnissant de cresson et d'olives.

POTAGE PAYSANNE

Ce substantiel potage aux légumes peut presque tenir lieu de plat de résistance. Choisissez les légumes en fonction de ce que vous trouvez sur le marché, les quantités ci-dessous n'étant données qu'à titre indicatif. Les petits pois, les haricots verts et le cresson s'ajoutent une fois l'ébullition commencée.

PRÉPARATION : *30 minutes*
CUISSON : *1 heure*

INGRÉDIENTS *(6 personnes)*
2-3 carottes
1-2 navets
2-3 panais
1-2 poireaux
La moitié d'un pied de céleri
1 gros oignon
6 champignons
2 tranches de bacon
225 g de tomates
4 c. à soupe de beurre
2 c. à soupe de farine
125 ml de lait
1 litre de bouillon blanc
Sel et poivre noir
Jus de citron
Fines herbes mélangées
GARNITURE
2 c. à thé de menthe (ou de persil) hachée
Croûtons (p. 268)

Lavez et pelez les carottes, les navets et les panais ; détaillez-les en petits dés. Supprimez les racines et les feuilles extérieures des poireaux ; lavez-les à l'eau courante et hachez-les grossièrement. Lavez le céleri et émincez-le en fines rondelles. Pelez et hachez grossièrement l'oignon. Parez et émincez finement les champignons. Détaillez le bacon en dés. Pelez, épépinez et concassez les tomates.

Dans une grande marmite à fond épais, faites étuver à feu modéré dans le beurre chaud le bacon, l'oignon, le céleri et les champignons sans les laisser prendre couleur. Ajoutez les carottes, les navets, le panais et les poireaux et prolongez la cuisson de quelques minutes. Hors du feu, ajoutez la farine, puis progressivement le lait. Remettez la marmite sur le feu et versez-y le bouillon chaud en remuant constamment jusqu'à ce que l'ébullition soit bien prise. Ajoutez enfin les tomates (et les légumes verts si vous en avez) et laissez le potage mijoter doucement.

Si c'est nécessaire, vous pouvez éclaircir la soupe en ajoutant un peu d'eau ou de lait. Assaisonnez de sel, de poivre fraîchement moulu, de jus de citron et d'une ou de deux pincées de fines herbes. Couvrez la marmite et prolongez la cuisson à feu très doux pendant 45 minutes environ ou jusqu'à ce que les légumes racines soient complètement cuits.

Le potage paysanne se sert bouillant, garni de menthe ou de persil et de croûtons. Pour le rendre plus substantiel encore, présentez en même temps du pain frotté d'ail et du fromage râpé.

Le lendemain, passez les restes de potage paysanne au presse-purée ou au mixer en ajoutant un peu de lait ou de jus de tomate. Au moment de servir ce nouveau potage, incorporez un peu de crème et garnissez de menthe ou de persil ou encore de croûtons dorés.

Poissons et fruits de mer

FEUILLETÉS AU CRABE

Vous pouvez les servir chauds ou froids, comme plat principal ou comme hors-d'œuvre ; dans le premier cas, comptez-en deux par personne, dans le second cas, un seul peut suffire.

PRÉPARATION : *40 minutes*
CUISSON : *15 minutes*

INGRÉDIENTS *(4 personnes)*
Pâte feuilletée fine préparée avec la moitié des quantités indiquées dans la recette (p. 326)
100 à 120 g de chair de crabe cuite (éventuellement en boîte)
6 champignons
2 c. à soupe de beurre doux
2-3 c. à thé de farine
2 c. à soupe de cresson haché
100 ml environ de crème légère
1 c. à soupe de cognac ou de xérès sec
1-2 c. à thé de jus de citron
1 œuf
Sel, poivre
GARNITURE
Quartiers de citron
Branches de cresson

Épluchez les champignons et coupez-les en fines lamelles. Dans une poêle, faites fondre le beurre à feu doux et mettez-y à revenir quelques minutes les champignons et la chair de crabe émiettée. Retirez du feu, mélangez-y assez de farine pour absorber tout le beurre, puis ajoutez la crème et le cresson. Remettez sur le feu, laissez cuire à feu doux pendant 4-5 minutes. Retirez de nouveau du feu et ajoutez le cognac, du sel, du poivre et le jus de citron. Retirez du feu et laissez refroidir.

Abaissez la pâte en une feuille rectangulaire de 20 cm sur 40 cm environ ; à l'aide d'un couteau bien aiguisé, coupez-la en huit carrés de 10 cm de côté. Mettez au centre de chaque carré de pâte 2 cuillerées du hachis de crabe, badigeonnez les bords de la pâte avec un peu d'œuf légèrement battu à la fourchette et repliez chaque carré en diagonale, de façon à obtenir un triangle ; pressez bien les bords pour que la garniture y soit bien renfermée, faites-y des dessins avec la pointe d'une fourchette et badigeonnez la surface de chaque feuilleté avec encore un peu d'œuf battu. Pratiquez à la surface supérieure deux ou trois fentes pour permettre à la vapeur de sortir pendant la cuisson, disposez les feuilletés sur une plaque humidifiée à l'eau froide, mettez aussitôt au centre du four, préchauffé à 290°C, et laissez cuire pendant 10 à 15 minutes, jusqu'à ce que les feuilletés soient gonflés et bien dorés.

Servez-les chauds ou froids, garnis de citron et de cresson.

MAQUEREAUX AU CIDRE

La chair grasse du maquereau ne se conserve pas très bien ; il faut donc consommer ce poisson sans tarder après l'achat. Cette recette vient de Somerset, en Angleterre.

PRÉPARATION : *20 minutes*
CUISSON : *35 minutes*

INGRÉDIENTS *(4 personnes)*
4 maquereaux
Sel et poivre noir
2 pommes à croquer
1 petit oignon
225 g de cheddar
4 à 6 c. à soupe de beurre fondu
100 g de chapelure de pain blanc
3-4 c. à soupe de cidre sec ou de vin blanc sec
GARNITURE
Quartiers de citron
Persil haché

Demandez au poissonnier de vider les maquereaux et de les débarrasser de leurs têtes. Lavez-les à l'eau froide et enlevez l'arête dorsale si vous le souhaitez. Essuyez les poissons avec du papier absorbant ; salez-les et poivrez-les avec discrétion.

Pelez les pommes et l'oignon ; râpez-les grossièrement ainsi que la moitié du fromage. Dans un bol, mélangez les pommes, l'oignon, le fromage et la chapelure avec 1 cuillerée à soupe de beurre fondu. Placez la farce ainsi obtenue dans la cavité abdominale des poissons et fermez l'ouverture avec deux ou trois brochettes de bois.

Râpez finement le reste du fromage. Couchez les maquereaux côte à côte dans un plat à four et saupoudrez 1 cuillerée à soupe de fromage râpé sur chaque poisson. Ajoutez le reste du beurre fondu et assez de cidre ou de vin blanc pour couvrir le fond du plat. Déposez délicatement un morceau de papier d'aluminium ou de papier paraffiné beurré sur le plat et placez celui-ci au centre du four préchauffé à 180°C. Comptez 25 à 35 minutes de cuisson ; les poissons doivent être tendres et bien dorés.

Faites passer les maquereaux directement du four à la table en les garnissant de quartiers de citron et de persil finement haché. Accompagnez le plat de pommes de terre en robe de chambre, c'est-à-dire bouillies dans leur pelure.

POISSON SAUCE MARINE

Les Sud-Américains sont par tradition de grands amateurs de plats — viande ou poisson — qu'on a fait mariner avant la cuisson. La marinade de cette recette, composée d'huile d'olive, de jus de citron, d'oignon et d'ail, confère aux filets de poisson une saveur spéciale bien en harmonie avec la fin de l'été. Cuite ensuite avec du vin blanc et liée avec les jaunes d'œufs, elle accompagne le plat en sauce.

PRÉPARATION : *20 minutes*
MARINAGE : *1 heure*
CUISSON : *15 minutes*

INGRÉDIENTS *(4 personnes)*
600 à 700 g de filets d'aiglefin ou de morue
1 œuf
150 à 200 g de chapelure de pain blanc
Huile pour friture
MARINADE
4 c. à soupe d'huile d'olive
2 c. à soupe de jus de citron
1 petit oignon
1 gousse d'ail
1-2 feuilles de laurier
Noix de muscade râpée
Sel, poivre
SAUCE MARINE
150 ml de vin blanc sec
2 jaunes d'œufs
GARNITURE
1 c. à soupe de persil finement haché

Préparez d'abord la marinade. Mélangez l'huile d'olive et le citron, l'oignon et l'ail pelés et finement hachés, les feuilles de laurier, du sel, du poivre et une pincée de noix de muscade râpée.

Lavez et essuyez les filets de poisson, disposez-les dans un plat creux, recouvrez-les de la marinade que vous venez de préparer et laissez reposer 1 heure, en retournant le poisson de temps en temps.

Retirez les filets de la marinade, que vous mettrez de côté, essuyez-les bien dans du papier absorbant, badigeonnez-les à l'œuf battu, puis passez-les dans la chapelure, en appuyant pour que celle-ci adhère bien et en secouant ensuite pour en faire tomber l'excès.

Laissez durcir la chapelure pendant que vous préparez la sauce.

Portez la marinade à ébullition, puis passez-la dans une jatte à travers un chinois fin. Ajoutez le vin. Dans une autre jatte, battez les deux jaunes et incorporez-y, peu à peu, la marinade au vin. Posez la jatte au-dessus d'une casserole d'eau bouillant légèrement et laissez cuire, en remuant continuellement avec une cuillère en bois, jusqu'à ce que la sauce soit assez épaisse pour adhérer au dos de la cuillère. Si vous voyez que des grumeaux menacent de se former, ne perdez pas de temps : ajoutez vite 1 cuillerée d'eau froide et retirez immédiatement de la source de chaleur.

Faites chauffer l'huile dans une sauteuse et mettez-y à cuire les filets de poisson à feu moyennement vif ; retournez-les une fois et faites-les dorer des deux côtés. Placez-les sur du papier absorbant pour éliminer l'excès d'huile, puis servez-les aussitôt, très chauds, parsemés de persil, en présentant à part la sauce marine et, comme accompagnement, de la purée de pommes de terre et des haricots verts.

Viandes

ÉPAULE DE VEAU FARCIE BRAISÉE

Le braisage, mieux que le rôtissage, conserve à la viande ses jus naturels qui s'associent au fond de cuisson pour donner une excellente sauce. Le bouillon demandant 3 heures de cuisson, préparez-le la veille.

PRÉPARATION : 35 minutes
CUISSON : 1 h 45

INGRÉDIENTS (6 personnes)

1,2 à 1,5 kg de veau désossé dans
 l'épaule
60 g de beurre
125 ml de vin blanc sec
150 à 250 ml de bouillon
BOUILLON
1 gros oignon
2 carottes
1 côte de céleri
Bouquet garni

FARCE
500 ml de bouillon
150 g de riz à grains longs
1 pincée de safran
1 botte de cresson
60 g de noix mondées
1 citron
4 tranches de bacon
Sel et poivre noir fraîchement moulu
1 œuf
GARNITURE
Cresson

Demandez au boucher de désosser l'épaule de veau et de concasser les os. Mettez les os dans une marmite avec les légumes du bouillon nettoyés et hachés et couvrez d'eau froide. Ajoutez le bouquet garni et assaisonnez de sel et de poivre noir. Laissez cuire 3 heures. Passez le bouillon et réservez-le.

Avec un couteau tranchant, élargissez les cavités de l'épaule pour y mettre la farce. Faites cuire le riz avec le safran dans 500 ml de bouillon pendant 12 à 14 minutes ou jusqu'à ce qu'il soit tendre.

Lavez et hachez le cresson ; hachez les noix menu et râpez le zeste du citron. Faites sauter le bacon dans un peu de beurre à feu doux pour qu'il soit croustillant. Hachez-le grossièrement après l'avoir épongé.

Déposez le riz cuit dans un bol et mélangez-y le gras rendu par le bacon, le bacon lui-même, le cresson, les noix et le zeste de citron. Salez et poivrez au goût et liez avec l'œuf légèrement battu.

Introduisez la farce dans les cavités pratiquées auparavant dans la viande, puis roulez et ficelez celle-ci en ballottine. Faites revenir rapidement la pièce au beurre chauffé dans une rôtissoire. Ajoutez le vin et placez le veau au centre du four préchauffé à 180°C pendant 1 h 30 environ. Arrosez fréquemment en ajoutant un peu de bouillon au vin si c'est nécessaire.

Dressez le veau sur un plat de service chaud et retirez les ficelles. Mettez 125 ml de bouillon dans la rôtissoire et faites bouillir vivement pour que le liquide réduise de moitié et prenne une coloration brun clair. Versez la sauce dans une saucière chaude.

Présentez l'épaule farcie en tranches, garnies de brins de cresson. Servez en même temps des pommes de terre sautées ou des courgettes au gratin (p. 206).

MOULES SAUCE POULETTE

Il faut toujours nettoyer les moules avec beaucoup de soin, en arrachant la touffe de filaments adhérant à chaque coquillage, car elle peut être toxique.

PRÉPARATION : 30 minutes
CUISSON : 10 minutes

INGRÉDIENTS (5 ou 6 personnes)
2 kg de moules
1 feuille de laurier
1 branche de persil
1 échalote
400 ml de vin blanc sec
150 ml de crème épaisse
2 jaunes d'œufs
2 c. à soupe de persil haché
Le jus d'un citron
6 grains de poivre noir
Sel, poivre

Nettoyez les moules, en grattant bien les coquilles et en éliminant toutes celles qui sont ouvertes, cassées ou qui semblent douteuses. Lavez les autres et mettez-les dans un faitout ou une grande casserole, avec la feuille de laurier, la branche de persil, l'échalote pelée et hachée finement, le poivre en grains et le vin blanc. Couvrez et mettez à feu modéré, en secouant de temps en temps le récipient, jusqu'à ce que toutes les moules soient ouvertes.

Retirez alors les moules du faitout, éliminez les coquilles vides et mettez les pleines dans un récipient tenu au chaud et recouvert d'un linge de cuisine.

Filtrez le liquide de cuisson des moules à travers une passoire fine. Dans un bol, battez les jaunes d'œufs, ajoutez-y la crème, puis, une par une, quelques cuillerées du liquide de cuisson des moules ; incorporez ce mélange au reste du liquide, en ajoutant le persil haché, du poivre et du jus de citron. Faites chauffer doucement cette sauce, en la remuant, sans la faire bouillir, jusqu'à ce qu'elle épaississe légèrement.

Servez les moules dans des assiettes creuses, en les arrosant de sauce et en disposant près de chaque assiette un rince-doigts, contenant une rondelle de citron, et un récipient pour se défaire des coquilles vides. Vous pouvez aussi sortir les moules de leurs coquilles et les manger à la cuillère.

PORC EN CROÛTE

La blonde et croquante pâte feuilletée fine est souvent utilisée pour renfermer des mets raffinés et coûteux, tels que du filet de bœuf, de la volaille désossée ou du saumon, mais elle peut très bien envelopper également de la viande hachée, bien plus économique.

PRÉPARATION : *25 minutes*
CUISSON : *1 h 45*

INGRÉDIENTS *(6 personnes)*

900 g de viande de porc maigre hachée
Pâte feuilletée fine préparée avec la moitié des quantités indiquées (p. 326)
100 ml de bouillon de bœuf ou de poulet
1 oignon
1 gousse d'ail
2 c. à soupe de persil haché
18 champignons
2 c. à thé de sauce Worcestershire
3 œufs
120 g de fromage (type Bel Paese ou Gouda)
Sel, poivre

Rassemblez dans une grande jatte la viande de porc, l'oignon pelé et finement haché, l'ail pilé, le persil, deux des œufs, battus avec la sauce Worcestershire, du sel, du poivre et remuez jusqu'à l'obtention d'un mélange homogène. Mettez-en la moitié dans un moule rectangulaire beurré, en tassant bien de manière à former une couche uniforme. Coupez le fromage en tout petits dés, épluchez et hachez les champignons ; répartissez ces ingrédients sur la couche de viande ; disposez dessus l'autre moitié du hachis de porc en égalisant bien la surface et couvrez le moule d'une feuille d'aluminium ou de papier paraffiné beurré.

Mettez le moule dans un plat à gratin contenant un peu plus de 1 cm d'eau, placez au centre du four, préchauffé à 180°C, et laissez cuire pendant 1 h 15. Retirez du four. Recueillez avec soin le liquide qui s'est formé dans le moule contenant la viande et mettez-le de côté pour la sauce. Laissez la viande dans le moule où, en refroidissant, elle diminuera légèrement de volume.

Augmentez la température du four à 220°C. Étendez la pâte, sur un plan de travail légèrement fariné, de façon à obtenir une abaisse fine, rectangulaire, de 20 cm sur 30 cm. Retirez la viande du moule et mettez-la au centre de l'abaisse, dans laquelle vous la renfermerez bien, en scellant les bords avec le troisième œuf légèrement battu.

Disposez le pâté de viande, en le tournant de façon que les bords de la pâte se trouvent en dessous, sur une plaque à four légèrement humidifiée à l'eau froide ; badigeonnez la surface avec le reste de l'œuf battu. Décorez avec les chutes de pâte et pratiquez sur le dessus deux ou trois fentes pour laisser sortir la vapeur pendant la cuisson. Mettez au four et laissez cuire pendant 20 à 25 minutes ou jusqu'à ce que la pâte soit bien gonflée et dorée.

Dégraissez le liquide mis de côté ; versez-le, avec le bouillon, dans une petite casserole et faites-le bouillir rapidement jusqu'à ce qu'il soit légèrement réduit. Assaisonnez de sel et de poivre à votre goût et versez dans une saucière.

Servez le porc en croûte très chaud, en l'accompagnant de moitiés de tomates passées au gril, de chapeaux de champignons sautés et de pommes de terre au beurre.

GOULASCH À LA HONGROISE

Il existe de très nombreuses variantes de ce plat, connu dans le monde entier. Dans la recette ci-dessous, on utilise de la viande de bœuf, mais on peut employer du porc, du veau ou du poulet.

PRÉPARATION : *35 minutes*
CUISSON : *2 heures environ*

INGRÉDIENTS *(4 personnes)*

700 g de bœuf à bouillir ou à braiser
400 à 500 g d'oignons
4 c. à soupe d'huile végétale
500 ml à 1 litre de bouillon de bœuf
4 c. à soupe de concentré de tomate
3-4 c. à thé de paprika
2 c. à thé de sucre
2 c. à soupe de farine
125 ml de crème sure
Sel

Coupez la viande en cubes de 3-4 cm de côté. Pelez et émincez finement les oignons. Dans une cocotte, mettez à revenir dans l'huile, à feu modéré, la viande et les oignons, jusqu'à ce qu'ils soient dorés. Mouillez avec le bouillon chaud, salez et portez à ébullition.

Pendant ce temps, mélangez dans une casserole le concentré de tomate, le paprika, le sucre et la farine, en remuant bien pour avoir une pâte homogène. Incorporez à ce mélange quelques cuillerées à soupe du liquide de cuisson de la viande. Retirez du feu la cocotte contenant la viande et versez-y la préparation. Remettez sur le feu, reportez à ébullition, couvrez et laissez cuire à feu doux 2 heures. Remuez de temps en temps.

Juste avant de servir, dégraissez le jus, puis ajoutez la crème sure ; mélangez bien et goûtez pour rectifier l'assaisonnement, si c'est nécessaire. Servez avec des pommes de terre à l'eau, des pâtes ou du riz.

RÔTI DE PORC AUX POMMES ET AUX NOIX

L'épaule de porc est un morceau qui convient bien pour les rôtis parce que la chair en est tendre. Désossée et farcie, elle se laisse couper facilement en belles tranches même par les moins experts.

PRÉPARATION : *20 minutes*
CUISSON : *2 heures*

INGRÉDIENTS *(8 personnes)*

1,5 kg d'épaule de porc désossée
1 petit oignon
8 à 10 c. à soupe de noix de cajou (ou de cacahouètes)
2 tranches épaisses de pain blanc sans croûte
1 pomme à cuire
1 côte de céleri
2 c. à soupe de beurre
1 c. à soupe de persil haché
Le jus d'un citron
2-3 c. à soupe d'huile
100 ml de vin blanc sec
Sel, poivre

Pelez et émincez l'oignon et réduisez en petits morceaux les noix de cajou ou les cacahouètes. Coupez le pain en dés. Lavez et hachez finement le céleri.

Faites fondre le beurre dans une casserole, à feu modéré, et mettez-y à revenir l'oignon et les noix jusqu'au moment où ils commencent à prendre couleur. Ajoutez-y le pain, la pomme, le céleri et le persil, et poursuivez la cuisson jusqu'à ce que la pomme soit tendre. Assaisonnez de sel, de poivre et de jus de citron à volonté.

Ouvrez le morceau de viande et garnissez-le de la farce ainsi obtenue ; puis roulez-le et ficelez-le.

Mettez la viande dans un plat à rôtir huilé avec la moitié de l'huile, badigeonnez-la avec le reste de l'huile, saupoudrez-la de sel. Mettez dans la partie supérieure du four, préchauffé à 200°C, et laissez cuire pendant 20 à 30 minutes. Déplacez le rôti, mettez-le dans le bas du four et baissez la température de celui-ci à 180°C. Laissez cuire encore 1 h 30 ou jusqu'à ce que, en piquant la viande avec une aiguille, vous en voyez sortir un liquide couleur d'ambre.

Mettez le rôti dans un plat de service et gardez-le au chaud. Laissez tiédir le fond de cuisson, puis éliminez-en soigneusement le gras monté à la surface. Ajoutez le vin, portez à ébullition à feu modéré, en raclant le fond pour bien déglacer ; quand le jus a pris couleur, assaisonnez de sel et de poivre à volonté et versez-le dans une saucière chaude.

Servez le rôti en l'accompagnant de purée de pommes de terre, de chou ou de haricots verts.

ÉPIGRAMMES D'AGNEAU

Une marquise du XVIIIe siècle ayant entendu un de ses invités raconter que, lors d'un dîner, son hôte l'avait régalé d'excellentes épigrammes, ordonna à son cuisinier de lui en préparer ! Le chef, nullement pris de court, inventa une recette à laquelle il donna ce nom.

PRÉPARATION : *30 minutes*
CUISSON : *2 heures*
REPOS : *3 heures*

INGRÉDIENTS *(4 à 6 personnes)*
1,5 kg de poitrine d'agneau désossée
2 poireaux
1-2 côtes de céleri
3-4 carottes
1 oignon
1 bouquet garni
1 gros œuf
Chapelure
60 g de beurre doux
2 c. à soupe d'huile de maïs
2 c. à thé de sel
6 grains de poivre
GARNITURE
Cresson
Rondelles de citron

Débarrassez les poireaux des racines, de la partie verte, des feuilles dures extérieures et lavez-les bien ; grattez et lavez les carottes ; lavez le céleri ; hachez le tout. Pelez et émincez l'oignon.

Après en avoir éliminé le plus de gras possible, mettez la poitrine d'agneau dans une grande casserole, avec les légumes, le bouquet garni, le sel et le poivre en grains. Recouvrez d'eau froide et portez à ébullition ; écumez soigneusement, couvrez et laissez cuire à petits bouillons pendant 1 h 30. Egouttez la viande, laissez-la refroidir légèrement, puis désossez-la. Filtrez le bouillon et réservez-le pour l'utiliser comme base d'un potage. Etendez la viande entre deux planchettes ; sur celle du dessus, mettez un poids et laissez ainsi jusqu'à complet refroidissement. Eliminez tout ce qui reste de gras, puis coupez la viande en carrés de 5 cm de côté ; passez-les dans l'œuf battu, puis dans la chapelure et laissez reposer jusqu'à ce que cette panure ait durci.

Chauffez le beurre et l'huile dans une sauteuse et mettez-y à cuire les morceaux de viande à feu modéré jusqu'à ce qu'ils soient bien dorés et croquants des deux côtés (20 minutes environ) ; placez-les sur du papier absorbant pour éliminer l'excès de gras et servez-les aussitôt, en garnissant de cresson et de rondelles de citron, et en accompagnant de sauce béarnaise ou de sauce tartare (p. 271).

CHATEAUBRIAND

Ce plat fameux porte le nom du célèbre auteur français du XIXe siècle. Il s'agit d'un double filet de bœuf pris dans la grosse partie de la longe et qui sert au moins deux personnes.

PRÉPARATION : *5 minutes*
CUISSON : *8 à 10 minutes*

INGRÉDIENTS *(2 personnes)*
1 chateaubriand de 350 à 400 g
1 c. à soupe de beurre fondu
Poivre noir
GARNITURE
Cresson
Beurre à la maître d'hôtel (p. 306)

Parez la viande et aplatissez-la légèrement pour qu'elle ait entre 4 et 5 cm d'épaisseur. Badigeonnez-la de beurre fondu d'un côté et poivrez-la avec le moulin. Ne salez pas (le sel fait sortir les jus naturels du bœuf).

Exposez la face beurrée du bifteck au gril et laissez-le cuire 4-5 minutes à grande chaleur pour le saisir et sceller les jus à l'intérieur. Tournez la pièce, badigeonnez-la de beurre fondu et poivrez. Diminuez la chaleur et faites cuire 4-5 minutes. Ne tournez la viande qu'une fois. Ce temps de cuisson donne un chateaubriand rose à l'intérieur et rôti à l'extérieur.

Déposez le bifteck sur une planche de bois et escalopez-le à l'oblique en six tranches de même épaisseur. Dressez la pièce d'un seul bloc dans un plat de service chaud et décorez-la de bouquets de cresson et de rondelles de beurre à la maître d'hôtel.

On sert généralement le chateaubriand avec des pommes de terre château (p. 301) et une sauce béarnaise (p. 271), suivi d'une petite salade verte arrosée de vinaigrette.

TRANCHES DE JAMBON AU MADÈRE

Une agréable sauce au madère fait des tranches de jambon un plat appétissant et élégant.

PRÉPARATION : *20 minutes*
CUISSON : *20 à 25 minutes*

INGRÉDIENTS *(4 personnes)*
4 tranches de jambon de 1,5 à 2 cm d'épaisseur
12 à 18 champignons
1 gros oignon
4 grosses tomates
60 g de beurre
1 pincée de basilic (frais ou sec)
1 pincée de marjolaine sèche
60 ml de madère ou de sherry doux
100 ml de bouillon de bœuf ou de poulet
Le jus d'un citron
1 c. à thé de sucre
Sel, poivre

Pour empêcher les tranches de s'enrouler pendant la cuisson, pratiquez des fentes dans la graisse qui les entoure.

Epluchez les champignons, détachez les pieds et hachez-les grossièrement ; laissez les chapeaux entiers. Pelez, lavez et émincez l'oignon ; pelez les tomates, coupez-les en deux dans la largeur, pressez-les pour en faire sortir les graines et hachez-les grossièrement.

Faites chauffer le beurre dans une sauteuse ou une poêle à feu modéré ; quand il a fini de mousser, mettez-y les tranches de jambon ; faites-les cuire, en les retournant plusieurs fois, pendant 8 minutes environ, jusqu'à ce qu'elles soient dorées des deux côtés. Mettez-les dans un plat.

Dans le gras resté dans la sauteuse, faites légèrement revenir les champignons (pieds et chapeaux), jusqu'à ce qu'ils soient tendres ; ajoutez-y ensuite les tomates, le basilic et la marjolaine. Couvrez avec un couvercle ou une feuille d'aluminium et laissez cuire doucement pendant 5 minutes, en secouant la poêle de temps à autre.

Remettez la viande dans la sauteuse, ajoutez le madère ou le sherry et le bouillon ; assaisonnez de sel, de poivre, de sucre et de jus de citron à votre goût. Couvrez et poursuivez la cuisson à feu doux pendant 10 minutes ou jusqu'à ce que la viande soit tendre.

Disposez les tranches de jambon dans un plat de service tenu au chaud, recouvrez-les de la sauce. Vous pouvez servir, comme accompagnement, de la purée de pommes de terre à la crème, du riz nature ou un légume braisé, comme des choux de Bruxelles.

CÔTELETTES DE PORC À L'AIGRE-DOUX

Un plat au goût raffiné, vraiment facile à réaliser, que vous ferez simplement cuire au four.

PRÉPARATION : *5 minutes*
CUISSON : *1 h 30*

INGRÉDIENTS *(6 personnes)*
6 côtelettes de porc épaisses de 2,5 cm
1 c. à soupe de moutarde de Dijon
100 ml de ketchup
3 c. à soupe de cassonade
4 c. à soupe de vinaigre de cidre
1 c. à soupe de sauce Worcestershire
Sel, poivre

Chauffez le four à 180°C. Salez et poivrez les côtelettes et disposez-les en une seule couche dans un plat à gratin. Mélangez tous les autres ingrédients, versez sur la viande, mettez au four et laissez cuire à découvert pendant 1 h 30. Dégraissez le jus et servez avec de la purée de pommes de terre et une salade de cresson.

CRÊPES FOURRÉES À LA CHINOISE

Sur toutes les tables chinoises, on trouve des crêpes fourrées d'une garniture savoureuse et cuites en grande friture. Ces farces sont généralement à base de germes de fèves.

PRÉPARATION : *45 minutes*
CUISSON : *15 minutes*

INGRÉDIENTS *(4 personnes)*

8 crêpes fines (p. 311)
1 oignon vert
1 côte de céleri
6 petits champignons
6 à 8 châtaignes de conserve
60 g de germes de fèves frais ou de conserve
75 à 100 g de porc maigre cuit et haché
100 à 110 g de crevettes cuites et hachées
1 c. à soupe d'huile
2 c. à thé de sauce de soya
1 c. à soupe de xérès sec
2 c. à thé de fécule de maïs
2 c. à soupe de jus de châtaigne
1 œuf
Huile à friture

Enlevez les racines et l'extrémité verte de l'oignon vert en conservant la plus grande partie de la tige ; hachez-le finement. Lavez le céleri, parez les champignons et hachez-les menu. Emincez les châtaignes en tranches minces. Si vous utilisez des germes de fèves frais, éliminez les parties fanées. Blanchissez les germes 5 minutes à l'eau bouillante, égouttez-les bien et hachez-les grossièrement.

Confectionnez huit crêpes très fines et empilez-les entre des feuilles de papier paraffiné pour qu'elles demeurent souples pendant que vous préparez la farce.

Faites chauffer l'huile dans une sauteuse, à feu doux ; faites-y revenir l'oignon vert, le céleri et les champignons, jusqu'à ce qu'ils soient tendres. Ajoutez alors le porc et les crevettes ; puis, quelques minutes plus tard, les châtaignes, les germes de fèves, la sauce de soya et le xérès.

Délayez en pâte la fécule de maïs et le jus de châtaigne et incorporez-les à la farce. Prolongez la cuisson de 3 à 5 minutes ou jusqu'à ce que la fécule de maïs soit cuite, en re-

muant constamment. La préparation deviendra épaisse et luisante.

Répartissez la farce entre les crêpes. Badigeonnez les bords de chaque crêpe d'œuf légèrement battu et repliez-les sur la farce, en scellant bien les points de jonction. Vous aurez de la sorte huit petites bourses. Posez-les à l'envers sur un plat et laissez reposer 10 à 15 minutes.

Faites chauffer l'huile dans la friteuse garnie de son panier. Quand elle a atteint 190°C, jetez-y deux ou trois crêpes à la fois. Retirez-les lorsqu'elles sont croustillantes et dorées. Epongez-les sur du papier absorbant et gardez-les au chaud pendant que vous faites frire les autres crêpes.

Servez sans attendre avec du riz nature et une salade de laitue et de céleri (p. 62).

BŒUF À LA JARDINIÈRE

Un bœuf braisé, qui utilise des morceaux de viande peu coûteux, n'est pas seulement un plat assez économique, mais, s'il est bien préparé, il peut être aussi très savoureux et nourrissant.

PRÉPARATION : *25 minutes*
CUISSON : *2 h 30 à 3 heures*

INGRÉDIENTS *(6 personnes)*

1,2 kg de viande de bœuf à braiser roulé
8 petits oignons
500 g de petites carottes
2 navets
500 g de haricots verts ou de petits pois frais
4 c. à soupe d'huile ou de graisse de rôti de bœuf
150 ml de vin rouge
2 feuilles de laurier
2 pincées d'herbes aromatiques sèches (variées)
6 grains de poivre
1 c. à thé de sel

Pelez les petits oignons en les gardant entiers. Grattez ou pelez les carottes ; pelez les navets et coupez-les en quartiers. Faites chauffer l'huile dans une cocotte ou dans un récipient de terre allant au feu et, à feu vif, mettez-y à revenir la viande de tous les côtés, de façon qu'il se forme une croûte légère qui en maintiendra tous les sucs à l'intérieur. Ajoutez les petits oignons et faites-les dorer ; puis les carottes, les navets, le vin, le laurier, les herbes, le poivre et le sel.

Couvrez et faites cuire à feu doux, ou bien au centre du four préchauffé à 150°C, pendant 2 h 30 à 3 heures ou jusqu'à ce que la viande soit tendre. Si, pendant la

cuisson, le liquide s'évapore, ajoutez un peu de bouillon de bœuf.

Epluchez les haricots verts, coupez-les en morceaux de 2,5 cm environ (ou bien écossez les petits pois) ; faites-les cuire dans de l'eau bouillante légèrement salée pendant 10 minutes.

Retirez la viande du plat de cuisson et disposez-la dans un plat de service chaud. Entourez la viande des légumes et garnissez avec les haricots verts. Après en avoir ôté les feuilles de laurier, dégraissez le fond de cuisson si besoin est, assaisonnez-le de sel et de poivre et versez-le dans une saucière chaude.

Vous pouvez servir avec des pommes de terre à la vapeur.

Volaille et gibier

CANARD SAUVAGE À LA BIGARADE

Le canard sauvage — malard, canard noir ou sarcelle — est moins gras que son cousin d'élevage ; une garniture à l'orange fraîche lui donne saveur et tendreté. Cet apprêt se fait normalement avec des oranges amères appelées bigarades ; on peut les remplacer par des oranges douces relevées d'une pointe de jus de citron.

PRÉPARATION : *25 minutes*
CUISSON : *45 à 55 minutes*

INGRÉDIENTS *(4 personnes)*
1 gros ou 2 petits canards sauvages
1-2 oranges
Graisse de rôti ou autre corps gras
Bouquet garni
Sel et poivre noir
SAUCE À LA BIGARADE
1 gros oignon
1 côte de céleri
6 petits champignons
2 tranches de bacon
115 g de carottes
1 grosse ou 2 petites oranges
1 petit citron ou la moitié d'un gros
4 c. à soupe de graisse de rôti
2-2½ c. à soupe de farine
125 ml de vin rouge
125 ml de jus de tomate
125 ml de bouillon d'abattis
2 pincées de fines herbes mélangées
Sel et poivre noir
4 c. à thé de gelée de groseille
50 ml de porto

Gardez les abattis du canard. Essuyez-le avec soin à l'intérieur comme à l'extérieur avant d'introduire dans la carcasse l'orange pelée, détaillée en quartiers. Badigeonnez la poitrine de graisse de rôti et déposez le canard dans une rôtissoire graissée que vous couvrirez de papier d'aluminium. Enfournez-le dans le haut du four, préchauffé à 200°C, et faites cuire 45 minutes (ou davantage selon la taille de l'oiseau) en retirant le papier d'aluminium au bout de 30 minutes. La cuisson est à point lorsque, en piquant la cuisse du canard, il s'en échappe un jus incolore.

Pendant que le canard cuit, hachez grossièrement le foie et réservez-le. Déposez le cou et les abattis dans une casserole avec 300 ml d'eau et le bouquet garni. Salez et poivrez au moulin. Couvrez et laissez mijoter 15 à 20 minutes.

Préparez ensuite la sauce. Pelez l'oignon, lavez le céleri et parez les champignons avant de les émincer finement. Détaillez l'oignon et le céleri en dés ; coupez le bacon en petits morceaux.

Détaillez les carottes en dés après les avoir pelées ou grattées. Râpez le zeste d'orange et de citron et pressez les fruits pour en extraire le jus. Réservez. Chauffez la graisse de rôti dans une sauteuse à fond épais et faites-y revenir l'oignon, le céleri, les champignons et le bacon. Quand ils sont tendres, ajoutez les carottes. Prolongez la cuisson à feu moyen jusqu'à ce que les oignons commencent à prendre couleur. Saupoudrez alors une quantité suffisante de farine pour absorber le gras et prolongez la cuisson en remuant pour obtenir un roux brun. Hors du feu, incorporez le vin, le jus de tomate, le foie du canard et 125 ml de bouillon d'abattis passé au chinois. Amenez la sauce à ébullition lente, en remuant constamment, avant d'ajouter fines herbes, sel et poivre au goût, puis les zestes et les jus d'agrumes.

Couvrez la sauteuse et faites cuire à feu doux pendant 30 minutes ou jusqu'à cuisson complète des légumes. Eclaircissez la sauce au besoin avec du bouillon d'abattis.

Lorsque le canard est cuit, retirez-le de la rôtissoire en l'inclinant, le croupion vers le bas, de façon que le jus d'orange qui se trouve à l'intérieur tombe dans la rôtissoire. Placez le canard sur un plat de service et gardez-le au chaud. Dégraissez le jus de cuisson, puis couvrez

POULET À LA TERIYAKI

PRÉPARATION : *2 h 30*
CUISSON : *25 à 35 minutes*
MARINAGE : *2 heures*

INGRÉDIENTS *(4 personnes)*
1 poulet de 1,5 kg environ, détaillé en morceaux ou fendu en deux
50 ml de saké ou de xérès
50 ml d'huile
50 ml de sauce de soya
1 gousse d'ail pilée
1 c. à thé de gingembre moulu
1-1½ c. à soupe de graines de sésame

Ce plat, fortement relevé, est d'inspiration japonaise. On appréciera tout particulièrement sa garniture de graines de sésame.

Mélangez le saké ou le xérès, l'huile, la sauce de soya, l'ail et le gingembre et laissez macérer le poulet dans cette marinade pendant 2 heures en le retournant plusieurs fois.

Faites cuire le poulet, à environ 15 cm du gril, en le tournant toutes les 5 à 10 minutes et en l'arrosant fréquemment de marinade. Vers la toute fin de la cuisson, plongez les morceaux de poulet dans la marinade ; roulez-les dans les graines de sésame et remettez-les au gril en surveillant bien la cuisson, car les graines rôtissent rapidement.

Riz et pâtes

le fond de la rôtissoire de bouillon d'abattis. Déglacez rapidement sur un élément de surface en grattant le fond et les parois de la rôtissoire pour dégager les sucs. Laissez cuire le liquide jusqu'à ce qu'il prenne une agréable coloration brun clair avant de l'ajouter à la sauce à la bigarade en même temps que la gelée de groseille et le porto. Prolongez la cuisson le temps voulu pour que la gelée fonde. Rectifiez l'assaisonnement et passez la sauce.

Découpez le canard et nappez-le d'un peu de sauce ; servez le reste de la sauce à part, en saucière. Vous pouvez garnir le plat d'une bordure de pommes de terre duchesse (p. 301) et de petits choux de Bruxelles bien frais.

LAPIN À L'ESTRAGON

Pour cette recette, vous pouvez utiliser, au lieu du lapin, une quantité équivalente de poulet coupé en morceaux, sans perdre de vue cependant que le poulet demande un temps de cuisson plus court.

PRÉPARATION : *10 minutes*
REPOS : *30 minutes*
CUISSON : *45 minutes à 1 heure*

INGRÉDIENTS *(4 à 6 personnes)*
1 jeune lapin de 1,5 kg
60 g de farine
60 g de beurre
4 c. à soupe d'huile
200 ml de vin blanc sec
4 c. de persil haché
1 c. à soupe d'estragon sec finement effeuillé
1 c. à thé de sel
2 pincées de poivre gris

Demandez à votre fournisseur de couper le lapin en 12 morceaux.

Dans une poche en plastique, mettez la farine, le sel, l'estragon sec et le poivre, puis les morceaux de lapin ; secouez bien, en fermant la poche. Disposez ensuite les morceaux de lapin sur un plat et laissez-les reposer à la température ambiante pendant 30 minutes.

Faites fondre le beurre dans une grande poêle ou une sauteuse, ajoutez-y l'huile et mettez-y à revenir à feu moyen quelques morceaux de lapin à la fois, en les retournant délicatement à l'aide d'une spatule. Quand ils sont bien colorés de tous les côtés, disposez-les dans un plat et gardez-les au chaud. Faites ensuite revenir les autres morceaux.

Remettez tous les morceaux de lapin dans la poêle, ajoutez la moitié du vin, couvrez, baissez le feu et laissez cuire à feu doux pendant 15 minutes.

Retirez le couvercle, retournez les morceaux de lapin, couvrez de nouveau et laissez cuire doucement pendant encore 30 à 45 minutes ou jusqu'à ce que la viande soit tendre. Mettez le lapin dans un plat de service chaud.

Versez dans la poêle le reste du vin ; augmentez la chaleur ; ajoutez encore un peu d'estragon si vous le désirez et le persil haché ; portez à ébullition, secouez bien la poêle et versez enfin la sauce sur le lapin.

Servez avec des pommes de terre sautées et une salade de laitue et de tomates.

PAELLA VALENCIANA

La paella, qui est probablement le plus célèbre des plats espagnols, a de très nombreuses variantes locales. Les ingrédients de base sont cependant presque toujours les mêmes : poulet (ou poisson), oignon et riz au safran. En Espagne, elle est servie directement dans la grande poêle de fonte à deux anses dans laquelle elle a cuit, et qui lui a donné son nom de paella.

PRÉPARATION : *1 heure*
CUISSON : *1 heure*

INGRÉDIENTS *(6 personnes)*
1 poulet de 1,5 kg environ coupé en morceaux
3 branches de persil
1 feuille de laurier
1 branche de marjolaine
1 oignon
400 à 500 g de tomates
1-2 poivrons rouges ou verts
250 g de petits pois (ou de haricots verts)
400 g environ de cœurs d'artichauts en conserve (facultatif)
36 moules
1 c. à soupe d'huile d'olive
300 g de riz à grains longs
250 g de grosses crevettes décortiquées
150 g de chorizo
1 pointe de safran
Sel, poivre
GARNITURE
6 langoustines cuites avec leur carapace (ou 6 grosses crevettes entières)
6 quartiers de citron

Découpez les ailes et les cuisses du poulet avant de séparer les blancs de la carcasse.

Mettez la carcasse et les abattis dans une grande casserole avec le persil, la feuille de laurier, la marjolaine et assez d'eau pour recouvrir le tout ; salez et poivrez. Portez à ébullition, puis couvrez et diminuez le feu. Laissez cuire à petits bouillons 30 minutes environ. Filtrez le bouillon ainsi obtenu dans un chinois et réservez-le.

Pendant que le bouillon cuit, préparez les légumes et les crustacés. Pelez les tomates, coupez-les en deux horizontalement, pressez-les pour éliminer les graines et hachez-les grossièrement. Nettoyez les poivrons en les débarrassant des graines et des cloisons intérieures, lavez-les et coupez-les en lanières. Ecossez les petits pois ou épluchez les haricots verts et coupez-les en morceaux longs de 5 cm environ. Si vous utilisez des artichauts, égouttez-les et coupez-les en deux. Nettoyez soigneusement les moules ; pelez et émincez l'oignon.

Dans une poêle à paella ou une grande sauteuse, faites chauffer l'huile à feu modéré. Mettez-y à dorer de tous les côtés les morceaux de poulet, puis retirez-les et découpez-les en morceaux plus petits. Dans l'huile restant dans la sauteuse, faites revenir l'oignon, en remuant bien, pendant 5 à 8 minutes ; ajoutez alors le riz en remuant toujours jusqu'à ce qu'il soit légère-ment coloré. Remettez dans la poêle les morceaux de poulet, ajoutez tous les légumes (sauf les artichauts) ainsi que les moules, les crevettes décortiquées et le chorizo coupé en rondelles.

Mouillez avec le bouillon de façon que tous les ingrédients soient recouverts, couvrez la poêle avec un grand couvercle ou une feuille d'aluminium et faites cuire à feu doux 20 minutes ou jusqu'à ce que le bouillon soit absorbé et que le riz soit tendre mais pas trop cuit, en remuant de temps en temps et en ajoutant, si c'est nécessaire, un peu de bouillon ou, à défaut, de l'eau.

Retirez de la poêle les moules et gardez-les au chaud. Faites dissoudre une pointe de safran dans quelques cuillerées d'eau et versez ce mélange sur le riz, ainsi que les artichauts. Remuez bien ; salez et poivrez si c'est nécessaire.

Enlevez les coquilles vides des moules et disposez les pleines sur le riz. Servez la paella dans sa poêle, après l'avoir garnie de langoustines cuites avec leur carapace et de quartiers de citron.

Légumes

COQUILLETTES AUX MOULES

Les coquillettes *(lumachine)* sont un peu plus longues à cuire que les spaghettis. Vous pouvez également utiliser d'autres pâtes pour cette recette : papillons, macaronis courts. Vérifiez les temps de cuisson. A défaut de moules fraîches, utilisez des moules en conserve, sans leur eau.

PRÉPARATION : *30 minutes*
CUISSON : *20 à 30 minutes*

INGRÉDIENTS *(4 personnes)*
350 à 450 g de coquillettes (ou d'autres pâtes courtes)
1 kg de moules environ
500 g de tomates mûres
1 gousse d'ail
1½ c. à soupe d'huile d'olive
1 c. à soupe de persil haché
2 pincées de marjolaine sèche
2 pincées de basilic (frais ou sec)
Sel, poivre

Raclez et lavez soigneusement les moules et éliminez toutes celles qui ont une coquille ouverte ou cassée.
Pelez les tomates, coupez-les en deux dans le sens de la largeur, pressez-les pour en faire sortir les graines et hachez-les grossièrement. Pelez et hachez finement l'ail. Faites chauffer l'huile dans une poêle et mettez l'ail à revenir à feu doux. Ajoutez les tomates, le persil, les autres herbes aromatiques et portez à légère ébullition.
Mettez les moules lavées dans un faitout ou une grande casserole, couvrez et faites chauffer à feu modéré, en secouant de temps en temps le récipient, jusqu'à ce que les moules soient ouvertes. Retirez les mollusques des coquilles et mettez-les de côté (jetez les moules qui ne se sont pas ouvertes) ; filtrez le liquide de cuisson de façon à éliminer tout résidu de sable, puis ajoutez-le aux tomates. Faites bouillir doucement cette sauce à feu doux pendant 10 minutes.

Pendant ce temps, faites cuire les pâtes. Quand il est presque temps de les retirer de l'eau, ajoutez à la sauce tomate les moules retirées des coquilles et laissez-les bien chauffer ; assaisonnez de poivre, ajoutez du sel si besoin est (le liquide rejeté par les moules et ajouté à la sauce était déjà salé).
Egouttez les pâtes, mettez-les dans une soupière ou dans un grand plat ; versez la sauce et servez aussitôt, en mélangeant à table.

COURONNE DE RIZ À LA GRECQUE

Ce savoureux plat de riz peut être servi chaud ou froid, comme entrée ou comme garniture pour du poulet, des crustacés, des brochettes de viande.

PRÉPARATION : *20 minutes*
CUISSON : *35 à 40 minutes*
REPOS : *1 heure*

INGRÉDIENTS *(6 personnes)*
200 à 250 g de riz à grains longs
2 grosses tomates mûres
1 c. à soupe de ciboulette hachée
1 c. à soupe de persil haché
8 olives vertes
2 pincées de basilic
2 pincées de marjolaine sèche
1 poivron rouge
4 c. à soupe d'huile d'olive
2 c. à soupe de vinaigre à l'estragon
Le jus d'un citron
Sel, poivre
GARNITURE
Olives noires et lamelles de poivron rouge

Faites cuire le riz dans une grande quantité d'eau salée bouillante, à laquelle vous aurez ajouté 1 cuillerée à thé de jus de citron ; retirez-le *al dente* (il faudra environ 15 minutes de cuisson), égouttez-le bien et, s'il doit attendre, recouvrez-le d'un linge sec qui l'empêchera de devenir trop mou.

Pendant que le riz cuit, pelez les tomates, enlevez-en les graines, hachez-les finement et mettez-les dans une grande jatte avec la ciboulette, le persil, les olives vertes finement hachées, le basilic et la marjolaine. Passez le poivron 5 minutes à l'eau bouillante, puis enlevez la queue, les graines, les cloisons internes et coupez-le en lamelles ; mettez-en huit de côté, hachez finement les autres et ajoutez-les au hachis de tomates.
Dans la jatte contenant les tomates, versez le riz tiède. Mélangez dans une tasse l'huile et le vinaigre, le sel, le poivre et versez cette sauce sur le riz en quantité suffisante pour l'imprégner fortement ; goûtez, ajoutez du sel si besoin est et terminez avec du jus de citron à volonté. Mettez le mélange dans un moule en couronne, tassez-le bien et laissez-le reposer dans un endroit frais pendant au moins une heure.
Si vous voulez servir le riz chaud, couvrez le moule d'une feuille d'aluminium ou de papier paraffiné beurré, plongez-le dans un récipient qui contienne 1 cm environ d'eau bouillante et faites chauffer pendant 15 à 20 minutes. Pour démouler, retirez le papier ou la feuille d'aluminium, posez sur le moule un plat de service renversé, retournez le tout et secouez d'un coup sec pour faciliter la sortie de la couronne de riz. Garnissez d'olives noires et des lamelles de poivron rouge réservées.
Vous pouvez mettre au centre de la couronne la moitié d'un pamplemousse renversée et y piquer des brochettes de viande cuites au gril.
Pour un repas froid, procédez comme il est indiqué, mais sans faire réchauffer au bain-marie. Vous pouvez remplir le centre de la couronne de poulet ou de crevettes cuites, assaisonnées de mayonnaise ou de sauce mousseline (voir *Soufflé de poisson*, p. 108).

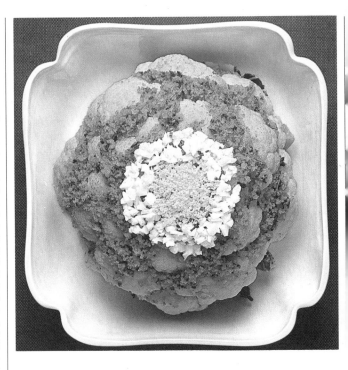

CHOU-FLEUR À LA POLONAISE

Le chou-fleur cuit à l'eau est un excellent accompagnement pour de la viande ou du poulet en sauce. Une garniture attrayante rend ce plat particulièrement appétissant.

PRÉPARATION : *15 minutes*
CUISSON : *20 minutes*

INGRÉDIENTS *(4 à 6 personnes)*
1 chou-fleur
2 œufs durs
60 g de beurre
100 g de chapelure
2 c. à soupe de persil haché
Le jus d'un citron
Sel, poivre

Epluchez le chou-fleur en enlevant les feuilles trop vertes et en égalisant le trognon. Lavez-le et faites-le cuire entier, dans de l'eau bouillante salée, pendant 10 à 15 minu-tes ou jusqu'à ce qu'il soit tendre. Egouttez-le et couvrez-le d'un linge sec pour le tenir au chaud.

Entre-temps, écalez les œufs, séparez les jaunes des blancs, passez les jaunes au tamis et hachez finement les blancs. Faites fondre le beurre dans une petite casserole, ajoutez la chapelure, faites-la cuire jusqu'à ce qu'elle soit croquante ; retirez du feu, ajoutez le persil haché et assaisonnez de sel, de poivre et de jus de citron selon votre goût.

Disposez le chou-fleur dans un plat de service chaud et décorez avec la chapelure, les blancs et les jaunes d'œufs.

TOMATES FARCIES AUX PETITS POIS

Les tomates farcies sont un accompagnement idéal pour les viandes rôties ou au gril, mais on peut les servir également comme entrée. Pour la farce, outre celle que nous indiquons ci-dessous, pourquoi ne pas utiliser soit celle qui accompagne les poivrons (voir recette suivante), soit celle qui sert pour les concombres au jambon (p. 206)? Chacune des trois va très bien avec les tomates.

PRÉPARATION : 20 minutes
CUISSON : 15 minutes

INGRÉDIENTS (6 personnes)
6 grosses tomates fermes
1 petit oignon
200 g de petits pois cuits
2 c. à thé de menthe fraîche hachée
1 jaune d'œuf
3 c. à soupe de beurre
Sel, poivre
GARNITURE
Olives noires

Lavez, essuyez bien les tomates et découpez dans chacune une calotte en vous servant d'un couteau-scie bien aiguisé; à l'aide d'une petite cuillère pointue, videz-les des graines et de la pulpe en ayant soin de ne pas endommager la peau. Retournez-les ensuite et laissez-les égoutter tandis que vous préparez la farce.

Pelez, lavez et hachez finement l'oignon; faites-le cuire à feu doux dans une casserole avec 2 cuillerées à soupe de beurre, pendant 5 à 7 minutes, sans le laisser colorer. Quand il est tendre, ajoutez les petits pois et la menthe hachée; laissez cuire pendant 3 minutes, en remuant continuellement. Laissez un peu refroidir, puis réduisez le mélange en purée en le passant au moulin à légumes ou au mixer.

Remettez la purée dans la casserole, assaisonnez-la de sel et de poivre, ajoutez-y le jaune d'œuf légèrement battu. Mettez à feu modéré; laissez cuire en remuant sans arrêt jusqu'à ce que la purée épaississe. Retirez du feu et laissez refroidir.

Assaisonnez de sel et de poivre l'intérieur des tomates, remplissez-les de la purée et refermez-les en replaçant les calottes, que vous maintiendrez en place avec un cure-dent de bois. Disposez dans un plat à gratin beurré, couvrez d'une feuille d'aluminium, mettez au four, préchauffé à 180°C, et laissez cuire 15 minutes ou jusqu'à ce que les tomates soient tendres mais pas affaissées.

Servez chaud, avec une olive enfilée dans chaque cure-dent.

POIVRONS FARCIS

Ces gros poivrons verts farcis d'un délicat hachis de viande peuvent très bien être servis comme plat principal, figurer au menu d'un buffet ou être emportés en pique-nique pour les derniers jours de l'été.

PRÉPARATION : 20 minutes
CUISSON : 30 minutes

INGRÉDIENTS (4 personnes)
4 poivrons verts
1 oignon
2 c. à soupe d'huile d'olive
200 à 250 g de viande hachée de
    bœuf ou de porc
1 grosse tranche de pain blanc
1 œuf
Sarriette, paprika et crème sure
    (facultatif)
2 c. à soupe de persil haché
Sel, poivre

Lavez et essuyez les poivrons. A l'aide d'un couteau pointu, pratiquez une fente circulaire autour de la queue. Mettez les queues de côté et enlevez les graines et les cloisons internes, sans endommager les poivrons. Jetez-les dans un faitout d'eau bouillante légèrement salée, sortez-les au bout de 5 minutes avec une écumoire et faites-les égoutter en les retournant.

Pelez et hachez l'oignon, mettez-le dans une poêle avec 1 cuillerée à soupe d'huile d'olive, faites-le cuire jusqu'à ce qu'il soit transparent (5 minutes environ); ajoutez la viande hachée et laissez cuire en remuant continuellement, pendant encore 5 minutes ou jusqu'à ce que la viande ait pris couleur. Retirez la poêle du feu et enlevez la graisse, si la viande en a rendu.

Enlevez la croûte du pain et faites tremper la mie dans l'œuf battu; émiettez-la avec une fourchette et mélangez-la à la viande. Ajoutez du sel, du poivre, une pincée de sarriette (facultatif), le persil et remuez bien jusqu'à ce que le hachis ait atteint une certaine consistance tout en restant souple.

Répartissez la farce dans les poivrons, sans trop la tasser; disposez-les bien droits dans un plat à gratin huilé; enduisez-les aussi d'un peu d'huile, versez dans le plat 2-3 cuillerées à soupe d'eau. Couvrez d'une feuille d'aluminium ou d'un couvercle, mettez au centre du four, préchauffé à 180°C, et laissez cuire 30 minutes ou jusqu'à ce que les poivrons soient tendres.

Disposez-les dans un plat de service chaud et remettez les queues à leur place, légèrement de travers pour laisser entrevoir la farce. Servez, si vous le souhaitez, avec de la sauce tomate relevée de paprika et de crème sure.

FRITURE DE CHOU

Une utilisation résolument insolite du chou blanc et un accompagnement idéal pour viande ou poisson au gril. Servez le chou dès qu'il est prêt, coupé en très fines lamelles, tout chaud et croquant.

PRÉPARATION : 5 minutes
CUISSON : 10 minutes

INGRÉDIENTS (4 personnes)

La moitié d'un chou blanc, de grosseur
    moyenne
120 ml environ de lait
50 g de farine
Huile pour friture
Sel

Eliminez les feuilles extérieures abîmées ou trop dures, lavez le chou et retirez le trognon. Coupez le chou en fines lamelles.

Plongez dans le lait quelques lamelles à la fois, puis passez-les dans la farine, que vous aurez étendue sur du papier paraffiné. Procédez ainsi pour tout le chou.

Faites chauffer un grand bain d'huile dans une bassine à friture, mettez dans le panier à friture quelques lamelles de chou et plongez-les dans l'huile 1-2 minutes ou jusqu'à ce qu'elles soient dorées et croquantes. Egouttez-les bien, mettez-les sur du papier absorbant et gardez au chaud jusqu'à ce que tout le chou soit frit.

Saupoudrez de sel et servez.

205

Desserts

CONCOMBRES AU JAMBON

Vous pouvez les servir comme plat principal léger (pour deux personnes) ou, pour quatre personnes, comme hors-d'œuvre ou encore pour accompagner des côtes de veau ou du poulet rôti.

PRÉPARATION : 25 minutes
CUISSON : 45 minutes

INGRÉDIENTS (2 à 4 personnes)

800 à 900 g de gros concombres
90 g de beurre
60 à 70 g de champignons
100 à 120 g de jambon cuit maigre
1 c. à soupe de persil haché
1 pincée de sarriette (facultatif)

2-3 c. à soupe de mie de pain frais émiettée
Sauce au fromage (p. 269) ou sauce tomate (p. 270)
Sel, poivre

Pelez les concombres et coupez-les en tronçons de 4-5 cm de long, videz-les de leurs graines et disposez-les dans un plat à gratin beurré.

Epluchez les champignons et hachez-les avec le jambon. Faites revenir le tout pendant 2-3 minutes dans 30 g de beurre ; ajoutez le persil et la sarriette, assaisonnez de sel et de poivre et mettez la mie de pain en quantité suffisante pour lier le mélange.

Saupoudrez uniformément les morceaux de concombre d'un peu de sel et de poivre, farcissez-les du hachis au jambon ; répartissez à la surface des concombres le reste du beurre coupé en petits morceaux et couvrez le plat d'une feuille d'aluminium pour que les concombres cuisent dans leur propre vapeur.

Mettez au centre du four, préchauffé à 180°C, et laissez cuire pendant 45 minutes ou jusqu'à ce que les concombres soient tendres mais encore légèrement croquants.

Servez avec une sauce tomate ou une sauce au fromage.

COURGETTES AU GRATIN

La saveur délicate des courgettes est bien mise en valeur dans cette préparation, qui fait un accompagnement idéal pour du poisson, du poulet ou du veau.

PRÉPARATION : 5 minutes
CUISSON : 25 à 30 minutes

INGRÉDIENTS (4 personnes)

6 courgettes
60 g de beurre
40 g de gruyère ou de cheddar râpé
4 c. à soupe de crème épaisse (facultatif)
Sel, poivre

Lavez et essuyez les courgettes, enlevez les deux bouts et coupez-les en deux dans le sens de la longueur.

Faites fondre le beurre dans une cocotte et mettez-y à revenir à feu vif les courgettes, la partie coupée vers le bas, jusqu'à ce qu'elles soient dorées. Retournez-les, assaisonnez-les de sel et de poivre et saupoudrez-les du fromage râpé.

Couvrez la cocotte, mettez-la au centre du four, préchauffé à 180°C, et laissez cuire pendant 20 minutes.

Si vous utilisez la crème, faites-la chauffer dans une petite casserole, sans la faire bouillir, et versez-la sur les courgettes juste avant de les porter à table.

GÂTEAU AUX PETITS FRUITS

Ce dessert élégant se compose d'une génoise remplie de petits fruits à la crème. Avec un peu d'habileté, vous découperez délicatement dans la génoise un couvercle que vous relèverez légèrement d'un côté pour laisser voir les petits fruits.

PRÉPARATION : 50 à 60 minutes
CUISSON : 15 minutes

INGRÉDIENTS (6 à 8 personnes)

4 œufs
100 g de sucre
125 g de farine autolevante
1 pincée de sel

225 à 350 g de baies mélangées (fraises, framboises, groseilles rouges)
300 ml de crème épaisse
150 g de sucre glace

Beurrez et farinez un moule rectangulaire d'environ 35 cm sur 20 cm. Dans une jatte, mélangez au fouet le sucre et les œufs jusqu'à ce que ceux-ci soient assez épais pour faire ruban. Tamisez ensemble la farine et le sel et ajoutez-les peu à peu en remuant.

Versez la pâte dans le moule en l'égalisant bien, surtout dans les coins. Enfournez au centre du four, préchauffé à 190°C, et laissez cuire pendant 15 minutes. Le gâteau est à point lorsqu'il est doré et ferme au toucher.

Démoulez-le sur une grille et laissez-le refroidir complètement (une nuit d'attente est préférable). Lavez les petits fruits et épongez-les parfaitement sur du papier absorbant. Fouettez la crème.

Tranchez le gâteau en deux à l'horizontale, en utilisant un couteau bien affilé. Etalez sur une des deux moitiés un peu plus de la moitié de la crème fouettée. Enlevez le centre de l'autre tranche de gâteau, en laissant tout autour un bord de 2,5 cm de largeur.

Déposez délicatement cette tranche de gâteau ainsi évidée sur la première tranche et remplissez-la de petits fruits en en réservant quelques-uns pour la décoration. Saupoudrez les baies de sucre glace et coiffez le tout du rectangle de gâteau que vous avez auparavant enlevé en le relevant un peu d'un côté. Insérez la crème fouettée qui reste dans la poche à décorer et décorez le dessus du gâteau. Complétez la décoration avec les fruits mis en réserve.

Ce gâteau peut se garder 2-3 heures au réfrigérateur. Il n'est pas conseillé de le préparer d'avance, car les petits fruits, en se ramollissant, tacheraient la crème.

DIPLOMATE AUX ABRICOTS

On profitera des abricots frais qu'on trouve encore en septembre pour confectionner ce dessert prestigieux, tout indiqué à l'occasion d'un grand dîner.

PRÉPARATION : 20 minutes
CUISSON : 30 minutes
RÉFRIGÉRATION : 2 heures

INGRÉDIENTS (4 à 6 personnes)
600 ml de crème anglaise (p. 309)
450 g d'abricots frais
125 ml de vin blanc
60 g de sucre
6 c. à soupe de cognac
225 g de doigts de dame
125 ml de crème épaisse

Apprêtez la crème anglaise et laissez-la refroidir. Lavez et asséchez les abricots ; coupez-les en deux pour enlever les noyaux. Préparez un sirop en faisant fondre le sucre dans le vin et faites-y pocher les moitiés d'abricots à feu doux jusqu'à ce qu'elles soient tendres. Laissez-les refroidir.

Déposez les fruits dans un compotier en verre ou sur un plat de service et arrosez-les de leur sirop et du cognac. Mettez de côté six à huit biscuits pour la décoration ; broyez les autres en petits morceaux avant de les verser sur les abricots : remuez pour qu'ils s'imprègnent du liquide. Nappez la préparation de crème anglaise et mettez le diplomate au réfrigérateur pendant environ 2 heures.

Avant de servir, fouettez la crème fraîche et, avec la poche à décorer, dessinez des rosettes à la surface de la préparation. Terminez avec les doigts de dame mis de côté pour la décoration.

POIRES FLAMBÉES

Voici un dessert que vous pouvez réaliser à la table sur un réchaud. Cet apprêt convient aussi parfaitement à des pêches ou à des abricots si vous les choisissez mûrs et fermes.

PRÉPARATION : 15 minutes
CUISSON : 10 minutes

INGRÉDIENTS (4 personnes)
4 poires fermes et mûres
2 c. à soupe de beurre doux
2 c. à soupe de cognac
8 tranches de 3 mm de gingembre frais
1-2 c. à soupe de sirop de gingembre
2 c. à soupe de crème épaisse

Pelez et coupez les poires en deux. Enlevez le trognon avec une cuillère pointue.

A feu modéré, chauffez le beurre dans un plat à réchaud ou une petite sauteuse. Couchez-y les poires et faites-les dorer d'un côté, puis de l'autre. Remplissez de cognac une cuillère à soupe chaude et enflammez-le avant de le répandre sur les fruits. Recommencez avec le reste du cognac.

Disposez deux moitiés de poires dans chaque assiette avec une tranche de gingembre dans la cavité du cœur. Versez le sirop de gingembre et la crème dans la sauteuse. Quand la sauce est chaude, nappez-en les fruits et servez immédiatement.

POUDING DU PARADIS

Ce dessert plaît aux enfants, à cause du riz au lait et de sa couverture croquante. A la place des pommes, on peut utiliser des poires.

PRÉPARATION : 30 minutes
CUISSON : 35 minutes

INGRÉDIENTS (4 personnes)
70 à 80 g de riz à grains longs
400 ml de lait
Quelques gouttes d'essence de vanille
700 g de pommes
10 à 12 c. à soupe de sucre
6 c. à soupe de crème épaisse
4-5 c. à soupe de confiture d'abricots
GARNITURE
1 blanc d'œuf
2 c. à soupe de sucre
2 c. à soupe d'amandes hachées
2 c. à soupe d'amandes pelées et effilées

Mettez le lait et le riz dans une cocotte et portez lentement à ébulli-tion ; couvrez et laissez cuire à feu doux, en remuant souvent, pendant 20 ou 25 minutes, jusqu'à ce que le riz soit tendre mais pas trop mou. Ajoutez l'essence de vanille, un peu de sucre (3-4 cuillerées à soupe, selon votre goût), mélangez et laissez refroidir.

Pelez les pommes, coupez-les en quartiers en éliminant les pépins, et coupez les quartiers en tranches. Versez dans une casserole 8 cuillerées à soupe de sucre et 250 ml d'eau, mettez sur feu doux, remuez jusqu'à ce que le sucre soit fondu ; portez à ébullition, ajoutez les tranches de pomme et laissez cuire à feu doux pendant 5 minutes, jusqu'à ce que les pommes commencent à devenir tendres sans être molles. Retirez-les avec une écumoire et faites-les égoutter et refroidir dans une passoire.

Fouettez légèrement la crème et mélangez-la au riz qui, pendant ce temps, se sera refroidi. Etalez la confiture sur le fond d'un plat à gratin rond de 18 cm de diamètre, disposez par-dessus les tranches de pomme et, sur celles-ci, le mélange de riz et de crème.

Battez le blanc en neige ferme, mêlez-y délicatement les amandes hachées et le sucre, répartissez ce mélange sur la couche de riz et parsemez avec les amandes effilées. Mettez dans la partie supérieure du four, préchauffé à la température maximale, pendant quelques minutes, jusqu'à ce que les amandes soient croquantes et dorées.

Servez immédiatement.

GANTOIS AUX FRAMBOISES

Cette pâtisserie d'origine flamande est formée de disques de pâte croquante, garnis de crème fouettée et de fruits frais ; le disque supérieur est recouvert de caramel.

PRÉPARATION : *1 heure*
RÉFRIGÉRATION : *30 minutes*
CUISSON : *25 à 30 minutes*

INGRÉDIENTS (*4 à 6 personnes*)
100 g de noisettes décortiquées
130 g de farine
4 c. à soupe de sucre
2 c. à soupe de sucre glace
90 g de beurre doux
450 g de framboises (ou 6 à 8 pêches)
250 ml de crème épaisse
1 pincée de sel
CARAMEL
6 c. à soupe de sucre

Mettez les noisettes dans un plat à gratin et laissez-les à four moyen, en remuant souvent, jusqu'à ce qu'elles soient grillées ; versez-les dans une passoire et frottez-les avec un linge sec pour en enlever la peau. Hachez-en grossièrement un quart, mettez-le de côté ; hachez finement les autres.

Tamisez la farine dans une jatte, ajoutez les noisettes hachées fin, le sucre et le beurre et amalgamez les ingrédients, en les pétrissant, peu à la fois, du bout des doigts, jusqu'à ce que le mélange ressemble à de la chapelure. Rassemblez-le en une boule, travaillez un peu la pâte, puis mettez-la au réfrigérateur pendant au moins 30 minutes.

Pendant ce temps, triez les framboises ou pelez les pêches et coupez-les en tranches.

Travaillez la pâte sur un plan fariné, donnez-lui la forme d'un cylindre gros et court, que vous diviserez en quatre parties égales ; avec le rouleau fariné, abaissez-les pour en faire quatre disques de 18 cm de diamètre et 3 mm d'épais-

seur. Transportez-les délicatement sur des plaques beurrées, mettez-les au centre du four, préchauffé à 180°C, et laissez cuire pendant 15 minutes, jusqu'à ce que la pâte soit cuite et dorée. Mettez les disques à refroidir sur une grille.

Pour préparer la couverture de caramel, mettez dans une casserole le sucre et 2 cuillerées à soupe d'eau et faites chauffer à feu doux, en remuant, jusqu'à ce que le sucre soit complètement fondu ; faites bouillir vivement le sirop, sans remuer, jusqu'à ce qu'il ait pris une belle couleur brun doré.

Recouvrez l'un des disques de caramel, en étalant celui-ci avec un

couteau huilé. Parsemez le bord du disque des noisettes hachées grossièrement et garnissez, au centre, de quelques framboises ou de quelques tranches de pêche. Versez sur les fruits le reste de caramel.

Fouettez la crème, à laquelle vous aurez ajouté une pincée de sel, jusqu'à ce qu'elle soit bien ferme ; mélangez-y 2 cuillerées à soupe de sucre glace, étalez-la sur les trois disques de pâte non revêtus de caramel ; garnissez chaque disque avec les fruits et superposez les disques, en finissant par celui qui est recouvert de caramel. Servez aussitôt, en coupant en tranches.

TARTE AUX REINES-CLAUDES

Cette tarte, garnie de prunes reines-claudes, dont la chair est très sucrée et très parfumée, et de crème pâtissière et recouverte d'un très agréable glaçage à la confiture, est un dessert de gourmet.

PRÉPARATION : *40 minutes*
CUISSON : *30 minutes*

INGRÉDIENTS (*6 personnes*)

250 g de pâte fine (p. 318) ou de
*   pâte sucrée (p. 328)*
500 g de prunes reines-claudes
4 c. à soupe de confiture de reines-
*   claudes*
1 c. à soupe de jus de citron
150 g de sucre
100 ml de crème épaisse
Sucre glace

CRÈME PÂTISSIÈRE
2 œufs
100 g de sucre
25 g de farine
250 ml de lait
½ c. à thé d'essence de vanille ou
*   1 c. à soupe de jus de citron*

Etalez la pâte au rouleau et foncez un moule à tarte beurré. Piquez le fond avec une fourchette, faites cuire à blanc pendant 20 minutes et laissez complètement refroidir.

Pendant ce temps-là, préparez la crème (elle aussi sera froide). Mettez dans une jatte un œuf entier, un jaune (réservez le blanc) et le sucre et battez au fouet pour avoir un mélange bien mousseux et presque blanc ; ajoutez alors la farine, que vous aurez d'abord tamisée, puis le lait, progressivement. Versez le mélange dans une casserole et portez lentement à ébullition, en battant continuellement avec le fouet.

Laissez refroidir doucement pendant 2-3 minutes, parfumez selon votre goût avec du jus de citron ou de l'essence de vanille ; versez dans une terrine à bords bas et laissez refroidir, en remuant pour empêcher qu'une pellicule ne se forme.

Coupez les prunes en deux et plongez-les 8 minutes dans un sirop fait avec 500 ml d'eau et 150 g de sucre. Egouttez-les.

Etendez la crème froide sur le fond de pâte ; disposez les prunes sur la crème.

Mettez la confiture dans une casserole, ajoutez 3 cuillerées à soupe de sirop et 1 cuillerée à soupe de jus de citron et laissez cuire à feu doux, en remuant, jusqu'à ce que la confiture soit fondue. Faites bouillir rapidement à feu plus vif, en veillant à ne pas laisser caraméliser, jusqu'à ce que le mélange adhère au dos d'une cuillère et en retombe en grosses gouttes.

Passez à travers un tamis à mailles larges ; puis, avec une cuillère, versez très doucement ce glaçage sur les prunes, en les recouvrant complètement, et enduisez le bord de la tarte. Laissez la tarte au frais jusqu'à ce que le glaçage se soit durci.

Un peu avant de servir, battez le reste de blanc en neige pas trop ferme ; fouettez aussi la crème et mélangez-la au blanc, sucrez à votre goût et servez dans une jatte, en même temps que le gâteau.

Casse-croûte

CROUSTADES AVEC SAUCE À LA CRÈME

Des tranches de pain blanc minces et croustillantes remplacent ici les vol-au-vent ou les choux.

PRÉPARATION : 20 minutes
CUISSON : 15 minutes

INGRÉDIENTS (4 personnes)
16 tranches de pain blanc minces
3-4 c. à soupe d'huile d'olive
1 petit oignon haché menu
1 c. à soupe de beurre
300 g de jambon (ou de poulet) cuit en petits dés
100 g de légumes cuits en dés
125 ml de sauce Béchamel (p. 269)
Sel et poivre noir

Découpez des cercles dans les tranches de pain avec un emporte-pièce de 7,5 cm. Après les avoir badigeonnés des deux côtés d'huile d'olive, enfoncez-les dans des moules à muffins ou à crème caramel et enfournez-les à 200°C, au centre du four. Ils devraient être dorés et croustillants en 8 à 10 minutes. Démoulez-les et mettez-les de côté.

Faites revenir l'oignon dans le beurre. Quand il est tendre, ajoutez au mélange la viande et les légumes.

Par ailleurs, confectionnez la sauce Béchamel. Salez, poivrez et mélangez-y la viande et les légumes. Répartissez la garniture dans les croustades avant de les passer 5 minutes au four, préchauffé à 190°C.

On peut servir les croustades en entrée ou en plat de résistance, accompagnées de légumes.

SALADE DE POULET

Utilisez des restes de poulet et de pommes de terre pour confectionner cette substantielle salade.

PRÉPARATION : 25 minutes
RÉFRIGÉRATION : 30 minutes

INGRÉDIENTS (4 personnes)
250 à 300 g de poulet cuit en dés
2 pommes de terre cuites en dés
La moitié d'un petit concombre pelé en dés
2 oignons verts émincés fin
2 côtes de céleri en dés
125 ml de vinaigrette à la moutarde (p. 272)
1 gousse d'ail pilée
1 c. à thé de paprika
1 petite pomme de laitue
2 œufs durs
2 c. à soupe de mayonnaise
2 c. à soupe de ketchup

Dans un bol, réunissez le poulet, les pommes de terre, le concombre, les oignons verts et le céleri. Ajoutez la vinaigrette à la moutarde relevée d'ail et de paprika et remuez bien.

Disposez les feuilles de laitue lavées et épongées sur une grande assiette de service et dressez la salade en pyramide au centre. Tranchez les œufs en deux sur la longueur et posez-les en bordure. Décorez-les de deux lanières de mayonnaise mélangée au ketchup. Réfrigérez la salade au moins 30 minutes avant de la servir.

COCKTAIL AUX ŒUFS

Cette petite entrée vite faite sert aussi à garnir des sandwichs.

PRÉPARATION : 20 minutes
CUISSON : 8 minutes

INGRÉDIENTS (4 à 6 personnes)
5 œufs durs
250 ml de mayonnaise
1 c. à thé d'oignon râpé
1 c. à soupe de poivron vert en dés
1 c. à soupe de ketchup
1 c. à soupe de crème épaisse
Sel et poivre noir
2 oignons verts en dés
6 olives noires dénoyautées en dés
3 feuilles de laitue en chiffonnade
GARNITURE
Rondelles de citron

Mélangez la mayonnaise avec l'oignon, le poivron vert, le ketchup et la crème ; salez et poivrez. Ajoutez les œufs durs grossièrement hachés, les oignons verts et les olives noires.

Disposez la laitue en chiffonnade dans des coupes à sorbet et dressez la garniture aux œufs dessus. Décorez d'une rondelle de citron et servez avec des toasts beurrés chauds.

Pour garnir des sandwichs, mélangez la chiffonnade de laitue aux œufs et étalez généreusement cette préparation sur du pain blanc ou du pain de blé entier.

SOUFFLÉ AU FROMAGE ET AUX LÉGUMES

L'ajout de légumes au soufflé au fromage en fait un plat idéal pour un repas léger.

PRÉPARATION : 30 minutes
CUISSON : 25 à 30 minutes

INGRÉDIENTS (4 personnes)
1 tasse de légumes cuits en dés
3 c. à soupe de beurre doux
1 c. à soupe de farine
125 ml de lait
3 œufs
75 g de cheddar râpé
Sel et poivre de Cayenne

Faites fondre 2 cuillerées à soupe de beurre à feu modéré. Ajoutez la farine et faites cuire le roux ainsi obtenu pendant 1 minute. Ajoutez graduellement le lait en remuant sans arrêt et prolongez la cuisson jusqu'à ce que la sauce ait suffisamment épaissi.

Séparez le blanc des jaunes et incorporez les jaunes un à la fois dans la sauce. Ajoutez les légumes et le fromage et assaisonnez de sel et de poivre de Cayenne. Battez les blancs en neige et ajoutez-les à la sauce.

Versez la préparation dans un plat à soufflé beurré de 2 litres et faites cuire au centre du four, préchauffé à 175°C, pendant 25 à 30 minutes ou jusqu'à ce que le soufflé soit monté.

POUDING AU RIZ

Les entremets au riz sont nourrissants et toujours fort appréciés des petits et des grands. Le procédé culinaire utilisé ici diffère de l'apprêt classique : le riz est lavé, égoutté et saisi au beurre avant d'être ajouté au lait.

PRÉPARATION : 45 minutes
CUISSON : 1 h 30

INGRÉDIENTS (4 à 6 personnes)
100 g de riz
2 c. à soupe de beurre
1 litre de lait
3 c. à soupe de sucre
1 pincée de sel
Muscade

Lavez le riz plusieurs fois à grande eau. Egouttez-le et épongez-le sur du papier absorbant. Chauffez le beurre à feu doux dans un faitout de 1,5 litre. Ajoutez le riz et saisissez-le dans le beurre en remuant constamment jusqu'à ce que les grains soient blancs (il ne faut pas qu'ils se colorent). Mettez le lait avec le sucre et le sel dans une autre casserole et amenez-le au point de frémissement. Ajoutez-le d'un trait au riz en remuant simplement pour opérer le mélange. Après quelques bouillons, retirez la casserole du feu et râpez un peu de muscade en surface. Fermez la casserole avec un couvercle hermétique ou une feuille d'aluminium et mettez-la au four préchauffé à 150°C, pendant 1 h 30. Le pouding au riz se sert chaud ou froid.

Octobre

LES RECETTES DU MOIS

Faisans dodus et dorés, rehaussés de pommes de terre Saratoga et de châtaignes,
décorés de frais bouquets de cresson : c'est octobre dans toute sa splendeur.

Au fil des saisons

Avec les premiers froids d'automne nous vient le goût de plats consistants dont la cuisson, toujours un peu longue, réchauffe et parfume l'atmosphère : soupe substantielle au bœuf et aux haricots venue tout droit du Mexique (p. 213), pieds de porc à la choucroute (p. 218), marmites de poisson ou de fruits de mer qui prendront, avec un bulbe de fenouil, un certain cachet provençal.

Malgré l'arrivée des premières gelées, on trouve encore beaucoup de légumes et de fruits frais. Mais si les pommes et les poires sont à leur mieux, c'est la fin de la saison pour les aubergines et les melons.

Pour remplacer les savoureux légumes de l'été, pensez qu'avec les premiers fruits secs, les noix et les noisettes, apparaissent les châtaignes. C'est l'occasion rêvée de les goûter cuites sous la cendre ou de les transformer en purée, relevée d'un petit hachis de cœurs de céleri (p. 224), qui en fait un accompagnement exquis pour le gibier.

Octobre est la grande saison du gibier. C'est le moment de préparer une crème de sauvagine au porto (p. 213) ou des faisans au chou (p. 221) sans pour cela négliger l'oie que vous présenterez farcie à l'allemande (p. 220).

Pour équilibrer les menus, pensez au vivaneau que vous servirez apprêté au concombre et aux amandes (p. 215) après une délicieuse entrée d'huîtres nature.

Les étalages de fruits, chargés de pommes, de poires ou de raisin, sont somptueux. Profitez-en pour préparer des poires au chocolat (p. 226) ou pour associer poires et haricots dans une sauce aigre-douce à la westphalienne (p. 223).

MENUS SUGGÉRÉS

Coupes au melon d'eau
...
Côtelettes de porc au four
Croquettes de pois chiches
Chou au gratin
...
Chasse-mouches au raisin

Crème de sauvagine au porto
...
Crêpes à l'aiglefin fumé
Brocolis sauce poulette
...
Coupes de fruits frais

Avocat, poire et noix en salade
...
Faisans au chou
...
Poires au chocolat

Brochettes de fruits de mer
...
Paupiettes de veau à l'omelette
Haricots verts au beurre
Pommes de terre duchesse
...
Gâteau hongrois aux noisettes

Bifteck de flanc grillé
Pommes de terre à la normande
Salade verte à la vinaigrette
...
Pots de crème à la vanille

Rillettes de porc
...
Carré d'agneau à la dordognaise
Carottes rissolées à la turque
...
Compote de fruits secs meringuée

Jambalaya
Salade verte
...
Figues fraîches au yogourt

Potages et entrées

AVOCAT, POIRE ET NOIX EN SALADE

L'avocat et la poire sont des fruits qui s'oxydent rapidement à l'air. Il faut donc les asperger de jus de citron dès qu'ils sont pelés et les napper de sauce aussitôt que possible.

PRÉPARATION : *15 minutes*
RÉFRIGÉRATION : *1 heure*

INGRÉDIENTS *(6 personnes)*
3 avocats
250 ml de crème sure
2 c. à thé de vinaigre à l'estragon
Sel et poivre noir
Moutarde de Dijon ou sauce Worcestershire
Sucre
Le jus d'un citron
1 grosse ou 2 petites poires
3 c. à soupe d'amandes ou de cacahouètes salées
GARNITURE
Ciboulette hachée

Mélangez la crème sure et le vinaigre et assaisonnez de sel, de poivre fraîchement moulu, de moutarde et d'un peu de sucre. Remuez bien.

Coupez les avocats en deux et dénoyautez-les ; avec une cuillère en argent, prélevez-en la chair en en laissant une certaine épaisseur de manière à conserver à l'écorce un peu de rigidité. Réservez les écorces, puis détaillez la chair en dés. Pelez la poire, enlevez-en le cœur et taillez-la en dés avant de l'ajouter aux avocats. Aspergez de jus de citron.

Hachez grossièrement les amandes ; mettez-en un peu de côté pour la décoration et ajoutez le reste ainsi que la sauce. Dressez la préparation dans les écorces d'avocats et enveloppez-les dans du papier d'aluminium. Réfrigérez 1 heure.

Au moment de servir, disposez les avocats sur de petites assiettes et décorez-les d'amandes hachées et de ciboulette.

CRÈME DE SAUVAGINE AU PORTO

Accordé aux premiers froids de l'automne et à la saison de la chasse, ce substantiel potage peut être préparé avec n'importe quelle sorte de gibier, trop vieux et coriace pour être rôti.

PRÉPARATION : *1 heure environ*
CUISSON : *2 h 30 à 3 heures*

INGRÉDIENTS *(6 personnes)*
1 oiseau sauvage de 1 kg environ prêt à cuire (canard, perdrix, faisan)
1 gros oignon
1 navet
1 carotte
1 poireau
3 côtes de céleri
200 g de champignons
100 g de beurre
1 feuille de laurier
1 c. à thé de thym, marjolaine et basilic secs mélangés
1-2 gousses d'ail
50 g de farine
100 ml de porto ou de bourgogne
Sel, poivre
GARNITURE
Croûtons de pain frits au beurre

Coupez le volatile en morceaux assez petits ; nettoyez-les bien, essuyez-les avec un linge. Pelez et hachez grossièrement l'oignon, le navet et la carotte. Lavez soigneusement à l'eau courante froide le poireau (débarrassé des racines, du vert et des feuilles extérieures) et le céleri et coupez-les en petits morceaux. Épluchez les champignons et coupez-les en fines lamelles.

A feu modéré, faites fondre la moitié du beurre dans une grande casserole ; ajoutez les morceaux de sauvagine et faites-les revenir, en les retournant souvent, jusqu'à ce qu'ils commencent à prendre couleur. Ajoutez l'oignon, le poireau et le céleri, faites-les dorer d'une façon uniforme, en remuant souvent. Mettez ensuite le navet, la carotte, la feuille de laurier, une pincée de thym, de la marjolaine et du basilic, du sel, du poivre, l'ail écrasé, et mouillez d'environ 2 litres d'eau ou de la quantité nécessaire pour couvrir.

Portez à ébullition à feu vif, écumez soigneusement, ajoutez les champignons. Couvrez, baissez le feu et laissez bouillir doucement à feu doux pendant environ 2 heures ou jusqu'à ce que la viande soit parfaitement tendre.

Filtrez le bouillon à la passoire fine et laissez-le un peu refroidir. Retirez la feuille de laurier et tous les os, puis mettez la viande et les légumes dans le mixer avec un peu de bouillon et mélangez jusqu'à l'obtention d'une purée bien épaisse.

Faites fondre le reste du beurre dans une grande casserole, à feu modéré ; mélangez-y la farine et, toujours en remuant, laissez cuire jusqu'à ce que le mélange ait pris la couleur du sucre caramélisé. Retirez du feu et ajoutez peu à peu le porto ou le bourgogne et environ 250 ml de bouillon. Remettez sur le feu, faites chauffer jusqu'à ébullition légère, en remuant sans arrêt, puis ajoutez la purée de viande et de légumes et environ 1 litre de bouillon ou ce qui est nécessaire pour obtenir un mélange épais. Laissez chauffer à feu doux pendant 15 minutes environ et, si c'est nécessaire, rectifiez l'assaisonnement.

Servez le potage dans des tasses individuelles, avec une garniture de croûtons frits.

SOUPE MEXICAINE

C'est une soupe pour les premiers jours froids, tellement substantielle qu'elle peut presque à elle seule constituer un repas complet. Vous pouvez utiliser des haricots ou des pois chiches en conserve et préparer cette soupe la veille : elle n'en sera que meilleure.

PRÉPARATION : *10 minutes*
CUISSON : *45 minutes*

INGRÉDIENTS *(4 personnes)*
1 gros oignon
1 poivron (rouge ou vert)
4 c. à soupe de saindoux ou de beurre
250 g de viande maigre de bœuf hachée
400 g de tomates en conserve
400 g de haricots blancs en conserve
200 g de pois chiches en conserve
500 ml de bouillon de bœuf
1 c. à thé de chili en poudre
Sel
GARNITURE
Laitue

Pelez et hachez finement l'oignon ; débarrassez le poivron de sa queue, des graines, des membranes intérieures et hachez-le finement. Faites fondre le saindoux ou le beurre dans une cocotte, faites-y revenir l'oignon, à feu modéré, pendant 8 à 10 minutes, jusqu'à ce qu'il commence à prendre couleur. Ajoutez la viande et poursuivez la cuisson à feu modéré jusqu'à ce qu'elle soit bien colorée.

Ajoutez les tomates avec leur jus, les haricots et les pois chiches bien égouttés, le poivron haché, le bouillon ; mélangez-bien, assaisonnez de chili en poudre et d'un peu de sel. Couvrez et laissez bouillir doucement pendant 30 minutes. Laissez refroidir légèrement, puis réduisez le mélange en purée au moulin à légumes ou au mixer.

Au moment de servir, faites réchauffer la soupe et garnissez-la de laitue coupée en petites lanières.

Poissons

RILLETTES DE PORC

La réussite des rillettes de porc ne tient pas dans le canard, le lapin ou les morceaux d'oie que vous leur ajouterez, mais bien dans la durée de cuisson. Et si vous aimez retrouver sous le couteau de beaux filaments de chair rose, coupez la viande en lanières dans le sens des fibres.

PRÉPARATION : *20 minutes*
CUISSON : *5 h 20*

INGRÉDIENTS *(6 à 8 personnes)*
1 kg d'épaule de porc
300 g de lard gras ou de panne
La moitié d'une feuille de laurier
1 branche de thym
Sel, poivre

Coupez l'épaule et le lard gras ou la panne en tout petits morceaux. Faites-les revenir rapidement dans une cocotte à fond épais. Lorsqu'ils sont bien dorés, retirez-les avec une écumoire et réservez la graisse dans une jatte. Remettez la viande dans la cocotte, recouvrez-la avec de l'eau tiède. Ajoutez la demi-feuille de laurier et la branche de thym. Couvrez et laissez cuire à très petit feu pendant 5 heures.

Lorsque l'eau est complètement évaporée, laissez brunir légèrement le mélange en le tournant de temps en temps pour que la coloration soit uniforme. Ecrasez alors le mélange à la fourchette, ou au pilon de bois si vous préférez une rillette fine presque en crème. Assaisonnez de sel et de poivre, malaxez bien et remettez à feu très doux pour une dizaine de minutes.

Enlevez la demi-feuille de laurier et la branche de thym, mais ne mettez pas les rillettes immédiatement en pots ou dans la terrine de service pour laisser à un éventuel excédent de gras le temps de remonter à la surface. Dans ce cas, enlevez-le à la cuillère. Transvasez ensuite les rillettes dans une terrine et recouvrez-les avec la graisse fondue en début de cuisson. Laissez refroidir complètement. Couvrez la terrine et conservez au frais.

COUPES AU MELON D'EAU

Une salade au melon d'eau (la pastèque) constitue un excellent hors-d'œuvre, surtout s'il doit précéder un plat solide. Cette recette permet aussi d'utiliser un melon encore un peu vert et pas très parfumé.

PRÉPARATION : *40 minutes*
RÉFRIGÉRATION : *1 heure*

INGRÉDIENTS *(6 personnes)*
1 pastèque moyenne
1 concombre
6 tomates assez petites
Sel
ASSAISONNEMENT
1-2 c. à soupe de sucre
3 c. à soupe de jus de citron
6 c. à soupe d'huile
GARNITURE
2 c. à thé de menthe, 2 de persil et, si possible, 2 de ciboulette, hachés

Pelez le concombre et coupez-le en tranches épaisses de 5 mm environ ; saupoudrez-le de sel et laissez reposer 30 minutes. Coupez le melon en deux dans le sens de la longueur, enlevez la peau et coupez les moitiés dans le sens de la largeur en morceaux d'égale grosseur. Pelez les tomates, coupez-les en deux dans le sens de la largeur, pressez-les pour faire sortir les graines ; hachez-les grossièrement.

Mélangez les ingrédients qui composent l'assaisonnement, en mettant l'huile en dernier. Passez le concombre à l'eau froide et séchez-le dans un linge de cuisine.

Réunissez dans une grande jatte la pastèque, la tomate et le concombre, versez-y l'assaisonnement et remuez bien. Mettez au réfrigérateur pendant 1 heure au moins, en remuant de temps en temps.

Servez la salade dans des coupes individuelles, en la parsemant des herbes aromatiques hachées.

CRABE SAUCE PIQUANTE

On peut préparer cette recette également avec de la viande, du poulet ou du poisson.

PRÉPARATION : *20 minutes*
CUISSON : *15 minutes environ*

INGRÉDIENTS *(4 personnes)*
400 g de chair de crabe cuite (en boîte éventuellement)
100 ml de crème épaisse
1 c. à thé de moutarde de Dijon
1-2 c. à thé de pâte d'anchois
1 c. à thé de sauce Worcestershire
1½ c. à soupe de jus de citron
4 c. à soupe de chapelure
50 g de gruyère râpé
1 pincée de poivre de Cayenne
Sel
GARNITURE
Quartiers de citron

Réunissez dans une casserole pas trop grande la crème, la moutarde, la pâte d'anchois et la sauce Worcestershire, du jus de citron, du poivre de Cayenne et du sel ; ajoutez, en remuant, la chair de crabe bien écrasée. Faites chauffer à feu modéré, sans porter à ébullition.

Versez la préparation dans quatre petits plats individuels ; saupoudrez-en la surface de chapelure et de fromage râpé et mettez au four bien chaud (220°C) ou sous le gril, pendant 5 à 10 minutes, jusqu'à ce que la surface soit bien colorée.

Servez aussitôt avec des quartiers de citron.

VIVANEAU FARCI

Le vivaneau est un poisson à chair très fine que vient ici relever une farce insolite faite d'oignon, de concombre et d'amandes.

PRÉPARATION : 20 minutes
CUISSON : 40 à 45 minutes

INGRÉDIENTS (4 ou 5 personnes)
1 vivaneau de 1,8 à 2,25 kg
Sel et poivre
Beurre doux
50 g d'amandes hachées et grillées
200 g d'oignons hachés
1 gousse d'ail pilée
100 g de chapelure
230 g de concombre haché
1 c. à thé de thym
Xérès sec

Demandez au poissonnier d'ôter les arêtes du poisson. Salez, poivrez et beurrez la cavité interne. Faites griller les amandes, si ce n'est déjà fait, puis faites revenir les oignons et l'ail dans du beurre. Ajoutez la chapelure, le concombre et les amandes grillées. Assaisonnez de sel, de poivre et de thym et humectez de xérès. Farcissez le poisson, puis fermez l'ouverture avec des cure-dents. Posez le poisson dans un plat beurré, salez, poivrez et enfournez-le à 180°C. Faites cuire 40 à 45 minutes ou jusqu'à ce que la chair soit tendre sous la fourchette. Servez le poisson arrosé de son jus.

MOUSSE DE POISSON SAUCE BERCY

Cette mousse se prépare comme un soufflé, à un détail près : elle est cuite au bain-marie, ce qui lui permet d'attendre les retardataires sans s'affaisser. Elle est présentée ici comme un plat principal, mais vous pouvez aussi la servir comme entrée, en la faisant cuire dans des petits ramequins individuels. Pour l'accompagner : une sauce Bercy liée avec quelques cuillerées de crème épaisse.

PRÉPARATION : 30 minutes
CUISSON : 1 h 30

INGRÉDIENTS (4 à 6 personnes)
450 g de filets de morue ou d'aiglefin
1 litre de court-bouillon (p. 276)
30 g de beurre
4 c. à soupe de farine
5 c. à thé de lait
2 œufs
5 c. à soupe de crème épaisse
1½ c. à soupe de persil haché
1-2 c. à soupe de pâte d'anchois
Le jus d'un citron
3-4 c. à soupe de chapelure
Sel, poivre
SAUCE BERCY
2 échalotes grises émincées
60 g de beurre doux
200 ml de fumet de poisson
100 ml de vin blanc sec
1½ c. à soupe de farine
1 c. à thé de persil haché
Sel, poivre
GARNITURE
Rondelles de citron
Brins de persil

Portez le court-bouillon à ébullition. Mettez-y le poisson et laissez cuire sans couvercle, à feu doux, pendant 8 à 10 minutes, jusqu'à ce qu'il soit tendre. Egouttez-le avec une écumoire, en réservant le jus de cuisson ; effeuillez-le dans une jatte, puis écrasez-le à la fourchette ou réduisez-le en purée.

Faites fondre le beurre dans une casserole, à feu modéré, ajoutez la farine et laissez cuire 2 minutes en remuant, sans faire colorer. Ajoutez au lait 100 ml de jus de cuisson ; incorporez le liquide chaud au mélange de beurre et de farine, de façon à obtenir une sauce blanche assez épaisse ; laissez-la cuire 4-5 minutes en remuant continuellement et en ajoutant un peu de jus de cuisson si elle devient trop épaisse. Incorporez à la sauce la purée de poisson, puis les jaunes des deux œufs battus avec la crème et le persil haché. Assaisonnez à volonté de pâte d'anchois, de jus de citron, de sel et de poivre.

Montez les blancs en neige et incorporez-les à la purée de poisson. Huilez un moule à soufflé d'une contenance de 600 ml et saupoudrez-le de chapelure.

Remplissez le moule aux trois quarts. Recouvrez d'un morceau de feuille d'aluminium beurré, déposez le moule dans un plat à rôtir contenant 2 cm d'eau, mettez au centre du four, préchauffé à 160°C, et laissez cuire au bain-marie 1 heure à 1 h 15, jusqu'à ce que la mousse ait pris l'apparence d'un soufflé bien monté.

Une demi-heure avant la fin de la cuisson, préparez la sauce Bercy. Faites cuire les échalotes dans la moitié du beurre, à feu doux, jusqu'à ce qu'elles soient tendres. Ajoutez le vin et le fumet de poisson en augmentant la chaleur ; laissez bouillir à découvert jusqu'à ce que le liquide ait réduit de moitié. Baissez le feu. Maniez le beurre avec la farine et formez-en des boulettes que vous mettrez une par une dans la sauce en remuant jusqu'à ce que celle-ci ait épaissi. Ajoutez la crème sans laisser bouillir et assaisonnez au goût de sel et de poivre.

Démoulez la mousse sur un plat chaud et garnissez-la de rondelles de citron et de brins de persil. Servez la sauce à part en saucière.

CRÊPES À L'AIGLEFIN FUMÉ

L'aiglefin fumé de Findon, en Ecosse, aussi connu sous le nom de *finnan haddock*, est ouvert sur toute sa longueur sitôt pêché et vidé avant d'être fumé. On comptera une crêpe par personne en entrée ou deux crêpes s'il s'agit du plat principal.

PRÉPARATION : 20 minutes
CUISSON : 30 minutes

INGRÉDIENTS (4 personnes)
225 g de filets d'aiglefin fumé, pochés
300 g de pâte à crêpes (p. 311)
1 petit oignon
2 c. à soupe de céleri en dés
115 g de champignons
100 g de beurre doux
500 ml de tomates en conserve
Sel et poivre noir
Jus de citron
30 à 40 g de cheddar ou de gruyère râpé
GARNITURE
Quartiers de citron
Brins de persil

Confectionnez huit petites crêpes fines et mettez-les de côté. Pelez l'oignon, hachez-le finement ; détaillez le céleri en dés ; parez et émincez finement les champignons. Faites revenir l'oignon, le céleri et les champignons dans 3 cuillerées à soupe de beurre. Quand ils sont tendres, ajoutez les tomates. Salez et poivrez avec le moulin. Laissez fondre doucement les légumes jusqu'à ce que la préparation ait acquis la consistance d'une purée épaisse.

Entre-temps, dépouillez l'aiglefin de sa peau et effeuillez la chair. Ajoutez-la à la fondue de légumes. Relevez la saveur de la préparation avec du jus de citron et rectifiez l'assaisonnement.

Déposez 2 cuillerées à soupe de garniture au centre de chaque crêpe et repliez-en les côtés pour former de petites bourses. Disposez-les côte à côte dans un plat à four peu profond. Faites fondre le reste du beurre et arrosez-en les crêpes avant de les saupoudrer généreusement de fromage râpé. Faites gratiner le plat sous le gril ou dans le four.

Au moment de servir, décorez les crêpes de quartiers de citron et de brins de persil. Des petits pois au beurre sont un heureux accompagnement de ce plat.

JAMBALAYA

Dans ce plat classique de la cuisine créole se trouvent réunis des crustacés, des saucisses piquantes et du jambon.

PRÉPARATION : *25 minutes*
CUISSON : *1 heure*

INGRÉDIENTS *(6 personnes)*
4 c. à soupe d'huile d'olive
2 oignons moyens hachés
6 petites saucisses piquantes
6 c. à soupe de farine
200 g de jambon cuit coupé en dés
3 tomates moyennes pelées et épépinées
220 g de riz
1 gousse d'ail hachée
500 ml de bouillon de poulet
La moitié d'un piment rouge fort pilé
*   (ou 2 pincées de poivre de Cayenne)*
2 pincées de thym
1 poivron vert moyen coupé en dés
3 c. à soupe de persil haché
600 g de crevettes crues décortiquées
600 g d'huîtres crues sans leurs
*   coquilles*
Sel et poivre

Faites chauffer l'huile dans une sauteuse, ajoutez les oignons et les saucisses et faites revenir à feu modéré, en remuant souvent, jusqu'à ce que les saucisses soient colorées et les oignons transparents. Incorporez la farine et laissez cuire à feu doux, sans cesser de remuer, jusqu'à ce que l'ensemble soit intensément doré.

Ajoutez le jambon et les tomates hachées grossièrement, couvrez hermétiquement et laissez cuire à feu doux pendant 30 minutes. Ajoutez l'ail, le riz, le poivron vert, le bouillon, le piment rouge, le thym, le persil, du sel et du poivre ; couvrez de nouveau et laissez cuire à feu doux pendant 15 minutes, jusqu'à ce que le riz soit cuit. Ne remuez pas pendant la cuisson.

Ajoutez les crevettes et laissez cuire 2 minutes ; ajoutez les huîtres et laissez cuire 3 minutes. Rectifiez l'assaisonnement et servez.

BROCHETTES DE FRUITS DE MER

PRÉPARATION : *20 minutes*
CUISSON : *8 minutes*

INGRÉDIENTS *(2 personnes)*
4 tranches de bacon
4 grosses crevettes crues décortiquées
4 pétoncles
1 petite queue de langouste
*   (ou 4 langoustines)*
Estragon sec
60 g de beurre fondu
Sel, poivre
GARNITURE
1 citron coupé en quartiers
Persil frit

Cuites au barbecue ou dans un four pourvu d'un gril, les brochettes de crustacés et de mollusques apportent toujours au repas une note élégante. Offrez de petites brochettes comme hors-d'œuvre, de plus grandes comme plat principal.

Faites cuire le bacon, coupé en morceaux de 2,5 cm, sur le gril ou dans le four allumé à 180°C, jusqu'à ce que le gras soit transparent (n'attendez pas qu'il devienne croquant). Enfilez sur deux brochettes, en les alternant, les crustacés, le bacon et les mollusques. Assaisonnez-les de sel et de poivre, émiettez par-dessus un peu d'estragon. Badigeonnez de beurre fondu.

Faites cuire au four sous le gril ou bien sur un feu de braises à environ 7-8 cm de la source de chaleur, pendant 3-4 minutes, ou le temps qu'il faut pour que le bacon devienne croquant. Tournez souvent les brochettes, en les badigeonnant encore de beurre fondu. Servez en garnissant de quartiers de citron et de persil frit.

Viandes

ROGNONS SAUTÉS

Un plat excellent et rapide à préparer pour le repas du midi.

PRÉPARATION : *25 minutes*
CUISSON : *20 minutes*

INGRÉDIENTS *(6 personnes)*
12 rognons d'agneau
2 gros oignons
4 c. à soupe de beurre doux
180 g de petits champignons
1 c. à soupe de purée de tomates
60 ml de porto ou de xérès sec
Sel et poivre noir
GARNITURE
Persil

Pelez et émincez les oignons. Faites fondre le beurre dans une sauteuse, puis jetez-y les oignons. Couvrez et laissez cuire 7 minutes à feu doux. Parez les rognons, coupez-les en deux et enlevez les filaments blancs avec des ciseaux. Rincez-les, puis asséchez-les sur du papier absorbant avant de les couper en morceaux de 2,5 cm. Parez et coupez les champignons en deux ; ajoutez-les, ainsi que les rognons, aux oignons et faites sauter le tout à feu vif pendant 3 minutes.

Mélangez la purée de tomates et le porto ou le xérès. Ajoutez cette sauce aux rognons et assaisonnez de sel et de poivre fraîchement moulu.

Réduisez le feu et laissez mijoter 7 à 10 minutes ou jusqu'à ce que les rognons soient tendres.

Dressez les rognons avec leur sauce dans un plat de service chaud et garnissez de persil. Servez avec du riz ou des nouilles au beurre.

CÔTES DE PORC AU FOUR

Avec les premiers froids, allumer le four devient un plaisir ; cette recette vous en offre l'occasion. Elle convient particulièrement bien aux côtes de porc, mais vous pouvez aussi utiliser des côtes de veau qui cuiront moins longtemps.

PRÉPARATION : *30 minutes*
CUISSON : *30 minutes*

INGRÉDIENTS *(6 personnes)*
6 côtes de porc
250 g de champignons
1 gros oignon
90 g de beurre
200 ml environ de vin blanc ou de cidre sec
120 g de parmesan râpé
6 c. à soupe de chapelure
Sel, poivre
GARNITURE
Brins de persil

Parez et lavez les champignons. Mettez de côté 6-7 têtes de champignons et coupez le reste en fines lamelles. Pelez et émincez l'oignon. Beurrez légèrement un plat à gratin à bords bas et couvrez-en le fond avec les champignons en lamelles ; saupoudrez de sel et de poivre fraîchement moulu.

Dégraissez le plus possible les côtelettes et disposez-les sur la couche de légumes, mouillez avec assez de vin blanc ou de cidre sec pour qu'elles soient recouvertes, placez entre les côtelettes les têtes de champignons, la partie creuse tournée vers le haut.

Mélangez le parmesan râpé et la chapelure, saupoudrez-en uniformément la viande et les champignons, parsemez du reste de beurre détaillé en noisettes. Mettez au centre du four, préchauffé à 200°C, et laissez cuire 30 minutes ou jusqu'à ce que les côtelettes soient tendres et que la surface soit croquante et dorée.

Servez dans le plat de cuisson, après avoir garni chaque tête de champignon d'une petite touffe de persil. Accompagnement idéal : pommes de terre cuites au four dans leur peau et servies avec de la crème sure relevée de persil ou de ciboulette hachée.

CARRÉ D'AGNEAU À LA DORDOGNAISE

La région de la Dordogne, en France, est renommée pour ses noix et ses incomparables pâtés de foie. Ces deux ingrédients se retrouvent dans cette recette où le carré d'agneau prend une saveur inoubliable.

PRÉPARATION : *30 minutes*
CUISSON : *1 h 15*

INGRÉDIENTS *(4 à 6 personnes)*
2 carrés d'agneau
60 g de noix écalées
La moitié d'un petit oignon
120 g de pâté truffé
4 c. à soupe de chapelure de pain blanc fraîche
2 c. à soupe de persil haché fin
Sel et poivre noir
Jus de citron
2 c. à soupe d'huile pour la cuisson
60 ml de vin blanc sec
1 c. à thé de romarin moulu

Demandez au boucher de désosser les carrés d'agneau, mais gardez les os. Dégraissez la viande le plus possible. Hachez les noix très fin à la main ou au mixer. Pelez et râpez l'oignon. Malaxez le pâté jusqu'à ce qu'il soit crémeux, puis incorporez-lui les noix et l'oignon. Mélangez la chapelure et le persil haché et ajoutez-les à la préparation. Assaisonnez de sel, de poivre et de jus de citron.

Etalez cette farce sur la partie intérieure des carrés d'agneau. Roulez la viande et ficelez-la tous les 5 cm. Huilez une rôtissoire et déposez-y les deux roulés d'agneau, également huilés. Placez la rôtissoire au centre du four, préalablement chauffé à 200°C, et faites cuire environ 20 minutes ou jusqu'à ce que la viande soit dorée. Réduisez la température du four à 180°C et prolongez la cuisson de 20 à 25 minutes ou jusqu'à ce que l'agneau soit tendre, mais encore rose au centre.

Pendant que la viande cuit, mettez les os dans une grande casserole, salez et poivrez, puis couvrez d'eau froide. Amenez au point d'ébullition et laissez mijoter 30 à 40 minutes.

Retirez la viande du four, mais laissez-la tiédir avant d'enlever les ficelles. Remettez-la alors dans le four éteint pour la garder au chaud. Dégraissez la rôtissoire, puis ajoutez-le vin blanc au fond de cuisson. Portez au point d'ébullition, ajoutez 300 ml de bouillon, ainsi que le romarin, et faites réduire le tout à feu vif. Rectifiez l'assaisonnement et passez la sauce au chinois avant de la mettre en saucière.

Dressez l'agneau en tranches épaisses sur un plat de service chaud. En accompagnement, servez des pommes de terre rissolées, des choux de Bruxelles et des moitiés de tomates braisées.

STEAK TARTARE AUX ANCHOIS

L'origine de ce plat relevé, à base de viande crue et de jaune d'œuf, serait curative : on l'administrait autrefois aux buveurs impénitents pour dissiper les effets tenaces d'une beuverie.

PRÉPARATION : *25 minutes*

INGRÉDIENTS *(8 personnes)*
1 kg de viande maigre de bœuf (si possible du filet, mais un morceau moins coûteux peut aussi convenir)
12 filets d'anchois
1 oignon moyen haché très fin
2 c. à thé ou plus de moutarde de Dijon
4 c. à soupe de câpres finement hachées
3 jaunes d'œufs
4 c. à soupe de cognac
Le jus d'un citron
Tabasco (facultatif)
Sauce Worcestershire (facultatif)
2 c. à thé de sel
1 c. à thé de poivre
GARNITURE
Persil haché
Ciboulette hachée (facultatif)

Hachez la viande au hachoir à main. Aplatissez la viande sur une planche à hacher en formant un rectangle. Hachez finement les anchois et mélangez-les à la viande, en vous servant de deux couteaux à lame souple et large, en effectuant d'une main un mouvement glissé et de l'autre le geste de couper. Ramenez la viande vers le centre, puis étendez-la à nouveau.

Ajoutez l'oignon, les câpres, la moutarde et les jaunes d'œufs et répétez les opérations décrites ci-dessus. Ajoutez le sel, le poivre fraîchement moulu, le jus de citron, le cognac et, si vous le voulez, le tabasco et la sauce Worcestershire. Répétez l'opération avec les deux couteaux.

Mettez ensuite la viande dans une grande jatte et parsemez-en la surface avec les herbes hachées ou disposez-la sur un plat de service en lui donnant la forme d'une galette ronde un peu épaisse couronnée de persil et de ciboulette hachés.

Servez avec du pain entier.

FEUILLES DE VIGNE EN DOLMAS

Ces feuilles de vigne farcies de riz et de viande d'agneau sont très populaires dans tout le Moyen-Orient. Si vous ne disposez pas de feuilles de vigne fraîches, vous pourrez en trouver en conserve dans des magasins spécialisés ou utiliser des feuilles de chou, blanchies 10 minutes à l'eau bouillante.

PRÉPARATION : *40 minutes*
CUISSON : *1 heure*

INGRÉDIENTS *(4 à 6 personnes)*
12 feuilles de vigne
1 oignon
100 à 120 g de riz à longs grains
90 g de beurre
1 litre de bouillon de bœuf
500 g de viande maigre d'agneau hachée
2 c. à thé de menthe fraîche (ou de persil) hachée
1 c. à thé de romarin haché
Le jus d'un demi-citron
Sel, poivre

Si vous utilisez des feuilles de vigne fraîches, plongez-les dans de l'eau bouillante, quelques-unes à la fois, pendant quelques minutes, jusqu'à ce qu'elles soient tendres. Si vous utilisez des feuilles en conserve, dépliez-les délicatement. Etendez-les sur un plan de travail en bois.

Pelez et hachez finement l'oignon. Faites fondre 30 g de beurre dans une cocotte et faites cuire à feu doux, tout en remuant, l'oignon et le riz, jusqu'à ce qu'ils se colorent légèrement. Ajoutez assez de bouillon chaud pour couvrir le riz et laissez-le cuire à feu doux jusqu'à ce qu'il soit tendre, en remuant souvent et en ajoutant d'autre bouillon au besoin. Laissez refroidir. Ajoutez alors la viande d'agneau hachée, le hachis de menthe ou de persil, le romarin, du sel, du poivre ; malaxez bien.

Mettez un peu de ce mélange au centre des feuilles de vigne, repliez les feuilles sur la farce en formant de petits paquets bien fermes. Disposez les dolmas dans une sauteuse. Ajoutez assez de bouillon pour les couvrir et arrosez-les avec le jus de citron ; répartissez à la surface le reste du beurre détaillé en petits morceaux. Posez un plat sur les feuilles farcies pour qu'elles restent bien immergées.

Couvrez d'un couvercle et laissez bouillir doucement pendant 1 heure environ. Egouttez avec une écumoire et disposez sur un plat chaud. Servez avec une jatte de yogourt légèrement épicé.

PIE DE VEAU ET DE JAMBON

Une recette anglaise insolite dans nos cuisines, élégante et un peu élaborée.

PRÉPARATION : *2 h 30*
CUISSON : *2 h 25*

INGRÉDIENTS *(4 à 6 personnes)*
800 à 900 g d'épaule de veau désossée
Os de veau
1 litre environ de bouillon de poulet
2 feuilles de laurier
1 bouquet garni
1 c. à soupe de persil haché
6 grains de poivre noir
230 g, en une tranche, de jambon cuit
3 œufs durs
Le zeste d'un citron râpé
100 g de pâte feuilletée classique (p. 325)
1 œuf
1 c. à thé d'huile d'olive
Sel, poivre blanc

Faites scier l'os de veau en plusieurs morceaux. Mettez l'épaule et les morceaux d'os dans un grand faitout, couvrez de bouillon, ajoutez les feuilles de laurier, le bouquet garni, le persil et le poivre en grains. Portez à ébullition, couvrez et laissez bouillir doucement pendant 2 heures. Laissez légèrement refroidir, puis égouttez la viande et coupez-la en petits morceaux. Filtrez le bouillon, assaisonnez-le de sel et de poivre et réservez-le.

Coupez le jambon en bâtonnets, mélangez-les au veau. Ecalez les œufs durs, disposez-les entiers au centre d'une terrine ronde d'une contenance de 1,25 litre et tassez autour le mélange de veau et de jambon. Parsemez du zeste de citron râpé et ajoutez du bouillon pour couvrir le contenu du plat.

Abaissez la pâte à une épaisseur de 5 mm environ, étendez-la à la surface du plat, soudez bien les bords ; pratiquez au centre une cheminée. Battez l'œuf en y mélangeant l'huile et badigeonnez-en la pâte. Faites cuire 10 minutes au four, préchauffé à 220°C, puis réduisez la température à 200°C et laissez cuire encore 15 minutes, jusqu'à ce que la pâte ait pris une belle couleur.

Servez brûlant avec des épinards en branche ou, mieux encore, froid avec une salade verte.

PIEDS DE PORC À LA CHOUCROUTE

Un plat solide et savoureux qui convient aux soirées d'automne ; pour l'accompagner, rien de mieux qu'un bon verre de bière.

PRÉPARATION : *30 minutes*
CUISSON : *3 heures à 3 h 30*

INGRÉDIENTS *(6 personnes)*
1,3 kg de choucroute
6 pieds de porc
1 oignon piqué de 2 clous de girofle
1½ c. à thé de poivre
1 c. à soupe de baies de genièvre
500 ml de bouillon, de bière ou de vin blanc
12 saucisses de Francfort

Etendez la moitié de la choucroute en une seule couche au fond d'un grand faitout. Disposez par-dessus les pieds et l'oignon, saupoudrez de poivre, ajoutez les baies de genièvre, couvrez avec le reste de la choucroute. Versez sur cette choucroute le bouillon (ou la bière ou le vin blanc), couvrez. Portez à ébullition, baissez le feu et laissez cuire jusqu'à ce que les pieds soient bien tendres, c'est-à-dire pendant 3 heures à 3 h 30 environ. Ajoutez les saucisses 10 minutes avant la fin de la cuisson.

Au moment de servir, dressez la choucroute sur un plat chaud entourée des pieds de porc et de saucisses comme garniture. Accompagnement obligatoire : pommes de terre cuites à la vapeur et moutarde.

BIFTECK DE FLANC GRILLÉ

Une marinade donne à ce bifteck plus de tendreté et de saveur.

PRÉPARATION : *10 minutes*
MARINAGE : *30 minutes ou plus*
CUISSON : *6 minutes*

INGRÉDIENTS *(4 personnes)*
1 bifteck de flanc de 900 g
3 c. à soupe d'oignon haché
1 gousse d'ail pilée
2 c. à soupe d'huile
2 c. à soupe de sauce de soya
2 pincées de thym
Le jus d'un demi-citron

Ciselez le bifteck des deux côtés pour l'empêcher de se soulever sous l'action de la chaleur et mettez-le dans une lèchefrite. Mélangez les autres ingrédients. Versez la marinade sur la viande et tournez-la deux ou trois fois pour bien l'enrober. Couvrez et réfrigérez au moins 30 minutes. Allumez le gril 15 minutes d'avance et faites cuire 3 minutes de chaque côté ; le bifteck doit être saignant. Découpez la viande à l'oblique, perpendiculairement aux fibres, en tranches très minces.

PAUPIETTES DE VEAU À L'OMELETTE

L'omelette qui entre dans la confection de cette recette ressemble à une crèpe. Vous pouvez remplacer le veau par des escalopes de dinde : le plat sera moins coûteux sans rien perdre de sa qualité.

PRÉPARATION : *30 minutes*
CUISSON : *1 heure*

INGRÉDIENTS *(4 personnes)*

8 émincés de veau de 100 g chacun
2 œufs
2 tranches de jambon cuit coupées en petits dés
1 c. à soupe de persil haché
1-2 c. à soupe de gruyère râpé
90 g de beurre
1 oignon
1-2 c. à soupe de farine
100 ml de lait
200 ml de bouillon de bœuf
Le jus d'un citron
1 c. à thé d'un mélange d'herbes aromatiques sèches, au choix (thym, origan, basilic par exemple)
Sel, poivre

Demandez à votre boucher de bien aplatir les émincés de veau. Battez légèrement les œufs, incorporez-y le jambon et le persil haché, le fromage râpé et un peu de sel.

Faites fondre un peu de beurre dans une petite poêle et, quand il a presque fini de mousser, versez quelques cuillerées d'œufs battus, juste assez pour couvrir d'une mince couche le fond de la poêle. Laissez cuire la petite omelette jusqu'à ce qu'elle soit bien dorée, retournez-la et faites-la dorer de l'autre côté ; faites-la glisser sur un plat sans la rouler. Renouvelez l'opération avec le reste des œufs battus et environ les deux tiers du beurre, de façon à obtenir en tout huit petites omelettes.

Posez une omelette sur chaque émincé, roulez l'ensemble comme une tranche de jambon ; attachez les paupiettes avec quelques tours de fil blanc ou embrochez-les avec des bâtonnets à cocktail.

Pelez et émincez l'oignon. Faites fondre le reste du beurre dans une sauteuse et faites-y revenir les paupiettes à feu vif, en les retournant pour qu'elles se colorent de toutes parts ; égouttez-les, mettez-les sur un plat. Mettez l'oignon dans la sauteuse et laissez-le cuire à feu modéré, en remuant souvent, pendant 5 à 7 minutes, jusqu'à ce qu'il soit tendre. Retirez le récipient du feu, ajoutez en remuant assez de farine pour absorber tout le gras, puis incorporez peu à peu le lait et environ 100 ml de bouillon de bœuf. Faites chauffer à feu doux jusqu'à légère ébullition, en remuant sans arrêt ; laissez cuire 5 minutes, puis assaisonnez de sel, de poivre, de jus de citron et des herbes aromatiques sèches.

Mettez les paupiettes dans cette sauce, en l'allongeant, si c'est nécessaire, avec un peu de bouillon (la sauce doit couvrir complètement les paupiettes). Couvrez et laissez cuire à feu doux pendant 15 minutes environ jusqu'à ce que la viande soit tendre.

Retirez les paupiettes du plat de cuisson, enlevez le fil, disposez-les sur un plat de service chaud, arrosez-les d'un peu de sauce, versez le reste dans une saucière. Vous pouvez accompagner les paupiettes de pommes de terre duchesse (p. 301), de brocolis ou de haricots verts au beurre.

TOURNEDOS EN CROÛTE

Les tournedos sont des tranches de filet un peu épaisses : délicieux mais hélas assez coûteux. Pour une grande occasion, enfermez-les dans une enveloppe de pâte feuilletée : une tranche de 120 g par personne sera ainsi suffisante.

PRÉPARATION : *30 minutes*
CUISSON : *35 minutes*

INGRÉDIENTS *(6 personnes)*
6 tournedos de 120 g chacun
60 g de beurre doux
150 g de pâte feuilletée fine (p. 326)
120 g de pâté de foie truffé
1 œuf
1 oignon
100 ml de vin rouge
250 ml de bouillon de bœuf
Sel, poivre

Faites chauffer le beurre dans une sauteuse ; quand il a fini de mousser, mettez-y la viande ; faites-la cuire à feu vif 2 minutes de chaque côté ou le temps nécessaire pour qu'il se forme une croûte sombre qui maintiendra les sucs à l'intérieur. Retirez la viande de la poêle et laissez-la refroidir.

Sur un plan de travail fariné, abaissez la pâte de manière à obtenir un rectangle épais d'environ 3 mm. Découpez-la en six carrés égaux et assez grands pour pouvoir envelopper un tournedos. Tartinez généreusement de pâté de foie chaque tournedos, d'un côté seulement, et disposez-les sur leur carré de pâte, la partie tartinée contre la pâte. Badigeonnez à l'eau froide les bords de la pâte, puis rabattez-les sur la viande et soudez-les en les pressant bien fermement du bout des doigts.

Disposez les tournedos en croûte sur une plaque à four mouillée, les bords repliés en dessous. Badigeonnez avec l'œuf légèrement battu ; sur chacun d'eux, pratiquez deux ou trois petites fentes pour laisser sortir la vapeur. Décorez la surface de petites feuilles, découpées dans les chutes de pâte, que vous badigeonnerez à leur tour d'œuf battu.

Faites cuire au centre du four, chauffé à 220°C, pendant 15 minutes. A ce moment, la pâte devrait être bien gonflée et d'une belle couleur dorée, tandis que le filet sera saignant au centre. Si vous préférez une viande plus cuite, comptez 10 minutes en plus, mais à une température inférieure (180°C).

Pelez et hachez finement l'oignon et faites-le légèrement blondir dans le beurre resté dans la poêle où vous avez saisi la viande. Ajoutez le vin et faites bouillir à feu modéré pendant 2-3 minutes, en remuant pour bien déglacer ; ajoutez le bouillon et faites bouillir doucement encore 5 minutes ; assaisonnez de sel et de poivre.

Disposez les tournedos sur un plat de service chaud, versez la sauce dans une saucière chaude et servez aussitôt, accompagné d'une purée de céleri ou d'oignons.

Volaille et gibier

POULET DU CAPITAINE

Selon la tradition, ce plat fut servi par un officier des Indes orientales à un officier de marine, qui en rapporta la recette aux Etats-Unis.

PRÉPARATION : *20 minutes*
CUISSON : *35 à 45 minutes*

INGRÉDIENTS *(4 personnes)*
1 poulet prêt à cuire, de 1,3 kg environ
100 ml de lait
40 g de farine
1 c. à thé de sel
1 pincée de poivre blanc
60 g de beurre
1 oignon moyen
La moitié d'un poivron vert
1 gousse d'ail hachée
1½ c. à thé de poudre de curry
2 pincées de thym sec
500 g de tomates en conserve bien égouttées
3 c. à soupe de raisins secs
30 g d'amandes en lamelles grillées

Coupez le poulet en morceaux, trempez-les dans le lait et passez-les dans la farine, à laquelle vous aurez mêlé le sel et le poivre. Pelez et émincez l'oignon ; lavez la moitié du poivron dont vous aurez ôté la queue, les graines et les cloisons intérieures ; coupez l'oignon et le poivron en tout petits dés.

Faites fondre le beurre dans une grande poêle et faites revenir les morceaux de poulet à feu modéré. Quand ils sont bien colorés de toutes parts (environ 5 à 6 minutes), posez-les sur un plat. Mettez dans la poêle l'oignon, l'ail, le poivron, le thym et les tomates bien écrasées à la fourchette. Saupoudrez de curry. Remuez bien ; laissez cuire à feu modérément vif pendant 5 minutes environ ou jusqu'à ce que le tout épaississe légèrement.

Remettez le poulet dans la poêle, couvrez et laissez cuire à feu doux pendant 25 minutes ou jusqu'à ce

qu'il soit tendre. Mélangez à la sauce les raisins secs (que vous aurez fait gonfler en les plongeant une dizaine de minutes dans de l'eau très chaude, puis bien égoutter). Au moment de servir, parsemez d'amandes grillées et accompagnez de riz nature.

OIE FARCIE À L'ALLEMANDE

L'oie est une volaille dont on ne fait pas grand usage dans nos cuisines ; à tort, car elle se prête à d'innombrables préparations et apporte sur la table un air de fête.

PRÉPARATION : *30 minutes*
CUISSON : *2 h 30 à 3 heures*

INGRÉDIENTS *(6 à 8 personnes)*
1 oie de 4 kg environ
FARCE
6 grosses poignées de mie de pain rassis, coupée en petits dés
3 pommes de grosseur moyenne
130 g de raisins secs
100 g de sucre
1 c. à thé de sel
1 c. à thé de cannelle en poudre
2 pincées de poivre de Cayenne
60 g de beurre fondu

Coupez le cou de l'oie (en laissant cependant la peau attachée au corps) et retirez du ventre le foie et le gésier que vous ferez cuire aussitôt dans de l'eau salée et que vous réserverez pour un autre usage. Enlevez l'excès de graisse au niveau du sot-l'y-laisse (dessus du croupion) et du cou.

Bridez l'oie. (Si vous coupez les ailerons, faites-les cuire avec le cou et les abats.) Pelez les pommes, coupez-les en quatre en éliminant pépins et cartilages, hachez-les grossièrement.

Faites gonfler les raisins secs en les plongeant 10 minutes dans de l'eau très chaude ; égouttez-les avec soin. Rassemblez dans une grande

casserole les raisins secs, les pommes, les dés de mie de pain ; saupoudrez de sucre, de sel, de cannelle et de poivre de Cayenne et mélangez bien. Ajoutez le beurre fondu et 100 ml d'eau, mélangez à nouveau. Introduisez cette farce à l'intérieur de l'oie, sans la tasser ; fixez la peau du cou au dos de la volaille au moyen d'une brochette, liez les deux cuisses avec une aiguille.

Couchez l'oie, la poitrine tournée vers le haut, sur une grille posée sur un plat à rôtir et mettez-la au four, préchauffé à 200°C ; laissez cuire 1 heure. Pendant la cuisson, retirez avec une cuillère la graisse fondue qui s'accumule au fond du plat et réservez-la pour assaisonner d'autres préparations. Cette opération devrait être effectuée après une demi-heure de cuisson, de façon que la graisse ne devienne pas trop foncée.

Au bout de 1 heure, abaissez la température du four à 160°C et laissez cuire encore 1 h 30 à 2 heures, jusqu'à ce que, en pressant entre deux doigts (protégés pour ne pas vous brûler) la partie la plus charnue d'une cuisse, vous la sentiez très tendre. Vous pouvez également la piquer avec une fourchette : l'oie est prête quand le jus qui sort de la piqûre est de couleur beige, et non plus rose.

POULET À LA KIEV

Cette recette de filets de poulet cuits en grande friture et relevés d'un beurre composé est originaire de Russie. La préparation doit se faire longtemps d'avance pour que la viande soit bien réfrigérée.

PRÉPARATION : *40 minutes*
RÉFRIGÉRATION : *1 heure*
CUISSON : *15 minutes*

INGRÉDIENTS *(4 personnes)*

2 poitrines entières de poulet
115 g de beurre doux
Le zeste râpé et le jus d'un petit citron
2 c. à soupe de persil ou d'estragon frais hachés
Muscade râpée (facultatif)
Sel et poivre noir
1 gros œuf
200 g de chapelure fraîche de pain blanc
Graisse ou huile à friture
GARNITURE
Cresson

Défaites le beurre en crème en lui ajoutant le zeste de citron, le persil ou l'estragon et une pincée de muscade. Salez, poivrez avec le moulin et relevez d'une pointe de jus de citron. Façonnez le beurre en bloc rectangulaire ; enveloppez-le de papier d'aluminium et faites-le durcir au congélateur.

Entre-temps, désossez et dépouillez les blancs de poulet de leur peau, sans les briser. Posez-les entre des feuilles de papier paraffiné et aplatissez-les.

Détaillez le beurre congelé en quatre bâtonnets de la longueur d'un doigt. Enroulez la chair de poulet autour de chacun des bâtonnets de manière à les envelopper complètement. Roulez les filets de poulet dans l'œuf légèrement battu, puis dans la chapelure, en tapotant celle-ci pour qu'elle adhère bien à la chair. Vous pouvez, à

votre goût, panner la viande une seconde fois pour qu'elle soit plus croustillante. Badigeonnez-la délicatement d'œuf battu avec un pinceau, en prenant soin de ne pas éliminer la première couche, et passez-la à nouveau dans la chapelure. Laissez durcir la panure environ 1 heure au réfrigérateur.

Chauffez la graisse ou l'huile dans la friteuse. Lorsqu'elle a atteint 190°C, jetez-y deux filets de poulet à la fois et laissez-les cuire 6 minutes. Surveillez la température du bain ; si l'huile est trop chaude, les filets rôtiront avant de cuire. Une fois qu'ils sont à point, égouttez-les.

Disposez-les sur un plat de service chaud que vous décorerez de petits bouquets de cresson. Accompagnez-les de pommes de terre nouvelles et de rondelles de courgettes cuites au beurre.

FRICASSÉE DE POULET

Aujourd'hui la fricassée est au poulet ce que la blanquette est au veau ou à l'agneau, alors que ce mot, anciennement, s'appliquait à des ragoûts de diverses sortes.

PRÉPARATION : *1 h 15*
CUISSON : *1 heure*

INGRÉDIENTS *(4 à 6 personnes)*
1 poulet de 1,8 kg détaillé en
*   morceaux*
1,5 litre d'eau
1 petit os de veau
Sel
1 oignon
1 brin de persil
1 brin de thym
1 feuille de laurier
1-2 clous de girofle
45 g de beurre ou de margarine
3 c. à soupe de farine
250 ml de lait ou de crème
Sel, poivre, muscade
Persil haché

Faites mijoter le cou, les ailerons et les abats ainsi que l'os de veau dans 1,5 litre d'eau pendant 1 heure. Salez et passez le bouillon chaud au-dessus des morceaux de poulet placés dans un faitout. Ajoutez oignon, persil, thym, laurier et clous et laissez mijoter à couvert pendant 1 heure environ ou jusqu'à ce que le poulet soit tendre (le temps de cuisson varie avec l'âge de la volaille).

Entre-temps, faites un roux avec le beurre fondu et la farine. Mouillez avec 500 ml de bouillon de poulet et remuez jusqu'à épaississement de la sauce. Ajoutez le lait ou la crème peu à peu en remuant constamment. Assaisonnez de sel, de poivre et de muscade.

Disposez le poulet sur une assiette de service chaude ; entourez-le de riz ou de nouilles au beurre. Nappez de sauce et décorez de persil ciselé.

FAISANS AU CHOU

Un plat très apprécié des amateurs de faisan et qui convient très bien à une fraîche soirée d'automne. Si vous ne trouvez pas de faisan, ou s'il est trop cher, vous pouvez le remplacer par une pintade ou un poulet. Délicieux également sur un lit de choucroute cuite avec un peu de vin blanc très sec.

PRÉPARATION : *15 minutes*
CUISSON : *1 h 15 environ*

INGRÉDIENTS *(6 à 8 personnes)*
2 petites poules faisanes, prêtes à cuire
90 g de beurre
2 bardes de lard gras
1 beau chou de Milan
300 ml environ de crème épaisse
Le jus d'un citron
12 baies de genièvre
Paprika
Sel, poivre blanc

Assaisonnez les faisans de sel et de poivre blanc à l'intérieur et à l'extérieur. Faites-les revenir, dans le beurre bien chaud, dans une sauteuse. Retirez-les, bardez-les, bridez-les et remettez-les aussitôt dans la sauteuse. Baissez le feu, couvrez et laissez cuire à feu doux pendant 35 minutes.

Pendant que les faisans cuisent, épluchez le chou, lavez-le, coupez-le en lanières que vous jetterez dans de l'eau bouillante salée. Fai-tes-les blanchir pendant 20 minutes. Egouttez-les. Glissez le chou en lit dans le fond de la sauteuse. Arrosez du jus de citron, couchez les faisans dessus, nappez le tout de crème et ajoutez les baies de genièvre. Salez et poivrez légèrement. Couvrez et laissez cuire à tout petit feu 15 minutes encore.

Avant de servir, saupoudrez faisans et chou d'un peu de paprika.

Riz et pâtes

SCHINKEN-FLECKERL

La plupart des plats qui sont faits à base de pâtes alimentaires sont originaires d'Italie. Pourtant cette couronne de lasagnes et de jambon est traditionnelle aussi bien en Autriche qu'en Suisse.

PRÉPARATION : *15 minutes*
CUISSON : *40 à 45 minutes*

INGRÉDIENTS *(4 personnes)*
250 g de lasagnes
3 c. à soupe d'huile d'olive
2 c. à soupe de chapelure de pain grillé
250 g de jambon cuit maigre
2 échalotes ou 1 petit oignon
60 g de beurre
250 ml de crème sure
2 œufs
60 g de gruyère râpé
Sel, poivre
GARNITURE
1 petit poivron vert
Chapeaux de champignons
Tomates

Enduisez de 2 cuillerées d'huile un moule à soufflé dont vous saupoudrerez de chapelure le fond et les parois.

Remplissez aux deux tiers un grand faitout d'eau salée à laquelle vous ajouterez 1 cuillerée à soupe d'huile (pour que les lasagnes ne collent pas les unes aux autres) ;

lorsque l'eau arrive à ébullition, jetez-y les lasagnes. Quand l'ébullition a repris, baissez le feu et laissez cuire à tout petits bouillons pendant 10 à 15 minutes ou jusqu'à ce que les lasagnes soient cuites mais encore *al dente.*

Pendant que les pâtes cuisent, coupez le jambon en petits dés, pelez et hachez finement les échalotes (ou l'oignon). Faites fondre le beurre dans une petite poêle et faites-y revenir les échalotes, à feu modéré, pendant 5 minutes, jusqu'à ce qu'elles soient tendres et transparentes. Mélangez-les ensuite aux pâtes bien égouttées et coupées en carrés.

Dans une jatte, mélangez la crème sure et les œufs ; mêlez-y le jambon et le fromage râpé et ajoutez ce mélange aux pâtes. Remuez bien avec une cuillère en bois et assaisonnez de sel et de poivre à votre goût.

Versez dans le moule à soufflé les pâtes ainsi assaisonnées, placez le moule dans un plus grand qui contient 2-3 cm d'eau froide. Mettez le tout au centre du four, préchauffé à 200°C, et laissez cuire pendant 30 minutes, jusqu'à ce que la préparation soit prise et que la surface soit devenue légèrement dorée.

Retirez le moule du four et laissez la préparation s'affaisser légèrement avant de la démouler sur un plat de service chaud. Garnissez le dessus et les côtés de triangles ou de petits carrés de poivron, de moitiés de tomates ou de chapeaux de champignons que vous aurez rapidement passés au gril.

Servez avec une salade verte arrosée de vinaigrette (p. 272).

SPAGHETTINI ESTIVI

Une judicieuse combinaison d'ingrédients chauds et froids donne à ce plat classique un attrait insolite.

PRÉPARATION : *20 minutes*
CUISSON : *10 à 12 minutes*

INGRÉDIENTS *(2 à 4 personnes)*
3 tomates moyennes pelées et émincées
1 oignon moyen émincé fin
1 c. à soupe de basilic frais haché ou 2 pincées de basilic séché
6 c. à soupe d'huile d'olive
1½-2 c. à soupe de vinaigre de vin
Sel
Poivre noir fraîchement moulu
450 g de spaghettinis
GARNITURE
Persil haché fin

Réunissez les tomates, l'oignon émincé fin et le basilic ainsi que l'huile d'olive préalablement mélangée au vinaigre de vin ; salez, poivrez avec le moulin et réfrigérez.

Faites cuire les spaghettinis dans de l'eau bouillante salée jusqu'à ce qu'ils soient tendres mais non pâteux. Egouttez-les complètement, ajoutez-les aux tomates en brassant bien et arrosez de sauce vinaigrette bien froide. Décorez d'un peu de persil haché.

SUPPLÌ

Les *supplì* sont des boulettes de riz aromatisées au safran ou à la tomate, farcies de crevettes, de jambon haché ou de salami et garnies de fromage fondu qui s'étirera en longs fils quand vous croquerez dans la boulette. C'est cette particularité qui a amené les Italiens à baptiser joliment ce plat de *supplì al telefono.* On choisira de préférence un fromage moelleux qui fond facilement, comme la mozzarella ou le bel paese.

PRÉPARATION : *30 minutes*
RÉFRIGÉRATION : *45 minutes*
CUISSON : *15 minutes*

INGRÉDIENTS *(6 personnes)*
300 g de riz italien à grains ronds
1 oignon
60 g de beurre
425 ml de jus de tomate
125 ml de bouillon de poulet ou d'eau
10 à 20 g de parmesan râpé
Sel et poivre noir
Paprika
2 gros œufs
225 g de mozzarella ou de bel paese
115 g de petites crevettes cuites ou de jambon en petits dés
150 g de chapelure fraîche de pain blanc
Huile à friture

Pelez et hachez l'oignon menu ; mettez-le avec le beurre dans une sauteuse à fond épais et faites-le cuire jusqu'à ce qu'il soit transparent. Ajoutez le riz et prolongez la cuisson en remuant. Quand le riz commence à prendre couleur, mouillez-le avec le jus de tomate. Couvrez et laissez le riz gonfler jusqu'à ce qu'il soit tendre et qu'il ait absorbé tout le liquide. Remuez fréquemment et ajoutez un peu de bouillon de poulet ou d'eau si tout le liquide est absorbé avant que le riz ne soit cuit.

Retirez la sauteuse du feu, ajoutez le parmesan râpé et assaisonnez de sel, de poivre frais moulu et d'un peu de paprika. Battez légèrement les œufs et incorporez-les au risotto. Mettez l'appareil au réfrigérateur pour que la préparation se raffermisse.

Détaillez la mozzarella ou le bel paese en dés de 1 cm. Déposez 1 cuillerée à soupe rase de risotto dans le creux de votre main ; insérez au centre une crevette ou un dé de jambon et un dé de fromage. Couvrez d'une autre cuillerée à soupe rase de risotto et façonnez le tout en boulette. Continuez ainsi jusqu'à épuisement de tous les in-

grédients : vous devriez obtenir entre 12 et 14 boulettes que vous passerez dans la chapelure.

Faites chauffer l'huile dans la friteuse. Quand elle a atteint 190°C, jetez-y les boulettes à raison de trois ou quatre à la fois. Environ 4 minutes de cuisson suffiront pour qu'elles soient croustillantes et dorées. Egouttez-les sur du papier absorbant et tenez-les au chaud pendant que vous terminez la cuisson.

Servez les *supplì* bien chauds, seuls ou accompagnés d'une salade de céleri ou d'une salade de verdures arrosée de sauce vinaigrette (p. 272).

SPAGHETTINIS À LA SICILIENNE

Il y a sans doute autant de recettes de spaghettis qu'il y a d'Italiens. Celle-ci est simple mais inusitée.

PRÉPARATION : *5 minutes*
CUISSON : *10 à 12 minutes*

INGRÉDIENTS *(4 personnes)*
450 g de spaghettinis
125 ml d'huile d'olive
4 gousses d'ail pelées et émincées fin
75 g de raisins secs imbibés de marsala
18 filets d'anchois hachés menu
60 g de pignons
4 à 8 c. à soupe de persil haché fin

Faites cuire les spaghettinis dans de l'eau bouillante salée pour qu'ils demeurent un peu croquants. Egouttez-les et gardez-les au chaud.

Faites sauter l'ail 1-2 minutes dans l'huile ; ajoutez les autres ingrédients. Quand la préparation est chaude, garnissez-en les pâtes. Ce plat se sert sans fromage.

Légumes

BROCOLIS SAUCE POULETTE

Un plat d'une belle présentation, grâce à l'élégant contraste de la sauce et du vert des brocolis.

PRÉPARATION : *10 minutes*
CUISSON : *30 minutes*

INGRÉDIENTS *(4 à 6 personnes)*
1 kg de brocolis
60 g de beurre
2 c. à soupe de farine
2 jaunes d'œufs
Le jus d'un demi-citron
Sel, poivre

Epluchez les brocolis en éliminant les tiges trop dures et les feuilles jaunies ; lavez-les à grande eau, puis jetez-les dans de l'eau bouillante salée, couvrez et laissez cuire à feu doux pendant 15 minutes ou jusqu'à ce que les brocolis soient tendres mais pas défaits. Egouttez-les, gardez-les au chaud ; réservez l'eau de cuisson.

Dans une petite casserole, faites fondre le beurre ; retirez du feu et, en remuant, ajoutez la farine, puis, peu à peu, 300 ml de l'eau de cuisson des brocolis. Remettez cette sauce à feu doux, portez à ébullition et laissez cuire doucement pendant 10 minutes. Dans une tasse, battez les jaunes d'œufs avec 1 cuillerée à soupe de jus de citron et 2 cuillerées à soupe de sauce chaude ; retirez la sauce du feu et incorporez-y le reste des œufs battus. Assaisonnez de sel, de poivre et d'autre jus de citron si vous voulez.

Dressez les brocolis sur un plat de service creux et versez par-dessus la sauce bien chaude. Servez immédiatement.

HARICOTS AUX POIRES À LA WESTPHALIENNE

L'aigre et le doux se marient souvent dans la cuisine allemande. On retrouve ces deux saveurs réunies ici dans un plat de haricots aux poires, tout indiqué avec le jambon et le porc rôtis.

PRÉPARATION : *15 minutes*
CUISSON : *30 minutes*

INGRÉDIENTS *(4 à 6 personnes)*
450 g de jeunes haricots verts
4 grosses poires à cuire fermes et un peu vertes
500 ml de bouillon ou de fond blanc
Zeste de citron
4 tranches de bacon
30 g de cassonade blonde
1 c. à soupe de vinaigre à l'estragon

Pelez les poires. Coupez-les en deux, enlevez le trognon et détaillez chaque moitié en 3-4 morceaux. Amenez le bouillon à ébullition et faites-y cuire les poires et le zeste de citron 10 minutes à feu doux et à découvert.

Entre-temps, parez et lavez les haricots. Jetez-les dans la casserole avec les poires et prolongez la cuisson à feu doux.

Détaillez les tranches de bacon en morceaux de 1,5 cm de largeur. Faites-les sauter dans leur gras à feu doux. Quand ils sont croustillants, retirez-les avec une écumoire et gardez-les au chaud. Jetez la cassonade dans le gras de bacon ainsi que le vinaigre ; ajoutez un peu du jus de cuisson des poires et des haricots et versez dans la casserole. Laissez mijoter à découvert jusqu'à ce que le liquide ait une consistance sirupeuse et que les haricots soient tendres. Retirez le zeste de citron. Dressez les haricots aux poires dans un légumier chaud et garnissez des bouchées de bacon.

CROQUETTES DE POIS CHICHES

On peut préparer ces croquettes aussi bien avec des pois cassés et des lentilles qu'avec des pois chiches. On les sert avec du jambon poché ou rôti ou avec du bacon grillé.

PRÉPARATION : *50 minutes*
CUISSON : *2 h 15*

INGRÉDIENTS *(4 personnes)*
225 g de pois chiches
1 oignon
625 ml de bouillon de jambon
30 g de beurre
2 c. à soupe de persil haché fin
Sel et poivre noir
1 gros œuf
50 ml de gras de bacon ou de graisse de rôti

Laissez les pois chiches tremper dans de l'eau pendant 8 heures ou une nuit entière. Egouttez-les et mettez-les dans une casserole avec le bouillon. Amenez à ébullition, couvrez la casserole et laissez mijoter 2 heures environ ou jusqu'à ce qu'ils soient tendres. (Si les pois chiches sont très durs, la cuisson peut demander jusqu'à 5 heures.)

Egouttez-les et réduisez-les en une purée grossière au mixer ou au tamis. Pelez et hachez l'oignon menu. Faites-le rissoler dans le beurre à feu doux 5 minutes.

Ajoutez-le, ainsi que le persil, à la purée de pois chiches. Salez, poivrez et liez à l'œuf battu. Etalez cette préparation sur une grande assiette plate et divisez-la en huit portions égales. Avec les mains farinées, façonnez-en des boulettes que vous aplatirez légèrement. Réfrigérez-les environ 30 minutes.

Chauffez le gras dans une sauteuse à fond épais et faites-y rissoler les croquettes à feu modéré jusqu'à ce qu'elles soient uniformément croustillantes et dorées. Egouttez-les sur du papier absorbant.

PURÉE DE PANAIS

Trop souvent négligé, le panais s'associe parfaitement au gibier, au poulet, à la dinde et à la plupart des viandes rôties.

PRÉPARATION : *40 minutes*
CUISSON : *25 à 30 minutes*

INGRÉDIENTS *(6 personnes)*
1,5 kg de panais
1 c. à thé de sel
1 c. à thé de sucre
115 g de beurre fondu
4 c. à soupe de crème épaisse
50 ml ou plus de madère
Chapelure beurrée (p. 349)

Faites cuire les panais à l'eau bouillante salée pendant 20 à 40 minutes ou jusqu'à ce qu'ils soient tendres. Surveillez la cuisson pour qu'ils ne cuisent pas trop. Egouttez-les et plongez-les dans de l'eau froide pour pouvoir les éplucher plus facilement.

Réduisez-les en purée en vous servant du mixer, d'un tamis ou d'un presse-purée. Ajoutez le sel, le sucre, le beurre, la crème et le madère. Fouettez la purée à la fourchette ou au mixer avant de la déposer dans un plat à four. Saupoudrez-la de chapelure beurrée, parsemez de noisettes de beurre et enfournez le plat à 180°C. Laissez cuire 25 à 30 minutes.

CAROTTES RISSOLÉES À LA TURQUE

En Turquie, on apprête fréquemment les légumes et les salades au yogourt chaud ou froid. Les carottes ainsi traitées accompagnent bien l'agneau.

PRÉPARATION : *15 minutes*
CUISSON : *20 minutes*

INGRÉDIENTS *(4 personnes)*
450 g de carottes
1 c. à soupe de farine assaisonnée
2 c. à soupe d'huile d'olive
Sel et poivre noir
300 ml de yogourt
GARNITURE
1 c. à soupe de menthe hachée
  ou 1 c. à thé de graines de carvi

Pelez ou grattez les carottes, lavez-les et émincez-les en rondelles de 7 mm d'épaisseur. Faites-les cuire environ 10 minutes à l'eau bouillante salée. Egouttez-les et épongez-les soigneusement sur du papier absorbant. Enrobez les carottes de farine assaisonnée et secouez-les pour faire tomber l'excès de farine. Chauffez l'huile dans une sauteuse à fond épais et faites-y revenir les carottes à feu modéré jusqu'à ce qu'elles soient bien dorées. Assaisonnez au goût de sel et de poivre fraîchement moulu.

Versez le yogourt dans une autre casserole et réchauffez-le à feu doux sans le porter à ébullition pour qu'il ne tourne pas.

Dressez les carottes dans un plat de service chaud ; nappez-les de yogourt et décorez de menthe hachée ou de graines de carvi.

PURÉE DE MARRONS

La plupart du temps, on utilise les châtaignes pour préparer des gâteaux ; or elles sont excellentes en légumes : cette purée constitue un accompagnement exquis pour tous les types de gibier, la dinde et le filet de porc rôti.

PRÉPARATION : *20 minutes*
CUISSON : *30 minutes*

INGRÉDIENTS *(6 à 8 personnes)*
1 kg de châtaignes ou une grande boîte
  de marrons au naturel
500 ml de bouillon de poulet
60 g de beurre
4-5 c. à soupe de crème légère
1 petit cœur de céleri haché menu
Sel, poivre

A l'aide d'un couteau, pratiquez sur la face plate des châtaignes une petite incision ; disposez-les ensuite sur une plaque et mettez-les dans la partie supérieure du four, préchauffé à 200°C ; au bout de 5 à 10 minutes, les écorces se soulèveront. Epluchez les châtaignes pendant qu'elles sont chaudes, en enlevant l'écorce et la peau.

Faites chauffer le bouillon dans une grande casserole et plongez-y les châtaignes. Couvrez, portez à ébullition et laissez-les cuire à feu doux pendant 20 minutes, jusqu'à ce qu'elles soient tendres. Egouttez-les.

Entre-temps, lavez soigneusement le cœur de céleri auquel vous conserverez quelques feuilles jaune tendre et hachez-le finement.

Passez les châtaignes au moulin à légumes ; faites fondre le beurre dans une sauteuse et réchauffez la purée à feu modéré, en remuant avec une cuillère en bois ; ajoutez la crème pour obtenir une purée de consistance convenable ; assaisonnez de sel et de poivre.

Avant de servir, incorporez à la purée le céleri haché.

POMMES DE TERRE À LA NORMANDE

Pour cette recette, choisissez des pommes de terre fermes et un peu cireuses, capables de supporter, sans se défaire, une longue et lente cuisson. Vous les servirez avec toute espèce de viande rôtie ou grillée. Pour en faire un plat de résistance, ajoutez du jambon haché ou du poisson effeuillé.

PRÉPARATION : *15 à 20 minutes*
CUISSON : *1 h 30*

INGRÉDIENTS *(6 à 8 personnes)*
700 g de pommes de terre
1 oignon
115 g de cheddar
60 g de beurre
Sel et poivre noir
1 œuf
300 ml de lait

Pelez, lavez et émincez les pommes de terre en tranches fines. Pelez et hachez l'oignon menu ; râpez le fromage. Prélevez un peu de beurre sur la quantité indiquée pour en enduire un plat à four peu profond. Couchez les tranches de pommes de terre dans le plat en intercalant entre chaque rang de l'oignon, du fromage, du sel et du poivre fraîchement moulu. Terminez par une couche épaisse de fromage. Parsemez le reste du beurre en noisettes sur le dessus.

Arrosez les pommes de terre de l'œuf légèrement battu dans le lait. Couvrez de papier paraffiné ou de papier d'aluminium beurré et enfournez le tout au centre du four préchauffé à 180°C. Prévoyez environ 1 h 30 de cuisson pour que les pommes de terre soient tendres et que le fromage soit gratiné (une cuisson rapide risquerait de faire tourner le lait).

CHOU AU GRATIN

Le chou est un légume peu cher et haut en saveur. Essayez-le en sauce au fromage, servi avec des saucisses ou du jambon.

PRÉPARATION : *30 minutes*
CUISSON : *15 minutes*

INGRÉDIENTS *(6 personnes)*
700 g de chou
45 g de beurre
3 c. à soupe de farine
250 ml de lait
Sel et poivre noir
Macis (ou muscade) râpé
100 g de cacahouètes salées broyées
75 à 150 g de cheddar râpé

Coupez le chou en quartiers après avoir ôté les feuilles extérieures qui seraient meurtries. Eliminez le trognon et détaillez le chou en fines lanières.

Mettez 1,5 cm d'eau dans une grande sauteuse à fond épais avec 1 cuillerée à thé de sel et faites chauffer. Ajoutez le chou par poignées et assaisonnez chaque rang de poivre fraîchement moulu. Couvrez et faites cuire à feu doux pendant 10 minutes. Le chou doit être tendre mais encore croquant.

Entre-temps, préparez une sauce blanche épaisse (p. 269) avec le beurre, la farine et le lait. Assaisonnez de sel, de poivre et de macis ou de muscade.

Beurrez un plat à four et disposez une couche de chou dans le fond. Couvrez d'un peu de sauce et saupoudrez de cacahouètes et de fromage. Continuez ainsi jusqu'à épuisement des ingrédients en terminant par le fromage. Enfournez le plat à 220°C pour 15 minutes.

Dès que le fromage est gratiné, servez le chou.

Desserts

FIGUES FRAÎCHES AU YOGOURT

Ici, des figues fraîches sont apprêtées au yogourt et à la crème et rehaussées de cassonade.

PRÉPARATION : *15 minutes*
CUISSON : *2 heures*
RÉFRIGÉRATION : *2 heures*

INGRÉDIENTS *(4 personnes)*
8 figues fraîches
125 ml de crème épaisse
125 ml de yogourt
45 à 60 g de cassonade

Faites blanchir les figues 1 minute dans de l'eau très chaude. Egouttez-les, pelez-les et divisez-les en quartiers. Fouettez légèrement la crème ; mélangez-y le yogourt. Déposez 1 cuillerée de cet apprêt dans quatre coupes à sorbet ; poursuivez le remplissage par un rang de figues, puis par un de crème, et ainsi de suite en terminant par la crème au yogourt. Saupoudrez chaque couche de cassonade.

Réfrigérez les coupes au moins 2 heures pour permettre à la cassonade de se dissoudre et de pénétrer la crème.

D'août à octobre, on trouve assez facilement des figues fraîches.

COMPOTE DE FRUITS SECS MERINGUÉE

Une compote de fruits secs résume en un dessert toutes les saisons.

RÉHYDRATATION : *6 heures*
PRÉPARATION : *20 minutes*
CUISSON : *25 minutes*

INGRÉDIENTS *(12 personnes)*
1,5 litre de thé bouillant
150 g de chacun des fruits secs
   suivants : abricots, pêches, pommes,
   poires et figues
3 tranches de citron
150 g de sucre
Le jus d'un demi-citron
2 blancs d'œufs
50 g d'amandes en lamelles
Cognac, rhum ou whisky

Mettez les fruits secs dans une casserole, couvrez de thé bouillant et laissez reposer 6 heures, en remuant de temps en temps. Portez à ébullition ; ajoutez les tranches de citron et 100 g de sucre et poursuivez à feu doux pendant 20 minutes.

Retirez la casserole du feu, ajoutez le cognac (ou l'alcool choisi). Disposez les fruits cuits dans des coupes individuelles pouvant aller au four. Dans une jatte, battez les deux blancs d'œufs en neige très ferme. Ajoutez 50 g de sucre et le jus d'un demi-citron. Battez à nouveau quelques secondes. Recouvrez les fruits cuits de meringue en dessinant des arabesques à la fourchette. Parsemez d'amandes en lamelles. Passez les coupes au four (220°C) pendant 5 minutes.

CLAFOUTIS AUX PRUNES

Le clafoutis se sert chaud, nappé de crème fraîche ou fouettée.

PRÉPARATION : *20 minutes*
MACÉRATION : *30 minutes*
CUISSON : *40 minutes*

INGRÉDIENTS *(6 à 8 personnes)*
450 g de prunes rouges mûres et
   fermes
2 c. à thé de jus de citron
3 c. à soupe de kirsch
115 g de beurre
115 g de sucre
1 c. à thé de zeste de citron râpé
1 pincée de muscade
3 œufs
125 g de farine tout usage
Sucre glace

Faites blanchir les prunes 10 minutes dans de l'eau bouillante ; pelez-les et dénoyautez-les. Emincez-les en rondelles ou gardez-les entières. Arrosez de kirsch et de jus de citron et laissez macérer 30 minutes ; remuez de temps à autre.

Défaites le beurre en crème avec 100 g de sucre, le zeste râpé et la muscade. Incorporez les œufs puis la farine, et versez la pâte dans un moule beurré et fariné de 25 cm.

Disposez les prunes égouttées sur la pâte et arrosez-les du jus de macération additionné de 15 g de sucre. Enfournez à 190°C et laissez cuire 40 minutes environ.

Poudrez de sucre glace et servez.

CHASSE-MOUCHES AU RAISIN

Cette tarte, spécialité des Hollandais émigrés en Pennsylvanie, doit son nom étrange au fait qu'elle est extrêmement sucrée : elle attire tellement les mouches, dit-on, qu'il faut continuellement les chasser pendant que la tarte refroidit.

PRÉPARATION : *30 minutes*
CUISSON : *35 minutes*

INGRÉDIENTS *(6 personnes)*
250 g de pâte ordinaire (voir p. 317)
1 c. à thé de bicarbonate de soude
80 g de raisins secs
6 c. à soupe de mélasse
90 g de farine
2 pincées de cannelle en poudre
1 pincée de noix de muscade râpée
1 pincée de gingembre en poudre
60 g de beurre doux
60 g de cassonade blonde

Sur un plan de travail fariné, abaissez la pâte en une feuille mince. Foncez-en un moule à tarte de 22 cm de diamètre et pincez les bords de la pâte pour faire des cannelures décoratives. Piquez le fond avec une fourchette et recouvrez-le avec les raisins secs que vous aurez fait gonfler 10 minutes dans l'eau très chaude, puis bien égoutter. Mélangez à la mélasse 5 cuillerées à soupe d'eau bouillante et le bicarbonate et versez sur la pâte.

Tamisez ensemble la farine et les épices, ajoutez le beurre détaillé en petits morceaux et amalgamez bien les ingrédients du bout des doigts, jusqu'à ce que l'appareil ait la consistance de la chapelure. Mélangez-y la cassonade puis étendez cette préparation sur les raisins, sans appuyer.

Mettez dans la partie supérieure du four, préchauffé à 220°C, et laissez cuire pendant 10 minutes ; abaissez la température à 160°C et continuez la cuisson pendant 15 minutes.

Coupez la tarte en tranches et servez-la tiède ou froide selon votre goût, accompagnée de glace à la vanille ou de crème fouettée.

POIRES AU CHOCOLAT

Un dessert simple qui présente bien et qui peut se préparer la veille et se conserver au réfrigérateur. Choisissez une belle poire de saison comme la comice ou la bartlett.

PRÉPARATION : *20 minutes*
CUISSON : *20 minutes*
RÉFRIGÉRATION : *2-3 heures*

INGRÉDIENTS *(4 personnes)*
4 grosses poires mûres
1½ c. à soupe de noix fraîches écalées
2 c. à soupe de petites cerises confites
120 g de chocolat amer en tablette
2 c. à soupe de café fort
30 g de beurre doux
1-2 c. à soupe de rhum
2 œufs
GARNITURE
Écorce de cédrat confite
Crème fouettée et pistaches hachées
  (facultatif)

Pelez et épépinez les poires en laissant intactes la partie supérieure et les queues ; équarrissez la base des fruits pour qu'ils soient plus stables. Hachez grossièrement les noix et les petites cerises confites, fourrez l'intérieur des poires avec une petite quantité de ce mélange. Disposez les poires sur un plat de service ou dans de petites coupes.

Placez une jatte sur une casserole d'eau légèrement bouillante, cassez le chocolat en morceaux ; faites-le fondre dans la jatte avec le café fort tout en remuant de temps à autre. Retirez la jatte du bain-marie ; en remuant, ajoutez le beurre, le rhum et, l'un après l'autre, les jaunes d'œufs et, enfin, délicatement, les blancs montés en neige assez ferme.

A l'aide d'une cuillère, versez le mélange sur les poires, de façon à les napper uniformément. Découpez dans un morceau d'écorce de cédrat confite huit minces petits lo-

sanges, piquez-en deux de chaque côté de la queue des poires en guise de feuilles.

Mettez au réfrigérateur pendant au moins 2 heures avant de servir.

Vous pouvez aussi entourer la base des poires de petits choux de crème fouettée que vous dispose-rez avec une poche à douille à embout cannelé. Parsemez ensuite les petits choux de pistaches hachées ou d'amandes effilées dorées au four.

GÂTEAU HONGROIS AUX NOISETTES

Les gâteaux hongrois sont réputés dans le monde entier. Plusieurs d'entre eux ont été élaborés par Dobos, célèbre pâtissier hongrois du XIXᵉ siècle. Le gâteau que nous vous proposons ici est fourré d'une crème au chocolat et garni de caramel. Les saveurs s'accentuent si l'on garde le gâteau un ou deux jours dans un contenant hermétique.

PRÉPARATION : *30 minutes*
CUISSON : *30 à 40 minutes*

INGRÉDIENTS *(6 personnes)*

80 g de noisettes non blanchies
4 œufs
150 g de sucre
CRÈME À FOURRER
60 g de beurre doux
100 g de sucre glace

2 c. à thé de cacao hollandais
1 c. à thé de café soluble
GARNITURE
90 g de sucre
12 noisettes

Graissez deux moules à gâteau ronds de 20 cm de diamètre et doublez le fond de papier paraffiné graissé. Broyez finement les noisettes non blanchies dans un moulin à café ou au mixer. Séparez les œufs ; battez les blancs pour qu'ils soient fermes quoique non desséchés. Fouettez les jaunes avec 150 g de sucre jusqu'à ce que la préparation soit devenue jaune citron et fasse des rubans lorsque vous soulevez le fouet.

Incorporez les blancs d'œufs aux jaunes en alternant avec les noisettes broyées. Divisez la pâte également entre les deux moules et faites cuire au centre du four, préchauffé à 180°C, pendant 30 minutes. Les gâteaux sont cuits lorsqu'ils reprennent leur forme quand vous les pressez avec le doigt. Retirez-les du four et laissez-les se rétracter légèrement avant de les démouler sur une grille.

Entre-temps, préparez la crème à fourrer. Défaites le beurre en crème et ajoutez-lui graduellement le sucre glace, le cacao et le café préalablement tamisés ensemble. Quand les gâteaux sont froids, étagez-les en étalant toute la crème à fourrer entre eux. Mettez la pièce de côté pendant que vous préparez le caramel.

Dans une petite casserole à fond épais, faites fondre à feu doux 90 g de sucre dans 2 cuillerées à soupe d'eau en remuant constamment. Augmentez la chaleur et laissez le sirop bouillir vivement sans remuer jusqu'à ce qu'il acquière une belle coloration dorée.

Retirez la casserole du feu et versez immédiatement le caramel sur le gâteau en en réservant cependant une petite quantité. Avec un couteau dont vous aurez huilé la lame, égalisez la garniture et marquez-y les portions avec le bout du couteau. Parsemez la surface de noisettes avant que le caramel ne durcisse et garnissez avec le reste du caramel en filets.

Casse-croûte

PETIT RÉGAL DU VENDREDI SOIR

Les fricadelles de poisson qu'on trouve dans le commerce ont le grand mérite de s'apprêter rapidement. Nappées d'une sauce tomate au fromage, elles se métamorphosent.

PRÉPARATION : 5 minutes
CUISSON : 15 minutes

INGRÉDIENTS (4 à 6 personnes)
12 fricadelles de poisson
1 c. à soupe d'huile d'olive
1 gousse d'ail pilée
1 petit oignon haché menu
1 boîte de tomates de 500 ml
1 c. à soupe de concentré de tomate
2 pincées de sucre
1 pincée de sauge
Sel et poivre noir
Graisse ou huile à rissoler
12 minces tranches de cheddar

Faites revenir l'oignon et l'ail dans l'huile à feu modéré. Quand ils sont transparents, ajoutez les tomates, le concentré de tomate, le sucre et la sauge. Salez et poivrez avec le moulin. Amenez à ébullition et laissez mijoter 5 minutes.

Faites rissoler les fricadelles dans la graisse ou l'huile. Quand elles sont bien dorées des deux côtés, coiffez-les d'une tranche de cheddar et faites-les gratiner au gril. Servez-les arrosées de sauce tomate.

FONDUE ALPINE

La tradition veut qu'on prépare la fondue au fromage dans un caquelon suisse en céramique, mais une sauteuse à fond épais peut très bien faire l'affaire.

PRÉPARATION : 5 minutes
CUISSON : 15 à 20 minutes

INGRÉDIENTS (4 à 6 personnes)
2 gousses d'ail pelées
340 g de gruyère détaillé en dés
125 ml de lait
500 ml de vin blanc sec
1 c. à soupe de kirsch
Sel et poivre blanc
1 pain croûté

Frottez le fond et les côtés du caquelon avec l'ail coupé en morceaux. Faites fondre le fromage dans le lait à feu très doux, en remuant constamment avec une cuillère en bois. Quand la préparation est crémeuse et lisse, incorporez graduellement le vin et le kirsch, puis salez et poivrez. Ne faites pas bouillir la fondue.

Passez le pain croûté au four pour le rendre croustillant et détaillez-le en dés de 2,5 cm. Plongez ceux-ci dans la fondue avec des fourchettes ou des brochettes.

ŒUFS BENEDICT

Œufs pochés et jambon cuit ou bacon composent un repas délicieux et léger.

PRÉPARATION : 5 minutes
CUISSON : 15 à 25 minutes

INGRÉDIENTS (4 personnes)
125 à 175 ml de sauce hollandaise (p. 271)
2 pincées de moutarde sèche
Poivre de Cayenne
Fines herbes mélangées
4 tranches de jambon cuit ou de bacon de dos
60 g de beurre doux
4 œufs
4 tranches épaisses de pain blanc ou 4 muffins anglais coupés en deux

Relevez la sauce hollandaise de moutarde, d'un peu de poivre de Cayenne et de fines herbes mélangées. Gardez-la au chaud. Taillez le jambon aux dimensions du pain ou faites cuire le bacon dans un peu de beurre. Pochez les œufs dans de l'eau bouillante salée.

Disposez le jambon ou le bacon chaud sur le pain ou les muffins grillés et beurrés. Posez un œuf poché par-dessus et nappez de sauce.

CHAMPIGNONS AU BACON

Tous les apprêts qui marient champignons frais ou de conserve et bacon sont assurés du succès.

PRÉPARATION : 10 minutes
CUISSON : 20 minutes

INGRÉDIENTS (4 personnes)
115 g de petits champignons émincés
15 g de beurre
8 tranches de bacon
300 ml de sauce blanche (p. 269)
1 pincée de fines herbes mélangées
Sel, poivre noir, poivre de Cayenne
4 toasts de pain blanc beurrés

Faites sauter les champignons à feu doux dans le beurre pendant 3 minutes. Dans un autre poêlon, faites frire le bacon dans son gras. Quand il est croustillant, épongez-le, puis émiettez-le.

Relevez la sauce blanche de fines herbes ; assaisonnez-la de sel, de poivre fraîchement moulu et de poivre de Cayenne. Jetez-y les champignons et le bacon ; remuez avec précaution et, quand la préparation est bien chaude, servez-la sur des toasts.

POTS DE CRÈME À LA VANILLE

Ce dessert facile à faire et d'une grande finesse se sert avec des biscuits minces et croustillants.

PRÉPARATION : 20 minutes
CUISSON : 15 minutes environ
RÉFRIGÉRATION : Quelques heures

INGRÉDIENTS (6 personnes)
6 jaunes d'œufs
100 g de sucre
500 ml de crème épaisse tiède
1 c. à thé d'essence de vanille

Chauffez le four à 150°C. Fouettez les jaunes d'œufs. Quand ils sont épais, ajoutez peu à peu le sucre, puis la crème et la vanille. Passez la préparation au tamis et garnissez-en six petits moules à flan. Couvrez-les de papier d'aluminium et déposez-les dans une lèchefrite d'eau chaude. Après 15 minutes de cuisson au four, insérez un couteau dans la crème ; si la lame en ressort presque propre, c'est qu'elle est à point. Gardez les pots plusieurs heures au réfrigérateur avant de les servir.

Novembre

LES RECETTES DU MOIS

A défaut de soleil, novembre nous apporte de bien bonnes choses : des pommes de toutes sortes, des noix, des canneberges et les courges aux couleurs automnales.

Au fil des saisons

Les jours raccourcissent, les soirées se prolongent : voilà que l'hiver est à notre porte. Attendons la neige de pied ferme en soignant tout particulièrement les plaisirs de la table. Nous vous proposons des hors-d'œuvre hauts en saveur comme les harengs fumés au raifort (p. 231) ou l'anguille fumée Smetana (p. 231), des soupes substantielles et insolites comme la soupe de poisson à la crème (p. 231) ou le potage de poule aux amandes (p. 232). Faites-les suivre d'un plat de poisson, de volaille ou de viande de belle présentation tels le bar sauce hollandaise (p. 232) ou le flétan à la Dugléré (p. 233), le rôti de porc en couronne (p. 235) ou les tournedos Rossini (p. 236).

Novembre se prête aux expériences gastronomiques. Pourquoi ne pas tâter d'un canard aux mandarines (p. 238), d'un rôti d'agneau laqué à l'orange (p. 237) ou d'un poulet aux épices (p. 240) ?

C'est toujours le temps de la chasse, le temps donc de préparer des côtelettes de gibier (p. 239) ou un pâté (p. 238) que vous dégusterez avec une purée de céleri-rave.

Les légumes des jours froids ont maintenant la vedette à l'étal des marchands. Vous les retrouverez avec plaisir dans les poireaux à la tomate (p. 241) ou le chou à l'autrichienne (p. 242).

L'automne aiguise l'appétit. Offrez à vos convives des desserts gourmands qui mettent à profit les fruits frais qui nous accompagneront jusqu'au printemps prochain : pommes, ananas, agrumes de toutes sortes. Voici la crème caramel à l'orange (p. 243), le mont-blanc meringué (p. 243) et le strudel aux pommes et aux noix (p. 244).

Potages et entrées

COCKTAIL DE CREVETTES

Ce cocktail de crevettes inhabituel est très facile à préparer. Vous pouvez, bien entendu, diminuer la quantité d'ail.

PRÉPARATION : 25 minutes

INGRÉDIENTS (6 personnes)
450 g environ de petites crevettes ou 36 crevettes de grosseur moyenne, cuites et décortiquées
250 ml de mayonnaise (p. 271)
3 c. à soupe d'ail finement haché
4 c. à soupe de moutarde forte
2 c. à soupe de persil haché
GARNITURE
6 tranches de citron
6 branches de cresson (facultatif)

Disposez les crevettes dans six verres à cocktail ou dans des coupes, que vous aurez d'abord fait glacer au réfrigérateur. Mélangez la mayonnaise, l'ail, la moutarde et le persil haché, remuez bien, versez sur les crevettes. Garnissez de tranches de citron et de cresson.

SOUPE DE POISSON À LA CRÈME

Il existe de nombreuses variantes de cette classique soupe de poisson : celle-ci, originaire de Nouvelle-Angleterre, est d'un goût délicat.

PRÉPARATION : 15 minutes
CUISSON : 40 minutes

INGRÉDIENTS (4 personnes)
700 g environ de filets d'aiglefin, de morue ou de sébaste
30 à 40 g de lard salé coupé en dés
1 petit oignon émincé
2 grosses pommes de terre coupées en dés
750 ml de crème légère
Beurre
Sel et poivre

Faites revenir le lard dans une cocotte, à feu doux, jusqu'à ce qu'il soit bien doré. Ajoutez l'oignon et faites-le revenir. Puis mettez les pommes de terre avec 500 ml d'eau chaude et laissez cuire quelques minutes, jusqu'à ce qu'elles commencent à être tendres. Ajoutez alors les filets de poisson et poursuivez la cuisson jusqu'à ce qu'ils s'effeuillent facilement avec une fourchette. Assaisonnez de sel et de poivre à volonté, ajoutez la crème et laissez-la chauffer sans faire bouillir. Servez la soupe dans des bols, dans chacun desquels vous aurez mis un bon morceau de beurre.

ANGUILLE FUMÉE SMETANA

On dit que cette entrée froide était un des plat préférés de Smetana, le compositeur tchèque. Elle vous changera agréablement du saumon et de la truite fumés.

PRÉPARATION : 15 minutes

INGRÉDIENTS (4 personnes)
225 g d'anguille fumée en filets
2 œufs durs
1 c. à thé de moutarde de Dijon
3 c. à soupe d'huile d'olive
1 c. à soupe de vinaigre à l'estragon
3 c. à soupe de crème sure
Sel et poivre noir
2 c. à soupe de betteraves en dés

Dépouillez l'anguille de sa peau ; disposez les filets sur quatre assiettes. Coupez les œufs en deux ; passez les jaunes à travers un tamis à grosses mailles et hachez finement les blancs. Mélangez jaunes d'œufs, moutarde, huile, vinaigre et crème sure. Salez, poivrez avec le moulin et ajoutez les dés de betteraves. Disposez la garniture sur une moitié des filets et les blancs d'œufs sur l'autre. Servez avec du pain de blé entier ou des toasts Melba beurrés.

HARENGS FUMÉS AU RAIFORT

PRÉPARATION : 15 minutes
CUISSON : 30 minutes

INGRÉDIENTS (4 personnes)
200 g de filets de hareng fumé
4 c. à soupe de crème épaisse
2-3 c. à thé de jus de citron
2 c. à thé de raifort
1 c. à thé de vinaigre
Sel, poivre
GARNITURE
La moitié d'un gros concombre
Tranches de citron

On trouve facilement des filets de hareng sans peau ni arêtes ; s'ils étaient trop salés à votre goût, faites-les tremper quelques heures dans du lait froid. Vous servirez ce plat dans des coquilles Saint-Jacques vides ou de petits plats individuels.

Mélangez la crème avec le jus de citron, le raifort et le vinaigre ; assaisonnez de sel et de poivre au goût ; ajoutez les filets de hareng coupés en morceaux, mélangez bien.

Lavez le concombre sans le peler, coupez-le en tranches fines que vous utiliserez pour couvrir le fond des coquilles Saint-Jacques (les coquilles seules) ou de petits plats individuels. Disposez au centre la préparation à base de hareng.

Garnissez chaque portion de rondelles de citron et servez en accompagnant de pain de blé entier ou de craquelins et de beurre.

Poissons

POTAGE DE POULE AUX AMANDES

Un potage de luxe auquel la mie de pain donne de la consistance alors que les amandes hachées lui confèrent un goût délicat.

PRÉPARATION : *30 minutes*
CUISSON : *2 h 30 à 3 h 30*

INGRÉDIENTS *(6 personnes)*
1 poule de 2 kg environ prête à cuire
500 g environ de légumes variés
 (oignons, carottes et navets)
3 côtes de céleri
1 bouquet garni
3 c. à soupe de mie de pain frais
 finement émiettée
50 g d'amandes finement moulues
100 ml de crème épaisse
10 grains de poivre noir
Sel
GARNITURE
Persil haché
Croûtons de pains frits dans le beurre

Mettez la poule dans un grand faitout avec les légumes épluchés, lavés et hachés grossièrement, ainsi que le bouquet garni ; couvrez d'eau froide. Portez à ébullition à feu vif, écumez avec soin, baissez le feu, couvrez et laissez cuire à feu doux pendant 2 ou 3 heures ou jusqu'à ce que la volaille soit tendre.

Egouttez-la, laissez-la refroidir, puis enlevez-en la peau et détachez toute la chair de la carcasse.

Mettez-la dans le mixer, ajoutez les légumes, mixez jusqu'à ce que vous obteniez une purée très fine.

Mettez-la dans une casserole, ajoutez-y les amandes et le pain, mouillez avec 1,25 litre de bouillon de cuisson, filtré au chinois fin. Portez à ébullition, diminuez la chaleur et laissez cuire à feu doux pendant 30 minutes, en remuant souvent.

Avant de servir, mêlez dans une tasse quelques cuillerées de potage brûlant à la crème, puis incorporez ce mélange au reste du potage ; rectifiez l'assaisonnement si c'est nécessaire et servez en garnissant de persil finement haché et en présentant à part les croûtons frits.

FLANS SALÉS AU FROMAGE

Un hors-d'œuvre insolite et élégant, qui peut même servir de plat principal pour un dîner léger.

PRÉPARATION : *20 minutes*
CUISSON : *35 minutes environ*
RÉFRIGÉRATION : *3 heures*

INGRÉDIENTS *(4 personnes)*
2 œufs entiers, plus 3 jaunes
300 ml de consommé de poulet
2 c. à thé de persil haché
1 c. à thé de feuilles de thym sec
1 c. à thé d'origan
100 ml de crème épaisse
30 g de parmesan râpé
40 à 50 g d'emmenthal râpé
Sel

Battez les œufs avec les trois jaunes. A feu modéré, portez à ébullition le consommé, auquel vous aurez ajouté le persil, le thym et l'origan, puis laissez bouillir doucement, sans couvercle, pendant 5 minutes. En remuant rapidement, incorporez le consommé aux œufs ; ajoutez 2 cuillerées à soupe de crème et un peu de sel si c'est nécessaire.

Beurrez quatre petits moules ou ramequins, versez-y le mélange, placez-les dans un plat à gratin contenant un doigt d'eau, couvrez-les d'un morceau de papier paraffiné beurré. Mettez au centre du four, préchauffé à 180°C, et laissez cuire pendant 15 à 20 minutes ou jusqu'à ce que la préparation soit prise. Retirez les petits moules du four et laissez refroidir complètement avant de mettre au réfrigérateur pour 3 heures ou plus.

Environ 20 minutes avant de servir, chauffez le four à 200°C. Démoulez les petits flans sur un plat à gratin beurré, versez par-dessus le reste de la crème, saupoudrez du parmesan et de l'emmenthal râpés. Mettez dans la partie la plus haute du four pendant 10 à 15 minutes ou jusqu'à ce que le fromage soit fondu et légèrement doré.

Servez aussitôt. Vous pouvez accompagner de pain légèrement grillé ou de fines tartines de pain de blé entier, beurrées et parsemées de cresson finement haché.

AVOCATS EN COUPES

La chair grasse de l'avocat, le goût fumé du bacon et le piquant de la sauce font de ce plat une délicieuse entrée ou un plat léger.

PRÉPARATION : *20 minutes*

INGRÉDIENTS *(4 personnes)*
4 tranches de bacon
2 c. à soupe de vinaigre de vin rouge
6 c. à soupe d'huile
1 c. à thé de sel
Poivre fraîchement moulu
2 c. à thé d'échalote (ou d'oignon)
 hachée menu
6 à 8 tomates « cerises » mûres
2 avocats mûrs réfrigérés

Faites frire le bacon ; quand il est croustillant, émiettez-le. Mélangez huile, vinaigre, sel, poivre et échalote ou oignon, puis ajoutez le bacon.

Coupez les avocats en deux ; éliminez le noyau et prélevez la chair en conservant l'écorce. Détaillez la chair en dés. Coupez les tomates en deux si elles sont grosses ; autrement, laissez-les entières. Mélangez la chair d'avocat et les tomates dans la sauce et garnissez-en les écorces réservées. Réfrigérez avant de servir.

BAR SAUCE HOLLANDAISE

Le bar est délicieux aussi bien chaud que froid ; si vous le servez froid, remplacez la sauce hollandaise par de la mayonnaise.

PRÉPARATION : *30 minutes*
CUISSON : *10 minutes par 2,5 cm*
 d'épaisseur

INGRÉDIENTS *(6 personnes)*
1 bar d'environ 1,5 kg
COURT-BOUILLON
1 carotte hachée
1 oignon piqué de 2 clous de girofle
3 gousses d'ail
1 c. à soupe de poivre broyé
450 ml de vin blanc sec
1 citron coupé en rondelles
GARNITURE
Quartiers de citron
200 ml de sauce hollandaise (p. 271)

Mesurez l'épaisseur du poisson à l'endroit où il est le plus gros. Disposez-le sur la grille de la poissonnière ou posez-le sur une feuille d'aluminium plus grande que le plat de cuisson. Mettez le poisson de côté. Réunissez tous les ingrédients pour le court-bouillon dans une poissonnière ou un récipient assez profond et de forme allongée ; portez à ébullition.

Baissez le feu et laissez bouillir doucement pendant 10 minutes. Plongez le poisson dans le court-bouillon ; ajoutez de l'eau si nécessaire pour que le poisson soit entièrement recouvert.

Quand le court-bouillon se remet à bouillir doucement, calculez les minutes de cuisson : 10 minutes par 2,5 cm d'épaisseur de poisson. Lorsque le bar est cuit, égouttez-le, couchez-le sur un plat de service, garnissez de persil et de citron et servez en présentant à part la sauce hollandaise. Si vous le servez froid, laissez-le refroidir dans le liquide de cuisson.

FRITTO MISTO MARE

PRÉPARATION : 30 minutes
CUISSON : 35 minutes

INGRÉDIENTS (6 personnes)
225 g d'éperlans
3 petits merlus argentés, tronçonnés
    en deux
225 g de crevettes crues
Huile à friture
PÂTE À FRIRE
4 cuillerées à thé d'huile
125 g de farine
Sel
1 blanc d'œuf
GARNITURE
Bouquets de persil
Pointes de citron

La Méditerranée regorge de petits poissons que les gens mélangent et font frire en grande friture (fritto misto). Certains les enrobent de farine ; d'autres les plongent dans une pâte claire, presque transparente. On ne décortique pas les crevettes lorsqu'elles sont simplement farinées et on n'étête pas les petits poissons.

Préparez la pâte à frire en premier lieu pour qu'elle ait le temps de reposer un peu. Mélangez l'huile et 300 ml d'eau tiède, puis incorporez-les peu à peu à la farine additionnée d'une pincée de sel. Quand la pâte est lisse, mettez-la de côté. Vous n'ajouterez le blanc d'œuf battu en neige ferme mais non sèche qu'à la dernière minute.

Etêtez les poissons (s'ils sont gros) et décortiquez les crevettes. Quand l'huile est à 190°C (un dé de pain doit y dorer en une minute lorsque l'huile est assez chaude), plongez, un à un, poissons et crevettes dans la pâte à frire, en vous servant de pinces ou d'une écumoire. Laissez-les s'égoutter quelques secondes au-dessus du bol et jetez-les dans l'huile chaude en comptant 5-6 minutes de cuisson. Faites-en frire peu à la fois et épongez-les sur du papier absorbant sitôt qu'ils sont cuits.

Dressez poissons et crevettes sur un plat chaud et décorez de persil frit dans l'huile et de pointes de citron. Servez en même temps de la sauce tartare (p. 271) et du pain croûté.

FLÉTAN
À LA DUGLÉRÉ

Cette recette convient aussi bien aux darnes de flétan qu'aux filets épais de plie ou de limande qu'on pliera en deux dans le sens de la longueur. En entrée, vous servirez des demi-portions seulement. Le poisson est effeuillé et nappé d'une sauce à la Dugléré à base de tomate, de crème et de persil.

PRÉPARATION : 15 minutes
CUISSON : 35 minutes

INGRÉDIENTS (4 personnes)
4 darnes de flétan ou 4 filets épais
    de plie
Arêtes de poisson
30 g de beurre
Le jus d'un citron
Sel et poivre noir
125 ml de vin blanc sec
SAUCE
2-3 tomates
30 g de beurre
2-3 c. à soupe de farine
1 c. à soupe de persil frais haché
5 c. à soupe de crème épaisse
GARNITURE
Citron et persil

Lavez et nettoyez le flétan ; déposez les arêtes dans une casserole pleine d'eau froide pour préparer le court-bouillon (p. 276).

Beurrez un plat à four peu profond. Frottez les darnes de jus de citron avant de les déposer dans le plat ; salez et poivrez avec le moulin. Ajoutez le vin allongé suffisamment de court-bouillon pour mouiller le poisson à hauteur, sans toutefois le couvrir. Protégez le poisson à l'aide d'une feuille de papier d'aluminium ou de papier paraffiné beurrée, taillée de manière à le couvrir juste et faites cuire au centre du four, préchauffé à 190°C, pendant 25 minutes.

Quand le poisson s'effeuille facilement à la fourchette, retirez-le et passez le jus de cuisson.

Pendant que le poisson est au four, pelez les tomates et, avec une cuillère à thé, retirez la chair qui se trouve au centre. Passez-la à travers un tamis pour l'épépiner. Réservez le jus et taillez les tomates en fines lanières.

Préparez maintenant la sauce. Au beurre fondu dans une casserole, ajoutez hors du feu une quantité suffisante de farine pour absorber le gras. Incorporez le jus des tomates et environ 250 ml de fumet de flétan. Remettez la sauce sur le feu et faites-la chauffer en remuant constamment. Quand elle frissonne, prolongez la cuisson de 3 à 5 minutes. Ajoutez les lanières de tomate et le persil, puis la crème. Ne laissez plus la sauce bouillir. Rectifiez les assaisonnements en sel, poivre frais moulu et jus de citron.

Nappez les darnes de sauce à la Dugléré et décorez-les de tranches de citron tordues en spirale et de brins de persil. Servez avec des pommes de terre duchesse (p. 301) ou avec des timbales de riz bouilli et beurré.

Viandes

LIMANDE AUX TOPINAMBOURS

Le goût bien particulier des topinambours mélangés aux poireaux accompagne très bien la limande.

PRÉPARATION : *25 minutes*
CUISSON : *50 minutes*

INGRÉDIENTS *(4 personnes)*
2 limandes d'environ 600 g chacune
500 g de topinambours
200 à 250 g de poireaux
60 g de beurre
100 ml de vin blanc sec
1 citron
100 ml de crème épaisse
Sel, poivre

Demandez à votre poissonnier de lever les filets des limandes, mais gardez les arêtes et les têtes pour préparer le court-bouillon (p 276).

Pelez et lavez les topinambours, coupez-les en tranches fines. Débarrassez les poireaux des racines, de la partie verte et des feuilles extérieures, lavez-les et coupez-les en petits morceaux. Faites fondre le beurre dans une cocotte ; ajoutez les légumes, couvrez et laissez cuire doucement pendant 5 minutes. Ajoutez le vin, le jus d'un demi-citron et le court-bouillon (filtré au chinois fin), en quantité suffisante pour couvrir les légumes. Couvrez de nouveau et laissez bouillir doucement pendant 30 minutes.

Assaisonnez les filets de poisson de sel, de poivre et du reste du jus de citron ; repliez-les en deux et disposez-les par-dessus les légumes. Couvrez et laissez cuire à feu doux pendant 10 minutes. Mettez le poisson dans un plat de service chaud ; faites réduire légèrement le liquide dans le plat de cuisson, puis incorporez-y la crème. Rectifiez l'assaisonnement et remettez le poisson dans le plat ; laissez-le bien réchauffer.

Servez dans le plat de cuisson avec des petits pois au beurre.

POTÉE IRLANDAISE

La potée irlandaise, appelée *Irish stew*, est un plat extrêmement populaire en Amérique du Nord à l'heure du lunch. Sa réputation est telle qu'on la trouve même en France.

PRÉPARATION : *3 heures*
CUISSON : *1 h 30 environ*

INGRÉDIENTS *(6 personnes)*
1 à 1,5 kg d'épaule d'agneau
450 g d'agneau dans le collier
2 litres d'eau
1 oignon moyen piqué de 2 clous de girofle
1 grande feuille de laurier
2 grosses gousses d'ail
1 c. à soupe de sel
2 pincées de poivre noir fraîchement moulu
2 pincées de thym
1 brin de persil
3 oignons moyens émincés fin
3 poireaux, coupés en deux, lavés et détaillés en dés
1 feuille de laurier
1 pincée de muscade
2 pincées de thym
4 pommes de terre moyennes lavées et détaillées en dés
Sel, poivre et muscade
2 c. à soupe de persil ciselé
Rôties ou scones chauds
350 g d'épinards hachés (facultatif)

A moins que vous ne préfériez le faire vous-même, demandez au boucher de désosser l'épaule d'agneau et de vous donner les os. Mettez-les dans une grande marmite avec le collier et couvrez d'eau. Quand l'ébullition est prise, faites cuire 5-6 minutes en écumant de temps en temps. Ajoutez l'oignon, la grande feuille de laurier, l'ail, le sel, le poivre, le thym et le brin de persil.

Quand l'ébullition a repris, réduisez la chaleur et laissez mijoter 2 h 30 pour obtenir un bouillon

POISSON À LA GRECQUE

PRÉPARATION : *20 minutes*
CUISSON : *30 à 35 minutes*

INGRÉDIENTS *(4 ou 5 personnes)*
1 kg environ de morue (ou de thon) coupée en tranches de 2,5 cm d'épaisseur
2 c. à soupe d'huile d'olive
2 gros oignons émincés
4 gousses d'ail pelées
1 boîte de tomates de 500 ml
Le jus d'un demi-citron
2 c. à soupe de persil haché
2 feuilles de laurier
1 pincée de romarin sec (facultatif)
1 pincée de thym
Vin blanc sec (facultatif)
Sel, poivre
GARNITURE
Quartiers de citron
Olives noires

Cette recette est très populaire, non seulement en Grèce, mais dans tout le Moyen-Orient ; elle peut être adaptée à n'importe quel poisson en tranches, à chair ferme, comme la morue ou le thon.

Mettez à chauffer l'huile d'olive dans une sauteuse et faites saisir des deux côtés les tranches de poisson, peu à la fois et très rapidement ; déposez-les au fur et à mesure dans un plat à gratin, assez grand pour contenir toutes les tranches en une seule couche. Mettez ensuite dans la sauteuse l'oignon émincé et l'ail et faites-les cuire à feu doux pendant 10 minutes ou le temps qu'il faut pour qu'ils s'attendrissent et se colorent légèrement.

Ajoutez les tomates, le jus de citron, le persil haché, les feuilles de laurier, le romarin (éventuelle-ment), le thym, du sel et du poivre ; mélangez bien et laissez cuire à feu modéré pendant 10 minutes. Si, en cuisant, la préparation épaississait trop, allongez-la d'un peu de vin blanc ou d'eau.

Versez cette sauce sur le poisson, mettez au four, préalablement chauffé à 200°C, et laissez cuire 10 à 12 minutes, en couvrant d'une feuille d'aluminium après les 5 premières minutes de cuisson. Servez dans le plat de cuisson, en garnissant de quartiers de citron et en accompagnant d'olives noires. Ce plat est aussi bon très chaud que tiède.

corsé. Passez, laissez refroidir et réfrigérez. Le lendemain, enlevez le gras qui a figé en surface.

Dégraissez parfaitement la chair de l'épaule et détaillez-la en morceaux de 2,5 cm sur 5 cm. Déposez ces morceaux dans une grande marmite avec les rondelles d'oignon, les dés de poireaux, le laurier, le thym et la muscade. Mouillez de bouillon d'agneau jusqu'à 2,5 cm au-dessus de la viande.

Quand l'ébullition est prise, écumez et réduisez la chaleur pour que la potée mijote doucement à couvert pendant 1 heure. Vérifiez alors le degré de cuisson de la viande.

Si elle paraît encore un peu dure, prolongez la cuisson de 15 minutes ou le temps nécessaire pour qu'elle soit vraiment tendre. Ajoutez alors les dés de pommes de terre et laissez cuire 30 autres minutes. En fondant, les pommes de terre épaissiront un peu la sauce. Vérifiez l'assaisonnement en sel, en poivre et en muscade. Prolongez la cuisson de quelques minutes pour que les saveurs se pénètrent. Ajoutez le persil 1 minute avant de retirer le plat du feu.

Servez la potée dans des cassolettes avec des rôties ou des scones chauds en offrant aux convives cuillères à soupe et fourchettes. (La potée aura plus de saveur si on lui ajoute 350 g d'épinards hachés grossièrement 15 minutes avant la fin de la cuisson.)

CÔTES DE VEAU MAGYAR

La cuisine hongroise fait grand usage du paprika, dont le degré de saveur varie considérablement selon le lieu d'origine. Les sauces au paprika doivent reposer un peu avant d'être goûtées.

PRÉPARATION : 20 minutes
CUISSON : 1 h 15

INGRÉDIENTS (4 personnes)

4 grosses côtelettes de veau
Farine assaisonnée de sel et de poivre
225 g de champignons
1 oignon
30 g de beurre
1 c. à soupe d'huile
2-3 c. à soupe de farine
300 ml de lait
300 ml de bouillon de veau ou de poulet
Sel

Le jus d'un petit citron
3 c. à soupe de concentré de tomate
3-4 c. à thé de paprika
2 c. à thé de sucre
125 ml de crème légère
GARNITURE
Riz
6 à 8 chapeaux de champignons
Paprika
1 c. à soupe de persil haché fin

Dégraissez les côtelettes de veau et roulez-les dans la farine assaisonnée. Parez les champignons ; s'ils sont gros, détaillez-les en deux ou en quatre. Pelez et émincez finement l'oignon. Chauffez le beurre et l'huile dans une casserole. Secouez les côtelettes pour enlever l'excès de farine et faites-les dorer à feu vif en ne les retournant qu'une fois. Retirez-les de la casserole et remplacez-les par les champignons et l'oignon que vous ferez sauter jusqu'à ce qu'ils soient tendres. Retirez la casserole du feu et ajoutez une quantité suffisante de farine pour absorber le gras. Incorporez peu à peu le lait, puis le bouillon, en remuant constamment. Amenez la sauce au point d'ébullition et laissez cuire 3 minutes pour qu'elle épaississe. Assaisonnez au goût de sel et de jus de citron. Dans un petit bol, mélangez le concentré de tomate, le paprika, le sucre et la crème légère ; réchauffez avec 3-4 cuillerées à soupe de sauce chaude et versez le tout dans la casserole en remuant constamment.

Ajoutez les côtelettes de veau ; comme la sauce doit les recouvrir complètement, vous compléterez au besoin avec un peu de bouillon. Couvrez et laissez cuire à feu doux 45 minutes ou jusqu'à ce que le veau soit tendre, en remuant de temps à autre pour que la sauce n'attache pas (ne la faites pas bouillir : elle tournerait).

Rectifiez l'assaisonnement et dressez les côtelettes au centre d'un plat de service chaud en les arrosant de leur sauce. Entourez-les d'une bordure de riz que vous garnirez de chapeaux de champignons rissolés au beurre et renversés. Saupoudrez-les de paprika et égrenez du persil sur le riz, entre les champignons.

RÔTI DE PORC EN COURONNE

Voici un rôti de porc présenté d'une façon insolite, qui fait grand effet dans un dîner élégant. Demandez à votre boucher d'enlever l'excès de gras, pour que la chair soit bien dorée et croquante autour de la farce, et de fendre entre une côte et l'autre le reste d'épine dorsale, c'est-à-dire l'ossature plate qui termine les côtes, de façon que le morceau soit plus facile à couper après la cuisson.

PRÉPARATION : 35 minutes
CUISSON : 2 h 30

INGRÉDIENTS (10 à 12 personnes)

1 morceau de carré de porc composé de 12 côtelettes
2 c. à soupe d'huile
1 cube de bouillon concentré
FARCE
1 gros oignon
2 côtes de céleri
3 carottes de grosseur moyenne
6 tranches d'ananas en conserve
2 c. à soupe d'huile

10 c. à soupe de riz cuit au naturel
1 c. à soupe de persil haché
1-2 c. à thé de paprika
60 g de raisins secs
Le jus d'un citron
Sel, poivre
GARNITURE
6 tranches d'ananas en conserve
Cresson

Préparez d'abord la farce. Epluchez et hachez finement l'oignon, le céleri et les carottes. Hachez finement six tranches d'ananas, en mettant de côté le sirop.

A feu modéré, faites chauffer l'huile dans une cocotte et mettez-y à cuire l'oignon et le céleri pendant 7 à 10 minutes ou jusqu'à ce qu'ils commencent à se colorer. Ajoutez-y le riz cuit, les carottes, le persil, le paprika, l'ananas et les raisins secs, que vous aurez fait gonfler 10 minutes dans de l'eau chaude, puis bien égoutter. Mélangez en faisant bien chauffer. Assaisonnez de sel, de poivre et de jus de citron à volonté. Mettez de côté à refroidir.

Disposez le morceau de porc, plié en couronne, les os tournés vers l'extérieur et la chair vers l'intérieur, dans un grand plat à rôtir huilé ; fermez en cousant à gros fil l'endroit où les deux extrémités du morceau se rejoignent ; badigeonnez la viande avec 2 cuillerées à soupe d'huile. Mettez la farce au milieu de la couronne, recouvrez-la d'un morceau de feuille d'aluminium. Enveloppez aussi les os, un à un, dans une feuille d'aluminium, pour qu'ils ne brûlent pas pendant la cuisson. Mettez au centre du four, préchauffé à 180°C, et laissez cuire pendant 2 h 15 ou jusqu'à ce que, si vous plongez une aiguille dans la chair, le liquide qui en sort soit de couleur ambre. Retirez la couronne du plat de cuisson et gardez-la au chaud dans le four éteint, sur un plat de service.

Dans la graisse restée dans le plat, faites cuire à feu vif les tranches d'ananas de la garniture jusqu'à ce qu'elles soient bien dorées des deux côtés. Disposez-les autour du rôti. Egouttez avec soin la graisse du plat et versez dans celui-ci le sirop de l'ananas. Ajoutez-y le cube de bouillon concentré, portez à ébullition, laissez cuire à feu vif jusqu'à ce que le jus soit un peu réduit. Versez-le dans une saucière chaude.

Retirez la feuille d'aluminium qui recouvre les os, disposez des brins de cresson entre les tranches d'ananas. Servez en accompagnant de pommes de terre sautées et d'un autre légume à votre choix.

235

CŒUR DE VEAU AUX POMMES

Le cœur, qui a tendance à être un peu sec, est généralement cuit à l'étouffée ou braisé à feu lent. Ici, on le fait d'abord mariner dans du jus de citron, puis on le fait cuire dans une sauce aux pommes.

PRÉPARATION : *30 minutes*
MARINAGE : *30 minutes*
CUISSON : *1 h 15 environ*

INGRÉDIENTS (*4 personnes*)
2 cœurs de veau
Le jus d'un citron
500 g d'oignons
2 pommes à cuire de grosseur moyenne
2-3 c. à soupe de farine
50 g de beurre
2 feuilles de laurier
100 ml de vin blanc sec
1 c. à thé de grains de coriandre pilés
1 c. à thé de sucre
4 fines rondelles de citron, avec le zeste
Sel, poivre

Coupez les cœurs en tranches d'un peu plus de 1 cm, en enlevant tout le gras, les cartilages et les vaisseaux sanguins. Mettez les tranches dans une jatte avec le jus d'un citron et laissez-les mariner pendant 30 minutes. Pendant ce temps, épluchez et émincez les oignons et les pommes.

Egouttez les tranches de cœur, farinez-les, puis faites-les sauter dans le beurre, à feu vif, dans une sauteuse. Ajoutez les oignons et poursuivez la cuisson jusqu'à ce qu'ils soient légèrement dorés. Assaisonnez de sel et de poivre, ajoutez les feuilles de laurier et le vin. Couvrez les tranches de cœur avec les pommes, saupoudrez-les de la coriandre et du sucre. Placez par-dessus les pommes les rondelles de citron.

Couvrez et laissez cuire à feu doux, ou bien dans le four, préalablement chauffé à 160°C, pendant environ 1 h 15 ou jusqu'à ce que le cœur soit devenu tendre. Quand la cuisson est terminée, enlevez les rondelles de citron et les feuilles de laurier et mélangez les tranches de pomme à la sauce.

Servez en accompagnant de purée de pommes de terre.

TOURNEDOS ROSSINI

Le compositeur italien Rossini (1792-1868) à qui l'on doit notamment *le Barbier de Séville* nous a aussi laissé un certain nombre de plats fins dont le tournedos Rossini. Il s'agit d'un tournedos dressé sur un croûton et garni de foie gras sauté au beurre et de truffes.

PRÉPARATION : *15 minutes*
CUISSON : *20 minutes*

INGRÉDIENTS (*6 personnes*)
6 tournedos
6 tranches de pain blanc
115 à 125 g de beurre doux
1 c. à soupe d'huile végétale
50 ml de madère, de marsala ou de xérès doux
125 ml de sauce espagnole (p. 270)
125 ml de fond brun
Sel et poivre noir
GARNITURE
6 tranches de pâté de foie gras
6 lamelles de truffes ou 6 chapeaux de champignons

Demandez au boucher de préparer et de ficeler les tournedos. Découpez six disques de la taille des tournedos au centre des tranches de pain.

Dans une grande poêle, chauffez 60 g de beurre et l'huile. Faites-y dorer le pain à feu modéré. Quand il est croustillant et doré, épongez-le sur du papier absorbant et gardez-le au chaud.

Dans la même poêle, faites sauter les tournedos à feu vif dans 45 g de beurre en comptant 1 minute et demie à 2 minutes de cuisson de chaque côté. Ils seront rôtis à l'extérieur et roses à l'intérieur. Retirez-les du feu et gardez-les au chaud. Déglacez la poêle au vin et laissez réduire les jus durant 2 minutes environ. Incorporez la sauce espagnole et le fond brun. Faites cuire la sauce à découvert jusqu'à ce qu'elle nappe la cuillère.

Entre-temps, chauffez le reste du beurre dans une autre poêle et faites-y revenir les tranches de foie gras à feu vif. Retirez-les lorsqu'elles sont dorées et gardez-les au chaud. Jetez les truffes ou les champignons dans la même poêle et faites-les sauter rapidement.

Disposez les croûtons dorés au beurre sur un plat de service chaud ; dressez les tournedos dessus et surmontez-les d'une tranche de foie gras et d'une lamelle de truffe ou d'un chapeau de champignon.

Rectifiez l'assaisonnement de la sauce. Couvrez-en le fond du plat et servez le reste en saucière. Accompagnez les tournedos Rossini de pommes de terre allumette (p. 301) et d'épinards ou de brocolis au beurre.

RAGOÛT D'AGNEAU

Ce plat, qui appartient à la cuisine paysanne française, utilise des coupes peu coûteuses.

PRÉPARATION : *35 minutes*
CUISSON : *1 h 45*

INGRÉDIENTS (*4 à 6 personnes*)
1,5 kg d'épaule d'agneau en morceaux
3 poireaux
6 tomates fraîches ou 1 boîte de tomates de 500 ml
225 g de carottes
2 gousses d'ail
2 c. à soupe d'huile
1 c. à soupe de sucre
Sel et poivre noir
1½ c. à soupe de farine
500 ml de bouillon
1 feuille de laurier
2 pincées de thym moulu
225 g de haricots verts

Chauffez le four à 230°C. Eliminez les racines et les feuilles extérieures des poireaux ; lavez-les à l'eau courante et détaillez-les en petits dés.

Pelez et épépinez les tomates. Pelez ou grattez les carottes et laissez-les entières. Pelez les gousses d'ail.

Mettez l'huile dans un plat résistant à la chaleur et faites-la chauffer sur un élément de surface. Saisissez les morceaux d'agneau de tous les côtés à feu vif. Quand ils sont bruns, saupoudrez-les de sucre et diminuez la chaleur. Prolongez la cuisson en remuant jusqu'à la caramélisation du sucre. Assaisonnez de sel et de poivre fraîchement moulu et ajoutez la moitié de la farine.

Enfournez le plat à découvert pour 5 minutes. Tournez la viande, assaisonnez de nouveau et ajoutez le reste de la farine. Après 5 autres minutes de cuisson, baissez le thermostat du four à 160°C et retirez le plat. Faites-y sauter le poireau sur un élément de surface après avoir enlevé la viande. Ajoutez le bouillon et amenez-le au point d'ébullition en déglaçant le fond. Remettez la viande dans le plat ; ajoutez les tomates, les carottes, la feuille de laurier, le thym et les gousses d'ail pilées. Couvrez et faites chauffer pour que la préparation frémisse. La sauce doit arriver presque à hauteur de la viande ; s'il en manquait, rajoutez un peu de bouillon.

Enfournez de nouveau le plat au centre du four et prolongez la cuisson de 1 h 30 ou jusqu'à ce que la viande soit tendre. Dans l'intervalle, parez et lavez les haricots verts ; détaillez-les en tronçons de 1,5 cm et faites-les cuire à l'eau bouillante salée pendant 10 minutes. Quand ils sont tendres mais encore croquants, égouttez-les, ajoutez-les à la viande et comptez encore 5 minutes de cuisson.

Servez le ragoût dans son plat avec des pommes de terre au four.

ESCALOPES DE VEAU SAUCE CLAMART

Cet apprêt ne présente aucune difficulté, et sa présentation est de qualité. Mais vous aurez soin de demander à votre boucher de vous préparer de petites escalopes de veau et vous choisirez des fonds et non des cœurs d'artichauts.

PRÉPARATION : 15 minutes
CUISSON : 25 minutes

INGRÉDIENTS (4 personnes)
8 escalopes de veau de 6 mm
  d'épaisseur (environ 500 g)
Farine assaisonnée de sel et de poivre
60 g de beurre
1 c. à soupe d'échalote (ou d'oignon)
  hachée menu
400 g de fonds d'artichauts en
  conserve
125 ml de vin blanc sec
300 ml de bouillon ou de fond de
  poulet
2 petits citrons
125 ml de crème épaisse
Sel et poivre noir

Dégraissez parfaitement les escalopes et saupoudrez-les de farine assaisonnée. Chauffez le beurre dans une poêle à fond épais et faites-y dorer les escalopes pendant quelques minutes à feu moyen, en ne les retournant qu'une fois.

Ajoutez l'échalote et les fonds d'artichauts égouttés, ainsi que le vin blanc. Faites chauffer jusqu'à ce que le liquide frémisse, puis diminuez la chaleur. Mouillez pour couvrir complètement la viande de bouillon ou de fond de poulet relevé du jus des deux citrons dont vous aurez d'abord râpé le zeste. Couvrez hermétiquement et faites cuire à feu doux 20 minutes.

Quand la viande est à point, incorporez la crème et prolongez la cuisson de 5-6 minutes à découvert pour que la sauce épaississe. Rectifiez les assaisonnements.

Disposez les escalopes de veau et les fonds d'artichauts au centre d'un plat de service chaud. Entourez-les d'une bordure de nouilles ou de riz au beurre et versez la sauce sur la viande. Parsemez de zeste de citron râpé.

RÔTI D'AGNEAU LAQUÉ À L'ORANGE

Voici une façon différente d'apprêter le gigot d'agneau ; elle convient aux grandes occasions. Demandez au boucher de désosser la pièce sans la rouler.

PRÉPARATION : 20 minutes
CUISSON : 2 h 15

INGRÉDIENTS (6 à 8 personnes)
1 gigot d'agneau de 2,25 kg, désossé
1 gros oignon
Le zeste râpé de 2 oranges
30 g de beurre
150 g de chapelure fraîche de pain
  blanc
50 g de raisins blancs secs
50 g de raisins noirs secs
50 g de raisins de Corinthe
2 pincées de romarin
2 pincées de thym
Sel et poivre noir
Le jus d'une orange
GLAÇAGE
100 g de cassonade blonde
Le jus d'un demi-citron
Le jus d'une orange
2 c. à soupe de sauce Worcestershire
SAUCE
125 ml de vin rouge
300 ml de bouillon de bœuf
GARNITURE
Tranches d'orange
Cresson

En premier lieu, préparez la farce. Pelez et hachez l'oignon menu ; râpez le zeste des deux oranges. Faites revenir l'oignon dans le beurre pendant 3 minutes à feu modéré. Dans un bol, mélangez la chape-lure, les raisins secs et l'oignon. Incorporez le zeste d'orange, le romarin et le thym ; assaisonnez au goût de sel et de poivre fraîchement moulu. Liez la farce avec le jus d'une orange.

Étalez la farce sur l'agneau ; roulez-le en ballottine, ficelez-le en plusieurs endroits, puis déposez-le dans une rôtissoire graissée.

Réunissez les ingrédients du glaçage dans une petite casserole et réchauffez-les pendant 1 minute à feu doux avant d'en garnir la viande. Mettez la ballottine au centre du four, préchauffé à 190°C, et faites cuire pendant 2 heures. La viande est cuite lorsque sa température interne atteint 65°C au thermomètre à viande. Arrosez souvent.

Déposez le gigot dans un plat de service chaud et gardez-le au four réglé à 120°C pendant que vous apprêtez la sauce. Versez le vin et le bouillon dans la lèchefrite ; déglacez à feu vif sur un élément de surface et faites réduire à pleine ébullition jusqu'à ce que la sauce nappe la cuillère. Rectifiez les assaisonnements au besoin.

Retirez la ficelle du gigot et garnissez-le de tranches d'orange tordues en spirale et décorées de cresson. Servez la sauce en saucière. Vous pouvez accompagner l'agneau de purée gratinée aux oignons (p. 241) et de salsifis au beurre ou de haricots verts.

Escalopes de veau et fonds d'artichauts sur un lit de nouilles au beurre.

Le gigot d'agneau laqué à l'orange est décoré de tranches d'orange et de cresson.

Volaille et gibier

FILET DE PORC FLAMBÉ

Ce plat, d'exécution facile, peut se cuisiner rapidement, à condition d'avoir fait tremper les abricots 3-4 heures avant de commencer. Au lieu d'abricots, vous pouvez utiliser des pruneaux.

PRÉPARATION : *25 minutes*
TREMPAGE : *3-4 heures*
CUISSON : *15 minutes*

INGRÉDIENTS *(4 personnes)*
600 à 700 g de filet de porc
100 g d'abricots secs (pesés avant de les faire tremper)
2 c. à soupe de xérès sec ou de vin blanc
30 g de beurre doux
2 c. à soupe de cognac
5 c. à soupe de crème sure
Le jus d'un citron
Farine
Sel, poivre

Mettez les abricots à tremper. Au bout de 3-4 heures, ajoutez-y le xérès et faites cuire à feu doux pendant 15 minutes. Retirez le gras du filet de porc ; coupez-le en tranches épaisses d'un peu plus de 1,5 cm, assaisonnez-les de sel et de poivre, passez-les dans la farine.

Faites chauffer le beurre dans une poêle, à feu modéré, et mettez-y à cuire les tranches de porc, en les retournant une seule fois, jusqu'à ce qu'elles soient tendres et bien dorées des deux côtés. Enlevez l'excès de graisse.

Faites chauffer le cognac, enflammez-le et versez-le sur la viande. Ajoutez les abricots bien égouttés et remuez jusqu'à ce que les flammes du cognac s'éteignent.

Mélangez la crème au liquide de cuisson des abricots, versez le mélange dans la poêle. Laissez bouillir doucement quelques minutes, puis assaisonnez de sel, de poivre et de jus de citron à volonté. Servez accompagné de riz nature.

CANARD AUX MANDARINES

Voici un canard braisé à l'européenne, c'est-à-dire sur fond de braisage au four, procédé culinaire auquel on a peu souvent recours en Amérique du Nord pour ce volatile. Il est ensuite nappé d'une sauce parfumée à la mandarine et au porto. Cet apprêt convient aussi bien au canard domestique qu'au canard sauvage.

PRÉPARATION : *35 à 40 minutes*
CUISSON : *1 h 15*

INGRÉDIENTS *(3 ou 4 personnes)*

1 canard de 2 kg environ
Bouquet garni
250 g de nouilles cuites
1 oignon
2 c. à thé de persil ciselé
2 pincées de thym
1 pincée de muscade
2½ c. à soupe de miel
2 c. à soupe de bière
2 jaunes d'œufs
50 ml de crème épaisse
3 mandarines
4 c. à soupe de porto
Jus de citron
Sel et poivre noir
GARNITURE
Tranches de mandarine
Cresson

Mettez les abattis du canard dans une casserole ; salez, poivrez avec le moulin et couvrez d'eau. Ajoutez le bouquet garni. Couvrez et faites cuire 25 minutes environ. Quand les abattis sont à point, égouttez-les et réservez le bouillon. Dépouillez le gésier de sa peau ; détaillez-le en dés ainsi que le cœur et le foie.

Hachez grossièrement les nouilles cuites et mélangez-les aux abattis avec l'oignon haché, les fines herbes et la muscade. Ajoutez la moitié du miel et la moitié de la bière aux jaunes d'œufs et à la crème, remuez et incorporez cette préparation aux nouilles. Nettoyez parfaitement l'intérieur de la carcasse du canard et introduisez-y la farce. Refermez l'ouverture.

Posez le canard sur la poitrine dans une rôtissoire où vous verserez 1,5 cm d'eau. Faites rôtir le canard au centre du four, préchauffé à 190°C, pendant 20 minutes en arrosant de temps à autre. Retirez le canard de la rôtissoire, placez une grille dans celle-ci et remettez-y le canard, cette fois-ci la poitrine tournée vers le haut. Arrosez-le avec le reste du miel mélangé au reste de la bière et prolongez la cuisson de 30 minutes ou jusqu'à ce qu'il soit doré et croquant et que de la cuisse, piquée avec une brochette, s'échappe un jus incolore. Sortez alors le canard du four.

Pendant la cuisson du canard, râpez le zeste des mandarines et réservez-le. Pelez et épépinez les fruits, puis réduisez-les en purée au mixer.

Dressez l'oiseau cuit dans un plat de service chaud. Versez la chair et le zeste des mandarines dans la rôtissoire, ainsi que le porto et 350 ml du bouillon des abattis. Faites bouillir ces ingrédients à feu vif sur un élément de surface jusqu'à réduction et épaississement. Relevez de jus de citron et rectifiez les assaisonnements. Passez au-dessus d'une saucière.

Décorez le canard de tranches de mandarine non pelées et de bouquets de cresson. Servez avec des pommes de terre rôties ou duchesse (p. 301) et des haricots verts au beurre.

PÂTÉ DE GIBIER

Pour préparer ce pâté traditionnel anglais, vous pouvez utiliser du gibier à poil ou à plume ou même du bœuf (les morceaux les moins tendres conviennent fort bien) ; il faut dans tous les cas faire mariner la viande.

PRÉPARATION : *45 minutes*
MARINAGE : *8 heures au moins*
CUISSON : *2 h 30 environ*
REPOS : *1 heure*

INGRÉDIENTS *(6 personnes)*
650 g de gibier (ou de bœuf)
60 g de lard, blanchi 5 minutes
220 g de champignons
30 g de beurre
1-2 c. à soupe de farine
Sel, poivre
MARINADE
1 oignon
1 côte de céleri
7 grains de coriandre
7 baies de genièvre
2 feuilles de laurier
2 brins de persil
1 pincée de marjolaine sèche
200 ml de vin rouge
5 c. à soupe d'huile d'olive
PÂTE
220 g de farine
110 g de beurre
3 c. à soupe de saindoux
2 jaunes d'œufs et 1 œuf entier
2 pincées de sel

Coupez la viande en dés de 2,5 cm de côté, en éliminant si c'est nécessaire le gras ou les nerfs. Préparez les légumes et les aromates pour la marinade : pelez, lavez et hachez finement l'oignon, lavez le céleri et hachez-le finement, pilez les grains de coriandre et les baies de genièvre.

Placez les morceaux de viande dans une grande jatte, ajoutez les légumes et les épices préparés, le laurier, le persil, la marjolaine, le vin et l'huile ; mélangez, couvrez et laissez mariner au réfrigérateur pendant au moins 8 heures.

La garniture demande une cuisson préliminaire, sans cela la pâte devrait cuire trop longtemps : coupez en dés le lard blanchi et faites-le revenir dans une cocotte, à feu doux, jusqu'à ce qu'il soit transparent. Ajoutez le beurre et les champignons, parés et coupés en petites tranches, mélangez-y 1-2 cuillerées à soupe de farine ou ce qu'il en faut pour absorber la graisse et laissez cuire en remuant pendant environ 3 minutes.

Retirez la viande de la marinade, que vous filtrerez au chinois fin.

Mélangez peu à peu le liquide de la marinade à la préparation qui se trouve dans la cocotte, ajoutez la viande, portez à ébullition. Si le jus devenait trop épais, allongez-le d'un peu d'eau. Salez, poivrez, couvrez et laissez cuire à feu doux pendant environ 1 h 30. Vérifiez alors l'assaisonnement et laissez la viande refroidir pendant que vous préparez la pâte.

Tamisez ensemble la farine et le sel dans une grande jatte, ajoutez le beurre et le saindoux coupés en petits morceaux et amalgamez les ingrédients en les pétrissant du bout des doigts, jusqu'à ce que vous ayez comme de nombreuses miettes de mie de pain. Incorporez les jaunes, que vous aurez d'abord battus avec 2 cuillerées à soupe d'eau froide, et travaillez la pâte, en ajoutant éventuellement encore un peu d'eau, jusqu'à ce qu'elle se détache des bords du récipient en les laissant nets. Couvrez-la d'un morceau de papier paraffiné ou d'une feuille d'aluminium et mettez-la au réfrigérateur pour au moins 1 heure.

Versez la viande avec sa sauce, froide, dans un plat à gratin à bords hauts. Abaissez la pâte, sur une surface farinée, en une feuille épaisse d'environ 5 mm. Coupez-en, le long des bords, deux ou trois bandes larges d'un peu plus de 1 cm et disposez-les, en appuyant bien, sur le bord du plat, que vous aurez humecté d'eau froide. Badigeonnez cette bande de pâte avec de l'eau, avant d'étendre le reste de la pâte sur la surface du plat ; soudez-la bien, enlevez-en l'excès avec un couteau et décorez le bord. Badigeonnez la pâte avec l'œuf légèrement battu et ornez-la de petites feuilles faites avec les chutes de pâte, que vous badigeonnerez à leur tour avec l'œuf. Pratiquez quelques petites fentes de façon que la vapeur puisse sortir pendant la cuisson.

Mettez au centre du four, préchauffé à 220°C, et laissez cuire 20 minutes ; baissez à 180°C et laissez cuire encore 30 minutes ou jusqu'à ce que la pâte soit d'une couleur or foncé. Servez chaud, avec une purée de céleri-rave, par exemple.

POULE AU POT

C'est Henri IV qui a fait de ce plat le mets classique des Français le dimanche midi. Notre recette se mange aussi bien froide en pique-nique que chaude à table. Si un poulet doit remplacer la poule, choisissez-le de bonne taille et réduisez le temps de cuisson de moitié.

PRÉPARATION : *40 minutes*
CUISSON : *3 h 30 environ*

INGRÉDIENTS *(6 personnes)*
1 poule à bouillir de 3 kg environ
8 gros oignons
250 g de jambon ou de porc cuits ou
*   225 g de porc dans le soc*
3-4 brins de persil
60 g de beurre
300 g de chapelure sèche
1 c. à thé de thym
2 œufs, bien battus
1 jambon dans le soc ou environ
*   1,5 kg de bœuf (côtes, croupe ou*
*   poitrine)*
1 oignon piqué de 2 clous de girofle
8 carottes
1½ c. à soupe de sel
6 navets pelés

Dégraissez l'intérieur de la poule et retirez le cou en laissant toutefois la peau attachée au corps. Hachez 2 oignons ainsi que le jambon ou le porc cuits, ou le porc cru dans le soc, et le persil. Faites revenir ce hachis dans 60 g de beurre en lui mélangeant la chapelure, le thym et les œufs battus. Introduisez cette farce dans la carcasse de la poule et fermez l'ouverture avec un morceau de papier d'aluminium avant de la coudre ou de l'attacher avec des brochettes.

Déposez la volaille dans une grande marmite à fond épais avec le jambon ou le bœuf, l'oignon piqué de clous, deux carottes, le sel et juste assez d'eau pour couvrir. Amenez à ébullition. Ecumez, réduisez la chaleur et laissez mijoter à couvert pendant 3 h 30 ou jusqu'à ce que les viandes soient tendres. Si la poule est à point avant le porc ou le bœuf, retirez-la, couvrez-la de papier d'aluminium et gardez-la au four, préchauffé à 120°C. Ajoutez, 1 heure avant la fin de la cuisson, les oignons et les carottes qui restent ainsi que les navets.

Servez le bouillon dans des tasses individuelles comme entrée, suivi de la volaille détaillée en tranches et entourée de sa farce et de ses légumes. Ajoutez les viandes escalopées si vous le désirez. La viande se réchauffe très bien dans le bouillon lors d'un autre repas.

CÔTELETTES DE GIBIER

Pour ce plat, les côtelettes de jeune chevreuil sont préférables. Elles cuisent plus rapidement et n'ont pas besoin de longue macération en marinade. La sauce parfumée au whisky est particulièrement bien choisie.

PRÉPARATION : *20 minutes*
CUISSON : *2 heures environ*

INGRÉDIENTS *(6 personnes)*
6 côtelettes prises près du collier
2 tranches de bacon maigre
1 oignon
2 carottes
2 côtes de céleri
Le jus d'un citron
12 baies de genièvre
1 c. à thé de marjolaine ou de thym
Sel et poivre noir
45 g de beurre
3 c. à soupe de farine
175 à 300 ml de bouillon ou d'eau
2 c. à soupe de whisky
2 c. à soupe de purée de canneberges
Le jus d'une petite orange
GARNITURE
Croûtons frits (p. 268)
Canneberges entières ou quartiers
*   d'orange*

Parez les côtelettes et battez-les pour les aplatir légèrement. Hachez le bacon grossièrement. Pelez et hachez menu l'oignon, les carottes et le céleri.

Enduisez les côtelettes de jus de citron. Broyez les baies de genièvre au mortier ou avec le plat d'un couteau. Mélangez-les à la marjolaine ou au thym et ajoutez quelques tours de moulin à poivre. Frottez les côtelettes des deux côtés avec cette préparation.

Chauffez le beurre dans un plat à four et faites-y revenir le bacon à feu doux. Quand le gras coule, augmentez la chaleur et faites rissoler rapidement les côtelettes des deux côtés. Retirez-les. Dans le même

gras, faites sauter l'oignon, les carottes et le céleri jusqu'à ce qu'ils commencent à prendre couleur ; salez. Saupoudrez la farine sur les légumes et faites brunir à feu doux. Incorporez alors le bouillon et le whisky et amenez la sauce au point de mijotement. Remettez les côtelettes dans le plat en vous assurant que la sauce les recouvre. Allongez-la de bouillon au besoin.

Couvrez et enfournez le plat au centre du four, préchauffé à 160°C ; comptez environ 1 h 30 de cuisson. Quand les côtelettes sont

tendres, retirez-les du plat et gardez-les au chaud. Ajoutez à la sauce la purée de canneberges et le jus d'orange, rectifiez les assaisonnements et relevez de jus de citron.

Dressez les côtelettes sur un monticule de céleri-rave ou de purée de marrons (p. 224). Intercalez entre les côtelettes des croûtons frits et garnissez de canneberges entières ou de quartiers d'orange pelés. Vous pouvez garnir les manches des côtelettes de papillotes. Servez la sauce à part, dans une saucière chaude.

Riz et pâtes

POULET ET RIZ AUX ÉPICES

Ce plat constitue l'un des éléments principaux de la fameuse *rijsttafel* (table de riz) de la cuisine indonésienne. Une préparation idéale pour un buffet, surtout si vous l'accompagnez d'un assortiment de légumes et de fruits dont vos hôtes pourront se servir à leur gré.

PRÉPARATION : *35 minutes*
CUISSON : *2 heures*

INGRÉDIENTS (6 à 8 personnes)
1 poulet de 1,5 kg environ
450 g de riz à grains longs
500 g d'oignons
1 feuille de laurier
1 brin de persil
5 c. à soupe d'huile
1 c. à thé de chili (piment) en poudre
120 g de crevettes décortiquées
120 g de jambon cuit coupé en petits dés
1 c. à thé de grains de cumin
1 c. à thé de grains de coriandre
1 gousse d'ail
1 pincée de macis en poudre
Sel, poivre
GARNITURE
La moitié d'un concombre
2 œufs durs
8 à 12 crevettes non décortiquées
1 poivron rouge en lamelles

Mettez le poulet dans un grand faitout, avec un oignon entier, pelé, une feuille de laurier et du persil. Assaisonnez de sel et de poivre, ajoutez assez d'eau froide pour couvrir le poulet. Portez à ébullition, écumez; baissez le feu, couvrez et laissez bouillir doucement pendant 1 heure environ.

Egouttez le poulet et laissez-le un peu refroidir. Filtrez le bouillon et utilisez-en 1 litre pour faire cuire le riz; retirez celui-ci quand il est *al dente* (c'est-à-dire pas trop cuit), en l'égouttant soigneusement, puis laissez-le dans la passoire, recouvert d'un linge sec.

Enlevez la peau du poulet, coupez-en la chair en petits morceaux. Pelez, lavez et émincez les autres oignons. Faites chauffer l'huile dans une grande poêle et mettez-y à revenir les oignons, à feu doux, jusqu'à ce qu'ils commencent à prendre couleur. Mélangez-y la poudre de chili, puis les crevettes décortiquées, les dés de jambon et, enfin, le riz qui devra être bien sec et léger. Laissez cuire à feu doux, en remuant souvent, jusqu'à ce que le riz soit bien doré. Pilez les grains de cumin et de coriandre et l'ail pelé, mélangez-les au riz, ainsi que le macis. Salez à votre goût.

Dressez la préparation en pyramide sur un plat de service chaud, garnissez avec le concombre, non pelé, coupé en petites rondelles, les œufs durs en quartiers, les crevettes non décortiquées et les lamelles de poivron rouge.

Tout autour du plat, disposez de petites assiettes ou de petites coupes contenant les différentes préparations d'accompagnement : du chutney de mangue, par exemple, ou de petites tranches de tomate assaisonnées de sucre et de jus de citron, des tranches d'orange pelées à vif, du poivron rouge et du poivron vert coupés en lamelles, mêlés à des tranches d'oignon cru. Vous pouvez garnir d'autres coupelles d'ananas frais coupé en dés, de bananes coupées en rondelles, crues ou frites, arrosées de jus de citron, ou encore de noix de coco fraîche râpée. Avec les plats de riz indonésiens, on sert souvent aussi des amandes sautées dans un peu de beurre.

LASAGNE VERDI AL FORNO

La région de Bologne, en Italie, est réputée pour sa gastronomie et plus particulièrement pour ses lasagnes vertes (*lasagne verdi*), colorées à l'épinard. Ces pâtes alimentaires sont ordinairement cuites au four, dans une sauce dite bolognaise à base de viande et de légumes, avec une garniture de béchamel épaisse entre les rangs de lasagne. On peut préparer le plat d'avance et le garder au congélateur durant plusieurs semaines avant de le faire cuire.

PRÉPARATION : *1 heure*
CUISSON : *20 minutes*

INGRÉDIENTS (6 personnes)

250 g de lasagnes vertes
2 tranches de bacon
1 petit oignon
1 carotte
80 g de petits champignons
30 g de beurre
300 g environ de bœuf haché
2-3 foies de poulet (facultatif)

1 c. à soupe de concentré de tomate
120 ml de vin blanc sec
300 ml de bouillon ou de fond de bœuf
1 c. à thé de sucre
Sel
500 ml de béchamel (p. 269)
75 g de parmesan râpé

Détaillez le bacon en morceaux. Pelez et hachez menu l'oignon et la carotte. Parez les champignons et émincez-les en lamelles.

Faites fondre la moitié du beurre à feu doux dans une sauteuse à fond épais et jetez-y le bacon. Quand le gras de celui-ci est fondu, ajoutez les légumes et faites-les rissoler légèrement. Emiettez le bœuf dans la sauteuse ainsi que les foies de poulet parés et hachés, s'il y a lieu. Incorporez le concentré de tomate. Prolongez la cuisson en remuant sans arrêt jusqu'à la coloration de la viande. Ajoutez alors le vin et laissez le tout mijoter quelques minutes avant de verser le bouillon dans la sauteuse. Assaisonnez au goût de sucre et salez si le bouillon ne l'est pas assez. Couvrez et laissez mijoter 30 à 40 minutes à feu doux pendant que vous préparez une béchamel assez épaisse.

Faites cuire les lasagnes vertes dans de l'eau bouillante salée pendant 10 à 15 minutes en remuant de temps à autre. Quand elles sont assez tendres mais encore un peu croquantes, versez-les dans une passoire et rincez-les à l'eau froide pour les empêcher de coller les unes aux autres.

Beurrez généreusement un plat à four d'environ 25 cm sur 20 cm. Mettez dans le fond un rang de sauce à la viande, puis une couche de béchamel et enfin un rang de lasagnes. Répétez jusqu'à épuisement des ingrédients en terminant par la béchamel. Parsemez la dernière couche de parmesan râpé.

Enfournez le plat au centre du four préchauffé à 200°C. Au bout de 15 à 20 minutes, les lasagnes seront croustillantes et dorées en surface. Servez-les dans leur plat avec une salade verte.

Légumes

TAGLIATELLE ALLA CARBONARA

En Italie, la cuisson de certaines pâtes alimentaires comme les tagliatelles (nouilles plates aux œufs), les spaghettis et les macaronis, s'effectuait autrefois sur un réchaud à charbon de bois *(alla carbonara)*. Ce terme désigne aujourd'hui un apprêt à base de bacon.

PRÉPARATION : *10 minutes*
CUISSON : *15 minutes*

INGRÉDIENTS *(6 personnes)*
225 g de tagliatelles
30 g de beurre
1 c. à soupe d'huile d'olive
2 tranches de bacon hachées grossièrement
75 g de jambon cuit en dés
4 œufs
75 g de cheddar râpé
35 g de parmesan râpé
Sel et poivre noir

Faites cuire les tagliatelles 10 à 15 minutes dans beaucoup d'eau bouillante salée. Quand elles sont tendres mais un peu croquantes, égouttez-les.

Dans l'intervalle, chauffez le beurre et l'huile à feu modéré et faites-y revenir le bacon et le jambon jusqu'à ce qu'ils soient croustillants. Dans un bol, battez les œufs avec les fromages.

Versez les pâtes dans la sauteuse où se trouvent le bacon et le jambon et remuez pour les enrober uniformément de gras. Ajoutez les œufs battus et les fromages et prolongez la cuisson à feu doux en remuant constamment jusqu'à ce que les œufs commencent à épaissir. N'attendez pas qu'ils se coagulent complètement pour retirer la sauteuse du feu.

Servez immédiatement sur un plat de service chaud en présentant du parmesan râpé à part. Complétez avec une fraîche salade verte.

POIREAUX À LA TOMATE

Les poireaux ne sont pas appréciés autant qu'ils le mériteraient, tant pour leur saveur que pour leur facilité de préparation. Préparés selon cette recette, on peut les servir chauds, pour accompagner du poisson, de la viande ou du poulet au gril, ou froids comme hors-d'œuvre.

PRÉPARATION : *15 minutes*
CUISSON : *20 minutes*

INGRÉDIENTS *(4 à 6 personnes)*
800 g de poireaux pas trop gros
220 g de tomates
3-4 c. à soupe d'huile d'olive
1 grosse gousse d'ail pilée
1 c. à soupe de persil haché
Le jus d'un citron
Sel, poivre

Epluchez les poireaux en éliminant les racines, les feuilles extérieures et presque toute la partie verte, et en les coupant tous de la même longueur ; lavez-les soigneusement sous l'eau courante et essuyez-les.

Pelez les tomates, coupez-les en deux, pressez pour faire sortir les graines ; hachez-les grossièrement. Faites chauffer l'huile, à feu moyen, dans une casserole assez grande ; disposez-y les poireaux alignés l'un à côté de l'autre, laissez-les cuire jusqu'à ce qu'ils soient dorés par-dessous. Retournez-les, assaisonnez-les de sel et de poivre et laissez-les cuire à feu doux pendant 10 minutes ou jusqu'à ce qu'ils soient tendres. Disposez-les dans un plat et gardez-les au chaud.

Mettez dans la casserole les tomates, l'ail pilé et le persil ; faites cuire à feu vif pendant 2-3 minutes, en remuant sans arrêt ; assaisonnez de sel, de poivre et de jus de citron. Remettez les poireaux dans la casserole, tournez-les pour qu'ils s'imprègnent de sauce ; servez-les chauds ou froids.

PURÉE GRATINÉE AUX OIGNONS

Vous servirez cette appétissante préparation pour accompagner n'importe quel plat de viande. Vous pouvez augmenter la quantité de fromage, soit en le mélangeant aux pommes de terre, soit en en saupoudrant la surface de la purée.

PRÉPARATION : *35 minutes*
CUISSON : *20 minutes environ*

INGRÉDIENTS *(4 personnes)*
500 g de pommes de terre
250 g d'oignons
80 g de beurre
1 œuf battu
2-3 c. à soupe de gruyère ou de parmesan râpé
Noix de muscade râpée
Sel, poivre gris

Pelez les pommes de terre, coupez-les en morceaux d'égale grosseur ; mettez-les dans un faitout, couvrez-les d'eau légèrement salée, portez à ébullition et faites cuire à feu doux jusqu'à ce qu'elles soient tendres ; passez-les au moulin à légumes. Pelez, lavez et hachez les oignons. Faites fondre dans une poêle 60 g de beurre ; mettez-y les oignons ; laissez-les cuire à feu doux, en remuant souvent, pendant 10 minutes ou jusqu'à ce qu'ils soient tendres et dorés. Ajoutez-les à la purée de pommes de terre, ainsi que l'œuf battu, le sel, le poivre et la noix de muscade ; mélangez bien.

Versez la préparation dans un plat à gratin beurré, en l'étalant en une seule couche lisse, saupoudrez de fromage râpé, répartissez à la surface le reste de beurre coupé en petits morceaux. Mettez au centre du four, préchauffé à 200°C, et laissez cuire 20 minutes ou jusqu'à ce qu'il se soit formé à la surface une croûte bien dorée.

Servez dans le plat de cuisson.

PURÉE DE CÉLERI-RAVE

Le céleri-rave a une saveur assez prononcée ; mélangé à des pommes de terre, il donne une purée moelleuse plus délicate, qui convient particulièrement bien pour accompagner du gibier ou du canard rôti.

PRÉPARATION : *10 minutes*
CUISSON : *45 minutes*

INGRÉDIENTS *(4 à 6 personnes)*
1 céleri-rave de 500 g
2 grosses pommes de terre bouillies et réduites en purée
50 g de beurre
150 ml environ de crème épaisse
Sel, poivre

Lavez le céleri-rave sous l'eau froide courante, en le frottant avec une petite brosse pour bien enlever la terre ; mettez-le dans une casserole pleine d'eau bouillante et laissez-le

cuire 35 à 40 minutes ou jusqu'à ce qu'il soit tendre. Laissez-le refroidir légèrement, pelez-le, coupez-le en morceaux et passez-le au moulin à légumes ou réduisez-le en purée au mixer.

Mélangez les purées de pommes de terre et de céleri-rave, ajoutez le beurre et la crème, assaisonnez de sel et de poivre ; avant de servir, faites réchauffer à feu doux en remuant.

OIGNONS AU FOUR

La cuisson indiquée dans cette recette demande un peu de temps, mais donne un résultat particulièrement agréable et conserve les qualités nutritives de l'oignon.

PRÉPARATION : *5 minutes*
CUISSON : *2 h 15 environ*

INGRÉDIENTS *(6 personnes)*
6 gros oignons jaunes
60 à 80 g de beurre
Sel
GARNITURE
Paprika
Touffes de persil

Tapissez d'une feuille d'aluminium un plat à rôtir à bords assez hauts. Enlevez les racines des oignons, mais ne les pelez pas ; disposez-les droits dans le plat.

Mettez au centre du four, préchauffé à 180°C, et laissez cuire en-

viron 2 h 15 ou jusqu'à ce que les oignons soient bien tendres.

Retirez le plat du four, pelez les oignons sans les abîmer, disposez-les sur un plat de service chaud ; ouvrez-les légèrement, à leur sommet, avec la pointe d'un couteau et mettez dans chacun un petit morceau de beurre. Saupoudrez de sel et de paprika, décorez de touffes de persil, servez.

Desserts

CHOU À L'AUTRICHIENNE

La cuisine autrichienne classique comprend aussi bien des mets d'origine hongroise que yougoslave et tchèque. La crème sure et le paprika caractérisent les apprêts appartenant aux traditions culinaires austro-hongroises. Le chou ainsi préparé accompagne bien le veau et le porc rôtis.

PRÉPARATION : *20 minutes*
CUISSON : *30 minutes*

INGRÉDIENTS (*4 personnes*)
1 petit chou vert
1 petit oignon
30 à 60 g de beurre ou de gras de bacon
125 ml de crème sure
Sel et poivre noir
2 pincées de paprika

Après avoir éliminé les feuilles fanées ou coriaces, coupez le chou en quatre. Enlevez le trognon et détaillez les quartiers en fines lamelles. Lavez-les et égouttez-les parfaitement dans une passoire. Pelez l'oignon et hachez-le menu.

Chauffez le beurre ou le gras de bacon à feu modéré dans un plat allant au feu et faites-y revenir l'oignon. Quand il est transparent, ajoutez le chou et faites-le sauter de manière à l'enrober uniformément de gras. Incorporez alors la crème sure et assaisonnez de sel, de poivre et de paprika.

Couvrez bien le plat et faites cuire sur la grille inférieure du four, préchauffé à 160°C, pendant 30 minutes environ. La température du four doit demeurer très modérée pour que la crème sure ne tourne pas.

Faites passer le plat du four à la table.

HARICOTS VERTS À LA TOSCANE

Cet apprêt, qui appartient à la cuisine italienne, est exquis. Les haricots ainsi préparés se servent avec les viandes et les volailles grillées ou rôties.

PRÉPARATION : *10 minutes*
CUISSON : *15 minutes*

INGRÉDIENTS (*4 personnes*)
500 g de haricots verts
60 g de beurre
1 c. à soupe d'huile d'olive
2 c. à thé de sauge fraîche hachée ou
    1 c. à soupe de persil frais haché fin
1 grosse gousse d'ail
Sel et poivre noir
10 g de parmesan râpé

Epluchez les haricots et coupez-les en tronçons de 5 cm. Faites-les cuire à l'eau bouillante salée et à feu doux. Quand ils sont tendres, égouttez-les et couvrez-les d'une serviette pour les conserver chauds.

Chauffez le beurre et l'huile à feu modéré ; jetez-y la moitié de la sauge ou du persil ainsi que l'ail épluché et pilé. Une minute plus tard, ajoutez les haricots. Assaisonnez au goût de sel et de poivre fraîchement moulu et prolongez la cuisson de 5 minutes à feu doux en remuant.

Incorporez le parmesan et servez immédiatement après avoir saupoudré les haricots du reste des fines herbes.

TARTE AU CAFÉ ET AU BOURBON

L'alliance de la crème, du café et du bourbon donne une tarte délicieuse qui se prépare d'avance.

PRÉPARATION : *35 minutes*
RÉFRIGÉRATION : *5 heures*

INGRÉDIENTS (*8 personnes*)
1¼ tasse de biscuits Graham émiettés
50 g de sucre
60 g de beurre fondu
2 pincées de muscade
3 œufs
1 sachet de gélatine non aromatisée
125 ml de café fort, froid
125 g de sucre
1 pincée de sel
5 c. à soupe de bourbon
4 c. à soupe de liqueur de café
250 ml de crème épaisse

Portez le four à 180°C. Préparez la croûte. Mélangez les miettes de biscuits Graham, le sucre, le beurre fondu et la muscade. Tapissez-en le fond et les côtés d'une assiette à tarte de 20 cm en pressant avec les mains. Faites cuire 5 minutes, puis laissez refroidir.

Préparez maintenant la garniture. Séparez les œufs et réservez-les. Egrenez la gélatine sur le café froid dans une casserole. Ajoutez 60 g de sucre, le sel et les jaunes d'œufs. Remuez bien et faites cuire à feu doux pour que la gélatine fonde. La préparation ne doit pas bouillir.

Hors du feu, ajoutez le bourbon et la liqueur de café. Réfrigérez la garniture jusqu'à ce qu'elle commence à prendre (n'attendez pas qu'elle soit trop ferme).

Montez les blancs d'œufs en neige en ajoutant peu à peu le sucre. Incorporez-les dans la garniture, ainsi que la crème préalablement fouettée.

Garnissez la tarte et réfrigérez 5 heures. Décorez de crème fouettée.

POIRES À LA CHINOISE

En dépit de son nom, cet apprêt est d'origine française. Les poires à la chinoise sont un dessert riche et sucré qui convient à un dîner de réception. On choisira pour le réaliser des poires bartlett ou comice.

PRÉPARATION : *35 minutes*
CUISSON : *35 minutes*

INGRÉDIENTS (*6 personnes*)
6 grosses poires mûres
100 g de raisins blancs secs
50 g de pignons
6 c. à thé de miel
30 g de beurre doux
125 à 175 ml de vin blanc sec
6 c. à thé de sirop de gingembre
125 ml de gelée de groseille rouge

Pelez les poires. Enlevez une tranche mince à leur base, pour pouvoir les présenter debout, et un couvercle de 2 cm environ sur le dessus de chacune, pour pouvoir éliminer le trognon et les pépins. Hachez grossièrement les raisins secs et les pignons et ajoutez-les au miel. Introduisez cette préparation dans la cavité laissée par le trognon. Remettez les couvercles en place.

Beurrez un plat à four et disposez-y les poires debout avec le reste de la garniture. Versez le vin blanc et couvrez le plat de papier d'aluminium. Enfournez-le au centre du four, préchauffé à 180-190°C. La cuisson, d'environ 30 minutes, dépend de la maturité des poires et de quelle sorte de variété vous employez.

Dressez les poires cuites dans des plats individuels et gardez-les au chaud dans le four. Versez le jus de cuisson dans une petite casserole, puis ajoutez le sirop de gingembre et la gelée de groseille rouge. Amenez à ébullition à feu modéré. Lorsque la gelée est fondue, nappez les poires et servez immédiatement.

CRÈME CARAMEL À L'ORANGE

La crème caramel est un dessert très agréable, mais devenu presque trop commun. Renouvelez-en le goût en le parfumant à l'orange.

PRÉPARATION : 30 à 35 minutes
CUISSON : 30 minutes
RÉFRIGÉRATION : 2 heures

INGRÉDIENTS (4 personnes)
Le zeste râpé d'une orange
250 ml de jus d'orange filtré au chinois
3 œufs entiers et 3 jaunes
2 c. à soupe de sucre
CARAMEL
100 g de sucre

Faites infuser le zeste d'orange râpé dans le jus d'orange.

Laissez reposer pendant que vous préparez le caramel : mettez dans une petite casserole 100 g de sucre et 2 cuillerées à soupe d'eau froide, et faites chauffer à feu doux, en remuant, jusqu'à ce qu'il se soit formé un sirop limpide ; augmentez la température et faites bouillir vivement, sans plus remuer, jusqu'à ce que le sirop soit brun doré. Versez-le dans quatre petits moules à crème caramel que vous ferez tourner rapidement de façon que le caramel se répartisse uniformément sur tout l'intérieur (pour cette opération, protégez votre main avec un gant, car les moules deviendront très chauds).

Versez le jus d'orange et le zeste râpé dans une petite casserole et faites chauffer à feu doux. Battez ensemble les œufs entiers, les jaunes, 2 cuillerées à soupe de sucre, jusqu'à obtenir un mélange homogène ; mélangez-y ensuite, rapidement, la préparation à l'orange.

Versez dans les moules ; disposez-les dans un plat à gratin contenant 2-3 cm d'eau bouillante, couvrez-les de papier paraffiné beurré et mettez le plat au centre du four, préchauffé à 180°C. Laissez cuire environ 30 minutes ou jusqu'à ce que le mélange soit complètement pris.

Retirez les moules du four, laissez-les refroidir et mettez-les au réfrigérateur pendant au moins 2 heures. Pour servir, renversez-les sur un plat de service froid.

CRÊPES GEORGETTE

On dit que ces crêpes fourrées d'ananas parfumé au rhum ont été créées pour la cantatrice Georgette Leblanc, l'amie du poète belge Maeterlinck.

PRÉPARATION : 30 minutes
CUISSON : 5 minutes

INGRÉDIENTS (6 personnes)
250 ml de pâte à crêpes (p. 311)
6 tranches d'ananas en conserve
250 ml de crème pâtissière à la vanille (p. 309)
3-4 c. à soupe de rhum
60 g de beurre fondu
Sucre glace

Préparez avec la pâte 12 crêpes très fines. Egouttez et hachez les tranches d'ananas, parfumez-les avec 1 cuillerée à soupe de rhum et mélangez-les à la crème pâtissière. Mettez une bonne cuillerée de crème au milieu de chaque crêpe dont vous replierez ensuite deux bords par-dessus en les superposant.

Disposez les crêpes ainsi fourrées dans un plat à gratin beurré ; badigeonnez-les avec le beurre fondu, saupoudrez-les de sucre glace.

Mettez dans la partie supérieure du four, allumé depuis 10 minutes à la température maximale, pendant 5 minutes ou le temps nécessaire pour que le sucre fonde et que le bord des crêpes devienne brun. Juste avant de servir, faites chauffer le reste du rhum, enflammez-le et versez-le sur les crêpes.

MONT-BLANC MERINGUÉ

Dans la recette originale du fameux cuisinier Escoffier, l'entremets appelé mont-blanc est préparé avec des marrons cuits dans du lait vanillé, passés au tamis, disposés en cône et recouverts de crème Chantilly. Dans la version que nous vous proposons, une coque de meringue est remplie de purée de marrons parfumée au cognac et de crème fouettée. La meringue et la garniture peuvent être préparées plusieurs heures à l'avance, mais la mise au point finale doit être exécutée au dernier moment.

PRÉPARATION : 35 minutes
CUISSON : 1 heure

INGRÉDIENTS (6 personnes)
2 c. à soupe d'huile
2 blancs d'œufs
60 g de sucre glace
GARNITURE
60 g de beurre doux
4 c. à soupe de sucre
250 g de purée de marrons en conserve
2 c. à soupe de cognac
Le jus d'un citron
250 ml de crème fouettée
30 g de pistaches pelées

Tapissez une plaque à four de papier paraffiné et dessinez-y au crayon deux circonférences de 18 cm de diamètre, en prenant pour guide le contour d'une assiette ou d'un couvercle. Enduisez le papier d'huile.

Montez les blancs d'œufs en neige, ajoutez 2 cuillerées à soupe de sucre glace et battez encore jusqu'à ce que le mélange soit bien ferme ; incorporez délicatement le reste du sucre glace. Mettez ce mélange dans une poche à douille cannelée ; faites-le sortir en dessinant un anneau à l'intérieur d'une des circonférences ; recouvrez de la préparation tout l'intérieur de l'autre circonférence, en formant un

disque d'environ 5 mm d'épaisseur. Pressez le reste de la préparation en formant huit rosettes d'égale dimension.

Mettez au centre du four, préchauffé à 135°C, et laissez cuire 1 heure ou jusqu'à ce que la meringue soit croquante, sèche et légèrement dorée. Enlevez les rosettes, retournez doucement le papier et détachez-en délicatement le disque et l'anneau de meringue ; mettez à refroidir sur une grille.

Pour préparer la garniture, battez ensemble le beurre et le sucre jusqu'à obtenir un mélange moelleux ; battez la purée de marrons jusqu'à ce qu'elle soit bien souple et ajoutez-la au beurre, en même temps que le cognac et du jus de citron à volonté.

Au moment de monter le gâteau, posez le disque de meringue sur un plat de service. Avec une poche à douille à embout plat, répartissez une petite quantité de crème fouettée le long du bord du disque ; posez par-dessus l'anneau de meringue. Au centre du moule ainsi obtenu, disposez en cône le mélange de beurre et de purée de marrons. Pressez un peu de crème fouettée sur la base des rosettes que vous disposerez, à intervalles réguliers, sur l'anneau de meringue.

Avec le reste de la crème fouettée, décorez le haut du cône de purée de marrons, de telle sorte qu'il ait l'air d'un sommet neigeux ; saupoudrez enfin le tout de pistaches hachées.

STRUDEL AUX POMMES ET AUX NOIX

L'Autriche, et particulièrement la région de Vienne, est réputée pour ses délicieuses pâtisseries. Le strudel est peut-être la plus populaire, bien qu'il faille beaucoup de pratique pour bien réussir la pâte qui doit être fine au point d'être presque transparente.

PRÉPARATION : 1 heure
CUISSON : 40 minutes

INGRÉDIENTS (6 personnes)
120 g de farine tout usage
3½ c. à soupe d'huile
Farine
60 g de beurre fondu
GARNITURE
60 g de beurre doux
150 g de mie de pain frais émiettée
60 g de noix (ou de noisettes)
450 g de pommes
1 c. à thé de cannelle en poudre
50 g de sucre
40 g de raisins secs
Le zeste râpé d'un demi-citron
Sucre glace

Tamisez la farine dans un saladier chaud, faites une fontaine au centre et versez-y l'huile et 2 cuillerées à soupe d'eau chaude ; amalgamez les ingrédients, en ajoutant éventuellement de l'eau chaude, jusqu'à obtenir une pâte moelleuse. Versez-la sur un plan fariné et travaillez-la longuement, puis roulez-la avec la paume de la main en lui donnant la forme d'un saucisson. Prenez-en une extrémité dans la main et battez-la sur le plan de travail. Recommencez avec l'autre extrémité et répétez cette suite d'opérations pendant 10 minutes, en battant tour à tour l'une ou l'autre extrémité.

Avec la pâte, qui sera devenue élastique, formez une boule ; couvrez-la d'un plat chaud et laissez-la reposer pendant 30 minutes.

Pendant ce temps, faites fondre dans une poêle le beurre pour la garniture et mettez-y à revenir à feu doux la mie de pain émiettée, jusqu'à ce qu'elle soit dorée. Hachez grossièrement les noix. Pelez les pommes et hachez-les grossièrement en éliminant le cœur.

Etendez sur la table un linge propre et saupoudrez-le de farine. Avec le rouleau fariné, abaissez la pâte en une feuille la plus fine possible et badigeonnez-la d'un peu d'huile tiède. Glissez les paumes sous la pâte et étirez-la délicatement, en travaillant un morceau à la fois, jusqu'à ce qu'elle soit très fine. Etendez-la sur le linge et, avec un couteau, égalisez les bords.

Badigeonnez la pâte avec une partie du beurre fondu, recouvrez-la de la mie de pain dorée au beurre ; par-dessus, mettez une couche de pommes, en vous arrêtant à 5 cm du bord. Saupoudrez de la cannelle, mélangée au sucre ; parsemez de raisins secs, que vous aurez fait gonfler 10 minutes à l'eau chaude, des noix hachées, du zeste de citron râpé. Repliez un morceau de pâte sur la garniture, puis roulez le strudel sur lui-même. Soudez le bord de la pâte en le badigeonnant à l'eau froide et en le roulant contre la pâte qui se trouve dessous et repliez les extrémités.

Soulevez délicatement le linge et faites rouler le strudel sur une plaque à four beurrée, de façon que la fermeture reste en dessous ; pliez-le en forme de fer à cheval et badigeonnez sa surface avec le reste du beurre fondu. Mettez au centre du four, préchauffé à 220°C, laissez cuire 10 minutes ; baissez ensuite la température à 200°C et laissez cuire encore 30 minutes ou jusqu'à ce que la pâte soit brun doré.

Servez chaud ou froid, en saupoudrant de sucre glace.

LINZERTORTE

Cette tarte autrichienne, qui tient son nom de la ville de Linz, peut être proposée comme dessert ou servie avec le thé. En Autriche, on a coutume de l'accompagner de crème fouettée à laquelle, au dernier moment, on ajoute du blanc d'œuf monté en neige.

PRÉPARATION : 30 minutes
RÉFRIGÉRATION : 1 h 30
CUISSON : 50 minutes

INGRÉDIENTS (6 personnes)

30 g de farine
2 pincées de cannelle en poudre
6 c. à soupe de sucre
60 g d'amandes ou de noisettes non pelées
Le zeste râpé d'un demi-citron
110 g de beurre doux
2 jaunes d'œufs
Quelques gouttes d'extrait de vanille
225 g de confiture de framboises
DORURE
1 jaune d'œuf
1 c. à soupe de crème épaisse

Tamisez ensemble dans une jatte la farine, la cannelle, le sucre ; ajoutez les amandes (ou les noisettes) hachées et le zeste râpé de citron ; mélangez. Ajoutez le beurre coupé en petits morceaux et amalgamez les ingrédients en pétrissant un peu à la fois du bout des doigts jusqu'à ce que vous obteniez la consistance de la chapelure.

Battez les jaunes avec l'extrait de vanille, ajoutez-les à la pâte et mélangez, en remuant avec une cuillère en bois, jusqu'à ce que vous obteniez une pâte moelleuse. Enveloppez-la dans du papier paraffiné ou dans une feuille d'aluminium et mettez-la au réfrigérateur pendant 1 heure.

Beurrez un moule à tarte de 22 cm de diamètre, à bord détachable, d'une hauteur de 4 cm. Si vous n'avez pas de moule semblable, utilisez un moule ordinaire, de même dimension, mais n'en retirez pas la tarte pour la servir. Sortez la pâte du réfrigérateur, travaillez-la un moment pour l'assouplir ; étendez-la avec les mains sur le fond et les parois du moule. Une fois étendue, elle ne doit pas dépasser 5 mm d'épaisseur : le surplus de pâte sera repoussé par-dessus le bord du moule et découpé avec soin au couteau. Etendez la confiture uniformément sur le fond. Travaillez les chutes de pâte et étendez-les sur la table farinée en formant un rectangle de 22 cm sur 8 cm environ, que vous découperez en six bandes de 1 cm de large. Soulevez-les avec une spatule de métal, une par une, et déposez-les sur la tarte, en formant un motif quadrillé. Avec la pointe d'un couteau, détachez du bord du plat la pâte en surplus et repliez-la vers l'intérieur, en formant un bord circulaire, que vous presserez pour qu'il adhère bien aux bandes disposées sur la confiture.

Battez ensemble le jaune et la crème pour dorer ; badigeonnez de ce mélange les bandes et le bord de la pâte. Passez la tarte 30 minutes au réfrigérateur, puis mettez-la au centre du four, préchauffé à 180°C, et laissez cuire 50 minutes ou jusqu'à ce que la pâte soit bien dorée.

Laissez légèrement refroidir (la tarte rétrécira un peu) ; passez la lame d'un couteau à l'intérieur du bord du moule ; retirez le bord et faites glisser la tarte dans un plat.

Servez chaud ou froid, parsemé de sucre glace.

Casse-croûte

PAUPIETTES DE CHOU À LA TOMATE

Vous pouvez utiliser les feuilles extérieures d'un chou frisé pour donner un nouvel aspect à des restes de viande. Accompagnez de pommes de terre cuites à l'eau, et vous aurez un bon plat principal.

PRÉPARATION : 20 minutes
CUISSON : 25 minutes

INGRÉDIENTS (4 personnes)
8 grandes feuilles de chou
2 c. à soupe d'huile d'olive
2 oignons hachés
250 g de poulet cuit (ou de veau) haché
1 c. à soupe de persil haché
100 g de chair à saucisse
1 c. à soupe de concentré de tomate
20 g de beurre
200 g de tomates en conserve égouttées
Sel, poivre et cumin

Plongez les feuilles de chou dans de l'eau bouillante salée, égouttez-les au bout de 3 minutes et laissez-les refroidir.

Faites chauffer l'huile dans une casserole ; mettez-y les oignons, faites-les cuire à feu doux pendant 5 minutes ; ajoutez le poulet (ou le veau), le persil, la chair à saucisse, le concentré de tomate, 3 cuillerées à soupe d'eau bouillante, le beurre et les tomates, assaisonnez de sel, de poivre et de cumin, portez à ébullition et laissez cuire 5 minutes à feu moyennement vif.

Etendez les feuilles de chou, mettez au milieu de chacune une partie de la farce, repliez-les en formant des paupiettes bien fermées. Disposez-les dans un plat à gratin beurré, leur fermeture tournée vers le bas ; couvrez le plat d'une feuille d'aluminium, mettez au four chauffé à 180°C durant 25 minutes.

Servez chaud ; vous pouvez napper les paupiettes de sauce tomate, chaude elle aussi.

POMMES DE TERRE PAYSANNES

S'il vous reste des pommes de terre au four de la veille, vous pouvez les transformer pour un repas léger, en les accompagnant d'une salade de votre choix.

PRÉPARATION : 10 minutes
CUISSON : 20 minutes environ

INGRÉDIENTS (4 personnes)
4 grosses pommes de terre cuites au four
2 tranches de bacon
110 à 120 g de fromage à la crème
1-2 c. à soupe de crème légère
1 c. à soupe de persil haché
60 g de gruyère ou de parmesan râpé
Sel, poivre

Coupez les pommes de terre en deux et, sans abîmer la peau, videz-les de leur chair, que vous réduirez en purée. Faites revenir dans la poêle, à feu vif et sans ajouter d'assaisonnement, le bacon jusqu'à ce qu'il soit croquant ; faites-le sécher sur du papier absorbant, émiettez-le et ajoutez-le à la purée de pommes de terre. Ajoutez le fromage, que vous aurez assoupli en l'écrasant avec une fourchette, la crème et le persil ; mélangez bien, assaisonnez de sel et de poivre.

Remplissez de cette pâte la peau des pommes de terre, saupoudrez-en la surface de fromage râpé. Mettez au centre du four, préchauffé à 200°C, et laissez cuire pendant 20 minutes environ. Servez chaud.

TREMPETTE AU FROMAGE ET AU CHUTNEY

Cet apprêt relevé de curry se sert à l'heure du cocktail. Il se prépare en un tournemain.

PRÉPARATION : 10 minutes
CUISSON : 30 minutes

INGRÉDIENTS (6 personnes)
225 g de fromage à la crème
2 c. à soupe de crème épaisse
2 c. à thé de curry
1 c. à soupe de ketchup
2 c. à thé de jus de citron
4 c. à soupe de chutney ou de cornichons sucrés hachés menu
GARNITURE
Feuilles de céleri

Mélangez le fromage et la crème épaisse. Quand la préparation est lisse, ajoutez le curry, le ketchup et le jus de citron, ainsi que le chutney ou les cornichons sucrés. Réfrigérez pendant 30 minutes environ dans un plat de service.

Présentez cette sauce trempette avec des craquelins, des toasts Melba ou des croustilles, mais aussi avec des bâtonnets de carottes, des côtes de céleri et des lanières de poivron vert ou des petits bouquets de chou-fleur. Décorez l'assiette de feuilles de céleri.

PÂTÉ DU PÊCHEUR

Cet apprêt fait un excellent usage des restes de poisson.

PRÉPARATION : 25 minutes
CUISSON : 25 à 30 minutes

INGRÉDIENTS (4 à 6 personnes)
225 g de corégone de lac cuit
225 g d'aiglefin fumé cuit
Le jus d'un citron
2 c. à soupe de persil ciselé
La moitié d'un petit poivron vert en dés
2 œufs durs en dés
500 ml de sauce blanche (p. 269)
Sel et poivre noir
200 g de farine additionnée de levure
45 g de beurre
2 c. à thé de moutarde sèche
75 à 120 g de cheddar râpé
125 ml de lait

Mélangez les poissons dépouillés de leur peau et effeuillés, le jus de citron, le persil, le poivron vert et les œufs avec la sauce blanche. Salez et poivrez. Déposez la préparation dans un plat à four.

Tamisez la farine dans un bol ; mélangez-la au beurre du bout des doigts. Ajoutez la moutarde et le fromage, puis assez de lait pour que la pâte soit facile à travailler. Pétrissez-la doucement sur une surface farinée et abaissez-la en un cercle de 2 cm d'épaisseur et du diamètre du plat. Détaillez l'abaisse en huit pointes et reconstituez le cercle sur le plat. Badigeonnez de lait et faites cuire 25 minutes à 220°C, jusqu'à ce que la surface soit dorée.

BISCUITS RENVERSÉS À L'ORANGE

Ce dessert fait les délices des enfants. On peut utiliser un mélange à biscuits vendu dans le commerce.

PRÉPARATION : 30 minutes
CUISSON : 30 à 40 minutes

INGRÉDIENTS (8 personnes)
125 ml de jus d'orange
115 g de sucre
115 g de beurre
Pâte à pains au lait (p. 336)
1 c. à thé de cannelle
1 c. à thé de zeste d'orange râpé

Portez le four à 200°C. Mélangez le jus d'orange, 100 g de sucre et la moitié du beurre. Chauffez cette préparation à feu doux jusqu'à ce que le beurre fonde. Versez-la dans un moule à gâteau de 23 cm de diamètre.

Abaissez la pâte à pains au lait ou à biscuits en un carré de 7 mm d'épaisseur. Garnissez-le de beurre fondu, de cannelle, d'environ 15 g de sucre et de zeste d'orange râpé.

Roulez la pâte sur elle-même et détaillez-la en tranches de 4 cm d'épaisseur. Déposez ces tranches sur la préparation à l'orange et badigeonnez-les de 15 g de beurre fondu.

Faites cuire 30 à 40 minutes au four ; les biscuits doivent être croustillants et bien dorés. Renversez-les aussitôt sur un plat de service.

Décembre

LES RECETTES DU MOIS

Ce bol de fine faïence, rempli d'un punch épicé au vin sur lequel
flottent des fruits exquis, nous parle de Noël et de courses folles dans la neige.

Au fil des saisons

Voici venu le mois entre tous où l'on aime à faire bombance en joyeuse compagnie, le mois des fêtes et des cadeaux autour de l'arbre traditionnel tout scintillant de lumières.

Les étalages de fruits et de légumes ne sont plus ce qu'ils étaient en été, mais grâce aux produits importés il y reste de quoi séduire gourmets et gourmands. Avocats, noix de coco, tangélos, mandarines, marrons et fenouils bulbeux nous promettent de bons moments à table. Avec son goût légèrement anisé, le fenouil fait de plus en plus d'adeptes. On peut le manger nature ou cuit comme le céleri. Faites sa connaissance dans la salade de riz au fenouil (p. 258), discrètement relevée de Pernod.

Découvrez ou redécouvrez les topinambours qui sont d'une grande finesse et faciles à digérer si vous prenez le soin de les blanchir avant de les apprêter au beurre, en purée ou en potage crème (p. 249). Pensez aussi aux patates dont le goût douceâtre vivifié par l'acidité des pommes (p. 259) va magnifiquement avec les rôtis de porc.

Choux d'hiver, carottes, poireaux, navets et panais, tous ces légumes de nos repas quotidiens peuvent connaître leur moment de gloire : essayez, par exemple, le gratin de panais (p. 260).

A Noël, la dinde est de tradition chez nous. Pourquoi ne pas innover cette année et servir une belle oie au cidre (p. 257), dodue et dorée ? Ou un rôti d'agneau en couronne (p. 255), garni d'une farce aux canneberges fraîches et piqué d'oignons glacés ?

Ce mois-ci, les desserts sont particulièrement somptueux. Pommes meringuées au rhum (p. 261), Paris-Brest (p. 261), Champagne Charlie (p. 262) et petites meringues à la reine (p. 262) vous feront terminer l'année en état de péché de gourmandise.

MENUS SUGGÉRÉS

Crème de topinambours
...
Pain de viandes hachées
Choux de Bruxelles à la crème sure
Pommes de terre fourrées à l'ail
...
Coupe de fruits frais

Vichyssoise
...
Filet de morue au maïs
Brocoli au gratin
...
Paris-Brest

Poires à l'estragon
...
Oie au cidre
Chou rouge
...
Meringues à la reine

Œufs de caille à la mousse de foie
...
Filet de bœuf en croûte
Chou-fleur au fromage
...
Champagne Charlie

Œufs à la provençale
...
Maquereaux au vin blanc
Epinards au beurre
Pommes de terre sautées
...
Tarte à la crème sure

Gratin de crevettes
...
Agneau à la grecque
Salade d'endives aux oranges
...
Pommes meringuées au rhum

Timbale de spaghettis aux moules
Salade Waldorf
...
Tarte à la crème d'orange

Potages et entrées

GRATIN DE CREVETTES

Un hors-d'œuvre facile à faire et élégant, qu'on peut préparer longtemps à l'avance et faire gratiner seulement au dernier moment avant de passer à table.

PRÉPARATION : *30 minutes environ*
CUISSON : *10 minutes*

INGRÉDIENTS *(4 personnes)*
200 à 250 g de crevettes grises
  décortiquées
125 ml de crème sure
Mie de pain finement émiettée
60 g de beurre doux
Sel, poivre
GARNITURE
Brins de persil

Beurrez quatre petits plats individuels en porcelaine à feu ; répartissez les crevettes au fond. Assaisonnez-les de sel, saupoudrez largement de poivre et couvrez avec la crème sure. Parsemez d'un peu de mie de pain frais, disposez par-dessus le beurre détaillé en noisettes.

Au moment de servir, mettez dans la partie supérieure du four, chauffé à 260°C, pendant 10 minutes, jusqu'à ce que la surface soit bien colorée.

Garnissez chaque petit plat d'un brin de persil et servez immédiatement, avec des tranches de pain de campagne et du beurre salé.

CRÈME DE TOPINAMBOURS

Les topinambours sont d'une grande finesse ; par ailleurs, ils sont faciles à digérer si l'on prend le soin de les blanchir avant de les apprêter. Ils confèrent une saveur délicate à ce potage raffiné.

PRÉPARATION : *30 minutes*
CUISSON : *45 minutes*

INGRÉDIENTS *(8 personnes)*
650 à 700 g de topinambours
Le jus d'un citron
1 oignon
2 pommes de terre moyennes
60 g de beurre
1 litre de bouillon de poulet
250 ml de vin blanc (facultatif)
6 brins de persil
250 ml de crème épaisse
Sel et poivre noir
GARNITURE
1 yogourt
3 c. à soupe de persil haché

Pelez les topinambours, coupez-les en petits morceaux et faites-les tremper dans une jatte d'eau froide à laquelle vous aurez ajouté le jus de citron. Pelez et émincez l'oignon ; pelez, lavez et coupez en morceaux les pommes de terre.

Egouttez les topinambours et essuyez-les. Faites fondre le beurre dans une grande casserole ; mettez-y les topinambours et l'oignon ; laissez cuire 5 minutes à feu doux en remuant et en veillant à ce que les légumes ne se colorent pas. Mouillez avec le bouillon et le vin, portez à ébullition, ajoutez les pommes de terre et le persil ; assaisonnez de sel et de poivre, au goût. Couvrez et baissez le feu.

Laissez bouillir doucement pendant 20 minutes, jusqu'à ce que les légumes soient tendres. Retirez du feu, laissez le potage refroidir un peu ; réduisez-le ensuite en purée en le passant au mixer, au tamis ou au moulin à légumes. Rectifiez

l'assaisonnement. Avant de servir, ajoutez la crème et faites chauffer sans laisser bouillir.

Servez dans des tasses individuelles ; versez au centre de chacune d'elles 1 cuillerée à soupe de yogourt et parsemez de persil haché.

POIRES À L'ESTRAGON

Pour cette entrée toute simple, choisissez des poires Bartlett et nappez-les d'une sauce classique à l'estragon et à la crème.

PRÉPARATION : *10 minutes*
RÉFRIGÉRATION : *1 heure*

INGRÉDIENTS *(6 personnes)*
6 poires à dessert
300 ml de crème épaisse
2 c. à soupe de vinaigre à l'estragon
Sucre
Sel et poivre noir

Commencez par réfrigérer les poires. Fouettez ensemble la crème et le vinaigre à l'estragon jusqu'à l'obtention d'une consistance épaisse mais non ferme. Assaisonnez au goût de sucre, de sel et de poivre fraîchement moulu. Pelez et divisez les poires en deux ; éliminez les trognons avec une cuillère à thé.

Remplissez les cavités ainsi obtenues de crème à l'estragon et dressez les moitiés de poires sur des assiettes individuelles.

ŒUFS DE CAILLE À LA MOUSSE DE FOIE

Le moelleux de l'œuf mollet se marie particulièrement bien à la consistance du pâté et de la gelée et fait d'un aliment tout simple un hors-d'œuvre insolite et raffiné.

PRÉPARATION : *30 minutes*
RÉFRIGÉRATION : *2-3 heures*

INGRÉDIENTS *(4 personnes)*
500 ml de bouillon de poulet
2 c. à thé de gélatine
12 œufs de caille
150 g de mousse de foie gras
16 olives noires dénoyautées
Sel
GARNITURE
Persil

Faites dissoudre la gélatine dans 100 ml de bouillon froid. Mettez-la avec le reste du bouillon dans une petite casserole ; faites chauffer à feu modéré, en remuant jusqu'à ce que la gélatine soit fondue. Retirez du feu, salez et laissez refroidir.

Plongez les œufs dans une casserole d'eau bouillante salée et laissez-les cuire à feu doux pendant 3 minutes. Retirez-les du récipient et passez-les aussitôt sous l'eau froide. Ecalez-les délicatement et plongez-les dans l'eau froide.

Badigeonnez d'huile quatre ramequins de 9 cm de diamètre environ et hauts de 5 cm environ. Partagez la mousse de foie gras en quatre parties égales dont vous enduirez le fond et les bords des ramequins. Au centre de chaque ramequin, déposez trois œufs bien égouttés et séchés et quatre olives noires dénoyautées ; recouvrez avec la gelée encore fluide et mettez au réfrigérateur pendant 2-3 heures, jusqu'à ce qu'elle soit prise. Si la préparation est trop froide, retirez-la une demi-heure avant le repas. Au moment de servir, décorez les ramequins de petites touffes de persil.

Poissons

ŒUFS À LA PROVENÇALE

La sauce très relevée dans laquelle les œufs sont cuits ici est caractéristique des apprêts à la provençale. Elle est un peu longue à préparer, mais comme elle se garde bien au congélateur, on peut en confectionner d'un coup une double ou une triple recette. Eliminez l'ail de la préparation si vous désirez conserver la sauce plus d'un mois.

PRÉPARATION : *30 minutes*
CUISSON : *1 heure*

INGRÉDIENTS (6 personnes)
1 kg de tomates mûres
1 gros oignon
2 gousses d'ail
2 c. à soupe d'huile d'olive
1 pincée de basilic haché
1 feuille de laurier
Bouquet garni
1 lamelle de zeste de citron
1 c. à soupe de concentré de tomate
Sucre
Sel et poivre noir
6 œufs

Pelez, épépinez et concassez les tomates. Pelez et hachez menu l'oignon et l'ail. Chauffez l'huile dans une sauteuse à fond épais et faites-y cuire l'oignon 10 minutes à feu doux. Ajoutez l'ail, les tomates, le basilic, la feuille de laurier, le bouquet garni, la lamelle de zeste de citron et le concentré de tomate. Assaisonnez au goût de sucre et de sel. Mélangez bien et laissez réduire la préparation 30 minutes à feu doux ou jusqu'à l'obtention d'une purée épaisse. Retirez alors le bouquet garni et la feuille de laurier.

Prenez six ramequins et déposez 2 cuillerées à soupe de cette fondue dans le fond de chacun. Ménagez un creux au centre et logez-y un œuf cru en ayant soin de ne pas briser le jaune. Assaisonnez l'œuf de sel et de poivre fraîchement moulu.

Posez les ramequins au centre du four préchauffé à 190°C et prévoyez 10 minutes de cuisson de manière que les œufs restent mollets.

Servez sans attendre en offrant à part du pain croûté chaud.

CÔTES LEVÉES À L'AIGRE-DOUCE

Un plat substantiel, d'inspiration orientale et qui se mange avec les doigts.

PRÉPARATION : *15 minutes*
CUISSON : *45 minutes*

INGRÉDIENTS (4 à 6 personnes)
12 côtes levées (porc)
3 c. à soupe d'huile
4 c. à soupe de miel liquide
3 c. à soupe de sauce de soya
3 c. à soupe de ketchup
Tabasco
1 petite gousse d'ail
Paprika
Le jus d'une petite orange
4 c. à soupe de vinaigre de vin
Sel, poivre

Dans une grande poêle, faites revenir à feu vif les côtes levées dans l'huile, en les retournant souvent, jusqu'à ce qu'elles soient bien colorées de toutes parts. Disposez-les ensuite dans un grand plat à rôtir. Rassemblez dans une jatte le miel, la sauce de soya, le ketchup et quelques gouttes de tabasco ; ajoutez l'ail, pelé et pilé, assaisonnez à votre goût de paprika, de sel, de poivre et ajoutez enfin le jus d'orange et le vinaigre. Mélangez bien, versez cette sauce sur les côtes.

Mettez au centre du four, préchauffé à 180°C ; laissez cuire 30 minutes. Servez les côtes levées très chaudes, plongées dans leur sauce, en disposant un rince-doigts à côté de chaque couvert.

VICHYSSOISE

Ce potage fut créé en 1910 par le cuisinier français Louis Diat, alors qu'il était chef dans un hôtel de New York. Depuis, ce potage est devenu célèbre dans le monde entier. Il doit être servi très froid.

PRÉPARATION : *30 minutes*
CUISSON : *35 à 40 minutes*
RÉFRIGÉRATION : *2-3 heures*

INGRÉDIENTS (6 personnes)
1 kg de poireaux
500 g de pommes de terre
1 côte de céleri
60 g de beurre
600 ml de bouillon de poulet
600 ml de lait
250 ml de crème épaisse
Noix de muscade râpée
Sel, poivre
GARNITURE
Ciboulette hachée

Epluchez les poireaux en éliminant les racines, les feuilles dures et la partie verte ; lavez-les sous l'eau courante froide ; coupez-les en rondelles épaisses d'environ 5 mm. Pelez les pommes de terre et coupez-les en morceaux. Nettoyez le céleri et hachez-le grossièrement.

Faites fondre le beurre dans une grande casserole, mettez-y les poireaux et les pommes de terre et laissez cuire à feu modéré pendant 7 minutes, en remuant sans arrêt. Ajoutez le céleri, puis le bouillon et le lait ; portez lentement à ébullition. Assaisonnez de sel, de poivre et de noix de muscade ; faites bouillir doucement pendant 25 minutes ou jusqu'à ce que les légumes soient tendres.

Laissez-les refroidir légèrement, puis réduisez-les en purée au mixer. Rectifiez l'assaisonnement, ajoutez la crème et remuez.

Laissez refroidir à la température ambiante, puis mettez au réfrigérateur pendant 2-3 heures. Servez dans des tasses individuelles garnies de ciboulette hachée.

SOUPE AU CHOU GARNIE DE KNOCKWURSTS

Cette soupe très substantielle s'accompagne de pumpernickel (pain de seigle noir) et de bière ; on l'apprécie en hiver.

PRÉPARATION : *20 minutes*
CUISSON : *45 minutes*

INGRÉDIENTS (6 à 8 personnes)
1 kg de chou
45 g de beurre
1½ tasse d'oignons détaillés en dés
2 grosses pommes de terre
1 grosse gousse d'ail hachée
2 litres d'eau
1½ à thé de sel
1 c. à thé de graines de carvi
2 knockwursts

Râpez grossièrement le chou et réservez-le. Chauffez le beurre dans une cocotte et faites-y cuire doucement les oignons détaillés en dés pendant 5 minutes.

Entre-temps, pelez les pommes de terre et détaillez-les en dés. Jetez le chou, l'ail et les pommes de terre dans la cocotte avec les oignons et prolongez la cuisson de 10 minutes à feu doux en remuant souvent.

Ajoutez l'eau, le sel et le carvi. A la reprise de l'ébullition, réduisez la chaleur et laissez mijoter 20 minutes. Quand les légumes sont presque cuits, jetez dans la soupe les knockwursts détaillés en rondelles de 7 mm d'épaisseur et prolongez la cuisson de 10 autres minutes.

Servez dans de grands bols avec du pumpernickel chaud, du beurre et de la bière fraîche.

PÉTONCLES AU FOUR

Cette recette s'apparente aux huîtres au four. Pour compléter le service, présentez en même temps une salade de verdure ou de légumes mélangés et terminez par des fruits frais.

PRÉPARATION : *15 minutes*
CUISSON : *20 à 25 minutes*

INGRÉDIENTS (4 personnes)
115 g de beurre
50 g de chapelure grillée
100 g de craquelins émiettés
Sel et poivre
1 pincée de paprika
450 à 500 g de pétoncles détaillés en dés
2 c. à soupe d'échalote (ou d'oignon vert) hachée
3 c. à soupe de persil ciselé
125 ml de crème légère

Réunissez 100 g de beurre, la chapelure et les craquelins émiettés. Ajoutez sel, poivre et paprika. Réservez 75 g de cette préparation pour la garniture. Ajoutez aux reste les pétoncles détaillés en petits dés, l'échalote ou l'oignon vert et le persil. Disposez cet appareil dans un plat à four beurré et garnissez le dessus avec la chapelure réservée. Arrosez de crème légère et parsemez la surface du reste du beurre détaillé en noisettes. Faites cuire à 190°C pendant 20 à 25 minutes.

MAQUEREAUX AU VIN BLANC

La chair haute en saveur du maquereau, ainsi apprêtée dans une sauce au vin blanc sec et à la crème épaisse, rivalise avec celle des plus prestigieux poissons.

PRÉPARATION : 20 minutes
CUISSON : 30 minutes

INGRÉDIENTS *(4 personnes)*
4 petits ou 2 gros maquereaux
Farine assaisonnée de sel et de poivre
60 g de beurre doux
Le jus d'un demi-citron
SAUCE
125 ml de fumet de poisson
125 ml de vin blanc sec
125 ml de crème épaisse
Sel et poivre noir
1 jaune d'œuf
GARNITURE
Persil haché fin

Nettoyez les maquereaux et levez les filets. Rincez-les à l'eau froide, asséchez-les et enrobez-les de farine assaisonnée.

Préparez la sauce avant de faire cuire le poisson. Amenez à ébullition le fumet, préparé avec les parures des poissons, et le vin blanc, puis laissez réduire de moitié à feu doux, pendant 15 minutes environ. Incorporez la crème et, quand la sauce est chaude, assaisonnez-la de sel et de poivre fraîchement moulu. Battez le jaune d'œuf dans un bol ; réchauffez-le avec un peu de sauce chaude, puis versez-le dans la casserole. Gardez la sauce au chaud mais ne la laissez pas bouillir : elle tournerait.

Chauffez le beurre dans une sauteuse et faites-y cuire les filets à feu doux pendant 5-6 minutes de chaque côté. Retirez les filets de la sauteuse et gardez-les au chaud sur une assiette de service. Ajoutez le jus de citron au fond de cuisson, déglacez et versez le tout sur les filets.

Servez le maquereau décoré de persil en présentant la sauce à part, en saucière. Pommes de terre sautées et épinards au beurre accompagnent bien ce plat.

CIOPPINO

C'est une spécialité que l'on peut déguster tout le long de la côte occidentale des Etats-Unis. Personne ne sait qui a eu l'idée de cuisiner le cioppino, mais il s'agit là d'un des plats aux fruits de mer les plus délicieux qu'on puisse déguster pendant la saison d'hiver.

PRÉPARATION : 45 minutes
CUISSON : 40 minutes

INGRÉDIENTS *(7 ou 8 personnes)*
1 bar de 1 kg environ vidé et écaillé
400 à 500 g de crevettes décortiquées
2 tasses de moules
50 g de champignons secs
1 homard de 500 g (ou 1 crabe dormeur)
3-4 tomates pelées en conserve
1 poivron vert
100 ml d'huile d'olive
1 gros oignon haché
2 gousses d'ail hachées
3 c. à soupe de persil finement haché
6 c. à soupe de concentré de tomate
450 ml de vin rouge
Sel et poivre

Faites tremper les champignons dans de l'eau chaude pendant 30 minutes au moins pour les réhydrater. Coupez le poisson en tranches. Grattez les moules avec une brosse dure ou un couteau sous l'eau courante froide. Faites-les ouvrir dans une casserole couverte, à feu modéré, en les remuant souvent ; réservez leur eau. Tronçonnez le homard. Egouttez les tomates ; coupez-les en morceaux assez gros. Passez quelques minutes le poivron au four très chaud pour en retirer la peau aisément ; coupez-le en petites lanières en ayant soin de retirer les cloisons intérieures et les graines.

Faites chauffer l'huile d'olive dans une sauteuse à bords hauts, mettez-y la langouste, l'oignon, l'ail, le persil, les champignons bien égouttés, le poivron et faites cuire 7 minutes tout en remuant de temps en temps avec une cuillère en bois. Ajoutez ensuite les tomates grossièrement coupées et le concentré de tomate, le vin rouge, l'eau des moules filtrée au chinois fin ; assaisonnez de sel et de poivre, couvrez et laissez bouillir doucement pendant 30 minutes.

Mettez alors dans la sauteuse les tranches de poisson et les crevettes et laissez sur le feu jusqu'à cuisson complète (5 à 10 minutes).

Juste avant de servir, ajoutez les moules pour qu'elles se réchauffent rapidement avec le reste du plat.

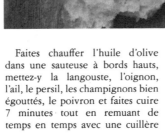

Viandes

FILETS DE MORUE AU MAÏS

La sauce béarnaise, généralement destinée à accompagner une viande grillée, se marie très bien aux filets de poisson cuits en papillotes avec juste un peu de beurre et de citron.

PRÉPARATION : *15 minutes*
CUISSON : *25 minutes*

INGRÉDIENTS *(4 personnes)*
600 g de filets ou de tranches de
morue fraîche
2 c. à thé de jus de citron
100 g environ de beurre doux
200 g de grains de maïs en conserve
200 ml de sauce béarnaise (p. 271)
Sel, poivre

Beurrez deux grandes feuilles de papier d'aluminium et disposez sur l'une d'elles les filets de poisson. Arrosez-les de jus de citron, salez-les et poivrez-les légèrement, parsemez-les de petits morceaux de beurre. Couvrez avec l'autre feuille de papier d'aluminium, repliez les bords ensemble de manière à former une grosse papillote, parfaitement fermée. Laissez cuire 25 minutes au centre du four, préchauffé à 180°C.

Egouttez le maïs, faites-le chauffer à feu modéré avec le reste du beurre, assaisonnez de poivre, puis mettez les grains de maïs au fond d'un plat de service. Couchez délicatement le poisson sur ce lit de maïs, versez par-dessus le jus de cuisson resté dans la papillote, nappez de sauce béarnaise et servez bien chaud.

CRABE À LA CRÈME VERTE

Vous pouvez remplacer le crabe par des crevettes et servir indifféremment comme plat principal ou comme hors-d'œuvre.

PRÉPARATION : *10 minutes*
RÉFRIGÉRATION : *1 heure*

INGRÉDIENTS *(4 personnes)*
250 g de chair de crabe en conserve
125 g de champignons
1 petite boîte de cœurs de palmiers
1 avocat bien mûr
Le jus d'un citron
Tabasco
6 c. à soupe d'huile d'olive
100 ml de crème épaisse
Persil haché
Sel, poivre
GARNITURE
120 g d'olives noires dénoyautées

Eliminez le pied terreux des champignons et coupez les têtes en fines lamelles ; mettez-les dans une grande jatte. Ajoutez les cœurs de palmiers bien égouttés et coupés en bâtonnets, le jus de citron filtré, quelques gouttes de tabasco, l'huile d'olive, du sel, du poivre ; mélangez bien et mettez au réfrigérateur pendant 1 heure.

Peu de temps avant de servir, mélangez la chair du crabe, émiettée, et la crème légèrement battue avec la chair de l'avocat écrasée à la fourchette et le persil haché ; incorporez ensuite ce mélange aux champignons et aux cœurs de palmiers. Garnissez avec des olives et servez avec du pain frais et du beurre.

FILET DE BŒUF EN CROÛTE

C'est un plat de grand luxe qu'on appelle parfois filet de bœuf Wellington. On le servira avec fierté, car il est aussi beau que bon et tout indiqué pour les dîners fins.

PRÉPARATION : *1 heure*
RÉFRIGÉRATION : *1 heure*
CUISSON : *1 h 30*

INGRÉDIENTS *(8 personnes)*
1,8 kg de filet de bœuf
La moitié d'une gousse d'ail
(facultatif)
30 g de beurre doux
Pâte feuilletée fine (p. 326) faite avec
la moitié des ingrédients
60 g de pâté de foie gras
2 pincées de thym moulu
1 œuf
1 c. à soupe d'huile d'olive
SAUCE AU CONCOMBRE
La moitié d'un concombre
50 ml de crème épaisse
1 yogourt (125 ml)
2 pincées de gingembre moulu
3 c. à thé de jus de citron
Sel
SAUCE AUX CHAMPIGNONS
1 petit oignon
225 g de champignons
300 ml de bouillon de poulet
30 g de beurre doux
1 c. à soupe de farine
125 ml de lait
Sel et poivre noir
2 c. à soupe de madère (facultatif)
1 jaune d'œuf
GARNITURE
Cresson

Dégraissez le filet ; roulez-le en ballottine et ficelez-le.

Détaillez l'ail en lamelles et introduisez celles-ci dans la viande en vous aidant de la pointe d'un couteau. Etalez le beurre en pommade sur le dessus de la pièce et saisissez la viande pendant 10 minutes au centre du four, préchauffé à 220°C, après l'avoir posée sur une grille

dans une rôtissoire. Retirez-la du four et laissez-la refroidir complètement avant d'enlever la ficelle.

Abaissez la pâte feuilletée à 3 mm d'épaisseur en lui donnant trois fois et demie la largeur du filet et sept fois sa longueur. Etalez le pâté sur le dessus de la viande et déposez celle-ci, côté tartiné en dessous, au centre de l'abaisse. Saupoudrez de thym. Repliez l'abaisse, de façon à envelopper complètement le filet de bœuf, et badigeonnez les lisières d'eau pour bien souder les bords de la pâte. Posez le filet sur un plat de façon que les rabats soient en dessous ; piquez le dessus à la fourchette et décorez la pièce de feuilles découpées dans les chutes de pâte. Recouvrez-la d'une serviette ou d'une pellicule de plastique et laissez-la au moins 1 heure au réfrigérateur.

Entre-temps, préparez les sauces au concombre et aux champignons. Pour confectionner la première, pelez et hachez grossièrement le concombre bien froid. Au moment de servir, vous le réunirez à la crème additionnée du yogourt, du gingembre moulu et du jus de citron en salant au goût.

Passez à la sauce aux champignons. Pelez et hachez l'oignon menu ; parez les champignons. Jetez ces ingrédients dans une casserole avec le bouillon de poulet et amenez lentement à ébullition. Diminuez le feu et laissez la sauce mijoter 30 minutes. Laissez-la ensuite refroidir, puis réduisez-la en purée au mixer.

Chauffez le beurre dans une casserole, ajoutez la farine et laissez cuire le roux 3 minutes en remuant sans arrêt. A feu doux, incorporez peu à peu le lait. Quand la sauce a atteint le point d'ébullition, ajoutez la purée de champignons, salez, poivrez avec le moulin et parfumez de madère s'il y a lieu. Laissez la préparation mijoter 10 minutes et retirez-la du feu. Incorporez le jaune d'œuf battu au moment de servir, lorsque la sauce s'est légèrement refroidie.

Battez l'œuf avec l'huile et badigeonnez la pâte de cette dorure. Posez le filet sur une plaque humide et enfournez-le au milieu du four, préchauffé à 220°C. Laissez cuire pendant 35 minutes. La croûte devrait alors être dorée et le filet, rose à l'intérieur.

Dressez le filet en croûte sur un lit de cresson. Servez avec des têtes de brocolis au gratin (p. 63) et présentez les sauces, chacune dans sa saucière.

PAIN DE VIANDES HACHÉES

Ce plat est facile à préparer et il aura toujours du succès. Servez-le chaud, avec un coulis de tomate, ou bien froid, coupé en tranches fines et accompagné d'une mayonnaise. Il est tout indiqué aussi pour des sandwichs.

PRÉPARATION : *15 minutes*
CUISSON : *1 h 40 environ*

INGRÉDIENTS *(8 à 10 personnes)*
900 g de viande de bœuf hachée
500 g de viande de porc hachée
2 gousses d'ail finement hachées
1 oignon assez gros, finement haché
1 c. à thé de sel
1 c. à thé de poivre gris
1 feuille de laurier émiettée
2 pincées de thym sec
2 c. à soupe de pistaches concassées
80 g de chapelure
2 œufs
250 g de bacon en tranches fines
30 g de beurre
COULIS DE TOMATE
1 petit oignon émincé
1 gousse d'ail pilée
700 g de tomates en conserve
2 pincées de sucre
La moitié d'une feuille de laurier
2 pincées d'origan
2 c. à soupe d'huile
Sel, poivre

Réunissez dans une grande jatte le bœuf, le porc, les gousses d'ail, l'oignon, la feuille de laurier, le thym, les pistaches, la chapelure, les œufs, du sel et du poivre. Mélangez bien ces ingrédients et pétrissez-les avec les mains, jusqu'à ce qu'ils soient bien amalgamés. Tapissez le fond d'un plat à four de bacon. Recouvrez-le avec le hachis de viande, badigeonnez de beurre, et garnissez la surface de petites lanières de bacon disposées en croisillons. Mettez au four, préchauffé à 160°C, et laissez cuire 1 h 40 environ.

Si vous servez le pain de viandes chaud, laissez-le reposer 10 à 15 minutes pour qu'il se tasse un peu avant de le couper en tranches. Il sera cependant meilleur tiède avec une salade verte ou composée.

Pendant la cuisson, préparez le coulis de tomate. Faites revenir l'oignon émincé 5 minutes dans l'huile chaude. Ajoutez-y les tomates avec leur eau, le sucre, le laurier, l'origan et la gousse d'ail pilée ; laissez cuire environ 20 minutes. Réduisez la préparation en purée au mixer ou en la passant au tamis fin. Assaisonnez de sel et de poivre et laissez réduire à feu très doux 5 minutes. Servez dans une saucière chaude.

AGNEAU À LA GRECQUE

La cuisine grecque fait souvent appel à l'aubergine, à la tomate, aux fines herbes et au citron, et elle a une prédilection marquée pour la viande d'agneau. Mais comme celle-ci, maigre et fibreuse, n'est pas très tendre, les Grecs l'utilisent en ragoût.

PRÉPARATION : *1 h 30 environ*
CUISSON : *1 h 15*

INGRÉDIENTS *(6 personnes)*
1,5 kg d'épaule d'agneau désossée
225 g d'aubergine
Sel
4 c. à soupe d'huile d'olive
2 gros oignons
1 boîte de tomates de 500 ml
1 boîte de concentré de tomate de 175 ml
4 feuilles de laurier
1 pincée de grains de coriandre écrasés
1 pincée de muscade râpée
1 c. à soupe de persil haché fin
Sel et poivre
Le jus d'un citron
900 ml environ de fond de poulet
1 boîte d'abricots de 500 ml, égouttés
60 g de beurre doux
300 g de riz à grains longs
GARNITURE
175 ml d'olives noires dénoyautées
Pelure d'orange

Dépouillez l'aubergine de sa tige avant de la laver, mais ne la pelez pas. Détaillez-la en tranches de 7 mm d'épaisseur dans le sens de la longueur, poudrez-les généreusement de sel et laissez-les dégorger pendant 45 minutes. Quand l'aubergine a perdu une bonne partie de son eau de végétation, égouttez-la et épongez-la sur du papier absorbant.

Dans une sauteuse à fond épais, faites revenir l'aubergine dans l'huile. Quand elle est dorée, retirez-la et épongez-la sur du papier absorbant.

Dégraissez l'agneau. Détaillez la viande en dés de 2,5 cm et faites-la cuire à feu doux et à sec en remuant constamment, jusqu'à ce que le gras coule et qu'elle soit bien grillée.

Pelez les oignons et hachez-les menu ; ajoutez-les à l'agneau. Quand ils sont devenus transparents, versez dans la sauteuse les tomates concassées ainsi que leur jus, le concentré de tomate, les feuilles de laurier, les grains de coriandre écrasés, la muscade, le persil, le sel, le poivre fraîchement moulu et le jus de citron. Arrosez l'agneau de 375 ml de fond de poulet et amenez la préparation à ébullition.

Déposez les tranches d'aubergine dans le fond d'un grand plat à gratin beurré et dressez par-dessus l'agneau et ses aromates. Couvrez avec du papier d'aluminium, puis avec le couvercle, et enfournez le plat au centre du four, préchauffé à 180°C. Laissez cuire 1 heure environ. A ce point, découvrez le plat, déposez les abricots égouttés sur la viande d'agneau et retournez le ra-

goût au four pendant que vous préparez le riz.

Chauffez 15 g de beurre dans une sauteuse à fond épais ; mettez-y le riz et, quand il est doré, mouillez de 500 ml de fond de poulet. Salez, poivrez et amenez la préparation au point d'ébullition. Réduisez alors le feu et laissez mijoter à couvert environ 20 minutes ou jusqu'à cuisson complète.

Faites fondre le reste du beurre avant de l'incorporer au riz. Dressez-le en bordure dans un grand plat de service en disposant l'agneau et sa garniture au centre. Décorez d'olives noires dénoyautées, d'abricots et de fines lanières de zeste d'orange.

Accompagnez d'une salade de tomates et de laitue garnie d'une sauce à l'huile d'olive et au jus d'orange rehaussée de quelques gouttes de jus de citron et de sel.

PAUPIETTES DE BŒUF AU JAMBON

Une farce un peu relevée donne à ces paupiettes le charme de la cuisine rustique. Cette recette est originaire d'Italie.

PRÉPARATION : *45 minutes*
CUISSON : *1 heure*

INGRÉDIENTS *(6 personnes)*
12 émincés de bœuf
12 tranches de jambon cuit très fines
12 fines rondelles de salami
3 gousses d'ail
4 œufs durs
90 g de raisins secs
100 g de parmesan râpé
8 c. à soupe de persil finement haché
2 pincées de noix de muscade
2 pincées d'origan
30 g de beurre
250 ml de bouillon de bœuf
250 ml de vin blanc sec
2 feuilles de laurier
2 clous de girofle
2 c. à thé de cognac
Sel et poivre noir

Demandez à votre boucher d'aplatir les émincés. Sur chaque tranche de bœuf, posez une tranche de jambon de la même dimension ; parsemez d'un peu d'ail finement haché.

Hachez finement le salami dont vous aurez enlevé la peau, les œufs durs et, gonflés 10 minutes dans de l'eau chaude et bien égouttés, les raisins secs ; rassemblez les trois ingrédients dans une grande jatte, ajoutez le fromage râpé, le persil, la noix de muscade, l'origan, du sel et du poivre. Malaxez bien.

Divisez le hachis en parties égales et étalez chacune d'elles au centre des émincés dont vous rabattrez les côtés dans le sens de la longueur. Roulez ensuite les tranches sur elles-mêmes et ficelez-les.

Disposez les paupiettes dans un plat à gratin généreusement beurré, mouillez avec le bouillon et le vin et laissez cuire 30 minutes au centre du four, préchauffé à 190°C. Ajoutez les feuilles de laurier, les clous de girofle et le cognac et laissez cuire encore 30 minutes.

Servez dans un plat chaud, après avoir enlevé les ficelles, avec une purée de pommes de terre, des épinards en branches ou des endives braisées.

CÔTELETTES DE PORC À LA CRÈME

Dans cette recette paysanne du XIXᵉ siècle, le porc est pané à l'œuf et à la chapelure et cuit dans une sauce à la crème.

PRÉPARATION : *10 minutes*
CUISSON : *30 à 35 minutes*

INGRÉDIENTS *(4 personnes)*
4 ou 8 côtelettes de porc, selon la grosseur
4 tranches de bacon
Farine
1 ou 2 œufs, légèrement battus
Chapelure fine
Sel et poivre noir
250 ml de crème épaisse

Essuyez les côtelettes avec un linge humide et entaillez le gras qui les entoure tous les 2,5 cm pour qu'elles ne frisent pas en cuisant. Faites frire le bacon dans une grande sauteuse ; quand il est croustillant, épongez-le sur du papier absorbant. Passez les côtelettes dans la farine puis dans l'œuf avant de les enrober de chapelure. Faites-les revenir rapidement dans le gras de bacon. Tournez-les avec une spatule ou une pelle à crêpes en prenant soin de ne pas enlever la chapelure. Quand les côtelettes sont bien dorées des deux côtés, versez la moitié de la crème dans la sauteuse. Assaisonnez au goût de sel et de poivre et réduisez le feu pour que le porc mijote doucement pendant 20 à 25 minutes.

Quand les côtelettes sont tendres, disposez-les sur un plat de service et gardez-les au chaud. Versez le reste de la crème dans la sauteuse. Déglacez en raclant bien le fond. Passez la sauce, si c'est nécessaire, et nappez-en les côtelettes. Décorez de bacon émietté et servez sans tarder.

CÔTELETTES DE VEAU À LA VIENNOISE

L'influence de la Hongrie sur l'Autriche s'est aussi manifestée en gastronomie. A preuve, le rôle accordé à la crème sure et au paprika dans la cuisine autrichienne. Dans cette recette, d'épaisses côtes de veau sont nappées d'une sauce à base de vin blanc sec, de crème sure, de paprika et de fines herbes.

PRÉPARATION : *10 minutes*
CUISSON : *1 heure*

INGRÉDIENTS *(4 personnes)*

4 côtelettes de veau d'environ 2,5 cm d'épaisseur et de 170 g chacune
2 pincées de romarin
60 g de beurre doux
1 c. à soupe d'huile d'olive
1 gousse d'ail
Farine assaisonnée
250 g de champignons

6 c. à soupe de vin blanc sec
125 ml de crème sure
Sauce Tabasco
Sel et poivre noir
1 c. à thé de paprika
GARNITURE
Persil haché ou paprika

Parez les côtelettes. Pratiquez dans la chair de petites incisions avec la pointe d'un couteau et glissez-y des aiguilles de romarin. Chauffez à feu doux le beurre et l'huile dans une sauteuse à fond épais et faites-y rôtir l'ail préalablement pelé ; une fois l'ail rôti, retirez-le et jetez-le.

Enrobez les côtelettes de farine assaisonnée. Secouez-les et faites-les dorer des deux côtés dans le gras, en ne les tournant qu'une fois.

Couvrez la sauteuse et laissez cuire la viande à feu doux pendant 12 minutes. Ajoutez alors les champignons parés et émincés. Quand ils ont absorbé tout le gras, mouillez avec le vin et remuez pour bien enrober tous les éléments.

Augmentez le feu et versez la crème sure dans la sauteuse. Ne laissez pas la sauce bouillir : elle tournerait immédiatement. Assaisonnez-la à votre goût de sel, de poivre fraîchement moulu, de sauce Tabasco et de paprika. Réduisez la chaleur et laissez mijoter la préparation pendant 30 minutes.

Retirez les côtelettes de la sauteuse et faites au besoin réduire la sauce pour qu'elle acquière la texture voulue.

Nappez-en les côtelettes de veau et servez immédiatement après avoir parsemé le plat de persil ou de paprika. Un gratin de panais (p. 260) est recommandé en accompagnement.

RÔTI D'AGNEAU EN COURONNE

On obtient un rôti en couronne en joignant deux carrés d'agneau de manière à former un cercle. Il n'y a plus qu'à remplir le centre de la garniture de votre choix. On décore souvent les manches des côtelettes de papillotes en papier, mais on peut aussi utiliser à leur place de petits oignons glacés, aussi beaux qu'il sont bons.

PRÉPARATION : *45 minutes*
CUISSON : *2 heures*

INGRÉDIENTS *(6 à 8 personnes)*

Rôti d'agneau en couronne	*1 gousse d'ail*
125 ml de graisse de rôti	*4 c. à soupe de persil haché*
FARCE	*1½ c. à thé de thym moulu*
225 g de canneberges	*200 g de chapelure fraîche de pain*
125 ml de bouillon de poulet	*blanc*
30 g de sucre	*1 œuf*
1 oignon	*Sel et poivre noir*
40 g de champignons	GARNITURE
30 g de beurre	*Oignons glacés*

Réunissez dans une casserole les canneberges, le bouillon et le sucre ; allongez au besoin d'eau pour couvrir les fruits. Une fois l'ébullition prise, faites cuire à feu vif pour que les canneberges éclatent et que les liquides prennent la consistance d'une sauce épaisse.

Pelez et hachez l'oignon menu ; parez et coupez grossièrement les champignons. Chauffez le beurre et faites-y sauter l'oignon jusqu'à ce qu'il soit transparent. Ajoutez l'ail pelé et pilé et, 1 minute plus tard, les champignons en les enrobant bien de beurre pour qu'ils se colorent. Dans un bol, mélangez les canneberges, l'oignon et les champignons sautés, le persil, le thym et la chapelure. Liez cette farce avec l'œuf légèrement battu. Salez et poivrez avec le moulin.

Dressez la préparation dans le centre du rôti en couronne. Enveloppez les manches de papier d'aluminium pour les protéger durant la cuisson. Faites chauffer la graisse de rôti dans une lèchefrite avant d'y dresser la couronne farcie. Enfournez dans le bas du four, préchauffé à 190°C. Laissez cuire 10 minutes. Abaissez la température du four à 180°C et prolongez la cuisson de 30 minutes environ par kilogramme de viande. Arrosez fréquemment.

Au moment de servir, déposez le rôti dans un plat et gardez-le au chaud. Dégraissez le fond de cuisson et faites-le bouillir vivement en remuant pour que les jus se lient. Servez la sauce dans une saucière chaude.

Accompagnez le rôti de pommes de terre à l'ail et d'une salade d'endives aux oranges (p. 259). Piquez un oignon glacé (p. 259) sur chaque manche.

Volaille et gibier

DINDE FROIDE EN SALADE

Si pour Noël vous avez fait rôtir une dinde, il est probable que, les jours suivants, vous aurez à pratiquer avec imagination l'art d'accommoder les restes. En voici un exemple. Le plat servi a une saveur délicate et sa présentation est très élégante.

PRÉPARATION : *15 minutes*

INGRÉDIENTS *(4 personnes)*
400 g de dinde froide, coupée en dés de 2-3 cm de côté
60 g de noix fraîches décortiquées
1 grosse pomme acidulée
1 c. à thé de jus de citron
250 ml environ de mayonnaise (p. 271)
1-2 c. à soupe de moutarde de Dijon
Cresson, feuilles de salade
GARNITURE
Câpres, mayonnaise

Faites griller les noix sur une plaque dans un four préchauffé à 180°C pendant 5 minutes environ, en remuant de temps à autre pour qu'elles se colorent de façon uniforme. Laissez-les refroidir.

Râpez grossièrement la pomme pelée, aspergez-la tout de suite de jus de citron pour l'empêcher de noircir. Mélangez les dés de dinde, les noix et la pomme ; ajoutez la mayonnaise, à laquelle vous aurez incorporé la moutarde, et remuez délicatement. Disposez en pyramide au centre d'un plat dont vous aurez recouvert le fond de feuilles de salade et d'un lit de cresson. Garnissez d'autre mayonnaise et de quelques câpres.

Cette salade est tout aussi bonne si, au lieu de dinde, vous utilisez du poulet, du canard ou de l'oie. Vous pouvez, si vous voulez, augmenter la quantité de noix.

POULET AUX QUARANTE GOUSSES D'AIL

Pour qui aime l'ail, ce plat est des plus alléchants. Pour ceux qui l'aiment moins, une cuisson prolongée lui fait perdre de son intensité.

PRÉPARATION : *15 minutes*
CUISSON : *1 h 30*

INGRÉDIENTS *(8 personnes)*
8 cuisses de poulet
40 gousses d'ail
4 côtes de céleri
150 ml d'huile d'olive
6 brins de persil
1 c. à soupe d'estragon sec
100 ml de vermouth sec
1 pincée de poivre
1 pincée de noix de muscade
2½ c. à thé de sel

Pelez l'ail, laissez les gousses entières. Coupez le céleri, soigneusement lavé, en petits bâtonnets.

Versez l'huile dans un plat et passez-y les cuisses, en les retournant pour qu'elles en soient enduites de tous les côtés. Mettez au fond d'une cocotte le céleri, le persil et l'estragon. Posez sur ce lit le poulet, arrosez de vermouth et saupoudrez de poivre, de noix de muscade et de 1 cuillerée à thé de sel.

Versez dans la cocotte l'huile d'olive restée dans le plat, ajoutez les gousses d'ail et saupoudrez enfin du reste de sel. Placez sur la cocotte une feuille d'aluminium assez grande pour qu'elle dépasse tout autour ; puis, posez le couvercle par-dessus de manière à avoir une fermeture étanche.

Mettez la cocotte au centre du four, préchauffé à 190°C, et laissez cuire 1 h 30 ; pendant la cuisson, ne soulevez pas le couvercle.

Servez dans le plat de cuisson, avec des toasts bien chauds ou de fines tranches de pain de seigle beurrées sur lesquelles vous écraserez les gousses d'ail fondantes.

POULET FARCI AU CRESSON

Le cresson, l'oignon et le céleri composent une farce très parfumée. Faites cuire le poulet à feu vif et arrosez-le souvent pour que sa peau soit croquante et dorée.

PRÉPARATION : *40 minutes*
CUISSON : *1 h 15*

INGRÉDIENTS *(4 personnes)*
1 poulet de 1,5 kg environ
1 oignon moyen finement haché
4-5 côtes de céleri finement hachées
80 g de beurre doux
1 grosse poignée de cresson, lavé, égoutté et finement haché
2 poignées de mie de pain blanc rassis
Sel, poivre

Faites cuire l'oignon et le céleri dans 30 g de beurre, à feu doux, pendant 5-6 minutes, jusqu'à ce qu'ils soient bien tendres. Ajoutez le cresson et laissez cuire jusqu'à complète évaporation de son eau.

Dans une autre poêle, faites sauter la mie de pain dans 30 g de beurre, jusqu'à ce qu'elle soit dorée ; ajoutez-la au mélange de légumes. Salez, poivrez.

Farcissez le poulet avec ce mélange ; fermez-le avec une aiguille et du fil ; bridez-le, enduisez-le du beurre restant et saupoudrez-le de sel et de poivre. Disposez la volaille, couchée sur le flanc, dans un plat à rôtir ; mettez au four, préchauffé à 220°C, et laissez cuire 20 minutes, en arrosant souvent avec quelques cuillerées du jus recueilli au fond du plat. Tournez-la et laissez cuire encore 20 minutes, en arrosant régulièrement.

Tournez-la ensuite sur le dos et poursuivez la cuisson encore 20 à 35 minutes environ, en arrosant à peu près toutes les 5 minutes.

Le poulet sera cuit quand, piquant une cuisse avec une aiguille, vous en verrez sortir un liquide incolore.

BLANQUETTE DE DINDE

Il reste souvent de la dinde après les grands dîners des Fêtes. La blanquette constitue une excellente façon de l'utiliser.

PRÉPARATION : *20 minutes*
CUISSON : *30 minutes*

INGRÉDIENTS *(4 à 6 personnes)*
900 g de dinde cuite en dés
1 gros oignon
90 g de beurre doux
6 c. à soupe de farine
600 ml de bouillon de poulet ou de dinde
1 petit bocal de piments rouges doux
80 g de champignons
1 gousse d'ail
Sel et poivre noir
1 pincée de macis en poudre
1 pincée de muscade râpée
2 jaunes d'œufs
4 c. à soupe de crème épaisse
1 c. à soupe de jus de citron

Pelez l'oignon et émincez-le en tranches fines. Chauffez le beurre dans une grande sauteuse et faites-y cuire l'oignon à feu doux, jusqu'à ce qu'il soit transparent. Ajoutez la farine et laissez cuire 3 minutes. Incorporez le bouillon et prolongez la cuisson pour épaissir la sauce.

Entre-temps, égouttez et émincez les piments rouges ; parez et émincez les champignons ; pelez et pilez l'ail. Mettez tous ces ingrédients dans la sauce ainsi que la dinde. Salez, poivrez avec le moulin et ajoutez macis et muscade. Réchauffez bien la préparation. Dans un bol, battez les jaunes d'œufs, le jus de citron et la crème jusqu'à léger épaississement. Hors du feu, incorporez cette préparation à la blanquette. Remettez l'appareil sur le feu et réchauffez-le sans bouillir.

Servez la blanquette dans des assiettes chaudes, accompagnée de haricots verts, de brocolis ou de choux de Bruxelles au beurre.

CANARD AUX CERISES

Le canard ainsi apprêté demande peu de surveillance et, comme il est déjà découpé, il se sert sans délai.

PRÉPARATION : *20 minutes*
CUISSON : *1 h 15*

INGRÉDIENTS *(4 personnes)*
1 canard de 2 à 2,5 kg
Sel et poivre noir
2 c. à soupe de beurre doux
125 ml de madère ou de xérès
500 ml de cerises noires de conserve avec leur jus
Jus de citron
125 ml de porto
1 c. à soupe de fécule de maïs
GARNITURE
3 c. à soupe de persil haché

Découpez le canard en quatre morceaux et piquez abondamment la peau avec une grosse aiguille. Assaisonnez de sel et de poivre fraîchement moulu. Chauffez le beurre dans une grande sauteuse et faites-y revenir les morceaux de canard à feu doux jusqu'à ce qu'ils soient bruns de tous les côtés. Jetez le gras et arrosez le canard, toujours en sauteuse, du madère, du jus des cerises et d'un peu de jus de citron. Amenez ces liquides juste sous le point d'ébullition. Couvrez et laissez mijoter 45 à 55 minutes.

Retirez le canard de la sauteuse, épongez-le sur du papier absorbant et gardez-le au chaud.

Dégraissez les jus de cuisson avant d'ajouter le porto. Délayez la fécule de maïs dans 2 cuillerées à soupe d'eau froide et versez-la dans la sauce. Remuez jusqu'à épaississement. Amenez à ébullition, rectifiez les assaisonnements et ajoutez les cerises.

Disposez les morceaux de canard nappés de sauce sur un plat de service. Egrenez le persil dessus et servez avec des pommes de terre allumette (p. 301).

OIE AU CIDRE

La cuisson de ce gros volatile domestique est longue, mais la préparation en est très facile. Choisissez de préférence une oie fraîche, qu'on trouve facilement en novembre et en décembre, car sa texture et sa saveur sont meilleures que celles de l'oie surgelée.

PRÉPARATION : *15 minutes*
CUISSON : *3 h 15*

INGRÉDIENTS *(8 personnes)*

1 oie de 3,5 kg environ, prête à cuire
250 ml de bouillon préparé avec les abattis de l'oie (p. 266)
1 oignon
3 à 6 clous de girofle
La moitié d'une orange
600 ml de cidre sec

2 c. à soupe de calvados (facultatif)
Sel, poivre
GARNITURE
Croustilles
Bacon en tranches épaisses
Cresson
Oranges

Introduisez l'oignon, pelé et piqué de clous de girofle, et la demi-orange dans le ventre de l'oie. Cousez l'ouverture à la base du ventre et bridez. Frottez la peau de la volaille avec du sel et du poivre fraîchement moulu et piquez la chair à la fourchette pour que la graisse s'en écoule pendant la cuisson.

Disposez l'oie, sur le dos, dans un grand plat à rôtir. Versez au fond du récipient la moitié du cidre et tout le bouillon et mettez dans la partie inférieure du four, préchauffé à 230°C; laissez cuire 15 minutes. Arrosez l'oie avec d'autre cidre et abaissez la température du four à 180°C. Laissez cuire encore 3 heures environ, en prélevant la graisse au fur et à mesure qu'elle s'accumule dans le plat. Arrosez de temps en temps avec le reste de cidre.

Retirez le plat du four, dressez l'oie sur un plat de service chaud et gardez-la au chaud à l'entrée du four pendant que vous préparez la sauce. Laissez reposer le fond de cuisson 10 minutes et enlevez la graisse avec une écumoire.

Versez le fond de cuisson dans une casserole et faites-le bouillir vivement jusqu'à ce qu'il soit réduit à un jus pas trop épais. Faites chauffer le calvados dans une louche, enflammez-le, versez-le sur l'oie.

Servez l'oie entourée de croustilles (p. 301), d'épaisses tranches de bacon rissolées dans la poêle sans adjonction d'autre graisse, d'une touffe de cresson et de petites oranges coupées en deux.

Présentez la sauce à part, dans une saucière chaude. Excellent, pour l'accompagner, du chou rouge coupé en petites lanières et cuit à l'étouffée pendant 2 heures, avec des tranches de pomme acide et quelques cuillerées de vinaigre.

257

Riz et pâtes

TIMBALE DE SPAGHETTIS AUX MOULES

Très simple à préparer, cette entrée peut également se servir comme plat principal si vous augmentez un peu les proportions de moules et de spaghettis.

PRÉPARATION : *1 heure*
CUISSON : *15 à 20 minutes*

INGRÉDIENTS *(6 personnes)*
500 g de spaghettis
8 tasses de moules
8 c. à soupe d'huile d'olive
3 gousses d'ail
Persil haché finement
Sel, poivre noir

Grattez et lavez soigneusement les moules dans plusieurs eaux en éliminant celles qui remontent à la surface de l'eau et celles dont la coquille est cassée.

Dans une sauteuse, faites chauffer 3 cuillerées à soupe d'huile d'olive dans lesquelles vous ferez revenir deux gousses d'ail pelées et hachées grossièrement. Quand l'ail a pris une belle couleur blonde, retirez-le et disposez les moules dans la sauteuse. Couvrez, augmentez l'intensité du feu et remuez souvent la sauteuse pour que toutes les moules s'ouvrent rapidement (comptez 5 minutes environ). Retirez ensuite la sauteuse du feu et versez son contenu dans une jatte ; enlevez les moules de leurs coquilles tout en réservant l'eau rejetée pendant la cuisson.

Faites cuire les spaghettis dans un faitout rempli d'eau légèrement salée 7 à 10 minutes en remuant de temps en temps avec une fourchette, jusqu'à ce qu'ils soient à point, mais encore un peu fermes. Egouttez-les complètement.

Dans la sauteuse, faites chauffer à feu doux le reste d'huile. Ajoutez-y la dernière gousse d'ail pelée, écrasée au pilon de bois, les moules

et leur eau que vous aurez filtrée. Faites réchauffer à feu doux pendant 1-2 minutes.

Dans un plat de service profond, disposez les spaghettis ; versez dessus les moules et leur jus, parsemez abondamment de persil haché ; poivrez ; remuez tous les ingrédients ensemble et servez aussitôt. Si vous voulez rendre la timbale encore plus onctueuse, battez un œuf entier dans le plat de service avec persil et poivre avant d'y verser moules et spaghettis.

SALADE DE RIZ AU FENOUIL

Le fenouil, avec sa saveur douce et son parfum d'anis, se marie très bien avec le riz et la mayonnaise aromatisée au Pernod. Cette salade peut accompagner un plat de poisson poché ou de viande froide.

PRÉPARATION : *30 minutes*
CUISSON : *20 minutes*
RÉFRIGÉRATION : *30 minutes*

INGRÉDIENTS *(4 à 6 personnes)*
150 g de riz à grains longs
2 bulbes de fenouil
200 g de thon à l'huile
120 g d'olives noires dénoyautées
1 c. à soupe de Pernod
150 ml de mayonnaise (p. 271)
GARNITURE
6 échalotes
3 œufs durs

Faites cuire le riz dans un grand faitout d'eau salée pendant 20 minutes ou jusqu'à ce qu'il soit tendre mais encore *al dente*. Passez-le à l'eau froide, égouttez-le et laissez-le complètement refroidir.

Epluchez les bulbes de fenouil, lavez-les à l'eau courante froide et coupez-les finement dans le sens de la largeur. Egouttez le thon, émiettez-le avec une fourchette. Réunissez dans un saladier le riz, le fenouil, le thon, les olives, la

mayonnaise à laquelle vous aurez incorporé le Pernod. Mélangez bien. Pelez les échalotes et coupez-les en deux dans le sens de la longueur. Ecalez les œufs durs et coupez-les en quatre. Garnissez la salade avec les échalotes et les œufs, puis mettez-la 30 minutes au réfrigérateur.

CROQUETTES DE RIZ AU FROMAGE

De petites croquettes croustillantes qui peuvent accompagner des côtes de veau poêlées ou se servir comme entrée avec un coulis de tomate ou une sauce à l'abricot.

PRÉPARATION : *10 minutes*
RÉFRIGÉRATION : *1 heure*
CUISSON : *5 minutes*

INGRÉDIENTS *(4 à 6 personnes)*
300 g de riz à grains longs cuit
130 g d'emmenthal râpé
2 c. à soupe de beurre
2 œufs
Mie de pain frais finement émiettée ou chapelure
Huile à friture
Sel, poivre

Mettez le riz dans une grande jatte et ajoutez-y le fromage, le beurre que vous aurez fait fondre à feu doux dans une petite casserole, du sel, du poivre fraîchement moulu et 1 œuf légèrement battu. Mélangez bien tous ces ingrédients à la fourchette.

Avec cette préparation, formez des croquettes longues d'environ 7 cm, que vous passerez d'abord dans la chapelure, puis dans le second œuf légèrement battu. Roulez de nouveau les croquettes dans la chapelure, disposez-les dans un plat et laissez-les reposer au réfrigérateur pendant 1 heure.

Faites chauffer dans une bassine à friture, l'huile nécessaire pour la

Légumes et salades

remplir au tiers de sa hauteur. Pour vous assurer que l'huile est à la bonne température, jetez-y un dé de pain : il doit alors remonter à la surface et dorer en 30 secondes. Placez les croquettes dans le panier à friture et plongez-les avec précaution dans l'huile chaude ; baissez le feu. Au bout de 3 à 5 minutes, les croquettes devraient remonter à la surface, dorées et croustillantes.

Retirez-les de l'huile, égouttez-les sur du papier absorbant et puis servez aussitôt.

NOUILLES AUX ANCHOIS

Cette façon d'apprêter les nouilles est originaire de la Calabre, dans le Sud de l'Italie.

PRÉPARATION : 5 minutes
CUISSON : 15 minutes

INGRÉDIENTS (6 personnes)
600 g de nouilles
1 boîte de 60 g de filets d'anchois
300 ml d'huile d'olive
250 g de chapelure fraîche de pain
    blanc
Chili en poudre

Faites cuire les nouilles al dente dans de l'eau bouillante salée. Entre-temps, égouttez les filets d'anchois, réduisez-les en purée et faites-les cuire dans la moitié de l'huile d'olive jusqu'à obtention d'une sorte de pâte. Chauffez le reste de l'huile dans une autre casserole et faites-y griller la chapelure. Quand elle est bien dorée, assaisonnez-la de chili.

Egouttez les nouilles et mélangez-les à la pâte d'anchois. Servez la chapelure à part.

SALADE WALDORF

Cette salade fameuse a été créée par un des chefs du célèbre hôtel Waldorf-Astoria de New York. On peut la servir comme hors-d'œuvre ou comme garniture ; la saveur acidulée des pommes contraste avec celle des viandes grasses, comme le porc ou le canard.

PRÉPARATION : 45 minutes
RÉFRIGÉRATION : 30 minutes

INGRÉDIENTS (6 personnes)
500 g de pommes rouges acidulées
2 c. à soupe de jus de citron
La moitié d'un pied de céleri
60 g de noix hachées grossièrement
100 à 150 ml de mayonnaise
    (p. 271) à la moutarde de Dijon
1 laitue

Préparez la mayonnaise ; assaisonnez-la à volonté de moutarde. Epluchez le céleri, lavez-le, essuyez-le et coupez-le en fines lanières.

Lavez les pommes et enlevez les pépins ; coupez une pomme en tranches fines et les autres en dés. Plongez les tranches dans le jus de citron et réservez-les.

Mélangez les pommes coupées en dés, le céleri, les noix et la mayonnaise. Effeuillez la laitue, lavez-la, égouttez-la et enveloppez-la dans un linge. Mettez le tout au réfrigérateur pendant 30 minutes.

Tapissez un saladier avec les feuilles de laitue, dressez la salade, entourez des tranches de pomme ; servez.

PETITS OIGNONS GLACÉS

Ces oignons au beurre sont appétissants et très décoratifs pour accompagner un plat de viande.

PRÉPARATION : 15 minutes
CUISSON : 20 minutes

INGRÉDIENTS (4 ou 5 personnes)
500 g de petits oignons
60 g de beurre
2 c. à soupe de sucre
Sel

Remplissez d'eau une grande casserole, portez à ébullition ; plongez-y les oignons avec leur peau, faites-les cuire 7 minutes à feu doux ; égouttez-les et pelez-les.

Faites fondre le beurre dans la même casserole, ajoutez les oignons et laissez-les cuire à feu doux, en remuant souvent, pendant 3 minutes ; saupoudrez de sucre, et continuez la cuisson tout en remuant pendant encore 4 minutes ou jusqu'à ce que les oignons soient tendres et brillants. Salez-les. Servez-les chauds, avec leur jus.

SALADE D'ENDIVES AUX ORANGES

Avec sa combinaison d'une saveur un peu amère et d'une saveur aigrelette, cette salade accompagne à peu près tous les types de gibier, viandes froides et canard rôti.

PRÉPARATION : 20 minutes

INGRÉDIENTS (6 personnes)
4 endives longues et étroites
3 oranges
Vinaigrette à la moutarde (p. 272)

Enlevez les feuilles extérieures et le trognon des endives ; lavez-les, égouttez-les bien et coupez-les en tronçons assez fins dans le sens de la largeur. Pelez à vif les oranges, coupez-les en fines tranches dans le sens de la largeur, retirez les pépins ; si les oranges sont grosses, coupez les tranches en deux.

Mélangez endives et oranges dans un saladier. Versez la sauce vinaigrette sur les endives et remuez avec des couverts en bois. Si vous le désirez, vous pouvez remplacer le vinaigre par du jus de citron ou d'orange. Servez aussitôt.

PATATES AUX POMMES

Le mariage inusité du goût douceâtre de la patate et de la saveur aigrelette de la pomme donne un plat excellent, qui se sert seul ou avec du rôti de porc.

PRÉPARATION : 20 minutes
CUISSON : 40 minutes

INGRÉDIENTS (6 personnes)
500 g de patates douces
600 g de pommes à cuire
90 g de beurre
1 c. à thé de sel
100 à 150 g de cassonade
1 c. à thé de muscade
1 c. à soupe de jus de citron

Pelez et émincez les patates en rondelles minces ; pelez les pommes, enlevez le trognon et émincez-les en tranches fines. Beurrez un plat allant au four et disposez-y les rondelles de patate et de pomme en alternant les couches. Commencez et terminez par les patates. Assaisonnez chaque rang de sel, de cassonade, de muscade, de jus de citron et d'un peu de beurre en noisettes.

Enfournez le plat dans le bas du four, préchauffé à 200°C, et laissez cuire environ 40 minutes, jusqu'à ce que les patates soient tendres. Servez dans le plat de cuisson.

GRATIN DE PANAIS

Panais, tomates, fromage et crème s'associent ici en un plat gratiné qui accompagne à merveille les rôtis d'agneau ou de porc.

PRÉPARATION : *40 minutes*
CUISSON : *40 minutes*

INGRÉDIENTS *(6 personnes)*
1 kg de panais
500 g de tomates
5 c. à soupe d'huile
90 g de beurre
2 c. à thé de cassonade
Sel et poivre noir
225 g de gruyère râpé
300 ml de crème (légère ou épaisse)
*20 g environ de chapelure fraîche de
   pain blanc*

Pelez les panais et débarrassez-les des parties coriaces qu'on trouve parfois au centre. Emincez-les finement. Pelez, épépinez et émincez les tomates en tranches. Chauffez l'huile et faites-y sauter les panais doucement pendant 4 minutes.

Utilisez la moitié du beurre pour en enduire un plat à four. Déposez une couche de panais dans le fond. Mettez un peu de cassonade, du sel, du poivre fraîchement moulu et un peu de crème avant de recouvrir de tomates. Répandez un peu de crème et de fromage sur les tomates et continuez de la sorte jusqu'à épuisement des éléments en terminant par la crème et le fromage. Complétez l'appareil avec la chapelure et le reste du beurre détaillé en noisettes.

Faites cuire au centre du four, préchauffé à 160°C, pendant 40 minutes. Faites passer le plat du four à la table.

CHOU-FLEUR AU FROMAGE

La saveur forte du gruyère contraste agréablement avec celle, délicate, du chou-fleur. Ce plat peut accompagner des viandes rôties ou grillées.

PRÉPARATION : *20 minutes*
CUISSON : *25 minutes*

INGRÉDIENTS *(6 personnes)*
1 gros chou-fleur
1 oignon moyen
60 g de beurre doux
150 g de mie de pain frais émiettée
250 ml de lait
100 g de gruyère râpé
1 pincée de noix de muscade
5 œufs battus
Sel et poivre noir

Divisez le chou-fleur en gros bouquets, jetez-le dans l'eau bouillante salée, couvrez et laissez cuire à feu modéré pendant 5 à 8 minutes ; égouttez.

Entre-temps, pelez et hachez l'oignon. Faites fondre 30 g de beurre dans une petite casserole et faites-y revenir l'oignon pendant 6 minutes. Pendant ce temps, beurrez l'intérieur d'un moule à soufflé d'une contenance d'environ 1,5 litre et saupoudrez-en le fond et les parois de la mie de pain émiettée.

Versez le lait dans une casserole, portez à ébullition et ajoutez le fromage râpé et le reste du beurre ; assaisonnez de sel, de poivre et d'une pincée de noix de muscade, puis ajoutez le reste du pain et l'oignon. Retirez la casserole du feu et incorporez les œufs battus, mélangez. Ajoutez enfin les bouquets de chou-fleur et versez dans le plat à soufflé.

Mettez dans la partie inférieure du four, préchauffé à 160°C, et laissez cuire 20 minutes ou jusqu'à ce que la préparation soit devenue ferme.

POMMES NOISETTE

Ces pommes de terre coupées en billes et dorées dans le beurre constituent un accompagnement exquis et élégant pour n'importe quel plat de viande. Avant la cuisson, il faut les faire tremper longuement dans l'eau froide pour éliminer une partie de l'amidon ; de cette façon, les pommes de terre seront plus moelleuses et n'attacheront pas pendant la cuisson.

PRÉPARATION : *20 minutes*
TREMPAGE : *2 heures environ*
CUISSON : *10 minutes*

INGRÉDIENTS *(6 personnes)*
1 kg de pommes de terre
150 g de beurre doux
3 c. à soupe de sel

Pelez les pommes de terre et, à l'aide de l'évidoir approprié, levez des billes de forme régulière ; faites-les tremper pendant environ 2 heures dans un grand bain d'eau froide dans laquelle vous aurez fait fondre 2 cuillerées à soupe de sel ; égouttez-les. (Ne jetez pas les déchets : vous les utiliserez pour un potage ou une purée.)

Placez les pommes de terre dans un faitout rempli d'eau bouillante salée et laissez-les cuire à feu modéré pendant 3 minutes. Egouttez-les bien et essuyez-les avec un linge.

Faites fondre le beurre à feu modéré dans une poêle, mettez-y à revenir les pommes de terre ; laissez-les cuire, en secouant souvent la poêle, pendant 5 minutes ou jusqu'à ce qu'elles soient tendres et légèrement rissolées.

Retirez-les avec une écumoire, disposez-les dans un plat de service chaud, saupoudrez-les d'un peu de sel et servez aussitôt.

Desserts

POMMES DE TERRE FOURRÉES À L'AIL

L'ail apporte un goût nouveau aux pommes de terre cuites au four; pour que ce goût ne soit pas trop prononcé, faites bouillir les gousses d'ail quelques minutes avant de les utiliser dans la préparation.

PRÉPARATION : 20 minutes
CUISSON : 1 h 30

INGRÉDIENTS (6 personnes)
6 grosses pommes de terre à cuire au four
20 gousses d'ail
100 g de beurre doux
2 c. à soupe de farine
300 ml de lait
3 c. à soupe de crème épaisse
3 c. à soupe de persil haché
Sel, poivre

Brossez et lavez les pommes de terre sans les peler, piquez-les avec une fourchette et mettez-les sur une grille au centre du four, préchauffé à 220°C ; laissez-les cuire 1 heure ou jusqu'à ce qu'elles soient tendres.

Pendant ce temps-là, mettez les gousses d'ail dans une petite casserole, couvrez-les d'eau et faites-les bouillir pendant 2 minutes ; égouttez-les et pelez-les. Faites fondre 60 g de beurre dans une cocotte, ajoutez l'ail, couvrez et laissez cuire à feu doux pendant 10 minutes ou jusqu'à ce qu'il soit tendre. Retirez l'ail, versez la farine en pluie dans le beurre et laissez cuire à petit feu pendant 2 minutes ; ajoutez peu à peu le lait, en remuant sans arrêt, jusqu'à l'obtention d'une sauce épaisse et homogène. Assaisonnez de sel et de poivre au moulin, ajoutez l'ail et laissez cuire encore 2 minutes.

Passez la sauce au mixer ou au moulin à légumes. Réservez-la.

Pratiquez sur un des côtés des pommes de terre une incision circulaire. Retirez délicatement à la petite cuillère les trois quarts de la pulpe et réservez les couvercles au chaud ; passez la pulpe au tamis ou au moulin à légumes, au-dessus d'une jatte, et incorporez-y, en remuant énergiquement, le reste du beurre ramolli détaillé en petits morceaux, du sel et du poivre, la sauce à l'ail, la crème et le persil.

Faites réchauffer le mélange à feu très doux ; garnissez-en les pommes de terre évidées, remettez les couvercles et servez immédiatement autour d'un rôti.

CHOUX DE BRUXELLES À LA CRÈME SURE

Le chou de Bruxelles constitue un excellent légume d'hiver, meilleur encore si vous avez soin de ne pas trop le cuire. Le chou de Bruxelles à point doit en effet être un peu résistant sous la dent. La garniture de crème sure présentée ici met tout particulièrement sa saveur en valeur.

PRÉPARATION : 10 minutes
CUISSON : 15 minutes

INGRÉDIENTS (6 personnes)
700 g de choux de Bruxelles
1 c. à soupe de sel
½ à 1 c. à thé de muscade fraîchement râpée
125 ml de crème sure

Pelez et lavez les choux de Bruxelles. Faites-les cuire dans beaucoup d'eau bouillante salée en comptant 5 minutes de cuisson à la reprise de l'ébullition. Quand ils sont à point, égouttez-les. Mélangez la crème sure et la muscade râpée.

Remettez les choux dans leur casserole et desséchez-les quelques minutes à feu modéré en remuant. Ajoutez la crème sure ; réchauffez les choux 1 minute en les remuant pour bien les napper et servez.

POMMES MERINGUÉES AU RHUM

Les garnitures meringuées sont toujours appréciées. Celle-ci recouvre des pommes émincées posées sur de petits macarons italiens, appelés *amaretti,* imbibés de rhum. A défaut d'amarettis, on peut utiliser des doigts de dame.

PRÉPARATION : 30 minutes
CUISSON : 15 minutes

INGRÉDIENTS (6 personnes)
120 g d'amarettis
4 c. à soupe de rhum blanc
700 g de pommes à cuire
2 c. à soupe de beurre doux
2 pincées de cannelle
100 g de cassonade
3 blancs d'œufs
1 pincée de sel
65 g de sucre granulé
65 g de sucre à fruits

Déposez les amarettis dans le fond d'un moule à flan avec le rhum. Pelez les pommes, enlevez le trognon et émincez-les en tranches fines que vous mettrez dans une casserole avec le beurre, la cannelle, la cassonade et 2-3 cuillerées à soupe d'eau. Faites-les mijoter 10 à 15 minutes avant de les retirer du feu. Quand elles sont froides, dressez-les sur les amarettis.

Fouettez les blancs d'œufs en neige avec le sel. Incorporez le sucre granulé et continuez de fouetter pendant 2 minutes. La meringue sera ferme et luisante. Ajoutez alors le sucre à fruits et étendez la meringue sur les pommes en formant de petits pics avec la spatule.

Enfournez le plat au centre du four préchauffé à 180°C et comptez 10 à 15 minutes de cuisson. La meringue doit être à peine teintée. Servez ce dessert chaud ou froid avec une jatte de crème fraîche.

PARIS-BREST

Ce dessert a été créé en l'honneur d'une course cycliste entre Paris et Brest. Il s'agit d'une pâte à choux, dressée en couronne, fourrée de crème Chantilly et poudrée de sucre glace.

PRÉPARATION : 30 minutes
CUISSON : 30 minutes

INGRÉDIENTS (4 personnes)
2 c. à soupe de beurre doux
1 c. à thé de sucre
125 ml de lait
125 g de farine tamisée
3 œufs
40 g d'amandes effilées
CRÈME CHANTILLY
250 ml de crème épaisse
3 c. à soupe de sucre glace
1 blanc d'œuf

Confectionnez d'abord la pâte à choux. Dans une casserole, faites chauffer à feu modéré le beurre, le sucre et le lait. Quand l'ébullition est prise, versez d'un coup toute la farine et remuez vigoureusement avec une cuillère en bois jusqu'à ce que la pâte se forme en boule et n'adhère plus à la casserole. Incorporez alors 2 œufs, un à un, en battant toujours vigoureusement. Puis ajoutez le jaune du troisième œuf. La pâte deviendra luisante et lisse. Si elle est encore très épaisse, ajoutez alors le blanc restant.

Introduisez la pâte dans une poche à décorer munie d'une grosse douille unie et dessinez un anneau d'environ 3 cm de largeur et 20 cm de diamètre sur une plaque graissée. Répartissez les amandes effilées sur la pâte et faites cuire au centre du four préchauffé à 220°C pendant 30 minutes. La croûte doit être brune.

Laissez refroidir la couronne sur une grille avant de la couper en deux transversalement.

Pour apprêter la crème Chantilly, fouettez ensemble la crème, 2 cuillerées à soupe de sucre glace tamisé et le blanc d'œuf. Quand elle est bien montée, garnissez-en la demi-couronne du dessous. Posez l'autre demi-couronne dessus et poudrez le Paris-Brest avec le reste du sucre glace.

261

TARTE À LA CRÈME D'ORANGE

Pour obtenir un dessert encore plus raffiné, vous pouvez recouvrir la tarte d'une couche de crème fouettée avant de la décorer.

PRÉPARATION : 45 minutes
CUISSON : 30 minutes
RÉFRIGÉRATION : 1 heure

INGRÉDIENTS (6 personnes)
300 g de pâte ordinaire (p. 317)
1 c. à soupe de gélatine
4 œufs
5 c. à soupe de sucre
100 ml de jus d'orange
1 c. à soupe de jus de citron
Le zeste d'une orange
150 ml de crème épaisse
GARNITURE
Cacao
Chocolat amer en tablette
Ecorce d'orange confite coupée en bâtonnets

Abaissez la pâte sur 4 mm d'épaisseur environ et foncez un moule à tarte de 24 cm de diamètre. Piquez le fond de la pâte avec une fourchette ; mettez au centre du four préchauffé et faites cuire à blanc pendant 10 minutes à 200°C et pendant 15 minutes encore à 190°C. Retirez du four, démoulez et laissez refroidir sur une grille.

Versez la gélatine dans 5 cuillerées à soupe d'eau froide et laissez-la reposer. Séparez les jaunes et les blancs d'œufs. Dans une jatte, battez au fouet les jaunes avec le sucre, jusqu'à l'obtention d'un mélange blanc et mousseux ; incorporez-y les jus d'orange et de citron filtrés.

Placez la jatte au-dessus d'une casserole d'eau bouillant légèrement et laissez cuire, en remuant sans arrêt, jusqu'à épaississement. Retirez du feu, ajoutez le zeste d'orange râpé et la gélatine dissoute, mélangez bien et laissez refroidir légèrement. Fouettez sépa-

rément la crème fraîche et les blancs en neige ; ajoutez à la crème d'orange la crème fouettée, puis les blancs d'œufs. Versez cet appareil sur le fond de pâte et mettez au réfrigérateur pendant 1 heure. Au moment de servir, saupoudrez la tarte de cacao et garnissez-la de bâtonnets d'écorce d'orange confite et de copeaux de chocolat.

CHAMPAGNE CHARLIE

Ce dessert exquis convient aux grandes occasions.

PRÉPARATION : 10 minutes
CUISSON : 10 minutes
RÉFRIGÉRATION : 5 heures

INGRÉDIENTS (6 personnes)
150 g de sucre
2 oranges
2 citrons
600 ml de champagne glacé
600 ml de crème épaisse
150 ml environ de cognac
36 amarettis
GARNITURE
Amarettis, macarons ou langues-de-chat
Zeste de citron

Une heure avant d'entreprendre la préparation de ce dessert, placez le bouton du réfrigérateur sur la position la plus froide.

Versez dans une casserole le sucre et 150 ml d'eau, mettez sur le feu et faites bouillir à gros bouillons pendant 6 minutes, sans remuer, pour obtenir un sirop léger.

Pendant ce temps-là, râpez le zeste d'une orange, pressez les oranges et les citrons et passez le jus au chinois fin. Ajoutez le zeste et les jus au sirop, laissez refroidir. Quand le sirop est complètement froid, ajoutez le champagne glacé.

Versez le mélange dans un bac à glace, couvrez-le d'un couvercle ou d'une double feuille de papier

d'aluminium et mettez dans le compartiment à glace pendant 1 h 30 à 2 heures ou jusqu'à ce que la préparation soit congelée le long des parois du récipient. Transvasez-la dans une jatte froide et battez-la avec un fouet souple jusqu'à ce qu'elle se transforme en pommade. Incorporez-y très délicatement la crème fouettée à part, jusqu'à ce que le mélange soit homogène et de couleur uniforme. Ajoutez 2 cuillerées à soupe de cognac, puis versez de nouveau la préparation dans le bac à glace ; couvrez et remettez au froid pendant 3 heures.

Une demi-heure avant de servir, disposez les amarettis au fond des coupes à champagne, versez par-dessus 1 cuillerée à soupe de cognac. Lorsque les amarettis sont imbibés, couvrez-les de crème glacée, arrosez-les de quelques gouttes de cognac et garnissez d'une spirale de zeste de citron. Servez aussitôt, en présentant à part d'autres amarettis, des macarons ou des langues-de-chat.

MERINGUES À LA REINE

C'est en 1720, dit-on, que cette menue pâtisserie fut inventée par un pâtissier suisse qui exerçait son art dans une petite ville appelée Mehringhen. L'histoire rapporte que la reine Marie-Antoinette, qui en était très friande, les confectionnait elle-même.

PRÉPARATION : 15 minutes
CUISSON : 2 heures

INGRÉDIENTS (6 personnes)
3 blancs d'œufs
Sel
90 g de sucre granulé
90 g de sucre à fruits
25 g d'amandes hachées, à peine grillées
250 ml de crème épaisse
3 c. à soupe de xérès doux
Le jus d'une orange
GARNITURE
Fruits candis

Fouettez les blancs d'œufs avec une pincée de sel en neige ferme mais non sèche. Ajoutez le sucre granulé et fouettez 2 minutes de plus. La meringue deviendra lisse et luisante. Ajoutez alors le sucre à fruits et les amandes.

Introduisez la meringue dans une poche à pâtisserie munie d'une douille cannelée de 1,5 cm et dessinez des barquettes de 7 à 8 cm de long sur une plaque farinée. Faites cuire au centre du four, préchauffé à 140°C, pendant 1 h 30 à 2 heures. Les meringues doivent être à peine colorées. Laissez-les ensuite refroidir sur une grille.

Fouettez la crème ; parfumez-la avec le xérès et le jus d'orange passé et garnissez-en les barquettes que vous décorerez de fruits candis.

TARTE À LA CRÈME SURE

Cette tarte dont la texture rappelle celle du cheesecake américain constitue un bon dessert familial et se sert chaude ou froide. Les jours de réception, on la garnira d'une purée d'abricots sucrée.

PRÉPARATION : 40 minutes
CUISSON : 40 minutes

INGRÉDIENTS (6 personnes)
300 g de pâte ordinaire (p. 317)
3 œufs
140 g de sucre
200 g de raisins blancs secs
2 pincées de cannelle moulue
1 pincée de clou de girofle moulu
1 pincée de sel
150 ml de crème sure
Le zeste râpé d'un citron

Abaissez la pâte à 4 mm d'épaisseur sur une surface farinée et garnissez-en un moule en couronne. Piquez le fond de la pâte avec une fourchette et placez le moule au réfrigérateur.

Séparez le blanc des jaunes d'œufs. Battez les jaunes avec le sucre jusqu'à ce qu'ils forment ruban et soient d'un beau jaune citron. Hachez finement les raisins secs et ajoutez-les aux œufs avec la cannelle, le clou de girofle, le sel, la crème sure et le zeste de citron. Fouettez les blancs en neige ferme mais non sèche et incorporez-les délicatement aux jaunes. Versez l'appareil dans le moule garni de l'abaisse et enfournez dans le bas du four, préchauffé à 220°C. Au bout de 15 minutes, abaissez la température à 180°C et prolongez la cuisson de 25 minutes.

Laissez la tarte se refroidir pendant au moins 10 minutes avant de la sortir du moule et de la détailler en pointes.

Casse-croûte

RED FLANNEL HASH

Ce plat, d'origine anglo-américaine, parfois servi au petit déjeuner, s'accompagne généralement d'un œuf frit ou poché.

PRÉPARATION : *15 minutes*
CUISSON : *15 à 20 minutes*

INGRÉDIENTS *(4 personnes)*
1 oignon haché menu
2 c. à soupe de graisse de rôti
3 tasses de pommes de terre au four en petits dés
½ à ¾ tasse de betteraves cuites en dés
225 g de bœuf salé en petits dés
2 c. à soupe de persil haché
2 c. à soupe de crème épaisse
Sel et poivre noir

Faites revenir l'oignon dans la graisse de rôti pendant 2 minutes. Quand il est transparent, ajoutez les pommes de terre, les betteraves, le bœuf salé, le persil et la crème. Assaisonnez de sel et de poivre fraîchement moulu.

Aplatissez la préparation énergiquement avec une spatule et faites-la cuire 15 minutes à feu vif pour qu'elle soit rôtie et croustillante. Renversez la galette sur une assiette de service chaude et servez immédiatement.

CROQUE-MONSIEUR

Ce petit sandwich chaud, populaire en France, se sert comme hors-d'œuvre ou petite entrée, mais on peut l'accompagner le midi d'une salade verte.

PRÉPARATION : *10 minutes*
CUISSON : *10 minutes*

INGRÉDIENTS *(4 personnes)*
8 tranches de pain à sandwich de 1 cm d'épaisseur
90 g de beurre
4 tranches de jambon maigre
150 g de cheddar râpé
Beurre pour rissoler

Beurrez les tranches de pain et garnissez-en quatre d'une tranche de jambon et du quart du fromage. Coiffez-les des tranches restantes. Enlevez les croûtes et détaillez les sandwichs en trois bâtonnets que vous ferez dorer des deux côtés dans le beurre chaud. Epongez-les sur du papier absorbant avant de les servir.

CRÊPE AU BACON

Vous dégusterez avec plaisir ce plat simple et peu coûteux par une belle journée de décembre. Pour la couleur, ajoutez une tomate cuite au four.

PRÉPARATION : *15 minutes*
CUISSON : *30 minutes*

INGRÉDIENTS *(4 personnes)*
90 g de farine
250 ml de lait
2 œufs
Sel et poivre noir
1½ c. à thé d'herbes mélangées
225 g de bacon maigre

Tamisez la farine dans un bol et ajoutez la moitié du lait. Incorporez les œufs et le reste du lait en remuant pour que la pâte soit lisse et légère. Salez, poivrez avec le moulin et ajoutez les fines herbes.

Détaillez le bacon en lanières de 1,5 cm de largeur. Faites-les frire à feu modéré 3-4 minutes. Versez 2 cuillerées à soupe de gras de bacon dans un plat à four ; ajoutez le bacon éponge et la pâte à crêpe. Faites cuire la préparation au centre du four, préchauffé à 180°C, pendant 30 minutes. Servez dès que la crêpe est à point.

TOASTS À LA DINDE OU AU POULET

Les restes de dinde ou de poulet et de légumes (chou-fleur, carottes, haricots ou brocolis) peuvent se métamorphoser en plats délicieux et vite faits. En voici un exemple.

PRÉPARATION : *15 minutes*
CUISSON : *5 minutes*

INGRÉDIENTS *(4 personnes)*
8 fines tranches de dinde ou de poulet sans la peau
125 ml de béchamel épaisse (p. 269)
Sel et poivre noir
Estragon séché
4 tranches de pain blanc
Beurre
2 tasses de légumes cuits en dés
75 g de cheddar râpé

Confectionnez la béchamel ; assaisonnez-la de sel, de poivre et d'estragon. Faites griller le pain ; enlevez les croûtes et beurrez-le. Disposez la volaille sur les toasts, couvrez de légumes en dés et nappez de béchamel.

Saupoudrez les toasts de fromage et faites-les gratiner à feu vif. Quand le fromage est fondu et bien doré, servez sans attendre.

PLUM-PUDDING À LA CRÈME AU PORTO

Les restes de plum-pudding plairont aux gourmets si vous les nappez d'une crème relevée de porto.

PRÉPARATION : *5 à 10 minutes*
CUISSON : *5 minutes*

INGRÉDIENTS *(4 à 6 personnes)*
8 tranches minces de plum-pudding
125 ml de crème épaisse
1 c. à soupe de sucre glace
2 c. à soupe de porto
45 g de beurre doux
30 g de sucre à fruits

Fouettez la crème. Quand elle est montée, ajoutez le sucre glace tamisé et le porto et mettez-la au réfrigérateur.

Réchauffez les tranches de plum-pudding dans le beurre à feu modéré pendant 4 minutes en les tournant une fois. Disposez-les sur une assiette chaude en les poudrant de sucre à fruits. Servez la crème à part.

Préparations

Fonds et potages

Roux, sauces
et vinaigrettes

Poissons
et fruits de mer

Viandes et abats

Volaille et gibier

Légumes
et fines herbes

Œufs

Riz et pâtes

Huiles
et corps gras

Desserts

de base

Fonds et potages

La base de tous les potages est un bon bouillon frais préparé avec les arêtes et les parures d'un poisson ou avec des os et de la viande de bœuf, de porc, de veau, d'agneau, de volaille ou de gibier, auxquels on a ajouté des légumes et des fines herbes. Les ingrédients qui entrent dans la composition du bouillon (ou fond) doivent s'harmoniser avec ceux du potage.

Il existe cinq types de fonds : brun, blanc, aux légumes, au poisson et à base de volaille ou de gibier à plume. Le fond brun convient à la plupart des potages, mais les bouillons au poisson, aux légumes et au gibier sont plus savoureux si on les prépare avec un fond de même nature.

De la viande et des os frais constituent les ingrédients essentiels des fonds brun et blanc. On choisit un os à moelle et un jarret de bœuf pour le premier et un jarret de veau pour le second. Demandez à votre boucher de couper les os de la longueur qui vous convient. En cuisant, ceux-ci libéreront de la gélatine qui donnera plus de corps au bouillon.

Un fond est toujours plus savoureux avec des légumes ; toutefois, il vaut mieux éviter les pommes de terre qui le brouilleraient et n'employer que modérément les légumes à saveur prononcée comme le navet et le panais.

FONDS

Fond brun
PRÉPARATION : *15 minutes*
CUISSON : *5 heures*

INGRÉDIENTS *(pour 3 litres)*
450 g d'os à moelle
1-1,5 kg de jarret de bœuf
3 c. à soupe de beurre ou de graisse
* de rôti*
1-2 poireaux
1 gros oignon
1-2 côtes de céleri
2-3 carottes
1 gros bouquet garni
Sel et poivre concassé

Faites blanchir les os une dizaine de minutes, puis mettez-les dans une rôtissoire avec la viande coupée en cubes et la graisse ou le beurre. Faites-les brunir au centre du four, de 30 à 40 minutes, à 220°C, en les retournant de temps en temps. Transvasez le tout dans une marmite, ajoutez les légumes nettoyés et tranchés, le bouquet garni et le poivre concassé. Couvrez d'eau froide additionnée de deux pincées de sel. Portez lentement à ébullition en écumant régulièrement, puis couvrez hermétiquement. Laissez mijoter pendant 4 heures à très petit feu pour permettre aux os de libérer toute leur saveur. Maintenez les ingrédients immergés durant toute la cuisson ; au besoin, ajoutez de l'eau.

Filtrez le fond à travers un chinois ou un coton à fromage, au-dessus d'une soupière. Laissez-le reposer quelques minutes, puis dégraissez-le en passant une serviette de papier à la surface. Si vous ne l'utilisez pas immédiatement, laissez la graisse se figer à la surface et enlevez-la.

Fond blanc
Ce fond se prépare comme le fond brun, à cette différence près qu'on ne fait pas brunir les os de veau. Mettez tous les ingrédients dans une marmite remplie d'eau et procédez comme pour le fond brun.

Fumet de poisson
Pour ce fond, on utilise les arêtes et les parures d'un poisson, telles la tête et la peau. Vous pouvez choisir n'importe quel poisson à chair blanche, comme la morue, le flétan, la plie ou la sole.

PRÉPARATION : *5 à 10 minutes*
CUISSON : *30 minutes*

INGRÉDIENTS *(pour 500 ml)*
450 g de parures de poisson
Sel
1 oignon
Bouquet garni ou 1 beau poireau et
* 1 côte de céleri*

Lavez les parures à l'eau froide et mettez-les dans une marmite avec 625 ml d'eau légèrement salée. Portez à ébullition à feu doux en écumant. Entre-temps, pelez et émincez l'oignon que vous ajouterez au fumet avec le bouquet garni ou avec le poireau et le céleri lavés et hachés. Couvrez et laissez mijoter une demi-heure à feu doux. Filtrez à travers un chinois ou un coton à fromage. Couvrez et réfrigérez.

Le fumet de poisson ne se gardant pas longtemps, il vaut mieux l'utiliser le jour même.

Fond de volaille ou de gibier à plume
Pour ce bouillon, vous pouvez prendre la carcasse d'un poulet, d'une dinde ou de tout autre oiseau de basse-cour, les pattes blanchies, si vous avez pu en trouver, et les abats soigneusement nettoyés. Procédez comme pour le fond blanc, faites mijoter 2-3 heures, passez et dégraissez.

Fond de légumes
Ce bouillon, peu coûteux mais vite fait et savoureux, se prépare avec des légumes crus. On peut ajouter les feuilles extérieures d'un chou, d'une laitue ou de tout autre légume à feuilles, des tiges de choufleur et des pelures de carottes, de poireaux et de panais. Hachez grossièrement tous les ingrédients, mettez-les dans une marmite et couvrez d'eau légèrement salée. Pour plus de saveur, ajoutez un bouquet garni et 6 à 8 grains de poivre. Filtrez à travers un coton à fromage.

Cuisson à l'autocuiseur
Mettez tous les ingrédients dans l'autocuiseur et remplissez-le aux deux tiers d'eau légèrement salée. Portez à ébullition et écumez soigneusement avant de mettre le couvercle en place. Baissez le feu et ajustez à une pression de 6-7 kg. Laissez mijoter pendant 1 heure, passez et dégraissez.

ÉCUMER ET DÉGRAISSER

Écumez le bouillon.

Ôtez le gras à la surface.

Conservation
Les fonds qu'on n'a pas l'intention d'utiliser sur-le-champ peuvent être conservés au réfrigérateur. Après avoir dégraissé le bouillon tiède, versez-le dans un récipient, couvrez et mettez-le au froid. Il se gardera ainsi trois ou quatre jours, mais pour être certain qu'il reste bien frais, il vaut mieux le faire bouillir tous les deux jours. Les fonds au poisson et aux légumes sont très périssables et il est préférable de les utiliser le jour même de leur préparation. On peut tout de même les garder deux jours au réfrigérateur.

Congélation
Les fonds se congèlent sans aucun problème et on peut les conserver ainsi pendant deux mois. Portez à ébullition à feu vif et laissez réduire de moitié. Une fois refroidi, versez le fond concentré dans des bacs à glaçons, congelez rapidement et gardez ensuite les cubes dans des sacs de plastique. Vous pouvez aussi utiliser des récipients à congélation d'une capacité de 500 ml à 1 litre, en les remplissant jusqu'à 2,5 cm du bord.

Pour dégeler le fond, laissez-le à la température de la pièce ou faites-le fondre à feu doux dans une casserole en remuant de temps en temps. Ajoutez 2 cuillerées à soupe d'eau pour chaque cube de bouillon concentré.

Préparations commerciales
On trouve sur le marché des bouillons en conserve, des préparations en cubes et des extraits de viande ou encore de viande et de légumes. Ces fonds constituent des substituts acceptables lorsqu'on est pressé, mais ils n'ont pas tous ou moins le même goût et manquent généralement de corps ; de plus, ils ne peuvent pas prendre en gelée. Enfin, comme ils sont généralement très assaisonnés, n'ajoutez rien avant d'y avoir goûté.

POTAGES

Les potages de la gastronomie classique et leurs variantes régionales sont en nombre presque illimité. On les regroupe en deux catégories, selon leur consistance : les potages clairs et les potages liés.

Les potages clairs comprennent les consommés et les bouillons, tandis que les potages liés se divisent en purées, crèmes et veloutés.

Potages clairs
(consommés et bouillons)

Un consommé se prépare avec un fond clarifié auquel on ajoute de la viande, de la volaille, du poisson ou des légumes. Il faut toujours le rehausser avec l'ingrédient de base, ce qui veut dire qu'un consommé de bœuf se prépare avec un fond brun et du bœuf maigre, tandis qu'un consommé de poulet est fait avec un fond de même nature et de la chair de volaille.

Les consommés conviennent fort bien pour les réceptions où on peut les servir chauds ou en gelée, accompagnés d'une garniture.

Consommé de bœuf

PRÉPARATION : 15 minutes
CUISSON : 2 heures

INGRÉDIENTS (6 personnes)
250 g de viande maigre de bœuf
1 petite carotte
1 petit poireau
2 litres de fond brun
1 bouquet garni
1 blanc d'œuf

Hachez la viande ; épluchez, lavez et hachez les légumes. Mettez tous ces ingrédients et le bouquet garni dans une petite marmite, ajoutez le blanc d'œuf et mélangez à feu doux avec un fouet ; ajoutez le bouillon, continuez à remuer jusqu'à ce qu'il se forme une mousse épaisse en surface. Cessez alors de battre au fouet, réduisez le feu et continuez la cuisson à très petits bouillons pendant 1 h 30 à 2 heures. Ne laissez pas le liquide bouillir trop fort, car la mousse se désagrégerait, troublant le consommé.

Filtrez en passant le consommé à travers un coton à fromage humide ou bien un chinois fin doublé de toile épaisse. Filtrez une seconde fois en versant le consommé sur la mousse restant dans le coton à fromage ou le chinois : il sera alors parfaitement limpide.

Si vous le servez chaud, réchauffez-le et, si c'est nécessaire, rajoutez du sel. Si vous le servez froid, laissez-le refroidir à la température ambiante : vous pouvez ensuite le passer au réfrigérateur où il prendra en gelée.

CLARIFIER LE CONSOMMÉ

Fouettez pour former une mousse.

Filtrez en fin de cuisson.

Bouillons

Ces potages clarifiés sont, en fait, le liquide dans lequel on a fait cuire de la viande, de la volaille, du poisson ou des légumes avec des aromates. Dans la plupart des cas, ils sont d'ailleurs un dérivé du plat de résistance, comme le classique pot-au-feu. Les bouillons de viande ou de volaille sont plus savoureux si on les laisse mijoter longtemps. On peut les épaissir en y ajoutant de l'orge ou du riz. Enfin, ils fournissent un excellent jus de cuisson pour braiser les légumes.

Bouillon écossais

Ce bouillon, facile à préparer et très nourrissant, se compose de mouton, d'orge et de légumes ; il constitue un repas complet.

PRÉPARATION : 30 minutes
CUISSON : 2-3 heures

INGRÉDIENTS (8 personnes)
450 g de cou de mouton
125 g d'orge perlé
2 oignons
220 g de carottes
220 g de navets
3 poireaux
Sel et poivre noir
Persil finement haché

Demandez à votre boucher de couper la viande en petits morceaux. Mettez la viande dans une grande marmite avec 3 litres d'eau. Portez à ébullition et écumez. Réduisez le feu, ajoutez l'orge et laissez mijoter pendant 20 à 30 minutes.

Pendant ce temps, pelez et hachez finement les oignons, les carottes et les navets. Enlevez la partie coriace des poireaux, lavez-les et détaillez-les en rondelles. Mettez tous les légumes dans la marmite avec 1 c. à thé de sel et poivrez généreusement. Couvrez et faites mijoter à feu doux pendant 2 heures. Retirez les os de la marmite, détachez-en toute la viande et remettez celle-ci dans le bouillon. Rectifiez l'assaisonnement et servez, garni de persil.

Pot-au-feu

PRÉPARATION : 20 minutes
CUISSON : 2 h 30

INGRÉDIENTS (6 à 8 personnes)
900 g de haut-de-ronde
2,5 litres de fond brun
2 grosses carottes
1 navet
2 gros oignons
2-3 poireaux
1 côte de céleri
1 petit chou
Les abats d'un poulet

Ficelez solidement la viande pour qu'elle conserve sa forme pendant la cuisson. Mettez-la, avec le fond froid, dans une marmite. Couvrez et portez lentement à ébullition. Ecumez régulièrement.

Entre-temps, pelez les carottes, les oignons et le navet ; coupez-les en morceaux de même grosseur. Otez les racines et les feuilles extérieures des poireaux et tranchez-les en rondelles. Nettoyez et hachez grossièrement le céleri et coupez le chou en quatre après l'avoir lavé. Mettez tous les légumes dans la marmite, sauf le chou, et laissez mijoter doucement pendant 1 h 30. Ajoutez les abats de poulet bien nettoyés et continuez la cuisson pendant encore 30 minutes avant de mettre le chou. Laissez sur le feu jusqu'à ce que le chou soit tendre, soit entre 15 et 20 minutes.

Retirez la viande et les légumes de la marmite et gardez-les au chaud. Déficelez la viande et tranchez-la. Servez avec les légumes, des pommes de terre bouillies et une sauce au raifort (p. 272).

Servez le bouillon le lendemain, accompagné de riz, de pâtes ou de croûtons de pain (p. 268).

Potages liés

Cette variété de potage comprend les purées, les crèmes et les veloutés. Les premières sont épaissies avec des féculents comme de la farine, des céréales ou des pommes de terre ; pour les crèmes, on emploie du beurre et de la crème, et aux veloutés on ajoute des jaunes d'œufs. Les liaisons, qui permettent d'épaissir un potage, lui donnent plus de texture et en modifient la couleur. Il est important de respecter les proportions lorsqu'on incorpore une liaison, afin d'éviter la formation de grumeaux ou l'obtention d'une consistance trop épaisse.

Proportions liaison-liquide

Potage riche en fécule
2-3 c. à soupe de farine
625 ml de liquide

Potage à faible teneur en fécule
1-2 c. à soupe de farine
625 ml de liquide

Velouté et crème
1-2 jaunes d'œufs ou
10 c. à soupe de crème
625 ml de liquide

Purées

Pour préparer ces potages, on en passe les principaux ingrédients au tamis ou on les réduit en purée au mixer. L'addition d'une liaison permet de les épaissir. Les purées sont généralement préparées avec des légumes, mais on peut aussi utiliser de la viande, de la volaille, du poisson et même des fruits.

Les purées à base de féculents comme les pois secs ou cassés, les fèves ou les pommes de terre, donnent une soupe assez épaisse pour qu'il soit inutile d'y ajouter de la fécule, sinon en faible quantité. On doit même parfois les étendre avec un peu de bouillon ou d'eau.

Il faut, par contre, épaissir avec de la farine si on a employé des épinards, du cresson ou tout autre légume à feuilles. Cette liaison empêche également la purée de se déposer au fond de la casserole. Délayez la quantité nécessaire de farine dans quelques cuillerées à soupe d'eau froide, incorporez cette liaison au potage en remuant et portez à ébullition à feu doux.

PRÉPARER UNE PURÉE

Passez les légumes cuits au tamis.

Raclez le tamis.

Potage Parmentier

PRÉPARATION : *15 à 20 minutes*
CUISSON : *20 minutes*

INGRÉDIENTS *(4 à 6 personnes)*
2 poireaux
450 g de pommes de terre
3 c. à soupe de beurre
1,5 litre de fond blanc (p. 266)
Sel et poivre noir

Lavez et émincez les poireaux ; épluchez et hachez grossièrement les pommes de terre. Faites revenir les poireaux dans un faitout avec 2 cuillerées à soupe de beurre, en prenant garde de ne pas les faire roussir. Ajoutez les pommes de terre, puis le fond. Assaisonnez légèrement avec le sel et le poivre fraîchement moulu. Portez à ébullition, couvrez et laissez mijoter jusqu'à ce que les pommes de terre soient à point.

Retirez le faitout du feu et laissez refroidir un moment. Passez les légumes au tamis ou réduisez-les en purée au mixer par petites quantités. Réchauffez à feu doux, vérifiez l'assaisonnement et ajoutez le reste du beurre en remuant.

Potage aux tomates

PRÉPARATION : *25 minutes*
CUISSON : *30 minutes*

INGRÉDIENTS *(6 personnes)*
450 g de tomates bien mûres
1 oignon
2 c. à soupe de beurre
Sel et poivre noir
100 g de riz à grains longs
1,5 litre de fond blanc (p. 266)
Bouquet garni

Pelez et émincez l'oignon. Blanchissez les tomates, pelez-les et, après les avoir coupées en deux, enlevez-en les graines, puis concassez la pulpe. Faites fondre le beurre dans une casserole à fond épais et mettez-y les oignons à blondir, jusqu'à ce qu'ils soient transparents. Ajoutez les tomates, un peu de sel et du poivre fraîchement moulu ; en remuant, versez le riz en pluie, puis ajoutez le fond et, enfin, le bouquet garni. Portez à ébullition, couvrez, réduisez le feu et laissez mijoter de 15 à 20 minutes, jusqu'à ce que le riz soit tendre. Retirez le bouquet garni.

Passez la purée au tamis (un mixer ne supprimerait pas les graines qui auraient pu rester) ; réchauffez à feu doux et goûtez pour rectifier l'assaisonnement.

Crèmes et veloutés

Ces potages liés sont un mélange de purées et de sauce Béchamel (p. 269). Pour les rendre plus onctueux et les épaissir, on ajoute généralement de la crème aux premières, des jaunes d'œufs, ou encore les deux, aux seconds.

La purée de légumes constitue la base de la plupart des crèmes, mais on peut également opter pour du poulet ou du poisson comme principal ingrédient. Dans le cas des crèmes de poulet, on fait cuire la viande à part dans un fond blanc. Ensuite, on l'émince et on l'ajoute à la sauce blanche qu'on peut allonger avec un peu de bouillon jusqu'à l'obtention de la consistance voulue. Les crèmes se préparent en peu de temps et se conservent bien au congélateur.

Au moment d'épaissir les potages avec de la crème ou des jaunes d'œufs, il faut prendre garde de ne pas faire de grumeaux. Mettez la crème ou les jaunes d'œufs dans un bol et battez-les avec un peu de fond chaud pour que la liaison soit de la même température que le potage. Ensuite, versez la liaison dans la soupe chaude en remuant continuellement, mais sans laisser bouillir. On fait généralement réchauffer les crèmes et les veloutés au bain-marie.

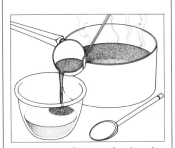

Versez un peu de potage chaud sur la crème ou les jaunes d'œufs dans un bol et mélangez rapidement.

Crème de légumes

PRÉPARATION : *20 minutes*
CUISSON : *15 à 20 minutes*

INGRÉDIENTS *(4 personnes)*
450 g de légumes (carottes, céleri, poireaux, chou)
4 c. à soupe de beurre
625 ml de sauce Béchamel (p. 269)
Sel et poivre noir
350 à 500 ml de lait
125 ml de crème légère

Pelez et lavez les légumes avant de les hacher finement. Blanchissez-les 2 minutes, puis égouttez-les dans une passoire.

Faites fondre le beurre à feu doux dans une casserole, puis faites-y étuver les légumes 5 à 10 minutes jusqu'à ce qu'ils soient tendres. Ajoutez la sauce blanche, le sel et le poivre, et laissez mijoter 15 minutes.

Passez le mélange au tamis ou encore réduisez-le en purée au mixer. Réchauffez le potage à feu doux sans toutefois le laisser bouillir et allongez-le avec le lait, jusqu'à l'obtention de la consistance désirée. Incorporez la crème juste avant de servir.

GARNITURES POUR POTAGES

On ajoute généralement des garnitures à un potage pour le plaisir des yeux, ou encore pour le rendre plus savoureux. Dans certains cas, on le fait pour obtenir un contraste de textures et de couleurs.

Le **consommé julienne** est décoré de bâtonnets de carottes, de céleri, de poireaux et de navets. On les attendrit dans de l'eau bouillante salée, puis on les rince à l'eau froide et on les ajoute au consommé chaud juste au moment de servir.

Le **consommé à la royale** est décoré de morceaux de crème aux œufs découpés avec des emporte-pièce de formes variées. Battez un œuf avec 1 cuillerée à soupe de fond clarifié et versez la préparation dans un bol. Placez celui-ci au bain-marie dans le four, à 180°C pendant 20 minutes ou jusqu'à ce que la crème soit ferme.

Les **croûtons** sont des dés de pain frits dans le beurre ou passés au four jusqu'à ce qu'ils soient croustillants et dorés. Ils constituent la garniture classique des potages liés. On les sert dans le potage ou à part.

Le **fromage** convient fort bien à la plupart des potages aux légumes. Choisissez un fromage à pâte dure et au goût prononcé comme le parmesan, le romano ou le cheddar ; râpez-le et saupoudrez-en le potage ou servez-le à part. Vous pouvez aussi le mélanger avec des fines herbes fraîchement hachées.

Les **boulettes de pâte** sont idéales pour faire un repas substantiel avec un potage à la viande ou aux légumes. Mélangez 125 g de farine avec 100 g de graisse de bœuf, une pincée de sel et du poivre noir frais moulu ; vous pouvez ajouter des herbes hachées comme du persil ou encore de la sauge. Versez suffisamment d'eau froide pour obtenir une masse ferme. Façonnez 16 boulettes et plongez-les dans le potage en train de mijoter, 15 à 20 minutes avant la fin de la cuisson.

Les **biscottes** ou **toasts Melba** sont de minces tranches de pain blanc qu'on fait griller, puis qu'on coupe en deux dans le sens de l'épaisseur pour faire sécher au gril les faces restées blanches. On peut également couper du pain rassis en tranches très fines, placer celles-ci dans du papier d'aluminium et les faire sécher dans le bas d'un four, à 120°C.

Les **pâtes** servent de garniture pour bon nombre de potages clairs. Cassez en petits morceaux des macaronis, des spaghettis ou des tagliatelles et ajoutez-les au potage pour les 20 dernières minutes de cuisson. Dans le cas des consommés chauds, faites cuire les pâtes séparément afin que l'amidon ne brouille pas le liquide.

Les **légumes** et les **fruits** donnent de la couleur aux crèmes nature. Les feuilles de céleri, de cresson et de persil doivent être lavées et finement hachées avant d'être ajoutées à l'appareil de base.

Coupé en bâtonnets, le concombre garnit joliment les consommés froids. Pour les potages chauds, fai-tes revenir des bâtonnets de concombre ou de fines rondelles de poireaux dans un peu de beurre.

Décorés de minces tranches de citron ou d'orange, les potages clairs ou aux tomates paraissent encore plus savoureux.

Des champignons émincés donnent aux crèmes plus de consistance et de saveur. Faites-les sauter dans un peu de beurre et égouttez-les soigneusement avant de les déposer à la cuillère dans les bols remplis de potage.

Tous les potages gagnent en saveur quand on y ajoute des rouelles d'oignon. On peut les faire revenir dans le beurre ou les passer dans du lait et de la farine et les faire frire jusqu'à ce qu'elles soient dorées et croustillantes.

GARNIR UN POTAGE

Consommé Julienne.

Consommé à la royale.

Couper les croûtons de pain.

Trancher les biscottes.

Roux, sauces et vinaigrettes

C'est au Moyen Age, alors qu'il fallait masquer le goût faisandé des viandes mal conservées, que les sauces ont acquis leurs quartiers de noblesse. De nos jours, on les utilise pour donner plus de couleur et de saveur à des mets qui, sans elles, seraient trop fades.

Les sauces salées comprennent les roux blanc, blond et brun, les sauces à base d'œufs, les sauces froides et les vinaigrettes. C'est aux chefs français que revient la paternité de la majorité de ces centaines de sauces. Par contre, la plupart des sauces pour entremets sont originaires d'Angleterre et d'Amérique du Nord. Enfin, les sauces au raifort et les compotes de pommes et d'autres fruits sont considérées comme des sauces piquantes.

Qu'il s'agisse de lait, de vin, de fond, de jus de fruits ou de légumes, c'est le liquide qui est le principal ingrédient de toutes les sauces. On l'épaissit avec un corps gras, de la farine, de l'arrowroot, des œufs ou de la crème, mais on peut aussi le faire réduire sur le feu jusqu'à l'obtention de la consistance désirée.

SAUCES DE BASE

En voici deux recettes : le roux et la sauce blanche.

Roux

On détermine la couleur d'un roux (blanc, blond ou brun) en faisant cuire plus ou moins longtemps du beurre et de la farine. Faites fondre du beurre jusqu'à ce qu'il soit plus ou moins noisette, ajoutez une quantité égale de farine et faites cuire à feu moyen en remuant constamment jusqu'à l'obtention de la couleur désirée.

Avec du lait ou un fond, délayez ensuite le roux qui, au début, prendra la consistance d'une pâte ferme. Fouettez vigoureusement jusqu'à ce que le mélange se détache complètement des parois de la casserole et ajoutez encore un peu de liquide. Laissez la liaison épaissir et bouillir entre chaque addition de liquide. Pour que le roux soit bien lisse, il est indispensable de remuer continuellement. Une fois que vous aurez versé tout le lait ou le bouillon, portez à ébullition, laissez mijoter environ 5 minutes et assaisonnez de sel et de poivre.

On utilise le roux blond pour confectionner une sauce couleur ivoire et le roux brun pour une sauce plus foncée.

SAUCE BLANCHE

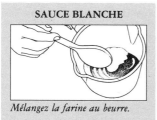

Mélangez la farine au beurre.

Faites épaissir en remuant.

Ajoutez le lait progressivement.

SAUCES BLANCHES SIMPLES

	Base	Autres ingrédients	Préparation	Accompagnement
Au beurre	250 ml de sauce blanche (remplacez le lait par de l'eau légèrement salée)	1 jaune d'œuf 1 c. à soupe d'eau 6 c. à soupe de beurre	Battez le jaune avec l'eau et incorporez-le à la sauce avec le beurre défait en morceaux.	Poisson ou légumes
Aux câpres	250 ml de sauce blanche (remplacez la moitié du lait par un fond blanc ou de poisson)	1 c. à soupe de jus de câpre ou de citron 1 c. à soupe de câpres	Incorporez, avant de faire la sauce, le jus de câpre ou de citron au fond et, au moment de servir, les câpres hachées.	Poisson poché
Aux champignons	250 ml de sauce blanche	120 g de champignons 1 c. à soupe de beurre Le jus d'un citron	Lavez et tranchez les champignons. Faites-les revenir dans le beurre avec le jus de citron. Egouttez avant d'ajouter à la sauce.	Poisson, viande, volaille
Au fromage	250 ml de sauce blanche	80 g de cheddar fort râpé 2 pincées de moutarde sèche 1 pincée de cayenne	Mélangez le fromage râpé à la sauce jusqu'à ce qu'elle soit lisse. Ajoutez la moutarde et le poivre de Cayenne.	Œufs, poisson, pâtes et légumes
Aux œufs	250 ml de sauce blanche	1 œuf dur 2 c. à soupe de ciboulette hachée	Hachez finement l'œuf et la ciboulette et ajoutez-les à la sauce.	Poisson poché ou bouilli
Au persil	250 ml de sauce blanche	2 gros bouquets de persil	Hachez finement le persil et ajoutez-le à la sauce avant de servir.	Poisson poché ou bouilli, légumes
Au poisson	250 ml de sauce blanche (remplacez la moitié du lait par un fond de poisson d'abord réchauffé avec 1 feuille de laurier et le zeste d'un demi-citron, puis passé)	100 g de crevettes ou 1 c. à thé de pâte d'anchois	Décortiquez et hachez les crevettes. Ajoutez les crustacés ou la pâte d'anchois avant d'assaisonner la sauce.	Poisson poché ou bouilli

Sauce blanche

Faites fondre 3 cuillerées à soupe de beurre à feu doux dans une casserole, sans le laisser colorer, ajoutez la même quantité de farine et mélangez à la cuillère de bois. Quand la préparation commence à mousser, délayez-la avec 500 ml de liquide chaud (eau, lait, bouillon) en remuant vivement ; laissez cuire 10 minutes très doucement, sans bouillir. Assaisonnez au goût.

Pour une sauce légère, diminuez la quantité de farine : 1-2 cuillerées à soupe au lieu de 3. Cette sauce légère est souvent épaissie de 1-2 jaunes d'œufs et parfois de crème fraîche pour lui donner du velouté.

Pour une sauce très épaisse (utilisée également pour la préparation des croquettes), augmentez au contraire la quantité de farine : 4-5 cuillerées à soupe au lieu de 3.

La sauce blanche sert de base à bon nombre de sauces riches et relevées, comme la béchamel et le velouté, qui servent à confectionner des sauces blanches composées.

Sauce Béchamel

PRÉPARATION : *20 minutes*
CUISSON : *5 à 10 minutes*

INGRÉDIENTS : *(pour 250 ml)*
250 ml de lait
La moitié d'une feuille de laurier
1 branche de thym
1 petit oignon
1 c. à thé de muscade râpée
2 c. à soupe de beurre
2 c. à soupe de farine
Sel et poivre noir
2-3 c. à soupe de crème (facultatif)

Mettez dans une casserole le lait, la feuille de laurier, le thym, l'oignon et la muscade et portez lentement à ébullition. Retirez du feu, couvrez et laissez le lait infuser pendant 15 minutes. Faites fondre le beurre dans une casserole à fond épais, mélangez-y la farine et faites cuire le roux 3 minutes.

Passez le lait, ajoutez-le progressivement au roux et portez à ébullition en remuant constamment. Laissez mijoter 2-3 minutes, vérifiez l'assaisonnement et ajoutez, si vous le voulez, de la crème.

CONSISTANCE DES SAUCES

		Ingrédients	
	Emploi	Beurre, farine	Lait
Claire	Base des crèmes	1 c. à soupe de chacun	250 ml
Moyenne	Accompagnement	1½ c. à soupe de chacun	250 ml
Légèrement épaisse	Mets en sauce blanche	2 c. à soupe de chacun	250 ml
Très épaisse	Base pour croquettes et soufflés	3 c. à soupe de chacun	250 ml

Roux, sauces et vinaigrettes

SAUCES BLANCHES COMPOSÉES

	Ingrédients	Préparation	Accompagnement
Allemande	250 ml de sauce veloutée 2 jaunes d'œufs 125 ml de fond blanc 3 c. à soupe de beurre	Délayez les jaunes avec le fond et incorporez à la sauce. Laissez mijoter en remuant, jusqu'à ce que la liaison soit lisse. Faites réduire du tiers. Ajoutez, en remuant, le beurre défait en morceaux.	*Poulet, œufs, poisson, légumes*
Aurore	250 ml de sauce veloutée 4 c. à soupe de purée de tomates ou 1 c. à soupe de concentré 3 c. à soupe de beurre	Mélangez la purée de tomates ou le concentré de tomate avec la sauce. Ajoutez, en remuant, le beurre défait en morceaux. Vérifiez l'assaisonnement.	*Œufs, volaille, ris de veau, poisson, légumes*
Chantilly	250 ml de sauce veloutée 125 ml de crème épaisse	Fouettez la crème jusqu'à la rendre onctueuse ; incorporez-la à la sauce suprême.	*Servez immédiatement avec de la volaille*
Chaud-froid	250 ml de sauce veloutée 250 ml de fond blanc gélifié 4 c. à soupe de crème légère	Incorporez le fond et la crème à la sauce. Faites-la réduire à feu doux. Vérifiez l'assaisonnement.	*Froide, pour napper le poulet, les œufs et le poisson*
Hongroise	250 ml de sauce veloutée 1 oignon 2 c. à soupe de beurre 1 bouquet garni 1 pincée de paprika 6 c. à soupe de vin blanc	Faites fondre l'oignon finement haché dans le beurre. Ajoutez les autres ingrédients, portez à ébullition et laissez réduire de moitié. Passez cette réduction au chinois, puis incorporez-la à la sauce.	*Poisson et veau*
Mornay	250 ml de béchamel 80 g de gruyère ou de parmesan râpé	Ajoutez le fromage à la sauce, sans réchauffer.	*Poulet, œufs, veau, poisson, légumes et pâtes*
Suprême	250 ml de sauce veloutée 2 jaunes d'œufs 2 c. à soupe de crème épaisse 2 c. à soupe de beurre	Battez ensemble les jaunes et la crème. Mélangez le tout à la sauce et chauffez sans laisser bouillir. Ajoutez, en remuant, le beurre défait en morceaux.	*Servez immédiatement avec des œufs, de la volaille ou des légumes*

SAUCES BRUNES COMPOSÉES

	Ingrédients	Préparation	Accompagnement
Demi-glace	250 ml de sauce espagnole 125 ml de fond brun gélifié	Portez à ébullition la gelée de fond brun et la sauce espagnole. Cuisez jusqu'à ce que la préparation soit limpide et suffisamment épaisse pour adhérer au dos d'une cuillère.	*Gibier : ajoutez 3 cuillerées à soupe de madère en fin de cuisson Volaille : ajoutez 180 g de champignons et 1 cuillerée à soupe de madère*
A la diable	250 ml de sauce espagnole 1 petit oignon 250 ml de vin blanc 1 c. à soupe de vinaigre de vin 1 branche de thym 1 petite feuille de laurier 1 c. à soupe de persil Poivre de Cayenne	Hachez finement l'oignon et mélangez-le avec le vin, le vinaigre, le thym et le laurier. Portez à ébullition et laissez réduire de moitié. Passez et ajoutez à la sauce espagnole. Laissez bouillir quelques minutes avant d'ajouter le persil haché fin et le poivre de Cayenne.	*Poulet*
Robert	250 ml de sauce espagnole 1 oignon 1 c. à soupe de beurre 8 c. à soupe de vin rouge 1 c. à thé de moutarde	Faites fondre l'oignon haché dans le beurre, ajoutez le vin rouge, portez à ébullition et laissez réduire de moitié. Passez et incorporez à la sauce espagnole. Réchauffez et ajoutez la moutarde en remuant.	*Rôti de porc*
Tomate	250 ml de sauce espagnole (remplacez le fond par du jus de tomate) 115 g de jambon	Coupez le jambon en dés et ajoutez-le à la sauce en fin de cuisson.	*Poulet rôti, restes de viande, côtelettes, pâtes, croustades de viande*
Au vin rouge	250 ml de sauce espagnole La moitié d'un oignon 4 c. à soupe de beurre 250 ml de vin rouge 1 c. à thé de moutarde	Faites fondre l'oignon haché dans la moitié du beurre, ajoutez les autres ingrédients, portez à ébullition et laissez réduire de moitié. Passez et incorporez à la sauce espagnole. Faites de nouveau réduire d'un tiers et ajoutez le reste de beurre en remuant.	*Gibier*

Sauce veloutée

PRÉPARATION : *5 à 10 minutes*
CUISSON : *1 heure*

INGRÉDIENTS (*pour 250 ml*)
2 c. à soupe de beurre
2 c. à soupe de farine
500 ml de fond blanc
Sel et poivre noir
1-2 c. à soupe de crème légère ou épaisse (facultatif)

Préparez un roux avec le beurre et la farine. Ajoutez graduellement le fond chaud en remuant, jusqu'à ce que la liaison soit lisse. Portez à ébullition, baissez le feu et laissez la sauce mijoter environ 1 heure ou jusqu'à ce qu'elle ait réduit de moitié. Remuez de temps en temps avec une cuillère en bois. Passez la sauce au chinois et assaisonnez-la au goût. Ajoutez, si vous voulez, de la crème légère ou de la crème épaisse et remuez bien.

SAUCES BRUNES

La sauce brune de base se prépare comme la sauce blanche, avec un roux composé à parts égales de farine et d'un corps gras, mouillés avec un liquide (fond brun). Faites fondre le corps gras dans une casserole et ajoutez la farine en remuant. Cuisez à feu doux sans cesser de remuer avec une cuillère en bois jusqu'à ce que le roux prenne de la couleur. Toujours en remuant, ajoutez lentement le fond brun et continuez comme pour la sauce blanche.

Sauce espagnole
Cette recette classique, préparée avec un roux brun, est à la base de plusieurs sauces brunes composées.

PRÉPARATION : *10 minutes*
CUISSON : *1 h 15*

INGRÉDIENTS (*pour 250 ml*)
1 carotte
1 oignon
60 g de lard salé maigre, blanchi
2 c. à soupe de beurre
2 c. à soupe de farine
500 ml de fond brun
1 bouquet garni
2 c. à soupe de concentré de tomate
Sel et poivre noir

Pelez la carotte et l'oignon et coupez-les en dés, ainsi que le lard dont vous aurez ôté la couenne. Faites fondre le beurre dans un faitout et mettez-y à cuire ces trois ingrédients à feu doux pendant 10 minutes ou jusqu'à ce qu'ils soient bien dorés.

Incorporez la farine et remuez jusqu'à ce qu'elle commence à brunir. Mouillez progressivement avec 250 ml de fond brun, sans cesser de remuer, jusqu'à ce que le mélange soit cuit et ait épaissi. Ajoutez le bouquet garni, couvrez et placez une plaque diffusante entre le feu et la casserole. Laissez mijoter 30 minutes, ajoutez le reste de fond et le concentré de tomate. Couvrez de nouveau et prolongez la cuisson pendant 30 minutes en remuant fréquemment. Passez alors la sauce au chinois, dégraissez et vérifiez l'assaisonnement.

SAUCE ESPAGNOLE

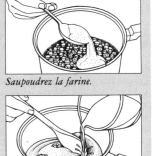

Saupoudrez la farine.

Mouillez avec le fond.

Passez la sauce.

Sauce au jus
De toutes les sauces brunes, c'est la plus facile à préparer et celle qu'on sert le plus souvent avec un rôti. On l'obtient en faisant bouillir dans un fond brun les jus de rôti restés au fond de la lèchefrite.

Sauce au jus épaisse

Retirez toute la graisse de la lèche-frite à l'exception de 2 cuillerées à soupe environ. Incorporez 1 cuillerée à soupe de farine et mélangez avec soin. Faites cuire en remuant constamment avec une cuillère en bois, jusqu'à ce que la sauce épaississe et prenne de la couleur. Mouillez graduellement avec 250 ml de fond brun ou d'un fond aux légumes, préalablement réchauffé. Laissez bouillir 2-3 minutes, assaisonnez et passez.

Sauce au jus claire

Dégraissez complètement la lèche-frite en ne conservant que les résidus de viande. Ajoutez 250 ml de fond aux légumes ou de fond brun chaud, remuez bien et faites bouillir 2-3 minutes pour que la sauce réduise légèrement.

Substances épaississantes

Pour relever et enrichir les sauces blanches et brunes de base, on peut utiliser de la fécule de maïs ou de l'arrow-root délayés dans de l'eau, du beurre manié (mélangé avec de la farine), ou encore des jaunes d'œufs et de la crème.

Fécule de maïs et arrow-root

Pour obtenir une sauce onctueuse avec 250 ml de liquide, délayez 1 cuillerée à soupe de fécule de maïs dans 3 cuillerées à soupe d'eau froide et remuez jusqu'à l'obtention d'une pâte lisse. Ajoutez un peu du liquide chaud à la liaison, puis versez le tout dans l'appareil de base. Portez à ébullition en remuant constamment pendant 2-3 minutes.

L'arrow-root est idéal pour épaissir les sauces claires juste avant de servir. Pour épaissir 250 ml de sauce, délayez 2 cuillerées à thé d'arrow-root dans un peu d'eau et incorporez-le au liquide chaud.

Beurre manié

Il constitue la liaison par excellence pour épaissir les sauces et les ragoûts en fin de cuisson. Travaillez à la fourchette 2 cuillerées à soupe de beurre et 4 cuillerées à soupe de farine jusqu'à l'obtention d'une pâte homogène. Incorporez au liquide chaud par petites quantités. Remuez ou fouettez constamment pour dissoudre le beurre et répartir la farine également. Laissez mijoter jusqu'à ce que la sauce soit lisse et épaisse, sans bouillir.

Jaunes d'œufs et crème

Ces ingrédients relèvent une sauce blanche nature. Mélangez 1 jaune d'œuf et 2-3 cuillerées à soupe de crème. Mouillez avec un peu de sauce chaude pour que la liaison atteigne la même température. Retirez la sauce du feu et versez-y la liaison en remuant avec une cuillère en bois. Remettez la casserole sur le feu et laissez mijoter à feu doux sans faire bouillir.

SAUCES À BASE D'ŒUFS

Il faut beaucoup de soin et de pratique pour réussir ces sauces particulièrement riches. Elles sont préparées avec des jaunes d'œufs et beaucoup de beurre. En battant continuellement ces deux ingrédients, leur émulsion donne une sauce épaisse et crémeuse.

Sauce hollandaise

PRÉPARATION : *10 minutes*
CUISSON : *15 minutes*

INGRÉDIENTS *(pour 250 ml)*
3 c. à soupe de vinaigre
3 jaunes d'œufs
250 g de beurre d'excellente qualité
½ c. à thé de jus de citron
Sel, poivre

Dans une petite casserole, mettez le vinaigre avec 2 cuillerées à soupe d'eau, faites réduire à feu très doux afin d'obtenir environ 1 cuillerée à soupe de liquide ; laissez refroidir. Dans une autre casserole, mettez les jaunes d'œufs, la réduction et 1 cuillerée à soupe d'eau froide. Coupez le beurre en morceaux de la grosseur d'une noix, ajoutez un morceau dans la casserole contenant les jaunes d'œufs, placez la casserole dans un bain-marie contenant de l'eau très chaude sans être bouillante ; battez vivement les œufs avec le morceau de beurre à l'aide du fouet. Quand le mélange est lisse et onctueux, ajoutez un second morceau de beurre ; continuez ainsi jusqu'à épuisement du beurre. Assaisonnez au goût et ajoutez le jus de citron. Utilisez sans attendre.

La sauce hollandaise peut tourner lorsque la chaleur est trop soudaine ou le feu trop fort, ou encore si on y a ajouté le beurre trop rapidement. Si la sauce se défait, on peut la rattraper en la retirant du feu et en la fouettant avec 1 cuillerée à soupe d'eau froide.

Sauce béarnaise

PRÉPARATION : *20 minutes*
CUISSON : *20 minutes*

INGRÉDIENTS *(pour 250 ml)*
4 c. à soupe de vinaigre de vin blanc
4 c. à soupe de vin blanc
1 c. à soupe d'oignon (ou d'échalote) haché
1 pincée de poivre noir
3 jaunes d'œufs
8 c. à soupe de beurre
Sel et poivre noir
1 c. à thé d'estragon séché

Mettez dans une petite casserole le vinaigre, le vin, l'échalote ou l'oignon haché et le poivre ; après avoir porté à ébullition, laissez réduire jusqu'à ce qu'il ne reste plus que 2 cuillerées à soupe du mélange. Passez et laissez refroidir.

Continuez comme pour la sauce hollandaise et ajoutez l'estragon séché.

SAUCES FROIDES

De toutes les sauces froides, ce sont la mayonnaise et ses variantes qui sont le plus souvent utilisées. On les sert avec des hors-d'œuvre, des salades, des viandes froides ou du poulet. Tout comme les sauces hollandaise et béarnaise, la mayonnaise se prépare avec des œufs et un corps gras, mais on remplace le beurre par de l'huile.

Il est essentiel que tous les ingrédients et tous les ustensiles soient à la température ambiante. Sortez le bol, l'œuf et l'huile au moins une heure avant de faire la mayonnaise.

Mayonnaise

PRÉPARATION : *20 minutes*

INGRÉDIENTS *(pour 125 ml)*
1 jaune d'œuf
1 pincée de sel
2 pincées de moutarde sèche
Poivre noir
125 ml d'huile d'olive ou à salade
1 c. à soupe de vinaigre de vin blanc ou de jus de citron

Battez le jaune d'œuf jusqu'à ce qu'il ait épaissi. Toujours en battant, incorporez le sel, la moutarde et quelques pincées de poivre. Versez d'abord l'huile goutte à goutte en fouettant vigoureusement après chaque addition, jusqu'à ce que l'huile soit complètement absorbée ; dès que la mayonnaise est prise, versez le reste d'huile en un mince filet. A la fin, ajoutez le vinaigre.

On peut relever la mayonnaise avec de l'estragon, de l'ail, ou en remplaçant le vinaigre par du jus de citron. On peut également ajouter, à la toute fin, de la ciboulette, du persil haché ou de l'ail écrasé. Une autre variante consiste à incorporer 125 ml de crème fouettée à la mayonnaise. La mayonnaise peut tourner lorsque l'huile est trop froide ou si on la verse trop vite, ou encore si l'œuf n'est pas frais. Pour la rattraper, battez un jaune frais dans un bol propre et versez-y peu à peu la mayonnaise tournée sans cesser de battre. Vous pouvez également verser 1 cuillerée à thé d'eau tiède et fouetter jusqu'à ce que la mayonnaise ait pris.

MAYONNAISES	Ingrédients	Préparation	Accompagnement
Aux anchois	250 ml de mayonnaise *2 c. à thé de pâte d'anchois*	Mélangez la mayonnaise et la pâte d'anchois de façon homogène.	*Salades de poisson ou de légumes*
Aux herbes	250 ml de mayonnaise *125 ml d'herbes finement hachées : persil, ciboulette, cresson, épinard*	Mélangez les herbes hachées à la mayonnaise.	*Saumon froid*
A la moutarde	250 ml de mayonnaise *1 c. à soupe de moutarde de Dijon*	Mélangez la moutarde et la mayonnaise.	*Salades de poisson, de bœuf ou de légumes ; aspic de saumon*
A l'orange	250 ml de mayonnaise *Le zeste d'une orange 1-2 c. à soupe de crème fouettée*	Incorporez le zeste d'orange râpé et la crème légèrement fouettée à la mayonnaise.	*Salades*
Au raifort	250 ml de mayonnaise *1 c. à soupe de raifort frais râpé ou embouteillé et égoutté*	Mélangez bien le raifort et la mayonnaise.	*Salades de poisson ou de viande ; aspic de saumon*
Rémoulade (sauce)	250 ml de mayonnaise *1 c. à thé de chacun des ingrédients suivants : câpres, cornichons, persil, estragon, oignon*	Mélangez les herbes et les condiments finement hachés et ajoutez-les à la mayonnaise.	*Crustacés froids et plats aux œufs*
Tartare (sauce)	250 ml de mayonnaise *2 c. à thé de câpres 3 petits cornichons au vinaigre 1 c. à thé de ciboulette 1 c. à soupe de crème épaisse*	Hachez finement les cornichons et la ciboulette et incorporez tous les ingrédients à la mayonnaise.	*Poisson à la poêle ou au four*

VINAIGRETTES

Une bonne vinaigrette est essentielle à toute salade, mais on doit l'adapter aux ingrédients qui composent celle-ci. Si la vinaigrette classique est probablement celle qui convient le mieux à une salade verte, les salades aux œufs, au poisson, à la viande et aux légumes ont presque toujours besoin d'une sauce plus relevée. Enfin, pour une salade réunissant fruits et laitue, la vinaigrette traditionnelle pourrait s'avérer trop acide.

Il n'existe pas de règles strictes pour la préparation d'une vinaigrette, mais il est essentiel d'employer de l'huile d'olive ou de l'huile à salade légère. Epongez les légumes et versez la vinaigrette seulement au moment de servir.

Vinaigrette classique
PRÉPARATION : *3 minutes*

INGRÉDIENTS *(pour 125 à 175 ml)*
6 à 8 c. à soupe d'huile
2 c. à soupe de vinaigre
Sel et poivre noir
1 c. à soupe d'herbes finement hachées (basilic, ciboulette, persil ou estragon) ou 1 pincée d'herbes séchées (facultatif)

Versez l'huile et le vinaigre dans un bol ou un bocal muni d'un couvercle. Mélangez à la fourchette ou secouez. Salez et ajoutez du poivre fraîchement moulu. Pour une vinaigrette aux herbes, incorporez les aromates.

Vinaigrette à la moutarde
PRÉPARATION : *3 minutes*

INGRÉDIENTS *(pour 125 à 175 ml)*
8 c. à soupe d'huile
2 c. à soupe de vinaigre
2 c. à thé de moutarde de Dijon
2 pincées de sel
2 pincées de poivre

Après avoir mélangé tous les ingrédients selon la recette précédente, vous pouvez ajouter, au choix, les éléments suivants : 1-2 gousses d'ail écrasées ; 2 cuillerées à soupe de ciboulette ou d'estragon frais et haché ; 1 cuillerée à soupe de concentré de tomate et une pincée de paprika ; 2 cuillerées à soupe de persil finement haché et 2 autres d'oignon haché ou râpé ; 1 cuillerée à thé de pâte d'anchois (pour les salades de poisson ou de légumes cuits).

SAUCES DIVERSES

Sauce au pain
PRÉPARATION : *20 minutes*
CUISSON : *15 minutes*

INGRÉDIENTS *(pour 1 litre)*
1 oignon
1-2 clous de girofle
1 feuille de laurier
500 ml de lait
1½ tasse de chapelure blanche
2 c. à soupe de beurre
Sel et poivre noir

Pelez l'oignon et piquez-y les clous de girofle. Mettez-le dans une casserole avec la feuille de laurier et le lait ; portez à ébullition. Retirez la casserole du feu, couvrez-la et laissez infuser 15 minutes. Ajoutez la chapelure et le beurre. Remettez à cuire 15 minutes à feu très bas et sans couvrir, puis ôtez l'oignon et la feuille de laurier. Assaisonnez au goût. Servez avec du poulet ou de la dinde.

Sauce au raifort
PRÉPARATION : *10 minutes*

INGRÉDIENTS *(pour 200 ml)*
3 c. à soupe de raifort frais et râpé
125 ml de crème sure
Sel et poivre noir
1 pincée de moutarde sèche

Mélangez le raifort et la crème sure ; ajoutez les autres ingrédients. Servez avec du rôti de bœuf.

Sauce à la menthe
PRÉPARATION : *10 minutes*
INFUSION : *30 minutes*

INGRÉDIENTS *(pour 125 ml)*
1 poignée de feuilles de menthe
1-2 c. à thé de sucre
2 c. à soupe de vinaigre

Lavez et asséchez les feuilles de menthe. Déposez-les sur une planche, saupoudrez-les de sucre et hachez-les finement. Mettez-les dans un bol, arrosez de 2 cuillerées à soupe d'eau bouillante et remuez. Ajoutez le vinaigre et réservez 30 minutes. Une variante consiste à mélanger la menthe hachée avec 3-4 cuillerées à soupe de gelée de groseille. Ajoutez le zeste râpé d'une orange et mélangez bien le tout.

Servez avec du mouton ou de l'agneau rôti.

Sauce aux pommes
PRÉPARATION : *10 minutes*

INGRÉDIENTS *(pour 250 ml)*
450 g de pommes à cuire
2 c. à soupe de beurre doux
Sucre (facultatif)

Pelez et tranchez les pommes après avoir enlevé les trognons. Mettez-les dans une casserole avec 2-3 cuillerées à soupe d'eau et cuisez à feu doux une dizaine de minutes. Passez les pommes cuites dans un tamis à grosses mailles ou réduisez-les en compote au mixer. Incorporez le beurre en remuant et sucrez si besoin est. En ajoutant 1½ cuillerée à soupe de raifort fraîchement râpé, vous obtiendrez une sauce très relevée. Servez avec du porc, de l'oie ou du canard rôti.

Sauce aux canneberges
PRÉPARATION : *5 minutes*
CUISSON : *25 minutes*

INGRÉDIENTS
500 g de canneberges
1 morceau de gingembre de 2,5 cm
1 bâton de cannelle
2 c. à thé de toute-épice non moulue
6 clous de girofle
250 ml de vinaigre de cidre
200 g de cassonade

Mettez les canneberges dans une casserole avec les épices que vous aurez d'abord soigneusement enveloppées dans une gaze. Ajoutez le vinaigre et portez à ébullition. Laissez cuire à petits bouillons jusqu'à ce que les canneberges soient tendres ou que la peau commence à éclater, soit après 25 minutes environ. Ajoutez le sucre et laissez mijoter encore 20 minutes. Retirez les épices de la sauce et transvasez celle-ci dans de petits bocaux. Servez froid ou chaud avec un rôti de dinde.

SAUCES POUR ENTREMETS

Ces préparations simples à réaliser sont le complément indispensable de certains desserts. Rien de tel pour napper un gâteau de riz, une glace ou un biscuit qu'une sauce chaude aux fruits ou au chocolat.

Sauce aux abricots
PRÉPARATION : *5 minutes*
CUISSON : *6 minutes*

INGRÉDIENTS *(pour 250 ml)*
4 c. à soupe de confiture d'abricots
Jus et zeste d'un citron
1 c. à thé de fécule de maïs
2 c. à soupe de sucre (facultatif)

Lavez le citron, essuyez-le ; levez-en le zeste et hachez-le finement. Pressez le citron. Dans une petite casserole, délayez la fécule avec 100 ml d'eau ; ajoutez la confiture, mélangez. Faites cuire à feu doux jusqu'à ce que la confiture se dissolve ; ajoutez le jus et le zeste de citron.

Portez à ébullition, faites cuire 2 minutes en remuant sans arrêt.

Passez au mixer, au tamis ou au chinois, en pressant bien avec le dos d'une cuillère. Si vous voulez la sauce chaude, remettez-la sur le feu et reportez à bonne température en ajoutant, éventuellement, le sucre. Chaude ou froide, cette sauce accompagne des crèmes renversées, des glaces, des gâteaux de riz, de semoule ou des biscuits.

Sauce au brandy
PRÉPARATION ET CUISSON :
10 à 12 minutes

INGRÉDIENTS *(pour 250 ml)*
2 c. à soupe de brandy
1 c. à soupe de fécule de maïs
250 ml de lait
1 c. à soupe de sucre

Délayez la fécule dans un bol avec 1 cuillerée à soupe de lait. Portez le reste du lait à ébullition et versez-le sur la fécule en remuant bien. Versez la sauce dans la casserole, ajoutez le sucre et le brandy ; faites cuire 2-3 minutes à feu doux.

Servez la sauce chaude avec des poudings aux fruits cuits à l'étuvée.

Sauce au caramel
PRÉPARATION ET CUISSON :
25 minutes

INGRÉDIENTS *(pour 200 ml)*
6 c. à soupe de sucre en poudre
1½ c. à thé d'arrow-root
2 c. à soupe de beurre doux

Faites dissoudre le sucre à feu doux dans une casserole à fond épais. Montez le feu et laissez le sucre bouillonner jusqu'à ce qu'il caramélise et devienne d'un brun doré. Retirez la casserole du feu, ajoutez (sans remuer) 6 cuillerées à soupe d'eau bouillante et remettez le caramel sur le feu. Laissez mijoter quelques minutes en remuant sans arrêt jusqu'à dissolution complète.

Délayez l'arrow-root dans 4 cuillerées à soupe d'eau et ajoutez-le au caramel en remuant. Portez le mélange à ébullition à feu doux, ajoutez le beurre défait en morceaux et laissez cuire jusqu'à ce que la sauce soit épaisse et lisse, en remuant constamment pour l'empêcher de brûler.

Servez chaud avec de la crème glacée ou des pommes au four.

Sauce au chocolat
PRÉPARATION ET CUISSON :
15 minutes

INGRÉDIENTS *(pour 250 ml)*
60 g de chocolat noir
2 c. à thé rases de fécule de maïs
175 ml d'eau
4 c. à soupe de beurre doux
6 c. à soupe de sucre
1 c. à thé d'extrait de vanille

Cassez le chocolat en petits morceaux. Délayez la fécule dans une tasse ou un petit bol avec 30 ml d'eau. Mettez le chocolat avec le reste de l'eau dans une petite casserole et cuisez à feu doux jusqu'à ce qu'il soit dissous et d'une consistance lisse, mais ne le laissez pas bouillir. Incorporez la fécule délayée en remuant rapidement avec une cuillère en bois, puis ajoutez le beurre et le sucre.

Faites cuire la sauce quelques minutes sans cesser de remuer et ajoutez l'extrait de vanille.

Servez la sauce chaude avec un gâteau surgelé, de la crème glacée ou des poires pochées.

Sauce au miel

PRÉPARATION ET CUISSON :
8 minutes

INGRÉDIENTS *(pour 200 ml)*
4 c. à soupe de beurre doux
1½ c. à thé de fécule de maïs
125 à 175 ml de miel blanc liquide

Faites fondre le beurre à feu doux dans une petite casserole sans le laisser brunir ; ajoutez la fécule en remuant.

Incorporez le miel peu à peu et portez à ébullition en remuant constamment. Attendez 2-3 minutes, le temps que la fécule soit cuite.

Servez la sauce chaude avec de la glace à la vanille ou des bananes royales.

Sabayon

PRÉPARATION : *5 minutes*
CUISSON : *7 à 10 minutes*

INGRÉDIENTS *(pour 250 ml)*
4 jaunes d'œufs
6 c. à soupe de sucre
6 c. à soupe de madère, de champagne ou d'une liqueur de votre choix, ou encore de café fort

Réunissez dans une casserole à fond épais, si possible en cuivre non étamé, les jaunes d'œufs et le sucre. Battez longuement, jusqu'à l'obtention d'une pâte moelleuse et claire. Mouillez peu à peu avec l'alcool de votre choix.

Tout en mélangeant avec un fouet à sauce ou, à défaut, une cuillère en bois, faites cuire au bain-marie ou à feu très doux jusqu'à ce que le sabayon ait suffisamment épaissi pour que, en soulevant de quelques centimètres le fouet ou la cuillère, le mélange coule en ruban lisse, sans se briser. Retirez immédiatement du feu. Vous pouvez servir le sabayon comme garniture de crèmes renversées chaudes, de fruits ou de tarte aux pommes ou dans des coupes individuelles.

Sauce à la crème sure

PRÉPARATION : *10 minutes*
RÉFRIGÉRATION : *30 minutes*

INGRÉDIENTS *(pour 250 ml)*
125 ml de crème épaisse
125 ml de crème sure
1 c. à thé de sucre

Fouettez la crème jusqu'à ce qu'elle soit prise, puis incorporez la crème sure et le sucre. Réservez au réfrigérateur une trentaine de minutes.

Servez avec des fruits cuits ou en salade, ou encore des tartes aux fruits.

Crème fraîche

PRÉPARATION : *2 minutes*
REPOS : *8 heures*

INGRÉDIENTS *(pour 250 ml)*
250 ml de crème épaisse
2 c. à thé de lait de beurre, de yogourt ou de crème sure

Versez la crème dans un bocal, ajoutez le lait de beurre, le yogourt ou la crème sure et secouez pour mélanger le tout. Vissez le couvercle sans serrer et laissez le bocal dans le four pendant 8 heures ou toute la nuit, avec la veilleuse allumée ; vous pouvez aussi le garder dans une pièce chauffée à 30°C (à une température inférieure, vous devrez attendre entre 24 et 36 heures). Remuez, couvrez et réfrigérez. Une fois refroidie, la crème sera épaisse et prête à être utilisée.

Servez avec des fruits ou des entremets sucrés ou utilisez comme substitut de la crème sure dans la cuisine. Contrairement à la crème sure, la crème fraîche qui a bouilli ne tourne pas.

Crème au sirop

PRÉPARATION ET CUISSON :
8 minutes

INGRÉDIENTS *(pour 175 ml)*
4 c. à soupe de sirop de maïs clair
2 c. à thé d'arrow-root
2 c. à soupe de jus de citron

Délayez l'arrow-root dans une casserole avec 125 ml d'eau. Ajoutez le sirop et le jus de citron, portez à ébullition à feu doux en remuant constamment et laissez cuire jusqu'à ce que la sauce épaississe. Servez chaud avec de la crème glacée, des crêpes ou des gaufres.

Poissons et fruits de mer

Il faut cuire le poisson et les fruits de mer frais le jour même de l'achat. S'il constitue le plat principal, prévoyez 220 g de poisson vidé par convive, ou encore un beau filet ou une darne. Une truite ou un maquereau de taille moyenne suffit pour une personne. Par contre, si le poisson n'est qu'un élément du menu, réduisez les portions de moitié. De toute façon, il vaut mieux se tromper en calculant trop généreusement.

PRÉPARATION DU POISSON

Il est presque toujours possible de faire préparer le poisson par le poissonnier (il vous suffit alors de le laver), mais c'est une chose que l'on peut très bien faire soi-même. Les opérations principales, qui ne sont pas toujours toutes nécessaires, consistent à écailler et à vider le poisson, à en ôter la peau et parfois, à en lever les filets.

Écailler un poisson

Certains poissons, par exemple les anchois, les petites truites et les maquereaux, n'ont pas d'écailles.

Pour écailler un poisson, posez-le sur un morceau de papier épais et, en le maintenant par la queue, passez-lui dessus, en remontant de la queue vers la tête, la lame d'un couteau pas très aiguisé. Vous pouvez aussi utiliser un instrument spécialement adapté à cet usage.

Vider et nettoyer un poisson

Après avoir écaillé le poisson, videz-le et nettoyez-le. Ces opérations varient selon la forme du poisson ; pour les poissons ronds, en effet, comme la truite ou le maquereau, par exemple, les intestins sont dans le ventre ; pour les poissons plats, par contre, tels que le turbot ou la plie, ils sont dans une cavité derrière la tête.

Poissons ronds Avec un couteau pointu et bien aiguisé ou une paire de ciseaux de cuisine, fendez légèrement le poisson sous le ventre et sortez les intestins en vous aidant du couteau pour bien les détacher. On peut laisser la tête et la queue ou bien les couper avec un couteau bien aiguisé ; coupez aussi les nageoires (vous pouvez également les retirer en même temps que les branchies).

Pour finir, lavez le poisson intérieurement et extérieurement sous l'eau froide ; s'il reste un peu de peau noire à l'intérieur du ventre, éliminez-la en frottant délicatement avec du sel.

Pour nettoyer de petits poissons ronds tels qu'anchois ou sardines, vous devez, par contre, ôter la tête avec deux doigts, en pressant en même temps le ventre avec les doigts de l'autre main pour en faire sortir les intestins, puis tirer la tête délicatement ; ainsi les intestins se détacheront et vous éliminerez tout en même temps. Vous laverez ensuite le poisson sous l'eau froide courante en ouvrant bien le ventre.

Les anguilles se vendent parfois vivantes. Si vous le désirez, le poissonnier peut leur couper la tête et, lorsqu'elles sont grosses, leur ôter la peau.

Poissons plats Avec la pointe d'un couteau, pratiquez une incision semi-circulaire derrière la tête, du côté couvert de peau sombre ; sortez par là les intestins, puis lavez soigneusement le poisson sous l'eau froide courante.

Pour une plie que vous cuirez entière, vous pouvez aussi, avec un couteau ou une paire de ciseaux, ôter les nageoires latérales.

NETTOYER UN POISSON ROND

Fendez la poche ventrale.

Coupez les nageoires.

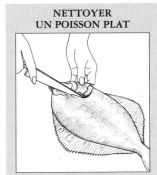

NETTOYER UN POISSON PLAT

Découpez derrière la tête.

Ôtez les nageoires latérales.

Poissons et fruits de mer

Oter la peau

Poissons ronds On les cuit en général avec la peau, mais on peut aussi lever celle-ci. Découpez la peau sous la tête en partant du centre du dos; avec la pointe d'un couteau fin, soulevez ensuite un morceau de peau tout autour de la tête (prenez le poisson avec un chiffon ou un morceau de papier pour qu'il ne glisse pas) et tirez délicatement en direction de la queue, puis coupez; procédez de la même manière pour l'autre côté.

Poissons plats Posez le poisson sur un plan de travail (la partie sombre tournée vers le haut), découpez la peau juste au-dessus de la queue, soulevez-en un morceau et tirez-le (en tenant solidement le poisson par la queue) en direction de la tête, d'un seul geste bien ferme (pour que le poisson ne glisse pas, vous pouvez prendre un chiffon ou tremper vos doigts dans un peu de sel fin), puis coupez la peau. En général, on n'enlève pas la peau blanche du ventre.

Lever les filets

Poissons ronds Otez la tête du poisson et, avec la pointe d'un couteau bien aiguisé, découpez la chair au centre du dos, de la tête vers la queue. Avec la lame du couteau légèrement inclinée par rapport à l'arête centrale, le tranchant tourné en direction de la queue, et en lui imprimant un mouvement de scie, détachez délicatement la chair du filet supérieur, en avançant vers la queue, jusqu'à ce que tout le filet soit libre et que vous puissiez le soulever.

Puis, avec la pointe du couteau, détachez l'arête du filet inférieur. **Poissons plats** Otez toute la peau du poisson, coupez les nageoires latérales et posez-le sur le dos (sur la partie qui était recouverte de peau noire). Avec la pointe d'un couteau, découpez-le le long de l'arête centrale, de la tête vers la queue, et pratiquez une incision semi-circulaire juste derrière la tête en pénétrant jusqu'à l'arête centrale. Inclinez le couteau (bien aiguisé et flexible) en formant un angle avec l'arête et, par petits coups brefs et précis, détachez de l'arête le filet

gauche, coupez le bout juste au-dessus de la queue. Tournez le poisson, la tête à la place de la queue, et découpez de la même façon le filet droit, puis tournez-le sur le ventre et répétez les mêmes opérations.

Retirer l'arête

Gros poisson rond Pour retirer l'arête d'un saumon, par exemple, coupez les nageoires et lavez-le à l'eau courante, en ouvrant le ventre pour enlever toute trace de sang.

Faites-le cuire dans un court-bouillon (p. 276). Avec un couteau coupant, découpez la peau juste sous la tête et juste au-dessus de la queue, ôtez-la délicatement en laissant intactes la tête et la queue.

Avec la pointe du couteau, coupez l'arête centrale juste sous la tête et juste au-dessus de la queue; découpez le poisson le long de l'arête en enfilant la lame du côté du dos; retirez l'arête à travers l'entaille sans séparer les filets du poisson.

Petit poisson rond Les poissons ronds, comme les petites truites ou les maquereaux, peuvent être cuits entiers ou farcis après qu'on leur a ôté l'arête.

Nettoyez le poisson et supprimez tête, queue et nageoires; découpez-le profondément le long du ventre, ouvrez-le, étendez-le sur la table, la peau en l'air, et pressez avec force le long de la ligne centrale pour détacher l'arête de la chair; puis, tournez-le et, avec la pointe d'un couteau, en allant de la tête vers la queue, enlevez l'arête centrale et le plus grand nombre possible de petites arêtes. Vous pouvez ensuite rapprocher les deux moitiés du poisson après l'avoir éventuellement farci.

Darnes

Les gros poissons sont souvent débités en darnes prises dans le corps même ou à l'extrémité de la queue. Il faut les nettoyer avant de les faire cuire, mais on doit conserver la peau, de même que la petite vertèbre qu'il vaut mieux enlever après la cuisson. Dans le cas contraire, on pourra la remplacer par une farce.

MÉTHODES DE CUISSON

Le poisson se cuit peu de temps, car, trop cuit, il durcit ou s'émiette, sèche et perd sa saveur.

La meilleure façon pour calculer le temps exact de cuisson est de mesurer l'épaisseur maximale du poisson et de compter 10 minutes par 2,5 cm. Ainsi, pour faire cuire un saumon entier de 10 cm d'épaisseur au centre, il faudra 40 minutes; pour faire frire un filet épais de 1,25 cm, il faudra 5 minutes.

Cette règle est valable quel que soit le poisson et quel que soit le type de cuisson employé. Il faut cependant doubler le temps de cuisson pour les poissons utilisés encore surgelés.

Cuisson au four

Cette méthode est utilisée pour des poissons entiers, en tranches ou en filets.

Badigeonnez le poisson avec de l'huile ou du beurre fondu, salez et poivrez; s'il s'agit d'un gros poisson entier, faites quelques incisions diagonales sur les côtés pour que la chaleur le pénètre uniformément, mettez-le dans un plat à bords bas allant au four, bien beurré ou huilé, posez le plat au centre du four que vous aurez allumé 10 minutes auparavant à environ 210°C et laissez cuire en calculant les temps comme il a été indiqué ci-avant.

Pendant la cuisson, arrosez souvent le poisson avec son jus. Vous pouvez recouvrir certains poissons à chair particulièrement sèche de fines tranches de lard.

On peut aussi farcir le poisson avant la cuisson, avec une farce composée, par exemple, de mie de pain finement émiettée, d'un peu d'huile ou de beurre fondu, de sel, de poivre, de persil ou autres fines herbes. Mettez la farce dans la cavité du ventre sans trop appuyer, car elle gonflera pendant la cuisson, et fermez l'ouverture avec du fil.

On peut également farcir des filets : beurrez-les avec le beurre composé de votre choix (p. 306), roulez-les sur eux-mêmes et liez-les en forme de paupiette.

ENLEVER LA PEAU D'UN POISSON ROND

Découpez la peau sous la tête.

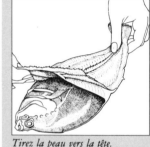

Tirez la peau vers la queue.

ENLEVER LA PEAU D'UN POISSON PLAT

Entaillez au-dessus de la queue.

Tirez la peau vers la tête.

LEVER LES FILETS D'UN POISSON ROND

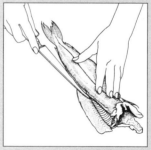

1 *Découpez au centre du dos.*

2 *Détachez le filet supérieur.*

3 *Détachez l'arête.*

4 *Otez la queue.*

RETIRER L'ARÊTE D'UN SAUMON CUIT

Tirez la peau vers la queue.

Coupez l'arête sous la tête.

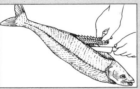

Enlevez délicatement l'arête.

RETIRER L'ARÊTE D'UN MAQUEREAU

Découpez le long du ventre.

Pressez le long de la ligne centrale.

Otez l'arête.

LEVER LES FILETS D'UN POISSON PLAT

1 Découpez le long de l'arête.

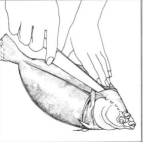

2 Découpez au-dessous de la tête.

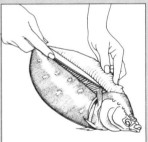

3 Séparez le filet de l'arête.

4 Détachez complètement le filet.

Cuisson en papillote

On peut aussi cuire un poisson au four après l'avoir enveloppé dans un morceau de feuille d'aluminium : ce système de cuisson — valable pour d'autres aliments — est excellent, car il conserve au mets toute sa saveur, son arôme et son moelleux. Il est aussi très commode, car il ne salit ni le four ni le récipient de cuisson.

Posez le poisson, le filet ou la tranche sur une feuille d'aluminium beurrée ou huilée, arrosez avec du jus de citron, saupoudrez de sel et de poivre et de plantes aromatiques ; attachez bien les bords de la feuille sans trop serrer autour du poisson et en donnant à la papillote une forme de demi-lune, ou faites un paquet rectangulaire en repliant les deux grands côtés sur le poisson et en roulant les deux extrémités latérales.

Posez la ou les papillotes sur une plaque ou un plat et glissez au centre du four allumé depuis 10 minutes à 220°C environ.

Braisage

Ce mode de cuisson vaut surtout pour les gros poissons.

Epluchez, lavez et hachez finement, pour un gros poisson, 2 carottes, 1 oignon, 1 poireau ou 1 panais. Faites-les revenir dans du beurre ou de l'huile, disposez-les au fond d'un plat ovale ou autre récipient allant au four, posez le poisson dessus, lavé et prêt à cuire, saupoudrez de sel et de poivre ; ajoutez quelques brins de persil, de thym, une feuille de laurier et mouillez à mi-hauteur avec du vin blanc, un fond de poisson ou un mélange des deux en parts égales ; portez à ébullition sur le feu, puis couvrez le récipient et glissez-le dans le four déjà chaud (180°C). Faites cuire jusqu'à ce que la chair se détache quand on la tire légèrement avec une fourchette.

Avec deux palettes, transférez le poisson dans un plat chaud. Filtrez le fond de cuisson et servez-le comme sauce d'accompagnement après l'avoir fait bouillir pour le réduire à bonne consistance ou bien après l'avoir épaissi avec de la crème et des jaunes d'œufs.

Friture à la poêle

Elle convient pour les filets, les tranches minces, les petits poissons (sardines, petits maquereaux, petites truites, rougets) ou les poissons plats (limandes, etc.).

Une fois votre poisson nettoyé, lavé, séché et assaisonné avec du sel et du poivre, farinez-le ; vous pouvez également le tremper dans du lait froid avant de le fariner ou bien le passer dans de la farine, de l'œuf battu et de la chapelure.

Faites chauffer du beurre ou de l'huile à feu doux dans une poêle, ou du beurre et de l'huile en parts égales ; posez le poisson dans ces éléments bien chauds, faites cuire d'un côté jusqu'à ce qu'il soit doré, puis tournez et faites dorer l'autre côté. Egouttez. Servez bien chaud avec des quartiers de citron.

Grande friture

Il faut un récipient large et profond ; le plus commode est une friteuse avec son panier. Comme corps gras, l'huile est à conseiller.

Le récipient ne doit pas être rempli au-delà de la moitié, et l'huile doit être chauffée à feu doux jusqu'à ce que, si vous y laissez tomber un petit cube de mie de pain sèche, il dore en 45 secondes.

Le poisson doit être fariné, pané ou plongé dans une pâte. Ne faites frire que quelques morceaux à la fois afin de ne pas trop abaisser la température de l'huile.

Faites frire les poissons 5 à 10 minutes, jusqu'à ce qu'ils soient bien dorés ; égouttez-les et posez-les dans un plat sur du papier absorbant pour éliminer l'excès d'huile. Pour les tenir au chaud, vous pouvez ensuite les mettre à four doux. Attendez toujours que l'huile ait repris la bonne température avant d'y plonger d'autres poissons.

Par économie, on peut utiliser plusieurs fois l'huile de friture, mais à condition de la filtrer soigneusement : les particules d'aliments qui resteraient en suspension dans l'huile provoqueraient sa décomposition. Laissez-la refroidir et versez-la dans un récipient fermant hermétiquement ; vous ne pourrez, bien sûr, l'employer que pour faire frire du poisson.

Pâte à friture

PRÉPARATION : *10 minutes*

INGRÉDIENTS
125 g de farine
Sel
1 œuf
125 ml de lait environ

Tamisez la farine avec une pincée de sel au-dessus d'un grand bol à mélanger. Faites un puits et cassez-y l'œuf. Mélangez bien avec une cuillère en bois et ajoutez le lait petit à petit. Remuez uniformément jusqu'à ce que la pâte soit lisse et sans grumeaux.

Pour une pâte plus légère et plus croustillante, versez 1 cuillerée à soupe d'huile d'olive sur le sel et la farine tamisés. Mélangez avec le jaune d'œuf et 3-4 cuillerées à soupe de lait jusqu'à ce que la pâte soit lisse. Montez le blanc d'œuf en neige et incorporez-le, juste avant de l'utiliser, au mélange. Passez le poisson dans de la farine assaisonnée, puis dans la pâte.

Poisson pané

Passez le poisson dans de la farine assaisonnée, puis dans de l'œuf battu et enfin dans de la chapelure. Secouez-le pour faire tomber le surplus de miettes.

Avant de le faire frire, vérifiez la température de l'huile dans la friteuse. N'utilisez le panier à friture que pour le poisson pané. Le poisson enrobé simplement de pâte collerait au panier. Ne faites frire que quelques morceaux à la fois pour éviter une baisse brutale de la température de l'huile. Laissez le poisson de 5 à 10 minutes dans l'huile, jusqu'à ce que la panure soit croustillante et dorée. Attendez que l'huile soit revenue à la bonne température avant de mettre d'autres morceaux à frire : si elle n'est pas suffisamment chaude pour que la pâte forme une croûte, le poisson sera trop graisseux.

Dès que le poisson est frit, retirez-le avec une écumoire et laissez-le égoutter sur des serviettes en papier.

Poissons et fruits de mer

Cuisson au gril

Ce mode de cuisson rapide convient fort bien pour les petits poissons entiers, les filets et les darnes. Si les poissons sont entiers, incisez-les en diagonale à trois ou quatre endroits, des deux côtés, avec un couteau bien aiguisé. Ce procédé permet une cuisson plus uniforme et empêche que le poisson ne s'émiette en cuisant.

Enduisez le poisson d'huile ou de beurre fondu et aspergez-le de jus de citron. Arrosez-le fréquemment durant la cuisson pour éviter que la chair ne sèche.

Faites chauffer le gril avant d'y mettre le poisson sur une plaque ou une feuille d'aluminium préalablement huilée. Le poisson est cuit lorsqu'on peut facilement en effeuiller la chair avec un couteau ou une fourchette.

Retournez une fois, durant la cuisson, les poissons entiers et les darnes afin qu'ils soient cuits uniformément des deux côtés. Ce n'est toutefois pas nécessaire pour les tranches minces et les filets.

Poisson poché

Cette forme de cuisson est idéale pour tous les types de poissons, qu'ils soient entiers ou découpés en filets ou en darnes. Vous pouvez faire pocher (mijoter doucement dans un liquide) le poisson sur la cuisinière dans une grande casserole ou une poissonnière, ou le mettre au four dans un plat creux et couvert, à 180°C. Vous pourrez manipuler plus facilement après la cuisson un gros poisson si vous l'enveloppez d'un morceau de gaze ou si vous le déposez sur une grille enduite de beurre.

Recouvrez le poisson d'eau salée (1½ cuillerée à thé de sel pour 1 litre d'eau). Ajoutez un peu de persil ou quelques queues de champignons, une bonne giclée de jus de citron, une tranche d'oignon et une de carotte, ainsi qu'une feuille de laurier et 6 grains de poivre. Pour des filets, employez du lait ou de l'eau à parts égales, assaisonnez de sel, de poivre fraîchement moulu et d'une feuille de laurier. Portez le liquide à ébullition à feu modéré, puis couvrez et baissez le feu. Lais-

sez mijoter jusqu'à ce que le poisson se détache à la fourchette. Retirez-le avec une spatule large et utilisez le liquide de cuisson pour préparer une sauce.

On fait généralement pocher les poissons entiers, comme le saumon, la truite ou le bar, dans un fumet à base de vin blanc et d'aromates, appelé court-bouillon.

Court-bouillon

PRÉPARATION : 10 minutes
CUISSON : 20 minutes

INGRÉDIENTS
2 carottes
1 oignon
2 côtes de céleri
2 échalotes
1 feuille de laurier
3 brins de persil
2 branches de thym
2 c. à soupe de jus de citron
250 ml de vin blanc sec
Sel et poivre noir

Pelez et lavez les légumes et hachez-les. Mettez-les dans une casserole avec tous les autres ingrédients et 1 litre d'eau. Portez à ébullition, couvrez et laissez mijoter 15 minutes à feu doux. Laissez refroidir légèrement, passez et mettez dans un faitout avec le poisson à pocher.

Mousse de saumon

PRÉPARATION : 35 minutes
CUISSON : 20 minutes
RÉFRIGÉRATION : 3-4 heures

INGRÉDIENTS (6 à 8 personnes)
500 g de saumon frais
600 ml de court-bouillon chaud
250 ml de crème légèrement fouettée
60 g de beurre ramolli
150 ml de xérès sec
2 c. à soupe de jus de citron
2 c. à soupe de gélatine
2 c. à soupe d'huile
Sel, poivre de Cayenne
GARNITURE
Tranches de citron et de concombre

Disposez le saumon dans un plat en verre à feu beurré, versez le court-bouillon, couvrez avec une feuille d'aluminium, placez au four chauffé à 180°C et faites cuire 20 minutes. Retirez et laissez refroidir.

Mettez dans une casserole 6 cuillerées à soupe de court-bouillon et

ajoutez-y la gélatine. Faites chauffer doucement jusqu'à ce que celle-ci soit bien dissoute, puis laissez refroidir.

Egouttez le saumon, ôtez la peau et l'arête, pilez-le dans un mortier jusqu'à l'obtention d'une bouillie fine (vous pouvez passer le tout au mixer) et ajoutez la crème légèrement fouettée. Incorporez à cette pâte le beurre bien mou, le xérès, le jus de citron, du sel, un peu de poivre de Cayenne et le liquide dans lequel vous avez dissous la gélatine ; remuez bien pour obtenir une préparation très homogène.

Versez-la dans un moule rond ou rectangulaire dont vous aurez huilé le fond et les parois. Mettez au réfrigérateur pendant 3-4 heures ou jusqu'au lendemain.

Pour servir, posez sur le moule un plat bien froid, renversez et démoulez. Décorez avec des tranches de citron et de concombre ; servez aussitôt.

Cuisson à la vapeur

Il s'agit d'une cuisson idéale pour une alimentation légère. Elle est valable pour tous les poissons, entiers, en filets ou en darnes.

Disposez le poisson dans un panier (si ce sont des filets, vous pouvez les laisser plats ou bien les rouler en paupiettes en les attachant avec du fil), assaisonnez-le avec du sel et du poivre, puis calez le panier dans une marmite à bords hauts dans laquelle vous aurez porté à ébullition quelques centimètres d'eau (le panier ne doit surtout pas la toucher) ; couvrez et faites cuire à feu assez fort de manière à maintenir l'eau en ébullition, jusqu'à ce que vous sentiez que le poisson est tendre quand vous le piquez.

Si vous n'avez pas de panier pour la cuisson à la vapeur, mettez le poisson dans une assiette creuse, couvrez-le avec un morceau de papier paraffiné enduit de beurre à l'intérieur, couvrez avec une autre assiette renversée ou un couvercle et posez le tout sur une marmite contenant un peu d'eau à ébullition. Faites cuire 15 minutes, jusqu'à ce que le poisson soit tendre.

FRUITS DE MER

Les fruits de mer de petite taille sont servis comme hors-d'œuvre ou incorporés à des soupes ou à des sauces. Les gros, comme le crabe et le homard, sont servis en entrée ou comme plat de résistance.

On doit faire bouillir, avant de les servir, tous les fruits de mer, à l'exception des huîtres et des palourdes qu'on mange généralement nature. Les mollusques et les crustacés cuisent rapidement ; une cuisson prolongée les rend durs et fibreux.

La plupart des fruits de mer comportent des parties impropres à la consommation, comme les filets des moules ou les branchies des crabes et des homards, qui se trouvent à l'intérieur de la carapace. Il faut les retirer pendant la préparation, en même temps que la poche stomacale et la veine intestinale.

Habituellement, on sert les fruits de mer avec des quartiers de citron, de la mayonnaise ou une sauce piquante.

Crabe

Il faut acheter les crabes vivants en les choisissant très lourds ; il faut aussi vérifier que les grosses pinces frontales sont intactes.

Les parties comestibles d'un crabe sont la chair et la partie crémeuse (le corail chez les femelles) contenues dans le corps, la chair des pattes et celle des pinces.

Lavez le crabe et mettez-le dans une grande marmite avec beaucoup d'eau froide et seulement du sel de mer gris. Mettez un couvercle et portez lentement à ébullition. Le temps de cuisson est bref : un crabe d'un peu plus de 1 kg cuit en 15 à 20 minutes. Laissez-le refroidir dans le liquide de cuisson, puis égouttez-le et épongez-le. Arrachez les pinces et les pattes, détachez la carapace du corps. Pour les pattes et les pinces, cassez-les avec un casse-noix, prenez la pointe d'un couteau ou une petite broche spéciale et retirez-en la chair. Mettez le crabe sur le dos et retirez la partie crémeuse du coffre ; retirez également la chair contenue dans les petites cavités du corps.

Dans certaines recettes, la chair de crabe, assaisonnée ou préparée de différentes façons, se remet dans la carapace bien nettoyée ; on peut utiliser pour la décoration les pattes les plus petites.

Casserole de crabe

PRÉPARATION : 30 minutes
CUISSON : 40 minutes

INGRÉDIENTS (6 personnes)
450 g de chair de crabe cuite
2 c. à soupe de beurre
50 g de poivron finement haché
50 g d'oignon finement haché
1 c. à soupe de farine
250 ml de lait ou de crème légère
1 œuf
1 c. à soupe de sherry
1 c. à thé de moutarde de Dijon
5 c. à soupe de mayonnaise
Sel et poivre
SAUCE
90 g de fromage à la crème
150 g de cheddar fort râpé
2 c. à soupe de beurre
½ c. à thé de sauce Worcestershire
1 c. à soupe de lait ou de crème légère
1 œuf

Retirez de la chair de crabe tous les débris de carapace et réservez.

Faites fondre le beurre dans un faitout et faites-y revenir le poivron et l'oignon une dizaine de minutes, jusqu'à ce qu'ils soient tendres. Incorporez la farine et remuez bien pendant 1 minute. Toujours en remuant, ajoutez la crème ou le lait, puis le crabe.

Battez ensemble l'œuf, le sherry, la moutarde et la mayonnaise. Incorporez le tout à la préparation au crabe. Salez et poivrez. Déposez le mélange à la cuillère dans un plat beurré d'une capacité de 1 litre. Battez ensemble tous les ingrédients de la sauce et nappez-en le mélange.

Faites cuire au four chauffé à 180°C pendant 40 minutes. Laissez refroidir 10 minutes et servez avec une salade verte.

Crevettes

On peut acheter des crevettes toute l'année, fraîches ou cuites et souvent même décortiquées. Les crevettes fraîches sont grises, roses ou brunes, mais elles deviennent rouges en cuisant. Plongez-les dans une casserole d'eau bouillante salée, couvrez hermétiquement et faites bouillir de 2 à 4 minutes selon la grosseur.

Pour les décortiquer, tenez-les entre deux doigts et ôtez la carapace molle et les pattes (p. 278).

Ces crustacés se servent chauds ou froids, en hors-d'œuvre ou en cocktail, dans des salades, des soupes, des sauces ou un curry. Les grosses crevettes peuvent se préparer grillées ou frites après avoir été enrobées de pâte ou de panure.

Crevettes à la crème de noix de coco

PRÉPARATION : *1 heure*
CUISSON : *20 minutes*

INGRÉDIENTS *(4 personnes)*
1 noix de coco fraîche ou 1 paquet de noix de coco râpée et non sucrée
125 ml d'eau bouillante
2 gros oignons finement hachés
3 c. à soupe de beurre
1 c. à thé de poudre de curry
1 poivron vert de grosseur moyenne tranché
12 grosses crevettes cuites, décortiquées et parées

Préparez d'abord la crème : perforez les yeux, au sommet de la noix, et recueillez le lait de coco. Cassez la noix avec un marteau, puis retirez la pulpe et la membrane noire. Râpez la noix ou utilisez le paquet de noix de coco râpée et versez-en 60 g dans l'eau bouillante. Laissez tremper 20 minutes, puis pressez à travers une mousseline pour obtenir une crème dont vous conserverez 300 ml.

Faites fondre les oignons à feu doux dans le beurre jusqu'à ce qu'ils prennent un peu de couleur. Ajoutez le curry et cuisez encore 2-3 minutes, puis incorporez les tranches de poivron. Couvrez et laissez mijoter 10 minutes. Ajoutez les crevettes, salez et prolongez la cuisson de 1 minute.

Amenez le feu à son point le plus bas, versez la crème de coco dans la casserole tout en remuant et remettez à mijoter jusqu'à ce que les crevettes et la sauce soient à point, mais sans laisser bouillir. Servez avec du riz nature.

Homard

Le homard est souvent vendu tout cuit, mais l'idéal serait de l'acheter vivant et de le faire cuire soi-même. Un homard de 700 g convient pour une personne.

Rincez le homard à l'eau froide courante. Saisissez-le fermement au milieu du dos et plongez-le dans une marmite remplie d'eau bouillante salée. Couvrez et portez de nouveau à ébullition. Baissez le feu et laissez mijoter en calculant 5 minutes pour un homard de 450 g et 3 minutes pour chaque demi-kilo supplémentaire.

Homard grillé Avant de mettre le homard à griller, tuez-le en insérant la pointe d'un lourd couteau entre la tête et la queue, afin de sectionner le cordon médullaire. Ensuite, retournez-le sur le dos et fendez-le sur toute la longueur en laissant la carapace intacte. Ouvrez le homard et retirez la veine intestinale noire qui se trouve au centre ainsi que la poche stomacale qui est à 5 cm environ de la tête. Le foie, de couleur verte et à consistance crémeuse, de même que les œufs (ou corail) sont comestibles et vous n'avez pas à les enlever. Brisez les pinces avec un marteau ou un maillet.

Déposez le homard sur une plaque et badigeonnez-le généreusement de beurre fondu. Faites-le griller à 7,5 cm du feu, de 15 à 20 minutes (selon la grosseur), en l'arrosant de temps à autre de beurre fondu. Servez avec une saucière de beurre fondu et des quartiers de citron.

Homard froid Détachez les pinces du homard bouilli. Brisez-les avec un marteau ou une pince spéciale et retirez-en la chair avec précaution. Enlevez également la fine membrane qui se trouve au centre de chacune des grosses pinces.

Déposez le homard sur une planche, le dos vers vous, et fendez-le sur toute la longueur avec un couteau bien aiguisé. Séparez les moitiés et retirez les branchies, la veine intestinale de couleur foncée, qui s'étire jusqu'à la queue, et la petite poche stomacale, d'environ 5 cm, qui se trouve juste sous la tête. D'un vert crémeux, le foie, qui se

trouve à l'intérieur de la tête, est délicieux. Vous devriez le conserver, tout comme les œufs des femelles, qui sont d'un beau rouge corail. En général, on les incorpore à la sauce.

Détachez, sans la briser, la chair de la queue et, avec une petite fourchette à homard, extrayez celle des pinces préhensiles ou conservez celles-ci comme garniture. Lavez à fond les demi-carapaces vides et remettez-y la chair du crustacé. Décorez avec les pinces et accompagnez de mayonnaise (p. 271).

Le homard bouilli se sert également chaud avec du beurre fondu, auquel cas chaque convive en détache lui-même la chair.

Huîtres

Jusqu'au XIXe siècle, les huîtres se retrouvaient sur toutes les tables alors qu'aujourd'hui il s'agit d'un mets coûteux, parfois considéré comme un luxe. Les huîtres sont délicieuses servies nature en entrée ; prévoyez-en six par personne.

Nettoyez les coquilles hermétiquement fermées avec une brosse à poils durs pour en déloger tout le sable. Ouvrez les huîtres au-dessus d'un bol recouvert d'une gaze fine pour en recueillir le jus. Placez le côté arrondi au creux de votre paume et insérez dans la charnière la pointe d'un couteau à huîtres ou d'un couteau muni d'une lame solide et courte. Enfoncez la lame avec un mouvement du poignet pour forcer la charnière et sectionnez les deux muscles qui se trouvent de part et d'autre de l'huître. Faites glisser la lame entre les coquilles pour les séparer et jetez celle qui est arrondie. Ensuite, détachez soigneusement la chair avec un couteau tranchant.

Servez les huîtres dans les coquilles plates dressées sur un lit de glace concassée et garnies de quartiers de citron. On les accompagne parfois d'une sauce cocktail à la tomate.

Moules

Les moules doivent être vivantes lorsqu'on les achète. De retour chez vous, mettez-les dans un grand récipient plein d'eau salée en jetant

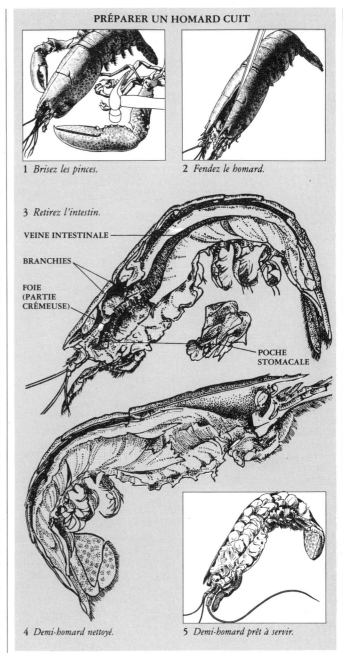

PRÉPARER UN HOMARD CUIT

1 *Brisez les pinces.*

2 *Fendez le homard.*

3 *Retirez l'intestin.*

VEINE INTESTINALE

BRANCHIES

FOIE (PARTIE CRÉMEUSE)

POCHE STOMACALE

4 *Demi-homard nettoyé.*

5 *Demi-homard prêt à servir.*

celles dont les coquilles sont ouvertes ou cassées. Avant de les faire cuire, lavez-les dans beaucoup d'eau ; s'il y a lieu, grattez les coquilles avec un couteau bien aigui-

sé, puis arrachez les filaments qui en dépassent. Cela fait, rincez-les plusieurs fois.

Les moules peuvent se manger crues, ou presque, en ouvrant les

Poissons et fruits de mer

coquilles avec la lame d'un couteau, ou bien en les exposant brièvement sur le feu.

Le plus souvent, on les fait ouvrir dans une sauteuse avec un peu de vin blanc et, éventuellement, de persil, oignon et échalote hachés ; faites chauffer à feu vif quelques minutes, jusqu'à ce que toutes les coquilles s'ouvrent, en secouant souvent le récipient ; retirez du feu dès qu'elles sont toutes ouvertes.

On peut soit retirer les moules de leurs coquilles, soit les servir avec celles-ci ou encore éliminer l'une des coquilles, en mettant alors dans chaque demi-coquille un flocon de beurre d'escargots (p. 306) ; enfin, on peut disposer les demi-coquilles sur une grande plaque, les saupoudrer d'un peu de chapelure, de persil et d'ail hachés, y mettre une goutte d'huile et les passer à four très chaud jusqu'à ce qu'elles forment une petite croûte.

Vous pouvez encore les enfiler sur de petites brochettes en bois et les griller ou les frire dans l'huile après les avoir panées (p. 275).

Palourdes

Il y a deux sortes de palourdes : les asaris, dites palourdes de mer, à coquille dure, et les myes, à coquille molle. Les premières se mangent souvent nature, tandis que les secondes sont cuites à l'étuvée. On peut également acheter les palourdes fumées et en conserve. Calculez 12 palourdes par personne.

Beignets de palourdes
PRÉPARATION : *25 minutes*
CUISSON : *10 minutes*

INGRÉDIENTS *(6 personnes)*
250 g de farine tout usage tamisée
2 c. à thé de levure chimique
1 c. à thé de sel
1 pincée de poivre
2 tasses de palourdes à coquille dure crues et décortiquées
Lait
Le jus d'un demi-citron
2 œufs battus
2 c. à thé d'oignon râpé
½ c. à thé de sauce Worcestershire
1 c. à soupe de beurre fondu
Friture

Tamisez ensemble la farine, la levure chimique, le sel et le poivre fraîchement moulu.

Hachez les palourdes, égouttez-les et conservez le jus. Ajoutez-y suffisamment de lait pour obtenir 170 ml de liquide, puis incorporez le jus de citron, les œufs, l'oignon râpé et la sauce Worcestershire. Mélangez la farine à la préparation, puis ajoutez les palourdes et le beurre. Remuez bien.

Versez le mélange à la cuillère dans une friture abondante à 190°C et attendez que les beignets soient croustillants et dorés pour les retirer.

Egouttez-les sur des serviettes en papier et servez avec une sauce tomate (p. 270), par exemple.

Chaudrée de palourdes à la Manhattan
PRÉPARATION : *15 minutes*
CUISSON : *1 h 10*

INGRÉDIENTS *(6 personnes)*
2 douzaines de palourdes à coquille dure crues et décortiquées
4 tranches de bacon ou de lard salé coupées en dés
200 g d'oignon tranché
100 g de céleri coupé en dés
100 g de carottes coupées en dés
3 tasses de tomates pelées, épépinées et concassées ou 3 tasses de tomates en conserve égouttées et hachées
750 ml d'eau
1 pincée de sel
1 pincée de poivre
1 pincée de romarin séché
600 g de pommes de terre crues et pelées, coupées en petits dés
1 c. à soupe de persil haché

Egouttez les palourdes et conservez le jus. Hachez les après en avoir retiré les parties noires et réservez-les. Faites sauter le bacon ou le lard salé dans une grande casserole, jusqu'à ce qu'il soit croustillant. Ne conservez que 2 cuillerées à soupe de graisse et faites-y cuire doucement l'oignon, le céleri et les carottes pendant 5 minutes.

Incorporez le jus des palourdes, les tomates, l'eau, le sel, le poivre et le romarin. Faites mijoter pendant 45 minutes.

Ajoutez les pommes de terre et laissez mijoter encore 12 minutes.

Mélangez les palourdes à la préparation et prolongez la cuisson de 2-3 minutes. Vérifiez l'assaisonnement et saupoudrez de persil finement haché pour donner un peu plus de couleur.

Pétoncles

Les pétoncles se vendent déjà nettoyés et décortiqués. Mettez-les dans une casserole d'eau froide, portez à ébullition, écumez et laissez mijoter 5 à 10 minutes, en prenant garde de ne pas les laisser cuire trop longtemps.

Les pétoncles se préparent également au four, sautés, frits, grillés ou nappés d'une sauce au fromage ou aux champignons.

Pétoncles aux tomates et au paprika
PRÉPARATION : *15 minutes*
CUISSON : *15 minutes*

INGRÉDIENTS *(2 ou 3 personnes)*
250 g de tomates finement hachées
450 g de gros pétoncles
4 c. à soupe de beurre
60 ml de vin blanc
1 c. à thé de paprika
1 gousse d'ail hachée
2 pincées de basilic séché
Sel et poivre
3 c. à soupe de parmesan frais

Faites cuire les tomates pendant 10 minutes pour réduire leur volume de moitié. Réservez.

Faites chauffer le four à 220°C. Lavez les pétoncles à l'eau froide pour les débarrasser de leur sable ; asséchez-les dans des serviettes de papier. Tranchez-les en rondelles de 1,5 cm d'épaisseur.

Faites fondre 2 cuillerées à soupe de beurre dans un faitout. Mettez-y les tranches de pétoncle et faites revenir 2 minutes en remuant de temps en temps avec une spatule. Ajoutez le vin, les tomates cuites, le paprika, l'ail et le basilic. Laissez cuire 3 minutes de plus à petits bouillons et assaisonnez.

Versez à la cuillère la préparation dans un moule rectangulaire d'une capacité de 1 litre. Saupoudrez de fromage et parsemez de noix de beurre. Faites gratiner 10 minutes.

Servez sur un lit de riz nature.

Salade de pétoncles
PRÉPARATION : *10 minutes*
MARINAGE : *3 heures*

INGRÉDIENTS *(4 personnes)*
225 g de petits pétoncles
Le jus de 4 limes
2 c. à soupe d'oignon finement haché
1 pincée d'ail haché
2 c. à soupe de piment vert haché
1 c. à soupe de persil haché
3 c. à soupe d'huile d'olive
Sel et poivre

Mettez les pétoncles dans un grand bol, arrosez du jus de lime et réfrigérez au moins 3 heures.

Laissez égoutter complètement dans une passoire, ajoutez tous les ingrédients. Salez et poivrez.

POISSON FUMÉ ET POISSON SALÉ

Certains poissons se conservent fumés, salés ou dans de la saumure. Il y a deux formes de fumage : le fumage à chaud et le fumage à froid. Il faut faire cuire les poissons fumés à froid, tandis que les autres peuvent être consommés tels quels, puisqu'ils ont cuit pendant le fumage.

Aiglefin fumé

Il est fumé à froid. Pochez les filets sur la cuisinière dans une casserole de lait ou avec un mélange moitié eau moitié lait, en calculant 15

NETTOYER LES MOULES

Frottez avec une petite brosse.

Grattez les coquilles.

Coupez les filaments.

CREVETTES CUITES

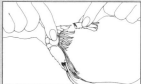
Détachez l'extrémité de la queue.

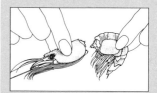
Détachez la tête.

Retirez la carapace.

COMMENT PRÉPARER LES HUÎTRES

Ouvrez la coquille.

Détachez la chair de la coquille.

minutes par kilo. Ou bien, placez le poisson dans une poissonnière beurrée ; parsemez-le de quelques noix de beurre et de quelques cuillerées à soupe de lait ; faites cuire 15 minutes au centre du four préalablement chauffé à 180°C. La cuisson de l'aiglefin fumé peut également se faire au gril.

Anguille fumée

Elle est fumée à chaud ; elle se vend entière ou en filet. Servez comme hors-d'œuvre.

Esturgeon fumé

Il est fumé à chaud. Ce poisson à la saveur particulièrement délicate se sert en hors-d'œuvre, tranché très finement.

Harengs fumés

Ces harengs sont soit fumés à chaud (dans ce cas, ils sont prêts à servir comme hors-d'œuvre, accompagnés d'une sauce piquante), soit fumés à froid (on les appelle alors kippers).

Les kippers sont vendus avec l'arête centrale ou en filets, dans des sacs scellés à vide et prêts pour la cuisson. Faites cuire les kippers selon la recette indiquée sur le sac ou au gril pendant 5 minutes.

Harengs salés

Conservés en filets avec leur arête dans du vinaigre épicé, ces harengs se présentent de deux façons : à la Bismarck (filets simplement marinés) ou en rollmops (filets roulés retenant une farce à base d'oignon, de cornichons et de grains de poivre). Les uns et les autres sont servis tels quels comme amuse-gueule.

Maquereau fumé

Il est fumé à chaud. Présentez-le en hors-d'œuvre ou comme plat principal avec une sauce claire à la crème sure et des pommes de terre nouvelles.

Merlan fumé

Il est fumé à chaud. Ce poisson à la chair fine se vend généralement entier, sauf pour les grosses pièces. Présenté en filets et débarrassé de sa peau, il se sert surtout en hors-d'œuvre.

Morue charbonnière fumée

Ce poisson de la côte Ouest se prépare à l'étuvée et se sert arrosé de beurre fondu.

Morue fumée

Elle est fumée à froid. Pochez-la ou faites-la cuire au four ou au gril comme l'aiglefin fumé.

Œufs de morue fumés

Ils se vendent prêts à servir. Présentez-les comme hors-d'œuvre ou comme entrée, sur un lit de feuilles de laitue ; garnissez-les de quartiers de citron et de bâtonnets de pain grillé.

Saumon fumé

Il est fumé à chaud et se vend prêt à servir. Tranchez-le très finement et garnissez-le de quartiers de citron. Moins cher que le vrai saumon fumé, le *lox* est cependant plus salé.

Truite fumée

Elle est fumée à chaud. Servez-la en entrée ou comme plat principal. Accompagnez les filets d'une sauce à la crème fouettée, à la crème sure ou au raifort, douce ou piquante, selon votre goût.

Viandes

La viande est l'aliment préféré des Nord-Américains. Ainsi, chaque Canadien en consomme annuellement quelque 75 kg dont 45 de bœuf. Viennent ensuite le porc, le veau et l'agneau.

La viande se conserve facilement deux ou trois jours au réfrigérateur. Sortez-la de son emballage le plus tôt possible après l'avoir achetée ; déposez-la dans un plat propre et enveloppez-la, sans serrer, d'une pellicule de plastique dont vous laisserez les extrémités ouvertes pour permettre à l'air de circuler, puis mettez-la au réfrigérateur. La viande hachée et les abats sont très périssables ; il vaut donc mieux les utiliser le jour même de l'achat.

MÉTHODES DE CUISSON

La cuisson des viandes n'obéit à aucune règle absolue, étant donné qu'il existe de multiples façons de préparer, de cuire et de présenter chacune des coupes. En général, toutefois, on fait rôtir ou griller les coupes tendres, tandis que celles qui sont plus dures sont bouillies, braisées ou préparées en ragoût.

Rôtissage au four

C'est là la façon classique de cuire les pièces les plus grosses. On peut faire rôtir les viandes de plusieurs façons, mais c'est le rôtissage au four qui est le plus employé et, là encore, on peut choisir entre au moins deux méthodes. Pour un rôtissage rapide, on cuit la viande à feu élevé, ce qui a pour effet d'empêcher l'écoulement des sucs et de conserver à la chair toute sa saveur. Par contre, cette façon de rôtir la viande a tendance à la faire rétrécir.

Le rôtissage lent se fait à feu plus doux et prend plus de temps. La viande ne rétrécit pas et le rôti est généralement plus tendre que lorsqu'on suit la première méthode.

Toutefois, quel que soit le mode adopté, il faut d'abord peser le morceau pour calculer le temps de cuisson. Placez ensuite la viande sur la grille d'une lèchefrite, le gras tourné vers le haut, et badigeonnez-la de beurre ou d'huile. Ne versez pas d'eau dans la lèchefrite et ne couvrez pas.

Placez la lèchefrite au centre du four. En fondant, la graisse arrosera naturellement la viande. Si votre morceau est très maigre, arrosez-le à la cuillère avec le jus de cuisson.

Temps et température de cuisson

Le temps de cuisson dépend de la taille et de la forme du rôti, ainsi que de la façon dont celui-ci a été préparé. Le temps de cuisson par kilo est moindre dans le cas des gros rôtis et de ceux qui n'ont pas été désossés, parce que les os sont bons conducteurs de chaleur.

A poids égal, les gros rôtis roulés ont moins besoin de cuisson que ceux qui sont d'un diamètre inférieur. Ceux qui pèsent moins de 1,5 kg devraient rôtir lentement, pendant au moins 1 h 30. Plus petits, il vaut mieux ne pas les rôtir au four, parce que, en se rétrécissant, la viande se dessécherait.

Le thermomètre à viande

Le thermomètre à viande, qui donne la température interne de la viande, permet de mieux évaluer le temps de cuisson. Avant de mettre la viande au four, enfoncez le thermomètre dans la partie la plus épaisse de la pièce, en évitant de toucher un os ou de la graisse. Lorsque le thermomètre indique la température interne requise, la viande est cuite. Cet accessoire se révèle particulièrement utile lorsque les convives n'aiment pas tous leur viande de la même façon. Il existe un nouveau thermomètre, plus pré-

cis que celui dont nous venons de parler et qu'on enfonce dans la viande un peu avant la fin de la cuisson ; la lecture est presque immédiate. Comme ce modèle est gradué de −18°C à 105°C, il permet également de connaître la température interne de la viande avant qu'elle ne soit mise au four.

Rôtissage à la broche

Ce mode de cuisson ancestral est revenu à la mode avec l'avènement de la rôtissoire électrique. Cet accessoire, qui peut s'adapter à un gril ou à un four, consiste en une tige ou broche qui tourne horizontalement sur elle-même et est suffisamment solide pour supporter de gros rôtis, une volaille entière ou encore des brochettes.

Pour une cuisson uniforme, il faut choisir un rôti de forme régulière. Si la pièce est roulée et farcie, il faut la ficeler solidement ou la maintenir avec des broches pour qu'elle ne se défasse pas pendant la cuisson. Enfilez la viande sur la broche de façon que son poids soit également réparti. Suspendez la broche et mettez la rôtissoire en marche selon le mode d'emploi. En tournant sur elle-même, la viande s'arrosera avec ses propres sucs et cuira uniformément.

Cuisson en papillote

L'emploi d'une feuille d'aluminium pour rôtir une viande est un procédé d'autant plus apprécié qu'il protège le four des éclaboussures du jus de cuisson. Enveloppez la viande dans une feuille d'aluminium et repliez les extrémités ; il est inutile d'arroser la pièce, mais vous devrez vous débarrasser de la feuille d'aluminium dans les dernières 20 à 30 minutes de cuisson afin de la laisser brunir. Cette méthode est particulièrement indiquée pour les coupes légèrement coriaces, le fait de cuire dans son propre jus ayant pour effet d'attendrir la viande. Par contre, comme elle bout plus qu'elle ne rôtit, elle prend une texture et un goût légèrement différents. D'autre part, comme l'aluminium réfléchit la chaleur, il faudra faire rôtir le morceau à une température supérieure à la normale.

Viandes

Braisage et cuisson à l'étouffée

Ces deux méthodes, presque identiques, s'emploient pour les coupes plus petites et légèrement plus dures que le rôti, comme la poitrine, la ronde, l'épaule et la croupe de bœuf. Faites fondre, dans une casserole épaisse, suffisamment de gras pour en enduire le fond et mettez-y la viande à revenir à feu assez vif pendant une quinzaine de minutes. N'accélérez pas le processus : plus la viande sera brune, plus la sauce sera savoureuse. Quand la viande est bien revenue, retirez-la de la casserole et remplacez-la par un lit de légumes racines hachés, comme des carottes et des oignons. Déposez la viande sur les légumes et ajoutez 250 ml de liquide (bouillon de bœuf, vin rouge, eau ou jus de tomate).

Couvrez hermétiquement et faites cuire à feu doux jusqu'à ce que la viande soit tendre. Calculez 50 à 60 minutes par kilo. Retournez la viande plusieurs fois.

Une autre façon de procéder consiste, après avoir fait revenir la viande, à la mettre dans une cocotte et à la faire cuire, couverte, au centre d'un four préchauffé à 165°C, en calculant le temps de la cuisson comme pour la première méthode. Retirez la viande de la cocotte quand elle est prête, dégraissez et récupérez le fond de cuisson pour la sauce.

Dans le cas d'une viande braisée, passez la pièce dans de la farine assaisonnée et faites-la revenir de tous les côtés dans un corps gras chaud. Déposez-la sur un lit de légumes racines coupés en dés et revenus légèrement. Mouillez de suffisamment de purée de tomates et d'eau ou de bouillon pour couvrir les légumes ; ajoutez des aromates, salez et poivrez.

Couvrez hermétiquement et mettez à cuire sur la cuisinière ou au milieu du four chauffé à 165°C jusqu'à ce que la viande soit tendre, ce qui peut prendre 2-3 heures. Ajoutez du liquide si besoin est.

TEMPS DE CUISSON POUR LES VIANDES RÔTIES

Coupe	Poids (kilos)	Température du four	Température au thermomètre à viande	Temps approximatif par kilo (minutes)
BŒUF				
Côtes	2,5-3,5	150-165°C	60°C (bleu)	45-50
			70°C (rosé)	55-60
			75°C (cuit)	65-70
	2-2,5	150-165°C	60°C (bleu)	55-60
			70°C (rosé)	70-80
			75°C (cuit)	80-85
Entrecôte roulée	2-3	150-165°C	60°C (bleu)	65
			70°C (rosé)	80
			75°C (cuit)	95
Faux-filet	2-2,5	175°C	60°C (bleu)	35-40
			70°C (rosé)	40-45
			75°C (cuit)	45-50
Rôti de croupe désossé (première qualité)	2-2,5	150-165°C	65-75°C	50-60
Pointe de surlonge	1,5-2	150-165°C	60-70° C	70-80
	2-2,5	150-165°C	60-70°C	60-70
VEAU				
Cuisse	2-3,5	150-165°C	75°C	50-70
Longe	2-2,5	150-165°C	75°C	60-70
Epaule désossée	2-2,5	150-165°C	75°C	80-90
AGNEAU				
Gigot	2-3,5	150-165°C	75°C (cuit)	40-50
Epaule	2-2,5	150-165°C	75°C (cuit)	40-50
désossée	1,5-2	150-165°C	75°C (cuit)	60-70
culotte	1,5-2	150-165°C	75°C (cuit)	40-50
PORC FRAIS				
Longe				
milieu	1,5-2	150-165°C	75°C	60-70
moitié	2-3	150-165°C	75°C	70-80
Couronne	2-2,5	150-165°C	75°C	70-80
Epaule				
rôti (picnic)				
avec l'os	2-3,5	150-165°C	75°C	60-70
roulé	1,5-2	150-165°C	75°C	70-80
Soc	2-2,5	150-165°C	75°C	80-90
Jambon frais				
entier avec l'os	5,5-7	150-165°C	75°C	45-50
Jambonneau				
désossé	4,5-6,5	150-165°C	75°C	50-60
demi (avec l'os)	2-3,5	150-165°C	75°C	70-80
Filet	0,2-0,5	150-165°C	75°C	90-120
PORC FUMÉ				
Jambon (à cuire)				
entier	4,5-6,5	150-165°C	70°C	20-40
demi	2-3	150-165°C	70°C	45-50
Jarret ou longe				
morceau	1,5-2	150-165°C	70°C	70-80
Jambon (cuit*)				
demi	2-3	150-165°C	60°C	40-50
Epaule				
rôti (picnic) cuit	2-3,5	150-165°C	60°C	50-60

*Calculez 30 minutes par kilo pour un jambon entier et cuit. Tiré de *Le porc* © 1975, Conseil canadien du porc, et du guide du U.S. National Livestock and Meat Board.

Ragoût

Cette forme de cuisson particulièrement lente s'emploie pour les viandes les plus dures. Coupez la pièce en cubes de 3 à 5 cm de côté, enrobez ceux-ci de farine assaisonnée et faites-les sauter dans un corps gras très chaud.

Réservez la viande et faites dorer quelques tranches de carotte et d'oignon dans le corps gras. Saupoudrez de 1-2 cuillerées à soupe de farine, ou en quantité suffisante pour absorber toute la graisse, et faites blondir le mélange. Versez, en remuant, suffisamment de bouillon chaud pour obtenir une sauce consistante. Assaisonnez de sel et de poivre, ajoutez des aromates et portez à ébullition.

Versez la viande dans une cocotte avec la sauce et les légumes ; couvrez hermétiquement. Laissez mijoter sur la cuisinière ou au four, à 165°C, durant 1 h 30 à 3 heures ou jusqu'à ce que la viande soit bien tendre.

Bœuf bouilli

On emploie cette méthode pour les morceaux les plus durs du bœuf, pour la langue et pour le bœuf salé. Versez de l'eau dans un faitout où le morceau de viande tiendra juste et portez à ébullition. L'eau devra à peine recouvrir la viande (trop d'eau la rendrait insipide). Ajoutez du sel (4 cuillerées à thé par kilo), 1 bouquet garni, 1 gros oignon piqué de clous de girofle et la viande. Portez de nouveau à ébullition en écumant, puis couvrez hermétiquement et baissez le feu.

Laissez mijoter à très petits bouillons, jusqu'à ce que la viande soit tendre. Si vous voulez la servir chaude, ajoutez, 45 minutes avant la fin de la cuisson, divers légumes racines coupés en morceaux. Sinon, laissez la viande refroidir dans son jus de cuisson, mais égouttez-la bien avant de servir.

Pour cuire un morceau de bœuf salé, couvrez-le d'eau froide et portez rapidement à ébullition. Egouttez-le aussitôt, puis suivez les étapes décrites ci-dessus. Si le morceau est très salé, faites-le d'abord tremper plusieurs heures dans de l'eau avant de le faire bouillir.

Cuisson au gril

Cette forme de cuisson particulièrement rapide convient à toutes les petites coupes tendres comme les biftecks et les côtelettes, ainsi que pour les saucisses, le foie, les rognons et les tranches de jambon.

Badigeonnez les viandes peu juteuses d'huile ou de beurre fondu. Incisez la couche de gras des côtelettes de porc tous les 2 cm pour les empêcher de s'enrouler et de se rétrécir en cuisant.

Enduisez la grille d'huile ou de beurre pour que la viande n'y colle pas. Placez-y les morceaux et glissez-la sous le gril chaud. Retournez la viande une seule fois durant la cuisson et arrosez-la avec son fond si elle commence à sécher.

Grillades à la poêle

Les viandes qu'on passe au gril cuisent tout aussi rapidement si on les fait griller à la poêle.

Faites fondre tout juste assez de beurre pour couvrir le fond d'une poêle à frire (vous pouvez prendre de la graisse de rôti pour du bœuf) et chauffez-le rapidement. Mettez la viande et cuisez à feu vif, mais non excessif, en ne retournant qu'une fois. Si les tranches sont épaisses, baissez le feu une fois qu'elles ont bruni et poursuivez la cuisson jusqu'à ce qu'elles soient à point.

Retirez la poêle du feu et gardez la viande au chaud, le temps de préparer la sauce. Dégraissez le fond de cuisson et ajoutez-y, en remuant, du bouillon ou du vin. Portez à ébullition, vérifiez l'assaisonnement et versez dans une saucière chaude.

Le bacon se grille sans addition de gras, sinon en très petite quantité. Disposez les tranches dans une poêle froide, de façon que la viande repose sur le gras, et faites griller à feu modéré, en retournant une fois, jusqu'à ce que les tranches soient dorées et croustillantes.

On pique souvent les saucisses à la fourchette avant de les griller pour empêcher la peau de se fendre. Ce procédé est toutefois inutile si on les fait griller à feu doux pendant 20 minutes.

BŒUF

Calculez entre 320 et 450 g par personne pour un rôti non désossé et entre 220 et 320 g pour les coupes désossées. Enfin, pour les biftecks, prévoyez 220 g par portion.

Rôti

Les meilleures coupes à rôtir sont la surlonge, l'entrecôte et le filet. On peut aussi faire rôtir la croupe, quoiqu'elle s'apprête mieux à l'étouffée.

Les rôtis de surlonge et d'entrecôte se vendent soit avec l'os, soit roulés. Mais vous pouvez désosser et rouler le rôti vous-même.

Désosser et rouler un rôti de surlonge

Placez la viande, les os dessous, sur une planche épaisse. En vous servant d'un couteau à lame large, détachez la viande à contre-filet le long de l'os principal (os de l'échine). Faites ensuite glisser le couteau le long des côtes en un mouvement de va-et-vient, en suivant leur contour soigneusement, jusqu'à ce que la viande se détache tout d'une pièce. Conservez les os pour un bouillon ou un potage.

Etalez le morceau de viande sur la planche et roulez-le très serré en commençant par l'extrémité la plus épaisse. Ficelez-le solidement pour qu'il ne se défasse pas. Découpez des tranches de lard de 5 cm de large et bardez-en le rôti, en les faisant chevaucher. Vous pouvez ficeler une tranche plus large sur le dessus du rôti de surlonge.

Larder un filet

Bien que coûteux, un filet entier constitue un morceau de choix. Comme il est dépourvu de graisse, il faut lui en ajouter d'une façon ou d'une autre pour l'empêcher de se dessécher pendant la cuisson. Tout d'abord, enlevez les peaux et les tendons, puis tranchez des bandes de lard salé suffisamment étroites pour passer par le chas d'une lardoire. Lardez la viande de tous les côtés, à intervalles réguliers et sur une profondeur de 1,5 cm.

Vous pouvez aussi entourer le filet de minces tranches de bacon que vous ficellerez. (Le bacon

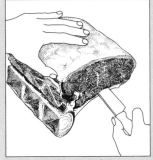

DÉSOSSER ET ROULER UNE PIÈCE DE SURLONGE

1 Détachez la viande de l'os.

3 Bardez le rôti.

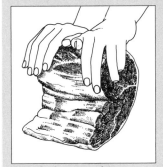

2 Roulez le morceau désossé.

4 Rôti roulé et ficelé.

donne un petit goût agréable.) Il est préférable de faire rôtir le filet rapidement, le temps que sa température interne atteigne 50°C.

Braisage et cuisson à l'étouffée

Le flanc, la pointe de poitrine, le haut-de-ronde, la croupe, l'épaule et le bas-de-ronde sont les meilleu-

Lardez le filet de bœuf en enfonçant des lardons dans la viande.

res coupes à employer lorsqu'on veut un plat braisé ou cuit à l'étouffée. Procédez selon la méthode donnée à la page 280.

Bœuf bouilli

La poitrine, la pointe de poitrine et les bouts des côtes sont délicieux lorsqu'on les laisse mijoter doucement avec des légumes. La poitrine et la pointe de poitrine se vendent également salées.

Bœuf salé ou mariné (poitrine)

Versez, dans une marmite, 4 litres d'eau additionnée de 700 g de sel, de 2 cuillerées à soupe de salpêtre et de 150 g de cassonade. Portez à ébullition et laissez bouillonner 20 minutes. Passez le liquide à travers une gaze au-dessus d'un grand bol en grès et laissez refroidir. Mettez-y la viande et maintenez-la immergée en la couvrant d'une lourde assiette. Laissez-la mariner de 5 à 10 jours, selon l'épaisseur. Faites-la

tremper dans de l'eau froide pendant à peu près 1 heure avant de la mettre à cuire.

Grillade à la poêle ou grillade au four

Ces deux façons de faire griller une viande conviennent à tous les types de steaks : filet, surlonge, croupe et aloyau.

Bœuf Stroganoff

PRÉPARATION : *10 minutes*
CUISSON : *25 minutes*

INGRÉDIENTS *(4 à 6 personnes)*
600 à 700 g de bifteck de filet
1 oignon
115 g de champignons
4 c. à soupe de beurre doux
1 c. à soupe de concentré de tomate
1-1½ c. à soupe de farine
50 ml de crème sure
Sel et poivre
Jus de citron

Parez le steak. Etendez-le bien en le pressant entre deux feuilles de papier paraffiné, puis tranchez-le en courtes lanières étroites. Pelez et hachez finement l'oignon et les champignons nettoyés. Faites fondre 2 cuillerées à soupe de beurre et laissez-y revenir les légumes à feu doux jusqu'à ce qu'ils soient tendres et commencent à peine à prendre couleur. Ajoutez, en remuant, le concentré de tomate et suffisamment de farine pour absorber la graisse. Prolongez la cuisson 2-3 minutes à feu très doux, puis incorporez avec soin la crème sure. Ne laissez pas bouillir, sinon la crème se grumellera.

Mettez à chauffer le reste de beurre dans une seconde casserole et faites-y revenir la viande à feu vif jusqu'à ce qu'elle soit bien dorée de chaque côté ; mélangez-la à la sauce, assaisonnez avec du sel, du poivre au moulin et le jus de citron ; servez immédiatement avec du riz nature et des haricots verts.

Ragoût

Ce plat qui demande une cuisson longue convient parfaitement à toutes les coupes de bœuf relativement dures, comme la cuisse, l'épaule et le jarret. Les ragoûts se servent très bien l'hiver, se congè-

lent sans problème, et beaucoup les trouvent plus savoureux s'ils ont été préparés la veille.

Le ragoût hongrois, la *goulasch*, un classique de la cuisine internationale, diffère du ragoût traditionnel par sa saveur à la fois sucrée et épicée. On le prépare habituellement avec de l'épaule de bœuf, mais on peut utiliser de l'agneau ou du porc maigre et désossé.

VEAU

Le veau est une viande à saveur délicate, mais qui a tendance à se dessécher si on n'y prend pas garde. Il se conserve mal et il vaut mieux l'utiliser le jour même de l'achat. Prévoyez 225 à 350 g par portion pour du veau avec l'os et 125 à 225 g pour du veau désossé.

Rôti

C'est là le mode de cuisson par excellence pour les grandes pièces comme l'épaule, la croupe, le gigot et la selle. L'épaule est souvent servie désossée et farcie. Comme il s'agit d'une viande assez sèche, il faut l'arroser souvent pendant la cuisson. La poitrine désossée est la coupe la plus économique et elle se prépare très bien avec une farce ; calculez 450 g de farce pour 2,5 kg de poitrine. Le rôtissage lent est préférable, pour cette coupe, au rôtissage rapide.

Braisage et cuisson à l'étouffée

On peut faire braiser ou étuver une épaule de veau désossée et roulée. L'épaule de veau farcie se laisse également très bien braiser.

Ragoût

Les parties du veau vendues pour le ragoût proviennent habituellement de l'épaule, de la poitrine, du jarret et du cou. Ce sont des morceaux qui contiennent beaucoup d'os. Prévoyez au moins 125 g par personne pour une partie osseuse et 110 g dans le cas contraire. On peut également employer des morceaux de ronde, de croupe ou de surlonge, mais ces coupes ont tendance à sécher après la cuisson.

Viandes

Grillades de veau

Les côtelettes de veau et la longe sont de bonnes coupes pour les plats en casserole, mais elles conviennent moins bien pour des grillades, parce que la viande a alors tendance à sécher et à durcir.

Pour les grillades, la coupe de veau la plus populaire et la plus répandue est l'escalope, qui est une mince tranche de viande prise habituellement dans la partie supérieure du cuisseau.

Avant de faire cuire des escalopes de veau, il faut les amincir et les attendrir en les martelant. Achetez des tranches de 5 mm d'épaisseur. Placez-les entre des feuilles de papier paraffiné et aplatissez-les avec un maillet à viande ou un rouleau à pâtisserie jusqu'à ce qu'elles n'aient plus que 2,5 mm d'épaisseur. Passez-les dans de l'œuf battu et enrobez-les de chapelure fraîche. Faites-les revenir dans un peu de beurre et d'huile pendant 5 minutes en retournant une fois. Servez.

ESCALOPES DE VEAU

Placez entre deux feuilles.

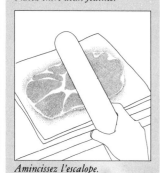

Amincissez l'escalope.

AGNEAU

L'agneau est une viande grasse. Il faut donc enlever toute la graisse qui remonte à la surface lorsqu'on le fait bouillir ou braiser ou qu'on le prépare en ragoût. Calculez de 225 à 350 g par personne pour un morceau avec l'os et de 125 à 225 g pour un morceau désossé.

Rôti d'agneau

Le rôti de selle dont on n'a pas détaché les rognons peut être cuit tel quel ; il constitue un plat succulent.

Le gigot et l'épaule sont parmi les coupes les plus recherchées. Elles sont habituellement vendues avec l'os, mais on peut également les faire désosser si on veut les préparer roulées et farcies. Il suffit de prévenir son boucher une journée ou deux à l'avance.

Le rôti de côtes ou carré est extrêmement populaire. Il cuit rapidement et est suffisamment petit pour deux ou trois personnes.

Gigot d'agneau rôti à la moutarde

PRÉPARATION : *5 minutes*
CUISSON : *1 h 40*

INGRÉDIENTS *(8 personnes)*
1 gigot d'agneau d'environ 2 kg
1 gousse d'ail finement hachée
1 c. à thé de basilic sec
2 pincées de sel
2 pincées de poivre concassé
4 c. à soupe de moutarde
2 c. à soupe de beurre ramolli
200 ml de bouillon de bœuf

Mélangez ail, basilic, sel, poivre, moutarde et beurre ; enduisez le gigot avec cette pâte ; puis laissez-le reposer 2 heures à la température ambiante.

Faites rôtir au four à 180°C ; comptez 30 à 40 minutes par kilo ; la chair doit rester légèrement saignante.

Egouttez le gigot, placez-le sur un plat de service et tenez-le au chaud ; mettez le récipient de cuisson sur la cuisinière, ajoutez le bouillon, portez à ébullition en remuant pour dissoudre les sucs de viande ; laissez réduire de moitié, puis versez cette sauce dans une saucière. Servez chaud.

Rôti en couronne

La plupart des bouchers préparent volontiers un carré d'agneau en couronne si on les prévient quelques jours à l'avance ; autrement, vous pouvez le faire vous-même en achetant deux carrés de même grosseur et comprenant chacun sept ou huit côtelettes.

Dégraissez le plus possible la partie épaisse de chaque carré et, avec un couteau tranchant, dégagez l'extrémité la plus fine des os sur une longueur de 3 à 5 cm. Raclez soigneusement les os pour ôter tous les débris de graisse et de viande. Une fois que les deux carrés sont prêts, cousez-les ensemble, en prenant la partie la plus charnue comme base du carré.

Fendez entre les os la partie inférieure de la couronne sur une longueur de 2,5 cm à 5 cm depuis la base et, si besoin est, ficelez. Enveloppez les extrémités dégagées des os de papier d'aluminium pour les protéger durant la cuisson. Remplissez la cavité d'une farce à base de légumes, de riz ou de marrons, avant de mettre le carré au four.

Les bouchers qui préparent des rôtis en couronne laissent souvent les parures à l'intérieur de la cavité. Il faut les retirer avant de placer la farce. (On peut les conserver pour faire du bouillon.)

Au moment de découper le rôti en couronne, enlevez le papier d'aluminium. Maintenez la pièce avec une fourchette enfoncée dans la viande et tranchez entre les côtes. Déposez celles-ci au fur et à mesure dans les assiettes. Selon sa consistance, la farce sera retirée à la cuillère ou tranchée et servie en même temps que la viande.

Garde d'honneur

Ce second plat se prépare lui aussi avec deux carrés. Dégagez d'abord les os comme pour le rôti en couronne, mais sur une longueur de 6 à 7,5 cm. Cousez ensemble les deux carrés au point d'articulation, le long de la partie charnue et du côté de la peau. Ensuite, pliez en deux le morceau ainsi obtenu de telle sorte que la peau soit à l'extérieur et que les os s'entrecroisent au sommet. Enveloppez ces der-

PRÉPARER UN RÔTI EN COURONNE

1 Détachez la viande des os.

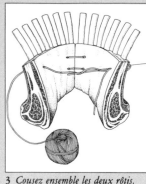

3 Cousez ensemble les deux rôtis.

2 Nettoyez l'extrémité des os.

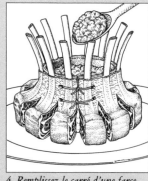

4 Remplissez le carré d'une farce.

niers de papier d'aluminium pour les empêcher de blanchir durant la cuisson. Remplissez la cavité d'une farce à base, par exemple, de chapelure et d'aromates, et ficelez le rôti à intervalles réguliers pour qu'il conserve sa forme pendant qu'il cuira lentement au four.

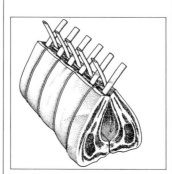

Réunissez deux carrés pour faire une garde d'honneur.

Braisage

Les meilleures coupes pour ce mode de cuisson sont l'épaule, la poitrine et le jarret. On peut désosser et rouler l'épaule et la poitrine, mais seulement après avoir enlevé la majeure partie de la graisse.

Ragoût

Les meilleures coupes et les plus économiques pour le ragoût et les plats en casserole sont la poitrine, l'épaule et le cou. Comme ce sont des morceaux très gras, il faut les dégraisser le plus possible avant de les faire cuire.

Grillades

Les côtelettes d'agneau prises à même les côtes et qui ont un gros os sont grillées au gril ou dans la poêle. Celles qui sont prises dans la longe sont plus charnues que les premières. Les côtelettes tranchées dans l'épaule sont moins coûteuses

DÉSOSSER ET ROULER UN RÔTI DE CÔTES

1 Retirez les os.

3 Enlevez l'excès de graisse.

2 Roulez le rôti désossé.

4 Tranchez les noisettes.

mais également moins tendres ; cependant, elles sont délicieuses grillées à la poêle. Les noisettes sont des tranches rondes et parées, préparées à partir du rôti de côtes. Retirez l'os d'échine, enlevez le surplus de graisse et, avec un couteau tranchant et pointu, détachez la viande de part et d'autre de chacun des os. Retirez ceux-ci, roulez le rôti dans le sens de la longueur et ficelez-le tous les centimètres. Taillez des tranches de 5 cm d'épaisseur et faites-les griller au four ou dans la poêle, environ 6 minutes de chaque côté.

PORC

Un bon rôti de porc doit être gras, mais sans excès ; si le porc maigre manque souvent de saveur, il y a, par contre, trop de pertes quand il est très gras. Prévoyez 225 à 350 g par personne pour un morceau avec l'os ou 125 à 225 g pour un morceau désossé.

Pour être digestible, la viande de porc doit être parfaitement cuite ; il est, en effet, dangereux de servir le porc saignant à cause des organismes pathogènes contenus dans la viande. Autrefois, on conseillait vivement de faire cuire le porc jusqu'à ce que la température interne atteigne 85°C, mais une température de 75°C suffit amplement.

Rôti

Les coupes de porc qui conviennent le mieux pour un rôti, désossé ou non, sont la cuisse, la longe et l'épaule, celle-ci à un prix plus abordable que les deux premières.

La cuisse et la longe sont souvent désossées, roulées et farcies avant d'être mises à rôtir. Il est également préférable de désosser et de rouler l'épaule, parce que c'est un morceau qui se découpe très mal à cause de la position des os.

Longe de porc farcie aux pruneaux

D'abord mariné dans du vin rouge, puis farci aux pruneaux, ce rôti, rarement préparé, est une pièce de tout premier choix pour un dîner de réception.

MARINAGE : *24 heures*
PRÉPARATION : *30 minutes*
CUISSON : *2 h 30*

INGRÉDIENTS *(6 personnes)*
1 paquet de pruneaux dénoyautés
50 ml de cognac
2-2,5 kg de rôti de longe
2 gros oignons jaunes tranchés
2 côtes de céleri tranchées
2 carottes tranchées
5 feuilles de laurier
8 grains de poivre
500 à 750 ml de vin rouge sec
5 c. à soupe de beurre
2 c. à soupe de farine
250 ml de crème
Sel et poivre

Faites macérer les pruneaux dans le cognac pendant 24 heures en les retournant de temps en temps. Vous aurez demandé à votre boucher de désosser le rôti, mais de vous garder les os. Mis au four avec la longe, les os rendront le fond de cuisson encore plus savoureux ; vous pourrez également les utiliser pour un bouillon ou un potage.

Percez la pièce sur toute sa longueur avec une lardoire ou un couteau (ou demandez au boucher de le faire pour vous) et remplissez la cavité de pruneaux en les enfonçant avec le manche d'une cuillère en bois. Ficelez solidement le rôti à plusieurs endroits et mettez-le dans un grand bol avec les oignons, le céleri, les carottes, les feuilles de laurier, les grains de poivre et le vin rouge.

Laissez mariner la viande pendant 24 heures si possible. Egout-

tez-la, essuyez-la avec du papier absorbant et faites-la dorer dans du beurre de tous les côtés. Déposez-la sur une grille, dans une lèchefrite, arrosez de marinade et faites rôtir environ 15 minutes dans un four chauffé à 230°C. Baissez le feu à 180°C et poursuivez la cuisson environ 2 heures de plus ou jusqu'à ce que le rôti soit à point, en arrosant de temps en temps avec la marinade.

Préparez la sauce à partir du fond de cuisson dégraissé, additionné de 2 cuillerées à soupe de farine. Ajoutez la crème en remuant et faites épaissir à feu doux en brassant constamment avec une cuillère en bois. Salez et poivrez la sauce au goût. Laissez reposer le rôti 15 minutes avant de le découper ; servez la sauce à part.

Grillades

Les côtelettes de porc grillent mieux dans la poêle qu'au gril parce que la viande a tendance à sécher et à durcir en cuisant. Les grosses côtelettes de longe sont souvent ourlées d'une épaisse bande de gras ; pour éviter que ce gras ne se recroqueville pendant la cuisson, ôtez-le avec des ciseaux ou incisez-le tous les 2 cm avec un couteau tranchant.

On fait habituellement rôtir ou griller les côtes levées, qui sont prélevées dans le bas du flanc. On peut également les faire griller sur du charbon de bois ou sur un gril extérieur.

On peut poêler des tranches de filet, mais, habituellement, on fait rôtir ou griller le filet entier.

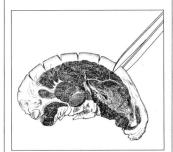

Découpez le gras des côtelettes de porc pour qu'elles ne se recroquevillent pas.

JAMBON

Le jambon se vend entier, en moitiés ou coupé en tranches épaisses. On peut le préparer de toutes les façons : bouilli, cuit au four, grillé, braisé et sauté à la poêle.

Modes de cuisson

Sauf s'ils ont été attendris et sont du type prêt-à-cuire, il faut faire tremper les jambons dans de l'eau froide pour les dessaler. On les fait ensuite bouillir ou blanchir avant de les rôtir ou de les braiser.

Mettez le jambon dans une marmite, couvrez-le d'eau froide et portez à ébullition. Couvrez et baissez le feu pour que la viande cuise à petits bouillons (une cuisson rapide durcirait les fibres et ferait rétrécir la viande). Comptez 40 minutes par kilo. Retirez le jambon de la marmite, réservez-le jusqu'à ce qu'il soit tiède, puis retirez la couenne avec les doigts.

Pour la cuisson au four, mettez le jambon dans une lèchefrite, le gras sur le dessus, et badigeonnez-le avec une glace de viande. Enveloppez-le ensuite d'une feuille d'aluminium et placez-le au centre du four préchauffé à 150°C ; laissez-le cuire entre 45 minutes et 1 heure, afin qu'il soit bien glacé et parfaitement réchauffé.

Vous pouvez aussi tailler des losanges dans la graisse, enfoncer des clous de girofle aux intersections et saupoudrer le jambon de cassonade pour le glacer. Remettez-le au four et faites-le rôtir à 220°C pendant la dernière demi-heure.

Les jambons vieillis, dits « de campagne », sont vendus dans un emballage où sont inscrites les directives pour la cuisson. Comme celles-ci varient selon le mode de traitement, suivez-les bien.

Jambon de campagne

Pour préparer un jambon de campagne, faites-le tremper dans de l'eau froide de 24 à 36 heures. Egouttez-le. S'il y a un peu de moisissure, frottez-le vigoureusement avec une brosse à légumes et un savon doux sans parfum. Rincez-le à fond pour qu'il ne reste plus la moindre trace de savon.

Viandes

Mettez le jambon dans une marmite où vous aurez porté à ébullition juste assez d'eau pour le couvrir et faites-le mijoter à feu doux en calculant 50 à 60 minutes par kilo. Sortez-le de la marmite et enlevez la couenne pendant qu'il est encore chaud. Si vous le voulez, vous pouvez, avec un couteau, entailler la graisse en diagonale tous les 2 cm, sur une profondeur de 3 mm. Recommencez dans l'autre sens, afin d'obtenir des carrés ou des losanges. Garnissez de clous de girofle aux intersections ou glacez le jambon avec la préparation suivante.

Mélangez 250 g de cassonade, 2 cuillerées à thé de moutarde sèche ou de Dijon et 2 pincées de clou de girofle moulu. Ajoutez juste assez de graisse, prélevée dans le fond de cuisson, pour obtenir une pâte ferme; étalez-la sur le jambon. Faites cuire le jambon au four à 215°C pendant 30 minutes. Servez-le, chaud ou froid, en tranches très minces.

PRÉPARER UN JAMBON

Otez la couenne.

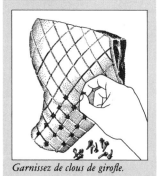
Garnissez de clous de girofle.

ABATS

Le cœur, les rognons, le foie, la cervelle, la langue et les ris se digèrent facilement et sont d'un prix abordable. On classe aussi parmi les abats les os à moelle du veau et du bœuf, la queue de bœuf, la tête et les pieds de porc, les saucisses de porc et le boudin. Ces viandes sont riches en vitamines, en minéraux et en protéines.

Cervelle

Cervelles de veau et de porc Elles se préparent de la même manière. Laissez tremper la cervelle 1 heure dans de l'eau froide légèrement salée pour faire partir toute trace de sang. Sous le robinet, éliminez la membrane fine qui la recouvre et les filaments sanguins, puis, si possible, laissez-la encore tremper dans de l'eau froide légèrement vinaigrée jusqu'à ce qu'elle soit devenue blanche. Portez doucement à ébullition dans une casserole d'eau salée et citronnée avec carotte, oignon et petit bouquet garni; laissez pocher pendant 15 minutes. Egouttez alors la cervelle, passez-la sous l'eau froide, faites-la refroidir complètement et essuyez-la.

Vous pouvez ensuite la couper en tranches de 1 cm d'épaisseur; panez ou farinez les tranches et faites-les frire dans du beurre ou, si vous préférez les enrober de pâte à frire (voir p. 275), dans de l'huile. Servez avec des quartiers de citron.
Cervelles d'agneau Plus petites, elles ne doivent tremper dans l'eau froide qu'une demi-heure; ensuite, après leur avoir ôté membranes et filaments, faites-les cuire comme les cervelles de veau ou de porc.

Cœur

Qu'il soit de bœuf, de veau ou d'agneau, le cœur est une viande particulièrement nutritive. Habituellement, on le fait braiser ou bouillir après l'avoir farci. Toutefois, le cœur de bœuf étant dur et plein de muscles, il vaut mieux le hacher et le cuire lentement à la casserole. Les cœurs de veau et d'agneau sont plus tendres et d'une saveur plus délicate. Calculez un cœur par personne.

FARCIR UN CŒUR

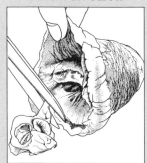
Otez les tendons et les artères.

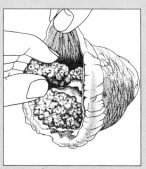
Farcissez le cœur.

Passez les cœurs à l'eau froide courante pour enlever tout le sang et ôtez, avec des ciseaux, les tendons et les artères. Garnissez les cœurs d'une farce au pain ou aux oignons et cousez l'ouverture. Faites-les braiser 1 h 30 à 2 heures ou jusqu'à ce qu'ils soient tendres.

Rognons

Les rognons de bœuf ont une saveur prononcée et, après les avoir grossièrement hachés, on les fait braiser ou cuire dans un pâté en croûte. Les rognons de veau, d'agneau et de porc se préparent au gril ou à la poêle, quoique les rognons de porc soient moins tendres. Prévoyez deux ou trois rognons par personne.

Enlevez le gras et la fine peau qui enveloppe les rognons. Coupez-les en deux dans le sens de la longueur et ôtez la partie centrale.

Badigeonnez les rognons de beurre fondu, salez et poivrez avant de mettre au gril ou dans la poêle. Faites-les cuire 6 minutes tout au plus, en les retournant une seule fois.

La graisse des rognons de bœuf s'emploie, fondue, pour la friture. On s'en sert également en pâtisserie, pour préparer des poudings.

Foie

Moins raffiné et plus dur que celui des autres animaux, le foie de bœuf est plus savoureux si on le laisse tremper au moins une heure dans de l'eau froide pour enlever le surplus de sang. Il est meilleur braisé.

Coupez le foie de bœuf en tranches de 5 mm d'épaisseur, passez celles-ci dans de la farine assaisonnée et faites-les revenir dans du beurre avec un oignon émincé et quelques tranches de bacon. Mettez ensuite le foie, l'oignon et le bacon dans une cocotte, mouillez, à hauteur, de fond brun ou blanc ou de sauce tomate, couvrez et cuisez au centre du four préchauffé à 180°C pendant 45 minutes.

PARER LES ROGNONS

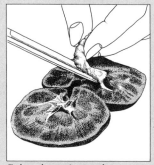
Otez la membrane du rognon.

Enlevez la partie centrale.

PRÉPARER DU FOIE

Enlevez le cartilage.

Tranchez.

Si l'on veut du foie grillé, il est préférable de prendre du veau ou de l'agneau. Parez le foie en enlevant les parties cartilagineuses et autres déchets avec un couteau ou des ciseaux. Lavez le foie et essuyez-le, puis coupez-le en tranches de 5 mm d'épaisseur. Badigeonnez-les abondamment de beurre fondu et assaisonnez-les de sel et de poivre avant de les faire griller.

Vous pouvez également les passer dans de la farine assaisonnée et les faire revenir à feu modéré dans du beurre. Le foie trop cuit durcit. Dès que le sang commence à perler à la surface, retournez les tranches et faites-les cuire un peu moins longtemps cette fois.

Quoique d'un goût plus prononcé, le foie de porc se prépare comme le foie de veau et d'agneau. On l'utilise également pour des plats en casserole, des ragoûts et des pâtés en croûte.

Foie braisé au vin rouge

PRÉPARATION : 30 minutes
CUISSON : 45 minutes

INGRÉDIENTS (6 personnes)
6 tranches de foie de bœuf ou de veau
    de 6 mm d'épaisseur
Farine assaisonnée
125 g d'oignon haché
3 c. à soupe de beurre
250 ml de consommé de bœuf (p. 267)
250 ml de vin rouge
2 pincées de thym séché
2 c. à soupe de farine
Sel

Enlevez soigneusement la peau qui recouvre le foie. Enrobez-le généreusement de farine assaisonnée et faites-le revenir dans le beurre avec l'oignon jusqu'à ce qu'il brunisse légèrement.

Disposez les tranches dans une grande lèchefrite ; elles peuvent chevaucher. Mélangez le consommé, le vin et le thym et arrosez-en le foie. Couvrez la lèchefrite avec une feuille de papier d'aluminium et mettez à cuire au four à 180°C, pendant 45 minutes.

Versez le fond de cuisson dans une casserole. Délayez 2 cuillerées à soupe de farine dans 3 cuillerées à soupe d'eau froide et ajoutez-la au liquide. Faites mijoter 2-3 minutes en remuant jusqu'à ce que la sauce épaississe. Goûtez et rajoutez du sel si besoin est. Versez la sauce sur le foie. Servez avec de la purée de pommes de terre (p. 301) et une salade verte.

Ris

Les ris de veau et d'agneau se préparent de la même façon. Une paire de ris suffit pour deux personnes. Faites d'abord tremper les abats dans de l'eau froide durant 1-2 heures pour en enlever tout le sang. Egouttez bien et couvrez de nouveau d'eau froide.

Portez à ébullition, passez aussitôt et jetez le liquide ; immergez les ris dans de l'eau froide salée, portez de nouveau à ébullition à feu doux et retirez les ris dès qu'elle commence à bouillir. Rincez-les à l'eau froide courante, enlevez les veines noires qui les traversent et le plus possible de la fine membrane qui les enveloppe.

Mettez les ris dans une casserole avec juste assez de fond blanc pour les couvrir, ajoutez 1 cuillerée à soupe de beurre et une giclée de jus de citron ; portez à ébullition, couvrez et laissez mijoter 15 à 20 minutes. Laissez les ris refroidir dans le jus de cuisson, puis égouttez-les. Passez-les dans de la farine assaisonnée, de l'œuf battu et de la chapelure, et faites-les revenir dans du beurre jusqu'à ce qu'ils soient bien dorés. Servez avec une sauce à la crème et des champignons sautés. Les ris s'emploient également pour garnir des vol-au-vent.

Langue

Plus grosse que les autres, la langue de bœuf peut peser jusqu'à 2,5 kg. Elle se vend marinée, fumée, en conserve ou fraîche ; dans ce dernier cas, on la fait cuire telle quelle. Si vous achetez une langue marinée, faites-la d'abord tremper au moins 10 heures dans de l'eau froide. Egouttez-la et mettez-la dans une petite marmite. Recouvrez-la d'eau froide, portez à ébullition, puis passez. Remettez la langue dans la marmite, couvrez d'eau froide et ajoutez 6 grains de poivre, 1 bouquet garni et 1 oignon tranché. Portez à ébullition, couvrez et laissez mijoter 2-3 heures ou jusqu'à ce que la viande soit tendre. (La langue fraîche doit cuire 5-6 heures.)

Plongez la langue cuite dans de l'eau froide, puis enlevez la peau en la fendant sous la langue et à partir de la pointe. Otez les petits os et les cartilages à la base de la langue.

Les langues d'agneau sont beaucoup plus petites et ne pèsent environ que 225 g. Faites-les d'abord

Otez la peau de la langue cuite en commençant par la pointe.

tremper 1-2 heures dans de l'eau légèrement salée, puis faites-les bouillir pendant 2 heures environ avec 1 oignon tranché, 1 bouquet garni, quelques grains de poivre et juste assez d'eau pour les couvrir. Egouttez-les, pelez-les et servez-les chaudes ou froides.

Tripes

Il y a trois sortes de tripes (le gras-double, le bonnet et les intestins), mais c'est le bonnet, vendu blanchi et partiellement cuit, qui est le plus courante. Le temps de cuisson des tripes fraîches et préparées n'est que de 2 heures.

Tripes à la lyonnaise

PRÉPARATION : 10 minutes
CUISSON : 2 h 15 environ

INGRÉDIENTS (4 personnes)
450 g de bonnet prêt à cuire
4 c. à soupe de beurre doux
2 oignons moyens émincés
2 c. à soupe de vinaigre de vin blanc
Sel et poivre
2 c. à thé de persil haché

Lavez les tripes à l'eau froide. Mettez-les dans une petite marmite, couvrez d'eau et portez à ébullition ; réduisez le feu, couvrez et laissez mijoter 2 heures ou jusqu'à ce qu'elles soient tendres.

Egouttez les tripes, épongez-les avec du papier absorbant et coupez-les en lanières de 1,5 à 2,5 cm de large. Faites fondre 2 cuillerées à soupe de beurre dans un faitout et faites-y revenir les oignons jusqu'à ce qu'ils commencent à prendre couleur.

Faites chauffer le reste de beurre dans un second faitout et faites-y revenir les tripes jusqu'à ce qu'elles soient bien dorées.

Mélangez le contenu des deux faitouts et faites cuire 10 minutes en remuant constamment. Versez le vinaigre dans la casserole, assaisonnez et parsemez de persil haché. Servez avec de la purée de pommes de terre.

Os à moelle

La moelle contenue dans les gros os des jarrets et de l'épaule de bœuf est considérée comme un aliment particulièrement raffiné. Faites

Extrayez la moelle cuite avec une petite cuillère pointue.

scier les os par le boucher à la longueur qui vous convient ; grattez-les et lavez-les avant d'en sceller les extrémités avec une pâte à base de farine et d'eau. Enveloppez chaque tronçon d'os à moelle dans un morceau de gaze et laissez mijoter doucement 1 h 30 à 2 heures dans un court-bouillon (p. 276).

Egouttez et extrayez la moelle des os avec une petite cuillère pointue ; tartinez-en du pain grillé.

Os de veau

Les os des jeunes veaux contiennent beaucoup de gélatine qui se gélifie après qu'ils ont bouilli. La tête et les pieds de veau permettent de préparer d'excellents consommés en gelée ; toutefois, on peut les remplacer par des pieds de porc qui contiennent également de la gélatine.

Queue de bœuf

La queue de bœuf est vendue parée et coupée en morceaux d'environ 5 cm ; elle fait d'excellents ragoûts. Comme une queue de bœuf contient beaucoup d'os et de gras, prévoyez une queue pour trois ou quatre personnes.

PRÉPARATION : 25 minutes
CUISSON : 3 heures à 3 h 30

INGRÉDIENTS (4 personnes)
1 kg environ de queue de bœuf
2 c. à soupe de farine assaisonnée
4 c. à soupe d'huile ou de graisse de
    rôti
2 oignons
225 g de carottes
2 côtes de céleri
375 ml de fond brun
Bouquet garni

Débarrassez les morceaux de queue du maximum de gras possible et passez-les dans la farine assaisonnée. Faites fondre le gras dans une casserole et faites-y brunir la queue à feu vif. Transvasez la queue dans une marmite. Faites revenir les oignons, les carottes et le céleri tranchés dans la graisse jusqu'à ce qu'ils soient bien dorés ; saupoudrez du reste de farine et faites cuire jusqu'à ce que toute la graisse ait été absorbée. Ajoutez lentement le bouillon en remuant et versez la sauce sur la queue de bœuf. Ajoutez le bouquet garni, couvrez et faites cuire dans le bas du four à 150°C pendant 3 heures. Rajoutez du bouillon durant la cuisson, si besoin est.

Tête de porc

La tête de porc est utilisée pour faire du fromage de tête. Faites-la tremper au moins 24 heures dans de l'eau salée avant de la mettre à bouillir. La tête de veau fait également un excellent fromage de tête, mais on en trouve difficilement.

Saucisses

Il est facile de faire ses propres saucisses de porc. Elles se composent à parts égales de viande hachée maigre et de lard assaisonnés de sel, de poivre et d'aromates. Pour en remplir les boyaux de porc blanchis (qu'on peut se procurer chez certains bouchers), on se sert d'un entonnoir à saucisse fixé à un hachoir à viande. Ficelez les intestins remplis tous les 8 à 10 cm.

Boudin

Le boudin est un mélange de sang de porc et de graisse de rognon assaisonnés dont on remplit des boyaux de porc blanchis. Il est ensuite poché lentement avant d'être vendu dans les boucheries. Faites revenir du boudin dans du beurre chaud et servez avec de la purée de pommes de terre et de la compote de pommes.

Pieds de porc

Les pieds de porc cuits dans un fond se servent chauds ou froids ; on peut aussi les utiliser pour préparer un consommé en gelée.

Découpage des viandes

Le découpage des pièces de viande qui ont été désossées et roulées (que ce soit du bœuf, du porc, de l'agneau ou du veau) ne pose vraiment aucun problème. Il n'en va pas de même lorsque les morceaux se présentent avec leurs os ; la personne qui exécute le découpage a avantage, dans ce cas, à connaître l'emplacement exact des os dans la pièce. Ces tableaux lui seront donc utiles.

Il est essentiel d'avoir un couteau bien tranchant et une fourchette à deux dents et à garde pour faire des tranches nettes sans abîmer la pièce. La plupart des viandes (bœuf, porc, agneau, veau) se découpent dans le sens contraire des fibres ; cette méthode les rend plus tendres. Les rôtis de palette ou de côtes se tranchent mince ; les jambons entiers, les demi-jambons avec jarret, les rôtis de croupe et d'épaule, les rôtis de porc et de veau se tranchent un peu plus épais que le bœuf, mais moins que le gigot d'agneau. On peut découper ce dernier dans le sens des fibres, mais les tranches devront être minces si on veut qu'elles soient tendres.

RÔTI DE LONGE DE PORC

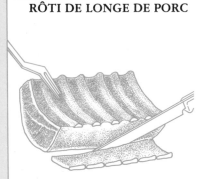

Si ce n'est déjà fait, enlevez la colonne vertébrale avant de mettre le rôti sur la table. Piquez la fourchette entre les os des côtes ; insérez la pointe du couteau entre la colonne vertébrale et la chair et dégagez la colonne aussi net que possible.

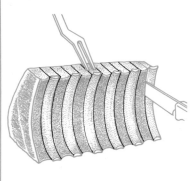

Déposez la viande dans le plat de service sur sa partie la plus large, les os des côtes face à la personne qui découpe. Coupez à la verticale entre les os en servant une côte par portion. Pour obtenir des tranches plus minces, calculez-en deux par côte ; l'une sera sans os, l'autre renfermera l'os de la côte.

GIGOT D'AGNEAU

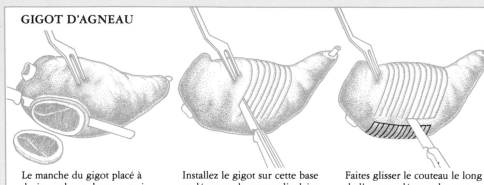

Le manche du gigot placé à droite, enlevez deux ou trois tranches dans la partie mince de la pièce pour la stabiliser.

Installez le gigot sur cette base et découpez-le perpendiculairement à l'os en commençant près du manche.

Faites glisser le couteau le long de l'os pour dégager les tranches. Détachez leur base en tranchant transversalement.

RÔTI DE CÔTES DE BŒUF

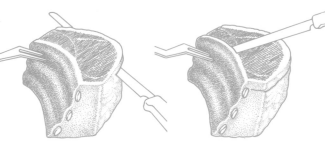

Au besoin, enlevez une tranche sur une extrémité du rôti pour l'asseoir. Tranchez en vous dirigeant vers les côtes.

Pour dégager les tranches de l'os, faites une incision verticale le long des côtes avec la pointe d'un couteau tranchant.

Insérez le couteau sous la tranche, assurez-la avec la fourchette et servez. Les tranches peuvent être minces ou épaisses.

RÔTI DE PALETTE DE BŒUF

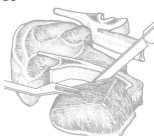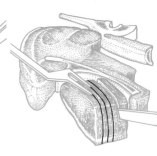

Piquez le rôti avec la fourchette à dépecer ; découpez entre la viande et les os en dégageant une section à la fois.

Placez le morceau à plat dans le sens des fibres. Il vous sera alors possible de découper la pièce transversalement.

Piquez le morceau avec la fourchette, coupez à contresens des fibres des tranches de 1 cm environ et servez.

JAMBON ENTIER

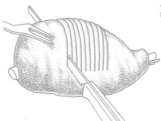

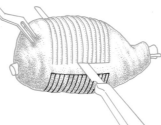

Installez le jambon avec le gras sur le dessus et le jarret à droite. Aplanissez le petit côté du jambon pour bien l'asseoir.

Découpez ensuite le jambon perpendiculairement à l'os en tranches minces ou dégagez la pièce, comme à droite.

Détachez les tranches en passant le couteau le long de l'os. Au besoin, dégagez la base d'une seule pièce, puis détaillez-la.

DEMI-JAMBON AVEC JARRET

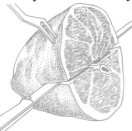

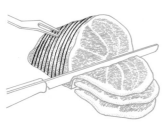

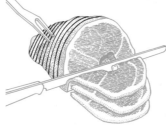

Placez le jarret à gauche, la plus grosse partie du jambon sur le dessus. Piquez la fourchette et tranchez le long de l'os.

Déposez le morceau à plat sur la planche à découper et découpez de fines tranches verticales avec un couteau tranchant.

Pour découper l'autre morceau, dégagez d'abord l'os ; placez le morceau sur la planche et taillez-le comme le premier.

DEMI-JAMBON AVEC FILET

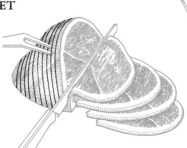

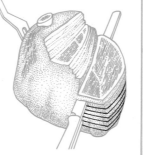

Déposez le jambon à plat dans une assiette. Faites glisser le couteau le long de l'os et dégagez la pièce de viande.

Mettez la pièce sur la partie que vous venez de couper, puis taillez de fines tranches à contre-sens des fibres.

Découpez le reste du rôti perpendiculairement à l'os. Dégagez chaque tranche de l'os avec la pointe du couteau.

RÔTI DE PORC DANS L'ÉPAULE

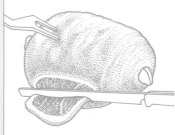

Le rôti dans l'épaule se découpe de la même façon, qu'il soit nature ou fumé. Enlevez quelques tranches sur le côté le plus petit du rôti pour bien l'asseoir sur cette base.

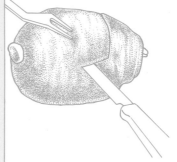

Insérez le couteau dans la viande à gauche de la pointe du coude et faites-le pénétrer jusqu'à l'os. Tournez le couteau et faites-le glisser contre l'os pour dégager la pièce.

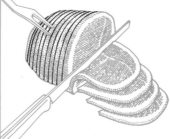

Piquez la pièce avec la fourchette à découper et taillez de fines tranches perpendiculairement au sens des fibres de la viande avec un couteau tranchant.

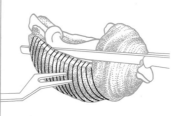

Dégagez la viande qui reste des deux côtés de l'os ; comme précédemment, taillez à nouveau de fines tranches, à contresens des fibres de la viande.

Volaille et gibier

A l'instar de la plupart des aliments qui, autrefois, suivaient le rythme des saisons, la volaille et le gibier sont maintenant accessibles à longueur d'année grâce à l'usage largement répandu de la surgélation. Néanmoins, une volaille qui vient d'être tuée est beaucoup plus savoureuse qu'un oiseau surgelé, et c'est durant la saison de chasse, qui s'étend du début de l'automne jusqu'au cœur de l'hiver, que le gibier ravit le palais des gourmets.

PRÉPARATION DE LA VOLAILLE

En règle générale, la volaille qu'on trouve sur le marché est prête pour la cuisson : elle est faisandée, plumée, vidée et troussée. Les oiseaux à griller surgelés doivent dégeler lentement avant qu'on les mette à cuire. Pour ce faire, on les met au réfrigérateur dans leur emballage pendant 24 à 48 heures, selon la grosseur. Il ne faut jamais faire dégeler une volaille dans de l'eau.

Nous indiquons ici comment se prépare une volaille fraîche qui n'est pas prête à cuire.

Faisander

Après l'avoir tué, on suspend l'oiseau par les pattes dans un endroit frais et aéré. La durée du faisandage dépend de la température, ainsi que de l'espèce et de l'âge du volatile. Le poulet doit faisander environ 24 heures ; accordez un ou deux jours pour l'oie et le canard, trois à cinq jours pour le dindon. Les oiseaux âgés faisanderont plus longtemps.

Plumer

La volaille doit être plumée encore chaude si possible, car les plumes se détachent plus facilement. Posez-la sur une grande feuille de papier épais, plumez-la en partant du haut de la poitrine et en arrachant deux à trois plumes (pas plus) à la fois. Tirez les plumes vers la tête, comme le montre l'illustration ci-contre. Si la volaille est déjà froide, plongez-la dans une grande marmite d'eau bien chaude et plumez hors de l'eau.

Avant d'effectuer les autres opérations qui précèdent la cuisson, passez la volaille à la flamme pour lui ôter les restes de duvet.

Vider

Posez la volaille sur le dos ; coupez-lui la tête, en laissant 7-8 cm de cou, incisez la peau du cou, détachez-la en la tirant vers le corps, coupez le cou à la base ; retirez le jabot et le boyau qui s'y rattache.

Élargissez l'ouverture à la base du cou, glissez-y une main et commencez à détacher les entrailles, mais sans chercher à les extraire.

Avec un couteau, retirez la « bague » (anneau qui termine l'anus), élargissez suffisamment l'ouverture pour y glisser la main et sortez délicatement les entrailles (en faisant bien attention de ne pas ouvrir la poche de fiel) et la graisse.

Dégagez le foie dont vous enlèverez la poche de fiel avec beaucoup de précaution. Débarrassez le cœur des parties graisseuses et sanguinolentes. Pratiquez une entaille dans la partie convexe du gésier et retournez-le comme un gant pour éliminer la poche de graviers sans la percer.

Découpez la peau autour de la jointure des pattes, à la base des cuisses, pour mettre à nu les tendons, tirez-les en les laissant attachés aux pattes et détachez les pattes à la jointure.

Farcir

Une fois que la volaille est vidée, on la bride en prévision de la cuisson, mais généralement, on commence par la farcir. Outre le fait qu'elle en rehausse la saveur et qu'

PLUMER UNE VOLAILLE OU DU GIBIER

1 Commencez par la poitrine.

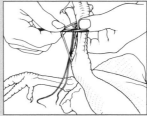

2 Flambez le duvet restant.

PRÉPARER UNE VOLAILLE POUR LA CUISSON

1 Tirez la peau du cou.

2 Coupez le cou à la base.

3 Détachez les entrailles.

4 Élargissez l'ouverture anale.

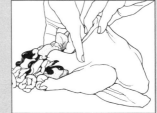

5 Retirez les entrailles et la graisse.

6 Réservez les abats.

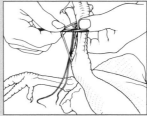

7 Retirez les tendons.

8 Sectionnez la patte à la jointure.

lui donne meilleure apparence, la farce permet de satisfaire un plus grand nombre de convives.

Les principaux ingrédients qu'on utilise pour la farce sont, mélangés avec du beurre fondu et des aromates, la chapelure, la viande et le riz. Comme la farce augmente de volume en cuisant, il faut éviter de trop remplir la cavité du volatile : 500 g de farce sont suffisants pour un poulet de 1,5 kg.

Farce au pain
(recette de base)
PRÉPARATION : 15 minutes

INGRÉDIENTS
500 g de chapelure blanche fraîche
2 c. à soupe de beurre fondu
1 petit oignon
Sel et poivre
1 œuf
Bouillon ou eau

Mettez la chapelure dans un bol et mélangez-la au beurre fondu. Pelez et hachez finement l'oignon, puis ajoutez-le au mélange. Salez et poivrez. Battez l'œuf et incorporez-le à la chapelure. Mouillez avec suffisamment d'eau ou de bouillon pour que la farce ait une consistance ferme sans être trop sèche.

Remplissez de farce la cavité de l'oiseau en vous aidant d'une cuillère. On farcit le poulet, le canard et l'oie par l'ouverture anale, tandis que la dinde est farcie également par l'ouverture du cou.

Pour varier, on peut ajouter à la farce au pain 2 cuillerées à soupe de persil finement haché ou 1 cuillerée à thé de sauge hachée.

Farce au céleri Hachez finement 3 côtes de céleri et faites revenir quelques minutes dans un peu de beurre. Ajoutez le céleri à la farce au pain en remuant. Le mélange sera encore plus savoureux si on y ajoute 130 g d'abricots secs finement hachés.

Farce aux pommes Hachez finement deux pommes à cuire. Remplacez le beurre de la recette de base par 1 cuillerée à soupe de graisse de bacon ou par une tranche de bacon émiettée et ajoutez les pommes.

Farce aux champignons Nettoyez et hachez 115 g de champignons blancs frais et fermes ; faites-les revenir dans la quantité de beurre indiquée pour la recette de base. Mélangez les champignons, la chapelure, l'oignon, l'œuf et les assaisonnements.

Farce au riz Faites fondre 2 cuillerées à soupe de beurre et faites-y revenir légèrement 1 petit oignon émincé jusqu'à ce qu'il soit transparent. Ajoutez 150 g de riz à grains longs et faites-le sauter 2-3 minutes avec l'oignon. Salez, saupoudrez de poivre fraîchement moulu et arrosez le riz de 250 ml d'eau ou de bouillon. Portez le mélange à ébullition, couvrez hermétiquement et faites cuire à feu doux jusqu'à ce que tout le liquide ait été absorbé et que le riz soit tendre.

Farce aux saucisses Les farces qui contiennent de la viande aident à garder juteuse la chair des gros volatiles. Préparez la recette de base et incorporez-y 225 g de chair à saucisse. Une variante consiste à faire fondre 2 à 4 cuillerées à soupe de beurre et à y faire sauter 1 oignon finement haché et 450 g de chair à saucisse pendant 2-3 minutes. Versez le mélange dans un bol et ajoutez-y 125 g de chapelure. Salez, poivrez et mouillez avec un œuf battu et de l'eau. Laissez l'appareil refroidir avant de farcir la volaille.

Brider

Dans tous les cas, la volaille doit être bridée pour qu'elle conserve sa forme durant la cuisson. Pour cela, vous pouvez utiliser une aiguille spéciale (très longue et avec un gros chas permettant d'enfiler du fil de cuisine).

Posez la volaille (la poitrine vers le bas) sur une planche à découper ou un plan de travail. Repliez la peau du cou sur le dos de façon à en boucher l'ouverture, puis repliez sur la peau, pour bien la maintenir, les pointes des deux ailes.

Enfilez l'aiguille avec le fil de cuisine, ou du fil blanc assez gros, puis passez l'aiguille dans l'aile droite, à la hauteur de la seconde jointure, et poussez-la à travers le corps de la volaille en la faisant res-

BRIDER UNE VOLAILLE AVEC UNE AIGUILLE...

1 Repliez la peau du cou.

2 Rabattez les ailerons dessus.

3 Incisez la peau du ventre.

4 Passez le croupion dans l'entaille.

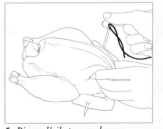

5 Piquez l'aile par en dessous.

6 Piquez dans la jointure.

7 Attachez les ailes avec le fil.

8 Piquez à travers le croupion.

9 Croisez le fil autour des cuisses.

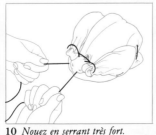

10 Nouez en serrant très fort.

OU AVEC UNE BROCHE

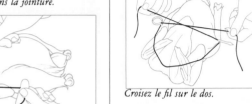

Piquez la broche sous les cuisses.

Croisez le fil sur le dos.

Enroulez le fil autour des pilons.

sortir par l'aile gauche, à la hauteur de la jointure correspondante. Glissez-la ensuite dans la première jointure de l'aile gauche et poussez-la à travers le corps en la faisant ressortir par la première jointure de l'aile droite. Attachez solidement les extrémités du fil.

Pour attacher les pattes, serrez-les contre le corps. Passez l'aiguille dans la partie droite du croupion, faites un tour avec le fil, d'abord autour de la patte droite, puis autour de la gauche, passez l'aiguille dans la moitié gauche du croupion et serrez la ficelle de manière à comprimer les pattes l'une contre l'autre. Attachez solidement les extrémités du fil.

Trousser avec une broche

Rabattez la peau du cou et les ailerons sur le dos de la volaille, de la façon expliquée plus haut, et passez le croupion dans l'entaille faite au-dessus de l'ouverture anale.

Posez la volaille sur le dos et, tout en poussant les cuisses vers le cou, insérez la broche juste au-dessous de la cuisse. Enfoncez complètement la broche à travers la volaille pour qu'elle ressorte de l'autre côté exactement au même niveau, soit à la jonction de la cuisse et du pilon.

Retournez la volaille. Passez un morceau de fil de cuisine par-dessus les ailerons et autour des extrémités de la broche. Croisez le fil sur le dos de l'oiseau.

Déposez de nouveau la volaille sur le dos, enroulez le fil autour des pilons et du croupion, puis nouez-le solidement.

Barder

Une fois que le poulet est troussé, il est prêt pour la cuisson. Toutefois, si vous le faites rôtir, vous devriez protéger la chair de la poitrine pour l'empêcher de sécher. Ce procédé, qui s'appelle barder, consiste simplement à couvrir la poitrine de tranches de bacon.

Il est superflu de barder l'oie ou le canard. Par contre, le poulet, la dinde et le gibier à plume ont une chair plus sèche qui gagne à être bardée.

En fondant durant la cuisson, la graisse du bacon arrose la viande qui, ainsi, reste juteuse. En outre, la saveur du bacon s'ajoute à celle du volatile. Retirez le bacon croustillant une vingtaine de minutes avant la fin de la cuisson et remettez l'oiseau au four pour laisser griller la poitrine.

Recouvrez la poitrine de bardes de bacon et attachez-les avec du fil.

Volaille et gibier

Découper à cru

Une petite volaille comme le pigeon ou le coquelet peut se couper en deux. Posez-la sur la planche à découper, le dos vers le bas, et, avec un couteau solide et bien aiguisé, partagez-la dans le sens de la longueur de la base du cou jusqu'au croupion. Les deux moitiés peuvent encore être coupées en deux morceaux chacune : enfilez la lame du couteau sous la jointure de la cuisse et séparez celle-ci de la poitrine en tenant la lame inclinée à 45 degrés.

Si vous désirez avoir un plus grand nombre de morceaux, tirez une cuisse en l'éloignant du corps et coupez-la le long de la ligne de jonction avec la carcasse ; détachez la cuisse, vous pourrez ensuite la diviser en deux morceaux à la jointure du pilon. Faites de même avec l'autre cuisse. Coupez à la jointure les deux ailes que vous pourrez diviser à leur tour en deux morceaux. Découpez la poitrine en détachant les deux filets de chaque côté du bréchet, laissez-les entiers ou coupez chacun d'eux en deux ou trois morceaux. Coupez la carcasse en deux ou trois morceaux ou bien réservez-la pour préparer un potage.

Désosser

Pour préparer une galantine de poulet, ce dernier doit être désossé. Posez-le, déjà plumé, passé à la flamme et vidé, sur un plan de travail, la poitrine vers le bas. Coupez les ailes à la seconde jointure.

Avec un petit couteau bien aiguisé, faites une incision profonde le long du dos, de la base du cou au croupion. Détachez la chair de la cage thoracique jusqu'à la jointure des ailes. Coupez les tendons qui réunissent les ailes à la carcasse. En tenant d'une main l'os de l'aile mis à nu, détachez au couteau et poussez vers le haut la chair de l'aile. Coupez les tendons à l'extrémité de l'os et détachez ce dernier ; la chair de l'aile est alors retournée comme un gant ; faites de même avec l'autre aile.

Avec le couteau, détachez la chair sur la moitié de la carcasse, jusqu'à ce que vous arriviez à la jointure de la cuisse ; coupez les tendons. En tenant d'une main l'extrémité de l'os de la cuisse, détachez la chair avec le couteau en la poussant vers le haut, jusqu'à ce que vous arriviez à l'autre jointure ; coupez alors les tendons et détachez l'os en retournant comme un gant la chair de la cuisse. Faites de même avec l'autre cuisse, puis détachez la chair de la poitrine, de chaque côté du bréchet et jusqu'à la pointe de ce dernier. Otez la carcasse.

Surtout veillez à ne pas déchirer la peau tout au long de l'opération.

MODES DE CUISSON

Le rôtissage est la façon la plus fréquente de faire cuire la volaille. A l'exception de l'oie et du canard qui sont des volatiles gras, il faut barder la volaille ou la badigeonner généreusement de beurre ou d'huile avant de la mettre au four.

Les volatiles âgés ou en morceaux se préparent souvent au pot et à l'étuvée. On se sert alors de la viande cuite pour préparer d'autres recettes, comme la fricassée. On peut également les faire braiser ou les cuire en cocotte. Enfin, on peut faire frire les morceaux de poulet.

POULET

Poule au pot

Badigeonnez un poulet entier de jus de citron pour lui conserver sa couleur et mettez-le dans un faitout. Ajoutez 1 bouquet garni, 1 carotte et 1 oignon pelés, et juste assez d'eau pour couvrir la volaille. Salez à raison de 1 cuillerée à thé de sel par kilo. Portez à ébullition et écumez. Réduisez le feu, couvrez et laissez mijoter, jusqu'à ce que le poulet soit tendre, ce qui, selon l'âge de la volaille, peut prendre de 1 à 3 heures. Pour les morceaux de poulet, calculez seulement 15 à 20 minutes. Retirez le poulet du faitout et servez-le chaud, nappé d'une béchamel. Utilisez le fond de cuisson pour une sauce ou un potage.

Braisage et cuisson en cocotte

Faites légèrement revenir dans un peu de beurre une volaille entière ou coupée en morceaux, jusqu'à ce qu'elle soit dorée. Retirez-la du récipient et faites revenir dans le même beurre de cuisson environ 450 g de légumes nettoyés et grossièrement hachés, comme des carottes, des oignons, du céleri et des navets. Déposez la volaille sur la couche de légumes et couvrez hermétiquement. Faites cuire sur la cuisinière à feu doux ou au four à 165°C, jusqu'à ce que la viande soit tendre. La cuisson demande environ 2 heures, selon l'âge et la grosseur de la volaille.

Dans le cas d'un poulet en cocotte, commencez par faire revenir les morceaux dans du beurre jusqu'à ce qu'ils soient dorés, puis mettez-les dans une cocotte allant au four. Versez suffisamment de bouillon, de vin ou d'un mélange des deux pour en recouvrir le fond sur une hauteur de 2,5 cm. Ajoutez du sel, du poivre, des herbes hachées ou un bouquet garni et couvrez. Faites cuire comme le poulet braisé, sur la cuisinière ou au four, pendant 1 heure à 1 h 30. Vous pouvez ajouter, en cours de cuisson, quelques légumes que vous aurez d'abord fait légèrement revenir dans une poêle.

COUPER UN POULET EN MORCEAUX

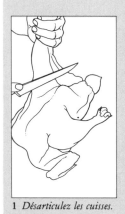
1 *Désarticulez les cuisses.*

2 *Coupez l'articulation.*

3 *Détachez l'os de l'aile.*

4 *Prélevez les blancs et...*

5 *...coupez-les en deux.*

DÉSOSSER UN POULET OU UNE PETITE VOLAILLE

1 *Sectionnez les ailerons.*

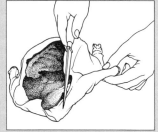
2 *Coupez les tendons de l'aile.*

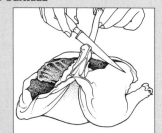
3 *Détachez l'os de l'aile de sa chair.*

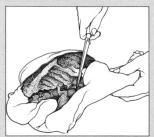
4 *Sectionnez la jointure de la cuisse.*

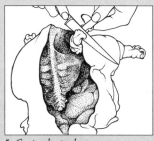
5 *Coupez les tendons.*

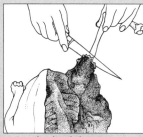
6 *Détachez l'os de la cuisse.*

Cuisson au gril et friture

Les pigeonneaux et les petits poulets sont parfaits pour la cuisson au gril. Un oiseau de grosseur moyenne (environ 700 g) est suffisant pour deux personnes. Déposez l'oiseau sur sa poitrine, fendez-le le long de la colonne vertébrale et ouvrez-le. Aplatissez-le avec un attendrisseur en brisant les articulations, si besoin est.

Badigeonnez complètement le volatile de beurre fondu, assaisonnez légèrement avec du sel et du poivre fraîchement moulu. Faites cuire le volatile au gril à feu modéré pendant 20 à 30 minutes en le retournant fréquemment.

Avant de faire frire à la poêle des morceaux de poulet, passez-les dans de la farine assaisonnée ou dans un œuf battu et de la chapelure. Faites ensuite sauter les morceaux dans un corps gras chaud de façon qu'ils dorent rapidement ; baissez le feu, couvrez et laissez cuire doucement une vingtaine de minutes, jusqu'à ce que la viande soit tendre. Pour du poulet en grande friture, faites chauffer l'huile à 190°C et plongez-y les morceaux panés durant 10 à 15 minutes ou jusqu'à ce que, tout en ayant la chair tendre, ils soient croustillants à l'extérieur.

Poulet rôti

Un poulet à rôtir de 1,5 à 2 kg permet de bien servir trois ou quatre personnes. Après l'avoir bardé ou abondamment badigeonné de beurre, couchez le poulet sur le côté dans une lèchefrite munie d'une grille et mettez-le au centre d'un four chauffé à 190°C. Laissez-le cuire 20 minutes de chaque côté, plus 20 minutes sur le dos. Arrosez fréquemment. Un poulet de 2 à 2,5 kg suffit pour quatre à six personnes. Vous le ferez rôtir à 165°C, 25 minutes de chaque côté et 25 minutes sur le dos. Un chapon de 2,5 à 3,5 kg servira 8 à 10 convives ; il devra rôtir à 165°C.

Vous pouvez aussi envelopper la volaille dans une feuille d'aluminium. Il faut alors la faire rôtir à environ 210°C, en calculant 40 minutes par kilo ; allouez une vingtaine de minutes supplémentaires.

Ouvrez la feuille d'aluminium 20 minutes avant la fin de la cuisson pour laisser le poulet dorer. La volaille est à point quand il en sort un jus clair si on enfonce une broche dans la partie la plus charnue de la cuisse.

Poulet farci à l'indonésienne

PRÉPARATION : *30 minutes*
CUISSON : *35 à 40 minutes*

INGRÉDIENTS *(6 personnes)*
2 petits poulets à rôtir
Sel
2 oignons moyens finement hachés
8 c. à soupe de beurre clarifié
  (p. 305)
1 c. à thé de cardamome moulue
1 c. à thé de grains de poivre
115 g de foies de poulet hachés
150 g de chapelure fraîche
Huile végétale

Essuyez soigneusement les poulets et frottez-en l'intérieur avec du sel. Faites revenir les oignons doucement dans 3 cuillerées à soupe de beurre, jusqu'à ce qu'ils soient tendres. Ajoutez la cardamome et les grains de poivre, baissez le feu et laissez les oignons cuire encore 6-7 minutes. Ajoutez les foies de poulet et prolongez la cuisson jusqu'à ce qu'ils soient bien dorés. Salez.

Laissez mijoter le tout 7-8 minutes, retirez du feu et incorporez la chapelure. De la farce épicée ainsi obtenue, remplissez les poulets ; badigeonnez-les ensuite d'huile et placez-les sur la grille d'une lèchefrite. Faites-les rôtir au centre du four chauffé à 205°C pendant 35 à 40 minutes, en les arrosant avec le reste du beurre.

Cuisson à l'étuvée

Déposez le poulet bridé mais non farci sur une grille au fond d'une marmite d'eau bouillante. Couvrez avec une feuille d'aluminium et laissez mijoter 3-4 heures, en rajoutant de l'eau au besoin. Laissez refroidir le poulet. Enlevez la peau et utilisez la chair pour des menus faibles en calories ou d'autres recettes de votre choix.

Galantine de poulet

PRÉPARATION : *1 h 30 à 2 heures*
CUISSON : *1 h 30*

INGRÉDIENTS *(6 à 8 personnes)*
1 poulet de 2 kg environ (poids brut)
200 g de viande maigre de veau hachée
200 g de viande maigre de porc hachée
4 petits oignons finement hachés
Mélange de fines herbes (thym,
  marjolaine, laurier, romarin)
  finement hachées
Jus et écorce râpée d'un citron
100 g de champignons finement
  hachés
1 œuf
100 g de jambon maigre coupé en
  lanières larges de 1 cm
12 olives dénoyautées
Sel, poivre noir

Videz le poulet et désossez-le (voir pp. 288 et 290).

Avec la carcasse, les os et les abattis, les légumes et les aromates habituels, préparez un bouillon.

Hachez finement le foie pour la farce, mettez-le dans une terrine ; ajoutez la viande de veau et de porc, les oignons, le mélange de fines herbes, le jus et l'écorce de citron, les champignons, l'œuf battu, le sel, le poivre ; mélangez.

Etendez le poulet désossé sur le plan de travail, la peau appliquée sur le plan, et enduisez-le avec la moitié de la farce en laissant 2 cm libres sur les bords ; disposez dessus les lanières de jambon et les olives ; recouvrez avec la farce restante. Rapprochez les deux côtés du poulet en les joignant par-dessus la farce ; cousez-les ensemble.

Enveloppez la galantine dans un morceau de toile plié en deux et liez les extrémités ; ficelez aussi la galantine pour la maintenir en forme durant la cuisson. Posez la galantine dans une marmite, couvrez-la avec le bouillon froid ; portez à ébullition, puis couvrez le récipient et faites cuire à feu doux pendant 1 h 30.

Egouttez la galantine, posez-la sur un plat long, recouvrez-la d'un autre plat sur lequel vous poserez un gros poids ; laissez-la ainsi jusqu'à ce qu'elle soit tiède ; retirez alors la ficelle et remettez-la sous le poids jusqu'à ce qu'elle soit froide. Servez-la nappée de gelée.

Poulet désossé rôti

Procédez comme pour la galantine de poulet, mais n'enveloppez pas le poulet. Posez-le, couture vers le bas, dans un plat bien graissé et badigeonnez-le de beurre fondu ou d'huile ; salez et poivrez.

Recouvrez le poulet d'un papier paraffiné beurré et faites-le rôtir au centre du four préchauffé à 205°C pendant 1 h 15 à 1 h 30. Retirez le papier au bout d'une heure pour laisser le poulet prendre couleur.

Servez tranché, froid ou chaud.

Coq au vin

PRÉPARATION : *40 minutes*
CUISSON : *environ 1 h 15*

INGRÉDIENTS *(4 personnes)*
1 poulet d'environ 1,5 kg
Bouquet garni
Sel et poivre noir
375 ml de bouillon de poulet
115 g de lard salé maigre ou de bacon
2 c. à soupe de brandy
375 ml de bourgogne ou autre vin
  rouge
4 petits oignons blancs pelés
115 g de petits champignons tranchés
1 grosse gousse d'ail pelée
Beurre manié (p. 271)
GARNITURE
4 petits oignons blancs glacés
80 g de champignons
1 c. à soupe de persil haché

Nettoyez et bridez le poulet. Mettez le gésier, le bouquet garni et un peu de sel et de poivre dans le bouillon pour obtenir un fond concentré. Couvrez hermétiquement et laissez mijoter 1 heure à feu doux. Coupez le lard ou le bacon en dés et laissez mijoter 10 minutes dans 2 litres d'eau. Egouttez.

Prenez une marmite ou une cocotte pouvant aller sur le feu d'une capacité de 1,5 litre ; mettez-y à cuire le lard jusqu'à ce qu'il soit légèrement doré. Réservez. Jetez la graisse en n'en gardant que 3 cuillerées à soupe. Faites dorer le poulet de tous les côtés dans la graisse chaude. Réchauffez le brandy dans une petite casserole, enflammez-le et, pendant qu'il flambe, arrosez-en le poulet. Une fois les flammes éteintes, versez aussitôt le vin et ajoutez le lard, les oignons, les champignons et l'ail broyé. Versez

assez de consommé pour mouiller le poulet à mi-hauteur, couvrez et faites cuire à feu doux sur la cuisinière ou au four à 160°C. Au bout d'une heure, le poulet devrait être tendre.

Retirez le poulet de la cocotte et découpez-le. Gardez-le au chaud. Dressez autour les oignons, les champignons et le lard que vous aurez retirés de la casserole avec une écumoire. Faites réduire à gros bouillons le fond de cuisson, baissez le feu et ajoutez, en remuant bien, suffisamment de noix de beurre manié pour que la sauce épaississe. Vérifiez l'assaisonnement et nappez-en le poulet.

Servez avec des petits oignons blancs glacés (p. 259), des champignons sautés et du persil fraîchement haché.

Pâté de foies de poulet

PRÉPARATION : *15 minutes*
CUISSON : *10 minutes*
RÉFRIGÉRATION : *2-3 heures*

INGRÉDIENTS *(6 personnes)*
500 g de foies de poulet
4 c. à soupe de beurre
4 petits oignons hachés
1 feuille de laurier
2 c. à soupe de cognac
Thym sec
Sel, poivre noir

Faites fondre le beurre dans une poêle et faites-y revenir pendant 2-3 minutes les oignons finement hachés, le laurier et une bonne pincée de thym. Nettoyez les foies, coupez-les en petits morceaux, mettez-les dans la poêle et faites-les cuire 5 minutes à feu doux en remuant souvent ; laissez-les dorer de toutes parts. Eliminez alors le laurier, puis passez les foies au mixer ou, plusieurs fois, au hachoir à viande.

Assaisonnez de sel et de poivre à volonté ; complétez en incorporant le cognac. Mettez la préparation dans une terrine en pressant bien et laissez au réfrigérateur pendant 2-3 heures, jusqu'à ce que le pâté soit bien refroidi et raffermi.

Volaille et gibier

CANARD

Sa chair est moins digeste que celle du poulet et elle est également beaucoup plus grasse.

Si vous désirez le servir rôti, il vous suffit de le préparer comme un poulet, mais sans toutefois le barder ou le beurrer, car la chair est déjà assez grasse ; vous pouvez, par contre, percer la peau avec une aiguille pour que la graisse s'écoule durant la cuisson. Salez et poivrez le volatile, et faites-le cuire à 200°C en comptant 30 minutes par kilo.

Vous pouvez aussi découper le canard et le préparer en sauce. Etant très gras, il s'accommode très bien de sauces et garnitures à base de fruits acidulés tels qu'oranges, pêches, cerises et pommes.

Un caneton de trois mois qui, prêt à cuire, pèse environ 1 kg, suffit pour quatre personnes. Un canard de 1,5 à 2 kg servira cinq ou six convives.

OIE

L'oie est la plus grasse des volailles ; il n'est donc pas nécessaire de la badigeonner d'huile ou de beurre. Cependant, vous gagnerez à farcir une jeune oie avant de la faire rôtir. Saupoudrez-la ensuite de sel et de poivre, recouvrez-la d'un morceau de papier d'aluminium beurré et faites-la cuire à four moyennement chaud (200°C) en comptant 30 minutes de cuisson par kilo, plus 15 autres minutes.

Une oie qui, prête à cuire, pèse 1,5 kg, suffit pour sept ou huit personnes.

PINTADE

Tous les modes de cuisson qui s'appliquent au poulet valent également pour la pintade, en particulier le braisage.

Avant de mettre une pintade à rôtir, il faut la barder soigneusement avec du bacon pour éviter que la poitrine ne se dessèche. Une petite pintade convient généralement pour deux personnes.

DINDE

Habituellement, la dinde se sert farcie de deux préparations différentes ; on choisit une farce aux marrons ou au veau pour l'ouverture du cou et une aux saucisses (p. 289) pour la cavité ventrale. Pour une dinde moyenne, c'est-à-dire de 4,5 à 5,5 kg, il faut prévoir au moins 1 kg de chair à saucisse pour la farce.

Farce au veau
PRÉPARATION : 20 minutes

INGRÉDIENTS
375 g de chapelure blanche
2 c. à soupe de beurre fondu
1 petit oignon
115 g de veau maigre
2 tranches de bacon maigre
Sel et poivre noir
1 œuf
Bouillon ou eau

Mélangez la chapelure d'abord avec le beurre fondu, puis avec l'oignon émincé. Hachez finement le veau et le bacon à la moulinette et incorporez à la chapelure. Assaisonnez avec du sel et du poivre fraîchement moulu avant d'ajouter l'œuf battu et suffisamment de fond blanc ou au poulet (ou d'eau) pour lier la farce.

Farce aux marrons
PRÉPARATION : 20 minutes

INGRÉDIENTS
Farce au veau
1 c. à soupe de persil haché
2 tranches de bacon
225 g de purée de marrons
Le zeste râpé d'un citron

Préparez la farce au veau et ajoutez-y le persil finement haché. Détaillez le bacon en petits morceaux ; faites-le griller dans un faitout sans ajouter de gras pendant 2-3 minutes ou jusqu'à ce qu'il soit croustillant. Incorporez le bacon égoutté à la farce, en même temps que la purée de marrons et le zeste râpé d'un citron.

Dinde rôtie

Avant de mettre à rôtir la dinde bridée et farcie, il faut la badigeonner généreusement de beurre ramolli et la barder avec des tranches de bacon bien gras ou de lard salé. Cela l'empêchera de se dessécher durant la cuisson.

La façon de rôtir une dinde dépend de la grosseur de l'oiseau et du temps dont on dispose. Rôtie au four à basse température, la dinde doit être fréquemment arrosée de son jus de cuisson, même si elle a été bardée. Pour une cuisson à feu vif, enveloppez la dinde dans une feuille d'aluminium pour l'empêcher de se dessécher. Retirez la feuille une demi-heure avant la fin de la cuisson pour permettre à la peau de la dinde de prendre couleur et de devenir croustillante.

Au moment de l'achat, calculez 350 g par personne si la dinde est prête à mettre au four et 450 g si elle n'est ni vidée ni bridée. On trouve également des rôtis de dinde désossés et roulés.

GIBIER À PLUME

Il faut laisser faisander tous les oiseaux avant de les plumer et de les vider, afin d'attendrir la chair et d'en libérer toute la saveur. En général, l'oiseau est vendu faisandé, plumé et vidé (et même parfois bardé). Les oiseaux fraîchement tués doivent être suspendus par les pattes dans un endroit frais et aéré. Le temps de faisandage dépend de l'âge du volatile, des conditions atmosphériques et du goût de chacun. Un temps chaud et humide accélère le processus, contrairement à un temps frais et sec. En règle générale, prévoyez une période de 7 à 10 jours ou attendez que le duvet de la poitrine se laisse plumer facilement.

Une fois que l'oiseau est faisandé, il faut le plumer, le vider et le brider comme la volaille, mais sans enlever les pattes. Le gibier à plume est plus savoureux avec une préparation simple, et les jeunes oiseaux rôtis sont délicieux. Il est superflu de les farcir. Les oiseaux plus vieux et plus coriaces cuisent mieux braisés ou en cocotte.

Braisage

Il s'agit de la meilleure méthode pour conserver tendres et juteux les vieux oiseaux et ceux dont on ignore l'âge. Découpez l'oiseau avant de le mettre à cuire, passez les morceaux dans de la farine assaisonnée et faites-les revenir dans un faitout avec un corps gras chaud jusqu'à ce qu'ils soient bien dorés. Retirez-les du faitout et mettez-les dans une cocotte. Déglacez le faitout avec 125 ml de vin rouge sec ou de fumet de gibier. Versez le liquide dans la cocotte, couvrez hermétiquement et faites cuire 1 heure au centre du four préchauffé à 165°C ou jusqu'à ce que la viande soit tendre.

Cuisson au gril

On peut faire griller les jeunes oiseaux à la chair tendre comme la gélinotte. Avec un couteau tranchant, fendez l'oiseau en deux le long du bréchet et ouvrez-le à plat. Badigeonnez-le généreusement de beurre fondu et glissez-le sous le gril chaud. Faites-le cuire 25 à 30 minutes en l'arrosant continuellement et en le retournant souvent, jusqu'à ce qu'il soit bien doré.

Gibier rôti

Avant de mettre l'oiseau à rôtir, il faut le barder avec du lard ou du bacon. Saupoudrez l'intérieur de sel et de poivre et déposez-y une grosse noisette de beurre pour que la chair reste juteuse. Mettez l'oiseau sur une grille au fond d'une lèchefrite. Arrosez souvent durant la cuisson et retirez les bardes 10 à 15 minutes avant la fin. Saupoudrez légèrement la poitrine de farine et prolongez la cuisson jusqu'à ce que la peau soit bien dorée.

Service du gibier rôti

Les petits oiseaux comme la perdrix, le colin, la bécassine et la bécasse se servent entiers sur des canapés beurrés, garnis de cresson. Calculez un oiseau par personne. Les oiseaux plus gros, comme la gélinotte et le faisan, sont fendus en deux dans le sens de la longueur avec un couteau ou des ciseaux, de façon à obtenir deux portions par oiseau.

TEMPS DE RÔTISSAGE POUR LA DINDE

Poids (kg)	Méthode 1 (165°C)	Méthode 2 (230°C)
2,5-3,5	3 heures-3 h 30	2 h 15-2 h 30
3,5-4,5	3 h 30-3 h 45	2 h 30-2 h 45
4,5-6,5	3 h 45-4 h 15	2 h 45-3 heures
6,5-8	4 h 15-4 h 45	3 heures-3 h 30
8-9	4 h 45-5 h 15	3 h 30-3 h 45
9-11	5 h 15-6 heures	3 h 45-4 h 15

TEMPS DE RÔTISSAGE POUR LE GIBIER À PLUME

Oiseau	Température	Durée
Bécasse	220°C	20 minutes
Bécassine	220°C	20 minutes
Colin	220°C	20 minutes
Faisan	220°C	40 minutes par kilo
Gélinotte	205°C	30 à 45 minutes
Perdrix	205°C	30 à 45 minutes
Pigeonneau	220°C	40 minutes par kilo

CANARD SAUVAGE

Cet oiseau aquatique, dont le nom générique englobe le malard, le canard noir, la sarcelle et le morillon, doit faisander seulement deux à trois jours. Ensuite, on le plume, on le vide et on le bride comme les autres oiseaux.

Il faut éviter de trop cuire le canard sauvage. Badigeonnez l'oiseau de beurre ramolli et faites-le cuire à 220°C pendant 20 minutes pour la sarcelle et 30 minutes pour le malard. L'oiseau sera plus savoureux si vous l'arrosez fréquemment avec du jus d'orange ou du porto. Servez sur un lit de riz sauvage et avec une salade d'oranges et d'oignons.

OIE SAUVAGE

Cet oiseau se prépare et se cuit exactement comme son homologue domestique. Toutefois, si sa chair est sèche, il faudra le barder généreusement de plusieurs tranches de bacon avant de le mettre au four.

GIBIER À POIL

Cette variété de gibier inclut le lièvre, qui est un animal sauvage, et le lapin, qu'on élève maintenant spécialement pour la table.

C'est vers trois mois, trois mois et demi que le lapin est parfait pour la table. Frais ou surgelé, le lapin est vendu vidé et dépiauté. Le cas échéant, vous pouvez le parer vous-même. Il ne faut jamais le faire faisander ; au contraire, on doit le dépiauter et le vider aussitôt après l'avoir tué.

Portez toujours des gants de caoutchouc lorsque vous apprêtez un lapin ou tout autre gibier. Même si le risque de contracter la tularémie est improbable, il vaut mieux ne pas jouer avec le feu. La tularémie est une maladie infectieuse que le lièvre, le lapin et d'autres animaux transmettent à l'homme ; les bactéries porteuses s'introduisent par toute coupure ou égratignure qu'on pourrait avoir sur les mains ou sur les bras.

DÉPIAUTER UN LAPIN

1 *Sectionnez à la première jointure.*

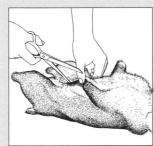

2 *Incisez la peau le long du ventre.*

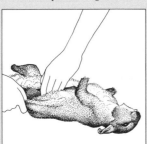

3 *Dégagez la peau de la chair.*

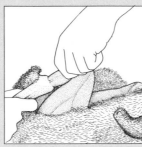

4 *Dégagez les pattes arrière.*

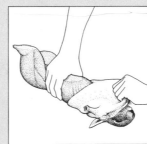

5 *Tirez la peau jusqu'à la tête.*

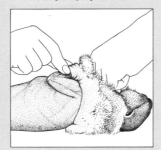

6 *Dégagez les pattes avant et la tête.*

VIDER UN LAPIN

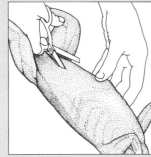

Ouvrez le ventre avec des ciseaux.

Videz l'intérieur.

Dépiauter un lapin

Couchez le lapin sur plusieurs feuilles de journal et sectionnez tout d'abord les pattes à la première jointure en vous servant d'un couteau tranchant. Ensuite, suivez le processus en six étapes illustré ci-contre. Dans le cas d'un lapin qu'on fera rôtir entier, on peut conserver la tête, mais il faut ôter les yeux. Si on veut le décapiter, il faut couper juste derrière les oreilles.

Vider et préparer

Découpez le ventre avec une paire de ciseaux depuis les pattes postérieures en remontant vers la tête. Sortez toutes les entrailles. Conservez les rognons et le foie après en avoir retiré la poche de fiel sans la crever (ce qui donnerait au foie un goût amer).

Recueillez le sang dans un bol et battez-le avec 1 cuillerée à soupe de vinaigre ; vous pouvez rincer l'intérieur de l'animal avec un peu de vinaigre ou d'eau-de-vie que vous ajouterez au sang.

Si vous voulez rôtir le lapin entier, coupez les tendons des pattes postérieures de manière à pouvoir les ramener vers l'avant, appliquez-les contre le corps et fixez-les avec quelques tours de ficelle ; pliez contre le corps les pattes antérieures et fixez-les de la même manière.

Découper à cru

Le lapin est souvent découpé en morceaux et cuit en sauce.

Pour huit morceaux, commencez par ôter les deux peaux du ventre, juste sous les côtes. Divisez ensuite la carcasse en deux en suivant l'épine dorsale ; coupez les pattes postérieures en haut de la cuisse en cassant l'os ; coupez les pattes antérieures en tournant autour de l'os de l'épaule ; pour finir, coupez en deux, dans la largeur, les deux demi-carcasses.

Si vous voulez, par contre, rôtir le râble en entier, coupez le lapin comme décrit ci-dessus mais en coupant la carcasse au ras des côtes, et pas le long de l'épine dorsale.

DÉCOUPER UN LAPIN

Coupez la chair du ventre.

Sectionnez la poitrine en deux.

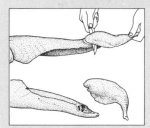

Coupez les pattes postérieures.

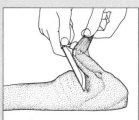

Coupez les pattes antérieures.

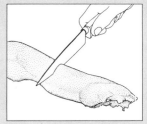

Divisez le corps en quatre.

Volaille et gibier

CUISSON DU LAPIN

Braisage

C'est la méthode qui convient le mieux pour un lapin dépecé. Passez les morceaux dans la farine assaisonnée et faites-les revenir dans une casserole avec de la graisse chaude. Retirez les morceaux et mettez-les dans une cocotte. Déglacez la casserole avec 250 ml de vin rouge ou de fumet de gibier, en grattant bien tous les résidus de viande. Arrosez-en le lapin, couvrez hermétiquement et faites cuire à 165°C pendant environ 2 heures ou jusqu'à ce que le lapin soit tendre. Rajoutez du fumet ou du vin, si besoin est, et liez le fond de cuisson, avant de servir, avec un petit peu du sang que vous aurez conservé et de la crème sure ou du beurre manié (p. 271).

Lapin rôti

Remplissez l'intérieur du lapin de farce au pain (p. 288) et refermez l'ouverture en la cousant avec du fil de cuisine. Bardez le dos avec du bacon gras et mettez 4 cuillerées à soupe de graisse de rôti dans une lèchefrite. Faites rôtir 1 h 30 à 180°C, en arrosant fréquemment. Retirez le bacon 15 minutes avant la fin de la cuisson pour laisser la viande prendre couleur.

Lapin aux herbes

PRÉPARATION : *20 minutes*
CUISSON : *1 heure*

INGRÉDIENTS *(4 personnes)*
1 lapin d'élevage de 1-1,5 kg prêt à cuire, frais ou surgelé
3 c. à soupe d'huile d'olive
6 échalotes finement hachées
2 oignons de grosseur moyenne finement hachés
2 gousses d'ail broyées
1 pincée de chacune des herbes suivantes : persil, cerfeuil, estragon, sarriette, basilic et thym
Sel et poivre
2 c. à soupe de concentré de tomate
125 ml de bouillon de bœuf

Si le lapin est frais, découpez-le immédiatement en morceaux. S'il est surgelé et déjà dépecé, attendez qu'il soit dégelé. Ensuite, asséchez-le avec du papier absorbant.

Faites revenir les morceaux dans une grosse cocotte avec l'huile d'olive, jusqu'à ce qu'ils soient bien dorés. Ne gardez que 2 cuillerées à soupe du gras de cuisson et ajoutez les échalotes, les oignons, l'ail, les herbes, du sel et du poivre fraîchement moulu. Couvrez la cocotte, baissez le feu et laissez cuire pendant 40 minutes ou jusqu'à ce que le lapin soit tendre.

Mélangez le concentré de tomate au bouillon et incorporez le liquide à l'appareil en remuant. Cuisez à découvert 5 minutes de plus. Vous pouvez terminer en liant la sauce avec du beurre manié (p. 271).

GROS GIBIER

Il faut faire faisander le gros gibier dans un endroit frais et aéré pendant 2-3 semaines ou jusqu'à ce que la chair dégage un bon fumet. Enlevez tout le musc qui aura pu s'accumuler avec un linge humide.

Comme la chair des jeunes sujets, notamment celle du cerf de Virginie, est délicate, il est inutile de la faire mariner, mais celle des animaux parvenus à maturité est beaucoup plus coriace et, habituellement, on la laisse mariner de 12 à 48 heures avant de la faire cuire.

MODES DE CUISSON

A la poêle

Cuits à la poêle, les côtelettes et les steaks pris dans la longe sont délicieux. Parez et dégraissez les tranches et amincissez-les légèrement avec un attendrisseur. Assaisonnez d'un peu de sel et de poivre fraîchement moulu et faites cuire dans du beurre ou de l'huile, à feu vif, pendant 12 minutes ou jusqu'à ce que la viande soit tendre, en ne la retournant qu'une seule fois.

Détaillé en tranches de 5 cm d'épaisseur, le filet se cuit également à la poêle. Amincissez les tranches d'abord, puis faites-les griller 1 minute à feu vif et sans gras pour sceller les sucs. Mettez un peu de beurre et baissez le feu ; prolongez la cuisson de 8 minutes encore en retournant une fois.

Rôti

On fait rôtir, après les avoir laissées mariner, les grosses pièces de gibier comme le cuissot, la selle et la longe. Enrobez le rôti d'une couche de pâte de farine et d'eau, afin que la chair ne perde pas son jus, et glissez la pièce dans le bas du four, à 190°C ; calculez 1 h 10 par kilo. Enlevez la pâte 20 minutes avant la fin de la cuisson pour laisser la viande prendre couleur.

Vous pouvez aussi envelopper le rôti dans une feuille d'aluminium, après l'avoir abondamment badigeonné d'huile, et le faire cuire de la même manière.

Marinade I

PRÉPARATION : *10 minutes*

INGRÉDIENTS
1 gros oignon haché
1 carotte coupée en dés
1 branche de céleri coupée en dés
1-2 gousses d'ail broyées
Bouquet garni
6 grains de poivre noir
1 litre de vin rouge
250 ml d'huile d'olive ou végétale

Mélangez bien tous les ingrédients et versez la marinade sur le morceau de gibier déposé dans un grand plat creux. Couvrez et laissez au réfrigérateur de un à trois jours. Retournez la viande souvent.

Marinade II

PRÉPARATION : *10 minutes*

INGRÉDIENTS
750 ml de vin blanc sec
300 ml d'huile d'olive
2 oignons hachés
2 carottes coupées en dés
2 gousses d'ail broyées
1 c. à thé de sel
1 feuille de laurier
2 c. à soupe de persil haché
1 pincée de thym
8 grains de poivre
1 clou de girofle
6 grains de coriandre
6 baies de genièvre broyées

Mélangez tous les ingrédients et versez la marinade dans un plat pas trop grand. Faites mariner de un à trois jours au réfrigérateur en retournant la pièce de temps en temps.

Ragoût

Légèrement plus dure que les autres coupes, la viande du cou, de l'épaule et de la partie supérieure de la longe s'apprête généralement en ragoût. Coupez-la en cubes de 2,5 cm et faites-la d'abord mariner.

MARINAGE : *4 heures*
PRÉPARATION : *30 minutes*
CUISSON : *environ 1 h 30*

INGRÉDIENTS *(4 personnes)*
1 kg de gibier
225 g de bacon
4 c. à soupe de beurre
2 oignons
2 c. à soupe de farine
300 ml de vin rouge
1 gousse d'ail broyée
Bouquet garni
Sel et poivre noir
MARINADE
1 oignon finement haché
Sel et poivre noir
1 branche de thym
1 feuille de laurier
6 c. à soupe d'huile
2 c. à soupe de brandy

Mélangez tous les ingrédients de la marinade et laissez-y reposer la viande pendant 4 heures. Egouttez et essuyez soigneusement.

Hachez le bacon. Faites-le cuire à feu modéré dans une marmite à fond épais jusqu'à ce que la graisse fonde. Ajoutez le beurre et les oignons pelés et grossièrement hachés ; faites-les cuire jusqu'à ce qu'ils deviennent transparents. Saupoudrez la farine et préparez un roux brun en remuant continuellement avec une cuillère en bois. Ajoutez le gibier mariné.

Faites dorer la viande de tous les côtés. Ajoutez suffisamment de vin rouge pour la couvrir. Incorporez l'ail broyé et le bouquet garni ; couvrez hermétiquement. Faites cuire à feu doux entre 45 minutes et 1 heure, puis ajoutez la marinade filtrée en remuant bien. Couvrez de nouveau et prolongez la cuisson de 45 minutes ou jusqu'à ce que la viande soit tendre.

Retirez le bouquet garni et rectifiez l'assaisonnement.

DÉCOUPER POUR LE SERVICE

Le découpage d'un oiseau obéit à certaines règles. Commencez par détacher les cuisses et les ailes, puis tranchez des aiguillettes dans la poitrine. Donnez à chaque convive du blanc et du brun.

Le poulet et les gros oiseaux de chasse se découpent comme la dinde. Dans le cas des petits oiseaux, on peut en servir un par personne ou les partager en deux.

Pour découper une selle de chevreuil ou de plus gros gibier, tranchez d'abord à la base de la longe ; puis, perpendiculairement à cette première coupe, continuez vers le centre de la selle, de façon à dessiner un T. Taillez des tranches minces dans l'épaisseur de la selle. Enlevez ensuite quelques tranches sur l'une des demi-selles de façon à bien l'asseoir, puis détaillez le filet dans le sens de la longueur.

CANETON

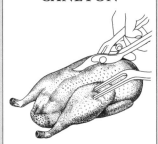

On partage souvent en deux les petits canetons et certains oiseaux un peu plus gros après les avoir fait cuire ; on en sert une moitié par convive. Débarrassez le caneton rôti du fil à brider ou des broches, puis fendez-le en deux avec un couteau à découper, une paire de cisailles à volaille ou de gros ciseaux de cuisine. Insérez les ciseaux par l'ouverture du cou et coupez le long du bréchet, jusqu'au croupion. Terminez le découpage en fendant le volatile le long de la colonne vertébrale.

CANARD

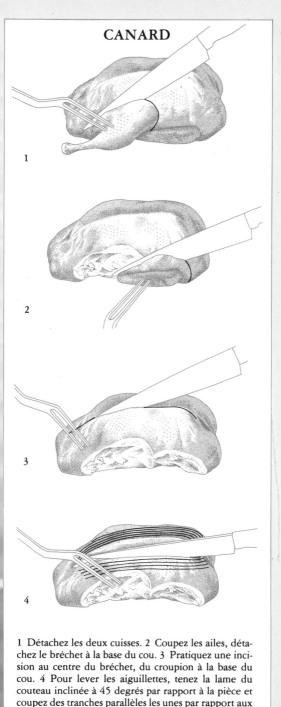

OIE

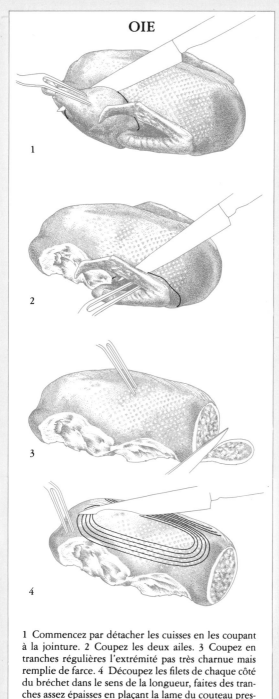

DINDE ET DINDON

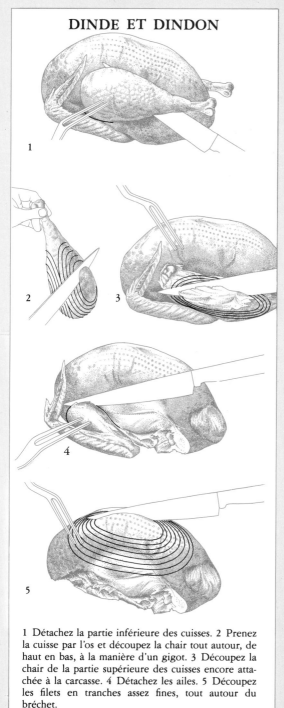

1 Détachez les deux cuisses. 2 Coupez les ailes, détachez le bréchet à la base du cou. 3 Pratiquez une incision au centre du bréchet, du croupion à la base du cou. 4 Pour lever les aiguillettes, tenez la lame du couteau inclinée à 45 degrés par rapport à la pièce et coupez des tranches parallèles les unes par rapport aux autres.

1 Commencez par détacher les cuisses en les coupant à la jointure. 2 Coupez les deux ailes. 3 Coupez en tranches régulières l'extrémité pas très charnue mais remplie de farce. 4 Découpez les filets de chaque côté du bréchet dans le sens de la longueur, faites des tranches assez épaisses en plaçant la lame du couteau presque à plat.

1 Détachez la partie inférieure des cuisses. 2 Prenez la cuisse par l'os et découpez la chair tout autour, de haut en bas, à la manière d'un gigot. 3 Découpez la chair de la partie supérieure des cuisses encore attachée à la carcasse. 4 Détachez les ailes. 5 Découpez les filets en tranches assez fines, tout autour du bréchet.

Légumes

C'est lorsque les légumes sont frais qu'ils sont le plus savoureux et que leur valeur nutritive est la plus élevée. Toutefois, si vous devez les garder un certain temps, placez-les dans un endroit frais et aéré ou dans le compartiment à légumes du réfrigérateur. Rappelez-vous, cependant, que certains fruits et légumes ne peuvent être conservés ensemble. Les carottes qui voisinent avec des pommes prendront un goût amer, tandis que les pommes de terre s'abîmeront rapidement si on les range avec des oignons. Coupez les feuilles des légumes racines pour arrêter la montée de la sève.

Préférez les légumes fermes et croquants aux légumes durs. La grosseur est, parfois, un indice de maturité avancée : les légumes trop gros sont souvent vieux et, par conséquent, coriaces.

Préparez les légumes immédiatement avant de les faire cuire en les lavant soigneusement et, le cas échéant, en les brossant. Etant donné que leurs sels minéraux et leurs vitamines sont solubles, ne les faites jamais tremper. Comme la partie la plus nutritive des légumes racines se trouve juste sous la peau, n'enlevez qu'une fine pelure. Si les légumes sont jeunes, contentez-vous de les gratter légèrement.

Vous pouvez faire cuire les légumes entiers ou les couper d'abord si vous êtes pressé. Dans ce dernier cas, utilisez un couteau de cuisine bien affilé. Pour trancher, ne levez pas la pointe du couteau de la planche de travail, mais utilisez-la plutôt comme pivot. Gardez le poignet souple et levez le couteau juste au-dessus du légume en vous en servant comme d'un hachoir. Guidez le couteau de votre index placé sur le dos de la lame.

On se contente souvent de couper le chou en deux, puis en quatre, avant de le mettre à cuire ; mais en général, les légumes se préparent selon l'une ou l'autre des cinq méthodes suivantes.

Dés
Tranchez le légume en bâtonnets dans le sens de la longueur, puis dans l'autre sens afin d'obtenir de petits cubes.

Hachis
Selon la recette, hachez les légumes finement ou grossièrement.

Lamelles
Taillez de fines lamelles dans l'épaisseur d'un légume coupé en quatre, comme le chou. Tranchez uniformément et selon une même cadence, en relevant toujours votre couteau juste au-dessus du légume avant de le rabaisser.

Rondelles
Coupez le légume par le travers pour obtenir des rondelles épaisses.

Tranches
Coupez d'abord le légume en tranches ou en rondelles étroites, puis taillez celles-ci en bâtonnets. On donne le nom de julienne à ces bâtonnets de légumes fins comme des allumettes.

MODES DE CUISSON

Ne faites pas tremper les légumes après les avoir préparés. Seules les pommes de terre pelées doivent être conservées dans de l'eau pour éviter qu'elles ne brunissent.

Au four
Badigeonnez d'huile ou de beurre fondu les légumes préparés (concombres, courgettes, tomates) et faites-les cuire au four à 205°C jusqu'à ce qu'ils soient tendres.

PRÉPARER DES LÉGUMES

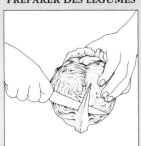

Otez le trognon du chou.

Tranchez le quartier en lamelles.

TRANCHES ET DÉS

Tranchez le navet en rondelles.

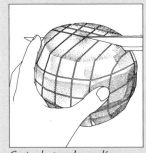

Coupez les tranches en dés.

Bouilli
Utilisez seulement un minimum d'eau salée à raison de ½ cuillerée à thé de sel pour 250 ml d'eau. Les légumes racines sont déposés dans de l'eau salée froide, tandis que tous les autres légumes sont plongés dans de l'eau bouillante.

Portez l'eau à ébullition, jetez-y les légumes, couvrez et ramenez rapidement à ébullition. Baissez le feu et laissez cuire jusqu'à ce que les légumes soient tendres, mais encore fermes. Conservez le liquide de cuisson pour préparer un bouillon ou une sauce.

Braisé
Cette méthode est parfaite pour les légumes racines et les oignons. Après avoir préparé les légumes, faites-les blanchir en les plongeant 2-3 minutes dans de l'eau bouillant à gros bouillons. Ensuite, passez-les sous l'eau froide pour interrompre la cuisson et fixer la couleur.

Faites revenir légèrement les légumes égouttés dans une casserole avec un peu de beurre. Mouillez à raison de 250 à 500 ml de bouillon par kilo de légumes. Assaisonnez légèrement, ajoutez une noix de beurre et couvrez hermétiquement. Faites cuire les légumes jusqu'à ce qu'ils soient à point.

Retirez les légumes de la casserole et réduisez rapidement le fond de cuisson en le faisant bouillir.

Etuvé
Méthode 1 : Mettez les légumes préparés dans une casserole à vapeur où bout de l'eau. Saupoudrez de sel, à raison de 2 cuillerées à thé par kilo de légumes. Couvrez hermétiquement et laissez étuver jusqu'à ce que les légumes soient tendres (soit 3 à 5 minutes de plus que pour des légumes bouillis).
Méthode 2 : Faites fondre 2 à 4 cuillerées à soupe de beurre dans une grosse casserole et mettez-y les légumes. Couvrez hermétiquement et faites cuire à feu modéré jusqu'à ce que de la vapeur se forme. Réduisez alors le feu et continuez la cuisson jusqu'à ce que les légumes soient à point, en secouant de temps en temps pour les empêcher de coller au fond de la casserole.

Frit
Ce sont généralement les pommes de terre qu'on fait cuire à grande friture, mais on peut employer ce procédé pour d'autres légumes, comme les oignons coupés en tranches épaisses. Avant de plonger les tranches dans le bain de friture, on les enrobe habituellement de farine, de pâte à frire ou d'œuf battu et de chapelure.

Amenez, dans une friteuse, l'huile ou le corps gras à une température de 190°C. Pour vérifier le degré de température, jetez un morceau de pain dans la friture ; s'il dore en 40 à 50 secondes, l'huile est suffisamment chaude.

Essuyez soigneusement tous les légumes avant de les plonger dans la friture. Faites frire seulement quelques morceaux à la fois et attendez qu'ils soient croustillants pour les retirer.

Rôti
Ce mode de cuisson s'emploie pour les racines et les tubéreux qu'on fait généralement cuire avec un rôti. Plongez les légumes préparés dans la graisse de rôti chaude et faites-les cuire à 220°C entre 45 minutes et 1 heure. Ou bien, faites-les bouillir 10 minutes, égouttez et ajoutez au fond de cuisson. Le temps de rôtissage sera alors de seulement 20 à 30 minutes.

Sauté
C'est la méthode qu'on emploie généralement pour les légumes à chair très tendre comme les aubergines, les courgettes et les tomates, ou encore pour les oignons. Faites cuire ces légumes à feu moyen dans une poêle avec un peu de beurre. Remuez de temps en temps avec une cuillère en bois.

Tout autre légume qu'on voudrait faire sauter devra d'abord être partiellement cuit. Faites chauffer du beurre, de l'huile ou un autre corps gras dans une poêle épaisse, ajoutez les légumes précuits et soigneusement égouttés, puis faites-les sauter jusqu'à ce qu'ils soient tendres et bien dorés.

PRÉPARATION ET CUISSON DES LÉGUMES

Artichaut

PRÉPARATION
Coupez les queues et taillez avec des ciseaux les pointes des feuilles extérieures ; rincez les têtes et égouttez-les, puis frottez les parties coupées avec un citron pour les empêcher de noircir. Le foin s'enlève avant ou après la cuisson. Pour ce faire, écartez les feuilles supérieures et ôtez celles de l'intérieur afin de dégager le foin. Enlevez-le avec une petite cuillère. Vous pouvez aussi supprimer les feuilles qui entourent le fond afin de ne conserver que celui-ci.

MODES DE CUISSON
Bouilli Artichauts entiers : 40 à 45 minutes dans de l'eau salée. Sans le foin : 15 à 20 minutes. Egouttez les artichauts, la tête en bas.
Braisé Faites blanchir 5 minutes et passez à l'eau froide. Déposez les têtes sur un lit de légumes déjà revenus, mouillez avec du vin ou du bouillon, ajoutez un bouquet garni, couvrez et laissez cuire 1 heure.
A l'étuvée Artichauts entiers : méthode 1 pendant 50 à 55 minutes. Sans le foin : méthode 1 pendant 20 à 25 minutes. Artichauts farcis : méthode 1 pendant 30 à 35 minutes.

ACCOMPAGNEMENT
Chaud : avec du beurre fondu ou une sauce hollandaise (p. 271). Détachez les feuilles une par une et trempez-en la base comestible dans la sauce. Raclez la partie charnue entre vos dents. Une fois que toutes les feuilles ont été ôtées, utilisez couteau et fourchette pour manger le fond.
Froid : avec une mayonnaise, une vinaigrette (p. 272) ou de la sauce tartare (p. 271).

Asperge

PRÉPARATION
Coupez la partie ligneuse des tiges, puis, avec un couteau, grattez la partie blanche en procédant de haut en bas. Liez les asperges en botte.

MODE DE CUISSON
Bouillie 11 à 14 minutes dans de l'eau salée, les pointes restant émergées.

ACCOMPAGNEMENT
Prévoyez de 8 à 10 tiges par portion ; une botte de grosseur moyenne donne 3-4 portions.
Chaud : avec du beurre fondu, de la sauce Mornay (p. 270) ou de la sauce hollandaise (p. 271).
Froid : avec de la vinaigrette (p. 272) ou de la mayonnaise (p. 271).

Aubergine

PRÉPARATION
Essuyez les légumes, ôtez-en les extrémités et pelez-les si la recette l'exige. Coupez en tranches, en dés ou en moitiés. Saupoudrez la pulpe de sel et laissez reposer 30 minutes pour permettre à l'eau de végétation de s'écouler. Rincez, égouttez et asséchez.

MODES DE CUISSON
Sautée Enrobez les tranches de farine assaisonnée ou laissez-les telles quelles. Faites-les revenir dans du beurre ou de l'huile végétale.
Au gril ou au four Badigeonnez les tranches d'aubergine de beurre fondu.
Farcie et au four Coupez les aubergines en deux dans le sens de la longueur. Retirez la pulpe avec une cuillère en en laissant une épaisseur de 2 cm. Préparez une farce avec la pulpe et d'autres ingrédients et garnissez-en les moitiés d'écorce. Faites cuire au four 20 à 30 minutes à 165°C. Pour d'autres recettes comme la moussaka et la ratatouille, voir pages 92 et 114.

ACCOMPAGNEMENT
Revenues ou grillées, avec de la viande ; farcies et gratinées avec du parmesan, une sauce tomate ou une sauce au fromage.

Avocat

PRÉPARATION
Tranchez les avocats en deux dans le sens de la longueur, juste avant de servir, en utilisant un couteau en acier inoxydable ou en argent pour empêcher la décoloration de la pulpe. Ne les pelez pas si vous voulez les servir comme entrée, nappés ou farcis. Vous pouvez aussi retirer délicatement la chair avec une cuillère et la mélanger avec une salade de légumes ou de fruits de mer.

Si vous ne servez pas aussitôt l'avocat, vous devez asperger la chair de jus de citron pour prévenir la décoloration.

MODE DE CUISSON
Au four Pelez les moitiés d'avocats, émincez-les et disposez les tranches dans un plat beurré. Arrosez-les de jus de citron, assaisonnez et recouvrez-les d'aiguillettes de poulet, de sauce blanche, de chapelure et de beurre. Faites cuire au four à 190°C pendant 45 minutes.

ACCOMPAGNEMENT
Les avocats sont souvent servis froids avec une vinaigrette (p. 272), en trempette ou en mousse.

Bette à carde

PRÉPARATION
Lavez bien les bettes ; ôtez les tiges blanches. Préparez et faites cuire les feuilles vertes comme des épinards.

MODE DE CUISSON POUR LES TIGES
Bouillie Pendant 15 minutes dans de l'eau acidulée et salée. Egouttez.

ACCOMPAGNEMENT
Avec du beurre, une béchamel (p. 269) ou une sauce au fromage (p. 269).

Betterave

PRÉPARATION
Coupez les feuilles entre 2,5 et 5 cm des racines, mais n'enlevez pas l'extrémité de celles-ci ; lavez bien les racines.

MODES DE CUISSON
Bouillie 1-2 heures dans de l'eau salée, selon la grosseur. Pelez les betteraves lorsqu'elles sont cuites.
A l'étuvée Méthode 1 pendant 2 heures.
Au four Enveloppez les betteraves dans une feuille d'aluminium beurrée et cuisez au four 30 à 60 minutes à 165°C.

ACCOMPAGNEMENT
Les betteraves cuites et refroidies peuvent être servies en salade.

Brocoli

PRÉPARATION
Lavez le brocoli à l'eau froide et faites-le égoutter dans une passoire. Supprimez les feuilles extérieures et les parties les plus dures des tiges.

MODES DE CUISSON
Bouilli 15 à 20 minutes dans de l'eau salée.
A l'étuvée Méthode 1 pendant 20 à 25 minutes.

ACCOMPAGNEMENT
Avec une béarnaise (p. 271).

Carotte

PRÉPARATION
Lavez les carottes à l'eau froide. Grattez les carottes nouvelles et pelez les plus grosses avec un couteau-éplucheur. Les jeunes carottes peuvent rester entières, tandis que les grosses devront être coupées en quartiers, en rondelles, en bâtonnets ou en cubes.

MODES DE CUISSON
Bouillie 10 à 30 minutes dans de l'eau salée ou du bouillon.
A l'étuvée Méthode 1 pendant 15 à 40 minutes, selon le degré de maturité et la grosseur des carottes.

ACCOMPAGNEMENT
Accompagnez les carottes bouillies de beurre et de persil ou de menthe, ou servez avec une béchamel (p. 269).

Céleri

PRÉPARATION
Otez la racine et les parties abîmées des côtes extérieures, ainsi que les feuilles. Défaites les côtes et lavez-les à l'eau froide. Enlevez les grosses fibres et coupez-les en morceaux de 5 à 6,5 cm (si elles doivent bouillir) et de 7,5 à 10 cm (pour une cuisson à l'étuvée ou un braisage).

MODES DE CUISSON
Bouilli 15 à 20 minutes, à couvert, dans de l'eau salée.
Braisé Faites blanchir un pied de céleri entier ou coupé en deux pendant 10 minutes. Entre-temps, faites revenir dans une casserole, avec un peu de beurre, du bacon coupé en dés, des carottes et des oignons hachés. Ajoutez le céleri et mouillez avec du bouillon. Portez à ébullition, couvrez et laissez mijoter 1 h 30 à 1 h 45.
A l'étuvée Méthode 1 pendant 20 à 30 minutes.
Gratiné Saupoudrez de fromage râpé ou de chapelure et faites cuire au four ou au gril.

ACCOMPAGNEMENT
Bouilli et à l'étuvée, avec une sauce au fromage (p. 269) préparée avec le liquide de cuisson et du lait, en même quantité. Froid, servez en salade.

Céleri-rave

PRÉPARATION
Lavez et tranchez la racine ; après l'avoir pelée, vous pouvez la couper en dés ou en allumettes.

MODES DE CUISSON
Bouilli Pendant 25 à 30 minutes, à couvert, dans de l'eau salée et acidulée.
A l'étuvée Méthode 1 pendant 35 minutes.
Sauté Pendant 30 minutes, faites revenir dans du beurre le céleri-rave coupé en allumettes.

ACCOMPAGNEMENT
Bouilli, avec une béchamel (p. 269) ou une sauce hollandaise (p. 271). En purée ou, cru et râpé, en salade.

Champignon

PRÉPARATION
Coupez la base des tiges ; essuyez les têtes avec un linge humide ou rincez-les à l'eau froide et égouttez soigneusement.

MODES DE CUISSON
A l'étuvée Couvrez et faites cuire au bain-marie avec un peu de beurre et de sel jusqu'à ce que les champignons soient tendres (environ 30 minutes).

Sauté et grillé Vous pouvez faire revenir ou griller les gros champignons et frire les plus jeunes après les avoir enrobés de pâte à frire. Faites revenir des champignons tranchés dans un peu de beurre pendant 3 à 5 minutes et servez-les, arrosés du jus de cuisson. Badigeonnez les champignons entiers de beurre ou d'huile et mettez-les au gril, à feu modéré, 6 à 8 minutes. Ne retournez qu'une seule fois.

ACCOMPAGNEMENT
Revenus et nappés d'une sauce préparée avec le jus de cuisson, de la crème et du thym. Les jeunes champignons peuvent être servis crus en salade ou comme garniture.

Chicorée

PRÉPARATION
Otez les feuilles extérieures abîmées. Pour une salade, défaites les feuilles qui restent et lavez-les soigneusement à l'eau froide. Laissez le légume entier pour le faire braiser.

MODE DE CUISSON
Braisée Comme la laitue.

ACCOMPAGNEMENT
Fraîche, dans une salade de légumes.

Chou pommé

PRÉPARATION
Otez les grosses feuilles extérieures, coupez le chou en quartiers et enlevez le cœur. Lavez soigneusement, égouttez dans une passoire et coupez en morceaux ou en lamelles avant de faire cuire.

MODES DE CUISSON
Bouilli En lamelles : faites cuire 5 à 8 minutes dans de l'eau salée. En morceaux : laissez cuire pendant 10 à 15 minutes.
Braisé Faites bouillir partiellement les morceaux de chou dans de l'eau salée pendant 10 minutes, rafraîchissez-les à l'eau froide et disposez-les sur un lit de légumes déjà revenus. Ajoutez un bouquet garni et suffisamment de bouillon pour couvrir le tout. Faites cuire au four 1 heure à 180-190°C. Chou rouge : faites braiser le chou coupé en lamelles dans du beurre, ajoutez des morceaux de pomme, du vinaigre et du sucre. Couvrez et laissez mijoter pendant 1 heure.
A l'étuvée En lamelles : méthode 1 pendant 10 minutes. En morceaux : méthode 1 pendant 20 minutes.

ACCOMPAGNEMENT
Mélangez délicatement le chou bouilli avec du beurre, salez et poivrez.

Légumes

PRÉPARATION ET CUISSON DES LÉGUMES

Chou vert frisé
PRÉPARATION
Séparez les feuilles des tiges et ôtez les côtes. Lavez soigneusement à l'eau froide et coupez les feuilles en morceaux.
MODES DE CUISSON
Bouilli Pendant 8 à 10 minutes dans de l'eau salée.
A l'étuvée Méthode 1 pendant une quinzaine de minutes.
ACCOMPAGNEMENT
Avec du beurre, du sel et du poivre.

Chou-fleur
PRÉPARATION
Otez les feuilles abîmées. Si vous voulez cuire le chou-fleur entier, incisez la base de la tige en forme de X, sinon, défaites-le en bouquets. Lavez soigneusement à l'eau froide.
MODES DE CUISSON
Bouilli Pendant 12 à 15 minutes dans de l'eau salée et vinaigrée ; couvrez la casserole à moitié.
A l'étuvée Méthode 1 pendant 15 à 25 minutes.
Frit Faites cuire les bouquets pendant 10 minutes. Egouttez et refroidissez. Passez les bouquets dans un œuf et de la chapelure ; faites-les frire à grande friture pendant 3 minutes.
ACCOMPAGNEMENT
Avec une sauce blanche ou une sauce au fromage. Servez les bouquets frits avec de la sauce tartare (p. 271).

Chou-rave
PRÉPARATION
Otez les feuilles qui entourent le bulbe et les racines effilées. Lavez-le à l'eau froide et enlevez la pelure épaisse. Coupez en tranches ou en dés les gros bulbes et laissez les petits tels quels.
MODES DE CUISSON
Bouilli 30 à 60 minutes dans de l'eau salée, selon la grosseur. Egouttez.
Braisé Faites cuire 5 minutes dans de l'eau bouillante salée. Mettez à braiser avec un petit oignon haché et du bacon ; mouillez avec du vin blanc ou du bouillon. Laissez cuire 1 heure ou jusqu'à ce que les légumes soient tendres.
A l'étuvée Méthode 1 pendant environ 1 heure.
ACCOMPAGNEMENT
Le chou-rave se prépare également en purée ou cuit au four. Servez-le avec du beurre fondu et des herbes finement hachées ou nappé d'une sauce blanche (p. 269).

Choux de Bruxelles
PRÉPARATION
Otez les feuilles extérieures abîmées et lavez les choux à l'eau froide. Entaillez la base des tiges en forme de X.
MODES DE CUISSON
Bouillis Pendant 10 minutes dans très peu d'eau salée.
Braisés Faites bouillir dans de l'eau salée pendant 5 minutes. Egouttez. Faites revenir de fines rondelles d'oignon, mouillez avec un peu de bouillon et assaisonnez. Laissez mijoter 5 minutes. Ajoutez les choux de Bruxelles et remettez à mijoter encore 5 minutes.
ACCOMPAGNEMENT
Mélangez avec du beurre ou de la crème sure et assaisonnez.

Citrouille
PRÉPARATION
Lavez la citrouille, pelez-la, ôtez les graines et la peau blanche, puis coupez la pulpe en bouchées.
MODES DE CUISSON
Bouillie 20 à 30 minutes dans de l'eau salée.
A l'étuvée Méthode 1 pendant 35 à 40 minutes.
Au four Pendant 45 à 50 minutes.
ACCOMPAGNEMENT
Avec une sauce au fromage (p. 269).

Concombre
PRÉPARATION
Pelez et épépinez le concombre ; coupez-le en bâtonnets, en tranches ou en dés. Si vous voulez le farcir, coupez-le en deux et retirez les graines.
MODES DE CUISSON
Bouilli 10 minutes dans de l'eau salée.
A l'étuvée Méthode 1 pendant 10 minutes, méthode 2 pendant 10 à 20 minutes.
Au four Pelez le concombre, coupez-le en tranches épaisses et parsemez celles-ci de noix de beurre et d'herbes. Faites cuire 30 minutes à 190°C.
ACCOMPAGNEMENT
Nappez le concombre bouilli d'une sauce à la crème aromatisée avec de l'aneth, de l'estragon ou des graines de céleri. Vous pouvez aussi le servir cru en salade ou comme garniture.

Courge d'été
(cou droit, torticolis et pâtisson)
PRÉPARATION
Lavez la courge, mais ne la pelez pas. Coupez les deux extrémités. Gardez-la telle quelle ou détaillez-la en tranches ou en cubes.

MODES DE CUISSON
Bouillie Dans un petit peu d'eau salée pendant 10 à 15 minutes ou jusqu'à ce qu'elle soit tendre.
A l'étuvée Courge entière : méthode 1 pendant 15 à 20 minutes. Courge tranchée : méthode 2 pendant une dizaine de minutes.
ACCOMPAGNEMENT
Avec du beurre ou nappée d'une sauce blanche ou au fromage (p. 269).

Courge d'hiver (potiron)
[hubbard, acorn et butternut]
PRÉPARATION
Grattez énergiquement la courge. Coupez la hubbard et la butternut en portions, l'acorn en deux. Otez les graines et les fibres.
MODES DE CUISSON
Bouillie Faites cuire la butternut dans de l'eau salée pendant 25 à 30 minutes, puis pelez-la.
Au four Faites cuire la hubbard à 205°C pendant 1 heure ou jusqu'à ce qu'elle soit tendre, l'acorn pendant 25 minutes, face coupée en dessous ; après ce temps, retournez-la, parsemez de beurre et assaisonnez de sel et de poivre ; prolongez la cuisson de 30 à 35 minutes.

Courgette (zucchini)
PRÉPARATION
Brossez les courgettes sous l'eau froide et ôtez les deux extrémités. Faites-les cuire sans les peler, entières, tranchées ou en moitiés ; dans ce dernier cas, videz à la cuillère avant de farcir.
MODES DE CUISSON
Bouillie 10 à 15 minutes dans de l'eau salée.
A l'étuvée Courgettes entières : méthode 1 pendant 15 à 20 minutes ; courgettes tranchées : méthode 2 pendant une dizaine de minutes.
Au four Blanchissez les courgettes évidées pendant 5 minutes ; égouttez-les à l'envers. Badigeonnez-les de beurre et assaisonnez, puis passez au four à 190°C pendant 25 minutes.
ACCOMPAGNEMENT
Parsemez d'estragon ou de persil haché, ou saupoudrées de paprika.

Cresson
PRÉPARATION
Coupez le cresson avec des ciseaux au-dessus d'une passoire, lavez soigneusement à l'eau froide et séchez.
ACCOMPAGNEMENT
Dans des salades ou des sandwichs, ou comme garniture.

Cresson de fontaine
PRÉPARATION
Lavez soigneusement à l'eau froide, égouttez et laissez sécher.
ACCOMPAGNEMENT
En salade ou comme garniture. Haché, on peut l'incorporer à une sauce.

Echalote
PRÉPARATION
Préparez et cuisez comme l'oignon.
ACCOMPAGNEMENT
Pour aromatiser bouillons et potages.

Endive
PRÉPARATION
Otez les feuilles abîmées ou fanées. Défaites les endives ou tranchez-les.
MODES DE CUISSON
Bouillie 15 à 20 minutes dans de l'eau salée et vinaigrée.
Braisée Retirez le cœur par la base et gardez les endives entières. Faites-les blanchir, si besoin est, et égouttez-les. Faites fondre du beurre dans une casserole, disposez-y les endives côte à côte et parsemez-les de noix de beurre. Ajoutez 2-3 cuillerées à soupe d'eau, arrosez de jus de citron et salez. Couvrez et mettez au four à 180°C pendant environ 1 heure.
ACCOMPAGNEMENT
Servez les endives bouillies avec une béchamel (p. 269), une sauce tomate (p. 270) ou du fromage râpé.

Epinard
PRÉPARATION
Lavez les épinards plusieurs fois à l'eau froide. Ne les égouttez pas et mettez-les tels quels dans une casserole sans ajouter d'eau.
MODE DE CUISSON
Bouilli Salez légèrement, couvrez et laissez cuire doucement pendant une dizaine de minutes en secouant de temps en temps. Egouttez soigneusement.
ACCOMPAGNEMENT
Faites réchauffer avec de la crème, du sel et du poivre. Hachez finement ou servez en purée.

Fenouil
PRÉPARATION
Otez le haut des tiges et la base du bulbe. Lavez bien à l'eau froide.
MODE DE CUISSON
Braisé Comme le céleri.
ACCOMPAGNEMENT
Emincé, dans une salade de légumes ou comme garniture. Nappé d'une sauce au fromage.

Fève des marais (gourgane)
PRÉPARATION
Fèves jeunes et tendres : lavez-les et nettoyez-les avant de les faire cuire dans leurs cosses. Fèves mûres : écossez-les. Grosses fèves : écossez-les après les avoir fait cuire et préparez-les en purée.
MODES DE CUISSON
Bouillie 15 à 20 minutes, écossées ou non. Fèves mûres : prévoyez une trentaine de minutes.
A l'étuvée Méthode 1 pendant 10 à 15 minutes.
ACCOMPAGNEMENT
Servez les jeunes fèves, dans leurs cosses ou non, avec du beurre et du persil. Accompagnez les fèves mûres d'une sauce à la crème.

Haricot de Lima
PRÉPARATION
Lavez les gousses et écossez les haricots juste avant de les faire cuire.
MODE DE CUISSON
Bouilli Couvrez et faites cuire dans 2,5 cm d'eau salée pendant 20 à 25 minutes jusqu'à ce qu'ils soient tendres.
ACCOMPAGNEMENT
Avec du beurre.

Haricot vert
PRÉPARATION
Lavez, équeutez et faites cuire entiers ou coupés en morceaux de 4-5 cm.
MODES DE CUISSON
Bouilli 5 à 10 minutes dans de l'eau salée. Rafraîchissez à l'eau froide, égouttez bien et remettez sur le feu avec du beurre et des fines herbes.
A l'étuvée Méthode 1 pendant 10 à 15 minutes.
ACCOMPAGNEMENT
Servez assaisonnés d'ail, avec des anchois ou avec un beurre aux herbes (p. 306).

Laitue
PRÉPARATION
Coupez la base et toutes les feuilles extérieures abîmées. Pour une salade, séparez les feuilles. Pour de la laitue braisée, laissez la pomme entière.
MODES DE CUISSON
Bouillie 10 minutes dans de l'eau salée. Egouttez et hachez finement. Faites chauffer du beurre dans un faitout et incorporez un petit oignon haché, de l'ail et de la crème. Ajoutez la laitue hachée en remuant et assaisonnez.
Braisée Faites blanchir 5-6 minutes. Rafraîchissez à l'eau froide et égouttez. Faites revenir dans le beurre un peu de

PRÉPARATION ET CUISSON DES LÉGUMES

bacon haché, 1 carotte et 1 oignon. Repliez la partie supérieure de la laitue avant de la disposer sur les légumes. Versez 2 cm de bouillon, couvrez et faites cuire au four à 165-180°C pendant 40 à 45 minutes. Réduisez le fond de cuisson et arrosez-en la laitue.
ACCOMPAGNEMENT
Bouillie, avec une sauce Mornay (p. 270) ou une sauce hollandaise (p. 271). Fraîche, en salade ou comme garniture.

Légumes secs
(pois, fèves, lentilles)
PRÉPARATION
Si vous avez acheté ces légumes en vrac, triez-les et lavez-les à l'eau courante. Mettez-les dans un grand bol, recouvrez d'eau bouillante et laissez tremper pendant 2 heures. Dans le cas des légumes préemballés et à cuisson rapide, suivez le mode d'emploi.
MODES DE CUISSON
Bouillis Mettez les légumes secs dans un faitout avec de l'eau et du sel, à raison de 1 cuillerée à thé de sel pour 225 g de graines. Portez à ébullition, couvrez et laissez mijoter jusqu'à ce que les légumes soient tendres. Vous pouvez également laisser les légumineuses tremper toute la nuit dans de l'eau froide et les mettre à cuire dans l'eau fraîche et du sel. Portez à ébullition et laissez mijoter jusqu'à ce qu'elles soient tendres. Suivez le mode d'emploi pour celles qui n'ont pas besoin de trempage.
ACCOMPAGNEMENT
En purée, avec du beurre. Froid, avec une vinaigrette à l'ail (p. 272).

Maïs
PRÉPARATION
Après avoir épluché les épis, ôtez les soies en les frottant avec une brosse sous l'eau froide.
MODES DE CUISSON
Bouilli Faites cuire les épis dans de l'eau pendant 5 à 10 minutes et salez à mi-cuisson.
A l'étuvée Méthode 1 pendant 10 à 15 minutes.
ACCOMPAGNEMENT
Avec du beurre, du sel et du poivre.

Navet
PRÉPARATION
Lavez, coupez les tiges et les racines, puis enlevez la pelure. Les petits navets peuvent se préparer entiers, mais les gros doivent être coupés.

MODES DE CUISSON
Bouilli 25 à 30 minutes dans de l'eau salée.
A l'étuvée Méthode 1 pendant 30 à 40 minutes.
ACCOMPAGNEMENT
Avec du persil et du beurre, ou nappés d'une sauce blanche (p. 269).

Oignon
PRÉPARATION
Coupez les racines et pelez les oignons. Vous pouvez les garder entiers, les couper en tranches ou en dés, ou les hacher.
MODES DE CUISSON
Bouilli Faites cuire dans de l'eau salée pendant 20 à 30 minutes.
Au four Faites cuire les gros oignons durant 15 à 20 minutes. Evidez-les et remplissez la cavité d'une farce. Mettez au four à 180-190°C pendant 45 à 60 minutes.
Sauté Emincez les oignons et faites-les revenir doucement dans un corps gras.
Frit Coupez les oignons en tranches épaisses, trempez-les dans du lait, enrobez-les de farine assaisonnée et plongez-les dans un bain de friture pendant à peu près 3 minutes.
ACCOMPAGNEMENT
Bouillis, avec du beurre ou une sauce blanche ou au fromage (p. 269).

Okra (gombo)
PRÉPARATION
Lavez soigneusement les gousses sans les détacher des tiges.
MODES DE CUISSON
Bouilli 7 à 15 minutes dans de l'eau salée ; 5 minutes seulement si vous terminez la cuisson en faisant revenir les gousses dans du beurre.
Braisé Faites bouillir 5 minutes dans de l'eau salée et mettez à braiser de 30 à 45 minutes.
ACCOMPAGNEMENT
Avec du beurre fondu ou une sauce hollandaise (p. 271).

Panais
PRÉPARATION
Enlevez les extrémités et pelez. Si les panais sont jeunes, coupez-les en tranches épaisses. Coupez les plus gros en quartiers et retirez le trognon.
MODES DE CUISSON
Bouilli 30 à 40 minutes dans de l'eau salée.
Rôti Faites bouillir 5 minutes, égouttez et mettez à rôtir avec de la viande, ou braisez avec du beurre et du bouillon.

A l'étuvée Méthode 1 pendant environ 35 minutes pour les jeunes panais.
En purée Préparez avec des panais bouillis, du beurre et de la muscade.
Frit Emincez les panais et plongez-les dans un bain de friture.
ACCOMPAGNEMENT
Avec du beurre et du persil.

Patate douce
PRÉPARATION
Grattez soigneusement les tubercules ou pelez-les si besoin est.
MODES DE CUISSON
Bouillie Faites-les cuire, non pelées (en couvrant) pendant 25 minutes ; pelées, pendant 15 minutes (sans couvrir).
Au four En robe des champs à 220°C pendant 1 heure.
ACCOMPAGNEMENT
Comme les pommes de terre.

Petits pois
PRÉPARATION
Ecossez les petits pois si ce n'est déjà fait. Par contre, les pois mange-tout sont cuits dans leurs cosses, comme les haricots verts.
MODES DE CUISSON
Bouillis Faites bouillir doucement pendant 15 à 20 minutes dans de l'eau salée avec un brin de menthe et 1 cuillerée à thé de sucre. Un peu de jus de citron empêche la décoloration.
A l'étuvée Méthode 1 pendant une trentaine de minutes.
ACCOMPAGNEMENT
Avec du beurre et de la menthe hachée.

Poireau
PRÉPARATION
Coupez les racines et la partie verte des feuilles et ôtez celles qui sont trop dures. Tranchez les poireaux dans la longueur et lavez-les soigneusement. Vous pouvez les préparer entiers, coupés en deux, en tronçons de 5 cm ou en rondelles épaisses.
MODES DE CUISSON
Bouilli Dans de l'eau salée pendant 15 minutes pour des tronçons, 10 minutes pour des rondelles et 20 minutes pour des poireaux entiers.
Braisé Faites blanchir les poireaux dans de l'eau salée pendant 5 minutes et, après les avoir égouttés, faites-les revenir dans du beurre pendant 5 autres minutes. Mouillez avec du bouillon ou de l'eau pour les immerger, ajoutez un bouquet garni, couvrez et laissez cuire pendant 1 heure.

A l'étuvée Méthode 1 pendant environ 25 minutes, selon la grosseur. Méthode 2 pendant 10 à 15 minutes pour des poireaux en rondelles.
Frit Faites blanchir les poireaux pendant 5 minutes, égouttez-les et mettez-les à mariner dans du jus de citron. Enrobez-les d'une pâte légère et plongez-les dans un bain de friture.
ACCOMPAGNEMENT
Bouillis avec une béchamel (p. 269) ou une sauce Mornay (p. 270). Servez les jeunes poireaux en salade.

Poivron
PRÉPARATION
Lavez les poivrons, coupez-les en deux dans le sens de la longueur et retirez la queue, les graines et la membrane blanchâtre. Tranchez-les ou coupez-les en dés. Pour des poivrons farcis, découpez autour de la queue et retirez le capuchon. Enlevez les graines et la membrane avec une cuillère.
MODE DE CUISSON
Au four Faites bouillir les poivrons dans de l'eau salée pendant 10 minutes. Egouttez-les et remplissez-les d'une farce à la viande ou aux légumes. Disposez-les dans un plat avec un peu de bouillon et faites-les cuire à 180°C pendant 25 à 30 minutes.
ACCOMPAGNEMENT
Chauds, avec une sauce tomate (p. 270) ou une sauce au fromage (p. 269). Froids, avec une vinaigrette.

Pommes de terre Voir page 301.

Radis
PRÉPARATION
Pour les manger entiers, coupez les racines effilées et ne conservez que 1,5 cm des queues. Lavez-les bien à l'eau froide.
MODE DE CUISSON
Bouilli Faites cuire les gros radis entiers dans de l'eau salée pendant une dizaine de minutes.
ACCOMPAGNEMENT
Dans une salade de légumes frais ou comme garniture. Nappez les radis bouillis d'une sauce à la crème.

Rutabaga
PRÉPARATION
Otez les queues et la base des bulbes, enlevez la pelure épaisse et coupez-les en cubes de 1,5 à 2,5 cm.
MODE DE CUISSON
Bouilli 30 à 40 minutes dans de l'eau salée. Egouttez et séchez à feu doux.

ACCOMPAGNEMENT
Avec du beurre fondu, du sel et du poivre ; en purée avec du beurre, de la muscade et du sel. Dans des ragoûts.

Salsifis
PRÉPARATION
Lavez les salsifis sous l'eau froide, coupez les queues et les racines effilées ; grattez la pelure. Coupez-les en tronçons de 2,5 à 5 cm et plongez-les dans de l'eau froide vinaigrée.
MODE DE CUISSON
Bouilli 45 minutes dans de l'eau salée.
ACCOMPAGNEMENT
Avec du beurre, une sauce blanche (p. 269) ou une béarnaise (p. 271). Servez les feuilles cuites ou en salade.

Tomate
PRÉPARATION
Enlevez les queues. Pour peler les tomates, voir l'illustration page 300.
MODES DE CUISSON
Au gril Coupez les tomates en deux, déposez un petit morceau de beurre sur chaque moitié et assaisonnez. Faites cuire au gril, à feu doux, pendant 5 à 10 minutes.
Au four Préparez les tomates comme pour la cuisson au gril ou gardez-les entières. Mettez-les dans un moule beurré et faites cuire 15 minutes à 180°C. Les grosses tomates devraient reposer sur le pétiole après avoir été incisées en croix sur le dessus et badigeonnées d'huile.
ACCOMPAGNEMENT
Chaudes : en entrée ou pour accompagner le plat principal.
Froides : tranchées avec une vinaigrette et du persil haché, ou en quartiers dans une salade ou comme garniture.

Topinambour
PRÉPARATION
Frottez les tubercules et pelez-les sous l'eau courante ; faites-les tremper dans de l'eau vinaigrée.
MODES DE CUISSON
Bouilli 25 à 30 minutes dans de l'eau salée et vinaigrée. Egouttez. Vous pouvez aussi peler les topinambours après les avoir fait cuire.
A l'étuvée Entiers : méthode 1 pendant 35 à 40 minutes. En quartiers : méthode 2 pendant 30 minutes.
Frit Faites bouillir les topinambours 20 minutes et coupez-les en tranches épaisses. Passez les tranches dans une pâte légère et plongez-les dans la friture pendant 3-4 minutes.

Légumes

PRÉPARATION DES ARTICHAUTS POUR LA CUISSON

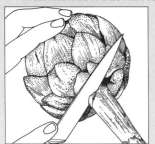

1 Coupez la queue des artichauts.

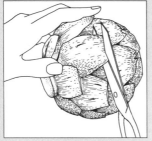

3 Coupez les pointes des feuilles.

2 Tranchez l'extrémité de la tête.

4 Enlevez le foin sur le fond.

ENDIVE

A l'aide d'un couteau pointu, coupez le trognon qui est amer.

MAÏS EN ÉPI

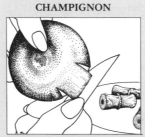

Brossez les épis sous l'eau courante pour enlever les soies.

DEUX FAÇONS DE PELER UNE TOMATE

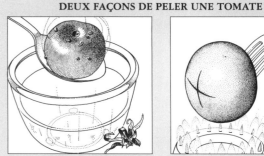

1 Passez 1 minute à l'eau chaude.

1 Tenez au-dessus d'une flamme.

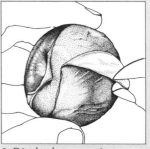

2 Détachez la peau en tirant.

2 Otez la peau carbonisée.

ASPERGES

Attachez-les en botte.

Faites cuire debout, pointes en l'air.

CONCOMBRE

Videz les tronçons de leurs graines avec un petit couteau.

CHAMPIGNON

Otez le bord du chapeau et la peau des gros champignons.

POIVRON

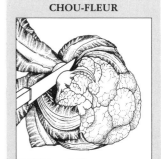

Coupez en lamelles après avoir ôté la queue et les graines.

CHOU-FLEUR

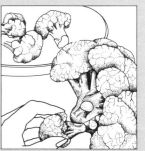

Eliminez les feuilles trop vertes.

Divisez le chou-fleur en bouquets.

COMMENT PELER, TRANCHER ET HACHER UN OIGNON

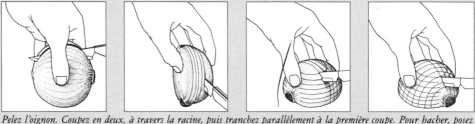

Pelez l'oignon. Coupez en deux, à travers la racine, puis tranchez parallèlement à la première coupe. Pour hacher, posez à plat et coupez perpendiculairement aux tranches. Pour des dés, taillez perpendiculairement aux premières coupes.

POMMES DE TERRE

Il existe deux grandes catégories de pommes de terre : celles à texture cireuse qu'on fait bouillir et celles, plus farineuses, qu'on cuit au four.

Une fois bouillies, les pommes de terre cireuses peuvent être frites, sautées ou préparées en salade. Les variétés farineuses peuvent également être sautées ou frites.

PRÉPARATION

S'il s'agit de pommes de terre nouvelles, il suffit de les laver, de les gratter, puis de les rincer. Vous pouvez également les faire bouillir telles quelles et les éplucher avant de servir. Quant aux vieilles pommes de terre, lavez-les bien, puis pelez-les avec un couteau-éplucheur ; rincez-les, coupez-les en morceaux d'égale grosseur et faites-les cuire le plus tôt possible pour qu'elles ne se décolorent pas.

Prévoyez six portions par kilo de vieilles pommes de terre et huit portions si ce sont des pommes de terre nouvelles.

MODES DE CUISSON

A l'anglaise

Coupez les gros tubercules en morceaux d'égale grosseur (laissez les autres entiers) et mettez-les dans de l'eau froide salée. Portez à ébullition, couvrez et laisser mijoter 15 à 20 minutes pour des pommes de terre nouvelles et 20 minutes si elles sont vieilles.

A la vapeur

Faites cuire dans une étuveuse des pommes de terre épluchées ou non, entières ou coupées en deux ou en quatre, jusqu'à ce qu'elles soient tendres sous la fourchette.

En purée

Mettez à cuire de vieilles pommes de terre. Egouttez-les et faites-les sécher à feu doux dans la casserole. Après les avoir épluchées, écrasez-les à la fourchette, au tamis ou dans un presse-purée jusqu'à ce qu'il n'y ait plus de grumeaux.

Mousseline

Mettez les pommes de terre réduites en purée dans une casserole propre. Ajoutez, pour chaque kilo de tubercules, 4 cuillerées à soupe de beurre, un peu de lait, du sel et du poivre fraîchement moulu. Mélangez le tout à feu doux jusqu'à ce que la purée soit légère et onctueuse. Pour qu'elle soit plus mousseuse, ajoutez-y un œuf.

Duchesse

Battez un œuf, incorporez-le à des pommes mousseline et remplissez une poche à douille avec ce mélange. Déposez de petits pics de 5 cm de haut sur une plaque à biscuits beurrée ou formez une couronne dans un plat à gratin. Faites cuire dans le haut du four à 205°C pendant 25 minutes ou jusqu'à ce que la purée soit dorée.

Croquettes

Préparez des pommes de terre mousseline. Faites-en des boulettes que vous passerez d'abord dans de l'œuf, puis dans de la chapelure. Portez un bain de friture à 190°C et plongez-y les croquettes pendant 2-3 minutes. Egouttez-les bien, puis remettez-les aussitôt dans la friture, à la même température et pour un même laps de temps.

Pommes de terre sautées

Faites bouillir les pommes de terre jusqu'à ce qu'elles soient presque cuites, puis coupez-les en tranches de 5 mm d'épaisseur. Faites-les sauter dans un corps gras chaud jusqu'à ce qu'elles soient croustillantes et bien dorées des deux côtés.

Frites

Pelez de vieilles pommes de terre et coupez-les en tranches de 0,5 à 1 cm d'épaisseur. Taillez ensuite ces tranches en bâtonnets de même largeur. Faites tremper les bâtonnets dans de l'eau froide, égouttez et essuyez. Mettez un corps gras dans une friteuse et faites-le chauffer jusqu'à ce qu'il atteigne 195°C. La graisse est prête lorsqu'une frite qu'on y aura jetée remonte à la surface, entourée de bulles. Etalez une couche de bâtonnets dans un panier à friture et plongez-le dans la friteuse. Laissez cuire 4 à 6 minutes ou jusqu'à ce que les frites soient dorées. Egouttez. Au moment de servir, replongez dans la friture pendant 1-2 minutes, égouttez, salez et servez.

Allumettes

Pelez de vieilles pommes de terre et coupez-les en bâtonnets très fins, à peu près de la même grosseur que des allumettes. Faites-les cuire comme des frites, mais en ramenant à environ 3 minutes la durée de la première friture.

Croustilles

Pelez et lavez les pommes de terre. Emincez-les et mettez-les à tremper dans de l'eau froide. Après les avoir essuyées, faites-les cuire 3 minutes comme des frites.

En robe des champs

Choisissez des pommes de terre farineuses de bonne taille, en calculant un tubercule par personne. Après les avoir grattées et lavées, essuyez-les et incisez-les en croix sur le dessus. Faites-les cuire dans le haut du four à 205°C. Pour servir, prolongez les incisions et coiffez d'une noix de beurre.

Pommes de terre Anna

Pelez et émincez des pommes de terre vieilles ou nouvelles. Disposez les tranches en couches dans un plat à gratin beurré. Salez et poivrez chaque couche et arrosez-les de beurre fondu. Recouvrez le plat de papier paraffiné enduit de beurre ou d'une feuille d'aluminium et faites cuire au centre du four à 190°C pendant 1 heure.

Frites au four

Pelez et coupez les tubercules en morceaux d'égale grosseur. Faites-les bouillir 5 minutes, égouttez et mettez-les dans une rôtissoire avec de la graisse de rôti fondue. Faites-les cuire au centre du four à 220°C pendant 40 minutes en ne les retournant qu'une fois. Aussitôt que les pommes de terre sont bien dorées, égouttez-les.

LES FINES HERBES ET LEUR UTILISATION

Frais ou séchés, les aromates sont abondamment utilisés en cuisine pour relever la saveur des plats. Les herbes fraîches sont plus aromatiques que celles qui sont séchées, mais leur goût est moins prononcé. Si une recette prévoit des herbes séchées et que vous les remplaciez par des herbes fraîches, triplez la quantité indiquée.

Ail C'est l'aromate le plus utilisé, surtout pour relever des plats de viande ou accompagner les tomates.

Aneth On l'emploie pour aromatiser les sauces, les vinaigrettes et la mayonnaise, ainsi que pour relever le ragoût de mouton. On s'en sert comme garniture pour les soupes de poisson, les poissons grillés et les pommes de terre à l'anglaise.

Basilic Cette herbe accompagne bien les poissons à chair grasse et les plats de légumes, en particulier les tomates.

Cerfeuil On l'emploie dans les potages avec les poissons à chair fine et les crustacés, ainsi que dans les omelettes aux fines herbes, les salades et les beurres aux herbes.

Estragon On l'utilise pour aromatiser le vinaigre de vin blanc, les vinaigrettes et la mayonnaise. L'estragon est délicieux avec les poissons à chair grasse, le poulet, les omelettes et les beurres aux herbes.

Fenouil On se sert des feuilles pour parfumer le rôti d'agneau et les poissons à chair grasse, ainsi que pour aromatiser les sauces. Quant aux graines, elles relèvent agréablement le porc et le poulet rôtis.

Laurier Le laurier s'emploie dans les bouquets garnis, avec les poissons à chair grasse, le porc, le veau, l'oie, les pâtés et les terrines.

Marjolaine Cette herbe accompagne bien les poissons à chair grasse et à saveur prononcée et les rôtis d'agneau, de porc ou de veau, le poulet, le canard et la perdrix. Elle convient tout particulièrement aux plats à base de tomates et peut remplacer l'origan.

Menthe On l'emploie pour aromatiser les petits pois, les pommes de terre nouvelles, les concombres et les carottes.

Origan Cette herbe est le plus souvent utilisée dans les sauces accompagnant les pâtes alimentaires et dans les plats italiens à base de tomates ou de fromage.

Persil C'est la garniture par excellence des plats de poisson et de nombreux potages. On s'en sert également pour relever les sauces et des plats de légumes, pour composer les bouquets garnis et le beurre à la maître d'hôtel (p. 306).

Romarin C'est la meilleure herbe pour les poissons à chair grasse cuits au gril ; on l'emploie également pour aromatiser les rôtis d'agneau et de porc.

Sauge La sauge est utilisée surtout pour parfumer les farces de viande.

Sarriette La sarriette des jardins a une saveur plus délicate et plus proche de la menthe que la sarriette vivace. L'une et l'autre sont utilisées pour aromatiser les salades, le poisson grillé et les plats aux œufs. Cette herbe est l'accompagnement classique des haricots verts.

Thym Il s'agit d'un autre des composants indispensables du bouquet garni ; on l'emploie aussi pour relever les poissons à chair grasse, les soupes, les ragoûts, les farces, les marinades et toutes les viandes.

Œufs

L'œuf est probablement le plus complet de tous les aliments. Il est riche en vitamine B_2, contient beaucoup de protéines et a une faible teneur en calories : un œuf de 60 g ne contient que 90 calories, soit moins que 30 g de fromage. On peut le préparer bouilli, sur le plat, en cocotte, poché ou brouillé. Incorporé à d'autres ingrédients, il fait lever les soufflés, les gâteaux et les pâtisseries, tandis qu'il agit comme émulsifiant dans les mayonnaises et les sauces à salade. Il permet d'épaissir les sauces et les veloutés, de lier les farces et de rendre plus croustillants les aliments frits.

Fraîcheur
Pour vérifier la fraîcheur d'un œuf, déposez-le dans un bol d'eau. S'il tombe sur le côté, il est frais. Par contre, s'il se tient sur la pointe, il est d'une fraîcheur toute relative, tandis que s'il flotte il est trop vieux. Un œuf frais qu'on vient de casser a une odeur agréable, le jaune est rond et ferme, tandis que le blanc est également réparti. Par contre, un œuf qui n'est plus frais ne sent pas très bon et est anormalement fluide quand on le casse.

Conservation
Les œufs se conservent deux mois au réfrigérateur. Il faut les sortir 45 minutes avant de les utiliser.

Si l'on veut conserver des œufs qu'on a séparés, on doit garder les blancs à part des jaunes dans des récipients couverts. Versez un peu de lait ou d'eau sur les jaunes pour les empêcher de durcir. Les jaunes se conservent jusqu'à quatre jours, les blancs deux ou trois jours.

Séparer le blanc du jaune
Cognez l'œuf d'un coup sec contre le rebord d'un bol ou d'une tasse afin de briser la coquille en deux. Transvasez délicatement le jaune d'une moitié de coquille dans l'autre au-dessus du bol jusqu'à ce que toute l'albumine ait glissé dans celui-ci, puis versez le jaune dans un autre récipient.

Battre des œufs
Les œufs entiers doivent être battus vigoureusement en un mouvement ascendant, avec une fourchette, une cuillère, un fouet, un batteur électrique ou encore au mixer. Cette façon de procéder permet d'emprisonner de l'air dans l'œuf, ce qui en augmente le volume. Utilisez les œufs battus sans attendre.

Pour mélanger des jaunes et du sucre, commencez par battre les jaunes, puis ajoutez le sucre et continuez de fouetter jusqu'à ce que le mélange s'étire en un large ruban.

Les blancs d'œufs battus en neige ferme mais non sèche s'emploient pour les soufflés et les meringues. Employez un bol sec et parfaitement propre, de préférence en cuivre et sans revêtement, dont la forme est suffisamment évasée pour que le fouet reste constamment en contact avec les blancs pendant que vous les battez.

Incorporer des blancs
Déposez les blancs montés en neige sur la préparation et, en vous aidant d'une spatule, recouvrez-les peu à peu en ramenant lentement l'appareil de base sur ceux-ci. Procédez délicatement pour que l'air ne s'échappe pas des blancs.

Œufs en cocotte
Faites fondre, pour chaque portion, 1 cuillerée à soupe de beurre dans un ramequin ; cassez un œuf dans une soucoupe et faites-le glisser dans le petit moule. Assaisonnez légèrement de sel et de poivre fraîchement moulu. Faites cuire au centre du four préchauffé à 180°C pendant environ 8 minutes ou jusqu'à ce que le blanc soit coagulé.

Vous pouvez également napper l'œuf de 2 cuillerées à soupe de crème épaisse et placer les ramequins, au bain-marie, dans le four.

Œufs bouillis
Les œufs bouillis se préparent à la coque (le blanc est à peine coagulé et le jaune est liquide), mollets (le blanc est pris et le jaune commence à épaissir) et durs (le blanc est tout à fait ferme et le jaune est solide).

SÉPARER LES ŒUFS

Cassez la coquille en deux.

Faites couler le blanc.

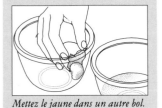

Mettez le jaune dans un autre bol.

TEMPS DE CUISSON POUR LES ŒUFS

A la coque	
Très gros œufs	4½ minutes
Gros œufs	3-3½ minutes
Œufs moyens	2½-3 minutes

Mollets	
Très gros œufs	6½ minutes
Gros œufs	4-5 minutes
Œufs moyens	3½-4½ minutes

Durs	
Très gros œufs	12 minutes
Gros œufs	10 minutes
Œufs moyens	9 minutes

Œufs à la coque Portez à ébullition, à feu doux, une casserole remplie d'eau froide ; puis, à l'aide d'une cuillère, déposez-y les œufs délicatement. Si vous voulez faire cuire un grand nombre d'œufs à la fois, placez-les dans un panier métallique ou un œufrier, de façon à pouvoir les immerger tous en même temps et les retirer ensemble de l'eau.

Œufs mollets Mettez les œufs dans une casserole et couvrez-les d'eau froide ; portez à ébullition à feu doux et retirez aussitôt la casserole du feu. Couvrez et laissez les œufs dans l'eau en vous fiant, pour le temps, au tableau de cuisson qui se trouve sur cette page.

Œufs durs Faites cuire les œufs dans de l'eau bouillante pendant 10 à 12 minutes. Plongez-les immédiatement dans de l'eau froide pour arrêter la cuisson et pour pouvoir enlever les coquilles plus facilement. Cognez les œufs avec le dos d'une lame de couteau de manière à former un anneau en leur centre et retirez les moitiés de coquille. Servez-les aussitôt pour qu'ils n'aient pas le temps de durcir. Si vous voulez les manger froids, mettez-les dans de l'eau glacée.

Œufs sur le plat
Faites fondre du beurre (2 à 4 cuillerées à soupe pour quatre œufs) ou un mélange moitié huile, moitié beurre dans une poêle. Cassez les œufs un par un au-dessus d'une soucoupe et faites-les glisser dans la poêle. Réduisez le feu immédiatement et arrosez les œufs avec le corps gras pour qu'ils cuisent uniformément. Laissez-les cuire de 3 à 5 minutes, jusqu'à ce que les blancs soient fermes.

Œufs pochés
Versez 2,5 cm d'eau dans une sauteuse, ajoutez une pincée de sel et portez à ébullition. Réduisez le feu pour que l'eau frémisse, sans plus. Cassez les œufs un par un dans une soucoupe et faites-les glisser délicatement dans l'eau. En vous aidant de deux cuillères, tassez rapidement les blancs autour des jaunes et ramenez-en un peu par-dessus. Couvrez et laissez mijoter 4-5 mi-

nutes ou jusqu'à ce que les jaunes soient pris et que les blancs soient fermes.

Si vous voulez obtenir des œufs pochés aux formes régulières, mettez des emporte-pièce circulaires dans l'eau et faites glisser les œufs à l'intérieur de ceux-ci. Vous pouvez également utiliser une pocheuse. Remplissez-la d'eau à moitié, portez à ébullition, puis réduisez le feu pour que l'eau soit tout juste frémissante. Faites fondre un peu de beurre ou de margarine dans chaque alvéole et cassez un œuf par-dessus. Assaisonnez légèrement de sel et de poivre. Couvrez et laissez cuire 2 minutes ou jusqu'à ce que les œufs soient à point.

Pour des œufs pochés, tassez les blancs autour des jaunes.

Œufs brouillés
Comptez deux œufs par personne et 1 cuillerée à soupe de beurre par œuf. Battez les œufs dans un bol avec un peu de sel et de poivre. Faites fondre le beurre dans une poêle ou dans la partie supérieure d'un bain-marie, versez-y la préparation et cuisez à feu doux. Dès qu'elle épaissit, remuez constamment jusqu'à ce que le mélange soit bien brouillé.

Omelettes
Il existe deux sortes d'omelettes : les omelettes ordinaires et les omelettes soufflées. Les premières sont servies comme entrées, les secondes comme entremets sucrés ou comme entrées. Faites cuire les omelettes dans une poêle spéciale que vous vous contenterez ensuite d'essuyer, sans jamais la laver.

Omelette nature

PRÉPARATION : *3 minutes*
CUISSON : *1½-2 minutes*

INGRÉDIENTS *(1 personne)*
2 œufs
1 c. à soupe d'eau
1 pincée de sel
Poivre fraîchement moulu
1 c. à soupe de beurre

Cassez les œufs dans un bol, ajoutez l'eau, le sel et le poivre ; battez jusqu'à ce que le tout soit bien mélangé sans être mousseux. Mettez la poêle sur le feu jusqu'à ce qu'elle soit très chaude, ajoutez le beurre, qui devrait fondre et grésiller immédiatement, puis les œufs battus. Secouez la poêle tout en remuant les œufs avec une fourchette pendant 1-2 minutes. Lorsque l'omelette est presque prise, mais elle est encore baveuse sur le dessus, repoussez-la avec le dos de la fourchette vers le bord de la poêle et renversez-la immédiatement sur une assiette chaude. Servez.

OMELETTE

Mélangez avec une fourchette.

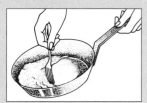

Poussez l'omelette vers le bord.

Renversez-la sur une assiette.

Omelettes garnies

On peut ajouter les ingrédients aux œufs battus ou les faire revenir à part et en garnir l'omelette avant de la replier.

Fromage : ajoutez 40 g de fromage râpé aux œufs battus.
Jambon : parsemez l'omelette de 1 cuillerée à soupe de jambon finement haché avant de la replier.
Omelette espagnole : hachez 1 oignon moyen et 1 poivron vert et faites-les revenir dans 3 cuillerées à soupe de graisse jusqu'à ce qu'ils soient tendres. Ajoutez 250 ml de tomates en conserve égouttées et 2-3 cuillerées de basilic séché ; salez et poivrez. Laissez mijoter pendant environ 25 minutes en remuant de temps en temps. Versez la préparation à la cuillère sur l'omelette avant de la plier. Ces quantités valent pour deux omelettes.

Omelettes soufflées

PRÉPARATION : *15 minutes*
CUISSON : *3 à 5 minutes*

INGRÉDIENTS *(2 personnes)*
2 œufs
1 pincée de sel
Poivre noir
1 c. à soupe de beurre

Séparez les jaunes des blancs et battez ces derniers jusqu'à ce qu'ils soient fermes ; puis, toujours en battant, ajoutez le sel et du poivre. Battez les jaunes avec 2 cuillerées à soupe d'eau jusqu'à ce qu'ils aient épaissi et incorporez-les aux blancs.

Faites fondre le beurre dans un poêlon à omelette et versez-y le mélange avec une cuillère. Faites cuire à feu modéré jusqu'à ce que le dessous de l'omelette soit doré. Placez la poêle sous un gril chaud pour permettre au dessus de dorer. Ajoutez la garniture de votre choix et pliez l'omelette en deux.

Pour une omelette sucrée, remplacez le sel et le poivre par 2 cuillerées à soupe de sucre que vous battez avec les blancs d'œufs. Ajoutez de l'extrait de vanille aux jaunes épaissis, puis faites cuire l'omelette comme ci-dessus. Avant de la replier, couvrez-la d'une mince couche de confiture ou de compote chaude. Saupoudrez de sucre au moment de servir.

Soufflés

Légers comme l'air, ils peuvent être sucrés ou salés, chauds ou froids. La base des soufflés chauds est une épaisse sauce blanche à laquelle on ajoute d'abord des jaunes d'œufs, puis les blancs montés en neige. Pour que le soufflé gonfle uniformément pendant la cuisson, utilisez un moule à soufflé aux parois droites, bien beurré. La préparation ne doit pas remplir le moule plus qu'aux trois quarts. Servez le soufflé dès qu'il sort du four pour qu'il n'ait pas le temps de s'effondrer.

Soufflé au jambon

PRÉPARATION : *20 minutes*
CUISSON : *45 minutes*

INGRÉDIENTS *(4 à 6 personnes)*
3 œufs
300 ml de sauce blanche épaisse (p. 269)
Sel et poivre noir
150 g de jambon cuit et haché
1 blanc d'œuf

Beurrez un moule à soufflé d'une hauteur de 20 cm et entourez-le d'un collier de papier. Séparez les blancs des jaunes et préparez la sauce blanche. Laissez-la refroidir un peu avant d'y incorporer le jambon haché. Mélangez les jaunes à la sauce, un par un. Montez les blancs en neige ; incorporez-les délicatement à la préparation, puis versez le tout dans le moule.

Mettez le moule dans une casserole d'eau chaude et faites cuire au centre du four chauffé à 180°C pendant 40 à 45 minutes.

Variantes

Soufflé chaud au caramel : faites fondre 3 cuillerées à soupe de sucre jusqu'à ce qu'il prenne couleur et incorporez-le à la sauce avant d'ajouter les œufs.
Soufflé chaud au fromage : mélangez 115 g de cheddar fort finement râpé à la sauce blanche.
Soufflé chaud au chocolat : incorporez 60 g de chocolat sucré fondu à la sauce blanche.
Soufflé chaud au maïs : incorporez à la sauce 100 g de grains de maïs et 2 tranches de bacon grillées et émiettées.

Soufflé chaud au poisson : ajoutez à la sauce 150 g environ d'aiglefin cuit et émietté.

Soufflés froids

Ce sont des soufflés qui ont comme ingrédients essentiels de la crème fouettée, des blancs d'œufs montés en neige et de la gélatine. Ces soufflés ne se mettent pas au four mais au réfrigérateur, ils ne gonflent donc pas. Pour obtenir l'aspect du classique soufflé chaud, il faut rehausser les bords du moule avec un collier de papier.

Découpez, dans du papier paraffiné ou du papier d'aluminium plié en deux, une bande dépassant de 8 cm la paroi du moule. Repliez 3 cm sur toute la longueur de la bande et enveloppez-en le moule ; le bas du papier replié doit coïncider avec le fond du moule, alors que le haut doit dépasser de 5 cm. Fixez avec une ficelle ou un ruban adhésif. Versez dans le moule la préparation qui devra arriver presque jusqu'au bord supérieur du papier.

Lorsque le soufflé sera pris, et avant de le servir, retirez délicatement le papier après avoir glissé entre celui-ci et le soufflé la lame d'un couteau fin passée à l'eau chaude.

Soufflé au citron

PRÉPARATION : *25 minutes*
RÉFRIGÉRATION : *environ 3 heures*

INGRÉDIENTS *(4 personnes)*
2 citrons bien lavés
3 œufs
60 g de sucre
2 c. à thé de gélatine
125 ml de crème épaisse

Dans un petit bol, mélangez la gélatine avec 2 cuillerées à soupe d'eau froide ; placez le bol dans une casserole d'eau chaude jusqu'à ce que la gélatine soit complètement dissoute. Mettez de côté et laissez refroidir.

Cassez les œufs en séparant les jaunes des blancs. Ajoutez aux jaunes le sucre, le zeste râpé et le jus des citrons ; battez jusqu'à l'obtention d'un mélange épais et bien monté. Ajoutez l'eau dans laquelle vous avez fait fondre la gélatine ; remuez pour obtenir une prépara-

tion homogène. Fouettez la crème et incorporez-la délicatement au mélange. Mettez celui-ci au réfrigérateur jusqu'à ce qu'il soit pris, puis incorporez-y délicatement les blancs montés en neige.

Versez dans un moule à soufflé d'une capacité de 1 litre, garni d'un collier de papier, et mettez au réfrigérateur jusqu'à ce que le soufflé soit parfaitement pris.

Variantes

Soufflé froid au chocolat : aux jaunes battus avec le sucre, mélangez 60 à 80 g de chocolat ramolli à feu doux dans une casserole, avec 1-2 cuillerées à soupe d'eau ou de lait. Parfumez avec 1 cuillerée à soupe de cognac ou de rhum.
Soufflé froid au café : aux jaunes battus avec le sucre, ajoutez 4-5 cuillerées à soupe de café noir et 1 cuillerée à soupe de curaçao.
Soufflé froid à l'orange : aux jaunes battus avec le sucre, incorporez le zeste d'une orange et 4 cuillerées à soupe de son jus.

AGRANDIR LE MOULE

Entourez le moule avec du papier.

Attachez avec une ficelle.

Riz et pâtes

Ces aliments sont des dérivés de céréales. Comme ils n'ont pas une saveur très marquée, on peut facilement les combiner avec divers autres ingrédients. Le riz, tout comme les pâtes, peut remplacer les légumes comme accompagnement du plat principal.

RIZ

Il existe plusieurs variétés de riz : le riz blanc et glacé, le riz brun entier et le riz sauvage. En outre, on trouve à peu près partout du riz semi-cuit et précuit.

Riz blanc et riz brun

Ces deux riz ont soit des grains longs, soit des grains ronds.

Le riz à grains longs convient pour des plats salés : curries, salades, paellas, farces, croquettes et timbales.

Le riz à grains ronds permet de préparer des poudings, des risottos et des gâteaux de riz.

Riz semi-cuit

Comme, avant de le décortiquer, on le fait cuire à la vapeur selon un procédé spécial, le riz semi-cuit conserve toute sa saveur et beaucoup de ses qualités nutritives.

Riz précuit

Après avoir été complètement cuit, ce riz est déshydraté, puis emballé. On le prépare en le faisant tremper 5 minutes dans de l'eau chaude. Il permet de préparer rapidement des plats salés ou sucrés.

Riz sauvage

Il ne s'agit pas d'une céréale, mais plutôt des longs grains d'une herbe qui pousse à l'état sauvage dans certaines régions du Canada et des Etats-Unis. Il a une saveur incomparable, mais est assez coûteux.

Cuisson du riz blanc

Lavez le riz dans une passoire avant de le faire cuire en le rinçant bien sous le robinet d'eau froide. (Cette étape est superflue pour le riz empaqueté en Amérique du Nord.) Calculez 55 g de riz cru par personne. En cuisant, le riz triple presque de volume.

Une fois cuit, le riz devrait être sec et léger ; les grains seront bien détachés. Vous pouvez soit le faire bouillir, soit opter pour l'un des deux procédés par absorption, décrits ci-après.

Riz blanc bouilli

Comptez 2 litres d'eau et 1 cuillerée à thé de sel pour 300 g de riz. Versez l'eau dans un faitout et portez-la à ébullition avant d'ajouter le sel et le riz. Faites bouillir à gros bouillons pendant 12 à 15 minutes ou jusqu'à ce que le riz soit tendre, mais non pâteux. Vous pourrez le vérifier en écrasant un grain entre le pouce et l'index. Si le riz est cuit, le centre du grain sera juste tendre.

Egouttez le riz dans une passoire et rincez-le à l'eau chaude. Remettez-le dans le faitout avec un bon morceau de beurre ramolli et mélangez bien pour que tout le riz soit uniformément enduit de beurre.

Couvrez le faitout et laissez le riz sécher pendant 10 minutes. Secouez de temps en temps pour empêcher les grains d'attacher.

Une autre méthode consiste à mettre le riz égoutté dans un plat beurré, assez profond, et, après avoir couvert hermétiquement, à le faire sécher 10 minutes au centre du four préchauffé à 165°C.

Cuisson par absorption

Méthode 1 Ce procédé facile donne un riz tendre, aux grains bien détachés. Calculez, pour 250 g de riz, 500 ml d'eau ou de bouillon clair et deux pincées de sel. Portez le liquide à ébullition dans une grande casserole, ajoutez le sel et le riz ; remuez quelques minutes. Dès que l'eau recommence à bouillir, couvrez hermétiquement et faites cuire à feu doux pendant 15 à 20 minutes, sans jamais soulever le couvercle.

Au bout de ce laps de temps, toute l'eau devrait être absorbée ; le riz sera devenu sec et tendre. Retirez la casserole du feu et séparez les grains avec une fourchette.

Méthode 2 Le riz peut également cuire par absorption au four. Utilisez les mêmes quantités que pour la première méthode et mettez le riz dans une cocotte. Versez l'eau bouillante par-dessus, remuez bien et couvrez hermétiquement en intercalant une feuille d'aluminium entre la cocotte et le couvercle. Faites cuire au centre du four préchauffé à 180°C pendant 30 à 45 minutes.

Cuisson du riz brun

Le riz brun cuit comme le riz blanc, mais demande plus de temps. Pour du riz bouilli, prévoyez environ 25 minutes ; avec le procédé par absorption, le riz devra rester sur le feu pendant 45 minutes, tandis qu'au four il faudra compter à peu près 1 heure de cuisson.

Cuisson du riz sauvage

Lavez 300 g de riz sauvage en renouvelant l'eau trois ou quatre fois, puis faites-le cuire dans 1 litre d'eau bouillante salée pendant 25 à 30 minutes, jusqu'à ce qu'il soit tendre, mais non pâteux. Egouttez et servez avec du beurre.

Riz pilaf

PRÉPARATION : *5 minutes*
CUISSON : *30 minutes*

INGRÉDIENTS *(4 personnes)*
150 g de riz à grains longs
1 oignon
2 c. à soupe de beurre ou d'huile
250 ml de bouillon de poulet bouillant
Sel et poivre noir

Pelez l'oignon et hachez-le finement. Faites-le revenir dans le beurre fondu jusqu'à ce qu'il commence à dorer. Ajoutez le riz et continuez de faire revenir jusqu'à ce que celui-ci change légèrement de couleur. Versez le fond de poulet bouillant sur le riz et assaisonnez de sel et de poivre. Couvrez hermétiquement et faites cuire à feu doux 20 minutes, jusqu'à ce que le liquide ait été absorbé.

Timbale de riz

Avec du riz cuit et refroidi, vous pouvez préparer un plat particulièrement savoureux, qui se sert chaud ou froid. Faites chauffer une vinaigrette à l'ail (p. 272) et mélangez-y le riz avec, éventuellement, des petits pois. Remplissez un moule à couronne du mélange sans tasser et égalisez le dessus avec une spatule.

Si le riz doit être servi chaud, déposez le moule dans une lèchefrite contenant 2,5 cm d'eau bouillante. Couvrez avec une feuille d'aluminium et laissez mijoter sur la cuisinière pendant 10 à 15 minutes. Démoulez. Vous pourrez garnir le centre de la timbale avec du poulet haché, des crevettes ou du poisson émietté, mélangés à une sauce à la crème ou au curry. Vous pouvez également utiliser des légumes au beurre ou en crème.

Pour un plat froid, laissez d'abord le riz refroidir, puis couvrez le moule d'une feuille d'aluminium et mettez-le au réfrigérateur pendant 1 heure ou jusqu'à ce que le mélange soit ferme. Mettez une assiette de service sur le moule et retournez-le. Remplissez la cavité de fruits de mer liés avec une mayonnaise au citron (p. 271).

MOULE À RIZ

Remplissez le moule beurré.

Démoulez le riz ferme.

Salades de riz

Un reste de riz froid constitue une bonne base pour toute une gamme de salades. Mélangez le riz avec une vinaigrette bien assaisonnée (p. 272) ou avec une mayonnaise légère (p. 271) et accompagnez-le de viande, de poisson ou de volaille froide. Pour préparer un plat plus substantiel, ajoutez au mélange de riz du poulet ou du jambon haché, du poisson émietté, tel que du thon, et du piment doux haché, ainsi que des petits pois cuits ou du maïs en grains. Vous pouvez également préparer une salade de riz en y incorporant des herbes fraîches hachées, comme du persil, de la ciboulette et de l'estragon.

PÂTES

Parmi les pâtes alimentaires, on trouve les spaghettis, les tagliatelles, les lasagnes, les raviolis, les cannellonis, le vermicelle, etc. La semoule de blé dur est la principale composante des pâtes. On la mélange avec de l'huile et de l'eau et on y ajoute parfois des épinards en purée et des œufs. La pâte ainsi obtenue est soit roulée et coupée, soit façonnée en longs fils, en tubes ou en lanières avec, dans certains cas, une farce. On fait sécher les pâtes avant de les empaqueter.

Les pâtes alimentaires se servent en entrée ou dans une soupe, en accompagnement ou comme plat principal (à la place de pommes de terre, par exemple). En général, les pâtes qui sont présentées en entrée ou qui constituent le plat principal sont servies avec une sauce ou une farce et, le plus souvent, du parmesan râpé.

Cuisson des pâtes

Toutes les pâtes cuisent à l'eau bouillante, mais le temps de cuisson varie selon leur forme, leur grosseur et leur fraîcheur. On doit les faire cuire dans une grande quantité d'eau bouillante jusqu'à ce qu'elles soient fermes sous la dent *(al dente)*. Les pâtes trop cuites deviennent molles et pâteuses. Prévoyez environ 90 g de pâtes non cuites par personne.

Remplissez une marmite d'eau salée et, lorsque celle-ci bout à gros bouillons, ajoutez quelques gouttes d'huile ainsi que les pâtes. Ne cassez pas les spaghettis, mais mettez-les debout dans l'eau bouillante en les retenant d'une main ; enfoncez-les progressivement, au fur et à mesure qu'ils ramollissent et s'enroulent dans la marmite.

Faites cuire les pâtes sans couvrir et sans réduire le feu jusqu'à ce qu'elles soient tendres, en remuant de temps en temps pour les empêcher de coller dans le fond de la casserole. Pour vérifier si elles sont prêtes, goûtez un petit morceau : il devrait être tendre mais ferme sous la dent. Egouttez bien les pâtes dans une passoire, puis remettez-les dans la casserole avec un gros morceau de beurre ou 1 cuillerée à soupe d'huile d'olive. Remuez bien, salez et poivrez.

Variétés de pâtes

On trouve dans les supermarchés et les épiceries italiennes une grande diversité de pâtes alimentaires dont les plus courantes sont illustrées ci-contre. En haut de l'illustration, apparaissent tout d'abord quatre types de spaghettis, soit le vermicelle, le fedelini, le spaghettini et le spaghetti, suivis du macaroni long. Viennent ensuite la spirale (qui est une autre variété de spaghetti), la mafalda (en forme de ruban) et le gros manicotti (qu'on peut farcir avec de la viande ou du fromage). Les tagliatelles, qui ressemblent à d'étroits rubans, sont préparées avec des œufs ou des épinards (verde). En dessous sont illustrés deux tubes de macaroni court.

Les pâtes de fantaisie se servent le plus souvent accompagnées d'une sauce ou avec du beurre et du parmesan. Elles comprennent les coudes, les papillons, les roues, les coquillettes, les tortillons et bien d'autres.

Les pâtes qu'on emploie pour les soupes sont petites et viennent dans une grande variété de formes. Celles qui sont illustrées ici sont les bouclettes, suivies des coquillettes, puis des anneaux et des pépins. Enfin, on a les plus petites de toutes, soit les grains de plomb.

Spaghettis à l'huile et à l'ail

PRÉPARATION : *10 minutes*
CUISSON : *environ 7 minutes*

INGRÉDIENTS *(4 personnes)*
450 g de spaghettis
125 ml d'huile d'olive
2 c. à thé d'ail haché
75 g de parmesan râpé

Faites cuire les spaghettis dans 6 litres d'eau bouillante jusqu'à ce qu'ils soient tendres ; égouttez-les. Faites chauffer l'ail et l'huile d'olive dans une casserole et mélangez-y rapidement les spaghettis. Servez le fromage à part.

Linguines aux palourdes

PRÉPARATION : *30 minutes*
CUISSON : *environ 7 minutes*

INGRÉDIENTS *(4 à 6 personnes)*
24 palourdes cherry-stone
6 litres d'eau
2 c. à soupe de sel
450 g de linguines (languettes)
250 ml de crème épaisse
115 g de beurre
1 c. à soupe d'ail broyé
4 c. à soupe de persil finement haché
3 c. à soupe de basilic frais finement haché ou 1 c. à thé de basilic séché
2 ou 3 pincées de thym séché
Poivre
75 g de parmesan frais râpé

Ouvrez les coquilles, réservez le jus et hachez les palourdes grossièrement. Faites bouillir l'eau et ajoutez-y le sel et les linguines. Pendant qu'ils cuisent, faites chauffer la crème dans une casserole jusqu'à ce qu'elle commence à frémir.

Entre-temps, faites fondre le beurre dans une autre casserole et incorporez-y les palourdes hachées, leur jus, l'ail, le persil, le basilic, le thym, du poivre fraîchement moulu, puis la crème, dès qu'elle est prête. Retirez la casserole du feu.

Une fois que les linguines sont à point, égouttez-les dans une passoire, versez-les dans un plat chaud, ajoutez la sauce et mélangez le tout. Incorporez le reste de beurre, le fromage et du sel, puis mélangez de nouveau. Servez aussitôt.

Ne cassez pas les spaghettis, mais enfoncez-les petit à petit dans l'eau.

DIVERS TYPES DE PÂTES

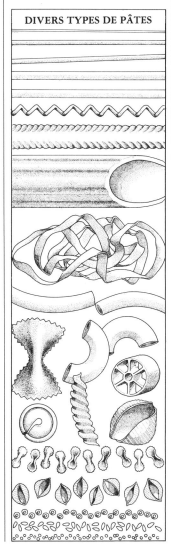

Huiles et corps gras

Les huiles et les corps gras tiennent une place importante dans la bonne cuisine puisqu'ils rehaussent la saveur des aliments, en particulier lorsque ceux-ci sont sautés ou frits à grande friture.

CORPS GRAS

Les corps gras englobent les graisses animales dérivées de la viande, des produits laitiers ou des poissons à chair grasse, ainsi que les graisses végétales extraites de noix ou de certains légumes. Ceux dont on se sert en cuisine comprennent le beurre, les graisses mixtes et hydrogénées, la graisse de rôti, le saindoux, la margarine et le suif.

Beurre

Le beurre est une substance alimentaire grasse obtenue en barattant la crème du lait, puis en la pressant pour en extraire toute l'eau. On s'en sert pour la cuisson des plats aux œufs, pour faire revenir des légumes et autres aliments, ainsi que dans la préparation des gâteaux.

Beurre clarifié

On utilise parfois ce beurre pour des recettes où les aliments sont soit sautés, soit grillés. C'est un ingrédient particulièrement cher puisque 225 g de beurre ne donnent que 140 g de beurre clarifié. Faites fondre à feu modéré 225 g de beurre doux dans une petite casserole jusqu'à ce qu'il commence à mousser. Poursuivez la cuisson tant que la mousse n'a pas disparu, puis retirez la casserole du feu et attendez que les résidus laiteux se soient déposés au fond de la casserole, en laissant un liquide jaune clair. Versez délicatement celui-ci dans un bol à travers un morceau de gaze.

Beurre fondu

Ce beurre est habituellement servi dans une saucière pour accompagner du poisson poché. Faites fondre du beurre à feu doux et assaisonnez-le de sel, de poivre frais moulu et de jus de citron.

Beurre meunière

On prépare cette sauce avec le beurre dans lequel on a fait cuire du poisson. Ajoutez un petit peu de beurre au fond de cuisson et faites-le chauffer jusqu'à ce qu'il brunisse légèrement. Ajoutez du jus de citron et du persil haché ; remuez.

Beurre noir

Faites chauffer du beurre jusqu'à ce qu'il devienne couleur noisette, mais ne le laissez pas noircir. Ajoutez, pour 110 g de beurre, 2 cuillerées à soupe de persil finement haché, 1 cuillerée à soupe de vinaigre de vin et une autre de câpres hachées. Ce beurre accompagne les mêmes aliments que le beurre noisette.

Beurre noisette

Il s'agit de beurre fondu qu'on a légèrement laissé prendre couleur avant de l'assaisonner. On le sert avec des œufs, de la cervelle, de la raie pochée, des œufs de poisson ou des légumes bouillis.

Beurres composés

Ces beurres sont incorporés à des sauces ou servis avec de la viande, du poisson ou des légumes. Le beurre ramolli est aromatisé avec divers ingrédients dont le choix dépend du plat qu'il accompagne. On calcule 2 cuillerées à soupe de beurre par personne.

Faites ramollir le beurre avant d'y incorporer les autres ingrédients. Les herbes et les légumes doivent être hachés, moulus ou broyés, ce qui est facilité par l'emploi d'un pilon et d'un mortier. Une fois tous les ingrédients mélangés, étalez le beurre entre deux feuilles de papier paraffiné humide. Mettez-le au réfrigérateur avant de le découper en formes décoratives.

Huiles et corps gras

BEURRES COMPOSÉS

Beurre (115 g)	Autres ingrédients	Préparation	Accompagnement
AU POISSON			
D'anchois	*6 filets d'anchois*	Rincez les anchois à l'eau froide pour enlever le sel et l'huile. Essuyez-les, passez-les au chinois et mélangez-les au beurre.	*Avec de la viande ou du poisson grillés. Comme garniture pour des hors-d'œuvre froids ou incorporé à une sauce blanche.*
De crabes ou de crevettes	*115 g de chair de crabe ou de crevettes cuites*	Passez les crabes ou les crevettes à travers un tamis et mélangez-les avec le beurre.	*Garniture pour des hors-d'œuvre ou du poisson froid ; sauce au poisson.*
AUX FRUITS			
De citron	*Le zeste râpé d'un demi-citron* *Sel et poivre noir*	Mélangez le zeste et le beurre, salez et poivrez.	*Avec des hors-d'œuvre froids.*
De tomates	*2 c. à soupe de pâte de tomates*	Mélangez la pâte de tomates et le beurre.	*Avec de la viande ou du poisson grillés, des hors-d'œuvre froids ; dans une sauce.*
AUX HERBES			
Chivry	*1 c. à thé de cerfeuil, de persil, de ciboulette et d'estragon* *1 c. à soupe d'échalote hachée*	Enveloppez les herbes dans de la gaze et faites-les blanchir 3 minutes. Egouttez, plongez le sac dans de l'eau froide, égouttez de nouveau et tordez pour essorer. Faites blanchir les échalotes, réduisez-les en purée avec les autres herbes et incorporez au beurre.	*Avec des hors-d'œuvre froids ou dans une sauce blanche.*
De ciboulette	*8 c. à soupe de ciboulette hachée*	Faites blanchir la ciboulette, puis égouttez-la. Hachez-la et réduisez-la en purée. Mélangez-la avec le beurre.	*Avec de la viande ou du poisson grillés.*
D'estragon	*50 g d'estragon frais*	Faites blanchir l'estragon, égouttez et laissez sécher. Réduisez-le en purée et mélangez-le au beurre.	*Avec des hors-d'œuvre froids.*
A la maître d'hôtel	*1 c. à soupe de persil haché* *Sel, poivre, jus de citron*	Mélangez le persil et le beurre et assaisonnez avec le sel, le poivre moulu et quelques gouttes de jus de citron.	*Avec de la viande ou du poisson grillés, des légumes bouillis ou des beignets de poisson.*
De noix	*60 g d'amandes, de noix ou de pistaches blanchies*	Broyez les noix en pâte avec quelques gouttes d'eau pour éviter une consistance huileuse. Mélangez au beurre.	*Avec des hors-d'œuvre froids, dans des soupes et des sauces.*
AUX LÉGUMES			
D'ail	*4 gousses d'ail*	Pelez et écrasez l'ail et mélangez-le avec le beurre.	*Avec des hors-d'œuvre froids ou dans une sauce blanche.*
De champignons	*115 g de jeunes champignons de couche* *Sel et poivre noir*	Hachez finement les champignons, cuisez-les légèrement dans 2 cuillerées à soupe de beurre et assaisonnez. Réduisez-les en pâte et mélangez-les avec le beurre.	*Avec des hors-d'œuvre froids ou dans une sauce blanche.*
D'échalote	*115 g d'échalote*	Faites blanchir les échalotes et égouttez. Pelez-les et hachez-les finement. Réduisez-les en purée et mélangez-les avec le beurre.	*Avec de la viande ou du poisson grillés.*
D'épinards	*115 g d'épinards*	Faites blanchir les épinards, égouttez-les et essorez-les bien. Faites-en une purée lisse que vous mélangerez avec le beurre.	*Dans une sauce blanche ou avec du poisson froid.*
De raifort	*4 c. à soupe de raifort râpé*	Pilez le raifort avec le beurre dans un mortier.	*Avec des hors-d'œuvre froids ou dans une sauce blanche.*
AUTRES			
Bourguignon ou pour escargots	*1 c. à soupe d'échalote* *1 c. à thé de persil* *1 gousse d'ail* *Sel et poivre noir*	Hachez finement les échalotes et le persil. Pelez et écrasez l'ail. Mélangez avec le beurre, salez et poivrez.	*Pour les escargots à la bourguignonne.*
De moutarde	*1 c. à soupe de moutarde de Dijon*	Mélangez soigneusement la moutarde et le beurre ramolli.	*Avec de la viande ou du poisson grillés.*

Graisse de bacon

On emploie la graisse de bacon fondue pour faire revenir les viandes et les légumes.

Graisse de rôti

C'est de la graisse de viande de bœuf ou de porc fondue. Comme elle a une forte teneur en eau et qu'elle a tendance à éclabousser en cuisant, on s'en sert pour faire rôtir ou revenir des aliments.

Graisse végétale

Elle se compose habituellement d'huile de soya, de maïs ou d'arachide, solidifiée par hydrogénation, ce qui lui permet de se conserver plus longtemps. Elle est parfois mélangée avec des graisses lactées, animales ou végétales. La graisse végétale et le saindoux hydrogénés peuvent se garder deux ou trois mois dans un endroit froid sans réfrigération, et encore plus longtemps au réfrigérateur. On emploie ces corps gras pour faire revenir des aliments, pour la friture et dans la pâtisserie.

Graisse de volaille

Cette graisse, qui se trouve sous la peau des volailles comme le poulet, l'oie, le canard et la dinde, est excellente pour faire revenir des aliments et peut être incorporée à certains plats.

Margarine

Faite d'huiles et de graisses végétales (mélangées à de la crème ou du lait et additionnées de vitamines), la margarine remplace le beurre dans la préparation et la cuisson de certains aliments. Mais on ne peut pas l'employer pour la friture à cause de sa forte teneur en eau.

Saindoux

On obtient le saindoux à partir de la graisse même du porc. Il est excellent pour faire sauter ou frire et on peut l'utiliser dans la confection de pâte à tarte ou de certains gâteaux. La graisse des rognons de porc donne un saindoux très fin.

HUILES

Les huiles comestibles sont des graisses liquides extraites de poissons, de légumes, de céréales, de fruits, de noix ou de graines. Leur couleur et leur saveur varient, et leur choix est une question de goût.

Cuisson à l'huile

Les huiles végétales et le saindoux (ou un mélange d'huile et de beurre) peuvent être utilisés pour faire revenir des aliments. On s'en sert toutefois plus fréquemment pour la grande friture. On peut faire chauffer à des températures élevées les huiles ou le saindoux de bonne qualité, ce qui d'ailleurs est indispensable pour sceller les aliments et les rendre croustillants.

Friture

Utilisez une marmite à fond épais ou une friteuse munie d'un panier qui permet de retirer facilement les aliments. Remplissez (au tiers seulement) la friteuse d'huile, de graisse végétale ou de saindoux fondu et chauffez à feu modéré.

C'est à 190°C qu'on fait frire beignets et croquettes. Par contre, l'huile doit atteindre 195°C pour les pommes de terre frites, ces tubercules contenant beaucoup d'eau et abaissant rapidement la température de l'huile. Cependant, pour de meilleurs résultats, faites frire les pommes de terre en deux fois à la même température (190°C).

Le temps de friture varie selon la grosseur des aliments et leur sorte. Dans le cas de préparations dont certains ingrédients sont déjà cuits, comme les croquettes, laissez frire pendant 2-3 minutes seulement. Les beignets ont besoin d'un peu plus de temps, soit 3 à 5 minutes, et les frites davantage encore, 4 à 6 minutes.

Le saindoux, l'huile et la graisse végétale utilisés pour la friture peuvent être remployés plusieurs fois. Une fois la cuisson terminée, laissez refroidir l'huile complètement, puis filtrez-la au-dessus d'un bocal. Vissez le couvercle et mettez-la au réfrigérateur où elle se conservera pendant environ trois mois.

Desserts

Le dessert constitue l'un des grands moments d'un repas. Il faut le choisir avec soin afin que le repas ne s'en trouve pas déséquilibré. Si le plat principal est riche et consistant, le dessert devra être simple et léger. Après un repas composé essentiellement de légumes, servez un dessert riche en protéines, préparé avec de la crème, du lait, des œufs ou du fromage blanc.

POUDINGS À L'AMÉRICAINE

Les poudings peuvent être cuits à la vapeur de la façon suivante : déposez le moule sur une claie, à l'intérieur d'une marmite suffisamment grande pour qu'il y ait un espace de 2,5 cm entre les deux récipients, et versez de l'eau dans la marmite jusqu'à mi-hauteur du moule.

L'eau devra bouillir doucement durant toute la cuisson. Si elle s'évapore, faites bouillir d'autre eau et versez-la dans la marmite.

Préparation du moule pour la cuisson à la vapeur

Beurrez légèrement le moule et chemisez le fond avec un papier paraffiné beurré, afin d'empêcher le pouding d'attacher et pour pouvoir le démouler plus facilement. Remplissez les deux tiers du moule de la préparation. Enduisez abondamment de beurre un morceau de papier paraffiné et fabriquez-en un couvercle surélevé en le pliant de manière à ménager un collet dépassant de 2,5 cm les bords du moule, ce qui permettra au pouding de lever. Déposez-le sur le moule et recouvrez-le d'un morceau de papier d'aluminium. Ficelez solidement ce couvercle improvisé sous le rebord du moule et faites une poignée avec la ficelle afin de pouvoir retirer facilement le pouding de la marmite.

Démoulage du pouding

Retirez le moule de la marmite et ôtez le couvercle. Laissez le pouding refroidir et rétrécir légèrement, puis détachez-le des côtés du moule pour permettre à l'air de pénétrer. Déposez une assiette sur le moule et renversez.

Pouding aux fruits frais

PRÉPARATION : 20 minutes
CUISSON : 1 heure

INGRÉDIENTS (4 à 6 personnes)
3 c. à soupe de beurre
50 g de sucre
1 œuf
125 g de farine tout usage
1 c. à thé de levure chimique
1 pincée de sel
75 ml de lait
300 g environ de bleuets ou de fraises

Défaites le beurre en crème avec le sucre et l'œuf jusqu'à ce que vous obteniez un mélange homogène et onctueux. Tamisez la farine, la levure chimique et le sel ; ajoutez-les, ainsi que le lait, au mélange précédent. Remuez de manière que tous les ingrédients se pénètrent bien. Incorporez les petits fruits de votre choix. Remplissez aux deux tiers un grand moule ou des moules individuels chemisés et recouvrez-les de la façon indiquée à la colonne précédente. Déposez-les sur la claie d'une marmite que vous remplirez d'eau jusqu'à mi-hauteur des moules. Faites cuire à la vapeur pendant 1 heure à feu doux en ajoutant de l'eau bouillante au besoin. Laissez refroidir et démoulez.

Poudings au four

Outre la méthode à la vapeur, vous pouvez également faire cuire un pouding au four. Mais le mélange devra être un peu moins épais afin que le dessus puisse croûter.

Afin d'éviter que les poudings garnis de confiture ne se caraméli-sent, placez les moules dans un récipient peu profond où vous verserez un peu d'eau. Faites cuire dans un four chauffé à environ 185°C.

Pouding aux pommes

PRÉPARATION : 10 minutes
CUISSON : 20 minutes

INGRÉDIENTS (4 à 6 personnes)
700 g de pommes à cuire
2 c. à soupe de sucre
Le zeste râpé d'un demi-citron
CROÛTE
180 g de farine
90 g de margarine
4 c. à soupe de sucre granulé
1 c. à soupe de cassonade

Pelez, évidez et émincez les pommes. Mettez-les dans un plat à four d'une capacité de 1,5 litre et saupoudrez-les de sucre et du zeste de citron râpé.

Pour la croûte, tamisez la farine au-dessus d'un grand bol ; défaites la margarine en petits morceaux et incorporez-la à la farine, en pétrissant du bout des doigts. Ajoutez le sucre granulé. Étalez la préparation avec une cuillère sur les pommes et pressez légèrement. Saupoudrez uniformément de cassonade.

Mettez le plat sur une plaque à biscuit et faites cuire au centre du four à 205°C pendant 45 minutes.

Pouding au citron

PRÉPARATION : 15 minutes
CUISSON : 40 minutes

INGRÉDIENTS (4 à 6 personnes)
3 jaunes d'œufs
3 c. à soupe de farine tout usage
200 g de sucre
2 pincées de sel
1½ c. à soupe de beurre fondu
6 c. à soupe de jus de citron
1 c. à soupe de zeste de citron râpé
300 ml de lait
3 blancs d'œufs

Faites chauffer le four à 180°C. Battez les jaunes d'œufs et incorporez-y les ingrédients secs après les avoir tamisés. Ajoutez le beurre fondu, le jus, le zeste de citron et le lait. Ensuite, battez les blancs en une neige ferme et incorporez-les à la préparation.

Versez l'appareil dans un moule d'une capacité de 2 litres et faites-le cuire pendant 40 minutes ou jusqu'à ce que le pouding soit ferme. Celui-ci sera alors constitué d'une croûte recouvrant une crème au citron. Servez-le avec de la crème épaisse fouettée.

Pouding aux bleuets

Cet entremets est facile à préparer. Vous pouvez remplacer les bleuets par d'autres fruits comme des pommes, des pêches ou des abricots.

PRÉPARATION : 20 minutes
CUISSON : 25 à 30 minutes

INGRÉDIENTS (6 personnes)
850 g de bleuets
65 g de sucre
1 pincée de cannelle
1 pincée de muscade
1 pincée de clous de girofle
60 ml de mélasse
2 c. à soupe de jus de citron
CROÛTE
125 g de farine
1½ c. à thé de levure chimique
1 pincée de sel
3 c. à soupe de beurre
1 c. à soupe de graisse végétale
1 œuf légèrement battu
75 à 125 ml de lait
SAUCE
200 g de sucre à glacer
115 g de beurre
1 pincée de sel
1 c. à soupe de rhum ou de cognac

Triez les bleuets et enlevez les queues, les brindilles et les feuilles. Lavez-les, égouttez-les et étalez-les dans un moule à pain de 20 cm de profondeur. Mélangez le sucre et les épices et tamisez le tout sur les baies. Versez la mélasse goutte à goutte et arrosez de jus de citron. Faites cuire les bleuets à 190°C pendant 5 minutes ou jusqu'à ce qu'ils commencent à rendre leur jus. Retirez le moule du four et augmentez la température à 220°C.

Tamisez la farine avec la levure chimique et le sel ; mélangez le tout avec le beurre et la graisse végétale. Ajoutez l'œuf battu en remuant et suffisamment de lait pour obtenir une pâte lisse. Recouvrez les bleuets en vous servant d'une cuillère et étalez-la pour que tous les fruits soient bien couverts. Remettez au four pendant 20 mi-nutes ou jusqu'à ce que la croûte soit dorée.

Pour faire la sauce, mélangez progressivement le sucre à glacer et le beurre ramolli. Ajoutez le sel, puis le cognac ou le rhum. Remuez bien. Faites prendre au froid et servez le pouding accompagné de cette sauce présentée dans une saucière ou avec un pichet de crème épaisse.

Pouding aux pêches et aux amandes

PRÉPARATION : 20 minutes
CUISSON : 45 minutes

INGRÉDIENTS (8 personnes)
50 g de cassonade bien tassée
1 pincée de cannelle
25 g d'amandes hachées
3 tasses de pêches tranchées
185 g de farine tout usage
2 c. à thé de levure chimique
2 bonnes pincées de sel
55 g de beurre
100 g de sucre
1 œuf
125 ml de lait
½ c. à thé d'extrait de vanille
125 ml de crème épaisse fouettée

Beurrez le fond d'un moule carré de 20 cm et saupoudrez-le de cassonade, de cannelle et d'amandes hachées, puis étalez-y les tranches de pêche.

Tamisez ensemble la farine, la levure chimique et le sel. Battez le beurre et le sucre jusqu'à ce que le mélange soit léger et onctueux. Incorporez l'œuf, puis le mélange des ingrédients secs en remuant bien. Terminez avec le lait additionné d'extrait de vanille.

Recouvrez les fruits de cette pâte avec une cuillère et faites cuire au four à 180°C pendant à peu près 45 minutes. Servez avec la crème fouettée.

GELÉES
ET MOUSSES

Ces desserts, qui se servent froids, sont à base de gélatine non parfumée et granulée, préparée à partir d'os, de tendons et de peau d'animal.

Certains fruits frais — l'ananas, par exemple — contiennent des enzymes qui empêchent la gélatine de prendre. On peut alors les faire cuire ou les remplacer par des fruits en conserve puisque la cuisson détruit ces enzymes.

Gélification

Les gelées qu'on fait prendre au réfrigérateur plutôt qu'à la température ambiante nécessitent moins de gélatine. Par contre, si on utilise un grand bol, il faudra plus de gélatine que si on laisse la préparation se gélifier dans des coupes individuelles. Les gelées ont tendance à durcir si elles restent trop longtemps au réfrigérateur. Il vaut mieux les consommer rapidement.

La gélatine granulée étant un produit déshydraté, il faut la dissoudre avant de l'utiliser. La méthode idéale consiste à laisser d'abord la gélatine ramollir et gonfler dans de l'eau froide, à raison de 1 sachet pour 60 ml d'eau, puis de la faire fondre complètement dans le liquide qu'on porte lentement à ébullition en remuant.

Pour les recettes où il n'entre presque aucun liquide chaud, les mousses ou les tartes chiffon par exemple, le mieux est de verser la gélatine (et l'eau où elle a ramolli) dans la partie supérieure d'un bain-marie et de la faire fondre au-dessus de l'eau bouillante, jusqu'à ce qu'elle soit limpide.

Pour napper ou glacer des plats, pour une gelée fouettée ou pour préparer une garniture de fruits en gelée, il faut utiliser la gélatine diluée lorsqu'elle a commencé à prendre et qu'elle a la consistance d'un blanc d'œuf battu.

Un sachet de gélatine de 35 g (1 c. à soupe) permet de faire prendre 500 ml de liquide placé au réfrigérateur dans un grand moule, tandis que 2 cuillerées à thé suffi-

ront si la gelée est versée dans des coupes. Pour les gelées à base de purée de fruits et les mousses, 1 cuillerée à thé de gélatine fera prendre 250 ml de liquide dans des coupes individuelles.

Gelée de raisin

PRÉPARATION : *40 minutes*
GÉLIFICATION : *environ 3 heures*

INGRÉDIENTS (*4 personnes*)
700 g de gros raisins blancs
2 c. à soupe de sucre
1½ c. à thé de gélatine
Le jus de deux oranges
Le jus d'un citron
125 ml de crème légère

Dans une petite casserole, faites dissoudre le sucre à feu doux avec 2 cuillerées à soupe d'eau. Diluez la gélatine dans une tasse avec 2 autres cuillerées d'eau. Versez le sucre liquéfié dans la gélatine en remuant bien, puis ajoutez les jus de fruits. Vous devriez avoir 250 ml de liquide ; s'il en manquait, ajoutez de l'eau froide. Laissez reposer jusqu'à ce que la gelée ait la consistance d'un blanc d'œuf battu.

Pelez et épépinez les raisins : plongez la grappe pendant 30 secondes dans de l'eau bouillante, la peau s'enlèvera facilement ; pressez sur les grains pour faire sortir les pépins. Passez les jus de fruits au-dessus d'une tasse à mesurer.

Répartissez les raisins dans quatre coupes et recouvrez-les de gelée. Laissez prendre au réfrigérateur et servez arrosé de crème.

Mousse au citron

PRÉPARATION : *45 minutes*
GÉLIFICATION : *3 heures*

INGRÉDIENTS (*6 personnes*)
Le zeste d'un citron
500 ml de lait
2 œufs
50 g de sucre
1 sachet (1 c. à soupe) de gélatine
2 c. à soupe d'eau

Rapez le zeste de citron le plus finement possible, en vous servant de préférence d'un couteau-éplucheur. Versez le lait dans une casserole et laissez-le sur feu très doux pendant une bonne dizaine de minutes, avec le zeste.

Pendant ce temps, séparez les œufs et battez les jaunes avec le sucre jusqu'à ce que le mélange soit épais et crémeux. Versez le lait chaud mais non bouillant à travers une gaze sur les jaunes, et mélangez bien. Transvasez la préparation dans la casserole et faites-la cuire à feu doux en remuant constamment jusqu'à ce qu'elle épaississe. Ne laissez pas bouillir. Retirez du feu.

Diluez la gélatine dans l'eau et incorporez-la à la crème en remuant. Réservez jusqu'à ce qu'elle commence à prendre. Battez les blancs d'œufs en une neige ferme et incorporez-les à la crème.

Déposez la préparation dans un moule de 1 litre. Faites prendre au réfrigérateur. Avant de démouler, plongez le moule dans de l'eau chaude pendant 5 secondes.

Mousse de framboises

PRÉPARATION : *45 minutes*
GÉLIFICATION : *3 heures*

INGRÉDIENTS (*6 personnes*)
300 g de framboises
3 œufs entiers et 2 jaunes
100 g de sucre
1 sachet (1 c. à soupe) de gélatine
200 ml de crème épaisse
Chocolat râpé

Nettoyez les framboises en les faisant rouler sur un tissu à grosse trame, évitez de les laver. Mettez-en huit de côté que vous aurez choisies parmi les plus belles, mettez les autres dans une casserole et faites-les cuire à feu doux pendant 5 minutes, jusqu'à ce qu'elles soient bien molles. Passez-les dans un tamis de crin (évitez le métal), en pressant énergiquement avec un pilon en bois jusqu'à ce qu'il ne reste plus que les grains. Vous devriez obtenir 250 ml environ de purée.

Mélangez les œufs entiers, les jaunes et le sucre, mettez au bain-marie chaud sans être bouillant et battez avec un fouet ou un batteur à manivelle jusqu'à ce que vous obteniez un mélange dense et bien monté.

Placez cette préparation dans un récipient plus grand contenant de la glace pilée ou de l'eau glacée, et continuez à battre jusqu'à ce que la préparation soit froide.

Faites dissoudre la gélatine dans un peu d'eau. Versez-la dans la purée de framboises, remuez très vite et incorporez le tout au mélange à base d'œufs.

Laissez reposer jusqu'à ce que l'ensemble commence à se figer, puis mélangez-y la crème légèrement fouettée ; versez dans une coupe, mettez au réfrigérateur pendant 3 heures. Avant de servir, saupoudrez de chocolat râpé et décorez avec les framboises entières.

Mousse au miel

PRÉPARATION : *45 minutes*
RÉFRIGÉRATION : *3 heures*

INGRÉDIENTS (*6 à 8 personnes*)
200 ml de miel
Le jus et le zeste râpé d'un citron
4 œufs
1 c. à soupe de Grand Marnier
400 ml de crème épaisse

Réunissez dans une petite casserole le miel, le jus et le zeste du citron et faites chauffer au bain-marie.

Battez les œufs dans un bol, incorporez-y peu à peu le miel chaud ; versez ce mélange dans une casserole et faites-le cuire au bain-marie, en remuant sans arrêt, jusqu'à ce qu'il ait épaissi. Versez-le dans un grand récipient bas, laissez-le refroidir à température ambiante ; couvrez-le et passez-le au réfrigérateur jusqu'à ce qu'il soit bien glacé.

Mélangez-y la liqueur et la crème que vous aurez entre-temps fouettée ; versez dans un plat de service à bords hauts et passez au réfrigérateur pendant 3 heures.

SYLLABUBS
ET BAGATELLES

Le syllabub, qui date de l'époque élisabéthaine, était une boisson préparée avec un vin pétillant, appelé *Sill* ou *Sille*, mélangé à une crème mousseuse. Par la suite, c'est devenu un dessert contenant du brandy, du sherry, de la crème et du sucre. La bagatelle, inspirée du syllabub, remonte au XVIIIe siècle. Elle comprend du gâteau de Savoie et de la confiture.

Le syllabub peut se préparer longtemps à l'avance.

Syllabub classique

PRÉPARATION : *30 minutes*
REPOS : *8 heures*

INGRÉDIENTS (*4 personnes*)
1 citron
6 c. à soupe de vin blanc ou de sherry
2 c. à soupe de brandy
65 g de sucre à glacer
250 ml de crème épaisse

Pelez finement le citron sans enlever la membrane blanche et pressez-le. Mettez le zeste et 4 cuillerées à soupe de jus de citron dans un bol, ajoutez le vin (ou le sherry) et le brandy, couvrez le bol et laissez reposer pendant 8 heures ou toute la nuit.

Passez le liquide au-dessus d'un bol propre, ajoutez le sucre et remuez jusqu'à ce qu'il soit dissous. Incorporez la crème lentement sans cesser de remuer. Fouettez ensuite le syllabub jusqu'à ce qu'il forme des pics, puis versez-le à la cuillère dans des coupes. Ne le mettez pas au réfrigérateur, mais conservez-le dans un endroit frais jusqu'au moment de servir. Accompagnez de doigts de dame ou de macarons.

Syllabub à la neige

PRÉPARATION : *20 minutes*
REPOS : *8 heures*

INGRÉDIENTS (*4 personnes*)
2 blancs d'œufs
100 g de sucre à glacer
Le jus d'un demi-citron
125 ml de vin blanc sucré
250 ml de crème épaisse

Battez les blancs d'œufs dans un grand bol jusqu'à ce qu'ils forment des pics bien fermes. Incorporez le sucre, le jus de citron et le vin en vous servant d'une spatule en caoutchouc. Fouettez la crème dans un autre bol jusqu'à ce qu'elle soit ferme et incorporez-y délicatement les blancs en neige.

Remplissez de syllabub de grands verres de forme allongée en vous servant d'une cuillère et laissez reposer toute la nuit ou durant plusieurs heures dans un endroit frais. Servez avec des macarons.

Bagatelle au sherry

PRÉPARATION : *30 minutes*
RÉFRIGÉRATION : *30 minutes*

INGRÉDIENTS *(6 à 8 personnes)*
8 doigts de dame
125 ml de confiture de fraises ou de tout autre fruit rouge
820 g de pêches en conserve tranchées
4 c. à soupe de sherry sec
4 c. à soupe du jus des pêches
Crème anglaise
2 c. à soupe d'amandes émincées
250 ml de crème épaisse
8 petits macarons

Coupez les doigts de dame en deux dans la longueur, tartinez-les de confiture et collez-les en sandwichs, deux par deux. Coupez-les ensuite dans l'autre sens en tronçons de 1,5 cm et foncez-en un plat en verre. Égouttez les tranches de pêche, réservez-en une douzaine pour la décoration et disposez les autres verticalement tout autour des biscuits. Arrosez ceux-ci de sherry et du jus des pêches.

Répandez les amandes émincées et recouvrez le tout de crème anglaise chaude. Laissez refroidir à la température de la pièce. Fouettez la crème épaisse ; nappez-en la préparation et travaillez-la avec un couteau de manière à former des pics. Décorez avec les tranches de pêche et les macarons. Réfrigérez.

Bagatelle au syllabub

PRÉPARATION : *30 minutes*
REPOS : *4 heures*

INGRÉDIENTS *(6 à 8 personnes)*
1 kg de framboises
225 g de raisins blancs sans pépins
24 petits macarons
3 blancs d'œufs
150 g de sucre à glacer
125 ml de vin blanc sec
Le jus d'un demi-citron
2 c. à soupe de brandy
250 ml de crème épaisse

Nettoyez les framboises. Réservez-en six ou huit et utilisez la moitié des autres, ainsi que la moitié des raisins, pour tapisser le fond d'un plat en verre. Réservez huit macarons et disposez les autres sur les fruits. Étalez une autre couche de framboises et de raisins et terminez par des macarons.

Battez les blancs d'œufs en neige avec la moitié du sucre et incorporez à la spatule le reste du sucre. Mélangez le vin, le jus de citron et le brandy ; ajoutez très délicatement aux œufs en neige. Fouettez la crème jusqu'à ce qu'elle soit ferme et incorporez-y les blancs d'œufs après en avoir mis un peu de côté pour la décoration. Étalez la crème sur les macarons et réfrigérez jusqu'à ce que la bagatelle soit prise. Décorez-la avec des framboises, des macarons et de la crème.

CRÈMES AUX ŒUFS

Il y en a principalement deux : la crème pâtissière et la crème anglaise ; cette dernière, plus liquide, sert à napper gâteaux et poudings.

Les blancs d'œufs font prendre la crème pâtissière et les jaunes lui donnent sa consistance crémeuse. Toutefois, comme les jaunes épaississent à une température plus élevée (65°C) que les blancs (60°C), il est important que la crème cuise à la bonne température. Une chaleur excessive la ferait grumeler. Utilisez un bain-marie pour la crème anglaise et faites cuire la crème pâtissière dans 2,5 cm d'eau.

Deux œufs additionnels de deux jaunes font prendre 500 ml de lait pour la crème pâtissière, tandis que, pour la crème anglaise, il ne faut utiliser que des jaunes (quatre pour chaque demi-litre de lait).

Crème anglaise

Cette crème est délicate à préparer ; elle ne doit jamais bouillir.

PRÉPARATION : *10 minutes*
CUISSON : *12 à 15 minutes*

INGRÉDIENTS *(6 personnes)*
1 litre de lait
1 gousse de vanille
8 jaunes d'œufs
200 g de sucre en poudre
1 petite pincée de sel

Mettez le lait dans une grande casserole. Fendez la gousse de vanille en deux, mettez-la dans le lait avec une pincée de sel, amenez à ébullition à petit feu, laissez frémir 5 mi-

nutes en veillant à ce que le lait ne déborde pas, puis retirez du feu et laissez infuser 10 minutes.

Mettez les jaunes d'œufs et le sucre dans une terrine ; battez au fouet pour les faire blanchir.

Passez le lait dans une passoire garnie d'un linge fin (réservez la gousse de vanille : lavée et séchée, elle se conservera dans le sucre en poudre et pourra être réutilisée).

Préparez près de vous un récipient d'eau froide assez grand pour y tremper le fond de la casserole en fin de cuisson.

Délayez le mélange de jaunes d'œufs et de sucre avec une petite louche de lait chaud, versez dans le reste de lait, mettez à feu aussi doux que possible. (Vous pouvez, pour plus de sécurité, placer une plaque diffusante entre la flamme et la casserole.) Dès cet instant, ne cessez plus de remuer en grattant bien le fond du récipient. Continuez la cuisson en évitant l'ébullition avec le plus grand soin.

Dès que la crème nappe la cuillère d'une légère couche onctueuse, retirez la casserole du feu sans cesser de remuer et trempez-la rapidement dans le récipient d'eau froide préparé à cet usage, pour arrêter brusquement la cuisson. Petit conseil : si votre crème avait tendance à tourner, ajoutez-lui 2-3 cuillerées à soupe de lait froid et battez-la vivement au fouet électrique ou passez-la au mixer.

Crème pâtissière

PRÉPARATION : *8 minutes environ*
CUISSON : *15 minutes*

INGRÉDIENTS *(6 personnes)*
500 ml de lait
1 gousse de vanille (facultatif)
80 à 100 g de sucre en poudre
60 g de farine
1 œuf entier plus 4 jaunes d'œufs
1 petite pincée de sel
40 g de beurre
Parfum selon la recette : café, cognac, rhum, kirsch, vanille, etc.

Faites bouillir le lait dans lequel vous aurez éventuellement mis la gousse de vanille fendue en deux.

Disposez la farine en puits dans une terrine. Ajoutez le sel, le sucre, l'œuf entier et les jaunes.

Mélangez ces éléments en leur incorporant peu à peu le lait chaud duquel vous aurez retiré la gousse de vanille. La préparation doit être très lisse et sans grumeaux. Versez-la dans une casserole. Mettez à feu doux. Laissez épaissir sans cesser de remuer. Évitez l'ébullition. Lorsque la crème est cuite, ajoutez-lui le parfum si celui-ci est liquide.

Retirez la crème du feu. Incorporez-lui le beurre et frottez également la surface avec un peu de beurre pour qu'il ne se forme pas de peau en refroidissant.

Variantes

Crème à la noix de coco : après avoir passé la crème, ajoutez-y 60 g de noix de coco râpée.
Crème aux macarons : émiettez 6 macarons et ajoutez-les à la crème passée avec ½ cuillerée à thé de zeste d'orange ou de citron râpé.
Crème à l'érable : incorporez 50 ml de sirop d'érable à la crème après l'avoir passée.

MERINGUES

A la fois croustillantes et légères, les meringues servent de base à de nombreux desserts : coquilles de crème ou de fruits frais, garnitures ; elles sont, par ailleurs, essentielles pour la réussite des fameux œufs à la neige.

Les meringues sont faciles à faire si l'on observe certaines règles. Le bol et le fouet doivent être secs ; il ne doit pas y avoir la moindre trace de jaune dans les blancs. Les meilleurs œufs sont ceux qui ont 2-3 jours. Un batteur électrique permet de monter les blancs en neige plus rapidement, mais ceux-ci auront moins de volume. Si vous utilisez un bol évasé, employez un fouet de forme arrondie.

Le sucre qui entre dans la préparation de la meringue doit être très fin. On choisit habituellement du sucre à glacer, mais un mélange à parts égales de sucre vanillé et de sucre à glacer donne une meringue croustillante et fondante. N'employez pas de sucre granulé parce que les cristaux brisent l'albumine et en réduisent le volume.

Meringue ordinaire

PRÉPARATION : *10 minutes*

INGRÉDIENTS
2 blancs d'œufs
40 g de sucre à glacer

Montez les blancs en neige ferme. Versez-y la moitié du sucre (que vous aurez d'abord tamisé pour vous assurer qu'il n'y a pas de grumeaux) et battez à nouveau jusqu'à ce que le mélange soit parfaitement homogène. Incorporez-y le sucre restant, en remuant délicatement mais à fond à l'aide d'une spatule en caoutchouc ; nappez-en le gâteau ou la tarte et faites dorer quelques secondes au four.

Coquilles de meringue

Recouvrez une tôle à biscuits de papier paraffiné ou d'une feuille d'aluminium. En vous servant de deux cuillères à soupe, déposez-y six à huit petits tas de meringue et façonnez-les en coquilles avec les cuillères.

Vous pouvez aussi utiliser une poche à douille lisse ou cannelée et d'un diamètre de 1,5 cm. Retournez-la comme un gant et remplissez-la de meringue avec une spatule en caoutchouc. Pour que la préparation glisse facilement le long de la douille, pressez le haut de la poche. Disposez ainsi six à huit coquilles sur la tôle et saupoudrez-les de sucre à glacer.

Placez la tôle dans le bas du four préchauffé à la température la plus basse possible et laissez les meringues sécher pendant 2-3 heures. Cette cuisson lente les empêchera de durcir.

A mi-cuisson, sortez les meringues du four ; ménagez une cavité dans chacune d'elles en pressant légèrement avec les doigts et remettez-les au four, couchées sur le côté, jusqu'à ce qu'elles soient complètement sèches.

Faites refroidir les meringues sur une claie. Vides, elles peuvent se conserver une semaine dans un récipient étanche à l'air. Au moment de servir, remplissez les cavités de crème légèrement sucrée, de crème glacée ou de fruits.

Desserts

Meringue cuite

Elle devient plus dure que la meringue ordinaire ; elle est idéale pour préparer des « corbeilles » que l'on servira ensuite remplies de crème fouettée ou de fruits frais.

PRÉPARATION : 20 à 25 minutes

INGRÉDIENTS (6 corbeilles)
180 à 200 g de sucre à glacer
4 blancs d'œufs
Extrait de vanille liquide

Montez les blancs en neige et incorporez-y peu à peu le sucre à glacer. Ajoutez quelques gouttes d'extrait de vanille.

Posez la terrine contenant ce mélange sur l'ouverture d'une marmite remplie d'eau à très légère ébullition et continuez à battre jusqu'à ce que, en soulevant le fouet, la meringue tombe en un ruban lisse et compact.

Corbeilles ou petits vacherins

Recouvrez une ou deux plaques de four de papier paraffiné et, avec un crayon, dessinez-y, à quelque distance les uns des autres, six disques de 7-8 cm de diamètre. A l'intérieur de ces cercles, distribuez, en une couche égale, environ la moitié de la meringue cuite (voir la recette ci-dessus). Mettez la meringue restante dans une poche à douille cannelée à six ou huit pointes ; faites sortir un cordon de meringue en pressant la poche, disposez-le autour du bord des disques de meringue cuite ; superposez un second cordon sur le premier. Mettez à four doux (150°C) ; cuisez pendant 45 minutes. Faites refroidir sur une petite grille.

Servez la corbeille remplie de crème Chantilly (voir p. 349) ou de glace à la vanille.

CRÈMES GLACÉES ET SORBETS

Les glaces et les sorbets qu'on prépare soi-même ont une saveur et une texture très différentes des préparations commerciales. Ces desserts sont aussi faciles à réussir qu'une crème anglaise ou un sirop de sucre. D'ailleurs, la crème glacée n'est habituellement rien d'autre qu'une crème anglaise additionnée de crème épaisse. Quant aux sorbets, on les prépare à partir d'un sirop de sucre aromatisé avec du jus de fruits ou des fruits réduits en purée.

Règles de base

1) La quantité de sucre utilisée dans la préparation est un élément important : s'il y en a trop, la crème ne congèlera pas et s'il n'y en a pas assez, elle sera dure et insipide. D'autre part, la congélation atténue la saveur d'une glace ; il ne faudra donc pas oublier ce point en goûtant la préparation. La quantité de sucre employée est encore plus importante dans le cas des sorbets, puisque c'est le sucre qui leur donne une consistance à la fois ferme et fondante.
2) Certaines recettes recommandent d'employer du lait au lieu de la crème, surtout pour les glaces fortement aromatisées. Dans ce cas, il faut prendre du lait concentré et non homogénéisé.
3) Quel que soit le procédé de congélation employé, une glace a toujours meilleure texture si elle prend rapidement. Avant de commencer la recette, faites toujours refroidir les ingrédients et les ustensiles dans le congélateur.
4) Une fois la glace bien prise, placez-la sur une clayette du réfrigérateur quelques instants avant de servir. Les glaces et les sorbets durs comme de la pierre sont peu plaisants et ont un goût beaucoup moins prononcé.
5) La crème glacée se conserve pendant trois mois au congélateur.

Glace prise au réfrigérateur

Une heure avant d'y mettre la crème glacée, réglez la température du réfrigérateur au plus bas. Préparez la crème selon la recette, retirez les cloisons d'un bac à glaçons et versez-y la préparation. Vous pouvez également utiliser d'autres récipients en plastique renforcé ou en acier inoxydable. Couvrez le récipient d'une feuille d'aluminium ou encore d'un couvercle et placez-le dans le compartiment à glace.

Pour que la crème soit lisse, brisez les glaçons à intervalles réguliers jusqu'à ce que la crème soit partiellement gelée. Pour ce faire, retirez le récipient du réfrigérateur, raclez avec une cuillère le fond et les parois du moule et ramenez les glaçons vers le centre. Battez la crème avec une fourchette jusqu'à ce qu'elle soit lisse, mais non fondue. Couvrez le plat et remettez-le au réfrigérateur. Attendez deux ou trois heures que la crème soit complètement prise avant de la sortir de nouveau.

Le temps de congélation varie sensiblement selon le modèle de réfrigérateur, mais il faut prévoir plusieurs heures dans tous les cas. Une fois que la glace est prête, ramenez aussitôt le réfrigérateur à une température normale pour éviter de perdre des aliments à cause d'un froid excessif.

PRÉPARER DE LA GLACE

Battez les jaunes d'œufs.

Brisez les cristaux de glace.

Glace prise au congélateur

Une heure avant d'y mettre la crème, réglez la température du congélateur au plus bas.

Suivez votre recette et versez la crème dans un récipient en acier inoxydable. Laissez-la au congélateur jusqu'à ce qu'elle devienne spongieuse.

Sortez le récipient et battez la crème à fond avec un batteur mécanique. Versez la crème dans des bacs à glaçons vides ou dans des récipients en plastique rigide et remettez-la à congeler jusqu'à ce qu'elle soit ferme. Ramenez le congélateur à une température normale. Si vous voulez conserver la glace un certain temps, recouvrez le récipient de polyéthylène ou de papier paraffiné et indiquez la date de sa fabrication.

Emploi d'une sorbetière manuelle ou électrique

Préparez la crème selon la recette, versez-la dans le récipient de la sorbetière, insérez le batteur et vissez bien. Placez le tout dans la sorbetière et alternez, par-dessus, des couches de glace concassée et de sel gemme, à raison de 200 g de sel environ par kilo de glace. (Vous pouvez substituer du sel kasher.)

Branchez la manivelle du batteur ou faites-la fonctionner à la main. Une fois que la glace est congelée, retirez le récipient de la sorbetière et essuyez tout le sel. Otez le batteur, tassez la crème et couvrez de nouveau. Drainez l'eau salée du fond de la sorbetière, remettez le récipient dans celle-ci et couvrez de nouveau de sel et de glace jusqu'au moment de servir. (Le sorbet se baratte seulement jusqu'à ce qu'il soit légèrement pris et se sert aussitôt dans des coupes refroidies.)

Glace à la vanille

PRÉPARATION : 25 minutes
CONGÉLATION : environ 3 heures

INGRÉDIENTS (6 personnes)
250 ml de lait
1 gousse de vanille
1 œuf entier plus 2 jaunes
6 c. à soupe de sucre
250 ml de crème épaisse

Portez le lait au point d'ébullition avec la gousse de vanille, puis retirez-le du feu et laissez infuser une quinzaine de minutes. Retirez la gousse. Battez l'œuf entier, les jaunes et le sucre jusqu'à ce que le mélange blanchisse. Incorporez-y le lait vanillé en remuant et passez le tout au chinois au-dessus d'une casserole propre. Faites chauffer lentement la crème à feu doux en remuant constamment, jusqu'à ce qu'elle soit suffisamment épaisse pour adhérer au dos d'une cuillère en bois. Versez-la dans un bol et laissez refroidir.

Fouettez légèrement la crème épaisse et incorporez-la délicatement à la préparation refroidie de façon que le tout soit homogène. Versez à la cuillère dans un bac à glaçons ou dans tout autre contenant adéquat, couvrez et mettez le plat dans le compartiment à glace du réfrigérateur, jusqu'à ce que la crème glacée soit à moitié prise. Sortez-la, fouettez-la bien et remettez-la à congeler.

Pour une glace aux pralines, incorporez rapidement une fois battue et à demi gelée 60 g de pralines broyées, des noix émiettées ou des noisettes grillées. Remettez ensuite la crème à congeler.

Une glace au café se prépare en ajoutant 2 cuillerées à soupe de café très fort à la préparation refroidie.

Lorsque la glace est à moitié gelée, vous pouvez ajouter des ananas en conserve, égouttés et soigneusement écrasés.

Glace au chocolat

PRÉPARATION : 20 minutes
CONGÉLATION : 4 heures

INGRÉDIENTS (6 personnes)
6 c. à soupe de sucre
4 jaunes d'œufs
500 ml de crème légère
1 gousse de vanille
200 g de chocolat semi-sucré

Faites dissoudre à feu doux le sucre dans 6 cuillerées à soupe d'eau. Portez à ébullition et laissez bouillir jusqu'à ce que le sucre forme un filet, à une température approximative de 105°C. Battez les jaunes, puis incorporez-y le sirop de sucre en le faisant couler en un mince filet et en remuant constamment.

Versez la crème avec la gousse de vanille et le chocolat brisé en petits morceaux dans une casserole et cuisez à feu doux jusqu'au point d'ébullition. Retirez la gousse et versez la crème au chocolat dans les œufs en remuant sans cesse jusqu'à ce que le mélange soit homogène. Laissez refroidir et réfrigérez.

Granité au citron

Le véritable *granita* italien est un sorbet à texture grossière, parfumé aux fruits ou au café.

PRÉPARATION : *15 minutes*
CONGÉLATION : *3-4 heures*

INGRÉDIENTS *(4 personnes)*
100 g de sucre
250 ml de jus de citron frais
Le zeste finement râpé de 2 citrons
2 blancs d'œufs (facultatif)

Mettez le sucre dans une casserole avec 250 ml d'eau ; portez à ébullition à feu doux en remuant de temps en temps jusqu'à ce qu'il soit dissous, puis laissez bouillir 5 minutes sans remuer. Retirez le sirop du feu et laissez-le refroidir.

Incorporez le zeste et le jus de citron au sirop refroidi et versez le mélange dans un bac à glaçons où vous aurez laissé les cloisons. Placez le bac dans la partie givrante du réfrigérateur jusqu'à ce que la glace soit très légèrement prise. Sortez le bac et ramenez les glaçons des côtés vers le centre en vous servant d'une fourchette. Répétez cette opération deux fois à 30 minutes d'intervalle, puis laissez le sorbet terminer de se solidifier.

Retirez les cubes du bac en passant un linge trempé dans de l'eau chaude contre le fond et les parois du bac. Secouez les cubes dans un bol et écrasez-les grossièrement avec un pilon. Remplissez-en des coupes avec une cuillère et servez sans attendre.

Pour un granité plus mousseux, on peut incorporer à la préparation, la première fois qu'on retire le bac du réfrigérateur, 2 blancs d'œufs battus en neige.

Crêpes et beignets

La simple pâte à crêpes constitue la base de nombreux plats, depuis les crêpes et les gaufres servies au déjeuner jusqu'aux blinis russes, en passant par les crêpes farcies et les fameuses crêpes Suzette. La pâte se compose de farine, de sel, d'œufs et de lait qu'on peut cependant remplacer par un autre liquide. Les proportions varient selon la consistance requise. Par exemple, la pâte des crêpes fines doit être légère et crémeuse, tandis que celle des beignets devra être suffisamment épaisse pour bien enrober les aliments. Pour obtenir une pâte à frire croustillante, on peut y incorporer 1 cuillerée à soupe d'huile et 125 ml d'eau ou encore du lait et de l'eau à parts égales.

Contrairement à ce que l'on croit souvent, il est inutile de laisser reposer la pâte avant de la faire cuire, quoiqu'on puisse quand même le faire pour des raisons d'ordre pratique. Dans ce cas, la pâte, couverte, peut se garder 4 heures à la température de la pièce ou 24 heures au réfrigérateur.

Pâte à crêpes

PRÉPARATION : *20 minutes*

INGRÉDIENTS *(16 à 18 crêpes)*
110 g de farine tout usage
1 pincée de sel
3 œufs
250 à 375 ml de lait

Tamisez la farine et le sel au-dessus d'un grand bol. Faites un puits au centre de la farine avec une cuillère en bois et versez-y les œufs légèrement battus. Versez lentement la moitié du lait sur la farine en mélangeant au fur et à mesure ; lorsque toute la farine est bien imbibée, remuez vigoureusement avec la cuillère, un fouet ou un batteur manuel ou électrique jusqu'à ce que la pâte soit lisse et sans le moindre grumeau. Ajoutez ensuite suffisamment de lait pour qu'elle ait la consistance d'une crème légère, sans cesser de battre.

Si les crêpes doivent être servies comme dessert, tamisez 1 cuillerée à soupe de sucre avec la farine et le sel et ajoutez 1 cuillerée à thé d'extrait de vanille. Vous pouvez remplacer la vanille par une liqueur.

Pâte à beignets

PRÉPARATION : *20 minutes*

INGRÉDIENTS
125 g de farine tout usage
1 pincée de sel
1 œuf battu
125 ml de lait

Suivez la même méthode que pour la pâte à crêpes.

Crêpes américaines

PRÉPARATION : *15 minutes*
CUISSON : *5 minutes*

INGRÉDIENTS *(14 crêpes de 10 cm de diamètre)*
180 g de farine tout usage tamisée
1 c. à thé de sel
2 c. à soupe de sucre
2 c. à thé de levure chimique
1 œuf
3 c. à soupe de beurre fondu
300 ml de lait

Tamisez de nouveau la farine avec le sel, le sucre et la levure chimique au-dessus d'un pichet. Battez l'œuf dans un petit bol et incorporez-y le beurre et le lait. Versez la farine en remuant au fur et à mesure. Versez la pâte sur une plaque à crêpes et faites cuire 2-3 minutes. Retournez et continuez la cuisson jusqu'à ce que le second côté soit parfaitement cuit.

Crêpes

PRÉPARATION : *20 minutes*
CUISSON : *25 minutes*

INGRÉDIENTS *(8 à 10 crêpes)*
250 ml de pâte à crêpes
Beurre fondu

Prenez une poêle à fond épais et à bords évasés. Une fois que la poêle est bien chaude, badigeonnez-la de juste assez de beurre fondu pour empêcher la pâte de coller. Le feu doit être relativement vif et la poêle bien chaude avant que vous n'y versiez la pâte.

Mettez environ 1½ cuillerée à soupe de pâte dans la poêle de façon à avoir une fine couche presque translucide. Inclinez la poêle de tous les côtés pour que la pâte couvre le fond. Vous pouvez utiliser une louche pour verser la pâte. Le feu est suffisamment fort si le dessous de la crêpe dore en 1 minute. Pour retourner la crêpe, prenez-la du bout des doigts, utilisez une spatule en métal ou faites-la sauter d'un mouvement sec du poignet. Le second côté devrait dorer en 1 minute également, mais sans foncer autant que le premier.

Faites glisser la crêpe sur une assiette ou renversez la poêle au-dessus de celle-ci. Une fois que toute la pâte a été cuite, garnissez les crêpes à votre goût.

Pour garder les crêpes un jour ou deux, glissez entre chacune d'elles un morceau de papier paraffiné et huilé, empilez-les et enveloppez le tout dans du papier d'aluminium. Rangez au réfrigérateur ou au congélateur. Pour réchauffer les crêpes, enveloppez-en trois ou quatre dans du papier d'aluminium et mettez-les au four à 150°C. Vous pouvez aussi badigeonner un moule à tarte de beurre fondu, y disposer les crêpes de telle sorte qu'elles se chevauchent, les arroser de beurre fondu et mettre le tout dans un four chaud pendant 4-5 minutes.

Les crêpes fourrées se préparent avec une pâte salée. Roulez-les sur une farce fraîchement préparée, disposez-les dans un plat à four, nappez de sauce ou saupoudrez de fromage râpé et faites cuire au gril ou au four chauffé à 190°C pendant une trentaine de minutes.

Versez la pâte dans la poêle.

Décollez la crêpe à moitié cuite.

Retournez avec une spatule.

Faites glisser dans l'assiette.

Crêpes et beignets

Saucisses en chemise

PRÉPARATION : *20 minutes*
CUISSON : *45 minutes*

INGRÉDIENTS *(4 personnes)*
450 g de saucisses de porc
250 ml de pâte à crêpes (au lait)

Mettez les saucisses dans un moule beurré mesurant 25 cm sur 30 cm et faites les cuire au four préchauffé à 230°C pendant 10 minutes, jusqu'à ce que la graisse grésille. Retirez le moule du four, versez la pâte sur les saucisses et remettez au four pendant 35 à 45 minutes, jusqu'à ce que la pâte ait gonflé et soit bien dorée. Servez aussitôt.

Pouding du Yorkshire

PRÉPARATION : *20 minutes*
CUISSON : *35 à 40 minutes*

INGRÉDIENTS *(4 personnes)*
250 ml de pâte à crêpes
2 c. à soupe de graisse de rôti ou de saindoux

Faites chauffer la graisse dans un petit moule, dans la partie supérieure du four chauffé à 220°C, jusqu'à ce qu'elle commence à fumer. Versez la pâte et laissez cuire pendant 35 à 40 minutes.

Vous pouvez également faire cuire le pouding du Yorkshire sous un rôti de bœuf. Déposez celui-ci sur une grille, dans la lèchefrite, de telle sorte que la graisse et le jus de la viande arrosent le pouding.

Popovers

PRÉPARATION : *10 minutes*
CUISSON : *40 minutes*

INGRÉDIENTS *(8 à 12 brioches)*
125 g de farine tout usage tamisée
2 pincées de sel
250 ml de lait
1 c. à soupe de beurre fondu
2 œufs

Faites chauffer le four à 230°C. Beurrez des moules à brioches. Battez les ingrédients dans un bol jusqu'à ce que la pâte soit lisse. Remplissez au tiers les moules et mettez au four pendant 20 minutes. Baissez la température à 180°C et continuez la cuisson pendant encore 20 minutes. Attendez au moins 35 minutes avant d'ouvrir le four pour vérifier la cuisson.

Gaufres

PRÉPARATION : *12 minutes*
CUISSON : *20 minutes*

INGRÉDIENTS *(20 gaufres)*
180 g de farine tout usage
1 pincée de sel
1 c. à soupe de levure chimique
2 c. à soupe de sucre
2 œufs séparés
250 ml de lait
4 c. à soupe de beurre fondu
Quelques gouttes d'extrait de vanille

Tamisez la farine, le sel et la levure au-dessus d'un bol, puis ajoutez le sucre en remuant. Ménagez un puits et versez-y les jaunes d'œufs. Remuez à fond, puis ajoutez le beurre et le lait en alternant et en battant bien. Versez l'extrait de vanille. Montez les blancs en neige et incorporez-les à la pâte.

Faites chauffer un gaufrier soigneusement beurré, versez-y un peu de pâte et faites cuire pendant environ 30 secondes. Servez avec du beurre ou du sirop.

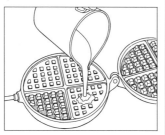

Versez la pâte dans le gaufrier.

Gaufres en pâte levée

PRÉPARATION : *15 minutes*
REPOS : *8 heures ou toute la nuit*
CUISSON : *20 minutes*

INGRÉDIENTS *(6 à 8 gaufres)*
125 ml d'eau tiède (45°C)
1 enveloppe de levure sèche
500 ml de lait tiède (45°C)
125 ml de beurre fondu ou de margarine
1 c. à thé de sel
1 c. à thé de sucre
250 g de farine
2 œufs
1 pincée de levure chimique

Diluez la levure dans l'eau tiède et laissez reposer 5 minutes.

Ajoutez le lait tiède, le beurre ou la margarine, le sel et le sucre, puis la farine en remuant bien.

Couvrez le bol et laissez reposer la pâte pendant 8 heures ou durant toute la nuit à la température ambiante. Ne réfrigérez pas.

Au moment de faire cuire les gaufres, ajoutez les œufs et la levure chimique ; battez jusqu'à ce que la pâte soit homogène.

Versez la pâte dans un gaufrier et faites-la cuire selon le mode d'emploi fourni par le manufacturier. Servez avec du beurre fondu, du miel ou du sirop.

Pâte à frire

PRÉPARATION : *5 minutes*
REPOS : *1 heure*

INGRÉDIENTS
125 g de farine tout usage
1 pincée de sel
1 c. à soupe d'huile de maïs
125 ml d'eau
1 blanc d'œuf

Tamisez ensemble le sel et la farine. Ménagez-y un puits, ajoutez l'huile et l'eau et remuez jusqu'à ce que la pâte soit lisse. Laissez-la reposer pendant 1 heure.

Montez le blanc d'œuf en neige jusqu'à ce qu'il soit ferme, mais non sec, puis incorporez-le soigneusement à la pâte avec une spatule en caoutchouc.

Kromeskis

PRÉPARATION : *30 minutes*
REPOS : *1 h 30*
CUISSON : *15 minutes*

INGRÉDIENTS *(12 kromeskis)*
8 c. à soupe de pâte à frire
2 c. à soupe de beurre
2 c. à soupe de farine
125 ml de lait
1 petit jaune d'œuf
Sel et poivre noir
1 petit poivron vert
350 g de poulet cuit finement haché

Préparez la pâte et laissez-la reposer pendant 1 heure. Pendant ce temps, faites fondre le beurre dans une casserole que vous retirerez aussitôt du feu avant d'y incorporer la farine avec une cuillère en bois. Remettez la casserole sur le feu et faites cuire le roux pendant quel-ques minutes sans lui laisser prendre couleur. Versez lentement le lait et laissez mijoter doucement, sans arrêter de remuer, de 3 à 5 minutes jusqu'à ce que la sauce soit lisse et épaisse. Retirez la casserole du feu, ajoutez le jaune d'œuf en battant et assaisonnez de sel et de poivre frais moulu.

Équeutez le poivron, débarrassez-le des graines et des membranes, puis coupez-le en petits dés. Faites-le blanchir 1 minute. Égouttez et refroidissez rapidement à l'eau froide, puis égouttez de nouveau. Mélangez le poulet et le poivron à la sauce et laissez refroidir.

Déposez la préparation sur une planche à pâtisserie farinée et divisez-la en 12 portions égales. Moulez chacune d'elles en forme de bouchon en vous servant d'un couteau et de vos doigts. Réfrigérez pendant une trentaine de minutes.

Plongez les kromeskis dans la pâte et faites-en frire quelques-uns à la fois dans un bain de friture chauffé à 190°C pendant à peu près 5 minutes. Retirez-les avec une écumoire et faites-les égoutter sur du papier absorbant. Servez chaud.

KROMESKIS

Roulez la pâte en bouchons.

Enroulez dans du bacon.

Beignets de fruits

PRÉPARATION : *15 minutes*
CUISSON : *12 minutes*

INGRÉDIENTS
8 c. à soupe de pâte à frire
600 g de moitiés de pêches en conserve et de rondelles d'ananas ou 700 g de bananes ou 3 pommes à cuire
1 blanc d'œuf
Sucre à glacer

Préparez la pâte à frire et laissez-la reposer. Remplissez à moitié une friteuse d'huile de maïs et faites-la chauffer lentement jusqu'à ce qu'elle atteigne 190°C. Pendant ce temps, préparez les fruits : égouttez les pêches et l'ananas et essuyez soigneusement les morceaux de fruits avec du papier absorbant.

Si vous employez des bananes, pelez-les et coupez-les en diagonale, en trois ou quatre tronçons chacune. Pelez et évidez les pommes et coupez-les en tranches de 1,5 cm environ d'épaisseur.

Montez le blanc d'œuf en neige et incorporez-le à la pâte.

Trempez les fruits dans la pâte, laissez égoutter le surplus et faites les beignets dans l'huile chaude pendant 2-3 minutes en les retournant à mi-cuisson. Faites frire seulement quelques beignets à la fois. Égouttez sur du papier absorbant et gardez les beignets au chaud dans le four chauffé à 160°C jusqu'à ce que vous ayez terminé la cuisson. Saupoudrez de sucre à glacer et servez.

BEIGNETS DE FRUITS

Égouttez le surplus de pâte.

Faites égoutter les beignets frits.

Fruits

Les fruits sont d'excellents aliments si vous les consommez crus et nature ; de plus, ils peuvent servir de base à de nombreuses préparations, depuis les macédoines de fruits jusqu'aux crèmes renversées, gâteaux et sauces d'accompagnement pour plats sucrés ou salés. Avec leur pulpe ou leur jus, vous pouvez préparer des glaces et des sorbets. Il est essentiel de bien laver les fruits avant de les consommer ou de les utiliser ; lavez aussi avec soin les agrumes dont il vous faut utiliser le zeste.

Abricots

Vous pouvez les servir crus, tels quels, ou bien les employer pour garnir des tartes et des gâteaux, ou pour faire des glaces. Vous pouvez aussi les ajouter à une macédoine de fruits ou les faire cuire en compote. Ils s'utilisent parfois dans quelques préparations salées.

Ils sont également très bons lorsqu'ils sont secs. Vous pouvez, en ce cas, les consommer ainsi s'ils sont souples ou les laisser tremper plusieurs heures dans de l'eau froide et les faire cuire ensuite très longuement dans l'eau où ils ont trempé, en ajoutant si vous le désirez un peu de sucre ; laissez-les ainsi sur feu doux jusqu'à ce que le liquide soit réduit à quelques cuillerées.

Ananas

L'ananas (qui contient entre autres un enzyme facilitant la digestion) constitue un excellent dessert.

Pour le préparer, vous pouvez le découper en tranches, en éliminant la calotte avec le bouquet de feuilles et la première tranche à l'extrémité opposée. Enlevez ensuite l'écorce de chaque tranche, éliminez enfin le morceau de tige centrale fibreuse, avec un couteau ou un emporte-pièce.

Autre possibilité : lavez l'ananas, que vous aurez choisi avec un beau bouquet de feuilles ; coupez-le en quatre morceaux dans le sens de la longueur, bouquet de feuilles compris. Avec un couteau, éliminez la partie de la tige centrale fibreuse, puis détachez de l'écorce la pulpe de chaque quartier ; ensuite, en la laissant à sa place, découpez cette pulpe horizontalement en tranches.

Pour préparer un dessert élégant, ôtez la calotte de l'ananas avec le bouquet de feuilles. Découpez la pulpe de l'ananas à un bon centimètre de distance de l'écorce ; extrayez-la. Ou bien encore, découpez l'ananas en deux dans la longueur, bouquet de feuilles compris, et videz de leur pulpe les deux moitiés. Remplissez l'écorce, ou les

PRÉPARER UN ANANAS

Enlevez une calotte.

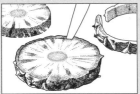

Découpez l'écorce des tranches.

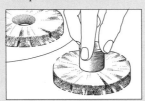

Eliminez la tige fibreuse centrale.

deux moitiés d'écorce, avec la pulpe de l'ananas coupée en morceaux réguliers, assaisonnée avec du sucre et une liqueur de votre choix, et éventuellement d'autres fruits ; ou bien remplissez cette gondole de sorbet à l'ananas et de morceaux du fruit.

Vous pouvez également employer l'ananas comme garniture d'une tarte, ou bien comme ingrédient d'une macédoine de fruits.

Bananes

Vous pouvez manger les bananes crues ou les utiliser pour des cocktails. Les bananes noircissent rapidement ; ne les épluchez et ne les coupez qu'au dernier moment ou bien assaisonnez-les aussitôt avec du jus de citron.

Vous pouvez aussi employer les bananes comme ingrédient de préparations sucrées et, plus rarement, salées ; vous pouvez les faire frire ou bien les faire cuire au four.

Bleuets

Ce sont des baies bleu sombre aux dimensions très variables. Le bleuet peut avoir la taille d'un tout petit pois dans les espèces sauvages et d'une petite cerise dans les espèces cultivées. On peut les manger nature, assaisonnés avec du sucre et du lait, du sucre et de la crème fraîche, du sucre et du citron, ou bien encore les employer comme ingrédient dans des gâteaux et de délicieuses tartes.

Cerises

Vous pouvez les consommer nature, les cuire en compote, les utiliser pour des gâteaux et des crèmes renversées. Si vous voulez les faire cuire, ôtez-leur les queues et, si possible, les noyaux ; il existe pour ce faire un instrument spécial.

Citrons

On emploie le jus et le zeste du citron dans un nombre infini de plats ; avec ses tranches, ses quartiers, son écorce, vous pouvez décorer toutes sortes de plats et de boissons. Frottez des carrés de sucre sur l'écorce d'un citron jusqu'à ce qu'ils deviennent jaunes et utilisez-les, entiers ou écrasés, pour parfumer et décorer des boissons glacées.

Vous pouvez aussi, dans beaucoup de recettes, remplacer le vinaigre par du jus de citron. Vous pouvez également l'utiliser pour aigrir de la crème (1 cuillerée à thé de jus de citron pour 100 ml de crème).

Placez toujours les citrons au réfrigérateur ; si vous voulez conserver un citron coupé, enveloppez-le dans du papier d'aluminium.

Coings

Les coings ne peuvent pas se manger crus ; ils sont trop âcres et trop durs. Mais vous pouvez les mélanger à des pommes dans des tartes.

Dattes

Servez les dattes fraîches nature ou utilisez-les dans une macédoine (en ce cas, pelez-les et dénoyautez-les). Mangez les dattes sèches telles quelles, ou employez-les dans des gâteaux ou des farces.

Figues

Vous pouvez servir les figues fraîches nature, en les accompagnant de crème fraîche, ou les utiliser dans une macédoine de fruits. En entrée, elles accompagnent très bien le jambon et la saucisse.

Les figues sèches se mangent en général nature, mais vous pouvez très bien les faire cuire, en particulier dans des farces.

Fraises

Ce sont des fruits très fragiles, surtout lorsqu'ils sont petits, et il faut donc les consommer rapidement.

Il est préférable d'essuyer les fraises et de ne pas les laver. Mais,

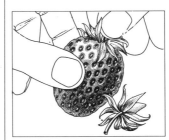

Enlevez l'extrémité feuillue et la tige centrale tendre des fraises.

pour laver de petites fraises, si cela est nécessaire, plongez-les dans une grande quantité d'eau et égouttez-les aussitôt, en veillant bien à ne prendre que celles qui flottent, celles qui tombent au fond étant presque toujours mauvaises. Lavez les grosses fraises avant de leur ôter la queue si vous ne voulez pas qu'elles s'imprègnent d'eau.

Les fraises peuvent se servir assaisonnées ou décorées de mille manières ; les plus grosses seront coupées en deux ou en morceaux ; les assaisonnements les plus simples et les plus courants sont le sucre et le jus de citron ou d'orange, le sucre et le vin (blanc, rouge ou vin de dessert), le sucre et la crème fraîche, ou bien une liqueur ; les accompagnements les plus employés sont la crème fouettée et la glace.

Avec les fraises, vous pouvez préparer des sauces sucrées, des gâteaux, des tartes, des garnitures, des sorbets et des crèmes glacées.

Framboises

De même que les fraises, les framboises sont très périssables : il faut donc les utiliser le plus rapidement possible et les conserver entre-temps au réfrigérateur.

Pour les laver, plongez-les dans une grande quantité d'eau froide et égouttez-les aussitôt.

Vous pouvez les consommer nature ou bien assaisonnées de différentes façons, comme les fraises ; vous pouvez vous en servir comme ingrédient d'une macédoine ou préparer avec elles une sauce, une mousse ou de la crème glacée.

Grenades

Servez-les en dessert (en les coupant en deux et en mettant des petites cuillères pour extraire les grains) ou bien utilisez les grains pour décorer une macédoine, une salade, un fromage crémeux.

Vous pouvez presser les grenades comme des oranges, en les coupant en deux et en vous servant d'un presse-fruits courant.

Fruits

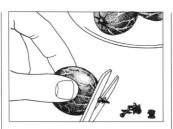

Nettoyez les groseilles à maquereau en coupant la tige et le pédoncule floral.

Groseilles

Il existe de nombreuses variétés de groseilles à grappe, mais sur les marchés on ne trouve assez couramment que les rouges et, plus rarement, les blanches. Toutes deux peuvent se consommer nature ou s'employer pour des macédoines de fruits.

La *groseille à maquereau* est une variété de groseilles à gros grains, qui peuvent être aussi bien blanches que jaunes ou lie-de-vin. Pour les nettoyer, éliminez avec une paire de ciseaux les deux petites queues des grains.

Vous pouvez servir les groseilles à maquereau seules et nature, ou bien les prendre comme ingrédient, pour une macédoine de fruits ou pour une sauce.

Kiwi

Vous pouvez manger le kiwi en extrayant la pulpe avec une petite cuillère après avoir ôté une petite tranche à une extrémité du fruit; ou bien le servir épluché, coupé en tranches, assaisonné avec du sucre et du citron ou une liqueur, ou bien comme ingrédient d'une macédoine de fruits.

Kumquat

Appelés aussi mandarines chinoises, les kumquats sont de petits fruits de forme ovale de la taille d'une grosse olive. Vous pouvez les manger crus ou les servir cuits en garniture pour un canard.

Mangues

Ces fruits tropicaux se trouvent maintenant assez fréquemment. Vous pouvez les manger crus et non assaisonnés, les utiliser dans une macédoine de fruits ou comme garniture de gâteaux ou de tartes. Pour les éplucher, le meilleur système est d'inciser la peau, qui est plutôt épaisse, en dessinant quatre ou plusieurs sillons, puis de la détacher en la tirant délicatement; la pulpe se découpe en tranches, en tournant autour du noyau, car il colle à la pulpe.

Melons

On sert le melon comme entrée ou comme dessert. En entrée, on l'accompagne généralement de jambon cru. Choisissez votre melon plutôt gros et bien mûr, coupez-le en quartiers dans la longueur. Eliminez les pépins avec une cuillère; détachez la pulpe de l'écorce avec un couteau.

Vous pouvez également servir en entrée de très petits melons que, selon la taille, vous couperez en deux (pour donner une moitié par personne) ou auxquels vous enlèverez une calotte ainsi que les pépins; remplissez alors la cavité avec du porto ou du xérès.

Vous pouvez aussi servir en dessert des petits melons préparés de la même manière; vous remplirez alors la cavité avec le vin sucré de votre choix, ou bien avec des fraises ou des framboises assaisonnées avec du sucre, du vin ou une liqueur.

Pour une présentation raffinée, utilisez des melons coupés en moi-

SERVIR DES MANGUES

Coupez en tranches horizontales.

Servez les tranches avec leur peau.

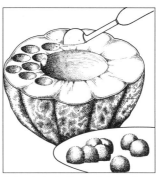

Faites des petites boules de pulpe de melon en utilisant la cuillère adéquate.

tiés ou privés de leur calotte et vidés de leurs pépins, et découpez-y des petites boules à l'aide d'une cuillère ronde prévue à cet effet; assaisonnez les boules avec du sucre et du vin ou une liqueur, et remettez-les dans les écorces vidées. Vous pouvez mélanger des fraises, des framboises ou d'autres fruits.

Mûres

Ces baies entrent principalement dans la confection de tartes et de poudings, souvent mélangées avec des pommes. Mais vous pouvez aussi les manger nature, assaisonnées de sucre et de crème fraîche ou de sucre et de jus de citron.

Oranges

On les consomme nature, pressées, mélangées à d'autres fruits dans une macédoine; on se sert également des oranges en cuisine pour des préparations salées, comme le fameux canard à l'orange.

Pour peler une orange, découpez une tranche de peau, suffisamment épaisse pour mettre à nu la pulpe, du côté où se trouve le pétiole. Posez l'orange, la partie coupée vers le bas, dans une assiette, et, avec un couteau que vous manœuvrerez comme une scie, découpez l'écorce en bandes, depuis le haut vers le bas, en mettant la pulpe à nu. Pour finir libérez les quartiers, un par un, en enfilant la lame du couteau le long des membranes. Pour certaines préparations, il est plus simple de découper les oranges pelées en tranches perpendiculairement aux quartiers.

Vous pouvez remplir les écorces vides de glace ou de sorbet à l'orange et les servir ainsi; mais vous pouvez aussi employer ces écorces comme récipient dans lequel vous ferez cuire des petits soufflés.

Pamplemousses ou pomélos

Très bons pressés, les pamplemousses se mangent au petit déjeuner et se servent en entrée.

Pour préparer ce fruit, lavez-le, essuyez-le, coupez-le en deux perpendiculairement aux quartiers et, avec un petit couteau à scie légèrement incurvé, découpez la pulpe le plus près possible de l'écorce, mais sans l'extraire. Avec un autre petit couteau, à lame droite et bien pointue, séparez les quartiers en incisant la pulpe le long des membranes qui les séparent les uns des autres. Otez les pépins s'il y en a.

Vous pouvez très bien faire griller les pamplemousses; préparez-les comme il est expliqué ci-dessus, disposez-les dans un moule à tarte, la partie coupée tournée vers le haut; saupoudrez-les de sucre roux, arrosez-les de xérès sec et passez-les quelques minutes sous le gril, jusqu'à ce que le sucre caramélise.

Les moitiés d'écorces vidées peuvent aussi servir de récipients: dans ce cas, découpez-en les bords en zigzag, avec des ciseaux. Remplissez-les de quartiers de pamplemousse et de quartiers d'orange et garnissez d'une feuille de menthe.

Pour ôter l'écorce d'un pamplemousse, procédez comme pour une orange.

Les pamplemousses peuvent aussi être utilisés comme ingrédient d'une macédoine de fruits et de salades composées.

Papayes

Vous pouvez les servir tout simplement coupées en deux et vidées de leurs pépins, en les accompagnant de quartiers de citron et de sel, pour une entrée, ou bien de sucre, pour un dessert. Comme entrée,

SERVIR UN PAMPLEMOUSSE

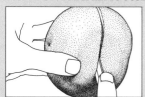

Découpez le pamplemousse en deux.

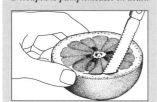

Détachez la pulpe de l'écorce.

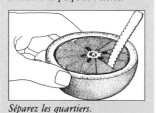

Séparez les quartiers.

PAMPLEMOUSSE PELÉ

Coupez la tête du fruit.

Pelez le fruit au couteau.

Découpez les quartiers.

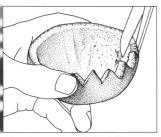

Découpez en zigzag le bord d'une moitié d'écorce de pamplemousse vidée.

vous pouvez aussi les éplucher, ôter leurs pépins, les découper en quartiers et les servir avec du jambon cru. En dessert, vous les mélangerez à une macédoine de fruits composés (elles s'accordent párticulièrement bien avec les oranges et les pamplemousses), ou bien vous les servirez nature, coupées en deux, vidées de leurs pépins et remplies d'une boule de glace à la vanille ou au citron.

Pêches

Les pêches se mangent nature ; mais vous pouvez aussi les servir en salade, assaisonnées avec du sucre et du jus de citron ou bien du sucre et du vin ; vous pouvez également les cuire en compote ou bien encore les utiliser comme garniture de diverses préparations sucrées.

Pour éplucher plus facilement les pêches, plongez-les dans de l'eau bouillante ; au bout d'une vingtaine de secondes, égouttez-les et passez-les sous l'eau froide. Avec la pointe d'un petit couteau, incisez la peau puis pelez vers le bas.

Poires

Vous pouvez les servir nature, les utiliser pour des macédoines de fruits et comme garniture de tartes ou comme ingrédient d'autres préparations sucrées, les faire cuire dans un sirop d'eau et de sucre et les servir avec une sauce aux fruits ou au chocolat, ou bien encore les cuire au four, avec du vin blanc ou rouge ; les poires pochées sont un excellent accompagnement de certains gibiers. Pour préparer les poires destinées à être cuites, épluchez-les, retirez le cœur et les pépins avec un vide-pomme en lais-

sant intacte la partie supérieure avec le pétiole ; vous pouvez aussi les couper en deux ou en quartiers, dans le sens de la longueur, et ôter les pépins.

Une fois épluchées et coupées, les poires noircissent facilement ; plongez-les aussitôt dans le sirop si vous les faites cuire ; ou arrosez-les de jus de citron si vous les employez crues.

Pommes

Toutes les pommes peuvent se manger nature. Certaines espèces se prêtent mieux que d'autres à la cuisson, mais presque toutes peuvent être cuites en compote, en purée, au four (p. 316) ou bien être employées comme garniture de tartes ou de crèmes renversées. Vous pouvez utiliser les pommes pour préparer des sauces, des salades de fruits et des farces.

Les pommes sont les fruits qui se conservent le plus longtemps : gardez-les au réfrigérateur, ou bien dans un endroit froid et bien aéré.

Pour éviter qu'elles ne noircissent une fois épluchées et coupées, arrosez-les avec du jus de citron.

Prunes

Toutes les prunes peuvent se manger nature ou être employées dans une macédoine de fruits ; on peut de plus en garnir des gâteaux.

Les prunes sèches, ou pruneaux, que l'on fait souvent ramollir et gonfler en les plongeant un certain temps dans de l'eau froide, peuvent se manger nature, cuites ou servir d'ingrédient à un grand nombre de préparations sucrées et salées.

Raisins

On les consomme le plus souvent nature. On peut aussi les utiliser dans une macédoine de fruits, les presser pour en extraire le jus ou en faire des garnitures pour gâteaux, et les employer dans des préparations salées.

Si vous devez les éplucher, plongez les grains (très peu à la fois) pendant 30 secondes dans de l'eau bouillante, puis aussitôt dans de l'eau froide. Pour enlever les pépins, vous pouvez les sortir en vous aidant d'une épingle à cheveux, par

le petit trou dans la peau des grains, là où ils étaient attachés à la grappe ; vous pouvez aussi pratiquer sur chaque grain une petite incision latérale dans la longueur.

Certaines qualités de raisins (les raisins de Smyrne, les raisins de Corinthe et aussi actuellement les raisins de Californie) se vendent séchés : on les emploie dans un grand nombre de préparations.

Rhubarbe

Ce sont les tiges de la rhubarbe, bien débarrassées des feuilles qui ne sont pas comestibles, que l'on utilise en cuisine : elles doivent être tendres mais fermes, charnues et très rouges. Il faut les laver et les couper en morceaux et en même temps leur ôter la peau qui est dure et fibreuse.

Vous pouvez employer la rhubarbe pour faire des gâteaux et des crèmes renversées. Elle s'harmonise très bien avec les pommes et les fraises et avec des « parfums » tels que la cannelle, le gingembre, le zeste d'orange et le macis.

Vous pouvez aussi la préparer en compote ; une fois que vous l'avez lavée, nettoyée, coupée en morceaux de 2-3 cm de long, disposez-la dans un récipient à bords hauts allant au four, en la mettant par couches et en saupoudrant chaque couche de sucre. Parsemez de zeste d'orange râpé et arrosez de jus d'orange, couvrez le récipient et laissez cuire pendant environ 35 minutes, jusqu'à ce que la rhubarbe soit tendre mais non défaite, à four moyen (180°C) ; servez comme dessert avec de la crème.

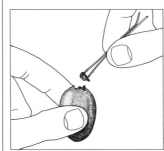

Enlevez les pépins de raisin à l'aide d'une pince à cheveux neuve.

Salade de fruits frais

PRÉPARATION : 30 minutes
REPOS : 1-2 heures

INGRÉDIENTS (6 personnes)
100 g de sucre granulé
2 c. à soupe de jus de citron
1 c. à soupe de liqueur d'orange ou de kirsch
225 g de raisins blancs sans pépins
2 pommes à couteau
2 poires bien mûres
2 oranges
2 bananes

Mettez le sucre dans une petite casserole avec 125 ml d'eau. Faites-le dissoudre à feu doux, puis portez à ébullition et laissez cuire 2-3 minutes. Faites-le refroidir, puis ajoutez le jus de citron et la liqueur ; versez le tout dans un saladier.

Mettez les raisins dans le sirop de sucre. Essuyez les pommes, coupez-les en quartiers, ôtez les cœurs et émincez les quartiers au-dessus du saladier. Coupez les poires en deux, pelez-les, ôtez les cœurs et coupez-les en morceaux. Ajoutez-les au saladier. Pelez les oranges, défaites-les en quartiers et versez dans le saladier le jus extrait des membranes. Pelez et tranchez les bananes et ajoutez-les aux autres fruits en même temps que la pulpe d'orange. Enrobez bien les fruits de sirop. Couvrez et laissez reposer pendant 1-2 heures dans un endroit frais, mais pas au réfrigérateur, pour que la salade prenne toute sa saveur.

Les salades de fruits frais se préparent également avec des fraises, des cerises dénoyautées, des pêches tranchées, des moitiés d'abricots et des groseilles rouges, ainsi qu'avec des ananas, des pamplemousses et du melon.

Ananas au kirsch

PRÉPARATION : 20 minutes
RÉFRIGÉRATION : 1 heure

INGRÉDIENTS (8 personnes)
1 petit ananas
2 grosses oranges
2 c. à soupe de sucre à glacer
2 c. à soupe de kirsch

Écorcez l'ananas, tranchez-le en huit rondelles et ôtez le cœur. Pelez les oranges, enlevez la peau

blanche et coupez-les en travers en huit tranches. Disposez dans des coupes évasées une rondelle d'ananas et deux tranches d'orange. Faites dissoudre le sucre avec 2 cuillerées à soupe d'eau dans une petite casserole, à feu doux ; ajoutez le kirsch et versez le sucre avec une cuillère sur les rondelles d'ananas.

Réfrigérez et servez avec un pichet de crème froide.

Ananas à la Romanoff

PRÉPARATION : 20 minutes
RÉFRIGÉRATION : 2 heures

INGRÉDIENTS (6 à 8 personnes)
1 gros ananas
100 g de sucre à glacer
3 c. à soupe de Cointreau
3 c. à soupe de rhum
250 ml de crème épaisse
3 c. à soupe de kirsch
Le zeste râpé d'une orange

Tranchez et écorcez l'ananas, coupez-le en morceaux et mettez ceux-ci dans un saladier. Mélangez avec la moitié du sucre. Ajoutez le Cointreau et le rhum ; réfrigérez pendant deux heures.

Une heure avant de servir, fouettez la crème, incorporez-y le reste de sucre et le kirsch ; déposez-la à la cuillère sur l'ananas. Mélangez délicatement jusqu'à ce que tous les morceaux soient bien enrobés. Saupoudrez du zeste d'orange râpé et servez.

Poires au four à la crème et au kirsch

PRÉPARATION : 10 minutes
CUISSON : 40 minutes

INGRÉDIENTS (4 personnes)
4 c. à soupe de beurre
6 c. à soupe de sucre
4 poires
125 ml de crème épaisse
1 pincée de sel
½ c. à thé d'extrait de vanille
2 c. à soupe de kirsch

Faites chauffer le four à 245°C. Faites fondre la moitié du beurre et nappez-en un moule à tarte de 20 ou 22 cm. Saupoudrez de la moitié du sucre.

Pelez les poires, coupez-les en deux dans le sens de la longueur et ôtez les cœurs. Déposez-les dans le moule, face coupée en dessous, saupoudrez-les du reste de sucre et ajoutez quelques noix de beurre. Faites cuire au four, sans couvrir, pendant une vingtaine de minutes.

Mélangez la crème, le sel, l'extrait de vanille et le kirsch. Nappez-en les poires. Remettez au four, toujours sans couvrir, pendant encore 20 minutes ou jusqu'à ce que la crème ait légèrement épaissi. Retirez le plat du four, déposez-le sur un dessous-de-plat et servez chaud.

Poires pochées au vin rouge
PRÉPARATION : *10 minutes*
CUISSON : *environ 1 heure*

INGRÉDIENTS (*4 personnes*)
4 poires bien fermes
50 g de cassonade
250 ml de vin rouge

Coupez les poires en deux dans le sens de la longueur et pelez-les après avoir enlevé les cœurs avec une cuillère. Disposez-les en une seule couche dans un moule et saupoudrez-les de sucre. Mélangez le vin et 250 ml d'eau ; arrosez-en les poires. Couvrez le moule d'une feuille d'aluminium et faites cuire au centre du four chauffé à 180°C pendant une cinquantaine de minutes ou jusqu'à ce que les poires soient tendres.

Retirez les poires avec une écumoire et disposez-les sur un plat de service. Portez rapidement le jus de cuisson à ébullition et faites-le réduire de moitié, puis nappez-en les poires. Servez chaud ou froid avec un bol de crème Chantilly (p. 349).

Pêches au vin
PRÉPARATION : *20 minutes*
RÉFRIGÉRATION : *20 minutes*

INGRÉDIENTS (*4 personnes*)
4 pêches mûres
4 c. à thé de sucre à glacer
6 à 8 c. à soupe de vin blanc sucré

Pelez les pêches, coupez-les en deux et ôtez les noyaux. Tranchez-les et mettez-les dans des coupes à dessert, saupoudrez de sucre, arrosez de vin et réfrigérez.

Pêches au gingembre
PRÉPARATION : *15 minutes*
RÉFRIGÉRATION : *3 heures*

INGRÉDIENTS (*4 personnes*)
125 ml de jus d'orange frais
2 c. à soupe de miel
1 pincée de sel
700 g de pêches pelées et tranchées
2 c. à soupe de gingembre confit finement haché
Noix de coco râpée
Feuilles de menthe

Mélangez le jus d'orange, le miel et le sel. Ajoutez les tranches de pêche et le gingembre et brassez délicatement. Couvrez et réfrigérez pendant 3 heures. Déposez à la cuillère dans des coupes à sorbet et saupoudrez de noix de coco râpée. Décorez de feuilles de menthe.

Abricots pochés
PRÉPARATION : *10 minutes*
CUISSON : *10 minutes*

INGRÉDIENTS (*4 personnes*)
450 g d'abricots frais
75 à 100 g de sucre granulé
Zeste de citron ou 1 bâton de cannelle

Lavez et essuyez bien les abricots. Dans une casserole, mettez le sucre, 250 ml d'eau, la cannelle ou le zeste de citron débarrassé de sa membrane et laissez à feu doux jusqu'à ce que le sucre soit dissous. Portez à ébullition, faites cuire 2 minutes et passez au chinois. Coupez les abricots en deux avec un petit couteau tranchant. « Dévissez » les moitiés pour qu'elles se séparent et retirez les noyaux. Remettez le sirop sur le feu avec les moitiés d'abricots, la face coupée sur le dessus, et portez lentement à ébullition. Réduisez le feu, couvrez et laissez mijoter doucement une dizaine de minutes, jusqu'à ce que les fruits soient tendres. Laissez refroidir.

Fruits flambés
PRÉPARATION : *30 minutes*
CUISSON : *20 minutes*

INGRÉDIENTS (*6 personnes*)
1 ananas de grosseur moyenne
450 g de prunes
4 c. à soupe de marmelade d'orange
Zeste râpé et jus d'un citron
2 pincées de cannelle moulue
100 g de cassonade foncée
4 c. à soupe de beurre doux
4 c. à soupe de rhum blanc

Ecorcez, évidez et tranchez l'ananas. Détaillez les tranches en deux. Coupez les prunes en deux et retirez les noyaux. Mettez les fruits dans une marmite. Faites chauffer ensemble, dans une petite casserole, la marmelade, le zeste et le jus de citron, la cannelle, le sucre et le beurre. Remuez bien et versez le mélange sur les fruits. Couvrez et faites cuire au four chauffé à 205°C pendant une vingtaine de minutes. Au moment de servir, versez le rhum dans une louche chaude, enflammez-le et versez-le, flambant, sur les fruits. Servez avec un pichet de crème.

Pommes à la cassonade
PRÉPARATION : *15 minutes*
CUISSON : *30 minutes*

INGRÉDIENTS (*4 personnes*)
700 g de pommes à cuire
2 c. à soupe de beurre
Zeste râpé et jus d'un citron
100 à 135 g de cassonade

Pelez, évidez et émincez les pommes. Beurrez un moule profond et disposez les pommes en couches en saupoudrant chacune d'elles de zeste râpé et de sucre et en les arrosant de jus de citron. Parsemez la dernière couche de petits morceaux de beurre.

Faites cuire au centre du four chauffé à 190°C pendant 30 minutes ou jusqu'à ce que les pommes soient tendres. Servez avec de la crème épaisse.

Pommes au four
PRÉPARATION : *10 minutes*
CUISSON : *30 à 45 minutes*

INGRÉDIENTS (*4 personnes*)
4 grosses pommes à cuire
5 c. à soupe de cassonade foncée
5 c. à soupe de beurre
Zeste râpé et jus d'un citron
160 g de cerises confites
1 c. à soupe de brandy

Lavez les pommes et évidez-les avec un couteau tranchant. Enlevez un mince ruban de pelure autour de chaque fruit. Disposez les pommes dans un plat à four et remplissez les cavités de 1 cuillerée à thé de cassonade et d'un petit morceau de beurre. Faites-les cuire au centre du four préchauffé à 180°C pendant une trentaine de minutes en les arrosant de temps en temps du jus de cuisson.

Pendant que les pommes cuisent, râpez le zeste de citron et extrayez le jus. Faites fondre le reste de beurre et de cassonade dans une petite casserole. Quand la cassonade est dissoute, laissez bouillir doucement jusqu'à l'obtention d'un caramel bien doré. Ajoutez le zeste et le jus de citron, les cerises et le brandy ; mélangez le tout avec une cuillère en bois pour que le mélange soit homogène et que le caramel n'attache pas. Laissez mijoter 1-2 minutes, nappez-en les pommes et servez chaud.

Cerises Jubilée
PRÉPARATION : *5 minutes*
CUISSON : *5 minutes*

INGRÉDIENTS (*8 personnes*)
200 g de sucre
1 petite pincée de sel
2 c. à soupe de fécule de maïs
500 ml d'eau
500 g de cerises noires
6 à 8 c. à soupe de kirsch ou de cognac
1 litre de glace à la vanille

Mélangez le sucre, le sel, la fécule et l'eau. Ajoutez les cerises dénoyautées et faites cuire jusqu'à ce que le sirop épaississe en remuant constamment. Versez le kirsch ou le cognac et faites flamber. Versez immédiatement dans des coupes à dessert remplies de glace à la vanille très dure et servez.

Fraises et sauce aux framboises
PRÉPARATION : *15 minutes*
RÉFRIGÉRATION : *5 heures*

INGRÉDIENTS (*6 personnes*)
2 kg de fraises fraîches
1 kg de framboises fraîches
100 à 150 g de sucre
75 ml de kirsch, importé de préférence
Crème fouettée (facultatif)

Equeutez les fraises. Lavez séparément les framboises et les fraises et faites-les égoutter sur du papier absorbant. Réduisez en purée au mixer les framboises, 100 g de sucre et le kirsch, pendant 30 secondes. Vérifiez si la purée est suffisamment sucrée et ajoutez, le cas échéant, 50 g de sucre.

Versez la préparation sur les fraises, couvrez et réfrigérez pendant 5 heures. De temps en temps, remuez délicatement les fraises pour qu'elles soient bien enrobées de sirop. Servez froid avec, si vous voulez, de la crème fouettée légèrement sucrée.

Macédoine de fruits
PRÉPARATION : *30 minutes*
RÉFRIGÉRATION : *3 heures*

INGRÉDIENTS (*8 personnes*)
50 ml de brandy
50 ml de Cointreau
1 petit ananas
1 pomme
2 pêches
1 banane
150 g de fraises
150 g de cerises noires
150 g de bleuets
25 g d'amandes émincées
Sucre

Mélangez, dans un saladier, le brandy et le Cointreau. Pelez et coupez en dés l'ananas et la pomme. Epluchez et tranchez la banane et les pêches. Equeutez les fraises et les bleuets ; dénoyautez les cerises.

Mettez tous les fruits dans le saladier, ajoutez les amandes et le sucre ; mélangez bien.

Réfrigérez pendant 3 heures et brassez de nouveau juste au moment de servir.

Pâtisserie

L'extrême diversité des types de pâtes qui existent de nos jours est le fruit d'une évolution séculaire, qui est partie d'un mélange grossier d'eau et de farine inventé par les Romains et que ces derniers employaient pour envelopper viandes et gibiers avant de les rôtir : la pâte ne se mangeait pas, elle servait simplement à recueillir et à retenir le jus et le parfum des viandes.

Avec les siècles, ce mélange s'enrichit grâce à l'apport de graisses et de lait, et il finit par ressembler aux pâtes que nous utilisons aujourd'hui pour les tartes et les pâtés sucrés et salés. Au Moyen Age, la croûte des énormes pâtés que l'on faisait alors était aussi importante que leur contenu de fruits, viande, poisson ou gibier. Le mélange de base — farine plus eau plus gras — renfermait en soi de multiples possibilités.

En même temps que chaque région inventait ses pâtés et ses tartes, le mélange de base, toujours composé de graisse, de farine et d'eau, se métamorphosait en d'innombrables variantes. C'est ainsi qu'en Angleterre, par exemple, on a vu apparaître, au XIVe siècle, la pâte à l'eau chaude utilisée pour les pâtés à la viande ou au gibier : on moulait de l'intérieur avec le poing fermé, puis on la vernissait avant de la faire cuire au four.

Vers le XVIIe siècle, on a commencé à utiliser la pâte feuilletée pour des préparations élaborées, finies avec des décorations qui en faisaient de véritables œuvres d'art ; par la suite, les recettes n'ont cessé de se multiplier. Pourtant, la pâtisserie, telle qu'on la connaît de nos jours, fait appel essentiellement aux mêmes techniques que celles que nos ancêtres utilisaient déjà.

Malgré tout le mystère dont on entoure l'art du pâtissier, il n'existe pas de secrets garantissant un succès immédiat ; c'est seulement avec le temps, de la patience et de l'exercice qu'on arrive à maîtriser cet art. Néanmoins, il importe de respecter quelques règles de base. Ainsi, la cuisine, le plan de travail et les ustensiles doivent être froids, et il faut suivre la recette à la lettre, surtout en ce qui a trait aux quantités. La pâte doit se faire le plus rapidement possible et ne pas être travaillée plus que ne l'exige la recette. Si l'on mélange la farine et la graisse avec un couteau à pâtisserie, on obtiendra généralement une pâte tendre et légère ; inversement, une pâte trop longuement pétrie deviendra dure puisque le gluten, contenu dans la farine, se sera tassé.

La croûte de tarte est probablement la forme de pâtisserie la mieux connue et celle qu'on prépare le plus souvent. Nous en donnons la recette de base, en même temps que d'autres variantes comme les pâtes vite faite, fine, à l'huile, à la levure et au fromage. On trouvera également la recette d'une pâte sans cuisson pour la tarte à la crème ou la tarte mousseline, ainsi que celles de diverses préparations au suif et à l'eau chaude.

Les pâtes légères ne s'emploient pas que pour des desserts, mais également pour des plats salés. Elles sont toutes plus difficiles à réussir que la pâte à tarte ordinaire et comprennent la pâte à choux et les pâtes feuilletées classique, ordinaire et fine.

PÂTE À TARTE

Cette pâte s'emploie pour les tartes salées ou sucrées. La farine tout usage est recommandée, tandis qu'on emploiera, comme corps gras, du saindoux ou de la graisse végétale blanche ; l'idéal consiste à employer à parts égales du saindoux et du beurre ou de la margarine. La margarine seule donne une pâte jaune et compacte.

Dans la recette de base, la proportion en poids des ingrédients est toujours la même, soit deux parts de farine pour une part de graisse. On peut doubler ou couper de moitié la quantité de farine, mais le rapport graisse-farine doit demeurer toujours constant.

La recette de base donne suffisamment de pâte pour couvrir un moule à gâteau de 2 litres, ou un moule à flan de 22 cm, ou encore pour foncer et couvrir un moule à tarte de 17 cm.

Les recettes qui suivent peuvent être utilisées indifféremment pour des tartes à garniture sucrée ou salée. Toutefois, c'est surtout pour la tarte aux fruits qu'on prépare de la pâte fine. En règle générale, les croûtes à tarte sont cuites au centre d'un four préchauffé à 220°C. On les fait même cuire parfois à blanc : partiellement, si la garniture doit cuire peu de temps, ou complètement si la garniture ne requiert aucune cuisson.

Pâte ordinaire
PRÉPARATION : *15 minutes*

INGRÉDIENTS
220 g de farine
2 pincées de sel
55 g de saindoux
55 g de beurre (ou de margarine)
2-3 c. à soupe d'eau froide

Tamisez ensemble la farine et le sel dans un grand bol. Coupez ensuite en petits morceaux le beurre un peu souple et le saindoux, bien ferme, et incorporez-les à la farine en les mélangeant par petites quantités, du bout des doigts, jusqu'à ce que la préparation ait un aspect sableux.

Soulevez ce mélange bien haut et laissez-le retomber en pluie, pour le garder frais et aéré. Disposez en fontaine. Ajoutez peu à peu l'eau, en la répartissant uniformément sur les ingrédients secs (si elle est répartie inégalement, la pâte, en cuisant, peut former des bulles) et en la mélangeant rapidement jusqu'à ce que la pâte soit lisse.

Roulez la pâte en boule, enveloppez-la dans un morceau de papier paraffiné ou encore dans une feuille d'aluminium et laissez-la reposer au moins 1 heure avant de vous en servir.

Etendez la pâte en une ou plusieurs abaisses, selon la recette, sur un plan de travail fariné, avec le rouleau également fariné, en imprimant à ce dernier des mouvements brefs et légers.

Pâte vite faite
Avec l'emploi de la margarine, cette pâte vite préparée donne une croûte de teinte jaunâtre, lisse et friable. On obtient de meilleurs résultats avec de la margarine dure qu'avec de la margarine molle.

PRÉPARATION : *10 minutes*

INGRÉDIENTS
10 c. à soupe de margarine
220 g de farine tout usage
2 c. à soupe d'eau

Mettez la margarine, 2 cuillerées à soupe de farine et l'eau dans un grand bol. Travaillez la pâte à la fourchette jusqu'à ce qu'elle soit homogène. Ajoutez peu à peu le reste de farine et continuez de travailler à la fourchette jusqu'à l'obtention d'une pâte souple. Déposez-la sur une planche à pâtisserie farinée et malaxez-la doucement jusqu'à ce qu'elle soit parfaitement lisse. Réfrigérez 30 minutes.

PÂTE ORDINAIRE

1 *Travaillez beurre et farine.*

3 *Malaxez légèrement la pâte.*

2 *Incorporez l'eau.*

4 *Abaissez la pâte.*

Pour une pâte vite faite, travaillez ensemble margarine, farine et eau.

Pâtisserie

Pâte à l'huile

Cette pâte donne une croûte tendre et feuilletée. Il faut la malaxer rapidement et l'utiliser aussitôt : si on la laisse reposer, elle durcit et on ne peut plus l'abaisser.

PRÉPARATION : 15 minutes

INGRÉDIENTS
5 c. à soupe d'huile de maïs
5 c. à soupe d'eau froide
250 g de farine tout usage
1 pincée de sel

Mélangez l'huile et l'eau avec une fourchette dans un grand bol jusqu'à l'obtention d'un liquide homogène. Tamisez ensemble la farine et le sel ; incorporez-les progressivement au liquide en vous servant de deux couteaux. Lorsque la pâte est prête, déposez-la sur une planche farinée. Malaxez-la rapidement et légèrement jusqu'à ce qu'elle soit lisse et luisante. Abaissez-la et faites-la cuire au four comme une pâte à tarte.

Pour la pâte à l'huile, mélangez farine et corps gras avec deux couteaux.

Pâte fine

PRÉPARATION : 10 minutes

INGRÉDIENTS
150 g de farine tout usage
1 pincée de sel
6 c. à soupe de beurre doux ou de margarine non salée
1 jaune d'œuf
1½ c. à thé de sucre
3-4 c. à thé d'eau

Tamisez la farine et le sel au-dessus d'un grand bol. Défaites le beurre en morceaux et incorporez-le à la farine du bout des doigts jusqu'à ce que le mélange ait l'apparence de miettes de pain. Battez dans un autre bol le jaune d'œuf, le sucre et 2 cuillerées à soupe d'eau et mélangez le tout à la farine avec un couteau à lame arrondie jusqu'à l'obtention d'une pâte ; ajoutez de l'eau si besoin est. Ramassez la pâte en boule et déposez-la sur une planche à pâtisserie farinée. Malaxez légèrement.

Pâte à la levure

Cette pâte assez collante convient particulièrement bien pour les tartes à double croûte. Une fois cuite, elle ressemble davantage à une pâte à biscuits qu'à une pâte à tarte ordinaire.

PRÉPARATION : 10 à 15 minutes

INGRÉDIENTS
140 g de margarine
3 c. à soupe de beurre
250 g de farine autolevante
2 pincées de sel
3 c. à soupe d'eau froide

Battez ensemble le beurre et la margarine dans un bol, jusqu'à ce que le mélange soit mou et homogène. Incorporez progressivement, en remuant avec une cuillère en bois, la farine et le sel tamisés. Terminez avec l'eau en remuant à fond. Le mélange sera très collant et difficile à travailler. Mettez-le au réfrigérateur pendant au moins 30 minutes.

Abaissez la pâte sur une planche à pâtisserie généreusement farinée ou entre deux feuilles de papier paraffiné, saupoudrées de farine.

Pâte au fromage

Idéale pour les quiches ou les tartes aux légumes, elle sert aussi pour les biscuits salés.

PRÉPARATION : 10 minutes

INGRÉDIENTS
110 g de farine
60 g de beurre
60 g de gruyère (ou de parmesan) râpé
1 jaune d'œuf
Sel, poivre de Cayenne

Tamisez ensemble, dans un grand bol, la farine, une pincée de sel, un nuage de poivre de Cayenne. Coupez le beurre pas trop ferme en pe-tits morceaux, mettez-les dans le bol, incorporez-les à la farine par petites quantités, du bout des doigts, jusqu'à ce que la préparation ait un aspect sableux. Mélangez-y le fromage et le jaune d'œuf que vous aurez d'abord battu à part avec 1 cuillerée à soupe d'eau ; continuez à mélanger avec la préparation précédente en ajoutant l'eau nécessaire pour obtenir une pâte homogène mais bien ferme. Roulez-la en boule.

Placez-la sur un plan de travail fariné, « fraisez »-la en l'écrasant avec la paume de la main, passez-la au réfrigérateur pendant au moins 30 minutes.

Couvrir une tarte

Abaissez la pâte jusqu'à ce qu'elle soit de l'épaisseur requise (pas plus de 6 mm) et qu'elle ait un diamètre supérieur de 5 cm à celui du moule. Servez-vous du récipient renversé comme modèle. Découpez, dans le surplus de pâte, un ruban de 2,5 cm de large et couvrez-en le rebord humecté du plat. Scellez ensemble les deux extrémités de la bande avec de l'eau, puis humectez-la tout entière.

Garnissez le moule et enfoncez au milieu une petite cheminée en papier fort ; soulevez l'abaisse en l'enroulant sur le rouleau et recouvrez-en le moule. Faites-la adhérer au ruban de pâte en pressant fortement du bout des doigts. Coupez le surplus de pâte en faisant courir autour du récipient un couteau légèrement incliné.

Pour bien sceller les bords de la pâte afin qu'ils ne se séparent pas durant la cuisson, incisez-les à intervalles réguliers à l'aide du couteau.

Utilisez les chutes de pâte pour décorer le plat, soit en découpant des feuilles, soit en fixant un pompon de pâte sur le dessus. Faites une légère fente dans l'abaisse pour permettre à la vapeur de s'échapper et festonnez ou gaufrez le contour de la pâte.

Foncer un moule à tarte

Pour une tarte ouverte, abaissez la pâte jusqu'à ce qu'elle ait 6 mm d'épaisseur et qu'elle soit plus large que le moule d'environ 2,5 cm.

COUVRIR UNE TARTE

Enlevez le surplus de pâte.

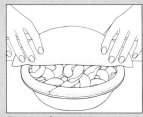

Recouvrez la garniture.

Scellez les bords de la pâte.

Déposez-la avec précaution à l'intérieur du moule et faites-la adhérer au fond et aux parois sans trop appuyer. Coupez, avec un couteau ou des ciseaux, le surplus de pâte en n'en laissant dépasser que 1,5 cm. Formez des festons (voir *Finitions et décorations*, p. 319), en prenant soin que les pointes débordent du plat, ce qui empêchera l'abaisse de rétrécir durant la cuisson.

Tarte à deux croûtes

Divisez la pâte en deux parties, l'une étant deux fois plus grosse que l'autre. Faites une boule avec la plus grosse ; abaissez-la ensuite comme il est indiqué ci-dessus, en un cercle d'un diamètre supérieur de 2-3 cm à celui du moule. Etendez-la sur le moule, sans trop appuyer ; disposez-y la garniture en coupole, c'est-à-dire un peu plus haut au centre que sur les bords.

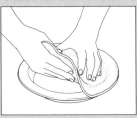

TARTE À DEUX CROÛTES

Foncez le moule à tarte.

Recouvrez la garniture.

Repliez le surplus de pâte.

Abaissez le reste de pâte en u[n] disque d'un diamètre supérieur d[e] 1 cm à celui du moule. Mouillez l[e] bord de l'abaisse qui garnit l[e] moule avec de l'eau froide (en ut[i]lisant un petit pinceau ou le bou[t] d'un doigt) ; soulevez délicateme[nt] sur le rouleau la seconde abaiss[e,] étendez-la sur la garniture et enfo[n]cez entre la garniture et la pâte l[a] partie en trop ; repliez sur ce cou[-] vercle la partie qui déborde autou[r] du moule en appuyant pour soude[r] cette pâte au couvercle.

Faites un petit trou au centre d[e] la croûte supérieure avec la point[e] d'un couteau, et maintenez-le ou[-] vert à l'aide de papier d'aluminiu[m] roulé en cheminée, ceci pour lais[-] ser échapper la vapeur.

Foncer un moule à flan

On fait parfois cuire les croûtes à tarte dans un moule à flan placé sur une tôle à biscuits ou dans une assiette à tarte cannelée dotée d'un fond amovible. Abaissez la pâte à 3 mm d'épaisseur; son diamètre doit être supérieur de 5 cm à celui du moule. Soulevez-la avec le rouleau à pâtisserie ou pliez-la en quatre et déposez-la dans le moule. D'une main, soulevez-en le bord délicatement et, de l'autre, pressez avec précaution du bout des doigts pour la faire adhérer au fond et aux parois. Veillez à ce qu'il ne reste pas de bulles d'air entre la pâte et le moule. Coupez au ras du moule la pâte qui dépasse, soit avec un couteau, soit avec des ciseaux. Si vous avez utilisé un moule cannelé, faites tomber le surplus de pâte en vous aidant du rouleau.

Foncer des petits moules

Mettez les petits moules les uns près des autres sur une plaque. Faites avec de la pâte une abaisse de 3 mm d'épaisseur, assez longue et large pour recouvrir tous les moules à la fois; étendez l'abaisse au-dessus des petits moules.

Enfoncez la pâte à l'intérieur des petits moules avec une boule de pâte, sans la faire adhérer complètement au fond et aux parois. Passez le rouleau sur les moules, d'abord dans un sens puis dans l'autre, pour éliminer le surplus de pâte et, en pressant avec le bout des doigts, finissez de mettre en forme la pâte à l'intérieur des moules.

Cuire « à blanc »

Cuire « à blanc » signifie cuire en partie ou complètement des fonds de tarte, de tartelettes ou autres gâteaux, avant d'y mettre une quelconque garniture.

Une fois le moule à tarte ou les petits moules foncés, posez sur la pâte un morceau de feuille d'aluminium ou encore de papier paraffiné, découpé selon la forme du moule; puis, pour éviter que la pâte ne gonfle pendant la cuisson, pressez-la en mettant sur le papier des légumes secs (vous pouvez les garder à cet effet et les utiliser de très nombreuses fois). Vous pouvez plus simplement piquer le fond de la pâte avec les dents d'une fourchette; ceci suffit souvent.

Faites cuire, au centre du four préchauffé à 200°C, pendant 10 à 15 minutes, ou pendant le temps indiqué dans les recettes choisies. Otez le papier ou la feuille d'aluminium et faites cuire 5 autres minutes, jusqu'à ce que la pâte soit légèrement dorée.

Pour cuire « à blanc », mettez du papier et remplissez de légumes secs.

Laissez ensuite tiédir sur une petite grille avant de sortir les fonds des moules; si vous tentiez de les démouler dès leur sortie du four, vous risqueriez de les casser.

Finitions et décorations

Il est assez facile de finir de façon décorative les bords d'une tarte. Voici une méthode assez inhabituelle : avec une paire de ciseaux, pratiquez sur le bord des entailles profondes, éloignées les unes des autres d'un peu moins de 1 cm; repliez les petits morceaux de pâte alternativement vers l'intérieur et vers l'extérieur de la tarte. Ou bien, avec les chutes de pâte, préparez un cordonnet de 5 mm de diamètre et de la longueur de la circonférence de la tarte; aplatissez-le, disposez-le en rond sur le bord, cannelez-le en appuyant avec les dents d'une fourchette; ou, au lieu d'un cordonnet de cette taille, faites-en deux petits que vous entrelacerez et disposez-les de la même manière sur le bord.

Pour décorer la surface, préparez avec les chutes de pâte de petites bandes plates de 0,5 à 1 cm de large; disposez-les sur la tarte en les espaçant de 2-3 cm et en les croisant en losange. Coupez les extrémités de manière qu'elles ne dépassent pas du bord de la tarte et soudez-les au bord, après les avoir mouillées avec de l'eau froide; ou bien glissez-les dessous.

Le bord des tartes et des pâtés avec croûte dessus et dessous peut se finir de façon décorative en le pressant avec les dents d'une fourchette; vous pouvez faire une décoration en feston en appuyant vers l'extérieur avec le pouce et vers l'intérieur avec le dos d'une lame de couteau; ou faites un cordonnet comme celui qui est illustré dans la seconde figure, en pressant le bord entre le pouce et l'index d'une main, autour du bout de l'autre index.

Feuilles.

Un pompon.

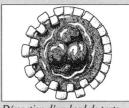

Décoration d'un bord de tarte.

La surface des tartes et des pâtés avec croûte dessus et dessous se décorer de diverses manières en utilisant des chutes de pâte. Vous pouvez, par exemple, après en avoir fait une fine abaisse, y découper avec les emporte-pièce correspondants, des cercles à bord lisse ou en feston, des étoiles ou des losanges. Faites aussi des feuilles : découpez des losanges; sur ceux-ci, en pressant avec le dos d'une lame de couteau, dessinez les nervures.

Avec les chutes de pâte, vous pouvez aussi faire un pompon; faites une bande à bords bien droits et réguliers, longue de 15 cm et large de 2,5 cm; avec un couteau, pratiquez le long d'un côté des entailles parallèles de 2 cm de long et distantes de 7-8 mm. Enroulez la bande, posez-la au centre de la surface de la préparation, ouvrez vers l'extérieur comme un bouquet les petites bandes découpées, ainsi que le montre le dessin.

MOULE À FLAN

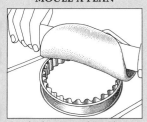

Etendez la pâte sur le moule.

Pressez-la contre les cannelures.

Faites tomber le surplus de pâte.

PETITS MOULES

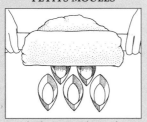

Etendez la pâte sur les moules.

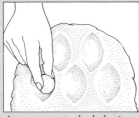

Appuyez avec une boule de pâte.

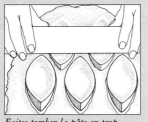

Faites tomber la pâte en trop.

DÉCORER LES BORDS

Décoration en feston.

Décoration en cordonnet.

Pâtisserie

Dorer

Pour que la pâte forme en cuisant une petite croûte dorée et brillante, badigeonnez-la avec un jaune d'œuf battu avec 1 cuillerée à soupe d'eau froide avant de la mettre au four. Vous pouvez aussi badigeonner les préparations sucrées avec du lait ou du blanc d'œuf battu et saupoudrer avec du sucre glace.

Tarte aux pommes renversée

PRÉPARATION : *20 minutes*
CUISSON : *35 minutes*

INGRÉDIENTS (*4 à 6 personnes*)
675 g de pommes à cuire
4 à 6 c. à soupe de sucre
Pâte ordinaire (p. 317)
Lait

Pelez et évidez les pommes, puis coupez-les en tranches très épaisses. Installez une petite cheminée en papier d'aluminium au milieu d'un moule à tarte de 22 cm de diamètre, disposez-y la moitié des tranches de pomme, saupoudrez-les de sucre et terminez avec le reste des fruits, arrosés de 3 cuillerées à soupe d'eau.

Couvrez avec l'abaisse, décorez et badigeonnez le tout de lait. Saupoudrez de sucre à glacer et faites une fente au milieu de l'abaisse pour permettre à la vapeur de s'échapper. Déposez la tarte sur une tôle à biscuits et faites-la cuire au centre du four chauffé à 205°C pendant 35 à 40 minutes. Si la pâte prend couleur trop rapidement, couvrez-la d'une double épaisseur de papier paraffiné humecté.

Vous pouvez remplacer l'eau par du jus d'orange et ajouter au sucre le zeste râpé d'une demi-orange.

Vous pouvez aussi utiliser, pour la garniture, 450 g de pommes et 225 g de mûres ou encore d'autres fruits comme des moitiés d'abricots, de prunes ou de pêches dénoyautés, des bleuets ou de la rhubarbe. Dans ce dernier cas, nettoyez les tiges, coupez-les en tronçons de 2,5 cm et utilisez 100 g de sucre.

Tarte au fromage et aux oignons

PRÉPARATION : *30 minutes*
CUISSON : *35 minutes*

INGRÉDIENTS (*4 à 6 personnes*)
Pâte ordinaire (p. 317)
4 gros oignons (environ 450 g)
150 à 225 g de fromage doux grossièrement râpé
2 pincées de muscade moulue
1 c. à thé de sel
Poivre noir
2 c. à thé de sauce Worcestershire
Lait

Pelez les oignons et coupez-les en quatre. Mettez-les dans de l'eau bouillante pendant 15 minutes ou jusqu'à ce qu'ils soient tendres. Egouttez-les dans une passoire et laissez-les refroidir un peu avant de les hacher grossièrement.

Séparez la pâte en deux et abaissez chaque moitié pour qu'elles s'adaptent à un moule à tarte de 20 cm à 22 cm. Foncez le moule avec l'une des abaisses et couvrez avec la moitié du fromage et les oignons. Assaisonnez de muscade moulue, de sel, de poivre et de sauce Worcestershire. Etalez alors le reste du fromage et couvrez de la seconde abaisse.

Scellez les bords, badigeonnez de lait et ménagez une petite fente au centre de la pâte. Faites cuire au four chauffé à 205°C pendant 30 à 35 minutes.

Tarte au citron meringuée

PRÉPARATION : *30 minutes*
CUISSON : *35 à 45 minutes*

INGRÉDIENTS (*4 à 6 personnes*)
Pâte ordinaire faite avec la moitié des ingrédients indiqués (p. 317)
1 gros citron
2-3 c. à soupe de sucre granulé
2 c. à soupe de fécule de maïs
2 œufs
1 c. à soupe de beurre doux
100 g de sucre glace

Abaissez la pâte et foncez un moule à tarte de 22 cm ou un moule à flan de 18 cm. Faites-la cuire à blanc au centre du four chauffé à 205°C pendant une quinzaine de minutes ou jusqu'à ce que la pâte soit croustillante et dorée. Laissez-la refroidir et démoulez-la.

Pendant que la pâte est au four, pelez le citron en fines lamelles en prenant soin de ne pas garder de membrane blanche. Extrayez-en le jus et mettez-le de côté. Mettez le zeste, le sucre granulé et 250 ml d'eau dans une casserole et faites cuire à feu doux jusqu'à ce que le sucre soit dissous, puis portez le sirop à ébullition. Retirez la casserole du feu. Délayez la fécule dans un bol avec 3 cuillerées à soupe de jus de citron, filtrez au-dessus du sirop et remuez à fond. Séparez les œufs, incorporez les jaunes un par un au sirop en même temps que le beurre et brassez jusqu'à ce que le mélange soit suffisamment épais pour adhérer au dos d'une cuillère en bois ; sinon, remettez la casserole sur le feu et cuisez quelques minutes sans laisser bouillir. Etalez la préparation avec une cuillère dans la croûte à tarte déposée sur une tôle à biscuits.

Montez les blancs d'œufs en neige ferme, incorporez la moitié du sucre glace et continuez de battre jusqu'à ce que la meringue forme des pics. Incorporez le reste du sucre, à l'exception de 1 cuillerée à thé, en vous aidant d'une spatule en caoutchouc.

Etalez la meringue sur la garniture au citron, en commençant par les côtés et en la ramenant vers le centre ; prenez soin de bien en couvrir les bords de la pâte pour empêcher la meringue de « couler ». Saupoudrez-la du reste de sucre. Réduisez la température du four à 150°C et mettez-y la tarte à cuire pendant 20 à 30 minutes ou jusqu'à ce que la meringue soit croustillante. Servez tiède, plutôt que froid ou chaud.

Tarte au babeurre

PRÉPARATION : *30 minutes*
CUISSON : *50 minutes*

INGRÉDIENTS (*4 à 6 personnes*)
Pâte ordinaire faite avec la moitié des ingrédients (p. 317)
6 c. à soupe de beurre doux
300 g de sucre
2 œufs
3 c. à soupe de farine
300 ml de babeurre
3 c. à thé de jus de citron passé
1 c. à thé de zeste de citron râpé
1 pincée de muscade

Abaissez la pâte et foncez un moule à tarte de 22 cm. Faites cuire à blanc au centre du four chauffé à 205°C, pendant 10 à 15 minutes. Laissez refroidir complètement avant d'y verser la garniture.

Mélangez le beurre et le sucre dans un grand bol avec une cuillère en bois jusqu'à ce que le mélange devienne mousseux et prenne une teinte jaune pâle. Séparez les œufs et mettez les blancs dans un bol propre. Battez les jaunes un par un dans le mélange de beurre et de sucre, puis incorporez la farine graduellement.

Ajoutez le babeurre lentement en remuant constamment, puis le jus et le zeste de citron.

Montez les blancs en neige jusqu'à ce qu'ils soient fermes, mais non secs. Mélangez-en quelques cuillerées à l'appareil de base avec une spatule en caoutchouc afin de l'allonger, avant d'y incorporer délicatement le reste.

Versez la garniture dans la croûte à tarte refroidie et saupoudrez-en toute la surface de muscade. Faites chauffer le four à 180°C et mettez-y la tarte à cuire pendant 40 minutes ou jusqu'à ce que la garniture soit prise et que la lame d'un couteau enfoncée au centre de la tarte en ressorte propre. Laissez refroidir à la température ambiante et servez.

Tarte du duc de Cambridge

PRÉPARATION : *15 minutes*
CUISSON : *40 minutes*

INGRÉDIENTS (*4 personnes*)
Pâte ordinaire faite avec la moitié des ingrédients (p 317)
55 g de cerises confites
40 g d'angélique
80 g d'écorces de fruits hachées
6 c. à soupe de beurre
6 c. à soupe de sucre
2 jaunes d'œufs

Abaissez la pâte et foncez-en un moule à flan de 18 cm. Hachez les cerises et l'angélique ou coupez-les aux ciseaux. Mélangez-les avec les écorces de fruits et étalez le tout sur l'abaisse.

Mettez le beurre, le sucre et les jaunes d'œufs dans une petite casserole et, en remuant constamment avec une cuillère en bois, portez le mélange presque jusqu'au point d'ébullition, puis nappez-en les fruits. Faites cuire la tarte au centre du four chauffé à 190°C pendant une quarantaine de minutes.

Quiche au fromage et au bacon

PRÉPARATION : *30 minutes*
CUISSON : *40 minutes*

INGRÉDIENTS (*4 à 6 personnes*)
Pâte ordinaire faite avec les trois quarts des ingrédients (p. 317)
1 petit oignon
1 c. à soupe de beurre ou de margarine
4 tranches de bacon maigre
150 g de cheddar râpé
2 gros œufs
125 ml de lait
2 c. à soupe de crème légère
1 c. à soupe de persil fraîchement haché (facultatif)
Sel et poivre noir

Abaissez la pâte et foncez-en un moule à flan de 20 à 22 cm. Pelez l'oignon, hachez-le finement et faites-le revenir à feu doux dans le beurre pendant 5 minutes, jusqu'à ce qu'il soit tendre et transparent. Réservez. Coupez le bacon en petits morceaux et faites-le cuire jusqu'à ce que la graisse fonde et qu'il dore. Jetez la graisse.

Mélangez l'oignon et le bacon et versez le tout au fond de la croûte. Etalez le fromage par-dessus.

Battez légèrement les œufs avec le lait et la crème. Ajoutez le persil, à votre goût, et assaisonnez. Versez à la cuillère sur la garniture et faites cuire au centre du four chauffé à 205°C pendant 30 minutes. Réduisez le feu à 180°C et prolongez la cuisson de 10 minutes, jusqu'à ce que la garniture soit ferme et la pâte croustillante et dorée. Servez la quiche chaude ou froide, accompagnée d'une salade verte.

Tarte aux prunes et à la cannelle

PRÉPARATION : 5 minutes
CUISSON : 40 minutes
REPOS : 1 heure

INGRÉDIENTS (6 personnes)
Pâte à la levure (p. 318)
900 g de mirabelles en conserve
1 c. à soupe de tapioca à cuisson
   rapide
1 pincée de cannelle moulue
1 blanc d'œuf
Sucre granulé

Egouttez les prunes, réservez le sirop et dénoyautez-les. Allongez, dans un bol, le tapioca et la cannelle moulue avec 6 cuillerées à soupe du sirop des prunes et laissez reposer 30 minutes.

Abaissez la moitié de la pâte et foncez-en un moule de 25 cm. Mélangez les prunes avec la sauce au tapioca et versez le tout sur l'abaisse ; parsemez de noix de beurre. Abaissez le reste de pâte et couvrez-en le moule. Scellez les bords et faites une fente au milieu de la tarte. Badigeonnez-la de blanc d'œuf battu et saupoudrez généreusement de sucre. Réfrigérez 30 minutes.

Déposez le moule sur une tôle à biscuits chaude et faites cuire au centre du four chauffé à 205°C pendant une quarantaine de minutes. Servez chaud avec de la crème fouettée.

Pailles au fromage

PRÉPARATION : 10 minutes
CUISSON : 35 minutes

INGRÉDIENTS
Pâte au fromage (p. 318)

Abaissez la pâte en un rectangle le plus mince possible. Egalisez les côtés, puis découpez la pâte en bandes de 6 mm de large sur 5 cm de long, en vous servant d'un couteau dont vous aurez couvert la lame de farine. Disposez ces lanières sur une plaque à biscuits beurrée et faites cuire dans la partie inférieure du four chauffé à 205°C pendant 12 minutes, jusqu'à ce que les pailles soient dorées.

Laissez les pailles refroidir sur une clayette.

Barquettes au rhum

PRÉPARATION : 15 minutes
CUISSON : 15 à 20 minutes

INGRÉDIENTS (10 à 12 barquettes)
Pâte ordinaire faite avec la moitié des
   ingrédients indiqués (p. 317)
60 g de raisins de Smyrne
30 g de beurre
80 g de cassonade claire
1 cuillerée à soupe de crème légère
Rhum
1 jaune d'œuf

Mettez les raisins dans une tasse, recouvrez-les d'eau chaude et laissez reposer pendant une dizaine de minutes, jusqu'à ce qu'ils soient bien mous et gonflés. Egouttez-les.

Abaissez la pâte sur une épaisseur de 3 mm et foncez-en 12 ou 14 petits moules à barquettes de 7-8 cm de long.

Faites fondre le beurre à feu doux dans une petite casserole ; ôtez du feu, mélangez longuement le sucre, la crème légère et le rhum avec les raisins, incorporez enfin le jaune d'œuf.

En vous aidant d'une petite cuillère, distribuez ce mélange dans les petits moules, en les remplissant seulement jusqu'aux trois quarts. Faites cuire à four modéré (environ 180°C), déjà chaud, pendant 15 à 20 minutes, jusqu'à ce que la pâte soit croquante et que la garniture soit bien dorée.

CROÛTE SANS CUISSON

Cette croûte sans cuisson convient aux tartes de type mousseline.

PRÉPARATION : 15 minutes
RÉFRIGÉRATION : 2 heures

INGRÉDIENTS
225 g de biscuits Graham
150 g de beurre
2 à 4 c. à soupe de sucre (facultatif)

Ecrasez quelques biscuits à la fois dans un sac de plastique, en vous servant du rouleau à pâtisserie. Pour une chapelure très fine, écrasez grossièrement les biscuits et passez-les au mixer. Versez la chapelure dans un grand bol. Faites fondre le beurre à feu doux dans une petite casserole. Mélangez, le cas échéant, le sucre et la chapelure, puis incorporez le beurre fondu en remuant avec une cuillère en bois jusqu'à ce que le mélange soit homogène. Etalez-le dans un moule à tarte de 22 cm ou utilisez

CROÛTE SANS CUISSON

Ecrasez les biscuits dans un sac.

Incorporez le beurre fondu.

Pressez le mélange contre les parois.

un moule à flan déposé sur une assiette, ou encore un moule à flan doté d'un fond amovible. Formez une croûte en pressant avec le dos d'une cuillère contre le fond et les côtés du moule. Réfrigérez 2 heures avant de garnir.

Croustade au citron

PRÉPARATION : 1 heure
RÉFRIGÉRATION : 3 heures

INGRÉDIENTS (6 à 8 personnes)
1 croûte sans cuisson
1 sachet de gélatine non parfumée
200 g de sucre
1 pincée de sel
50 ml de jus de lime
125 ml d'eau
4 œufs séparés
2 c. à thé de zeste de lime râpé
Quelques gouttes de colorant
   alimentaire vert
Crème fouettée

Mélangez la gélatine, 100 g de sucre et le sel dans la partie supérieure d'un bain-marie. Ajoutez les liquides et les jaunes d'œufs en remuant. Laissez mijoter sans cesser de tourner jusqu'à ce que le mélange épaississe et adhère à une cuillère en métal. Ajoutez le zeste de lime et le colorant, puis laissez refroidir jusqu'à ce que la préparation soit prise, sans être trop ferme. Battez les blancs jusqu'à ce qu'ils soient mousseux. Ajoutez le sucre progressivement et montez en neige. Incorporez les blancs à la préparation et versez le tout dans la croûte de tarte. Réfrigérez pendant 3 heures et décorez avec la crème fouettée.

Gâteau au fromage et au citron

PRÉPARATION : 20 minutes
RÉFRIGÉRATION : 2-3 heures

INGRÉDIENTS (4 à 6 personnes)
1 croûte sans cuisson
125 ml de gelée au citron commerciale
225 g de fromage à la crème ramolli
4 c. à soupe de sucre
Zeste râpé d'un gros citron
GARNITURE
3 c. à soupe de jus de citron
1½ c. à thé d'arrow-root
2 c. à soupe de sucre
Beurre

Préparez la croûte selon la recette de base. Foncez un moule à flan de 20 cm déposé sur une assiette plate ou utilisez un moule à flan cannelé doté d'un fond amovible.

Préparez la gelée au citron selon le mode d'emploi. Une fois qu'elle est dissoute, mettez-la au réfrigérateur jusqu'à ce qu'elle ait la consistance d'un blanc d'œuf. Fouettez le fromage à la crème avec le sucre et le zeste de citron et incorporez graduellement le tout à la gélatine. Etalez le mélange à la cuillère au fond de la croûte et réfrigérez jusqu'à ce qu'il soit pris.

Pour la garniture, ajoutez de l'eau au jus de citron pour obtenir 150 ml de liquide. Délayez l'arrowroot dans une petite casserole avec une petite quantité de ce liquide jusqu'à obtention d'une pâte lisse, puis ajoutez le reste du liquide et le sucre. Portez à ébullition en remuant et maintenez l'ébullition jusqu'à ce que le mélange soit clair. Retirez la casserole du feu et ajoutez un morceau de beurre. Attendez que la préparation tiédisse, puis couvrez-en la tarte. Réfrigérez 2 heures avant de servir.

Tarte mousseline au chocolat

PRÉPARATION : 20 minutes
RÉFRIGÉRATION : 1 heure

INGRÉDIENTS (6 personnes)
1 croûte sans cuisson
250 ml de lait
2 c. à soupe de sucre
30 g de farine
1½ c. à thé de fécule de maïs
2 œufs battus
2 c. à soupe de beurre doux
90 à 100 g de chocolat mi-sucré râpé
2 c. à thé de brandy ou de rhum
Sucre à glacer
GARNITURE
125 ml de crème épaisse
1 c. à soupe de lait
Chocolat râpé (facultatif)

Préparez la croûte selon la recette de base et foncez-en un moule à flan cannelé de 22 cm.

Faites chauffer le lait. Mélangez dans un bol le sucre, la farine, la fécule et les œufs préalablement battus, puis versez-y le lait en remuant. Remettez la préparation dans la casserole et faites cuire à feu doux en remuant constamment jusqu'à ce que le mélange épaississe et atteigne le point d'ébullition. Retirez la casserole du feu et incorporez le beurre défait en petits morceaux, le chocolat et le brandy. Remuez jusqu'à ce que la préparation soit lisse et laissez refroidir un petit moment. Remplissez-en la croûte à la cuillère et saupoudrez de sucre à glacer pour empêcher la formation d'une peau. Réfrigérez.

Au moment de servir, fouettez la crème avec le lait jusqu'à ce qu'elle épaississe suffisamment pour conserver sa forme. Nappez-en la garniture au chocolat et saupoudrez de chocolat râpé.

PÂTE AU SUIF

On utilise ce type de pâte pour les poudings cuits à l'étuvée et pour les boulettes de pâte. Utilisez du suif frais pour de meilleurs résultats. Si vous mélangez correctement les ingrédients, vous obtiendrez une pâte légère et spongieuse. Pour qu'elle soit encore plus légère, remplacez 60 g de farine par 120 g de chapelure fraîche.

PRÉPARATION : *15 minutes*
REPOS : *15 minutes*

INGRÉDIENTS
250 g de farine tout usage
1 c. à soupe de levure chimique
2 pincées de sel
225 g de suif en morceaux
125 ml environ d'eau froide

Tamisez la farine, le sel et la levure chimique dans un bol. Débarrassez le suif frais de sa peau, râpez-le ou hachez-le finement avec un peu de farine pour l'empêcher de coller, puis mélangez-le à fond à la farine. Incorporez l'eau en vous servant d'un couteau à lame arrondie jusqu'à l'obtention d'une pâte légère et élastique. Déposez celle-ci sur une planche à pâtisserie farinée et saupoudrez-la d'un peu de farine. Malaxez la pâte délicatement du bout des doigts, puis faites-en une boule. Déposez-la sur une assiette et couvrez-la avec un bol ; laissez reposer 10 à 15 minutes, le temps de préparer la garniture.

Foncer une terrine

Badigeonnez de beurre une terrine d'une capacité de 625 ml. Coupez un quart de la pâte au suif et mettez-le de côté pour l'abaisse supérieure. Abaissez le reste de pâte sur une planche farinée jusqu'à l'obtention d'un disque d'un diamètre supérieur de 5 cm à celui de la terrine et d'environ 6 mm d'épaisseur. Saupoudrez la pâte de farine, pliez-la en quatre pour obtenir un triangle et abaissez-la légèrement vers la pointe de celui-ci.

Déposez le triangle de pâte dans la terrine, pointe en bas, et dépliez-le en suivant les contours du récipient. Remplissez de garniture en vous servant d'une cuillère, puis rabattez sur la garniture les pans de pâte dépassant de la terrine et badigeonnez-les d'eau.

Abaissez le restant de pâte en un cercle de même diamètre que la partie supérieure du récipient. Soulevez l'abaisse avec le rouleau et déposez-la sur la garniture. Scellez le bord en pressant fortement.

Pliez un morceau de feuille d'aluminium ou de papier paraffiné beurré de manière à en faire un couvercle à bords surélevés ; cela permettra à la pâte de gonfler durant la cuisson. Déposez ce couvercle sur la terrine et tordez-le sous le rebord. Recouvrez la terrine d'un linge blanc et propre, ficelez-le solidement sous le rebord et nouez les coins.

Boulettes de pâte

PRÉPARATION : *5 minutes*
CUISSON : *15 minutes*

INGRÉDIENTS *(8 boulettes)*
Pâte au suif
Sel et poivre noir
Herbes mélangées, persil haché ou 40 g
    de fromage râpé

Versez de l'eau dans une grande casserole jusqu'à mi-hauteur et portez à ébullition. Préparez la pâte selon la recette précédente en ajoutant les herbes ou le fromage, le sel et le poivre noir. Divisez la pâte en huit morceaux de même grosseur et faites-en des boulettes.

Mettez les boulettes dans l'eau bouillante, attendez que l'ébullition reprenne, baissez le feu et cou-

vrez. Laissez mijoter doucement pendant 15 minutes (la pâte se défera si l'eau bout trop rapidement). Les boulettes peuvent servir de garniture pour une soupe ou un ragoût ou être ajoutées à des plats en casserole durant les 15 dernières minutes de cuisson.

Tourte au bœuf
et aux carottes

PRÉPARATION : *20 minutes*
CUISSON : *2 heures*

INGRÉDIENTS *(4 personnes)*
1 recette de pâte au suif
225 g d'oignons
4 c. à soupe de graisse de rôti
450 g de bœuf haché maigre
225 g de carottes
2 c. à soupe de sauce brune
1 c. à thé d'herbes mélangées
2 c. à soupe de farine
250 ml de bouillon de bœuf
Sel et poivre noir

Pelez les oignons et hachez-les finement. Faites fondre la graisse de rôti à feu modéré dans une poêle et faites-y revenir les oignons jusqu'à ce qu'ils commencent à prendre couleur. Incorporez le bœuf haché et les carottes pelées et grossièrement râpées. Laissez cuire 5 minutes de plus en remuant de temps en temps. Ajoutez la sauce brune, les herbes, la farine et le bouillon. Remuez bien, assaisonnez avec du sel et du poivre fraîchement moulu ; retirez la casserole du feu. Laissez refroidir complètement.

Foncez une terrine d'une capacité de 1 litre avec la pâte au suif et remplissez-la de la préparation en vous servant d'une cuillère. Couvrez avec l'abaisse supérieure et scellez les bords. Après avoir recouvert la tourte d'un papier et d'une serviette, déposez la terrine dans une grande marmite. Versez-y de l'eau bouillante jusqu'à mi-hauteur de la terrine.

Couvrez la marmite et laissez mijoter pendant 2 heures. Au besoin, ajoutez de l'eau bouillante. Servez la tourte à même la terrine et accompagnez-la de pommes de terre à la vapeur.

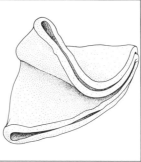
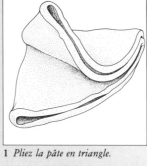

FONCER ET COUVRIR UNE TERRINE

1 *Pliez la pâte en triangle.*
3 *Couvrez la terrine d'un linge.*

2 *Déposez-la, pointe en bas.*
4 *Nouez les extrémités du linge.*

Roulé aux pommes
et au gingembre

PRÉPARATION : *30 minutes*
CUISSON : *1 h 30*

INGRÉDIENTS *(8 personnes)*
1 recette de pâte au suif
450 g de pommes à cuire
½-1 c. à thé de gingembre moulu
50 g de cassonade blonde
50 g de raisins de Californie séchés
Sucre à glacer

Mettez à bouillir une grande casserole à moitié remplie d'eau. Pelez et évidez les pommes, puis coupez-les en tranches de même épaisseur, mais pas trop minces. Mettez celles-ci dans un bol. Mélangez bien le gingembre moulu et le sucre ; incorporez le tout aux pommes.

Abaissez la pâte au suif en un rectangle de 6 mm d'épaisseur (la largeur du rectangle devra être inférieure d'au moins 5 cm au diamètre de la casserole). Étalez la garniture aux pommes sur la pâte

jusqu'à 1,5 cm des bords, puis saupoudrez de raisins secs. Rabattez les rebords de la pâte sur la garniture et badigeonnez-les d'eau. Enroulez la pâte sur la longueur et enveloppez-la de papier d'aluminium que vous aurez plissé afin de permettre à la préparation de gonfler durant la cuisson ; scellez le papier d'aluminium.

Renversez un plat à four dans la casserole. Plongez le roulé dans l'eau, autour de ce plat, et laissez reprendre l'ébullition. Réduisez le feu, couvrez et laissez mijoter pendant 1 h 30. Ajoutez de l'eau bouillante, si besoin est, pour que le roulé soit constamment immergé. Retirez la pâtisserie de la marmite avec une grande spatule en métal et laissez reposer quelques minutes. Enlevez le papier d'aluminium et dressez le roulé sur un plat. Saupoudrez-le de sucre à glacer et servez aussitôt avec une crème anglaise (p. 309) ou au caramel (p. 272).

PÂTE
À L'EAU CHAUDE

Cette pâte ferme et croquante n'a guère changé depuis le Moyen Age, alors qu'on l'utilisait pour des pâtés de viande ou de gibier en croûte qui étaient généralement servis froids. La pâte est façonnée à la main pendant qu'elle est encore chaude ou moulée contre les parois d'un moule à gâteau ou d'un plat à tourte à fond amovible.

PRÉPARATION : *15 minutes*
REPOS : *20 minutes*

INGRÉDIENTS
375 g de farine tout usage
2 pincées de sel
110 g de saindoux ou de margarine
1 jaune d'œuf

Tamisez la farine et le sel dans un bol réchauffé. Faites fondre la graisse à feu doux dans une petite casserole avec 125 ml d'eau, puis portez à ébullition. Faites un puits dans la farine et déposez-y le jaune d'œuf. Recouvrez-le d'un peu de farine et versez rapidement la graisse fondue en remuant avec une cuillère en bois jusqu'à ce que le mélange ait suffisamment refroidi pour que vous puissiez le travailler à la main.

Déposez la pâte sur une planche à pâtisserie légèrement farinée et malaxez-la rapidement jusqu'à ce qu'elle soit lisse et souple. Faites-en une boule, déposez-la sur une assiette chaude et recouvrez-la d'un bol. Laissez reposer 20 minutes dans un endroit chaud.

Coupez un tiers de la pâte et réservez-la au chaud (elle servira pour couvrir le pâté). Abaissez le reste de la pâte en la laissant relativement épaisse et foncez un moule en fer-blanc à charnière ou un moule à gâteau à fond amovible, déposé sur une tôle à biscuits, l'un et l'autre ayant été généreusement graissés. Vous pouvez également utiliser un bocal vide d'une capacité de 2 litres, le recouvrir de farine et vous en servir comme moule : renversez-le et déposez dessus la boule de pâte chaude que vous moulerez uniformément contre le fond et les

parois du bocal jusqu'aux deux tiers. Laissez la pâte refroidir et prendre forme, puis retirez le bocal avec précaution. Déposez la garniture dans la pâte moulée, abaissez le reste de pâte, mouillez-en les bords avec de l'eau ou du blanc d'œuf et déposez l'abaisse sur la garniture. Faites une fente au centre de la croûte et décorez.

Si vous avez moulé votre pâté de cette façon, enveloppez-le d'une bande de papier d'aluminium pour l'empêcher de s'effondrer durant la cuisson. Maintenez-le en l'attachant avec une ficelle.

Pâté en croûte
au veau et au bacon
PRÉPARATION : *1 heure*
CUISSON : *environ 6 heures*

INGRÉDIENTS *(8 personnes)*
PÂTE
500 g de farine tout usage
1 c. à thé de sel
1 jaune d'œuf
170 g de saindoux
BOUILLON DE VEAU
500 g d'os de veau concassés
1 carotte
1 oignon
2 feuilles de laurier
6 grains de poivre
GARNITURE
450 g de porc maigre
340 g d'épaule de veau
225 g de bacon maigre
1 oignon
2 pincées de sel
1 pincée de poivre noir
2 pincées de sauge séchée
Le zeste râpé d'un demi-citron
1 c. à soupe de persil haché
225 g de chair à saucisse (porc)
Œuf pour glacer

Préparez d'abord le bouillon : mettez dans un faitout les os de veau concassés, la carotte grattée et l'oignon pelé. Ajoutez les feuilles de laurier et les grains de poivre et recouvrez d'eau. Portez à ébullition, écumez et couvrez. Réduisez le feu et laissez mijoter pendant 2 h 30. Passez le bouillon à travers un morceau de gaze, versez-le dans une casserole propre et faites-le réduire à gros bouillons jusqu'à ce qu'il n'en reste plus que 250 ml environ. Laissez-le refroidir complètement.

MOULAGE D'UN PÂTÉ EN CROÛTE CHAUDE

1 *Farinez un bocal.*

2 *Moulez la pâte dessus.*

3 *Laissez-la refroidir.*

4 *Retirez le bocal.*

5 *Couvrez le pâté garni.*

6 *Faites un trou.*

7 *Enveloppez d'aluminium.*

8 *Versez le bouillon.*

Préparez la garniture en passant au hache-viande muni de gros couteaux le porc, le veau, la moitié du bacon et l'oignon pelé. Remuez à fond le mélange dans un grand bol, puis ajoutez le sel, le poivre, la sauge, le zeste de citron et le persil. Mouillez de 3 cuillerées à soupe du bouillon de veau.

Préparez la pâte selon la recette de pâte à l'eau chaude et laissez-la reposer. Prenez un moule à charnière graissé, un moule à tourte mesurant 14 cm de large sur 19 cm de long et 8 cm de haut, ou encore un moule à gâteau de 18 cm à fond amovible. Chemisez le moule avec du papier d'aluminium.

Abaissez les deux tiers de la pâte en un cercle correspondant au moule choisi. Déposez-la dans le moule et pressez-la doucement et uniformément contre le fond et les parois du récipient.

Etalez la chair à saucisse sur l'abaisse, continuez avec le mélange

de viande hachée en vous servant d'une cuillère et pressez-le légèrement tout en surélevant un peu le centre. Battez l'œuf avec du sel et badigeonnez-en le bord de la pâte. Abaissez le reste de pâte pour former la croûte ; soulevez l'abaisse avec le rouleau et déposez-la sur le pâté. Pressez-la fermement contre les bords de l'autre abaisse et pincez les deux couches pour les souder ensemble. Coupez le surplus avec un couteau tranchant et conservez les chutes.

Glacez le dessus du pâté en le badigeonnant d'œuf battu. Abaissez les chutes de pâte et découpez-les en forme de feuille et de fleur. Décorez-en le pâté et badigeonnez de nouveau. Faites un large trou au milieu de la croûte pour permettre à la vapeur de s'échapper.

Déposez le pâté sur une tôle et faites-le cuire au centre du four chauffé à 230°C pendant 20 minutes. Baissez le feu à 165°C, cou-

vrez le pâté de papier d'aluminium et continuez la cuisson pendant encore 3 heures. Laissez le pâté refroidir dans le moule jusqu'à ce qu'il soit assez ferme. Démoulez-le et, quand il est presque froid, versez lentement le bouillon refroidi avec un petit entonnoir à l'intérieur du pâté.

Laissez le pâté s'affermir complètement (ce qui prend généralement plusieurs heures) et le bouillon prendre en gelée autour de la viande. Servez le pâté froid, coupé en tranches ou en quartiers.

PÂTE À CHOUX

La pâte à choux sert à préparer des gâteaux salés ou sucrés, fourrés ou non de crème, comme les choux, les éclairs, les profiteroles ou les gougères. La pâte gonfle durant la cuisson jusqu'à atteindre trois fois son volume. Ensuite, on la remplit avec de la crème fouettée, une crème sucrée ou salée.

PRÉPARATION : *20 minutes*

INGRÉDIENTS
250 ml d'eau
130 g de farine
80 g de beurre
4 œufs
1 pincée de sel
2 c. à soupe de sucre (facultatif)

Tamisez la farine, pour éliminer d'éventuels grumeaux ; cette précaution est indispensable.

Dans une casserole d'une contenance de 1 litre, mettez l'eau, le beurre coupé en petits morceaux, le sel et éventuellement le sucre. Faites chauffer sur feu modéré jusqu'à ce que le beurre soit fondu, puis augmentez le feu et portez à ébullition. Retirez du feu, ajoutez d'un seul coup toute la farine et remuez bien avec une cuillère de bois jusqu'à ce que la farine ait absorbé tout le liquide et que le mélange soit parfaitement lisse. Remettez à feu doux et remuez jusqu'à ce que cette pâte lisse forme une boule autour du manche de la cuillère et se détache du fond de la casserole. Retirez du feu, laissez refroidir un moment, puis incorporez le premier œuf ; quand la pâte est à nouveau liée, ajoutez le second, ainsi de suite jusqu'au dernier œuf.

Mélangez énergiquement pour obtenir une pâte parfaitement homogène. Si vous ne l'utilisez pas tout de suite, laissez-la dans la casserole couverte.

Choux à la crème Chantilly
PRÉPARATION : *20 minutes*
CUISSON : *50 minutes*

INGRÉDIENTS *(10 choux)*
Pâte à choux
250 ml de crème épaisse
Sucre glace

Préparez la pâte à choux et placez-la encore chaude dans une poche à douille lisse. Pressez la pâte en la disposant en petites boules, bien espacées, sur la plaque de four beurrée. Faites cuire au four, préchauffé à 180°C, pendant 40 à 50 minutes.

N'ouvrez pas le four en cours de cuisson, car les choux s'affaisseraient ; ils sont cuits lorsqu'ils se détachent facilement de la plaque.

Retirez-les du four, laissez-les refroidir sur une grille, puis pratiquez dans le fond de chacun d'eux une petite entaille. Avec une seringue de pâtisserie ou une poche à douille, remplissez-les de crème fouettée avec du sucre glace. Saupoudrez-les de sucre glace.

Eclairs au chocolat
PRÉPARATION : *20 minutes*
CUISSON : *20 à 30 minutes*

INGRÉDIENTS *(12 à 16 éclairs)*
Pâte à choux
Crème pâtissière (p. 309) parfumée
  avec du chocolat fondu
1 c. à soupe de sucre glace
Glace au chocolat (voir p. 346)

Préparez la pâte à choux et passez-la dans une poche à douille lisse de 12 mm de diamètre. Pressez la pâte sur une plaque à pâtisserie beurrée, sous forme de bâtonnets d'environ 8 cm de long et bien espacés les uns des autres ; lorsque les bâtonnets sont à la longueur voulue, coupez la pâte avec un couteau mouillé.

Faites cuire 20 minutes dans la partie supérieure du four préchauffé à 210°C, jusqu'à ce que les éclairs soient bien gonflés et dorés. Si jamais ils n'étaient pas assez secs, réduisez la température à 180°C et continuez la cuisson pendant une dizaine de minutes.

Sortez les éclairs du four, ouvrez-les, sans les diviser complètement, sur l'un des côtés longs de façon que la vapeur puisse s'échapper ; faites-les refroidir complètement sur une petite grille.

Incorporez le sucre glace à la crème pâtissière ; remplissez-en les éclairs, en vous aidant d'une poche à douille, refermez les éclairs. Recouvrez la partie supérieure avec une glace au chocolat.

Eclairs au café
Procédez comme dans la recette précédente en parfumant la crème avec de l'extrait de café et recouvrez d'un glaçage au café (p. 345).

Profiteroles
PRÉPARATION : *1 heure*
CUISSON : *15 à 25 minutes*

INGRÉDIENTS *(20 à 25 profiteroles)*
Pâte à choux
250 ml de crème épaisse
Sucre glace
SAUCE
120 g de chocolat amer en tablettes
150 ml de crème légère
100 g de sucre en poudre
60 g de beurre

Placez la pâte à choux dans une poche à douille lisse de 12 mm. Pressez la pâte sur une plaque à four beurrée en la disposant en 20 à 25 petites boules de la grosseur d'une noix, bien espacées ; faites cuire dans la partie supérieure du four préchauffé à 210°C, pendant 15 minutes, jusqu'à ce que la pâte soit gonflée et dorée. Si les profiteroles n'étaient pas assez sèches, réduisez la température du four à 180°C et poursuivez la cuisson pendant 10 minutes de plus, dans le bas du four.

Sortez les profiteroles du four, faites-les refroidir complètement sur de petites grilles.

Ouvrez-les à mi-hauteur, sans les couper entièrement. Avec une cuillère, remplissez la cavité avec la crème que vous aurez fouettée ; refermez et saupoudrez de sucre glace.

Pour préparer la sauce, faites fondre le chocolat en morceaux dans une casserole ; à feu très doux et en remuant sans interruption, ajoutez la crème puis le sucre et enfin le beurre coupé en petits morceaux. Mélangez jusqu'à ce que le mélange soit parfaitement lisse.

Pour servir, disposez les profiteroles en pyramide sur un plat de service rond, nappez-les avec une partie de la sauce et présentez le reste dans une petite saucière.

Profiteroles glacées
Procédez selon la recette précédente en remplaçant la crème fouettée par de la glace à la vanille.

CONFECTIONNER UNE PÂTE À CHOUX

1 Faites chauffer l'eau et le beurre.

3 Lissez la pâte en tournant.

2 Versez la farine.

4 Incorporez les œufs un à un.

FAIRE DES ÉCLAIRS AU CHOCOLAT

Versez la pâte dans la poche.

Pressez la pâte en bâtonnets.

Pets-de-nonne au fromage
PRÉPARATION : *20 minutes*
CUISSON : *15 à 25 minutes*

INGRÉDIENTS *(24 beignets)*
Pâte à choux
115 g de cheddard doux ou fort,
  finement râpé
1 pincée de poivre de Cayenne
Huile ou graisse végétale pour la
  friture

Préparez la pâte selon la recette de base, incorporez-y les œufs en remuant, puis le fromage finement râpé et le poivre de Cayenne, sans cesser de remuer. Faites chauffer environ 6 cm d'huile de maïs ou de graisse dans une friteuse sans panier, jusqu'à ce que la température atteigne 190°C ou qu'un cube de pain y dore en 30 secondes. Faites tomber des cuillerées à thé de pâte dans la graisse chaude, six par six environ, et faites-les frire 4 à 6 minutes, jusqu'à ce que les beignets aient gonflé et soient d'un brun doré. Retirez-les avec une écumoire et faites-les égoutter sur du papier absorbant.

Empilez les pets-de-nonne sur un plat de service chaud et saupoudrez-les de fromage râpé.

PÂTES FEUILLETÉES

La préparation d'une pâte feuilletée demande du temps et de l'effort, mais le résultat en vaut la peine. Qu'elle soit classique, fine ou ordinaire, elle se caractérise par la présence de beurre et d'air emprisonné entre de minces couches de pâte. Durant la cuisson, les couches de pâte se soulèvent en se détachant les unes des autres.

Certaines normes, communes aux trois types de feuilletés, doivent être rigoureusement observées si on veut obtenir une pâte légère : 1) maniez la pâte avec délicatesse et pétrissez-la le moins possible ; 2) la pâte et le corps gras doivent avoir la même consistance et être à la même température ; 3) pour empêcher le corps gras de s'échapper pendant la cuisson, la pâte doit être mise plusieurs fois au réfrigérateur pendant et après le pétrissage et avant la cuisson ; 4) abaissez la pâte uniformément. Pour que l'air ne sorte pas, ne laissez pas le rouleau dépasser les bords de l'abaisse. N'étirez jamais la pâte ; 5) avant de mettre la pâte au four, badigeonnez-en le dessus avec de l'œuf battu en prenant garde qu'il ne coule pas le long des bords.

Pour la façon de foncer les moules, reportez-vous aux directives ainsi qu'aux illustrations des pages 317 à 319.

PÂTE FEUILLETÉE CLASSIQUE

Cette pâte permet de préparer des tartes salées, des gâteaux d'Eccles, des cornes d'abondance et autres. Comme on doit la préparer dans un endroit frais, il est déconseillé de la faire par temps chaud.

PRÉPARATION : *30 minutes*
REPOS : *1 h 10 environ*

INGRÉDIENTS *(570 g)*
250 g de farine tout usage
2 pincées de sel
6 c. à soupe de saindoux
6 c. à soupe de beurre ou de margarine
7 c. à soupe environ d'eau glacée
1 c. à thé de jus de citron

Tamisez le sel et la farine ensemble. Mélangez bien le beurre et le saindoux et faites-en quatre parts égales. Incorporez-en une à la farine en la travaillant du bout des doigts jusqu'à ce que la préparation ait un aspect sableux. Ajoutez l'eau et le jus de citron et mélangez le tout avec un couteau à lame arrondie afin d'obtenir une pâte douce et souple. Déposez-la sur une planche farinée et pétrissez-la jusqu'à ce qu'il n'y ait plus de craquelures. Couvrez la pâte d'une feuille de polythène et laissez-la reposer 20 minutes dans un endroit frais. Gardez le reste du corps gras au frais.

Couvrez de nouveau votre planche de farine et abaissez la pâte en un rectangle d'environ 60 cm sur 20 cm et épais de 6 mm. Balayez le surplus de farine avec un pinceau. Défaites en petits morceaux un autre quart de la graisse et couvrez-en uniformément les deux tiers de la pâte jusqu'à 6 mm des bords. Repliez la partie non beurrée sur celle qui l'est déjà et rabattez le dernier tiers par-dessus. Imprimez un demi-tour à la pâte pour que les pliures se trouvent à votre gauche et soudez les extrémités avec le tranchant de la main.

Couvrez la pâte de polythène et laissez-la reposer de nouveau au frais pendant 20 minutes.

Remettez-la sur la planche de façon que les pliures se trouvent, cette fois, à votre droite et abaissez-la comme la première fois en reprenant toutes les opérations : enduisez-en les deux tiers d'un autre quart de gras, pliez-la, soudez-en les extrémités et laissez-la reposer. Terminez avec le dernier quart de matière grasse et n'oubliez pas d'imprimer chaque fois un demi-tour à la pâte avant de l'abaisser de nouveau. Finalement, abaissez la pâte aux dimensions du premier rectangle, balayez le surplus de farine, pliez-la et enveloppez-la sans serrer dans une feuille de polythène. Avant de la façonner, laissez-la reposer au moins 30 minutes dans un endroit frais. Faites-la cuire au centre du four à 220°C.

FEUILLETÉE CLASSIQUE

Abaissez la pâte refroidie.

Couvrez de gras les deux tiers.

Repliez la partie non beurrée.

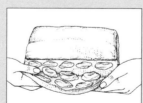

Rabattez le dernier tiers.

Soudez les extrémités de la pâte.

Petits gâteaux d'Eccles

PRÉPARATION : *30 minutes*
CUISSON : *15 minutes*

INGRÉDIENTS *(10 à 12 gâteaux)*
Pâte feuilletée classique faite avec la moitié des ingrédients
2 c. à soupe de beurre doux
2 c. à soupe de cassonade blonde
40 g d'écorces de fruits hachées
50 g de raisins de Corinthe
1 blanc d'œuf
Sucre glace

Préparez d'abord la garniture. Mélangez le beurre et la cassonade jusqu'à obtention d'une pâte pâle et aérée. Hachez finement les écorces de fruits et ajoutez-les au beurre en même temps que les raisins. Abaissez la pâte feuilletée en un rectangle de 6 mm d'épaisseur et découpez-y des cercles avec un emporte-pièce de 7,5 cm.

Déposez 1 cuillerée à thé de garniture au centre de chaque rond et rabattez les côtés pour l'enfermer complètement. Roulez chaque petit gâteau en une boule et abaissez-les légèrement en leur conservant une forme arrondie, jusqu'à ce que les raisins commencent à percer la pâte. Avec la pointe d'un couteau, tracez un motif en treillis sur chaque gâteau.

Laissez les gâteaux reposer 10 minutes au réfrigérateur sur une tôle beurrée, badigeonnez-les de blanc d'œuf légèrement battu et saupoudrez-les de sucre glace. Faites-les cuire dans le haut du four préchauffé à 220°C pendant une quinzaine de minutes ou jusqu'à ce qu'ils soient gonflés et dorés.

Cornes d'abondance

PRÉPARATION : *30 minutes*
CUISSON : *10 minutes*

INGRÉDIENTS *(8 cornes)*
Pâte feuilletée classique faite avec la moitié des ingrédients
1 œuf
Confiture de framboises ou de cassis
10 c. à soupe de crème épaisse
4 c. à soupe de crème légère
Sucre glace

Abaissez la pâte en une bande de 60 cm sur 10 cm. Battez l'œuf et badigeonnez-en la pâte. Découpez celle-ci avec un couteau tranchant en huit rubans de 60 cm de long sur 12 mm de large. Enroulez chacun d'eux autour d'un moule de fer-blanc en forme de cornet, en commençant par la pointe ; le côté glacé de la pâte doit se trouver à l'extérieur et les pans doivent se chevaucher d'environ 3 mm. En gonflant pendant la cuisson, la pâte arrivera jusqu'au bord du petit cornet métallique. Déposez les pâtisseries sur une tôle à biscuits, en les faisant reposer sur l'extrémité du ruban de pâte.

Faites cuire 8 à 10 minutes dans le haut du four chauffé à 220°C, jusqu'à ce que les cornes soient légèrement dorées. Laissez-les refroidir quelques minutes avant de les démouler. Pour ce faire, tenez d'une main, avec un linge propre, le bord du moule et « dévissez »-le délicatement. De l'autre, faites glisser lentement la corne hors du moule. Une fois que toutes les cornes d'abondance sont complètement refroidies, mettez une cuillerée à thé de confiture dans le fond de chacune et, au moment de servir, remplissez-les de crème fraîchement fouettée, préparée avec les deux sortes de crème. Saupoudrez de sucre glace.

CORNES D'ABONDANCE

Coupez la pâte en rubans.

Enroulez autour des cornets.

Pâtisserie

PÂTE FEUILLETÉE ORDINAIRE

Elle est moins difficile à faire. Elle devient assez légère bien qu'elle s'alourdisse en refroidissant.

PRÉPARATION (repos compris) :
1 heure

INGRÉDIENTS
250 g de farine (dont 20 g pour le farinage)
180 g de beurre
1 c. à thé de sel
100 ml environ d'eau très froide

Coupez le beurre, qui doit être ferme mais pas trop dur, en petites noix. Tamisez ensemble 230 g de farine et le sel dans une grande terrine, ajoutez le beurre, et, en remuant avec une lame de couteau à bout arrondi, l'eau nécessaire pour obtenir un mélange souple (la quantité d'eau varie légèrement selon la qualité de la farine).

Renversez le mélange sur un plan de travail fariné et travaillez-le délicatement avec les mains : étant donné sa souplesse, maniez-le avec précaution. Donnez-lui une forme rectangulaire, puis, avec le rouleau fariné, abaissez-le en une bande de 30 cm sur 10 cm, épaisse de 2 cm, en faisant bien attention de maintenir les bords droits. On doit voir très clairement dans le mélange les stries jaunes du beurre.

Pliez le rectangle en trois dans la longueur, pressez les bords ensemble avec la main et donnez-lui un quart de tour, de façon que les dos des pliures se trouvent à votre gauche et à votre droite.

Abaissez à nouveau la pâte, en un rectangle de 45 cm sur 15 cm, épais de 12 mm. Répétez cette opération quatre fois, en faisant faire un demi-tour à la pâte à chaque fois. Couvrez la pâte et laissez-la reposer au réfrigérateur pendant 20 minutes chaque fois que vous avez terminé deux manipulations. Laissez enfin reposer 10 minutes avant l'emploi et la cuisson.

En général, sauf indications contraires données par les recettes particulières, cette pâte se cuit au centre du four, préchauffé à 220°C.

FEUILLETÉE ORDINAIRE

Ajoutez le beurre à la farine.

Incorporez de l'eau très froide.

Abaissez la pâte en un rectangle.

Pliez le rectangle en trois.

Bouchées aux saucisses

PRÉPARATION : 20 minutes
CUISSON : 30 minutes

INGRÉDIENTS (18 morceaux)
Pâte feuilletée ordinaire
450 g de chair à saucisse
Farine
1 œuf battu

Abaissez la pâte en un rectangle de 45 cm sur 15 cm et, avec un couteau tranchant, découpez-la en deux longues bandes ayant chacune 7,5 cm de large. Divisez la chair à saucisse en deux parties, façonnez-les en deux longs rouleaux de la même longueur que les bandes de pâte et saupoudrez-les légèrement de farine. Déposez les rouleaux de viande au centre de chaque bande de pâte dont vous badigeonnerez les bords d'œuf battu avant d'y enfermer la préparation. Soudez fermement les deux longs côtés.

Badigeonnez chaque rouleau d'œuf battu et coupez-les en tronçons de 5 cm. Incisez légèrement le dessus de chaque bouchée avec la pointe d'un petit couteau. Déposez les bouchées sur une tôle graissée et faites cuire au centre du four chauffé à 220°C pendant 25 à 30 minutes ou jusqu'à ce que les bouchées soient gonflées et dorées.

BOUCHÉES SALÉES

Recouvrez la viande de pâte.

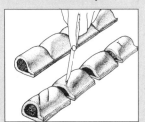
Incisez le dessus des bouchées.

PÂTE FEUILLETÉE FINE

La réussite de cette pâte considérée comme la plus raffinée de toutes relève presque du grand art. Sa préparation demande beaucoup de temps mais elle se conserve facilement trois ou quatre mois au congélateur. On utilise cette pâte pour les pâtés en croûte à base de viande ou de volaille, ainsi que pour les vol-au-vent et les millefeuilles ; pour ces dernières pâtisseries, il faut l'abaisser six fois.

PRÉPARATION : 30 à 45 minutes
REPOS : 2 h 30

INGRÉDIENTS
500 g de farine
500 g de beurre
2 c. à thé de sel
250 ml environ d'eau très froide

Tamisez ensemble la farine et le sel. Coupez un quart du beurre en petits morceaux et amalgamez-le à la farine, en mélangeant du bout des doigts, jusqu'à l'obtention d'une consistance de miettes de mie de pain. Ajoutez, en remuant avec une lame de couteau à bout arrondi, l'eau nécessaire pour obtenir une pâte ni trop dure ni trop molle (la quantité d'eau varie selon la qualité de la farine).

Travaillez la pâte rapidement avec les mains jusqu'à ce qu'elle soit lisse ; ramassez-la en boule aplatie et pratiquez dans celle-ci, jusqu'à mi-hauteur, deux entailles croisées. Ouvrez la boule de pâte en repliant vers l'extérieur les quatre angles dessinés par la croix et aplatissez-les avec le rouleau, jusqu'à ce que leur épaisseur soit un quart de celle de la pâte au centre du carré.

Prenez le beurre, qui devra avoir la même température et la même consistance que la pâte. Donnez-lui une forme telle qu'il s'adapte à la partie centrale de la pâte, en laissant cependant 1 cm tout autour. Repliez sur le beurre les quatre angles du carré de pâte, en superposant légèrement les bords.

Avec le rouleau, appuyez délicatement pour bien les faire adhérer

FEUILLETÉE FINE

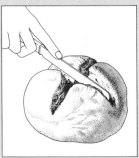
Faites deux entailles en croix.

Dépliez les angles vers l'extérieur.

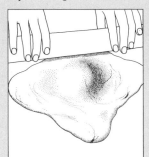
Aplatissez-les avec le rouleau.

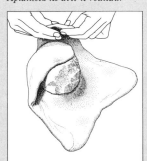
Mettez le beurre au centre.

entre eux ; puis, par de courtes pressions rapides, abaissez la pâte en un rectangle de 40 cm sur 20 cm. Le rouleau doit être manœuvré énergiquement mais légèrement, en veillant bien à ne pas faire sortir le beurre de la pâte ; saupoudrez au fur et à mesure des besoins avec très peu de farine.

Pliez le rectangle en trois dans la longueur, enveloppez-le dans un linge ou dans du papier paraffiné, puis dans une feuille de plastique, et réfrigérez-le pendant 20 minutes.

Posez-le alors sur le plan de travail, en ayant soin que les dos des deux pliures soient à votre droite et à votre gauche. Abaissez la pâte en un rectangle de 40 cm sur 20 cm. Pliez-le à nouveau en trois, remettez-le au réfrigérateur pendant 20 minutes, et ainsi de suite jusqu'à ce que la pâte ait été mise en abaisse six fois. Chaque fois que vous l'abaissez, les dos des pliures doivent être de chaque côté.

Faites enfin reposer la pâte pendant 30 minutes avant de l'employer et de la faire cuire.

La pâte feuilletée fine doit, en cuisant, sextupler son volume initial. On la cuit en général au centre du four préchauffé à 220°C.

Les préparations avec pâte feuilletée se mettent à cuire sur des plaques ou dans des moules à fond légèrement humecté d'eau, sans matière grasse.

Pâté en croûte au steak et aux rognons

PRÉPARATION : 45 minutes
CUISSON : 3 heures

INGRÉDIENTS (6 personnes)
Pâte feuilletée fine préparée avec la moitié des ingrédients
1 kg de tranche de palette maigre
225 g de rognons
1 gros oignon
240 g de jeunes champignons
2 gousses d'ail (facultatif)
95 g de farine assaisonnée
3 c. à soupe d'huile de maïs
7 c. à soupe de beurre
625 ml de bouillon de bœuf
250 ml de vin rouge sec
Sel et poivre
1 œuf

Parez la viande et coupez-la en carrés de 2,5 cm. Parez et hachez grossièrement les rognons. Pelez et émincez l'oignon ; coupez en tranches fines les champignons ; pelez et écrasez l'ail si vous en utilisez. Passez le bœuf et les rognons dans la farine assaisonnée. Faites chauffer l'huile et 4 cuillerées à soupe de beurre dans un faitout et faites-y revenir la viande à feu vif, jusqu'à ce qu'elle soit dorée. Incorporez le reste de farine assaisonnée, puis jetez le tout dans une grande marmite. Faites fondre le beurre dans une autre casserole, mettez-y les oignons à revenir pendant 5 minutes, ajoutez les champignons et l'ail et laissez cuire encore 2-3 minutes. Versez le bouillon de bœuf et le vin rouge, portez à ébullition, puis transvasez cette préparation dans la marmite avec la viande. Rectifiez.

Couvrez la marmite et faites cuire au centre du four chauffé à 165°C pendant 1 h 30 à 2 heures ou jusqu'à ce que la viande soit tendre. Retirez-la avec une écumoire et déposez-la dans une terrine d'une capacité de 2 litres. Installez une petite cheminée en papier d'aluminium au centre de la préparation. Faites réduire le jus de cuisson à gros bouillons et arrosez-en la viande. Laissez l'appareil refroidir.

Abaissez la pâte à 6 mm et aux dimensions du moule. Humectez le rebord du récipient et déposez l'abaisse sur la viande. Soudez les bords et badigeonnez avec l'œuf battu. Faites cuire au centre du four chauffé à 220°C pendant 20 minutes, jusqu'à ce que la pâte soit dorée.

Vol-au-vent

PRÉPARATION : 20 minutes
CUISSON : 40 minutes

INGRÉDIENTS (6 à 8 personnes)
Pâte feuilletée classique ou fine
1 œuf
250 g de poulet cuit, coupé en dés
250 ml de sauce blanche (p. 269)
150 g de champignons émincés revenus au beurre

Mettez la pâte en abaisse carrée de 19 cm de côté. Posez dessus un plat renversé ou un couvercle de 18 cm de diamètre et coupez-la en suivant

le bord du plat ou du couvercle avec la pointe d'un couteau. Transférez le disque de pâte, en le renversant, sur une plaque de four légèrement mouillée.

Badigeonnez la surface avec de l'œuf battu, en ayant soin qu'il ne goutte pas le long des bords, car il empêcherait la pâte de gonfler uniformément pendant la cuisson. Avec la pointe d'un petit couteau, dessinez sur la pâte, en la centrant bien, un cercle de 15 cm et approfondissez ensuite le contour jusqu'à mi-épaisseur de la pâte : le disque interne pourra ainsi, lorsqu'il sera cuit, se détacher pour former un couvercle ; tracez en surface un dessin en losanges, plus serré sur le

Vol-au-vent. Retirez délicatement la pâte à l'intérieur.

couvercle que sur le bord. Laissez reposer 15 minutes dans un endroit frais.

Cuisez au centre du four, préchauffé à environ 230°C, pendant 20 minutes, jusqu'à ce que le vol-au-vent soit gonflé et bien doré ; réduisez ensuite à 180°C et faites cuire encore 20 minutes, en couvrant avec une feuille d'aluminium si la surface devient sombre. Lorsque la cuisson est terminée, soulevez avec précaution le couvercle au centre du vol-au-vent, éliminez la pâte à l'intérieur et remplissez la cavité juste au moment de servir avec le poulet mélangé à la sauce blanche et aux champignons.

Servez le vol-au-vent bien chaud, sans attendre.

Croissants

Ramassez en boule les chutes de la pâte utilisée pour la recette précédente ; abaissez-les à une épaisseur de 5 mm et découpez-y des bandes

fines, longues de 10 à 15 cm, que vous diviserez en triangles. Pliez-les en croissants en les disposant sur des plaques de four mouillées ; badigeonnez-les avec du lait, passez-les au four préchauffé à environ 220°C et faites-les cuire 10 minutes, pas plus, jusqu'à ce qu'ils soient dorés et bien gonflés.

Millefeuilles

PRÉPARATION : 40 minutes
CUISSON : 20 minutes

INGRÉDIENTS (6 gâteaux)
Pâte feuilletée fine faite avec la moitié des ingrédients (p. 326)
10 c. à soupe de confiture de framboises
250 ml de crème pâtissière (p. 309)
120 g de sucre glace
Farine

Sur un plan de travail légèrement fariné, avec le rouleau fariné, abaissez la pâte en un rectangle, long d'environ 25 cm, large d'environ 22 cm et d'une épaisseur d'environ 3 mm. Piquez-la très serré avec une fourchette, disposez-la délicatement sur une plaque de four humectée d'eau froide, faites-la cuire aussitôt dans la partie centrale du four déjà chauffé à 220°C, pendant 20 minutes, ou jusqu'à ce qu'elle soit gonflée et très dorée. Faites-la refroidir sur une petite grille, puis coupez-la en deux dans le sens de la longueur.

Enduisez la face supérieure de l'un des morceaux avec les deux tiers de la confiture ; étalez sur celle-ci la crème pâtissière en une couche uniforme. Enduisez avec la confiture restante le second morceau de pâte et posez-le renversé sur l'autre en pressant.

Dans une tasse, mélangez le sucre glace, que vous aurez tamisé pour éviter d'éventuels grumeaux, avec l'eau nécessaire pour obtenir un mélange ferme, qui reste attaché à la cuillère ; répartissez-le sur la surface du gâteau.

Laissez reposer pour que l'ensemble se tasse, puis découpez en six morceaux égaux.

Palmiers

PRÉPARATION : 15 minutes
CUISSON : 14 minutes

INGRÉDIENTS (12 palmiers)
Pâte feuilletée fine faite avec la moitié des ingrédients (p. 326)
2 c. à soupe de sucre glace
DÉCORATION
200 ml de crème épaisse
Sucre vanillé

Abaissez la pâte en un rectangle de 30 cm sur 25 cm, épais de 5 mm. Saupoudrez avec la moitié du sucre.

Repliez les deux côtés longs de manière qu'ils se touchent au centre de la feuille ; saupoudrez avec le sucre restant et pliez à nouveau la pâte dans le sens de la longueur, comme vous pouvez le voir dans la première figure ci-dessous.

Pressez légèrement et uniformément avec les doigts. Avec un couteau bien aiguisé, coupez la pâte dans la largeur en 12 tranches.

Disposez les tranches, posées à plat, sur une plaque de four humide, en laissant de l'espace pour qu'elles puissent gonfler en cuisant ; ouvrez légèrement le sommet des palmiers (le côté où la pâte fait deux plis) et aplatissez-les avec une spatule en métal. Cuisez dans le haut du four, préchauffé à 220°C, pendant 10 minutes ; retournez ensuite les tranches et faites-les cuire encore 4 minutes.

Vous pouvez les servir tels quels ou bien les coller deux à deux, avec de la crème fouettée parfumée au sucre vanillé.

PALMIERS

Découpez la pâte repliée.

Ouvrez et aplatissez les tranches.

Pâtisserie

PÂTE SUCRÉE

Elle est croustillante mais souple et pendant la cuisson elle ne gonfle pas, ne se rétracte pas non plus. On la cuit généralement « à blanc ».

PRÉPARATION : 15 minutes
CUISSON : 1 heure

INGRÉDIENTS
120 g de farine
1 pincée de sel
4 c. à soupe de sucre
60 g de beurre ramolli
2 jaunes d'œufs

Tamisez ensemble farine et sel sur un plan de travail froid (l'idéal serait une plaque de marbre) : formez un puits, versez-y le sucre, le beurre ramolli (vous l'aurez sorti du réfrigérateur bien à l'avance) et les jaunes. Avec le bout des doigts, pincez et travaillez rapidement ensemble sucre, jaunes et beurre, jusqu'à ce qu'ils soient bien amalgamés. Incorporez peu à peu la farine à ces éléments ; travaillez le mélange, délicatement, jusqu'à ce qu'il soit lisse et homogène. Laissez reposer au moins 1 heure dans un endroit frais ou au réfrigérateur avant d'abaisser la pâte.

Sauf indications contraires dans les recettes, faites cuire au four préchauffé à 200°C.

Barquettes au miel
PRÉPARATION : 15 minutes
CUISSON : 5 à 7 minutes
RÉFRIGÉRATION : 30 minutes

INGRÉDIENTS (6 barquettes)
Pâte sucrée faite avec le tiers des
ingrédients
120 g de beurre doux
90 g de sucre
90 g d'amandes mondées hachées fin
3 c. à thé de miel épais
2 c. à thé de café fort
Glace au chocolat (p. 346) préparée
avec 130 g de sucre glace et les
autres ingrédients en proportion

Sur le plan de travail fariné, avec le rouleau également fariné, faites une abaisse suffisamment grande pour foncer six petits moules à barquettes beurrés, de 12 cm de long.
Faites bien adhérer la pâte aux moules ; piquez-la avec une four-chette. Mettez dans chaque moule un morceau de feuille d'aluminium, une poignée de légumes secs et faites cuire 5-6 minutes au centre du four préchauffé à 180°C, jusqu'à ce que la pâte soit dorée. Retirez du four et laissez-les tiédir ; démoulez alors les barquettes et faites-les refroidir complètement sur une grille.

Travaillez le beurre à la spatule jusqu'à ce qu'il soit mou, ajoutez le sucre et battez au fouet jusqu'à l'obtention d'un mélange léger et mousseux. Incorporez les amandes, le miel et le café. Répartissez le mélange dans les barquettes, en le mettant un peu plus haut au centre et en lissant la surface. Passez 30 minutes au réfrigérateur, recouvrez avec le glaçage au chocolat, laissez refroidir complètement.

Barquettes Saint-André
PRÉPARATION : 20 minutes
CUISSON : 20 minutes

INGRÉDIENTS (6 barquettes)
Pâte sucrée faite avec le tiers des
ingrédients
225 g de pommes à cuire
2 c. à soupe de sucre
La moitié d'un blanc d'œuf
200 g de sucre glace

Mettez à cuire la chair des pommes en dés avec le sucre et 1 cuillerée à soupe d'eau jusqu'à ce qu'elle soit réduite en une purée épaisse. Laissez refroidir.

Abaissez finement la pâte sucrée et foncez-en six moules à barquettes de 12 cm de long. Répartissez les pommes dans les six moules.

Battez légèrement le blanc d'œuf et incorporez-y progressivement le sucre tamisé en vous servant d'une cuillère en bois. Etalez une mince couche de cette meringue sur chaque barquette. Abaissez finement les chutes de pâte et coupez-les en lanières courtes et étroites. Déposez deux lanières sur chaque barquette.

Faites cuire au centre du four préchauffé à 190°C pendant 10 minutes ou jusqu'à ce que la pâte soit à point et que la meringue soit beige pâle. Laissez tiédir et démoulez.

Barquettes aux fruits
PRÉPARATION : 20 minutes
CUISSON : 5 à 7 minutes

INGRÉDIENTS (6 barquettes)
Pâte sucrée faite avec le tiers des
ingrédients
3 c. à soupe de glace à l'abricot
(p. 347)
250 g de fruits en conserve (abricots,
ananas, cerises)
2 c. à soupe de pistaches blanchies

Abaissez la pâte et foncez six moules à barquettes. Déposez-les sur une tôle à biscuits et faites-les cuire à blanc au centre du four préchauffé à 190°C pendant 5 à 7 minutes, jusqu'à ce qu'elles commencent à dorer. Laissez-les tiédir, démoulez-les et mettez-les à refroidir sur une grille.

Badigeonnez l'intérieur des barquettes de glaçage à l'abricot chaud. Egouttez les fruits en conserve, coupez les abricots et les ananas, dénoyautez les cerises. Disposez les fruits dans les croûtes, badigeonnez-les d'encore un peu de glace à l'abricot et parsemez de pistaches blanchies.

Tarte aux amandes
PRÉPARATION : 30 minutes
CUISSON : 45 à 50 minutes

INGRÉDIENTS (6 à 8 personnes)
Pâte sucrée
3 c. à soupe de confiture de framboises
ou d'abricots
90 g de beurre doux
6 c. à soupe de sucre
2 œufs
80 g d'amandes mondées
60 g de sucre glace

Abaissez la pâte sur une épaisseur de 3 mm, foncez-en un moule à tarte d'un diamètre de 22 cm, coupez la pâte qui dépasse du bord du moule et réservez les chutes.

Badigeonnez le fond du moule avec de la confiture.

Battez ensemble le beurre et le sucre jusqu'à ce que vous obteniez un mélange mousseux. Incorporez-y peu à peu les œufs, battus à part, puis les amandes, hachées fin. Répartissez sur la couche de confiture.

Ramassez les chutes de pâte en boule, abaissez-les et découpez-les en bandes de 5 mm de large, que vous disposerez sur la tarte en croisillons. Glissez au centre du four, préchauffé à 180°C, et laissez cuire pendant 45 à 50 minutes, jusqu'à ce que la surface de la tarte soit bien dorée. Badigeonnez-la, pendant qu'elle est encore chaude, avec une glace que vous aurez préparée en mélangeant le sucre glace tamisé avec la quantité d'eau nécessaire pour obtenir un mélange de consistance épaisse, mais assez mou cependant pour pouvoir l'étendre en une couche uniforme. Remettez au four pendant 5 minutes. Laissez refroidir.

Biscuits au sucre
PRÉPARATION : environ 10 minutes
CUISSON : 10 à 15 minutes

INGRÉDIENTS
Chutes de pâte sucrée
Sucre
Cannelle
1 œuf
1 c. à thé d'eau

Abaissez la pâte à 6 mm et découpez-y des ronds de 3 cm de diamètre. Saupoudrez la planche à pâtisserie de sucre et déposez-y les ronds de pâte. Saupoudrez-les de sucre et façonnez-les en ovales de 6 cm de long. Mettez-les sur une tôle graissée, saupoudrez de cannelle et badigeonnez les bords de l'œuf battu avec l'eau. Enfournez à 190°C pendant 10 à 15 minutes, jusqu'à ce que les biscuits soient dorés.

ERREURS FRÉQUENTES

Pâte à tarte
Pâte trop dure : excès de liquide, manque de matière grasse, pâte trop ou insuffisamment travaillée.
Pâte qui rétrécit : pâte trop étirée durant la mise en abaisse.
Pâte molle et exagérément friable : manque d'eau ou excès de matière grasse.
Pâte détrempée : garniture trop liquide ; sucre de la garniture en contact direct avec la pâte.
Pâte tachetée : cristaux de sucre granulé insuffisamment dissous dans une pâte fine.

Pâté qui s'effondre au sortir du four : température du four trop basse ; abaisse froide déposée sur une garniture chaude ; garniture trop liquide ; garniture insuffisante.

Pâte au suif
Pâte lourde : manque de levure chimique ; eau qui a cessé de bouillir en cours de cuisson.
Pâte détrempée : papier et linge enveloppant le pâté insuffisamment serrés ; eau qui a cessé de bouillir en cours de cuisson.
Pâte dure : manipulation et mise en abaisse excessives.

Pâte à l'eau chaude
Pâte craquelée : manque de liquide ; pétrissage insuffisant ; liquide non bouillant au moment de l'addition de la farine.
Pâte sèche et difficile à mouler : liquide non bouillant au moment de l'addition de la farine ; pâte insuffisamment refroidie au moment du moulage.
Pâte dure : manque de matière grasse ou de liquide.

Pâte à choux
Mélange trop mou : farine insuffisamment refroidie avant l'addition des œufs ; incorporation des œufs trop rapide.
Pâte qui ne lève pas : four trop froid ; temps de cuisson insuffisant.
Pâtisseries qui s'effondrent au sortir du four : cuisson insuffisante ; on peut parfois remédier à ce problème en remettant la pâtisserie au four.

Pâtes feuilletées
Corps gras qui s'écoule durant la cuisson : four trop froid.
Pâte dure : trop d'eau ; manipulation excessive.
Pâte qui rétrécit : temps de repos insuffisant ; pâte trop étirée durant la mise en abaisse.
Nombre de couches insuffisant : temps de repos et réfrigération insuffisants ; trop de pression durant la mise en abaisse, ce qui fait pénétrer le corps gras dans la pâte ; corps gras trop ramolli.

Pains à la levure

Le pain fait à la maison ne saurait se comparer en goût et en texture au pain préparé de façon industrielle. Les ingrédients de base de notre pain quotidien sont la farine, la levure, le sel et un liquide. On leur ajoute du beurre, des épices, des fruits secs et des noix pour obtenir les brioches et les pains sucrés.

Farine

La farine est le plus important des ingrédients employés en panification, et les meilleurs pains sont faits avec de la farine de blé dur ou de la farine à pain. La farine de blé dur a une haute teneur en gluten, élément qui, avec la levure, contribue à faire lever le pain ; cette farine absorbe aisément les liquides et donne une mie légère et aérée. La farine tout usage, un mélange de blé dur et de blé tendre, se trouve partout. Mais pour boulanger, c'est la farine tout usage non blanchie qui est la plus indiquée.

Qu'elle soit de type « graham » ou broyée plus grossièrement sur une meule en pierre, la farine de blé entier donne une mie plus compacte et moins gonflée que la pâte blanche. Elle se garde moins bien parce qu'elle contient le son et le germe du blé, et il vaut donc mieux l'acheter au fur et à mesure des besoins. D'autre part, elle donne au pain une saveur plus prononcée que la farine blanche.

Levure

Dans la fabrication du pain, on utilise indifféremment de la levure fraîche ou comprimée ou de la levure sèche dite « active ». Bon nombre de petites boulangeries vendent de la levure fraîche, tout comme certains supermarchés et des boutiques d'aliments naturels. La levure sèche est plus concentrée que la levure fraîche : 7 g de la première (1 sachet) équivalent à 18 g de la seconde.

La levure fraîche est beige crème ; de texture ferme, elle doit s'effriter facilement lorsqu'on la brise. Gardée dans un sac en plastique, elle se conserve au réfrigérateur pendant deux semaines ou pendant six mois au congélateur.

L'incorporation de la levure fraîche à la farine se fait de trois façons : on peut l'ajouter telle quelle à la préparation avec les doigts, la délayer d'abord ou en confectionner une pâte, souvent appelée « éponge ». La première méthode est celle qu'on emploie pour les pâtes molles, les pains éclair et les pâtes sucrées. La seconde est la méthode de base et convient à toutes les recettes. La troisième est tout indiquée lorsqu'on veut une pâte riche en levure, que celle-ci soit fraîche ou sèche. On ne doit jamais mélanger de la levure fraîche avec du sucre parce que celui-ci en détruirait les cellules.

Incorporation avec les doigts Emiettez uniformément la levure du bout des doigts, au-dessus de la farine tamisée avec le sel. Ajoutez la quantité de liquide requise afin d'obtenir une pâte molle. Travaillez la pâte avec les doigts pour répartir la levure uniformément.

Délayage Délayez la levure dans un peu du liquide requis ; versez-la sur la farine et le sel, avec le reste du liquide.

Pâte Mélangez ensemble un tiers de la quantité de farine requise, la levure, tout le liquide et 1 cuillerée à thé de sucre. Laissez reposer dans un endroit chaud pendant une vingtaine de minutes, jusqu'à ce que le mélange commence à mousser ; ajoutez le reste de farine, le sel et tous les autres ingrédients de la recette.

Levure sèche Ce type de levure se conserve, dans un récipient hermétiquement fermé, pendant six mois ou jusqu'à la date indiquée sur le sachet. Pour la reconstituer, il faut la faire tremper dans de l'eau tiède (45°C) prélevée sur la quantité prévue pour la recette et dans laquelle on aura dissous du sucre, à raison de 1 cuillerée à thé pour 125 ml d'eau. Saupoudrez la levure sur l'eau et laissez reposer dans un endroit chaud jusqu'à ce que la levure ait tout absorbé ou soit mousseuse.

Sel

Le sel ne fait pas que donner plus de goût au pain, il influe également sur l'action du gluten. Sans sel, la pâte lève trop rapidement, tandis que trop de sel détruit la levure et donne un pain à texture lourde et inégale. Mesurez soigneusement la quantité de sel prescrite.

Liquide

Il peut s'agir d'eau, de lait ou d'un mélange des deux. La quantité varie selon les recettes, en fonction de la capacité d'absorption de la farine. Le lait augmente la valeur nutritive du pain, donne une pâte plus ferme, une croûte plus dorée et permet de conserver le pain plus longtemps. Par contre, pour du pain ordinaire, l'eau employée seule donne une meilleure texture.

Corps gras

On l'emploie dans une pâte enrichie et contenant de la levure, pour préparer des petits pains au lait, des brioches, des pains mollets, des croissants et des pains sucrés à croûte moelleuse. Le corps gras, qui donne une pâte tendre, ralentit l'action de la levure ; aussi ce type de pâte lève-t-il moins vite que le pain ordinaire.

Sucre

Un excès de sucre dans la pâte ralentit la fermentation de la levure ; aussi faut-il toujours respecter la quantité indiquée dans la recette.

Préparation de la pâte

Tamisez la farine et le sel dans un grand bol, faites un puits au centre et versez tout le liquide d'un seul coup. Mélangez à la main ou avec une cuillère en bois jusqu'à ce que tout le liquide ait été absorbé. S'il ne l'était pas, ajoutez un peu de farine et frappez la pâte contre les parois du bol jusqu'à ce qu'elle n'y adhère plus. Mettez la boule de pâte sur une planche légèrement farinée. Enduisez vos mains d'un peu de farine et pétrissez la pâte avec le bas des paumes.

Le pétrissage est l'étape la plus importante de la panification parce qu'il raffermit et gonfle la pâte, ce qui lui permet de lever. Ramassez d'abord la pâte en boule, puis pliez-la en la ramenant vers vous. Pressez et travaillez-la avec les paumes en l'éloignant ensuite de vous. Imprimez-lui un quart de tour et recommencez à pétrir.

Continuez ainsi pendant une douzaine de minutes, jusqu'à ce que la pâte, ferme et élastique, n'adhère plus aux doigts. Il vaut mieux la pétrir trop que pas assez. Vous pouvez également utiliser un batteur électrique, équipé de fouets spéciaux.

PÂTE À PAIN

Versez le liquide dans la farine.

Pétrissez pour rendre élastique.

Laissez lever dans du plastique.

Fermentation

Une fois que la pâte est pétrie, vous devez la laisser fermenter jusqu'à ce qu'elle ait doublé de volume. Prenez un grand sac en plastique et enduisez-le d'huile. Mettez la pâte dans le sac, fermez sans serrer et attendez qu'elle ait doublé de volume tout en étant élastique sous une pression du doigt. Le temps de fermentation dépend de la température de la pièce. La pâte lèvera en 2 heures à la température ambiante, si elle est à l'abri des courants d'air. Mais il lui faudra 24 heures au réfrigérateur.

Si vous manquez de temps, vous pouvez la faire lever en 45 à 60 minutes au-dessus d'une casserole d'eau chaude. Rappelez-vous, cependant, qu'une chaleur excessive peut détruire la levure.

Après ce premier temps de fermentation, aplatissez la pâte avec le poing et pétrissez-la de nouveau pour en chasser les bulles d'air, afin de lui permettre de bien lever et d'avoir une texture uniforme. Façonnez la pâte selon la forme que vous voulez lui donner et mettez-la dans un moule à pain ou sur une plaque à pâtisserie. Couvrez-la avec une feuille de polythène ou une serviette et laissez-la lever à la température ambiante jusqu'à ce qu'elle ait doublé de volume.

Cuisson

Le pain cuit à une température variant entre 205° et 230°C ; aussi, respectez les indications de la recette. Déposez un bol d'eau chaude dans le bas du four : la vapeur améliorera la texture du pain.

Conservation

Mettez le pain cuit et refroidi dans un sac en plastique propre que vous laisserez ouvert. Pour en raffermir la croûte, au moment de l'utiliser, enveloppez-le dans une feuille d'aluminium et laissez-le une dizaine de minutes au four, à 230°C. Gardez-le enveloppé pendant qu'il refroidit. Si vous avez l'intention de conserver votre pain plus d'une journée ou deux, faites-le congeler. Au moment de servir, mettez les miches au four, à 150°C, pendant 30 minutes.

Pains à la levure

AVANT LA CUISSON

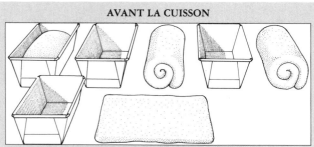

Beurrez les moules et modelez la pâte en fonction de leurs dimensions.

PAINS DE FORME CLASSIQUE

Entaillez le dessus avec un couteau.

Pain rond : aplatissez un peu la boule de pâte.

En couronne : placez les boules en rond.

Pain blanc

PRÉPARATION : *25 minutes*
(fermentation non comprise)
CUISSON : *30 à 40 minutes*

INGRÉDIENTS *(4 pains)*
1,5 kg de farine de blé dur ou de
farine tout usage non blanchie
2 c. à soupe de sel
2 c. à soupe de saindoux
2 sachets de levure sèche
900 ml d'eau tiède (43° à 45°C)

Tamisez la farine et le sel dans un grand bol ; incorporez-y le saindoux avec les doigts. Dans un autre bol, faites fermenter la levure dans 250 ml de l'eau tiède prévue. Quand des bulles apparaissent et que le mélange mousse, pratiquez une fontaine au milieu de la farine et versez-y la levure et le reste de l'eau. Travaillez la pâte avec une main jusqu'à ce qu'elle ne colle plus au bol. Ajoutez au besoin un peu de farine.

Posez la pâte sur une surface légèrement farinée et pétrissez-la avec les paumes pendant environ 10 minutes : elle doit être lisse et élastique. Formez une boule et laissez-la doubler de volume.

Divisez la pâte levée en quatre sur une surface farinée. Frappez chaque pâton énergiquement avec le poing pour en chasser tout l'air ; pétrissez 2 ou 3 minutes. Façonnez la pâte aux dimensions des moules ; graissez ceux-ci avant de les remplir et faites une légère incision sur le dessus de chaque pâton. Vous pouvez aussi plier la pâte en trois dans le sens de la longueur ou l'enrouler sur elle-même. Pliez les extrémités par-dessous, de façon que chaque pâton se loge dans un moule à pain de 500 g.

Badigeonnez le dessus de la pâte avec de l'eau légèrement salée. Couvrez et laissez lever jusqu'à ce que chaque pâton remplisse parfaitement son moule. Badigeonnez de nouveau la pâte avec de l'eau salée et déposez les moules sur des plaques.

Faites cuire les pains au centre du four, préalablement porté à 190°C,

pendant 30 minutes ou jusqu'à ce qu'ils aient légèrement rétréci et soient devenus dorés. Pour que le pain soit encore plus croûté, démoulez les miches sur une plaque et remettez-les au four 5 à 10 minutes. La cuisson est à point lorsque le pain rend un son creux quand on le frappe en dessous avec les jointures. Mettez les pains à refroidir sur une grille.

Pain rond Façonnez chaque pâton en boule ; aplatissez-les légèrement et posez-les sur une plaque farinée.

Pain en couronne Divisez le quart de la pâte en cinq ou six boules que vous déposerez côte à côte dans un moule à gâteau rond, de 13 cm de diamètre.

Pain aux raisins

PRÉPARATION : *30 minutes*
(fermentation non comprise)
CUISSON : *30 minutes*

INGRÉDIENTS
80 à 90 g de raisins secs
Pâte de pain blanc faite avec le tiers
des ingrédients
125 g de saindoux ou de margarine
100 g de sucre
1 c. à thé de toute-épice moulue
Huile

Faites tremper les raisins 10 à 15 minutes dans de l'eau chaude pour les ramollir. Epongez-les dans une serviette, puis laissez-les sécher complètement. Sur une surface légèrement farinée, abaissez la pâte levée au rouleau en un rectangle de 5 mm d'épaisseur. Coupez le saindoux en petits morceaux et déposez-en le tiers sur la pâte en laissant une marge de 1 cm tout autour.

Ajoutez le sucre et la toute-épice aux raisins, puis répartissez le tiers de ce mélange sur le saindoux. Pliez ensuite la pâte, mais en prenant bien soin de commencer par l'un des côtés étroits.

Abaissez de nouveau la pâte en rectangle et recouvrez-la d'un deuxième tiers de saindoux, de raisins et de sucre. Pliez et abaissez comme avant, puis répartissez également le reste des ingrédients.

Enroulez la pâte une dernière fois et abaissez-la de manière à pouvoir la loger dans une rôtissoire beurrée de 25 cm sur 20 cm. Pres-

PRÉPARER DU PAIN AUX RAISINS

1 Etalez le mélange aux raisins.

2 Pliez la pâte délicatement.

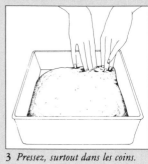

3 Pressez, surtout dans les coins.

4 Incisez la surface en croisillons.

sez-la, surtout dans les coins, et couvrez-la de polythène ou d'une serviette. Quand elle a doublé de volume, découvrez-la, badigeonnez-en légèrement le dessus d'huile et saupoudrez-en d'un peu de sucre. Incisez la surface en croisillons avec la pointe d'un couteau.

Faites cuire le pain aux raisins au centre ou dans la partie supérieure du four, porté à 220°C, pendant 30 minutes environ. Démoulez-le au sortir du four et laissez-le refroidir sur une grille. Tranchez et servez avec ou sans beurre.

Pain blanc enrichi

PRÉPARATION : *35 minutes*
(fermentation non comprise)
CUISSON : *35 à 45 minutes*

INGRÉDIENTS
500 g de farine de blé dur ou de
farine tout usage non blanchie
1 c. à thé de sucre
1 sachet de levure sèche
250 ml de lait chaud
1 c. à thé de sel
4 c. à soupe de margarine
1 œuf
DORURE
1 œuf
1 c. à thé de sucre
1 c. à soupe d'eau
Graines de pavot (facultatif)

Mélangez 155 g de farine, le sucre, la levure et tout le lait dans un grand bol. Laissez fermenter au chaud une vingtaine de minutes ou jusqu'à ce que le mélange soit mousseux. Tamisez le reste de farine et le sel dans un autre bol, puis incorporez la margarine. Faites un puits au centre de la pâte et ajoutez en même temps l'œuf battu et la levure mousseuse. Pétrissez d'une main jusqu'à ce que vous obteniez une pâte molle qui n'adhère plus aux parois du bol.

Mettez la pâte sur une planche farinée, pétrissez-la une dizaine de minutes pour qu'elle soit bien lisse, puis gardez-la dans un sac en plastique huilé jusqu'à ce qu'elle double de volume. Pétrissez-la de nouveau légèrement sur une surface farinée avant de lui donner la forme que vous désirez.

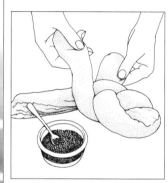

Pain tressé : pour une tresse à trois brins, croisez la pâte depuis le haut.

Tresse aux graines de pavot Divisez la pâte en trois morceaux que vous façonnerez en rouleaux de 30 cm de long. Mettez ceux-ci côte à côte sur une surface plane et passez alternativement le brin gauche et celui de droite sur le brin du centre. Continuez jusqu'à ce que la tresse soit terminée. Soudez-en alors les extrémités et repliez-les par-dessous.

Déposez la tresse sur une plaque légèrement beurrée. Battez l'œuf, le sucre et l'eau pour obtenir une glace ; badigeonnez-en soigneusement toute la tresse avant de la saupoudrer de graines de pavot.

Couvrez la tresse et laissez-la lever de nouveau jusqu'à ce qu'elle ait doublé de volume. Faites-la cuire au centre du four, chauffé à 190°C, pendant 35 à 40 minutes. Cognez le dessous de la tresse de votre doigt replié : si elle rend un son creux, elle est cuite.

Pain en couronne Divisez la pâte levée en 12 morceaux d'environ 55 g chacun. Façonnez-les en bou-

les entre vos mains et placez-les en cercle dans un moule à gâteau de 22 cm de diamètre, que vous aurez préalablement beurré. Terminez en mettant trois ou quatre boules au centre. Glacez-les, laissez la pâte lever et faites cuire selon les indications précédentes pendant 45 à 60 minutes.

Petits pains de fantaisie La pâte blanche enrichie est idéale pour boulanger de petits pains légers servis pendant un repas et auxquels vous aurez donné diverses formes. Calculez environ 55 g de pâte levée par petit pain. Abaissez un pâton en un rectangle d'une dizaine de centimètres de long, puis coupez-le en deux dans le sens de la longueur. Prenez chaque bande par les deux extrémités et torsadez-la trois fois, ou bien roulez-la sur elle-même et nouez-la au milieu.

Vous pouvez également mouler des morceaux de pâte de 55 g en des miches miniatures allongées dont vous entaillerez le dessus cinq ou six fois, à intervalles réguliers. Découpez des triangles entre ces entailles avec la pointe d'une paire de ciseaux et soulevez-en légèrement les angles.

PAINS DE FANTAISIE

Torsadez des bandes de pâte.

Découpez de petits triangles.

Petits pains triangulaires.

Pour des petits pains triangulaires, moulez trois boules à partir d'un pâton de 55 g et disposez-les sur une plaque de telle sorte qu'elles se touchent.

Ou encore, roulez un morceau de pâte de 55 g en un long cylindre et donnez-lui la forme d'un S ou d'une coquille d'escargot.

Une fois que vos petits pains sont prêts, badigeonnez-les de glace à l'œuf et laissez-les fermenter jusqu'à ce qu'ils aient doublé de volume. Faites-les cuire dans le haut du four, préchauffé à 190°C, pendant 10 à 15 minutes.

Petits pains réfrigérés

PRÉPARATION : *30 minutes*
(fermentation non comprise)
CUISSON : *15 minutes*

INGRÉDIENTS *(36 pains)*
375 ml de lait ou d'eau
110 g de beurre
100 g de sucre
2 c. à thé de sel
2 sachets de levure sèche
125 ml d'eau tiède (40° à 45°C)
2 œufs battus
625 à 750 g de farine tout usage

Chauffez le lait jusqu'à ce qu'il frémisse, puis ajoutez le beurre défait en morceaux, le sucre et le sel. Remuez le temps que le beurre fonde et laissez tiédir la préparation. Saupoudrez l'eau tiède de levure et attendez 5 minutes avant de remuer jusqu'à dissolution complète. Versez les œufs et la levure dissoute dans le lait. Incorporez 250 g de farine et mélangez ; ajoutez-en encore 250 g et mélangez de nouveau. Incorporez ensuite juste ce qu'il faut de farine pour obtenir une pâte lisse et assez ferme pour être travaillée. Pétrissez la pâte 10 minutes pour qu'elle soit bien lisse.

Ensuite, mettez-la dans un bol beurré et tournez-la dans tous les sens pour qu'elle se couvre de beurre. Déposez une serviette propre sur le bol et réfrigérez.

Au moment de l'utilisation, ne prélevez que ce qu'il vous faut de pâte. Déposez le pâton sur une planche farinée et roulez-le en une abaisse de 6 à 12 mm d'épaisseur. Découpez-y des ronds de 5 cm. Tracez une entaille décentrée sur

chaque rond avec le dos d'un couteau, retournez les petits pains et badigeonnez-les de beurre fondu. Pliez les moitiés les plus larges sur les plus petites et pressez-en les bords pour les souder.

Déposez les pains sur une plaque à pâtisserie beurrée en laissant un espace de 1,5 cm entre chacun, badigeonnez-les de nouveau de beurre fondu et couvrez d'une serviette. Laissez-les fermenter jusqu'à ce qu'ils aient doublé de volume. Environ 10 minutes avant la fin de la fermentation, faites chauffer le four à 220°C. Badigeonnez encore les pains de beurre fondu et faites-les cuire 12 à 15 minutes ou jusqu'à ce qu'ils soient dorés.

Pain de blé entier

PRÉPARATION : *20 minutes*
(fermentation non comprise)
CUISSON : *30 à 40 minutes*

INGRÉDIENTS *(4 pains de 500 g ou 2 pains de 1 kg)*
1,5 kg de farine de blé entier
2 c. à soupe de sucre
2 c. à soupe de sel
2 c. à soupe de saindoux
4 sachets de levure sèche
925 ml d'eau tiède

Tamisez la farine, le sucre et le sel dans un grand bol. Défaites le saindoux en morceaux et incorporez-le du bout des doigts à la farine jusqu'à ce que le mélange ressemble à des boulettes de mie de pain. Délayez la levure dans un petit bol avec 250 ml de l'eau tiède et, lorsqu'elle a moussé, versez-la dans le puits que vous aurez creusé au centre de la farine ; ajoutez le reste d'eau. Travaillez la pâte jusqu'à ce qu'elle n'adhère plus aux parois du bol, puis pétrissez-la 10 minutes sur une planche farinée.

Façonnez-la en une grosse boule et laissez-la lever dans un sac de plastique légèrement huilé jusqu'à ce qu'elle ait doublé de volume. Déposez-la sur une planche couverte d'un peu de farine et pétrissez-la encore jusqu'à ce qu'elle soit ferme. Divisez-la en deux ou en quatre et aplatissez chaque morceau avec les jointures pour en chasser toutes les bulles d'air. Étirez et abaissez les morceaux jusqu'à

ce qu'ils soient de la même longueur que les moules et pliez-les en trois ou roulez-les sur eux-mêmes. Mettez-les dans les moules beurrés, badigeonnez-les d'eau légèrement salée, couvrez et laissez fermenter jusqu'à ce que la pâte atteigne les bords des moules.

Mettez les moules sur une plaque et faites cuire au centre du four, chauffé à 230°C, pendant 30 minutes ou jusqu'à ce que les miches se détachent légèrement des parois. Avant de les laisser refroidir sur une grille, vérifiez si elles sont bien cuites en les cognant.

Pour un pain de fantaisie, divisez un quart de la pâte en quatre, façonnez les morceaux en rouleaux de la même largeur qu'un moule à pain beurré de 450 g et rangez-les-y côte à côte. Poursuivez selon la méthode déjà décrite. Pour un pain rond, faites une boule légèrement aplatie avec chacun des quatre morceaux de pâte, saupoudrez-les de farine et placez-les sur une plaque à pâtisserie farinée.

Pains de blé entier, méthode rapide

PRÉPARATION : *20 minutes*
(fermentation non comprise)
CUISSON : *30 à 40 minutes*

INGRÉDIENTS *(1 miche de 500 g et 8 petits pains ou 2 miches de 500 g)*
250 g de farine de blé entier
250 g de farine tout usage
2 c. à thé de sel
2 c. à thé de sucre
1 c. à soupe de saindoux
1 sachet de levure sèche
300 ml d'eau tiède (40°C)
2-3 c. à soupe de germes de blé ou de flocons de maïs écrasés

Tamisez les deux farines, le sel et le sucre dans un bol. Défaites le saindoux en morceaux et incorporez-le à la farine du bout des doigts. Délayez la levure dans l'eau tiède jusqu'à ce qu'elle soit complètement dissoute et mousseuse. Faites un puits au milieu de la farine et versez-y la levure. Mélangez jusqu'à ce que la pâte, devenue bien souple et ayant pris un aspect sableux, n'adhère plus aux parois du bol (au besoin, ajoutez de la farine).

Pains à la levure

Divisez la pâte en deux et façonnez chaque pâton pour qu'il remplisse à moitié un moule à pain graissé de 450 g, puis badigeonnez-en le dessus d'eau salée. Saupoudrez de germes de blé ou de flocons de maïs écrasés. Couvrez les moules d'une serviette ou d'un sac en plastique et laissez fermenter au chaud jusqu'à ce que la pâte ait doublé de volume. Faites cuire au centre du four, chauffé à 230°C, pendant 40 minutes. Vérifiez si les miches sont cuites en cognant le dessous. Si le son est creux, elles sont prêtes. Laissez refroidir sur une grille.

Petits pains Après que la boule de pâte a levé et que vous l'avez pétrie une seconde fois, divisez-la en huit. Abaissez chaque portion en la roulant sur une planche propre, avec la paume légèrement farinée. Déposez les petits pains sur une plaque farinée en les espaçant largement ; couvrez-les d'une feuille de polythène et laissez-les gonfler au chaud jusqu'à ce qu'ils aient doublé de volume.

Faites-les cuire dans la partie supérieure du four, chauffé à 230°C, pendant 40 minutes et laissez-les refroidir sur une grille.

Pour les petits pains mollets, espacez les miches de 2 cm et saupoudrez-les généreusement de farine. En cuisant, elles s'étaleront, permettant à leurs côtés de se toucher, tandis que la farine dont vous les aurez saupoudrées leur donnera une croûte tendre.

Pains cuits dans des pots à fleurs
Le pain de blé entier peut se cuire dans des pots à fleurs. Utilisez uniquement des pots d'argile (soigneusement nettoyés) et non de plastique. Badigeonnez-en l'intérieur d'une généreuse quantité de beurre et faites-les chauffer à vide dans le four plusieurs fois, en les laissant reposer un jour ou deux entre chaque cuisson. En scellant les pores de l'argile, ce procédé empêchera la pâte de coller aux parois. Un pot d'argile de 10 à 12 cm contient facilement la pâte d'une demi-recette. Préparez les miches selon la méthode rapide.

Pain aux noix et aux abricots
PRÉPARATION : *30 minutes*
(fermentation non comprise)
CUISSON : *40 à 45 minutes*

INGRÉDIENTS *(1 pain de 450 g)*
Pâte de blé entier (méthode rapide) faite avec la moitié des ingrédients
175 g d'abricots séchés
2 c. à soupe de sucre
60 g de noix hachées
GARNITURE
2 c. à soupe de beurre dur
2 c. à soupe de sucre
40 g de farine

Coupez grossièrement les abricots séchés et mélangez-les avec la pâte levée, le sucre et les noix. Travaillez la masse de pâte jusqu'à ce que toute craquelure ait disparu. Beurrez les parois d'un moule à pain de 450 g et chemisez-en le fond avec un morceau de papier paraffiné beurré. Mettez-y la pâte et enveloppez le tout dans un sac de plastique huilé. Laissez fermenter au chaud pendant une heure ou jusqu'à ce que la pâte soit à 1,5 cm du bord du moule.

Pour la garniture, mélangez le beurre, le sucre et la farine jusqu'à ce que le tout ressemble à de grosses miettes de pain. Couvrez uniformément la pâte levée de ce mélange et déposez le moule sur une plaque. Faites cuire au centre du four chauffé à 205°C pendant 40 à 45 minutes. Laissez le pain cuit dans son moule durant 10 minutes environ avant de le démouler sur une grille.

Pain de seigle
PRÉPARATION : *1 heure*
(fermentation non comprise)
CUISSON : *35 minutes*

INGRÉDIENTS *(2 miches)*
100 g de sucre
175 ml d'eau bouillante
3 sachets de levure sèche
500 ml d'eau tiède (environ 40°C)
25 g de cacao
2 c. à thé de sel
2 c. à soupe de graines de carvi
2 c. à soupe de graisse végétale (ou de beurre) fondue
450 g de farine tout usage
250 g de farine de seigle noir
2 c. à soupe de semoule de maïs

Mettez le sucre dans un lourd faitout de 25 cm et faites-le fondre à feu moyennement vif en remuant constamment avec une fourchette. Brassez encore 2-3 minutes, jusqu'à ce qu'il soit très foncé ; ajoutez l'eau bouillante et continuez de remuer tant que le sucre n'est pas complètement dissous et qu'il ne reste plus que 125 ml de liquide. Retirez le faitout du feu et laissez refroidir.

Faites ramollir la levure dans l'eau tiède pendant 5 minutes, dans le grand bol du batteur électrique ; ajoutez le caramel refroidi, le cacao, le sel, les graines de carvi, la graisse végétale fondue et 250 g de la farine tout usage. Fouettez jusqu'à ce que le mélange soit lisse. Ajoutez la farine de seigle et continuez de fouetter à vitesse moyenne pendant 4 minutes. Incorporez encore 125 g de farine tout usage et travaillez la pâte à la main ou avec un batteur puissant.

Saupoudrez la planche à pâtisserie de 30 g de farine, déposez-y la pâte, enveloppez-la et laissez-la reposer 10 minutes. Pétrissez-la ensuite une dizaine de minutes, jusqu'à ce qu'elle devienne élastique, en ajoutant juste assez de farine pour l'empêcher de coller. Déposez la pâte dans un bol graissé et retournez-la pour que le dessus soit également enduit de corps gras. Couvrez et laissez-la lever environ 1 heure dans un endroit chaud, jusqu'à ce qu'elle ait doublé de volume. Chassez-en l'air avec le poing, remettez-la dans le bol, couvrez de nouveau, et laissez-la ainsi une autre heure, jusqu'à ce que son volume ait encore doublé.

Saupoudrez uniformément une grande plaque à pâtisserie de semoule de maïs. Frappez la pâte avec le poing pour en chasser l'air et divisez-la en deux. Faites une boule avec chaque moitié, aplatissez légèrement les deux pâtons et déposez-les sur la plaque en les espaçant de 7 à 10 cm. Couvrez et attendez que la pâte ait doublé de volume, soit 1 h 15 environ.

Faites cuire au four à 190°C pendant 35 minutes ou jusqu'à ce que les pains sonnent creux quand on les cogne.

Pâte à baba
PRÉPARATION : *40 minutes*
(fermentation non comprise)
CUISSON : *variable*

INGRÉDIENTS
150 g de farine tout usage
2 œufs
1 c. à soupe de sucre
60 à 70 ml de lait
15 g de levure de bière
2 pincées de sel
70 g de beurre

Pour réussir cette pâte, il faut travailler dans un endroit chaud, et il faut que tout soit tiède : les œufs, le beurre et la terrine.

Tamisez la farine dans une terrine. Faites un petit puits au centre ; mettez-y le sel, le sucre et les œufs déjà battus à part.

Délayez la levure dans le lait tiède, chauffé à environ 30°C (trop chaud, il tuerait les cellules vivantes de la levure). Versez-la au centre du puits, mélangez avec une cuillère de bois jusqu'à ce que les ingrédients soient bien amalgamés. Ajoutez le beurre, très mou, tout en continuant à remuer.

Recouvrez la terrine avec un linge et laissez reposer dans un endroit tiède, à l'abri des courants d'air, pendant 2-3 heures, jusqu'à ce que la pâte ait doublé de volume. Reprenez-la et travaillez-la avec les mains pour expulser l'air. Versez dans les moules choisis, en les remplissant aux trois quarts ; laissez encore lever jusqu'à ce que la pâte atteigne presque le haut du moule ; faites cuire comme il est indiqué dans la recette que vous aurez choisie.

Babas au miel et au rhum
PRÉPARATION : *15 minutes*
CUISSON : *15 à 20 minutes*

INGRÉDIENTS *(12 babas)*
1 recette de pâte à baba
Beurre
3 c. à soupe de miel liquide
2-3 c. à soupe de rhum
GARNITURE
Crème fouettée

Enduisez de beurre 12 petits moules à large trou central et versez-y la pâte à baba, en ne les remplissant qu'aux trois quarts.

BABAS AU RHUM

Versez la pâte dans les moules.

Nappez les babas de sirop chaud.

Décorez-les de crème fouettée.

Recouvrez de plastique légèrement huilé ou d'une serviette ; laissez lever dans un endroit tiède jusqu'à ce que la pâte soit arrivée un peu en dessous du bord des petits moules. Faites cuire aussitôt dans le haut du four, préchauffé à environ 220°C, pendant 15 à 20 minutes, jusqu'à ce que les babas soient vraiment très dorés.

Pendant ce temps, préparez un sirop ; dans une petite casserole, mettez le miel avec une quantité égale d'eau et chauffez à feu doux. Retirez du feu, ajoutez le rhum.

Laissez tiédir légèrement les babas dans leurs moules, puis renversez-les dans un plat et, pendant qu'ils sont encore chauds, versez dessus le sirop dans lequel vous les laisserez refroidir en les arrosant de temps en temps.

Lorsqu'ils sont complètement froids, disposez-les sur le plat de service, remplissez le trou central avec de la crème épaisse fouettée et servez aussitôt.

Kouglof

PRÉPARATION : 25 minutes
(fermentation non comprise)
CUISSON : 45 minutes

INGRÉDIENTS
375 à 500 g de farine tout usage
2 sachets de levure sèche
250 ml de lait
150 g de raisins secs
125 ml d'eau
100 g de sucre
110 g de beurre
1 c. à thé de sel
3 œufs
2 c. à thé d'extrait de rhum
Beurre ramolli
40 g d'amandes broyées
GARNITURE
Sucre glace tamisé
Fruits confits
Noix nappées de sirop de maïs

Mélangez ensemble 250 g de farine et la levure. Faites chauffer le lait à feu doux avec les raisins, l'eau, le sucre, le beurre et le sel, en remuant jusqu'à ce que la préparation soit très chaude (50° à 55°C). Ajoutez la farine additionnée de levure et brassez jusqu'à ce que le tout soit lisse, soit environ 3 minutes à vitesse moyenne avec un batteur électrique. Incorporez les œufs et l'extrait de rhum, puis 60 g de farine et continuez de battre encore 2 minutes. Versez suffisamment de farine pour obtenir une pâte lourde.

Couvrez et laissez la pâte lever dans un endroit chaud (25° à 30°C) pendant 1 heure, jusqu'à ce qu'elle soit pleine de bulles et ait doublé de volume ; expulsez-en un peu l'air.

Versez-la dans deux moules de fantaisie d'une capacité de 1,5 litre ou dans trois moules de 1 litre que vous aurez beurrés et saupoudrés d'amandes broyées. Couvrez et attendez 30 minutes que la pâte ait doublé de volume.

Faites cuire au four préchauffé à 165°C, pendant 1 heure pour les gâteaux de 1,5 litre ou 45 minutes pour ceux de 1 litre. Si besoin est, couvrez-les durant les 10 dernières minutes de cuisson pour les empêcher de brunir. Démoulez sur des grilles, saupoudrez de sucre glace et décorez de fruits confits et de noix nappées de sirop de maïs.

Pâtisseries danoises

PRÉPARATION : 45 minutes
(fermentation non comprise)
REPOS : 50 minutes
CUISSON : 10 minutes

INGRÉDIENTS
250 g de farine tout usage
1 pincée de sel
2 c. à soupe de saindoux
1 c. à soupe de sucre
1 sachet de levure sèche
5 c. à soupe d'eau tiède
2 œufs (1 pour badigeonner)
140 g de beurre doux
Pâte d'amandes (pour les chaussons)
GARNITURE POUR LES ESCARGOTS
2 c. à soupe de beurre
2 c. à soupe de sucre
1 c. à thé de cannelle moulue
Raisins secs et écorces de fruits hachées
FINITION
Glace à l'eau (p. 346)
Cubes de sucre écrasés (pour les crêtes)

Tamisez la farine et le sel dans un grand bol. Défaites le saindoux en morceaux et incorporez-le à la farine du bout des doigts ; ajoutez le sucre et faites un puits au centre de la farine. Délayez la levure dans l'eau et laissez-la reposer 5 minutes avant de la verser dans la farine en même temps que 1 œuf légèrement battu. Mélangez graduellement les ingrédients, puis malaxez la pâte jusqu'à ce qu'elle ne colle plus aux parois du bol.

Déposez-la ensuite sur une surface légèrement farinée et pétrissez-la jusqu'à ce qu'elle soit lisse. Mettez-la dans un sac de plastique légèrement huilé et réfrigérez-la 10 minutes.

Battez le beurre avec une cuillère en bois jusqu'à ce qu'il soit mou, mais non huileux, puis façonnez-le en un rectangle d'environ 12 cm sur 24 cm. Déposez la pâte sur une planche farinée, abaissez-la en un carré de 25 à 28 cm et placez le beurre au centre. Rabattez deux côtés du carré de telle sorte qu'ils recouvrent tout juste le beurre. Soudez les deux autres côtés aux premiers ; puis, en vous servant d'un rouleau, abaissez la pâte en une bande trois fois plus longue que large et pliez-la en trois.

Remettez la pâte 10 minutes au réfrigérateur dans un sac en plasti-

que huilé. Retirez-la du sac, placez-la sur la planche pour que la pliure soit à votre gauche et abaissez-la en une longue bande. Répétez encore deux fois toutes les étapes depuis la première réfrigération. Finalement, laissez la pâte reposer une dernière fois au réfrigérateur pendant 10 minutes avant de l'abaisser et de lui donner l'une ou l'autre des formes suivantes :

Chaussons aux amandes Roulez la moitié de la pâte en une abaisse carrée de 25 cm, puis coupez-la en quatre. Pliez deux des coins de chaque carré pour qu'ils se touchent au centre, à la façon d'une enveloppe, et faites de même avec les deux autres. Pressez fermement pour les souder et déposez une petite garniture en pâte d'amandes au centre.
Croissants Procédez comme pour les chaussons aux amandes, puis faites deux triangles de chacun des carrés. Déposez un petit morceau de pâte d'amandes à la base de ceux-ci, puis enroulez-les, en commençant par la base, avant de les incurver en forme de croissants.

PÂTISSERIES DANOISES

Chausson aux amandes.

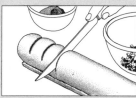

Entaillez les escargots.

Les escargots se chevauchent.

Crêtes de coq Abaissez la moitié de la pâte et découpez-la en bandes de 5 cm de large. Coupez celles-ci en morceaux de 10 cm que vous entaillerez en V à intervalles réguliers sur les deux tiers de la largeur. Agrandissez les incisions, puis arquez légèrement le côté non coupé. Badigeonnez les pâtisseries d'œuf battu et saupoudrez-les de sucre en cubes écrasé.
Escargots Roulez la moitié d'un morceau de pâte en une abaisse rectangulaire de 20 cm sur 30 cm. Battez le beurre en crème avec la cannelle et le sucre et étalez-le sur la pâte jusqu'à 6 mm des bords. Éparpillez quelques raisins secs et un peu d'écorces de fruits sur le beurre. Coupez la pâte en deux dans le sens de la longueur et enroulez chaque morceau en un épais rouleau. Coupez celui-ci en tranches de 2,5 cm d'épaisseur.

Vous pouvez aussi couper les rouleaux aux trois quarts tous les 2,5 cm et séparer délicatement les escargots encore réunis à la base, de telle sorte qu'ils se chevauchent légèrement.

Disposez les pâtisseries sur une plaque graissée en les espaçant largement et couvrez-les de feuilles de polythène huilées. Laissez-les gonfler dans un endroit chaud pendant 20 minutes. Enlevez le polythène, badigeonnez les pâtisseries d'œuf légèrement battu et faites-les cuire dans la partie supérieure du four, chauffé à 220°C, pendant une dizaine de minutes ou jusqu'à ce qu'elles soient dorées. Transférez les pâtisseries sur une grille et, pendant qu'elles sont encore chaudes, badigeonnez les chaussons aux amandes, les croissants et les escargots de glace à l'eau.

Brioches

PRÉPARATION : 25 minutes
(fermentation non comprise)
CUISSON : 10 minutes

INGRÉDIENTS (12 brioches)
250 g de farine tout usage
2 pincées de sel
1 c. à soupe de sucre
1 sachet de levure sèche
50 ml d'eau tiède
2 œufs
55 ml de beurre fondu

Tamisez la farine et le sel dans un bol et ajoutez le sucre. Délayez la levure dans l'eau tiède, laissez-la reposer 5 minutes, puis incorporez-la à la farine avec une cuillère en bois, en même temps que les œufs battus et le beurre fondu. Travaillez la pâte jusqu'à ce qu'elle n'adhère plus aux parois du bol ; déposez-la sur une planche farinée et pétrissez-la pendant 5 minutes.

Mettez la pâte dans un sac en plastique huilé et laissez-la gonfler pendant 1 heure jusqu'à ce qu'elle ait doublé de volume. Remettez-la sur la planche et pétrissez-la jusqu'à ce qu'elle soit lisse. Roulez-la en forme de saucisson.

BRIOCHES

Beurrez les moules au pinceau.

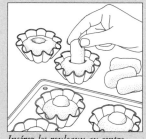

Insérez les rouleaux au centre.

Pains à la levure

Tronçonnez la pâte en 12 morceaux. Huilez des moules cannelés de 7,5 cm de diamètre et mettez dans chacun d'eux une boule façonnée avec les trois quarts de chaque tronçon de pâte. Après avoir couvert votre doigt de farine, faites un trou au centre des boules jusqu'au fond des moules. Façonnez les chutes de pâte en petits rouleaux et insérez-les dans les trous. Pressez du bout des doigts pour souder les deux morceaux de pâte. Une fois que les 12 brioches sont prêtes, déposez les moules sur une tôle à pâtisserie, couvrez-les d'une feuille de polythène huilée et laissez la pâte lever jusqu'à ce qu'elle soit bien gonflée et qu'elle atteigne le haut des moules.

Retirez le polythène et faites cuire au centre du four, à 230°C, pendant 10 minutes ou jusqu'à ce que les brioches soient dorées.

Croissants

PRÉPARATION : *1 h 15*
(fermentation non comprise)
REPOS : *1 heure*
CUISSON : *15 à 20 minutes*

INGRÉDIENTS *(12 croissants)*
500 g de farine tout usage
2 c. à thé de sel
2 c. à soupe de saindoux
2 sachets de levure sèche
250 ml d'eau tiède
1 œuf
125 à 150 g de beurre
DORURE
1 œuf battu
½ c. à thé de sucre

Tamisez la farine et le sel dans un bol. Coupez le saindoux en petits morceaux et incorporez-le à la farine avec les doigts jusqu'à ce que le tout soit bien amalgamé et prenne l'aspect d'une chapelure grossière. Délayez la levure dans l'eau tiède. Pratiquez une fontaine au milieu de la farine et versez-y la levure en même temps que l'œuf légèrement battu. Mélangez graduellement les ingrédients, puis malaxez la pâte jusqu'à ce qu'elle n'attache plus au bol.

Déposez la pâte sur une surface légèrement farinée et pétrissez-la 10 minutes environ pour qu'elle soit bien lisse. Abaissez-la ensuite

en un rectangle d'environ 50 cm sur 20 cm et d'une épaisseur de 5 mm. Au besoin, taillez-en le contour. Travaillez le beurre au couteau pour qu'il soit souple mais non crémeux ; divisez-le en trois portions, puis en noisettes dont vous parsèmerez les deux tiers supérieurs de la pâte en laissant tout autour une bordure de 1 cm.

Pliez la pâte en trois en rabattant d'abord la partie non beurrée. Donnez-lui ensuite un demi-tour et soudez-en les bords à l'aide du rouleau à pâtisserie. Façonnez-la de nouveau en rectangle en commençant par la presser légèrement avec le rouleau, puis abaissez-la comme auparavant. Répétez toutes les étapes encore deux fois : parsemez de noisettes de beurre, pliez, tournez et abaissez. Travaillez rapidement : la pâte ne doit pas se réchauffer, car les corps gras fondraient. Faites en sorte que les bords soient droits et les coins, bien carrés.

Mettez la pâte pliée dans un sac de plastique huilé et réfrigérez 30 minutes. Après ce temps, reprenez la pâte et recommencez toutes les opérations trois fois sans ajouter de beurre. Remettez la pâte pliée dans le sac de plastique huilé et laissez-la de nouveau reposer 30 minutes au réfrigérateur.

Pour façonner les croissants, abaissez la pâte sur une surface légèrement farinée en formant un rectangle d'environ 55 cm sur 32 cm. Couvrez d'une feuille de polythène huilée et laissez reposer 10 minutes. Taillez ensuite les bords avec un couteau tranchant de manière à obtenir un rectangle parfait de 52 cm sur 30 cm. Coupez-le en deux dans le sens de la longueur et détaillez chaque bande en six triangles de 15 cm de base.

Battez l'œuf avec quelques gouttes d'eau et le sucre pour la dorure ; badigeonnez-en les triangles. Roulez-les sur eux-mêmes assez lâchement et rabattez la pointe en dessous ; pour finir, incurvez-les délicatement en forme de croissant. Mettez-les sur des plaques non graissées en les espaçant bien.

Badigeonnez chaque croissant de dorure ; couvrez-les d'un polythène huilé et laissez-les lever à la tempé-

CROISSANTS

Mettez du beurre sur les deux tiers.

Pliez la pâte en trois.

Pressez avec le rouleau.

Enroulez les triangles de pâte.

Incurvez-les en forme de croissant.

rature ambiante pendant une trentaine de minutes, jusqu'à ce qu'ils soient dodus et légers. Badigeonnez-les de nouveau de dorure et faites-les cuire au centre du four, porté à 220°C, pendant 15 à 20 minutes. Dégagez les croissants avec une spatule en métal et servez-les pendant qu'ils sont chauds.

Pain Anadama

PRÉPARATION : *20 minutes*
(fermentation non comprise)
CUISSON : *55 minutes*

INGRÉDIENTS *(2 pains)*
300 à 375 g de farine tout usage
125 g de semoule de maïs
2 sachets de levure sèche
1 c. à soupe de sel
500 ml d'eau
5 c. à soupe de beurre
125 ml de mélasse

Dans un grand bol, mélangez 300 g de farine, la semoule, la levure sèche et le sel. Faites chauffer l'eau pour qu'elle soit tiède, ajoutez-y le beurre et la mélasse et versez le tout sur la farine. Battez la préparation 3 minutes au batteur électrique, à vitesse moyenne, ou comptez 150 coups avec une cuillère de bois. Si la pâte n'était pas assez ferme, rajoutez un peu de farine.

Déposez la pâte sur une surface légèrement farinée et pétrissez-la une dizaine de minutes ou jusqu'à ce qu'elle ne soit plus collante. Mettez-la dans un bol beurré et retournez-la deux ou trois fois pour qu'elle soit uniformément graissée. Réservez-la au chaud pendant une bonne heure ou jusqu'à ce qu'elle ait doublé de volume.

Expulsez l'air de la pâte et divisez-la en deux ; placez chaque boule dans un moule à gâteau beurré de 20 cm de diamètre. Laissez les pâtons doubler de volume avant de les faire cuire au centre du four, préchauffé à 190°C, pendant 55 minutes ou jusqu'à ce que les miches soient bien brunes. La cuisson est à point quand le pain, frappé en dessous avec les jointures, rend un son creux.

Sally Lunn

PRÉPARATION : *25 minutes*
(fermentation non comprise)
CUISSON : *15 à 20 minutes*

INGRÉDIENTS *(1 pain)*
1 sachet de levure sèche
1 c. à thé de sucre
250 ml de lait tiède
4 c. à soupe de beurre fondu
2 œufs
500 g de farine tout usage
1 c. à thé de sel
GARNITURE
1 c. à soupe de sucre
1 c. à soupe d'eau

Mélangez la levure, le sucre et la moitié du lait dans un bol ; laissez fermenter. Ajoutez le beurre fondu et le reste du lait, ainsi que les œufs battus. Tamisez la farine et le sel dans un autre bol ; pratiquez une fontaine au centre et versez-y le liquide. Mélangez les ingrédients avec les mains et travaillez la pâte jusqu'à ce qu'elle ne colle plus au bol. Pétrissez-la sur une surface légèrement farinée pour la rendre bien lisse.

Façonnez la pâte en boule et disposez-la en cercle dans un moule à couronne de 25 cm de diamètre et de 10 cm de hauteur. Couvrez avec une serviette et laissez lever au chaud pendant 1 heure environ. La pâte doit doubler de volume.

Retirez la serviette et posez le moule sur une plaque. Faites cuire dans la partie supérieure du four, préchauffé à 230°C, pendant 15 à 20 minutes. Dans l'intervalle, faites chauffer le sucre et l'eau à feu doux dans une petite casserole ; quand le sucre est fondu, faites bouillir le sirop à feu vif 1 ou 2 minutes.

Démoulez le Sally Lunn sur une grille et badigeonnez-le de sirop pendant qu'il est encore chaud.

Pumpernickel

PRÉPARATION : *30 minutes*
(fermentation non comprise)
CUISSON : *25 minutes*

INGRÉDIENTS *(3 miches)*
1,15 kg de farine tout usage
375 g de farine de seigle
2 c. à thé de sel
125 g de son entier
95 g de semoule de maïs non blanchie
2 sachets de levure sèche
875 ml d'eau
50 ml de mélasse noire
60 g de chocolat noir
1 c. à soupe de beurre
400 g de purée de pommes de terre
2 c. à thé de graines de carvi

Mélangez les farines de blé et de seigle et mettez-en 250 g dans un grand bol avec le sel, le son, la semoule et la levure sèche. Remuez.

Mélangez l'eau, la mélasse, le chocolat et le beurre dans une casserole. Chauffez à feu doux jusqu'à ce que le chocolat et le beurre soient presque complètement fondus, puis incorporez progressivement le mélange de farine et de levure en fouettant bien après chaque addition. Ajoutez les pommes de terre et 125 g de plus du mélange de farines, et remuez bien. Terminez avec les graines de carvi et assez du mélange de farines pour obtenir une pâte souple.

Déposez la pâte sur une planche farinée, couvrez-la d'un linge et laissez-la lever pendant 15 minutes, puis divisez-la en trois. Pétrissez les pâtons jusqu'à ce qu'ils soient lisses et élastiques, puis mettez-les dans des bols graissés et laissez fermenter pendant 1 heure, jusqu'à ce qu'ils aient doublé de volume.

Expulsez l'air de la pâte avec le poing et laissez-la lever de nouveau 30 minutes. Chassez encore une fois l'air emprisonné, puis façonnez en boules ; mettez les boules dans trois moules à pain, graissés, de 20 à 23 cm de diamètre. Couvrez et laissez lever dans un endroit chaud pendant 45 minutes, jusqu'à ce que la pâte ait doublé de volume.

Faites cuire au four, à 165°C, pendant 20 à 25 minutes ou jusqu'à ce que les miches sonnent creux quand vous les heurtez du doigt. Faites refroidir sur une grille.

PÂTE AU LEVAIN

La pâte au levain est assez longue à faire puisqu'on doit d'abord préparer le levain — un mélange de levure aigrie, d'eau et de farine — avant de l'ajouter à la préparation de base pour la faire lever. Toutefois, une fois que le levain est prêt — habituellement au bout de cinq jours —, il se conserve presque indéfiniment au réfrigérateur, dans un récipient couvert, et on peut donc l'utiliser selon les besoins.

Levain

Delayez le quart d'un sachet de levure sèche granuleuse dans 50 ml d'eau tiède. (Vérifiez la température de l'eau sur votre poignet ; si elle vous semble supportable, elle est adéquate. Si elle est trop chaude, elle détruira la levure.) Incorporez-y ensuite 250 ml d'eau tiède et 90 à 100 g de farine de façon à obtenir une pâte coulante. Versez le mélange dans une cruche ou dans un bocal, couvrez partiellement d'une serviette ou d'une assiette (veillez surtout à ne pas fermer hermétiquement) ; placez le récipient dans un endroit chaud.

Ajoutez quotidiennement, pendant cinq jours, 125 ml d'eau tiède et suffisamment de farine pour que la pâte reste coulante. Une fois que celle-ci est aigrie, elle est prête à être utilisée.

Chaque fois que vous prenez un peu de levain, remettez de l'eau et de la farine pour remplacer la quantité prélevée. Si vous n'utilisez le levain qu'à l'occasion, gardez-le au réfrigérateur et ajoutez un peu de farine et d'eau chaque semaine.

Par contre, si vous vous en servez plusieurs fois par semaine, rangez-le au chaud dans une armoire de cuisine et remettez de l'eau et de la farine quotidiennement ou tous les deux jours.

Vous pouvez faire tiédir l'eau de cuisson des pommes de terre et l'ajouter au levain pour lui donner plus de goût et en accélérer la fermentation.

Pain au levain

PRÉPARATION : *30 minutes*
(fermentation non comprise)
CUISSON : *1 heure*

INGRÉDIENTS *(2 miches)*
1-2 c. à soupe de beurre fondu
125 ml de lait
1-2 c. à soupe de sucre ou de miel
500 ml de levain
310 g de farine tout usage
2 c. à thé de sel
1 c. à thé de bicarbonate de soude

Faites fondre le beurre dans une casserole et incorporez-y le lait et le sucre ou le miel ; remuez jusqu'à ce que le mélange soit chaud et versez-le dans un bol. Ajoutez le levain, puis incorporez la farine, le sel et le bicarbonate de soude. Déposez la pâte sur une planche farinée et pétrissez-la jusqu'à ce qu'elle soit satinée. Mettez-la dans un bol beurré et tournez-la pour bien l'enduire de beurre. Laissez-la lever dans un endroit chaud pendant 3 heures, jusqu'à ce qu'elle ait doublé de volume.

Dégonflez la pâte avec le poing et remettez-la à fermenter pendant 4 heures. Faites-en deux pâtons.

Déposez ceux-ci l'un contre l'autre dans un moule carré. Faites-les fermenter jusqu'à ce qu'ils aient doublé de volume, soit pendant environ 2 heures.

Faites cuire 1 heure dans un four chauffé à 180°C ou jusqu'à ce que les miches se soient décollées du moule et qu'elles rendent un son creux si vous les frappez sur le dessus. (Vous pouvez préparer cette recette avec de la farine de blé entier ou de seigle).

Petits pains au levain

PRÉPARATION : *20 minutes*
CUISSON : *20 minutes*

INGRÉDIENTS *(12 petits pains)*
185 g de farine tout usage tamisée
1 pincée de bicarbonate de soude
2 c. à thé de levure chimique
1 c. à thé de sel
55 g de beurre ou de graisse végétale
250 ml de levain
Beurre fondu

Tamisez la farine avec la levure chimique, le bicarbonate et le sel. Incorporez la graisse végétale ou le beurre et travaillez le mélange à la fourchette jusqu'à ce qu'il ressemble à de grosses miettes de pain. Ajoutez le levain, malaxez, puis déposez la pâte sur une planche légèrement farinée. Pétrissez-la jusqu'à ce qu'elle soit satinée.

Abaissez la pâte à la main ou au rouleau jusqu'à ce qu'elle ait 1,5 cm d'épaisseur. Taillez-y des ronds ou des losanges avec un emporte-pièce enduit de farine.

Badigeonnez généreusement de beurre fondu un grand moule à pain. Mettez-y les petits pains et retournez ceux-ci pour que les deux côtés soient enduits de beurre. Laissez lever dans un endroit chaud pendant 1 heure ou jusqu'à ce que les petits pains soient légers.

Faites-les cuire au four, à 220°C, pendant 15 à 20 minutes ou jusqu'à ce qu'ils soient dorés.

Baguette au levain

PRÉPARATION : *30 minutes*
(fermentation non comprise)
CUISSON : *45 minutes*

INGRÉDIENTS *(1 grande baguette ou 2 petites)*
500 ml de levain
175 ml d'eau tiède
1 c. à soupe de sucre
2 c. à thé de sel
750 g de farine tout usage
Semoule de maïs
Beurre fondu
DORURE
1 c. à soupe de fécule de maïs
1 c. à soupe de sucre
2 c. à soupe d'eau

Mélangez le levain, l'eau tiède, le sucre et le sel dans un grand bol. Tamisez la farine sur une planche à pâtisserie, faites un puits au centre et versez-y la préparation au levain. Mélangez avec vos doigts en ajoutant progressivement toute la farine jusqu'à ce que la pâte soit homogène, lisse et élastique. Mettez-la dans un bol graissé et badigeonnez-en le dessus de beurre fondu. Faites-la lever dans un endroit chaud jusqu'à ce qu'elle ait doublé de volume. Pétrissez-la quelques minutes sur une planche farinée et remettez-la à fermenter.

Façonnez la pâte en une ou deux baguettes d'environ 40 cm de long et 8 cm de large, amincies aux deux extrémités. Déposez la baguette sur une plaque à pâtisserie saupoudrée de semoule de maïs.

Badigeonnez-la de beurre fondu et laissez-la fermenter jusqu'à ce qu'elle ait doublé de volume. Avant de la mettre au four, vous pouvez faire trois incisions sur le dessus avec un couteau très tranchant et graissé. Faites cuire à feu modéré (190°C) pendant environ 45 minutes pour une grande baguette et 30 à 45 minutes pour de plus petites.

Pour glacer le pain, retirez-le du four 10 minutes avant la fin de la cuisson et badigeonnez-le d'un mélange de fécule de maïs, de sucre et d'eau, puis remettez-le au four.

Petits gâteaux au levain

PRÉPARATION : *10 minutes*
CUISSON : *15 minutes*

INGRÉDIENTS *(12 gâteaux)*
3 œufs
250 ml de lait
500 ml de levain
220 g de farine tout usage tamisée
1 c. à thé de bicarbonate de soude
2 c. à thé de levure chimique
1½ c. à thé de sel
50 g de sucre

Battez les œufs et ajoutez-leur le lait et le levain. Tamisez ensemble la farine, le bicarbonate, la levure chimique, le sel et le sucre, puis mélangez soigneusement le tout avec les œufs et le lait.

Faites cuire sur une tôle circulaire en retournant une seule fois quand la pâte bouillonne et que le pourtour des gâteaux est sec. Servez chaud avec du beurre et de la confiture ou du sirop.

Pains éclair

Pour faire lever certains types de pains, on peut préférer l'action rapide de la levure chimique au lent processus de la levure naturelle. Les pains ainsi boulangés constituent l'un des délices des tables nord-américaines et leur vaste gamme inclut le pain au maïs, les muffins, les popovers et diverses sortes de petits pains.

Moins connus, mais tout aussi faciles et rapides à préparer, les scones sont traditionnellement servis dans les salons britanniques à l'heure du thé. Ils sont habituellement cuits sur une plaque de fer circulaire qu'on fait chauffer sur la cuisinière (on peut remplacer la plaque par un poêlon en fonte). La température de cuisson est un facteur important : si la plaque est trop chaude, la croûte des scones risque de brunir avant que le centre ne cuise. Pour vérifier la température de la plaque, saupoudrez-la d'un peu de farine ; si elle dore en 3 minutes, c'est que la plaque est prête.

Quant au pain au soda, il se prépare lui aussi en un rien de temps et il ressemble beaucoup par le goût et la texture au pain à base de levure.

Scones sur plaque
PRÉPARATION : *5 minutes*
CUISSON : *10 minutes*

INGRÉDIENTS (*12 scones*)
250 g de farine tout usage
1 c. à thé de bicarbonate de soude
2 c. à thé de crème de tartre
2 pincées de sel
2 c. à soupe de saindoux ou de margarine
2 c. à soupe de sucre
125 à 175 ml de lait

Mettez à chauffer une plaque circulaire ou un poêlon en fonte. Tamisez la farine, le bicarbonate, la crème de tartre et le sel dans un bol. Défaites le corps gras en morceaux et incorporez-le à la farine du bout des doigts jusqu'à ce que le mélange ait une texture fine. Ajoutez le sucre, puis le lait progressivement et remuez afin d'obtenir une pâte molle.

Séparez la pâte en deux. Pétrissez légèrement chacun des pâtons et abaissez-les en deux galettes de 6 à 12 mm d'épaisseur. Divisez-les en six triangles. Puis faites cuire ceux-ci sur la plaque graissée jusqu'à ce que le dessous soit uniformément doré ; retournez-les. Prévoyez 5 minutes de cuisson par côté. Laissez refroidir sur une grille.

SCONES SUR PLAQUE

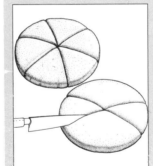
Divisez les galettes en triangles.

Faites-les cuire sur une plaque.

Scones au four
PRÉPARATION : *15 minutes*
CUISSON : *10 minutes*

INGRÉDIENTS (*10 à 12 scones*)
250 g de farine tout usage
1 pincée de sel
2 pincées de bicarbonate de soude
1 c. à thé de crème de tartre
3 c. à soupe de margarine
4 c. à soupe de lait et 4 c. à soupe d'eau environ, mélangées
Lait

Tamisez ensemble la farine, le sel, le bicarbonate et la crème de tartre dans un grand bol. Défaites la margarine en petits morceaux et incorporez-la à la farine du bout des doigts. Ajoutez progressivement le lait et l'eau mélangé avec un couteau à lame arrondie jusqu'à l'obtention d'une pâte souple.

Pétrissez-la rapidement sur une planche légèrement farinée jusqu'à ce que toute craquelure ait disparu. Abaissez-la à 1,5 cm d'épaisseur et découpez-y des ronds de 5 cm de diamètre avec un emporte-pièce lisse ou cannelé. Pétrissez ensemble toutes les chutes, abaissez-les et taillez-y autant de scones que possible. Mettez ceux-ci sur une plaque à pâtisserie chaude, mais non graissée ; badigeonnez-les de lait et faites cuire dans la partie supérieure du four, à 230°C, pendant une dizaine de minutes ou jusqu'à ce que les scones aient gonflé et soient devenus bien dorés.

Scones à la cuillère
PRÉPARATION : *5 minutes*
CUISSON : *3 à 5 minutes par fournée*

INGRÉDIENTS (*15 à 18 scones*)
125 g de farine autolevante
1 pincée de sel
1 c. à soupe de sucre
1 œuf
125 ml de lait environ
Saindoux pour la cuisson

Mettez à chauffer une plaque circulaire ou une poêle à fond épais. Pendant ce temps, tamisez la farine et le sel dans un bol, puis ajoutez-y le sucre. Faites un puits au centre et cassez-y l'œuf, puis ajoutez le lait peu à peu en mélangeant avec une cuillère jusqu'à la formation d'une pâte lisse.

SCONES À LA CUILLÈRE

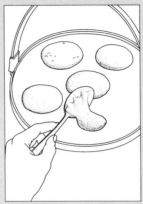
Versez la pâte sur une plaque.

Retournez les scones à moitié cuits.

Graissez légèrement la plaque chaude avec un peu de saindoux ou d'huile à cuisson. Une fois que la graisse est suffisamment chaude et commence à fumer, versez-y, en les espaçant bien, de petites quantités de pâte, soit avec un cruchon, soit à la cuillère pour que les scones soient circulaires. Dès que les scones ont levé, que le dessous est doré et que des bulles se forment à la surface, retournez-les délicatement avec une spatule en métal pour en faire dorer l'autre côté. Servez aussitôt ou tenez-les au chaud entre les plis d'une serviette propre jusqu'au moment de servir.

Petits pains au lait
PRÉPARATION : *10 minutes*
CUISSON : *15 minutes*

INGRÉDIENTS (*18 brioches de 5 cm*)
250 g de farine tout usage tamisée
1 c. à soupe de levure chimique à double action
2 pincées de sel
55 g de beurre ou autre corps gras
175 ml de lait

Tamisez la farine, la levure chimique et le sel dans un bol à mélanger. Défaites-y le corps gras en très petits morceaux. Ajoutez le lait et remuez juste ce qu'il faut pour lier la pâte, qui devrait être très molle. Déposez-la sur une surface farinée, pétrissez-la une dizaine de fois et abaissez-la à la main ou au rouleau. L'abaisse devrait avoir 1,5 cm à 2 cm d'épaisseur pour des muffins dodus et 6 mm pour des muffins plats. Découpez-la en ronds de 5 cm ou en carrés. Tassez ceux-ci sur une plaque à biscuits non graissée pour avoir des muffins mollets, mais espacez-les bien si vous voulez des muffins plus secs.

Faites cuire au four à 230°C pendant 12 à 15 minutes et servez.

Vous pouvez modifier la recette en ajoutant à la pâte des herbes hachées, comme de la ciboulette, de la sauge, du thym ou de l'origan, ou encore du fromage râpé. Pour des biscuits semblables aux scones à la cuillère, ajoutez 50 ml de lait de plus à la préparation. Versez la pâte par cuillerées sur une tôle à biscuits beurrée et faites cuire comme les scones.

Bâtonnets au maïs
PRÉPARATION : *15 minutes*
CUISSON : *20 minutes*

INGRÉDIENTS (*14 bâtonnets*)
125 g de farine tout usage tamisée
1 c. à soupe de levure chimique à double action
125 g de semoule de maïs
250 ml de babeurre
2 c. à soupe de beurre fondu
2 œufs
¾ tasse de miettes de bacon croustillant

Faites chauffer le four à 205°C. Badigeonnez généreusement de graisse de bacon un moule à bâtonnets et mettez-le à chauffer dans le four pendant que vous préparez la pâte. Tamisez ensemble la farine et la levure chimique, puis incorporez-y la semoule de maïs. Dans un autre bol, battez légèrement le babeurre, le beurre et les œufs. Versez le tout dans la préparation de base, en même temps que les miettes de bacon. Mélangez jusqu'à ce que les ingrédients secs soient bien enrobés, mais pas plus.

Remplissez aux trois quarts le moule chaud de cette pâte en vous servant d'une cuillère et faites cuire une vingtaine de minutes, jusqu'à ce que les bâtonnets soient dorés et gonflés. Démoulez-les immédiatement. Graissez à nouveau le moule et faites cuire une autre fournée. Servez avec beaucoup de beurre.

Pain au soda

PRÉPARATION : *15 minutes*
CUISSON : *30 minutes*

INGRÉDIENTS
500 g de farine tout usage
2 c. à thé de bicarbonate de soude
2 c. à thé de crème de tartre
1 c. à thé de sel
2 c. à soupe de saindoux
1-2 c. à thé de sucre (facultatif)
300 ml de lait suri ou 250 ml de babeurre et 50 ml de lait
300 g de raisins secs

Tamisez ensemble la farine, le bicarbonate, la crème de tartre et le sel. Défaites le saindoux en morceaux et incorporez-le du bout des doigts jusqu'à ce que le mélange ressemble à de la chapelure. Ajoutez le sucre. Faites un puits au centre de la farine et versez-y le lait (suri avec 1 cuillerée à soupe de jus de citron) ou le babeurre additionné de lait, puis ajoutez les raisins. Mélangez avec un couteau à lame arrondie jusqu'à ce que la pâte soit lisse, mais souple.

Pétrissez-la sur une planche et façonnez-la en un pain rond de 18 cm que vous abaisserez un peu. Tracez une croix sur le pain avec le dos d'un couteau, mettez-le sur une plaque farinée et cuisez au centre du four, préchauffé à 205°C, pendant 30 minutes.

Laissez refroidir sur une grille et servez frais pour le petit déjeuner, à la place d'un pain à la levure.

Beignets

PRÉPARATION : *20 minutes*
RÉFRIGÉRATION : *1 heure*
CUISSON : *20 minutes*

INGRÉDIENTS (*18 beignets*)
1 œuf
125 ml de lait
100 g de sucre
1 c. à soupe de beurre fondu
215 à 250 g de farine
2 c. à thé de bicarbonate de soude
1 pincée de muscade
2 pincées de sel
Bain de friture
Sucre à glacer

Battez l'œuf et incorporez-y le lait, le sucre et le beurre fondu. Tamisez ensemble 215 g de farine, le bicarbonate, la muscade et le sel, puis ajoutez-les à la préparation.

Mélangez en ajoutant de la farine si besoin est, pour obtenir une pâte juste assez ferme pour être travaillée. Mettez au réfrigérateur pendant au moins 1 heure.

Abaissez la pâte à 6 mm d'épaisseur et découpez-y des beignets. Placez ceux-ci sur un morceau de papier paraffiné saupoudré de farine et laissez-les reposer 5 à 10 minutes avant de les faire frire.

Faites chauffer l'huile à 180°C et plongez-y trois ou quatre beignets à la fois ; dès que le premier côté est doré, retournez-les et faites-les dorer de l'autre. Egouttez.

Pour enrober les beignets de sucre, mettez du sucre à glacer dans un sac en papier et secouez-y quelques beignets à la fois.

Gâteau aux épices

PRÉPARATION : *30 minutes*
CUISSON : *40 minutes*

INGRÉDIENTS (*9 portions*)
100 g de beurre
150 g de sucre
2 œufs
1 c. à thé de bicarbonate de soude
250 ml de crème sure
185 g de farine tout usage
1½ c. à thé de levure chimique
1 pincée de sel
2 c. à thé de cannelle
1 pincée de muscade
2 pincées de clous de girofle moulus
4 c. à soupe de noix hachées
Beurre

Battez le beurre en crème avec 100 g de sucre. Ajoutez les œufs un par un en battant à chaque fois. Mélangez le bicarbonate de soude avec la crème sure et incorporez-les graduellement au mélange à base de beurre. Ajoutez la farine que vous aurez tamisée avec le sel et la levure chimique.

Préparez la garniture en mélangeant les derniers 50 g de sucre avec les épices et les noix.

Versez la moitié de la pâte dans un moule carré de 22 cm, saupoudrez-la de la moitié du sucre aux épices, continuez avec le reste de pâte et terminez avec le sucre. Parsemez de noix de la même façon et faites cuire au four, préchauffé à 180°C, pendant 40 minutes ou jusqu'à ce qu'un cure-dent enfoncé dans le gâteau en ressorte propre.

Pain de son aux raisins

PRÉPARATION : *10 minutes*
REPOS : *8 heures*
CUISSON : *1 h 15 à 1 h 30*

INGRÉDIENTS
125 g de flocons de son
200 g de raisins secs
250 g de cassonade blonde
300 ml de lait
185 g de farine autolevante
1 c. à thé de levure chimique

Mélangez les flocons de son, les raisins, le sucre et le lait et laissez reposer, couvert, durant la nuit.

Beurrez et chemisez un moule à pain mesurant 22 cm sur 12,5 cm. Tamisez la farine et la levure chimique au-dessus du bol de lait et de céréales, mélangez soigneusement et versez avec une cuillère dans le moule. Egalisez le dessus de la pâte et faites cuire au centre du four, chauffé à 190°C, pendant 1 h 15, jusqu'à ce que le pain ait gonflé et soit ferme au toucher. S'il brunit trop rapidement, couvrez-le d'une feuille d'aluminium.

Otez la feuille, démoulez le pain et laissez-le refroidir sur une grille. Servez-le en tranches beurrées. Ce pain, qui peut se conserver une semaine dans une boîte en métal, gagne à être rassis un jour ou deux avant d'être servi.

Pain aux canneberges

PRÉPARATION : *20 minutes*
CUISSON : *1 heure*

INGRÉDIENTS (*2 pains*)
375 g de farine tout usage
1 c. à thé de bicarbonate de soude
1 c. à thé de levure chimique
1 c. à thé de sel
2 œufs
200 g de sucre
4 c. à soupe de beurre fondu
300 ml de lait
1 c. à thé d'eau de rose
¼ tasse de canneberges fraîches hachées ou coupées en deux
90 g de noix hachées

Tamisez ensemble la farine, le bicarbonate de soude, la levure et le sel. Battez soigneusement les œufs et le sucre dans un grand bol à mélanger ; incorporez-leur le beurre, le lait et l'eau de rose. Versez la farine et mélangez jusqu'à ce qu'elle soit à peine imprégnée, puis ajoutez les canneberges et les noix. Mélangez le tout, mais sans trop travailler la pâte.

Répartissez la pâte dans deux moules à pain de 25 cm sur 10 cm et de 12,5 cm de hauteur ; faites cuire au four, chauffé à 180°C, pendant 55 à 60 minutes ou jusqu'à ce que la miche soit élastique sous une pression légère ou qu'un cure-dent inséré au centre en ressorte sec. Le dessus des pains sera fendu, mais c'est là chose courante avec la plupart des pains à base de bicarbonate de soude.

Faites refroidir les pains sur une grille, puis enveloppez-les d'une feuille d'aluminium ou de polythène ou encore dans un sac de plastique hermétiquement fermé, et attendez une nuit ou une journée entière avant de les trancher.

Pain aux pommes de l'Oregon

PRÉPARATION : *15 minutes*
CUISSON : *1 heure*

INGRÉDIENTS (*1 pain*)
110 g de beurre
250 g de sucre
2 œufs
250 g de farine tout usage
2 c. à thé de levure chimique
1 c. à thé de cannelle
1 pincée de muscade
300 g de pommes pelées et râpées
60 g de noix ou de pacanes hachées

Battez le beurre et le sucre ensemble jusqu'à ce que le tout soit crémeux. Ajoutez les œufs et mélangez bien. Tamisez les ingrédients secs ensemble et incorporez-les à la première préparation en alternant avec les pommes râpées. Incorporez les noix.

Versez dans un moule à pain beurré et fariné et faites cuire au four à 180°C environ 1 heure. Laissez refroidir 10 minutes dans le moule et démoulez sur une grille.

Muffins aux bleuets

PRÉPARATION : *15 minutes*
CUISSON : *25 minutes*

INGRÉDIENTS (*12 muffins*)
250 g de farine tout usage tamisée
3 c. à thé de levure chimique
3 c. à soupe de sucre
1 pincée de sel
2 bonnes pincées de cannelle
175 ml de lait
1 œuf bien battu
100 g de beurre fondu
1 tasse de bleuets

Mélangez la farine tamisée avec la levure chimique, le sucre, le sel et la cannelle ; tamisez de nouveau. Mélangez le lait, l'œuf battu et le beurre fondu ; versez cette préparation d'un seul coup dans les ingrédients secs. Remuez soigneusement et incorporez les bleuets.

Beurrez des moules à muffins et remplissez-les aux deux tiers. Faites cuire au four à 205°C pendant environ 25 minutes ou jusqu'à ce que les muffins soient dorés.

Gâteaux

Pour bien réussir un gâteau, il faut suivre la recette rigoureusement, surtout l'ordre d'incorporation des divers ingrédients. Trois autres facteurs importants sont la grandeur du moule, sa position dans le four et la température de celui-ci.

Il y a deux sortes principales de gâteaux : les gâteaux qui sont préparés avec un corps gras et ceux qui n'en contiennent pas (les gâteaux mousseline). La génoise fait exception : c'est un gâteau mousseline fait avec du beurre.

Quand il y a incorporation d'un corps gras à la pâte, celui-ci est soit mélangé avec la farine, soit battu en crème avec le sucre, soit fondu. On utilise la première méthode pour des pâtisseries simples comme le gâteau tyrolien, tandis que le beurre battu en crème donne une pâte riche et tendre. Si le corps gras est d'abord fondu, on le verse dans les ingrédients secs, souvent après l'avoir mélangé avec du sucre ou un liquide, et on brasse le tout jusqu'à l'obtention d'une pâte relativement coulante.

Assurez-vous que le moule est de la bonne grandeur. Un récipient trop petit, trop grand ou pas assez profond est souvent une cause d'échec. Si votre moule n'est pas de la bonne grandeur, remplissez-le seulement à moitié. Chemisez le moule ou saupoudrez-le de farine après l'avoir beurré. Si vous devez mettre le gâteau à cuire immédiatement après avoir mélangé les ingrédients, allumez d'abord le four à la bonne température et rassemblez tout ce dont vous aurez besoin ; les œufs ainsi que le beurre ou la margarine dure doivent être à la température ambiante.

Corps gras
Le beurre, la margarine, la graisse végétale, le saindoux et l'huile de maïs sont autant de corps gras qu'on emploie dans la préparation des gâteaux ; toutefois, on ne peut pas les substituer systématiquement les uns aux autres.

Les gâteaux faits avec du beurre ont une saveur plus riche qu'avec les autres corps gras et se conservent mieux. Cependant, on peut remplacer le beurre par de la margarine dure dans la plupart des recettes. La margarine molle est un mélange d'huiles ; on peut l'employer pour les recettes où tous les ingrédients sont mélangés ensemble, en une seule étape.

La graisse végétale est légère et se travaille facilement. Comme le saindoux, elle ne contient que peu ou pas de sel ; on peut donc les substituer l'un à l'autre.

L'huile de maïs s'emploie dans la plupart des recettes où le corps gras doit être fondu. Elle se mélange facilement et donne des gâteaux à texture tendre, mais ceux-ci ne se conservent pas longtemps.

Farine
La farine à gâteau est faite avec du blé tendre et donne une texture plus légère et plus friable que les autres sortes de farine. La farine autolevante est de la farine tout usage à laquelle on a ajouté de la levure chimique et du sel, à raison de 1½ cuillerée à thé de levure et de ½ cuillerée à thé de sel pour 125 g de farine. Les farines à gâteau, autolevante et tout usage s'emploient toutes les trois pour la préparation des gâteaux. En général, on tamise les farines à gâteau et tout usage avec une pincée de sel, à cause de l'action chimique de cet ingrédient qui raffermit le mélange de sucre et de gras.

Dans certaines recettes où le corps gras est fondu, on incorpore du bicarbonate de soude à la farine. C'est le cas des gâteaux qui contiennent de la mélasse dont l'acidité doit être contrebalancée par un alcali faisant office de levure.

Agents de fermentation
La levure chimique est un mélange de bicarbonate de soude et de crème de tartre, deux ingrédients qui, ensemble, dégagent du gaz carbonique. Mouillé, le gluten que contient la farine dégage lui aussi du gaz carbonique. Comme tous les gaz se dilatent sous l'effet de la chaleur, ces bulles s'élargissent durant la cuisson et c'est qui fait lever le gâteau. Toutefois, si l'agent de fermentation est incorporé dans une proportion excessive, le gâteau commencera par bien lever pour s'effondrer ensuite. On remplace parfois la levure chimique par un mélange de crème de tartre et de bicarbonate de soude, à raison de ½ cuillerée à thé de crème de tartre pour ⅓ de cuillerée à thé de bicarbonate.

Œufs
En augmentant de volume pendant la cuisson, les œufs emprisonnent l'air accumulé dans la pâte et donnent ainsi toute sa légèreté au gâteau. C'est donc l'air, et non le gaz carbonique, qui fait lever les pâtisseries qui contiennent beaucoup d'œufs fouettés.

Dans les préparations avec du beurre fondu, les œufs sont battus et non fouettés ; il faut donc ajouter un peu de ferment à la pâte pour l'aider à lever. Enfin, dans les gâteaux où le liquide est incorporé aux ingrédients secs en même temps que les œufs battus, ces derniers aident à lier le mélange, mais n'agissent plus dans la fermentation.

Sucre
Le sucre granulé est celui qu'on utilise le plus fréquemment dans les gâteaux. La cassonade blonde ou foncée convient pour les gâteaux aux fruits et les pâtes pétries ou dans lesquelles on ajoute un corps gras fondu ; le gâteau se conserve généralement plus longtemps.

Le sirop, le miel et la mélasse, qu'on ajoute souvent au sucre, sont employés pour adoucir, colorer et aromatiser certains gâteaux.

Fruits et écorces
Employez toujours des fruits secs de première qualité. Les raisins secs qui ont été entreposés peuvent parfois durcir, mais il suffit, pour les ramollir, de les faire gonfler dans de l'eau chaude, puis de les égoutter et de les sécher soigneusement.

Rincez les cerises confites pour les débarrasser de leur sirop et séchez-les complètement.

Les écorces de fruits se vendent souvent déjà hachées ; vous devez vous assurer qu'elles ont l'air tendres et juteuses. Les gros morceaux de zeste d'agrumes confits doivent être débarrassés de leur sucre avant d'être hachés ou râpés.

Préparer les moules
Tous les gâteaux cuisent au four dans des moules qui ont été soit beurrés, soit beurrés et farinés, soit saupoudrés de sucre ou encore chemisés. La façon dont le moule a été préparé compte dans l'apparence du gâteau cuit.

En général, on se contente de badigeonner uniformément de graisse végétale fondue l'intérieur des moules qui serviront pour les gâteaux à pâte pétrie. Mais il est également bon de les chemiser avec du papier paraffiné et beurré pour être certain que les gâteaux n'attacheront pas et pour les démouler plus facilement.

Pour les gâteaux mousseline qui ne contiennent pas de corps gras, il faut saupoudrer de farine le moule préalablement graissé pour obtenir une croûte plus croustillante, ou utiliser de la farine et du sucre à parts égales. Pour que le moule soit uniformément couvert, secouez-le d'abord, puis renversez-le pour ôter le surplus de farine.

Pour les petits gâteaux, le plus simple consiste à verser la pâte dans des moules en papier cannelé avec lesquels vous aurez chemisé des moules à muffins ; sinon, beurrez soigneusement ces derniers.

Les moules en téflon n'ont pas besoin d'être graissés ou chemisés,

mais il vaut mieux tout de même les chemiser avec un papier pour empêcher la formation d'une croûte dure. Si vous utilisez ces moules, réduisez le temps de cuisson de quelques minutes puisque les gâteaux brunissent plus rapidement dans ce genre de récipients.

Chemiser un moule rond
Beurrez le moule. Découpez une bande de papier paraffiné d'une longueur correspondant à la circonférence du moule et de 5 cm plus haute que les parois. Faites un pli d'environ 2,5 cm sur l'un des côtés longs et faites sur ce papier replié des entailles légèrement en biais, distantes les unes des autres d'un bon centimètre. Faites un cercle avec votre bande et glissez-le dans le moule, la partie coupée vers le bas ; faites bien adhérer la partie non coupée aux parois et l'autre au fond. Découpez un disque de papier légèrement plus petit que le fond du moule et appliquez-le au fond. Beurrez l'ensemble.

Chemiser un moule rectangulaire
Mesurez la longueur et la largeur du fond du moule et ajoutez à ces deux mesures le double de la hauteur des parois du moule : vous avez ainsi la longueur et la largeur du rectangle de papier à découper.

Posez le moule exactement au centre de celui-ci et pratiquez dans les angles quatre entailles, depuis le bord du papier jusqu'à chacun des angles du moule.

Beurrez le moule ; mettez-y le rectangle de papier, ajustez-le avec soin de manière qu'il adhère bien au fond et aux parois, superposez les angles et badigeonnez de beurre.

Position dans le four
Dans les fours à gaz, la voûte est l'endroit le plus chaud, mais dans les fours électriques la chaleur se répartit plus uniformément. En général, on fait cuire un gâteau au centre du four.

Si vous faites cuire deux gâteaux en même temps, placez-les côte à côte en prenant garde qu'ils ne se touchent pas et qu'ils ne soient pas en contact avec les parois du

CHEMISER UN MOULE

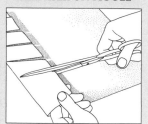

Coupez le papier plié.

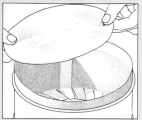

Découpez un disque pour le fond.

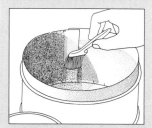

Badigeonnez de beurre fondu.

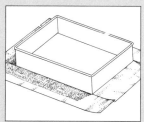

Centrez le moule rectangulaire.

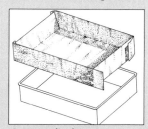

Coupez et pliez le papier.

four. Si vos moules sont trop grands, placez-les sur deux grilles distinctes en évitant de les mettre directement l'un au-dessus de l'autre ; une fois que la pâte est bien prise, intervertissez la position des moules.

Habituellement, on fait cuire les petits gâteaux sur la grille située un peu plus haut que le centre du four, mais non dans la voûte.

Démouler et refroidir

Il vaut presque toujours mieux laisser reposer une pâtisserie pendant 10 minutes avant de la démouler, de façon qu'elle ait le temps de se rétracter ; il peut être nécessaire d'attendre que la préparation soit tiède ou même complètement froide.

Pour démouler, passez une lame de couteau à bout rond le long de la paroi interne du moule, mais utilisez des instruments non métalliques pour les récipients à revêtement antiadhésif. Puis (à moins que vous n'ayez employé un moule à bord amovible), posez sur le moule une grille ; renversez très vite le tout ; enfin, faites glisser le moule. Otez ou laissez, à votre choix, le papier qui a servi à foncer. Retournez la préparation, de façon que la surface supérieure revienne à nouveau sur le dessus. Laissez refroidir complètement sur la grille.

Il est préférable d'utiliser pour les tartes des moules à fond amovible.

Si vous n'arrivez pas à décoller un gâteau, posez sur le dessus du moule chaud une serviette humide repliée avant de le retourner.

Conserver des gâteaux

Le temps de conservation est fonction du genre de gâteau. En règle générale, ceux qui sont glacés restent frais plus longtemps que les autres, et plus un gâteau contient de matière grasse plus il se garde longtemps. Dans le cas des gâteaux mousseline qui ne contiennent aucun corps gras, il vaut mieux les manger le jour même étant donné qu'ils rassissent très rapidement.

Conservez les gâteaux avec ou sans glaçage dans des boîtes métalliques étanches à l'air ou tout autre récipient similaire. Ceux qui sont garnis de crème se gardent mieux

DÉMOULER UN GÂTEAU

Passez le couteau contre la paroi.

Retournez sur une grille couverte.

au réfrigérateur. Pour les gâteaux aux fruits, n'ôtez pas le papier qui a servi à chemiser le moule et enveloppez-les d'une feuille d'aluminium. S'ils sont tièdes quand vous les enveloppez, ils conserveront leur humidité plus longtemps. Bien protégés, la plupart des gâteaux se conservent au congélateur.

GÂTEAUX PÉTRIS

Ces gâteaux sont les plus faciles à préparer, mais comme ils contiennent moitié moins de gras que de farine, il vaut mieux les manger le jour même ou ne les garder qu'un maximum de deux ou trois jours. Le pétrissage consiste à mélanger délicatement la farine et la matière grasse du bout des doigts en un mouvement de va-et-vient, jusqu'à l'obtention d'une texture friable.

Afin que le mélange reste frais et aéré, levez les mains bien haut avant de laisser les boulettes de farine retomber en pluie dans le bol.

Secouez le bol pour ramener les grosses boulettes à la surface. Le mélange doit avoir une texture homogène, mais évitez de le travailler trop longtemps, sinon la pâte durcira et le corps gras ramollira et deviendra huileux.

La quantité de liquide est un important facteur de réussite. Si vous en mettez trop, votre gâteau aura une texture pâteuse ; dans le cas contraire, il sera friable et séchera rapidement. Dans le cas d'un gros gâteau, la pâte devrait tout juste se détacher de la cuillère lorsque vous heurtez celle-ci délicatement.

Gâteau tyrolien

PRÉPARATION : 25 minutes
CUISSON : 1 h 45 à 2 heures

INGRÉDIENTS
250 g de farine tout usage
1 pincée de sel
1 c. à thé de cannelle moulue
105 g de margarine
4 c. à soupe de sucre
55 g de raisins de Corinthe
55 g de raisins blancs secs
1 c. à thé de bicarbonate de soude
155 ml de lait
3 c. à soupe rases de miel blond

Beurrez un moule à gâteau circulaire de 15 cm. Tamisez la farine, le sel et la cannelle moulue dans un bol, défaites la margarine en morceaux et travaillez-la avec les ingrédients secs jusqu'à ce que le mélange ressemble à de la chapelure. Incorporez le sucre et les deux sortes de raisin, mélangez et faites un puits au centre de l'appareil. Délayez le bicarbonate de soude dans le lait et remuez jusqu'à ce qu'il soit dissous ; ajoutez le miel et versez le tout dans la farine. Travaillez la pâte avec une cuillère en bois en ajoutant du lait au besoin, jusqu'à ce que la pâte file en tombant.

Remplissez le moule à la cuillère et lissez délicatement le dessus de la pâte. Faites cuire au centre du four, chauffé à 165°C, pendant 1 h 45 à 2 heures ou jusqu'à ce que le gâteau soit bien levé. Vérifiez le degré de cuisson en piquant un cure-dent dans le gâteau : s'il ressort sec, la cuisson est à point. Laissez le gâteau refroidir sur une grille.

Gâteau aux fraises

PRÉPARATION : 25 minutes
CUISSON : 20 minutes

INGRÉDIENTS
220 g de farine
1 c. à thé de crème de tartre
2 pincées de bicarbonate de soude
1 pincée de sel
60 g de beurre ou de margarine
3 c. à soupe de sucre
1 œuf battu
Lait
GARNITURE
200 à 250 g de grosses fraises
250 ml de crème épaisse
Sucre glace
Beurre

Tamisez ensemble la farine, la crème de tartre, le bicarbonate et le sel. Disposez en fontaine. Ajoutez le beurre ou la margarine coupés en noix et amalgamez les ingrédients en les pétrissant ensemble, par petites quantités, du bout des doigts, jusqu'à ce que vous obteniez une préparation d'aspect sableux. Mélangez-y le sucre ; disposez à nouveau cette préparation en fontaine et incorporez-y l'œuf battu et 3-4 cuillerées à soupe de lait, ou la quantité nécessaire pour obtenir un mélange souple.

GÂTEAU AUX FRAISES

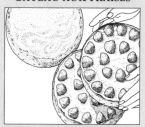

Garnissez de crème et de fraises.

Décorez le dessus du gâteau.

Gâteaux

Renversez cette pâte sur un plan de travail fariné, travaillez-la rapidement avec les mains ; aplatissez-la au rouleau en un disque de 16 à 18 cm de diamètre.

Transférez-la délicatement sur une plaque de four beurrée, saupoudrez-la avec un peu de farine et faites-la cuire pendant 20 minutes dans le haut du four, préchauffé à 240°C. Faites tiédir sur une grille, puis coupez transversalement trois couches.

Lavez, équeutez et épongez les fraises ; coupez-les en tranches épaisses. Fouettez la crème avec du sucre glace. Beurrez légèrement les trois couches du gâteau, badigeonnez-les de crème fouettée (en en gardant un peu pour la décoration), répartissez dessus les tranches de fraises en formant une rosace. Superposez les tranches et décorez le gâteau avec la crème fouettée réservée.

Gâteau aux cerises et à la noix de coco
PRÉPARATION : 30 minutes
CUISSON : 1 h 15

INGRÉDIENTS
375 g de farine autolevante
1 pincée de sel
180 g de margarine
200 g de cerises confites
60 g de noix de coco râpée
150 g de sucre
2 gros œufs
155 ml de lait
Sucre granulé

Beurrez un moule à gâteau circulaire de 20 cm. Tamisez la farine et le sel et incorporez la margarine défaite en morceaux. Coupez les cerises en quatre, passez-les dans la noix de coco et ajoutez-les à la farine en même temps que le sucre, tout en remuant pour les enrober. Battez les œufs et versez-les dans la farine avec juste assez de lait pour que la pâte file en tombant.

Versez la pâte dans le moule, lissez-la et saupoudrez de sucre. Faites cuire au centre du four, chauffé à 180°C, pendant 1 h 15 jusqu'à ce que le gâteau ait levé et soit brun doré. Faites refroidir sur une grille.

Rochers aux fruits
PRÉPARATION : 15 minutes
CUISSON : 15 à 20 minutes

INGRÉDIENTS (12 rochers)
250 g de farine tout usage
1 pincée de sel
2 c. à thé de levure chimique
4 c. à soupe de beurre ou de margarine
4 c. à soupe de saindoux ou de graisse végétale
110 g de raisins secs mélangés
100 g de cassonade blonde
Le zeste râpé d'un demi-citron
1 gros œuf
1-2 c. à soupe de lait

Graissez une tôle à pâtisserie. Tamisez ensemble la farine, le sel et la levure chimique. Défaites les deux corps gras en morceaux et travaillez-les avec la farine jusqu'à ce que le mélange ressemble à de la chapelure. Incorporez les raisins secs, la cassonade et le zeste. Battez l'œuf avec 1 cuillerée à soupe de lait, puis mélangez-le à la farine avec une fourchette jusqu'à obtention d'une pâte épaisse.

Déposez 12 petits monticules de pâte sur la plaque graissée sans les lisser. Faites-les cuire dans le haut du four préchauffé à 205°C, pendant 15 à 20 minutes ou jusqu'à ce qu'ils soient bien dorés. Laissez refroidir sur une grille et servez.

Brioches aux framboises
PRÉPARATION : 25 minutes
CUISSON : 10 à 15 minutes

INGRÉDIENTS (10 brioches)
250 g de farine autolevante
1 pincée de sel
6 c. à soupe de sucre
6 c. à soupe de beurre ou de margarine
1 œuf
1 c. à soupe de lait
Confiture de framboises
1 œuf battu

Graissez deux tôles à pâtisserie. Mélangez la farine, le sel et le sucre. Incorporez du bout des doigts le beurre défait jusqu'à ce que le mélange ressemble à de la chapelure. Battez l'œuf et le lait et mélangez-les à l'appareil avec un couteau à lame arrondie, jusqu'à ce que la pâte soit souple et aérée.

Roulez la pâte dans vos mains pour obtenir 10 boules de même grosseur. Enfoncez votre doigt enduit de farine au centre de chacune d'elles et mettez un peu de confiture de framboises dans chaque trou. Refermez l'ouverture en pinçant les bords entre vos doigts. Placez les brioches très espacées sur les plaques. Badigeonnez-les d'œuf battu et faites-les cuire dans le haut du four, préchauffé à 220°C, pendant 10 à 15 minutes. Laissez refroidir sur une grille.

Petits gâteaux aux pommes
PRÉPARATION : 30 minutes
CUISSON : 15 minutes

INGRÉDIENTS (16 petits gâteaux)
450 g de pommes à cuire
Cassonade
250 g de farine tout usage
2 c. à thé de crème de tartre
1 c. à thé de bicarbonate de soude
1 pincée de sel
110 g de margarine
100 g de sucre granulé
1 œuf
Sucre à glacer

Graissez 16 moules à muffins. Pelez, évidez et tranchez les pommes, puis faites-les cuire à feu doux avec un peu de cassonade jusqu'à obtention d'une purée.

Entre-temps, tamisez ensemble la farine, la crème de tartre, le bicarbonate et le sel. Défaites la margarine et pétrissez-la avec la farine jusqu'à ce que le mélange ressemble à de la chapelure. Incorporez le sucre et l'œuf battu et mélangez jusqu'à obtention d'une pâte souple. Pétrissez celle-ci et roulez-la en une abaisse de 3 mm d'épaisseur. Découpez 16 fonds et 16 chapeaux de pâte avec un emporte-pièce à bords lisses de 6 cm de diamètre.

Déposez les bases dans les moules avec une spatule en métal. Couvrez-les de 1 cuillerée à thé de sauce aux pommes, puis d'un petit chapeau de pâte (les deux abaisses se souderont ensemble pendant la cuisson). Saupoudrez-les de sucre à glacer et faites cuire dans le haut du four, préchauffé à 205°C, pendant 15 minutes. Laissez tiédir dans les moules, puis faites refroidir sur une grille.

GÂTEAUX AUX POMMES

Abaissez la pâte entre deux papiers.

Découpez-la avec un emporte-pièce.

Couvrez d'un petit chapeau de pâte.

GÂTEAUX AU BEURRE EN CRÈME

Dans ce type de gâteau, le corps gras est battu en crème avec le sucre. Mettez le beurre (ou la margarine) défait en morceaux dans un bol suffisamment grand pour que vous puissiez le fouetter vigoureusement avec le sucre sans faire d'éclaboussures. Ramollissez le corps gras en le battant contre les parois du bol avec une cuillère en bois, ajoutez le sucre et continuez de battre jusqu'à ce que le mélange soit mousseux et jaune pâle. Au bout de 7 à 10 minutes, il devrait avoir considérablement augmenté de volume et couler de la cuillère.

Si vous utilisez un batteur électrique, réglez-le à la vitesse indiquée dans le mode d'emploi et battez 3-4 minutes. Arrêtez le batteur de temps en temps et ramenez la préparation des parois vers le centre du bol.

Gâteau fourré
PRÉPARATION : 15 minutes
CUISSON : 25 minutes

INGRÉDIENTS
110 g de beurre ou de margarine
90 g de sucre
2 gros œufs
Essence de vanille, ou bien le zeste râpé d'un citron ou d'une orange
110 g de farine
2 pincées de levure chimique
GARNITURE
Confiture ou bien crème au beurre
DÉCORATION
Sucre glace ou un glaçage au choix

Beurrez deux moules ronds à bords lisses d'un diamètre de 16 à 18 cm et recouvrez-en le fond avec un disque de papier beurré.

Dans une grande terrine, à bords hauts, battez le beurre ou la margarine contre les parois du récipient avec une cuillère de bois, jusqu'à ce qu'il soit mou ; ajoutez le sucre et battez encore afin d'obtenir un mélange très moelleux, jaune très clair. Incorporez les œufs au mélange, un par un, puis quelques gouttes d'essence de vanille, ou le zeste de citron ou d'orange. Ajoutez enfin la farine, que vous aurez d'abord tamisée avec la levure.

Répartissez le mélange, en deux parties égales, dans les deux moules, en aplanissant la surface ; glissez dans la partie supérieure du four, préchauffé à 180°C, en mettant si possible les deux moules côte à côte sur la même plaque ou grille, et faites-les cuire pendant 25 minutes environ, jusqu'à ce que, en piquant les gâteaux au centre avec une lame de couteau bien sèche, elle en ressorte parfaitement propre et sèche. Faites refroidir sur une grille.

Superposez les deux gâteaux en enduisant celui du dessous de confiture ou bien de crème au beurre ; saupoudrez celui du dessus de sucre glace ou nappez-le d'un glaçage.

BEURRE EN CRÈME

Posez le bol sur un linge humide.

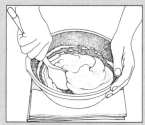

Faites mousser beurre et sucre.

Cassez-y les œufs et remuez.

Ou versez-y les œufs battus.

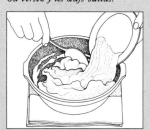

Incorporez la farine tamisée.

Gâteau fourré au chocolat

PRÉPARATION : *25 minutes*
CUISSON : *30 minutes*

INGRÉDIENTS
110 g de beurre ou de margarine
100 g de sucre
2 gros œufs
2 c. à soupe de cacao
125 g de farine autolevante
1 pincée de sel

GARNITURE
3 c. à soupe de beurre ou de margarine
2 c. à thé d'extrait de café
135 g de sucre à glacer
1 c. à soupe de crème légère

Beurrez un moule à gâteau aux côtés lisses, de 20 cm de diamètre, et chemisez-le avec un morceau de papier dont les côtés dépasseront les bords du moule de 1,5 cm. Beurrez le papier.

Ramollissez le beurre en le battant, ajoutez le sucre et continuez de battre jusqu'à l'obtention d'une crème légère et mousseuse. Battez les œufs et incorporez-les au beurre, petit à petit. Délayez le cacao dans un petit bol ou une tasse avec juste assez d'eau froide pour en faire une pâte. Versez-le dans le beurre en fouettant légèrement et en alternant avec la farine et le sel tamisés. Versez le mélange dans le

GÂTEAU FOURRÉ

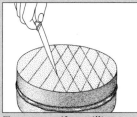

Tamisez le sucre à glacer dessus.

Tracez un motif en treillis.

moule, lissez le dessus et faites cuire au centre du four, préchauffé à 180°C, pendant une trentaine de minutes ou jusqu'à ce que le gâteau ait bien levé et soit spongieux au toucher.

Pendant que le gâteau est au four, préparez la garniture. Battez le beurre jusqu'à ce qu'il soit crémeux et incorporez-y graduellement le sucre à glacer. Ajoutez l'extrait de café et la crème.

Renversez le gâteau sur une grille et ôtez le papier qui chemisait le moule. Une fois que le gâteau est refroidi, coupez-le en deux horizontalement et étalez la garniture sur la partie inférieure ; replacez l'autre moitié et pressez légèrement. Saupoudrez le dessus de sucre tamisé et dessinez-y un motif en treillis avec le dos d'une lame de couteau.

Quatre-quarts

PRÉPARATION : *20 minutes*
CUISSON : *1 heure à 1 h 15*

INGRÉDIENTS
150 g de beurre ou de margarine
150 g de sucre
3 gros œufs
150 g de farine autolevante
1 pincée de sel
Le zeste râpé et le jus d'un demi-citron
Écorce de citron

Graissez un moule à gâteau de 18 cm de diamètre et chemisez-le avec du papier paraffiné. Ramollissez le beurre avec une cuillère en bois et battez-le en crème avec le sucre jusqu'à ce qu'il soit léger et mousseux. Ajoutez les œufs un à un, en battant bien entre chaque ajout. Incorporez la farine tamisée et le sel, en alternant avec le zeste et le jus de citron passé. Versez la préparation dans le moule et lissez le dessus. Décorez-le de fines lamelles d'écorce de citron.

Faites cuire le gâteau au centre du four, préchauffé à 165°C, pendant 1 heure à 1 h 30. Laissez-le refroidir dans le moule pendant 10 minutes, puis renversez-le sur une grille.

Quatre-quarts au chocolat

PRÉPARATION : *20 minutes*
CUISSON : *1 h 15 à 1 h 30*

INGRÉDIENTS
375 g de farine tout usage tamisée
50 g de cacao
1 c. à thé de sel
2 pincées de levure chimique
225 g de beurre
110 g de graisse végétale
500 g de sucre
1 c. à thé d'extrait de vanille
5 œufs
250 ml de lait

Tamisez ensemble la farine, le cacao, le sel et la levure. Battez le beurre et la graisse végétale en crème avec le sucre. Incorporez l'extrait de vanille et les œufs.

Ajoutez peu à peu les ingrédients secs en alternant avec le lait, de façon à terminer avec les premiers. Versez dans un moule à couronne de 25 cm dont vous aurez beurré le fond, mais non les parois. Faites cuire au centre du four, à 165°C, pendant 1 h 15 à 1 h 30.

Pain à l'ananas et aux cerises

PRÉPARATION : *35 minutes*
CUISSON : *1 h 30*

INGRÉDIENTS
150 g de cerises confites
40 g d'ananas confit
50 g d'amandes moulues
Le zeste râpé d'un demi-citron
180 g de beurre ou de margarine
150 g de sucre
3 œufs
95 g de farine autolevante
95 g de farine tout usage
1 pincée de sel

Beurrez un moule de 11 cm sur 22 cm ; chemisez-le avec du papier paraffiné beurré. Réservez 10 cerises et coupez les autres en deux. Hachez l'ananas et mélangez-le avec les cerises, les amandes et le zeste.

Ramollissez le beurre et battez-le en crème avec le sucre jusqu'à ce que le mélange soit léger et mousseux. Fouettez les œufs avant de les verser dans le beurre. Tamisez les farines et le sel et incorporez-les, un tiers à la fois, à la préparation précédente. Terminez avec les fruits.

Versez la pâte à la cuillère dans le moule, lissez le dessus et décorez de cerises. Couvrez le moule avec une feuille d'aluminium en prenant soin de ne pas toucher au gâteau. Faites cuire au centre du four, chauffé à 180°C, pendant 1 h 15 ou jusqu'à ce que le gâteau ait bien levé et soit ferme au toucher. Laissez refroidir sur une grille et retirez le papier à chemiser.

Gâteau aux carottes

PRÉPARATION : *25 minutes*
CUISSON : *35 à 40 minutes*

INGRÉDIENTS
225 g de beurre
400 g de sucre
1 c. à thé de cannelle moulue
2 pincées de macis ou de muscade
½-1 c. à thé de zeste d'orange râpé
4 œufs
1½ tasse de carottes finement râpées
80 g de noix ou d'avelines finement hachées
300 g de farine tout usage tamisée
3 c. à thé de levure chimique
2 pincées de sel
75 ml d'eau chaude

Battez le beurre et le sucre ensemble jusqu'à ce qu'ils soient légers et mousseux. Incorporez la cannelle, le macis ou la muscade et le zeste d'orange, toujours en remuant. Ajoutez les œufs un à un, en battant chaque fois, et terminez avec les carottes et les noix que vous incorporerez progressivement. Tamisez ensemble la farine, la levure chimique et le sel ; délayez-les dans l'eau chaude et versez le tout dans la préparation aux carottes. Ne battez pas, mais incorporez la farine jusqu'à ce qu'elle soit bien enduite de crème.

Versez la pâte dans un moule à pain beurré de 28 cm sur 38 cm et faites cuire au four, chauffé à 180°C, pendant 35 à 40 minutes ou jusqu'à ce que le gâteau reprenne sa forme immédiatement après une légère pression au centre.

Quelques minutes après l'avoir sorti du four, détachez-le des parois du moule et renversez-le sur une grille où vous le laisserez refroidir.

Le gâteau aux carottes est meilleur à tous points de vue si on le sert au bout d'un jour ou deux.

Gâteaux

Dundee cake

PRÉPARATION : 20 minutes
CUISSON : 3 h 30 environ

INGRÉDIENTS
220 g de beurre
200 g de sucre
220 g de farine
4 gros œufs
250 g de raisins de Smyrne
250 g de raisins de Corinthe
220 g de fruits confits assortis coupés
en petits morceaux
100 g de cerises confites
Le zeste râpé d'un demi-citron
60 g d'amandes entières
1 pincée de sel

Faites gonfler les raisins de Smyrne pendant 10 à 15 minutes dans de l'eau chaude. Nettoyez les raisins de Corinthe.

Beurrez un moule rond à bords lisses, d'un diamètre d'environ 20 cm, et chemisez-le (p. 338) avec du papier paraffiné ; autour du moule, à l'extérieur, attachez une bande de ce même papier, dépassant d'environ 5 cm.

Dans une grande terrine, à bords hauts, battez le beurre avec une cuillère de bois contre les parois du récipient jusqu'à ce qu'il soit bien mou ; ajoutez le sucre et battez encore jusqu'à ce que vous obteniez un mélange très moelleux, d'un jaune très clair. Incorporez les œufs l'un après l'autre, la farine que vous aurez tamisée avec le sel, puis les raisins de Smyrne bien

MONDER LES AMANDES

Faites glisser les peaux.

Coupez les amandes en deux.

égouttés et épongés, les raisins de Corinthe, les fruits confits, les cerises confites, le zeste de citron râpé.

Jetez les amandes dans l'eau bouillante ; au bout de quelques minutes, égouttez-les, rafraîchissez-les, épluchez-les en incisant la peau à l'extrémité fine et en serrant bien fort l'amande entre deux doigts à l'autre extrémité ; mettez-en de côté un peu plus de la moitié, hachez les autres, ajoutez-les au mélange. Versez ce dernier dans le moule et lissez-le ; coupez en deux les amandes que vous avez réservées et disposez-les à la surface du gâteau en cercles concentriques, la partie convexe tournée vers le haut.

Faites cuire aussitôt dans la partie inférieure du four préchauffé à 150°C, pendant environ 3 h 30. Si le gâteau brunissait trop rapidement, recouvrez-le d'un morceau de papier huilé légèrement humecté d'eau et pendant la dernière heure de cuisson réduisez la température du four à 135°C. Le gâteau est cuit lorsque, en le piquant avec une pique en métal, celle-ci ressort sèche.

Faites-le refroidir dans le moule pendant 30 minutes, puis démoulez-le et finissez de le faire refroidir sur une grille, sans enlever le papier à chemiser ; enveloppez le gâteau froid dans une feuille de papier d'aluminium. Ce gâteau est meilleur après une semaine, voire même après un mois.

Papillons à l'orange

PRÉPARATION : 15 minutes
CUISSON : 10 minutes

INGRÉDIENTS (12 papillons)
6 c. à soupe de beurre ou de margarine
6 c. à soupe de sucre
1 gros œuf battu
155 g de farine autolevante
1 pincée de sel
1 c. à thé de zeste d'orange râpé
1 c. à soupe de jus d'orange
Crème au beurre aromatisée à l'orange
Sucre à glacer

Beurrez 12 moules à muffins. Battez le beurre en crème avec le sucre jusqu'à ce qu'il soit léger et mousseux. Ajoutez l'œuf battu. Tamisez la farine et le sel, ajoutez le zeste et incorporez le tout au beurre en

alternant avec le jus d'orange. Remplissez les moules à moitié, avec une cuillère. Faites cuire dans le haut du four, préchauffé à 205°C, pendant 10 à 15 minutes ou jusqu'à ce que les gâteaux aient levé et soient dorés. Laissez-les refroidir sur une grille.

Coupez une mince tranche sur le dessus de chacun des petits gâteaux et recouvrez-les d'un peu de crème au beurre. Coupez les tranches en deux et enfoncez-les légèrement dans la crème comme des ailes de papillon. Saupoudrez de sucre à glacer et servez.

Gâteau au café et aux noix

PRÉPARATION : 20 minutes
CUISSON : 35 à 40 minutes

INGRÉDIENTS
110 g de margarine molle
100 g de sucre
2 gros œufs
40 g de noix hachées
1 c. à soupe d'extrait de café
125 g de farine autolevante
1 pincée de sel
1 c. à soupe de levure chimique
GARNITURE
80 g de margarine molle
200 g de sucre à glacer
2 c. à thé de lait
2 c. à thé d'extrait de café
Moitiés de noix

Beurrez deux moules à gâteau de 18 cm de diamètre ; chemisez-en le fond avec du papier paraffiné beurré. Mettez la margarine, le sucre, les œufs, les noix hachées et l'extrait de café dans un bol. Tamisez par-dessus la farine, le sel et la levure chimique. Mélangez soigneusement ces ingrédients avec une cuillère en bois pendant 2-3 minutes. Répartissez ce mélange dans les deux moules, lissez le dessus et faites cuire au centre du four, à 165°C, pendant 35 à 40 minutes ou jusqu'à ce que les gâteaux aient levé et soient spongieux au toucher.

Démoulez-les sur une grille et laissez-les refroidir avant de retirer le papier à chemiser.

Entre-temps, préparez la garniture. Battez dans un bol la margarine, le sucre à glacer tamisé, le lait et l'extrait de café jusqu'à ce que le mélange soit lisse. Etalez les deux

tiers de cette crème entre les deux gâteaux, couvrez celui du dessus avec le dernier tiers, tracez-y un motif avec les dents d'une fourchette et terminez en disposant les moitiés de noix.

Gâteau aux fruits à l'ancienne

PRÉPARATION : 10 minutes
CUISSON : environ 1 h 30

INGRÉDIENTS
170 g de margarine molle
150 g de sucre
80 g de raisins de Smyrne
80 g de raisins de Corinthe
80 g de cerises confites hachées
375 g de farine autolevante
1 pincée de sel
1 c. à thé d'épices mélangées
3 c. à soupe de lait
3 œufs

Beurrez un moule à gâteau rond de 20 cm et chemisez-le avec du papier paraffiné beurré. Mélangez la margarine et tous les ingrédients secs dans un bol, ajoutez le lait et les œufs ; battez 2-3 minutes avec une cuillère en bois jusqu'à ce que la préparation soit homogène. Versez dans le moule et lissez le dessus.

Faites cuire au centre du four, chauffé à 180°C, pendant 1 h 30. Le gâteau est cuit lorsqu'un cure-dent qu'on y enfonce en ressort sec. Laissez le gâteau refroidir dans son moule pendant 15 minutes avant de le démouler sur une grille.

Tartelettes suisses

PRÉPARATION : 25 minutes
CUISSON : 20 minutes

INGRÉDIENTS (6 tartelettes)
110 g de beurre
2 c. à soupe de sucre
Extrait de vanille
125 g de farine tout usage
Sucre à glacer
Gelée de groseille

Déposez six moules en papier dans un moule à muffins et placez celui-ci sur une plaque à pâtisserie. Battez le beurre en crème avec le sucre jusqu'à ce que le mélange soit léger et mousseux. Versez-y quelques gouttes d'extrait de vanille, puis incorporez progressivement la farine en battant bien entre chaque addition.

Versez la préparation dans une poche à pâtisserie munie d'une grande douille étoilée. Faites glisser la pâte dans les ramequins en commençant par le centre et en procédant en spirale afin que les côtés soient plus élevés que le milieu. Faites cuire au centre du four, préchauffé à 180°C, pendant 20 minutes ou jusqu'à ce que le mélange soit pris et nettement coloré.

Laissez les tartelettes refroidir sur une grille sans les démouler. Saupoudrez-les de sucre à glacer et couronnez-les ensuite de gelée de groseille.

Surprises à la noix de coco

PRÉPARATION : 20 minutes
CUISSON : 20 minutes

INGRÉDIENTS (6 à 8 surprises)
110 g de beurre ou de margarine
100 g de sucre
2 œufs battus
125 g de farine autolevante
1 pincée de sel
4 c. à soupe de gelée ou de confiture de
fruits rouges
1 c. à soupe d'eau
70 g de noix de coco râpée
6 cerises confites
Angélique

Beurrez six moules à dariole. Battez le beurre en crème avec le sucre jusqu'à ce que le mélange soit léger et mousseux ; incorporez-y les œufs battus. Ajoutez graduellement la farine et le sel tamisés. Remplissez aux deux tiers les ramequins de ce mélange, déposez-les sur une plaque à pâtisserie et faites cuire au centre du four, préchauffé à 180°C, pendant 20 minutes ou jusqu'à ce que les pâtisseries soient dorées. Réservez-les sur une grille.

Une fois qu'elles ont refroidi, faites bouillir la confiture et l'eau et laissez cuire une minute. Egalisez la base des surprises, si besoin est, et badigeonnez-les de confiture de tous les côtés. Roulez-les dans la noix de coco et couronnez-les d'une cerise et de quelques feuilles d'angélique.

GÂTEAUX MOUSSELINE

Les gâteaux mousseline sont les plus légers de tous les gâteaux, caractéristique qui dépend essentiellement de la façon dont on y incorpore les œufs. On utilise la préparation sans corps gras pour les gâteaux de Savoie qui doivent être mis au four sans attendre.

Pour battre les œufs et le sucre, utilisez un batteur manuel rotatif ou un fouet ballon et stabilisez le mélange en plaçant le bol au-dessus d'une casserole d'eau chaude, mais non bouillante. Cette étape est toutefois inutile si vous utilisez un batteur électrique. Ne laissez pas trop chauffer le mélange (vous obtiendriez une pâte trop tassée). Pour que le gâteau lève bien, la pâte devrait filer en tombant lorsque vous relevez le fouet.

Avant de l'utiliser, tamisez la farine à deux ou trois reprises, la dernière fois au-dessus des œufs fouettés. Incorporez-la ensuite avec précaution pour que le volume des œufs ne diminue pas. Utilisez une cuillère en métal ou une spatule en caoutchouc et mélangez la pâte en y traçant des huit.

Gâteau de Savoie aux fraises
PRÉPARATION : *20 minutes*
CUISSON : *15 minutes*

INGRÉDIENTS
100 g de farine tout usage
1 pincée de sel
3 œufs
65 g de sucre
Confiture de fraises
125 ml de crème épaisse
Sucre à glacer

Beurrez et saupoudrez de farine et de sucre deux moules à gâteau de 18 cm. Tamisez deux fois la farine et le sel. Posez un grand bol sur une casserole d'eau chaude, cassez-y les œufs et fouettez-les en incorporant graduellement le sucre. Continuez de fouetter jusqu'à ce que le mélange ait pâli et soit suffisamment épais pour que, lorsque vous relevez le fouet, il retombe en un ruban. Incorporez délicatement la farine tamisée et le sel. Répartis-

sez la pâte entre les deux moules en déposant ce que vous aurez raclé du bol sur les côtés et non au centre. Faites cuire juste un peu plus haut que le centre du four, préchauffé à 190°C, pendant 15 minutes ou jusqu'à ce que les gâteaux soient légèrement dorés et moelleux au toucher.

Décollez avec soin les gâteaux des parois des moules en utilisant une spatule en métal et laissez-les refroidir sur une grille.

Lorsque les gâteaux sont froids, étalez une mince couche de confiture sur chacun d'eux. Couvrez l'un d'eux de crème fouettée et coiffez-le du second, confiture en dessous. Pressez légèrement et saupoudrez le dessus de sucre à glacer tamisé. Mettez au réfrigérateur jusqu'au moment de servir.

Roulé à la gelée
PRÉPARATION : *15 minutes*
CUISSON : *10 minutes*

INGRÉDIENTS
100 g de farine tout usage
1 pincée de sel
3 gros œufs
65 g de sucre
1 c. à soupe d'eau chaude
Garniture à la crème ou à la confiture

Tamisez deux fois la farine et le sel dans un bol. Beurrez un moule à roulé mesurant 30 cm sur 20 cm et chemisez-en le fond avec du papier paraffiné beurré.

Mettez les œufs et le sucre dans un bol posé sur une casserole d'eau chaude et fouettez jusqu'à ce que le mélange ait pâli et fasse un épais ruban. Retirez du feu, tamisez la moitié de la farine et du sel sur les œufs et incorporez-les délicatement avec une spatule en caoutchouc. Répétez l'opération avec le reste de farine, puis ajoutez l'eau chaude. Versez la pâte dans le moule en l'inclinant de tous côtés pour que le mélange s'étale uniformément. Mettez-le tout de suite dans le haut du four, préchauffé à 220°C, et faites cuire 10 minutes ou jusqu'à ce que le gâteau ait levé et soit doré et spongieux au toucher.

Pendant la cuisson, vous aurez saupoudré de sucre une feuille de papier paraffiné légèrement plus

ROULÉ À LA GELÉE

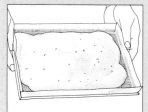

Inclinez pour étaler le mélange.

Retirez le papier à chemiser.

Etalez la gelée chaude sur le gâteau.

Enroulez sur du papier sucré.

Roulez pour garnir à la crème.

grande que le moule. Renversez le gâteau encore chaud sur ce papier et coupez-en rapidement les bords avec un couteau tranchant. Etalez 4-5 cuillerées à soupe de confiture chaude jusqu'à 1,5 cm des bords et roulez aussitôt le gâteau dans la longueur en le tenant fermement pour le premier tour, puis en relâchant votre prise. Laissez-le refroidir sur une grille, la soudure en dessous, après l'avoir recouvert d'un linge propre.

Vous pouvez remplacer la confiture par une crème au beurre que vous étalerez juste avant de servir. Dans ce cas, ne retirez pas le papier à chemiser, mais enroulez-le avec le gâteau. Quand celui-ci est froid, déroulez-le avec précaution, garnissez-le de crème fouettée, de crème au beurre (p. 345) ou de crème pâtissière (p. 309) et enroulez-le de nouveau. Avant de servir, saupoudrez-le de sucre glace.

GÂTEAUX MOUSSELINE FINS

Lorsqu'on ajoute du beurre à une pâte mousseline, le gâteau qui en résulte s'appelle une génoise. Plus riche que les autres gâteaux mousseline, la génoise doit cuire plus longtemps, mais elle se conserve mieux. On utilise la pâte à génoise tant pour préparer des gâteaux fourrés à la crème et aux fruits que pour des petits fours qu'on découpe avec un emporte-pièce avant de les glacer.

Génoise
PRÉPARATION : *15 minutes*
CUISSON : *30 minutes*

INGRÉDIENTS
45 g de beurre
80 g de farine tout usage
1 c. à soupe de fécule de maïs
3 gros œufs
60 g de sucre

Beurrez un moule carré de 22 cm de côté, à bords bas, ou bien un moule carré de 18 cm de côté, à bords hauts, ou bien un moule rond à bords hauts de 20 cm de diamètre ; chemisez-le (p. 338) avec du papier paraffiné.

Faites fondre 45 g de beurre dans une petite casserole, à feu très doux ; dès qu'il est fondu, retirez-le du feu et laissez-le reposer quelques minutes. Tamisez ensemble trois fois de suite la farine et la fécule de maïs.

Cassez les œufs dans un grand bol profond, posé sur une marmite contenant de l'eau très chaude ; battez quelques secondes avec un fouet, puis ajoutez le sucre et battez encore jusqu'à ce que le mélange soit devenu presque blanc et que, en soulevant le fouet, il en retombe un ruban épais.

Retirez la terrine de la marmite et battez encore quelques minutes, jusqu'à ce que le mélange soit froid. Tout en remuant à fond mais délicatement avec une spatule en caoutchouc, incorporez-y la moitié du mélange farine-fécule, puis le beurre, que vous verserez en filet en le faisant tomber le long du bord du bol, et enfin le reste du mélange farine-fécule. Versez dans le moule que vous avez préparé, faites cuire dans la partie la plus haute du four, préchauffé à 180°C, pendant 30 minutes, jusqu'à ce que le gâteau soit bien gonflé et élastique sous une pression légère du doigt. Retirez-le du four, démoulez-le en le renversant sur une petite grille, laissez-le refroidir. Otez le papier.

Qu'elle soit cuite dans un moule rond ou carré à bords hauts, la génoise peut se découper transversalement en trois couches, que l'on superpose ensuite en mettant entre les couches une garniture de crème ou bien de crème et de fruits ; on peut ensuite recouvrir le gâteau d'un glaçage (p. 345), ou bien le décorer avec de la crème fouettée. Si la génoise est moins épaisse, vous pouvez la couper seulement en deux ; vous la fourrerez et la décorerez de la même manière.

Il est plus commode de prendre un moule bas et large lorsque la génoise doit servir à la préparation de petits fours.

Gâteaux

Petits pavés glacés

PRÉPARATION : 1 h 30
CUISSON : 30 minutes

INGRÉDIENTS (24 à 30 petits fours)
45 g de beurre doux
80 g de farine tout usage
1 c. à soupe de fécule de maïs
3 gros œufs
60 g de sucre
Glace à l'abricot (p. 347)
450 g de pâte d'amandes crue
  (p. 347)
Glace à l'eau parfumée (p. 346)
GARNITURE
Cerises confites, cédrat, pistaches
Colorants de pâtisserie (facultatif)

Beurrez et chemisez de papier un moule bas rectangulaire de 25 cm sur 15 cm. Préparez une génoise en suivant les étapes décrites dans la recette type. Versez-la dans le moule, faites-la cuire dans le haut du four, préchauffé à 180°C, pendant 30 minutes ou jusqu'à ce qu'elle soit gonflée et élastique sous la pression d'un doigt. Démoulez-la sur une grille, laissez-la refroidir et enlevez le papier.

Découpez, avec des emporte-pièce, 24 à 30 petites formes différentes. Badigeonnez-les avec de la glace à l'abricot.

Abaissez la pâte d'amandes en une couche bien fine et découpez-y des formes identiques que vous disposerez sur les génoises.

Préparez la glace à l'eau en choisissant les parfums que vous préférez (vous pouvez, par exemple, en préparer une partie au citron, une autre à l'orange, une troisième au café et une quatrième au chocolat) ou bien en la colorant simplement avec des colorants de pâtisserie.

Posez les petits fours sur une petite grille, au-dessus d'un plat, et versez dessus la glace à l'eau avec une petite cuillère en la laissant goutter sur les bords. Lorsque la glace est presque dure, décorez les petits gâteaux avec des cerises confites, des morceaux d'écorce de cédrat ou d'orange confite coupés en formes décoratives, des violettes confites au sucre, des pistaches, de petites dragées argentées. Laissez refroidir et durcir complètement, puis disposez les petits fours dans des caissettes de papier plissé.

PETITS PAVÉS GLACÉS

Découpez avec un emporte-pièce.

Badigeonnez de glace à l'abricot.

Recouvrez de pâte d'amandes crue.

Glacez et décorez.

Petits fours aux amandes

PRÉPARATION : 20 minutes
CUISSON : 20 minutes

INGRÉDIENTS (24 à 30 petits fours)
2 blancs d'œufs
90 g d'amandes mondées hachées fin
50 g de sucre
Extrait d'amande liquide
GARNITURE
Cerises confites, écorce d'orange confite, amandes mondées

Recouvrez deux ou trois plaques à four de papier paraffiné.

Dans une terrine à bords hauts, montez les blancs en neige ferme. Mélangez-y le sucre et les amandes et ajoutez quelques gouttes d'extrait d'amande liquide.

Passez le mélange dans une poche à douille large et cannelée et, en pressant sur la poche, disposez les petits fours sur les plaques en forme de rosette et de S, à 3 cm les uns des autres. Décorez avec des cerises confites ou de petits morceaux d'écorce d'orange ou d'amande.

Faites cuire au centre du four, préchauffé à 180°C, pendant environ 20 minutes.

FOURS AUX AMANDES

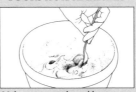

Mélangez amandes et blancs.

Formez les petits fours à la poche.

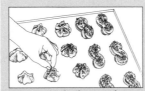

Décorez avec des fruits confits.

GÂTEAUX AU BEURRE FONDU

Les gâteaux préparés avec du beurre fondu ont une texture compacte et légèrement collante, un peu comme celle d'une pâte épaisse. Ils contiennent souvent du sirop ou de la mélasse, et la levure chimique y est employée comme principal agent de fermentation.

Pain d'épice

PRÉPARATION : 15 minutes
CUISSON : 1 h 30

INGRÉDIENTS
500 g de farine tout usage
3 c. à thé de gingembre moulu
3 c. à thé de levure chimique
1 c. à thé de bicarbonate de soude
1 c. à thé de sel
250 g de cassonade blonde
180 g de beurre
125 ml de mélasse
125 ml de sirop de maïs
300 ml de lait
1 gros œuf

Beurrez un moule à gâteau carré de 22 cm et profond d'environ 5 cm ; chemisez-le avec du papier paraffiné beurré. Tamisez tous les ingrédients secs, sauf la cassonade, dans un grand bol. Faites fondre le beurre à feu doux avec la cassonade, la mélasse et le sirop, puis versez-les, en même temps que le lait et l'œuf battu, dans un puits que vous aurez ménagé au centre des ingrédients secs. Mélangez soigneusement avec une cuillère en bois. Versez la préparation dans le moule et faites cuire au centre du four, préchauffé à 180°C, pendant 1 h 30 ou jusqu'à ce que le gâteau ait levé et soit légèrement ferme au toucher. Laissez tiédir 15 minutes, puis démoulez sur une grille. Une fois que le pain d'épice est froid, enveloppez-le dans du papier d'aluminium sans retirer le papier à chemiser.

Attendez de quatre à sept jours avant de le servir, pour laisser aux saveurs le temps de se développer.

Le pain d'épice est délicieux, qu'il soit servi tel quel, avec du beurre ou avec une garniture ; vous pouvez l'accompagner d'une crème

fouettée, de tranches de pêche, de compote de pommes, de beurre de pomme, ou de la sauce servie avec le pouding aux bleuets (p. 307).

Croquet à la mélasse

Dans cette recette, le sirop de maïs et la mélasse sont chauffés seuls, puis versés sur les ingrédients secs et le beurre. Comme ce gâteau contient beaucoup de sucre, il faudra le faire vieillir comme le pain d'épice.

PRÉPARATION : 20 minutes
CUISSON : 45 minutes

INGRÉDIENTS
250 g de farine tout usage
1 pincée de sel
2 c. à thé de levure chimique
2 c. à thé de gingembre moulu
4 c. à soupe de margarine ou de beurre
4 c. à soupe de saindoux
185 g de farine d'avoine
100 g de sucre
125 ml de sirop de maïs
125 ml de mélasse
4 c. à soupe de lait

Beurrez un moule de 25 cm sur 20 cm, profond de 4 cm, et chemisez-le avec du papier paraffiné beurré. Tamisez ensemble dans un bol la farine, le sel, la levure chimique et le gingembre moulu. Défaites la margarine et le saindoux en petits morceaux et incorporez-les à la farine jusqu'à ce que le mélange ressemble à de la chapelure. Ajoutez le sucre et la farine d'avoine. Faites chauffer le sirop et la mélasse ; versez-les, en même temps que le lait, au centre des ingrédients secs. Remuez doucement avec une cuillère en bois jusqu'à ce que le mélange soit homogène.

Versez la préparation dans le moule et faites cuire au centre du four, chauffé à 180°C, pendant environ 45 minutes ou jusqu'à ce que le gâteau commence à se détacher des parois du moule. Il aura aussi tendance à s'affaisser légèrement. Laissez-le refroidir sur une grille, ôtez le papier à chemiser, enveloppez-le d'une feuille d'aluminium et attendez au moins une semaine avant de le servir, coupé en tranches épaisses.

Garnitures et glaçages

Les garnitures et les glaçages rendent les gâteaux plus savoureux tout en permettant de les conserver plus longtemps. Les quatre principaux types de garnitures sont la crème au beurre, la glace fondante, la glace veloutée et la glace à l'eau. Vous pourrez avoir besoin d'un thermomètre à bonbons.

Crème au beurre

C'est probablement la préparation la plus utilisée pour fourrer et glacer un gâteau. Après avoir réduit du beurre en pommade, on va y ajouter peu à peu du sucre granulé ou du sucre à glacer, ou encore un mélange des deux ; puis on mélange bien le tout jusqu'à l'obtention d'une crème assez consistante. On peut également incorporer à la crème au beurre soit des œufs entiers, soit des jaunes ou des blancs.

Glace fondante

La préparation de cette glace demande beaucoup de soins puisque le fondant mou durcit rapidement et s'étale alors avec difficulté. On fait cuire un mélange à base de sucre à une température donnée, on le laisse refroidir, puis on le bat en crème. Si la glace prend trop rapidement, il suffit de déposer le bol au-dessus d'une casserole d'eau chaude et d'ajouter 1 ou 2 cuillerées à thé d'eau ou de lait chaud à la préparation.

Glace veloutée

Pour ce type de glace, on bat ensemble, au-dessus d'une casserole d'eau bouillante, du sucre, des blancs d'œufs, de l'eau et le parfum de son choix jusqu'à ce que le mélange soit ferme et forme des pics. On peut également préparer un sirop avec du sucre et de l'eau, puis l'incorporer délicatement à des blancs d'œufs montés en neige. Ces deux glaçages s'étalent et se façonnent aisément, mais ils forment une mince couche de sucre au bout de quelques jours.

Glace à l'eau

Il s'agit ici d'une glace sans cuisson, faite à partir de sucre à glacer et d'un liquide auxquels on ajoute un parfum et un colorant alimentaire. Les glaçages préparés ainsi conviennent très bien pour les gâteaux mousseline et sont d'autant plus faciles à employer qu'ils s'étalent tout seuls : il suffit de les verser sur les gâteaux et de les laisser couler. En durcissant, ils donnent une glace au fini lisse. La glace royale est un mélange de glace veloutée et de glace à l'eau.

Règles générales

La décoration d'un gâteau offre d'innombrables possibilités si l'on donne libre cours à l'imagination. Néanmoins, il existe des règles essentielles à respecter.

Laissez toujours refroidir complètement un gâteau avant de le fourrer et de le glacer, et ôtez avec un pinceau les miettes qui pourraient adhérer à la glace.

Les petits fours sont souvent recouverts d'une mince couche de glace aux amandes ou de fondant.

N'employez pas une glace ou une garniture dures pour un gâteau à pâte molle et friable. Pour les gâteaux mousseline, choisissez une crème légère qui s'étale facilement.

Avant de glacer un gâteau, assurez-vous que le dessus est parfaitement plat. Retournez-le et glacez le dessous si celui-ci est plus lisse.

Pour fourrer un gâteau en couches après l'avoir coupé, déposez l'une des moitiés sur sa croûte et couvrez-la de garniture jusqu'au bord. Laissez prendre pendant quelques minutes, remettez l'autre moitié, partie croûtée sur le dessus, et pressez légèrement.

Avant de recouvrir un gâteau d'une glace molle, posez-le sur une petite grille, elle-même placée sur un grand plat. Versez la glace au centre du gâteau et étalez-la petit à petit sur toute la surface, puis sur les côtés, en vous servant d'une spatule en métal.

Pour donner une touche professionnelle à votre gâteau, glacez-en les côtés uniformément, puis roulez-le dans des noix hachées ou des paillettes de chocolat. Glacez ensuite le dessus ; puis, avec une poche à douille remplie d'une glace colorée, tracez de fines lignes tous les 2 cm. Pendant que la glace est encore molle, tracez des lignes perpendiculairement aux premières avec le dos d'une lame de couteau. Pour terminer l'opération, tournez le gâteau de 180° et passez délicatement le couteau entre les intersections.

Pour recouvrir un gâteau de crème au beurre, déposez-le sur une planche à pâtisserie et com-

GLAÇAGE PROFESSIONNEL

Tracez des lignes de glace colorée.

Tracez ensuite avec un couteau.

Recommencez dans l'autre sens.

mencez par les côtés en vous servant d'un couteau à lame arrondie. Versez ensuite la crème sur le dessus et étalez-la avec une petite spatule en métal. Finissez soigneusement les bords et terminez en traçant dans la crème le motif de votre choix avec un couteau ou une fourchette.

Vous pouvez également décorer les côtés enduits de crème au beurre. Pour ce faire, lissez bien la glace et roulez le gâteau dans des paillettes ou des copeaux de chocolat ou encore des noix hachées avant de glacer le dessus.

Les décorations faites avec une poche à douille sont appliquées une fois que la glace est prise, tandis que celles qui sont modelées, comme les roses, sont mises en place pendant que la glace est encore molle.

Pour faire une rose avec de la glace royale colorée, fixez d'abord un petit morceau de papier paraffiné sur un clou à glace avec un petit peu de glace molle. Vissez une petite douille lisse ou étoilée à la poche à pâtisserie et laissez couler un premier cône sur le papier. Continuez en l'entourant de petits pétales se chevauchant légèrement. Procédez ainsi de droite à gauche jusqu'à ce que votre rose soit de la grosseur voulue. Retirez le papier ciré, attendez que la rose durcisse, puis déposez-la sur le glaçage encore mou.

ROSE EN GLACE ROYALE

Faites couler un cône sur le papier.

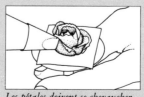

Les pétales doivent se chevaucher.

Crème au beurre

PRÉPARATION : *10 minutes*

INGRÉDIENTS
110 g de beurre doux
300 à 400 g de sucre à glacer
Extrait de vanille (facultatif)
1-2 c. à soupe de lait

Battez en crème le beurre ramolli avec une cuillère en bois ou au batteur électrique. Incorporez par cuillerées le sucre à glacer tamisé ainsi que quelques gouttes d'extrait de vanille, si vous en utilisez, puis le lait pour une crème plus liquide. Ces quantités sont suffisantes pour glacer un gâteau de 18 cm.

Vous pouvez incorporer divers parfums à cette recette de base :

Amandes : Ajoutez 2 cuillerées à soupe d'amandes grillées finement hachées. Remplacez l'extrait de vanille par quelques gouttes d'extrait d'amande.

Chocolat : Ajoutez 30 à 45 g de chocolat fondu et une seule cuillerée à soupe de lait ; ou délayez 1 cuillerée à soupe de cacao dans 1 cuillerée à soupe d'eau chaude. Laissez refroidir et ajoutez à la crème, au lieu du lait.

Café : Remplacez le lait et la vanille par 2 cuillerées à thé de café soluble dissous dans 1 cuillerée à thé d'eau.

Gingembre : Incorporez 80 g de gingembre confit finement haché, mais n'ajoutez pas de vanille.

Citron : Ajoutez, au lieu de la vanille, 1 cuillerée à soupe de jus de citron frais et 1 zeste de citron râpé.

Liqueur : Ne mettez ni lait ni vanille. Remplacez-les par 2-3 cuillerées à thé de la liqueur au fruit de votre choix.

Moka : Ne mettez pas de vanille. Délayez, jusqu'à l'obtention d'une pâte lisse, 2 cuillerées à thé de cacao et 2 cuillerées à thé de café soluble dans un peu d'eau chaude ; laissez refroidir avant d'ajouter à la place du lait.

Orange : Remplacez le lait et la vanille par 2 cuillerées à soupe de jus d'orange frais, 1 zeste d'orange râpé et, à votre goût, 1 cuillerée à thé d'amer au citron.

Garnitures et glaçages

Crème au beurre et aux œufs
PRÉPARATION : *20 minutes*

INGRÉDIENTS
6 c. à soupe de sucre
4 c. à soupe d'eau
2 jaunes d'œufs
120 à 180 g de beurre doux

Mettez le sucre et l'eau dans une casserole et faites fondre à feu doux sans laisser bouillir. Quand le sucre est dissous, portez à ébullition et faites cuire jusqu'à ce que le thermomètre à bonbons indique 105°C. Battez les jaunes d'œufs dans un grand bol et incorporez le sirop en un mince filet sans cesser de remuer. Continuez jusqu'à ce que le mélange épaississe et laissez refroidir (vous pouvez mettre le bol dans de l'eau glacée). Battez le beurre en crème avec une cuillère en bois, puis incorporez-y le sirop aux œufs en n'en versant qu'un tout petit peu à la fois.

Pour parfumer la crème, ajoutez 60 g de chocolat semi-sucré, fondu et tiédi, 1-2 cuillerées à soupe d'extrait de café ou un zeste d'orange ou de citron râpé.

Glace au beurre et au miel
PRÉPARATION : *15 minutes*

INGRÉDIENTS
6 c. à soupe de beurre
300 g de sucre à glacer
1 c. à soupe de miel blond
1 c. à soupe de jus de citron

Battez le beurre jusqu'à ce qu'il soit mou, mais non huileux. Ajoutez le sucre tamisé petit à petit, sans cesser de battre ; quand vous en aurez mis la moitié, versez le miel et le citron avant de continuer.

Glace au caramel
PRÉPARATION : *20 minutes*

INGRÉDIENTS
5 c. à soupe de crème légère
6 c. à soupe de beurre
2 c. à soupe de sucre en poudre
400 g de sucre glace

Faites chauffer ensemble dans une casserole la crème et le beurre.

Préparez le caramel : dans une autre casserole, sur feu doux, en remuant avec une cuillère en bois, faites chauffer le sucre jusqu'à ce qu'il soit fondu et doré. Retirez du feu les deux casseroles, versez le mélange de crème et de beurre sur le caramel, remettez sur feu doux et, en remuant de temps en temps, faites chauffer jusqu'à ce que le caramel soit dissous.

Incorporez-y peu à peu le sucre glace, que vous aurez d'abord tamisé pour éliminer d'éventuels grumeaux, en remuant jusqu'à ce que vous obteniez une glace molle qui s'étale facilement.

Glace fondante au chocolat
PRÉPARATION : *30 minutes*

INGRÉDIENTS
500 g de sucre granulé
300 ml d'eau
2 c. à soupe de sirop de maïs
4 c. à soupe de beurre doux
50 g de cacao

Mettez tous les ingrédients dans une casserole et faites cuire, sans laisser bouillir, jusqu'à ce que le sucre soit dissous. Portez à ébullition et prolongez la cuisson ainsi jusqu'à ce que le thermomètre à bonbons indique 114°C.

Pour éviter que la glace n'attache, déplacez le thermomètre de temps en temps et raclez le fond de la casserole avec une cuillère en bois, mais sans remuer. Quand la glace est cuite, laissez-la refroidir, après avoir enlevé la casserole du feu, puis battez-la avec la cuillère jusqu'à ce qu'elle épaississe. Glacez le gâteau sans plus attendre.

Glace dure
PRÉPARATION : *30 minutes*

INGRÉDIENTS
400 g de sucre
1 pincée de crème de tartre
2 blancs d'œufs
Extrait de vanille (facultatif)

Pour cette recette, vous aurez besoin d'un thermomètre à bonbons. Si vous n'en avez pas, préparez la glace sept-minutes qui est légèrement plus molle. Mettez le sucre dans une casserole à fond épais avec 125 ml d'eau et faites-le dissoudre à feu doux sans remuer. Délayez la crème de tartre dans 1 cuillère à thé d'eau et incorporez-la au sirop. Portez à ébullition

et laissez bouillir sans remuer jusqu'à ce que le thermomètre indique 115°C. Juste avant que le mélange n'atteigne cette température, montez les blancs d'œufs en neige ferme. Retirez le sirop du feu et, dès qu'il n'y a plus de bulles, versez-le en un long filet mince dans les blancs, sans cesser de remuer. Continuez de battre jusqu'à ce que la glace soit épaisse et opaque. Ajoutez-lui quelques gouttes de vanille et glacez-en aussitôt un gâteau de 20 cm.

Glace sept-minutes
PRÉPARATION : *10 minutes*

INGRÉDIENTS
1 blanc d'œuf
150 g de sucre
1 pincée de sel
2 c. à soupe d'eau
1 pincée de crème de tartre

Mettez tous les ingrédients dans un grand bol et battez-les quelques minutes avec un batteur rotatif mécanique ou électrique. Placez le bol au-dessus d'une casserole d'eau chaude et continuez de battre jusqu'à ce que le mélange soit suffisamment épais pour former des pics, ce qui prend environ 7 minutes. Utilisez tout de suite.

Glace à l'eau
PRÉPARATION : *10 minutes*

INGRÉDIENTS
120 à 200 g de sucre glace
1-2 c. à soupe d'eau tiède

Tamisez le sucre glace dans une terrine à bords hauts. Tout en remuant avec une cuillère en bois, ajoutez l'eau par petites quantités, jusqu'à ce que vous obteniez un mélange suffisamment épais pour pouvoir recouvrir d'une couche fine le dos de la cuillère. Vous pouvez ajouter quelques gouttes de colorant pour gâteaux.

Si vous voulez obtenir une glace plus brillante, faites fondre à feu doux, dans une petite casserole, 2 cuillerées à soupe de sucre granulé avec 4 cuillerées à soupe d'eau. Portez à ébullition, puis faites bouillir très lentement pendant 5-6 minutes, jusqu'à ce que le sirop ait réduit environ de moitié.

Retirez du feu, plongez la petite casserole dans une plus grand contenant de l'eau froide ; attendez jusqu'à ce que le fond de la petite casserole soit tiède. Incorporez au sirop, par petites quantités, le sucre glace que vous aurez auparavant tamisé pour éliminer d'éventuels grumeaux. Utilisez immédiatement. Cette glace suffit pour un gâteau de 20 cm environ de diamètre.

On peut la parfumer :
— au citron, en remplaçant 1 cuillerée à soupe d'eau par 1 cuillerée à soupe de jus de citron ;
— à l'orange, en remplaçant l'eau par du jus d'orange ;
— au chocolat, en ajoutant 2 petites cuillerées de cacao dissoutes dans 1 cuillerée à soupe de l'eau prescrite dans la recette de base ;
— à la liqueur, en remplaçant 1 cuillerée à soupe d'eau par 1 cuillerée à soupe de liqueur ;
— au café, en remplaçant ½ cuillerée à soupe d'eau par ½ cuillerée à soupe d'extrait de café liquide.

Si vous disposez de colorants à pâtisserie, vous pouvez jumeler ces parfums avec leurs couleurs.

Glace fondante
PRÉPARATION : *30 minutes*

INGRÉDIENTS
380 g de sucre
150 ml d'eau
2 c. à thé de glucose

Préparez un sirop : faites chauffer à feu doux l'eau et le sucre jusqu'à ce que celui-ci soit dissous. Passez un pinceau trempé dans l'eau froide le long de la ligne de contact entre le sirop et les parois de la casserole, pour éviter qu'il ne se forme des cristaux. Ajoutez le glucose, dissous dans un peu d'eau ; portez à ébullition et faites bouillir, en écumant les impuretés, jusqu'à ce que le thermomètre indique 115°C ; si vous n'avez pas de thermomètre, plongez l'index dans l'eau froide, puis très vite dans le sirop et tout de suite après encore dans l'eau froide, et frottez le bout de votre index contre le bout de votre pouce ; s'il se forme une petite boule de sucre mou, le sirop est prêt. Renversez-le lentement dans une terrine et laissez-le reposer jus-

qu'à ce qu'il se forme en surface une pellicule opaque.

Commencez alors à le remuer avec une cuillère de bois en dessinant des huit. Continuez à remuer jusqu'à ce que le mélange soit opaque, dur et lisse ; placez-le dans une boîte en métal à fermeture hermétique et conservez-le dedans. Au moment de vous en servir, faites-le chauffer au bain-marie, en ajoutant assez de sirop de sucre pour que la glace ait la consistance d'une crème épaisse ; vous pouvez aussi ajouter parfums et couleur, comme pour la glace à l'eau. Les quantités indiquées suffisent pour recouvrir environ deux douzaines de petits fours ou un gâteau de 18 à 20 cm de diamètre.

Glace royale
PRÉPARATION : *15 minutes*
REPOS (SI POSSIBLE) : *24 heures*

INGRÉDIENTS
4 blancs d'œufs
900 g environ de sucre glace
1 c. à thé de jus de citron

Battez les blancs dans une grande terrine jusqu'à ce qu'ils soient mousseux, mais pas encore montés en neige. Avec une cuillère de bois, incorporez-y peu à peu la quantité de sucre glace nécessaire (auparavant tamisé) pour obtenir un mélange suffisamment consistant pour qu'il garde sa forme lorsqu'on le soulève en petits monticules pointus. Ajoutez le jus de citron après la moitié du sucre.

Laissez reposer, si possible, 24 heures dans un récipient recouvert de polythène et travaillez à nouveau le mélange avant de vous en servir.

Les quantités indiquées suffisent pour glacer entièrement un gâteau de 5 cm de haut et d'un diamètre d'environ 25 cm.

Glace à l'abricot
PRÉPARATION : *15 minutes*

INGRÉDIENTS
500 g de confiture d'abricots
1 c. à soupe de jus de citron
4 c. à soupe d'eau

Réunissez tous les ingrédients dans une petite casserole, portez lentement à ébullition et faites bouillir doucement pendant 5 minutes. Passez au chinois, laissez refroidir. Vous pouvez conserver cette glace dans une boîte hermétique.

Cette glace s'emploie seule, ou bien sous une glace au sucre ou une couverture de pâte d'amandes (voir ci-dessous).

Pâte d'amandes crue
PRÉPARATION : *10 minutes*

INGRÉDIENTS
130 g de sucre glace
100 g de sucre en poudre très fin
160 g d'amandes mondées moulues très fin
⅓ c. à thé d'extrait d'amande liquide
1 c. à thé de jus de citron
1 œuf battu

Tamisez ensemble dans un bol le sucre glace, le sucre et les amandes. Tout en remuant avec une cuillère de bois ou avec les doigts, ajoutez l'extrait d'amande, le jus de citron, puis l'œuf battu. Vous devez obtenir un mélange ferme, mais que l'on puisse étaler. Travaillez-le légèrement jusqu'à ce qu'il soit bien lisse, puis mettez-le en abaisse.

Les quantités indiquées suffisent pour recouvrir la surface d'un gâteau de 16 à 18 cm de diamètre.

Pâte d'amandes cuite
La pâte d'amandes cuite ressemble au massepain, et on peut l'employer pour fourrer des dattes, des pruneaux ou pour recouvrir des gâteaux.

PRÉPARATION : *40 minutes*

INGRÉDIENTS
450 g de sucre en morceaux
150 ml d'eau
1 c. à thé de glucose
240 g d'amandes pelées hachées fin
2 blancs d'œufs
60 g de sucre glace
Extrait d'amande liquide (facultatif)

Réunissez dans une casserole les morceaux de sucre et l'eau et faites chauffer à feu doux jusqu'à ce que le sucre soit fondu. Montez le feu, portez ce sirop à ébullition ; mélangez-y le glucose dissous dans une petite cuillerée d'eau. Faites bouillir jusqu'à ce que le thermomètre marque 115°C ; si vous ne possédez pas de thermomètre, procédez comme pour le fondant. (p. 346).

Retirez du feu, remuez vite avec une cuillère de bois jusqu'à ce que le sirop devienne trouble ; incorporez-y immédiatement les amandes hachées et les blancs non battus. Remettez quelques minutes sur le feu, en remuant sans interruption.

Renversez le mélange sur un plan de travail huilé et, avec une spatule en métal, incorporez-y peu à peu le sucre glace, que vous aurez d'abord tamisé, et, si vous aimez, l'extrait d'amande liquide. Lorsque le mélange est assez refroidi, travaillez-le avec les doigts jusqu'à ce qu'il soit malléable, en ajoutant, si c'est nécessaire, encore un peu de sucre ; mettez-le pour finir en abaisse.

Les quantités indiquées suffisent pour recouvrir un gâteau de 22 cm environ de diamètre.

Glace à la crème sure et à la noix de coco
PRÉPARATION : *15 minutes*

INGRÉDIENTS
180 g de noix de coco râpée
400 g de sucre
500 ml de crème sure

Mélangez soigneusement tous les ingrédients. Couvrez et mettez au réfrigérateur pour la nuit.

Le lendemain, prenez un gâteau à deux étages blanc ou jaune et, avec un long couteau mince et pointu, coupez-le en quatre couches en un mouvement de va-et-vient. Glacez chacune des couches. Enveloppez le gâteau et réfrigérez-le pendant quatre jours.

Confiserie

La confiserie est un passe-temps absorbant, mais gratifiant. Présentés dans de jolies boîtes, vos bonbons feront des cadeaux tout indiqués pour Noël et les anniversaires. Disposez-les dans de petits moules de papier et placez une feuille de papier paraffiné entre chaque couche.

La plupart des bonbons traditionnels sont préparés à partir d'un sirop de sucre concentré, bouilli à feu très vif. Vous aurez besoin d'un thermomètre à bonbons et d'une grande casserole à fond épais. Pendant que le sirop réduit, remuez-le en un mouvement de va-et-vient avec une cuillère en bois. Déplacez le thermomètre de temps en temps, car le fondant et le caramel au beurre ont tendance à prendre autour de l'ampoule, ce qui fausse la lecture.

Pour les bonbons enrobés de chocolat, choisissez un chocolat de ménage sucré et de bonne qualité. Cassez-le en carrés dans un bol et mettez celui-ci au-dessus d'une casserole d'eau chaude. Remuez avec une fourchette jusqu'à ce que le chocolat soit fondu (sans bouillir). Plongez les bonbons un par un dans le chocolat avec une pince à sucre et essuyez le surplus contre les parois du bol. Laissez prendre sur du papier ciré.

Fondant au chocolat
PRÉPARATION : *environ 1 heure*

INGRÉDIENTS *(700 g)*
400 g de sucre granulé
250 ml d'eau
1 boîte de lait condensé
125 g de chocolat de ménage semi-sucré, râpé
60 g de raisins secs sans pépins (facultatif)

Mettez le sucre et l'eau dans un faitout de 3 litres et faites dissoudre à feu doux. Portez ensuite à ébullition, ajoutez le lait condensé et laissez bouillir doucement jusqu'à ce que le thermomètre à bonbons indique 115°C. Remuez de temps en temps pour empêcher le mélange d'attacher. Retirez la casserole du feu et ajoutez le chocolat ainsi que les raisins, le cas échéant.

Remuez la préparation avec une cuillère en bois jusqu'à ce qu'elle soit crémeuse et épaisse. Versez-la dans un moule beurré de 14 cm sur 20 cm et de 2,5 cm de haut. Laissez refroidir pendant plusieurs heures, puis coupez le fondant en carrés de 2,5 cm. Enveloppez dans du papier paraffiné.

Bouchées au café et au chocolat
PRÉPARATION : *1 heure*

INGRÉDIENTS *(18 bouchées)*
255 g de chocolat de ménage sucré
4 c. à soupe de café noir fort
4 c. à soupe de beurre
2 jaunes d'œufs
Rhum
Noisettes mondées

Faites fondre 115 g de chocolat. Laissez tiédir, puis versez-en 1 cuillerée à thé dans un petit moule en papier plissé ; appuyez un autre moule sur le premier pour que le chocolat remonte le long des côtés. Faites la même chose dans les autres moules. Laissez reposer une nuit. Le lendemain, retirez les papiers. Faites fondre le reste de chocolat et incorporez-y le café. Attendez que le mélange refroidisse pour le battre avec le beurre ramolli et les jaunes d'œufs ; mettez un peu de rhum et remplissez de cette préparation une poche munie d'une large douille étoilée. Pressez la crème dans les moules en chocolat, couronnez chacun d'eux d'une noisette et laissez prendre.

Banquises à la noix de coco
PRÉPARATION : *30 minutes*

INGRÉDIENTS *(24 à 30 banquises)*
400 g de sucre
250 ml de lait
150 g de noix de coco râpée
Colorant alimentaire rouge

Huilez ou beurrez un plat de 20 cm sur 15 cm. Faites dissoudre le sucre dans le lait à feu doux, portez à ébullition et faites cuire à petits bouillons une dizaine de minutes ou jusqu'à ce que le thermomètre indique 115°C (tenez-le à la hauteur des yeux pour le lire). Retirez la casserole du feu et incorporez-y la noix de coco.

Versez aussitôt la moitié du mélange dans le plat et lissez le dessus. Colorez l'autre partie en rose pâle avec quelques gouttes de colorant alimentaire et recouvrez-en immédiatement la première couche. Laissez prendre à moitié avant d'y tracer des carrés de 2,5 cm avec un couteau. Coupez-les une fois que la préparation est presque froide.

Chocolats fourrés aux dattes
PRÉPARATION : *20 minutes*

INGRÉDIENTS
1 boîte de dattes
Pâte d'amandes crue
115 g de chocolat de ménage sucré
Cerises au marasquin
Noix écalées

Incisez les dattes avec un petit couteau pointu et dénoyautez-les. Remplissez les cavités avec de la pâte d'amandes et refermez les dattes. Faites fondre le chocolat dans un bol au-dessus d'une casserole d'eau chaude et plongez-y les dattes en les retenant entre deux fourchettes. Enrobez-les uniformément et essuyez le surplus contre le bord du bol.

Faites sécher les dattes enrobées sur des feuilles de papier paraffiné. Juste avant que le chocolat ne soit complètement pris, décorez-les avec des moitiés de cerises au marasquin égouttées ou de petits morceaux de noix.

Confiserie

Ananas enrobés de chocolat
PRÉPARATION : 20 minutes

INGRÉDIENTS
225 g de tranches d'ananas en
conserve
170 à 200 g de chocolat de ménage
sucré
Décorations

Egouttez soigneusement les tranches d'ananas et coupez-les en moitiés ou en quarts. Cassez le chocolat et faites-le fondre dans un bol au-dessus d'une casserole d'eau chaude. En les tenant entre deux fourchettes, trempez délicatement les morceaux d'ananas dans le chocolat et enrobez-les.

Faites sécher sur du papier paraffiné et, avant que le chocolat ne soit tout à fait pris, décorez de fleurs ou de perles en sucre.

Caramels croque-nature
PRÉPARATION : 30 minutes

INGRÉDIENTS
6 c. à soupe de beurre
7 c. à soupe de sirop de maïs
125 ml de miel blond
90 g de noix
80 g de dattes dénoyautées

Beurrez et chemisez un plat mesurant 20 cm sur 12,5 cm. Faites fondre le beurre à feu doux dans une grande casserole à fond épais, puis ajoutez le miel et le sirop. Portez à ébullition et faites cuire à petits bouillons, toujours à feu doux, jusqu'à ce que le thermomètre indique 132°C. Pendant ce temps, hachez les dattes et les noix.

Retirez la casserole du feu, mettez-y les dattes et les noix et remuez énergiquement avec une cuillère en bois jusqu'à ce que le mélange soit opaque. Versez dans le moule chemisé et laissez refroidir. Lorsque le caramel est presque pris, coupez-le en carrés de 2 à 2,5 cm avec un couteau enduit de beurre. Attendez 24 heures avant de séparer les carrés ; enveloppez-les alors dans du papier paraffiné. Ces caramels se conservent bien.

Massepain
INGRÉDIENTS
Pâte d'amandes cuite
Colorant alimentaire
Amandes
Sucre granulé
Dattes
Chocolat de ménage sucré
Gingembre confit

Colorez la pâte d'amandes cuite en rose, en vert ou en jaune avec un colorant alimentaire et utilisez-la comme base ou comme garniture pour les sucreries.

Dattes fourrées : Incisez le haut des dattes et dénoyautez-les. Remplissez les cavités de pâte d'amandes nature ou colorée et roulez les dattes dans du sucre granulé ou décorez-les avec des amandes blanchies et effilées.

Massepain au gingembre : Roulez des morceaux de pâte d'amandes en forme de bille, trempez l'un des côtés dans du chocolat fondu et couronnez avec du gingembre confit.

Eclats d'arachides
PRÉPARATION : 1 heure

INGRÉDIENTS
350 g de sucre
155 ml d'eau
175 ml de sirop de maïs
2 c. à thé de glucose en poudre
2 c. à soupe de beurre
50 g d'arachides grillées
½ c. à thé d'extrait de citron
2 c. à thé de bicarbonate de soude

Mettez le sucre, l'eau, le sirop et le glucose dans un grand faitout à fond épais et faites dissoudre à feu doux. Portez à ébullition et laissez bouillir doucement jusqu'à ce que le thermomètre indique 150°C.

Ajoutez le beurre, les arachides chaudes (que vous aurez d'abord mondées) et l'extrait de citron ; laissez chauffer jusqu'à ce que le beurre soit fondu, mais pas plus. Incorporez le bicarbonate de soude (la préparation moussera pendant quelques minutes) et versez rapidement sur une grande plaque à pâtisserie huilée. Une fois que le caramel est froid, cassez-le en éclats. Conservez-le en couches, entre des feuilles de papier paraffiné.

Pastilles à la menthe
PRÉPARATION : 30 minutes

INGRÉDIENTS (25 pastilles)
350 g de sucre à glacer
1 blanc d'œuf
Essence de menthe

Tamisez le sucre dans un bol et mélangez-le avec suffisamment de blanc d'œuf battu pour obtenir une pâte ferme. Ajoutez quelques gouttes d'essence de menthe.

Pétrissez légèrement la pâte du bout des doigts, dans un bol. Roulez-la, entre des feuilles de papier paraffiné, en une abaisse de 6 mm d'épaisseur. Découpez des rondelles de 2,5 cm avec un emporte-pièce et laissez-les sécher pendant environ 24 heures.

Truffes au rhum
PRÉPARATION : 35 minutes
RÉFRIGÉRATION : 1 heure

INGRÉDIENTS (12 truffes)
85 g de chocolat de ménage sucré
1 jaune d'œuf
1 c. à soupe de beurre
1 c. à thé de rhum
1 c. à thé de crème légère
50 g de chocolat en copeaux ou en
paillettes

Faites fondre le chocolat dans un petit bol au-dessus d'une casserole d'eau chaude. Ajoutez le jaune d'œuf, le beurre, le rhum et la crème. Fouettez jusqu'à ce que le mélange épaississe, puis mettez-le au réfrigérateur le temps qu'il raffermisse suffisamment pour que vous puissiez le travailler.

Façonnez 12 boules et roulez-les aussitôt dans du chocolat en paillettes ou en copeaux.

Garnitures

Une garniture bien choisie rehausse la texture, la couleur et la saveur d'un plat. Il est toujours préférable qu'elle soit fraîche et simple. D'autre part, si le plat est nappé d'une sauce, la garniture devrait fournir un indice sur la nature de celle-ci. Par exemple, un plat servi à la véronique — avec une sauce à base de raisins blancs — est toujours décoré de petites grappes de raisin. Le persil et le citron sont des garnitures classiques.

Angélique
Cette herbe est cultivée commercialement pour ses racines et ses tiges. On la trouve dans les épiceries fines et on l'emploie seule ou avec des cerises pour décorer des desserts. Achetez-la en rubans d'un vert brillant et sans trop de sucre. Pour enlever l'excès de sucre, plongez l'angélique un bref moment dans de l'eau chaude ; égouttez et essuyez bien. Vous pouvez la hacher ou la couper en lanières, en losanges ou en forme de feuille.

Aspic
L'aspic s'emploie comme glace, pour maintenir une garniture en place, ou, une fois haché, pour décorer un plat froid. On le prépare avec un bouillon clarifié et réduit ou avec un bouillon additionné de gélatine. Commencez par clarifier 1 litre de bouillon de poulet, de bœuf, de veau ou de poisson, selon le plat qu'il accompagnera.

Dégraissez bien le bouillon froid, puis mettez-le dans une grande casserole avec 3 blancs d'œufs légèrement battus. Battez à feu moyen avec un fouet jusqu'à ce que le mélange commence à mijoter. Retirez du feu et laissez prendre pendant 15 minutes. Les blancs d'œufs monteront à la surface du liquide en formant une épaisse couche mousseuse qui emprisonnera toutes les impuretés du bouillon.

Chemisez une passoire avec quatre morceaux de gaze passés à l'eau froide et essorés. Poussez délicatement la croûte d'œufs de côté et, en vous servant d'une louche, versez le bouillon dans la passoire et laissez-le égoutter. Lorsque tout le bouillon a été passé et qu'il est bien

clair, faites ramollir 2 sachets (2 c. à soupe) de gélatine non parfumée dans 50 ml de sherry sec. Incorporez-la au bouillon encore chaud et remuez jusqu'à ce qu'elle soit dissoute. Si vous voulez utiliser l'aspic comme glace, placez la casserole dans un bac de glace et remuez l'aspic jusqu'à ce qu'il ressemble à du blanc d'œuf ; placez la préparation à glacer sur une grille, elle-même déposée sur une assiette ou un plateau. Versez l'aspic à la cuillère jusqu'à ce qu'il adhère en une couche lisse. Laissez prendre et recommencez si besoin est. Décorez de brins d'estragon ou de rondelles de carotte, d'olive ou de truffe, par exemple, que vous aurez trempés dans l'aspic froid mais liquide avant de les appliquer avec la pointe d'un couteau. Une fois que les décorations sont prises, glacez-les avec l'aspic. Pour hacher celui-ci, démoulez-le sur du papier paraffiné humecté et coupez-le en dés.

Carottes tournées

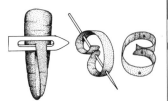

Décorez des sandwichs avec des lamelles de carotte recourbées. Nettoyez et grattez les carottes, puis, avec un couteau-éplucheur, prélevez de longues lamelles. Enroulez-les, maintenez-les en place avec des bâtonnets à cocktail et mettez-les dans de l'eau froide pour qu'elles conservent leur forme.

Céleri (pompons)

Les garnitures comestibles sont servies avec des trempettes. Lavez les côtes de céleri, coupez-les en tronçons de 5 cm et tranchez ceux-ci presque complètement, à intervalles rapprochés, dans le sens de la longueur. Mettez les pompons dans l'eau froide pour qu'ils frisent.

Cerises confites

Lavez-les à l'eau chaude pour les débarrasser du sirop, puis essuyez-les avant de les utiliser entières, coupées en deux ou hachées.

Champignons

Les champignons cannelés accompagnent les grillades. Choisissez de gros champignons de couche, essuyez-les avec un linge humide et coupez le pied au ras du chapeau. Avec un couteau tranchant, faites une série d'entailles espacées de 6 mm en suivant la courbe naturelle du chapeau et en procédant du sommet vers la base. Retirez une étroite lamelle le long de chaque entaille. Faites sauter les champignons dans un peu de beurre arrosé de jus de citron pour les empêcher de noircir.

Chocolat

Le chocolat s'emploie beaucoup dans la décoration des desserts froids et des gâteaux. Une fois moulé, il se conserve environ une semaine dans une boîte métallique étanche à l'air placée au frais.

Carrés Faites fondre lentement du chocolat semi-sucré dans un petit bol placé au-dessus d'une casserole d'eau chaude. Chemisez une plaque à pâtisserie avec du papier paraffiné. Versez-y le chocolat fondu en un mince filet et étendez-le en une couche fine et lisse avec une spatule en métal. Laissez-le refroidir et, quand il est ferme, coupez-le en carrés avec un couteau dont vous aurez chauffé la lame. Otez délicatement le papier des carrés.
Feuilles Faites fondre le chocolat de la même façon que pour les carrés. Pendant qu'il est sur le feu, lavez et essuyez de petites feuilles de rose. Couvrez-en le dessous de chocolat en les tenant avec des pinces à sucre et laissez-les sécher à l'envers. Quand le chocolat aura pris, vous retirerez les feuilles délicatement.

Citron et orange (spirales)

Les spirales d'agrumes sont utilisées pour décorer des boissons servies dans de grands verres ainsi que des desserts à surface lisse, comme le gâteau au fromage. Avec un couteau-éplucheur, pelez l'agrume en une spirale ininterrompue sans prélever la membrane blanche. Suspendez-la au bord du verre.

Concombre

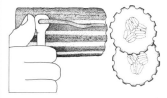

Les tranches de concombre constituent la garniture classique des mousses et des terrines froides. Par contre, ces plats sont beaucoup moins souvent décorés de rondelles dentelées. Essuyez un concombre et, au lieu de le peler, entaillez-le sur toute sa longueur avec une fourchette ou un couteau à zeste, de telle sorte que vous trancherez des rondelles au contour dentelé. Salez légèrement celles-ci avant de les disposer sur le plat.

Cornichons (éventails)

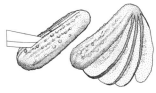

Egouttez soigneusement de petits cornichons à cocktail et coupez-les presque complètement en trois ou quatre tranches dans le sens de la longueur. Ecartez délicatement les tranches en éventail.

Crème Chantilly

Décorez des desserts avec cette crème en utilisant une cuillère ou une poche à douille en rosette. Fouettez 250 ml de crème épaisse à peine sortie du réfrigérateur dans un bol également froid. Utilisez un batteur à œufs. Quand la crème a épaissi, incorporez-y 3-4 cuillerées à thé de sucre et quelques gouttes d'extrait de vanille, puis continuez de fouetter lentement jusqu'à ce que la crème soit ferme. Comme la crème fouettée épaissit sous l'effet de la pression exercée sur elle pour la faire glisser le long de la douille, faites-la légère et mousseuse.

Cresson

Tout comme le persil, le cresson est utilisé pour décorer les plats de viande, de volaille ou de poisson. Coupez les tiges et lavez les feuilles. Secouez-les pour les égoutter. Otez les feuilles fanées ou jaunies et disposez le cresson en petits bouquets dont vous garnirez le plat au moment de servir. Les bouquets de cresson lavés se gardent une journée au réfrigérateur si on les met dans un sac en plastique.

Menthe

Les feuilles de menthe passées dans le sucre sont délicieuses lorsqu'on les sert en été avec des fruits frais. Triez de simples feuilles ou des brins de menthe, badigeonnez-les légèrement de blanc d'œuf et saupoudrez-les de sucre très fin. Laissez sécher et utilisez le même jour.

Noix

Les amandes et les noix se vendent entières, en moitiés, hachées, tranchées et effilées. Nature ou grillées, elles permettent de décorer en un rien de temps des gâteaux et des soufflés sucrés. Les amandes entières, mondées ou non, s'emploient telles quelles, fendues en deux, effilées ou hachées. Si vous voulez les effiler, commencez par les blanchir 2-3 minutes, pelez-les et coupez-les en fins bâtonnets pendant qu'elles sont encore tendres. Pour les griller, étalez-les dans un plat et faites-les dorer au gril.

Il faut toujours blanchir les pistaches pour pouvoir les peler. Plongez-les 5 minutes dans de l'eau bouillante additionnée d'une pincée de bicarbonate de soude, ce qui fera aussi ressortir leur couleur verte. Jetez l'eau chaude et remplacez-la par de l'eau froide. Mondez les pistaches en les pinçant entre votre pouce et votre index.

Pour pouvoir monter les noisettes, il faut d'abord les faire griller. Etalez des noisettes écalées en une seule couche dans un plat et passez-les sous le gril jusqu'à ce qu'elles commencent à prendre couleur et que les peaux soient sèches. Laissez tiédir et secouez-les dans un sac pour que, sous l'effet du frottement, les peaux se détachent.

Œufs

On utilise les œufs durs, tranchés ou émiettés, pour décorer des plats en casserole, des jardinières et des salades. Coupez les œufs en quartiers ou tranchez-les en travers avec un couteau tranchant, en prenant soin de ne pas émietter le jaune.

Pain (chapelure)

La chapelure au beurre est la garniture par excellence pour le gibier et les gratins. Mettez plusieurs tranches de pain à la fois dans le récipient du mixer et réduisez-les rapidement en miettes. Faites fondre 2 cuillerées à soupe de beurre dans une poêle, incorporez-y 200 g de chapelure de pain blanc et faites revenir à feu modéré jusqu'à ce que les miettes soient uniformément dorées.

Pain (triangles)

Coupez des tranches de pain blanc de 1,5 cm d'épaisseur et ôtez les croûtes. Faites quatre triangles de chaque tranche, trempez-les dans de l'œuf battu avec 1-2 cuillerées à soupe de lait, passez-les ensuite dans de la chapelure fraîche et plongez-les dans un bain de friture jusqu'à ce qu'ils soient dorés et croustillants. Egouttez.

Persil

Qu'il soit en brins ou haché, le persil est la plus utile et la plus polyvalente de toutes les garnitures. Lavez le persil, égouttez-le en le secouant et coupez une partie des tiges. Mettez le persil dans un bocal rempli d'eau jusqu'à hauteur des feuilles ou dans un sac en plastique lié sous les feuilles. Il restera vert et croquant pendant plusieurs jours. Changez quotidiennement l'eau du bocal.

Parsemez votre plat de persil haché ou servez-vous-en pour dessiner des motifs de votre choix. On peut toujours hacher du persil avec une paire de ciseaux, mais il sera alors moins fin qu'au couteau.

Pour hacher une grande quantité de persil, coupez d'abord les queues et réunissez les feuilles sur un hachoir. Utilisez un couteau tranchant à lame droite dont vous tiendrez fermement le manche d'une main, tandis que, de l'autre, vous appuierez sur la pointe de la lame. Levez et abaissez le manche en un mouvement régulier et hachez progressivement le persil à la grosseur désirée. Une autre méthode consiste à maintenir d'une main les feuilles de persil réunies en botte sur le hachoir et à les hacher avec le couteau, en reculant vos doigts au fur et à mesure pour dégager le persil. On trouve sur le marché de petits bols en bois équipés de couteaux à lame recourbée qui servent à hacher le persil, les fines herbes, les échalotes et l'ail. Pour que le persil haché reste bien vert, enveloppez-le d'un morceau de gaze, attachez sans trop serrer et passez le sac sous l'eau froide pendant quelques minutes. Tordez la gaze pour essorer le persil, puis mettez-le dans un bol. Le persil

Garnitures

haché se garde un jour ou deux au réfrigérateur, dans un récipient fermé.

Le persil frit décore bien du poisson poêlé. Calculez quatre brins par personne et coupez les tiges. Séchez-le ; amenez de l'huile à environ 190°C et immergez-y le persil placé dans le panier à friture. Retirez-le dès que le grésillement aura cessé.

Radis (roses et accordéons)

On utilise les radis pour décorer des entrées, des canapés, des hors-d'œuvre et des salades. Entaillez un radis à six ou huit reprises de la base jusqu'au pédoncule et plongez-le dans de l'eau glacée pour qu'il s'ouvre en fleur. Entaillez les longs radis dans le sens de la longueur à intervalles réguliers afin qu'ils s'ouvrent en accordéon.

Raisins

On emploie les raisins glacés, détachés ou en petites grappes, pour décorer des mousses sucrées, des soufflés aux fruits, des crèmes glacées ou encore servis dans des coupes. Badigeonnez des grappes ou des grains de raisin de blanc d'œuf légèrement battu et saupoudrez-les de sucre granulé ou à glacer. Laissez sécher sur une grille.

Sucre filé

C'est ainsi que sont décorées les tartes autrichiennes. Portez à ébullition 400 g de sucre et 250 ml d'eau. Laissez bouillir jusqu'à ce que le sirop atteigne 155°C. Retirez la casserole du feu et incorporez-y une pincée de crème de tartre. En refroidissant, le sirop forme des fils minces lorsqu'on le fait couler d'une cuillère en bois. Tenez une cuillère huilée horizontalement et enroulez les filets de sucre autour du manche.

Tomates

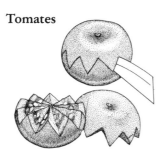

Vous pouvez farcir des tomates dentelées ou les utiliser en moitiés pour décorer des salades, des sandwichs ainsi que de la viande et du poisson poêlés ou grillés. Choisissez des tomates fermes et de même grosseur. En vous servant d'un petit couteau tranchant, faites une série d'entailles en V tout autour des tomates. Séparez délicatement les moitiés. Vous pouvez procéder de la même façon avec des oranges, des pamplemousses et des melons.

Torsades et papillons

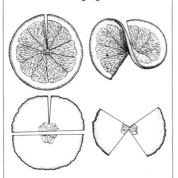

Tomates, concombres, betteraves, oranges et citrons décorent joliment bon nombre de plats sucrés ou salés. Commencez par émincer le fruit ou le légume ; pour les torsades, coupez chaque tranche jusqu'au centre, puis tordez-en les moitiés en sens contraire. Dans le cas des papillons, faites deux profondes incisions en V, les pointes se rencontrant près du centre de chaque rondelle. Supprimez les deux triangles de façon à former des papillons.

Le vin à table

Les règles qui président à la conservation, au service et à la dégustation du vin sont nées de l'expérience des connaisseurs qui ont découvert comment le traiter et quand le servir, afin que le plaisir de le boire soit total.

Le vin résulte de la fermentation du jus de raisin extrait des grappes par foulage. Durant la fermentation, le sucre du raisin se change en alcool et le moût est vinifié.

Les deux grandes catégories de vins sont les vins de table et les spiritueux. Les premiers se prennent au cours d'un repas, tandis que les seconds, auxquels on a ajouté un alcool, habituellement du cognac, se divisent entre les apéritifs et les vins de dessert comme le porto.

Le vin de table est rouge, blanc ou rosé. Sa couleur dépend du mode de fermentation. Pour le vin rouge, le moût fermente avec les pellicules du raisin ; le rosé est fabriqué de la même façon, à cette différence près que le moût est tiré après un bref laps de temps et qu'on le met ensuite à fermenter sans les pellicules. Le vin blanc est produit avec du raisin blanc ou rouge et s'il est presque incolore, c'est parce que le moût est vinifié seul.

En ce qui a trait au goût, on distingue entre le vin sec et le vin doux ; plus le vin est sec, moins la teneur en sucre est élevée.

Les étiquettes donnent le nom du vin, indiquent son origine et précisent généralement s'il est sec ou doux. Dans le cas des grands crus, elles comportent souvent le nom de la commune et du vignoble où le vin a vieilli, ainsi que l'année de la vendange.

Achat du vin

La plupart des vins qu'on trouve sur le marché sont importés de France, d'Allemagne, d'Italie et, dans une moindre mesure, d'Espagne, du Portugal, de Hongrie, de Suisse et de Grèce. Toutefois, les vins américains de Californie et certains vins canadiens de l'Ontario et de la Colombie-Britannique deviennent de plus en plus prisés.

Il est souvent difficile de se retrouver parmi tous les vins offerts, car le prix d'un vin dépend de sa qualité, mais d'autres facteurs entrent également en ligne de compte. Par exemple, les vins embouteillés dans les grands vignobles où ils ont été produits sont parmi les plus chers.

Il existe de nombreux livres qui permettent d'en apprendre davantage sur les vins, et il est toujours possible de participer à des séances de dégustation ou de suivre des cours en ce domaine. On peut enfin se renseigner auprès des préposés dans les magasins de la Société des alcools du Québec sur les divers produits disponibles et les prix en vigueur.

Conservation et service du vin

Le vin doit se garder dans un endroit sombre et sec, un cellier par exemple, où la température se maintient entre 10° et 15°C. Les vins de table se conservent couchés, pour que le bouchon reste humide. S'il séchait, des aérobies pourraient pénétrer dans le vin et le gâter. Comme l'air n'a pas le même effet sur les spiritueux, ceux-ci peuvent être rangés debout.

Sortez le vin rouge du cellier suffisamment longtemps avant de le servir pour pouvoir le chambrer. Un vin jeune et fruité comme un beaujolais ou un Manor St. David canadien peut être servi légèrement frais.

Laissez toujours le vin rouge respirer avant de le servir : son bouquet et son goût pourront alors se développer pleinement. Ainsi, la plupart des jeunes vins corsés gagnent à être débouchés quelques heures avant le repas ; pour les vins plus âgés, une heure environ avant de les déguster suffit.

Il arrive que les vieux vins rouges déposent au fond de leur bouteille un sédiment qu'on appelle la lie. Si ce sédiment n'altère en rien la qualité de ces vins, il faut toutefois les décanter, car ils se brouilleraient au cours du service. Pour ce faire, on transvase le vin avec précaution en utilisant un entonnoir et en laissant la lie dans le fond de la bouteille. On a rarement besoin de décanter un vin blanc, car le dépôt qui se forme dans ce cas est incolore et sans goût.

Le vin blanc se sert toujours frappé, mais s'il est fin et vieux, on a avantage à ne pas trop le laisser refroidir. La meilleure façon de rafraîchir un vin blanc consiste à le plonger dans un seau rempli de glace et d'eau. Vous pouvez également laisser la bouteille dans le réfrigérateur pendant 1 heure environ avant de servir.

Dégustation du vin

Servez le vin dans des coupes sur pied qui mettront en valeur sa robe et sa clarté. Pour pouvoir mieux humer son bouquet, ne remplissez les verres qu'à moitié ou aux deux tiers, surtout dans le cas des vins rouges. Faites délicatement tourner le vin dans votre main pour que son bouquet se dégage. Pour goûter un vin blanc, tenez le verre par le pied et non par la coupe, ce qui réchaufferait inutilement. Après avoir aspiré la première gorgée, gardez-la quelques secondes dans la bouche avant de l'avaler.

Quel vin servir

Un repas est toujours meilleur avec du vin. S'il s'agit d'un repas sans cérémonie, on peut se contenter d'un seul cépage. Il faut alors le choisir avec soin pour qu'il puisse bien accompagner tous les plats.

Pour les grandes occasions, alors que chaque service voit apparaître un nouveau vin, il faut respecter un ordre de préséance. Un vin blanc précède un vin rouge, exception faite des vins de dessert sucrés ; un vin sec se sert avant un vin doux ; et un vin jeune précède un vin vieux.

Un sherry ou un madère se servent très bien avec le potage. Pour le poisson, un vin blanc sec ou demi-sec est de règle, tels le muscadet, le riesling alsacien, le moselle allemand, un pinot Chardonnay ou un sauvignon blanc américains. On peut aussi opter pour d'autres vins français comme le vouvray, le graves ou des bourgognes, par exemple, un meursault, un chassagne-montrachet, un chablis ou un pouilly-fuissé.

La volaille s'accompagne d'un vin rouge léger ou parfois d'un vin blanc. Par exemple, une salade au poulet se marie très bien avec un vinho verde portugais, un riesling ou un chenin blanc.

Avec de l'agneau, servez un bordeaux rouge ou un beaujolais ; et, avec un rôti de veau, choisissez entre un rioja espagnol, un valpolicella italien, ou entre des vins canadiens, le moulin mouton ou le villard noir. Un vin très corsé est excellent avec du canard. Le meilleur vin, pour accompagner le porc, est un blanc fruité alsacien, allemand ou ontarien. Pour le bœuf braisé ou le pâté en croûte aux rognons et au steak, il faut carrément opter pour des vins français robustes comme un beaune, un pommard ou un gevrey-chambertin ; un barbera ou un petite sirah de Californie se laissent également boire avec plaisir.

Quoique les plats épicés masquent facilement le goût du vin, on peut tout de même les arroser d'un bon sherry sec, d'un madère ou d'un vin alsacien comme le gewürztraminer à la saveur à la fois douce et épicée et au bouquet séduisant.

La bière devrait remplacer le vin pour les plats indiens ou mexicains, tandis que le thé est généralement tenu pour ce qui convient le mieux avec des mets chinois.

Pour le dessert, choisissez des vins un peu plus lourds et plus sucrés : un bon barsac (parmi les bordeaux), un seibel ou un chanté canadien ; vous pouvez aussi opter pour un vin doux et pétillant de France ou d'Italie. Si des fromages précèdent le dessert, accompagnez-les de l'un ou l'autre des vins rouges servis durant le repas.

Cuisiner au vin

C'est la saveur d'un vin, et non sa teneur en alcool, qui enrichit un plat. L'alcool, en effet, s'évapore durant la cuisson.

Ne noyez jamais un plat dans le vin ; il est toujours mauvais d'avoir la main lourde. Si vous apprêtez du poisson, du veau, du poulet ou des ris, employez un vin blanc léger et sec. Les viandes rouges se cuisinent au vin rouge. Enfin, le vin rouge est préférable au blanc pour les plats de poisson et de volaille comme la matelote et le coq au vin.

Outre le fait qu'il rehausse la saveur d'un mets, le vin le rend plus tendre et plus juteux. Quand on fait mariner du poisson dans du vin blanc ou de la viande dans du vin rouge, on en améliore autant la texture que le goût. Le poisson n'a pas besoin de mariner plus d'une heure, alors qu'il faut parfois compter quatre jours pour les viandes sèches comme le bœuf et le gibier. Une bonne marinade se compose d'une part d'huile d'olive pour trois parts de vin rouge sec ou de vin blanc, avec un bouquet garni, un oignon râpé et de l'ail.

Conservez le vin qui reste d'un repas pour l'utiliser dans un plat ou une marinade. Versez-le dans une petite bouteille et bouchez-le pour le protéger de l'air ; le vin blanc se conserve de la même façon au réfrigérateur. Si vous n'avez pas de reste de vin, cuisinez avec l'un des vins qui accompagneront le plat.

Les spiritueux et les vins de dessert comme le madère, le marsala, le porto, le sherry et le vermouth donnent du cachet aux plats les plus simples. Le marsala s'emploie dans le sabayon et le sherry pour préparer un homard à la Newburg.

Le vin n'est pas la seule boisson alcoolisée qu'on peut utiliser en cuisine. La bière et le cidre sec conviennent également, quoique leur emploi soit plus limité. En plus de permettre la préparation d'une bonne marinade, la bière est un élément essentiel de certains mets classiques comme la fondue au fromage sur canapé et la carbonnade à la flamande.

On utilise toutes les eaux-de-vie, comme le brandy, le cognac, le whisky ou le gin, pour flamber des plats au temps de cuisson réduit.

Faites d'abord réchauffer légèrement l'alcool dans une louche, enflammez-le avec une allumette et versez-le aussitôt sur le plat chaud.

Les eaux-de-vie s'emploient également pour parfumer des desserts. Par exemple, on peut faire flamber des crêpes avec un brandy à l'abricot ou arroser des pommes au four de calvados. La framboise se verse sur les fruits du même nom et l'ananas macéré dans du kirsch donne un délicieux dessert.

Apéritifs et digestifs

Un apéritif servi avant le repas stimule l'appétit, sans toutefois engourdir le goût.

Un sherry léger et sec, comme le fino ou la manzanilla, constitue un excellent apéritif. Rafraîchissez-le légèrement avant de servir, mais prenez garde de ne pas trop le refroidir, ce qui pourrait détruire son bouquet.

Un autre apéritif bien connu est le vermouth doux ou sec ; il s'agit d'une base de vin blanc aromatisé avec des herbes et de l'absinthe.

On peut servir du champagne au début d'un repas. Toutefois, étant donné son prix, on peut le remplacer par un vin pétillant sec, un rosé ou un vin blanc très frais. Le vin blanc cassis, qui est un vin blanc sec aromatisé avec de la liqueur ou du sirop de cassis, est lui aussi un excellent apéritif.

L'une des meilleures façons de terminer un repas arrosé de vins fins consiste à servir un bon verre rafraîchissant d'eau minérale. Cela dit, la variété des digestifs et spiritueux, qui comprennent brandies, liqueurs et eaux-de-vie, est infinie.

Réceptions

Le rafraîchissement idéal, lorsqu'on donne une réception, est un bon punch ; on peut le préparer en grande quantité, le servir chaud ou froid, y mélanger des alcools et des jus de fruits. Le punch relevé et le punch Négus conviennent particulièrement bien en hiver, alors que la sangria et la coupe de fruits sont dégustées avec plaisir durant l'été.

Punch relevé
INGRÉDIENTS
2 citrons
Cannelle
Muscade
Clous de girofle
Macis
6 c. à soupe de sucre
1 mesure de rhum ou de brandy

Zestez les citrons. Versez 250 ml d'eau dans une casserole avec le zeste, la cannelle, la muscade, les clous de girofle, le macis et le sucre. Portez à ébullition et laissez mijoter. Passez le mélange au-dessus d'un bol à punch réchauffé. Ajoutez le jus du citron et le rhum ou le brandy. Servez aussitôt.

Punch Négus
Ce punch a été ainsi nommé en l'honneur du colonel Negus, un célèbre contemporain de la reine Anne, qui aimait bien mettre du sucre dans ses vins.

INGRÉDIENTS
500 ml de porto
12 cubes de sucre
1 citron
1 pincée de muscade

Versez le porto dans un bol. Frottez les cubes de sucre contre le zeste du citron et déposez-les dans le porto. Ajoutez la muscade et le jus du citron, ainsi que 1 litre d'eau bouillante et servez.

Sangria
Ce fameux punch espagnol, d'un rouge intense, est garni de fruits. Après avoir mis des cubes de glace dans le bol, on laisse la sangria refroidir et se diluer. Mettez d'abord le bol au froid.

INGRÉDIENTS
1 litre de vin rouge espagnol
1 litre de soda nature
Tranches d'orange et de citron
Sirop de sucre

Mélangez le vin, le soda et les fruits dans un bol ou dans un pichet en verre et sucrez, au goût, avec le sirop. Faites refroidir la sangria en incorporant des glaçons et servez-la dans des verres à vin.

Coupe de fruits
Vous pouvez, pour préparer cette boisson estivale, utiliser tous les fruits dont vous avez envie, telles les cerises, les pêches, les prunes, les framboises ou les fraises.

INGRÉDIENTS
Fruits frais
60 g de sucre
175 ml de brandy
1 bouteille de vin blanc
Eau gazeuse

Lavez et tranchez les fruits. Mettez-les dans un bol avec le sucre et le brandy. Réservez pendant une journée. Ajoutez le vin blanc froid que vous pourrez diluer avec de l'eau gazeuse et servez.

Punch au champagne
INGRÉDIENTS
2 bouteilles de champagne
1 bouteille de vin blanc sec
1 grosse bouteille d'eau gazeuse
250 ml de brandy
Sirop de sucre (facultatif)
150 g de fraises
1 citron
Menthe fraîche

Versez le liquide sur un gros morceau de glace dans un bol. Sucrez avec le sirop si vous le désirez.

Lavez et parez les fraises ; tranchez-les en deux dans le sens de la longueur. Lavez, émincez et épépinez le citron. Mettez les fruits dans le bol et décorez avec de la menthe fraîche.

Index

Glossaire

A

Abaisser. Etaler une pâte à l'aide d'un rouleau à pâtisserie, en une couche plus ou moins épaisse dite « abaisse ».

Affinage. Maturation des fromages dans les caves.

Aigre-douce. Préparation obtenue à partir d'un mélange de vinaigre ou de cornichons et de sucre ou de miel.

Aiguillette. Filet mince prélevé sur le blanc d'une volaille.

Al dente. Se dit d'une cuisson courte, dans laquelle l'aliment reste un peu ferme : on cuit *al dente* des pâtes ou du riz.

Aneth. Ombellifère proche du fenouil utilisée pour parfumer des poissons crus (saumon), des terrines et les cornichons à la russe.

Appareil. Mélange des divers ingrédients d'une préparation.

Aromates. Herbes odoriférantes, employées en cuisine.

Aspic. Préparation froide entourée de gelée et moulée.

B

Bain-marie. Casserole d'eau bouillante, dans laquelle on place une casserole plus petite, contenant la préparation à cuire ou à chauffer. Ce mode de cuisson est utilisé pour cuire doucement, tenir au chaud ou réchauffer.

Barder. Envelopper une viande ou une volaille d'une tranche fine de lard gras, la barde, pour la protéger.

Beurre manié. Mélange de farine et de beurre (75 g de beurre pour 100 g de farine) destiné à former une liaison pour des sauces.

Blanc. Court-bouillon additionné de vinaigre et de farine, utilisé pour cuire certains légumes et les abats.

Blanchir. Plonger certains aliments quelques minutes dans l'eau bouillante salée sans les faire cuire.

Bleu. Mode de cuisson de certains poissons qui consiste à les plonger vivants dans l'eau bouillante.

Blondir. Faire légèrement colorer des aliments dans un peu de matière grasse.

Bouquet garni. Petit bouquet composé de laurier, de thym et de persil liés ensemble.

Braiser. Cuire des aliments à feu doux et à couvert, avec un peu de liquide.

Brider. Attacher les pattes et les ailes d'une volaille avec une aiguille à brider et du fil de cuisine afin de les maintenir pendant la cuisson.

Brunoise. Mélange de légumes coupés en tout petits dés.

C

Canapé. Tranche de pain, frite ou grillée, que l'on recouvre de diverses préparations.

Caraméliser. Faire cuire du sucre dans un récipient avec très peu d'eau pour obtenir un sirop épais et plus ou moins coloré.

Chapelure. Pain rassis, grillé ou séché, et émietté finement.

Charlotte. Dessert fait dans un moule rond avec des doigts de dame ou du pain de mie et une crème ou des fruits.

Chartreuse. Présentation d'un gibier à plume cuit avec des choux.

Cheminée. Petit tuyau de papier inséré dans un orifice ménagé dans une pâte pour laisser échapper les vapeurs de cuisson.

Chemiser. Tapisser de papier ou de gelée le fond et les bords d'un moule.

Chiffonnade. Mélange de laitue, d'oseille et de cerfeuil, émincés et fondus au beurre. Feuilles de salade émincées.

Chinois. Passoire conique très fine.

Chiqueter. Entailler légèrement les bords d'un gâteau.

Ciseler. Couper très finement des fines herbes ou de la salade à l'aide de ciseaux.

Civet. Ragoût de gibier ou de porc cuit avec du vin rouge et des oignons, dont la sauce est liée avec le sang de l'animal.

Clarifier. Rendre clair un bouillon ou une gelée, en le filtrant, en le faisant fondre ou en ajoutant un blanc d'œuf, par exemple.

Concasser. Couper grossièrement.

Coulis. Purée assez liquide de légumes cuits ou de fruits (crus ou cuits).

Court-bouillon. Liquide aromatisé, utilisé pour faire pocher poissons, crustacés et abats.

Crème sure. Elément indispensable de la cuisine russe et de la cuisine hongroise. On peut la remplacer par de la crème fraîche à laquelle on aura ajouté du jus de citron.

Crépine. Membrane de porc très fine servant à envelopper certaines préparations.

Cuire à blanc. Cuire en partie ou complètement un fond de tarte avant d'y mettre une garniture.

D

Darne. Tranche de gros poisson comme le saumon ou le flétan.

Décanter. Transvaser un liquide d'un récipient dans un autre, pour éliminer un dépôt.

Décoction. Cuisson par ébullition dans un liquide de substances dont on veut extraire les principes solubles.

Déglacer. Mouiller à l'aide d'un liquide, pour dissoudre les sucs de cuisson, un récipient dans lequel a cuit une viande.

Dégorger. Faire tremper dans l'eau froide une viande, des abats ou un poisson pour les débarrasser de leur sang ou de leurs impuretés. Saupoudrer de sel un légume pour en éliminer l'eau de végétation.

Dégraisser. Oter la fine pellicule de graisse à la surface d'une sauce ou d'un bouillon refroidi.

Détrempe. Mélange d'eau et de farine, première étape de la pâte feuilletée.

Dorer. Badigeonner la surface d'une pâte à l'aide d'un pinceau trempé dans de l'œuf battu.

Douille. Petit ustensile conique placé au bout d'une poche en toile et utilisé en pâtisserie. L'embouchure des douilles peut être unie ou cannelée.

Dresser. Disposer une préparation culinaire sur un plat de service.

Duxelles. Hachis très fin de champignons cuits au beurre.

E

Ebarber. Enlever les nageoires d'un poisson à l'aide d'une paire de ciseaux.

Ecaler. Enlever l'écorce des noix, noisettes ou amandes, ou la coquille d'un œuf dur.

Echauder. Plonger un aliment dans l'eau bouillante pour en faciliter l'épluchage. Verser de l'eau bouillante dans un récipient (théière, cafetière) pour le réchauffer avant d'y verser un liquide.

Ecumer. Retirer l'écume d'une sauce ou d'un pot-au-feu.

Emincer. Découper en fines lamelles des oignons, des champignons, etc. Voir aussi **Escaloper.**

Escaloper. Détailler en tranches fines de la viande, du poisson, des noix de coquilles Saint-Jacques, etc.

Etamine. Tissu très fin utilisé pour passer les sauces.

Etendre. Allonger d'eau, de lait ou de bouillon toute préparation liquide.

Etouffée. Cuisson très douce dans un récipient hermétiquement clos, sans évaporation.

Etuver. Faire cuire à feu doux et à couvert, avec parfois un corps gras.

F

Faisander. Laisser le gibier ou d'autres viandes se décomposer légèrement pour obtenir leur attendrissement et un goût spécial.

Farine assaisonnée. Farine assaisonnée de sel et de poivre dans les proportions suivantes : 1 cuillerée à thé de sel et 2 pincées de poivre noir ou ½ cuillerée à thé de paprika pour 100 à 120 g de farine.

Flamber. Verser un alcool sur un plat, puis y mettre le feu. Passer une volaille ou un gibier à la flamme pour faire brûler le duvet ou les poils.

Foncer. Tapisser un moule ou un plat avec de la pâte ou une barde.

Fond. Mouillement gras ou maigre qui sert de base à diverses sauces.

Fontaine (faire une). Ménager un creux dans de la farine pour y mettre différents ingrédients (œufs, beurre, eau) nécessaires à la confection d'une pâte.

E

Fraiser. Travailler une pâte avec la paume de la main.

Frémir. Se dit d'un liquide qui frissonne très légèrement, juste avant l'ébullition.

Frire. Cuire dans un bain de matière grasse bouillante.

Fumet. Bouillon concentré, parce qu'on l'a laissé réduire, à base de poisson, de viande, de légumes, etc., qui sert à parfumer ou à corser des sauces.

G

Garniture. Ensemble des éléments qui accompagnent et complètent une préparation.

Gelée. Liquide de cuisson qui se solidifie en refroidissant.

Glace. Liquide épais et très concentré obtenu par évaporation d'un bouillon concentré et utilisé pour préparer des sauces, des potages et des gelées. Entremets glacé.

Glacer. Obtenir une surface brillante en étendant une préparation sur de la viande ou un gâteau.

Gratiner. Passer un plat au four pour qu'il se forme une légère croûte en surface.

H

Habiller. Préparer les aliments avant leur cuisson.

Harissa. Condiment d'Afrique du Nord fait de piments rouges forts, égrenés et pilés avec du gros sel, auxquels on ajoute de la pulpe de poivron ou du cumin et de l'ail.

I

Inciser. Pratiquer des entailles sur un poisson épais destiné à être grillé, frit ou cuit au four pour en faciliter la cuisson.

Infuser. Mettre une plante dans un liquide bouillant et laisser reposer quelques instants hors du feu.

J-K

Jardinière. Légumes cuits séparément, dressés en bouquets séparés et utilisés pour accompagner viandes et volailles.

Julienne. Mélange de différents légumes coupés en fins bâtonnets.